Kunst in Deutschland

Robert Suckale

Kunst in Deutschland

Von Karl dem Großen bis Heute

Für Jenny und Jakob
sowie für Gabriele Dräger und Jürgen Rose,
die sich dieses Buch gewünscht haben

Die Deutsche Bibliothek - CIP-Einheitsaufnahme

Suckale, Robert:
Kunst in Deutschland: von Karl dem Großen bis Heute / Robert Suckale.-
Orig.-Ausg.-Köln: DuMont, 1998
(monte von DuMont)
ISBN 3-7701-4714-6

Originalausgabe

Redaktion: Anita Brockmann
Herstellung: Peter Kainrath
Umschlaggestaltung: Groothuis & Malsy, Bremen
Reproduktion: Media Cologne, Köln
Druck und buchbinderische Verarbeitung: Neue Stalling, Oldenburg

Printed in Germany ISBN 3-7701-4714-6

Inhalt

Einleitung

Deutschland und Europa

Die Vorstellung, die deutsche Nation sei die Vereinigung des deutsch sprechenden Volkes in einem einzigen gemeinsamen Staat, ist kaum 200 Jahre alt. Sie ist eine Idee des sich in der Romantik herausbildenden Nationalismus. Vorher hätte man in Mitteleuropa eher von Bayern, Brandenburgern, Österreichern oder Sachsen gesprochen, die gemeinsam mit Böhmen, Schlesiern und anderen Völkern das Heilige Römische Reich Deutscher Nation bildeten. Diesem Länder- und Stammespartikularismus setzten die Romantiker die Berufung auf die Germanen als gemeinsame Vorfahren entgegen – mit der absurden Folge, daß auch die englischen, niederländischen und skandinavischen Völker vereinnahmt, romanische und slawische, die bis dahin in Teilen in das Reich integriert waren, hingegen ausgegrenzt wurden.

Schon die Vorstellung von der Geschlossenheit des ›Volkes‹ ist fragwürdig, denn alle Völker Europas sind Ergebnis von Prozessen der Vermischung und Assimilierung, mit allmählich wachsendem Druck, sich sprachlich sowie kulturell zu vereinheitlichen und von den Nachbarn abzugrenzen. Ebenso fragwürdig ist die gern angeführte Identität von Volk, Sprache und Nation, denn dann dürfte es beispielsweise die Schweiz oder Belgien nicht geben.

Und doch sind Sache und Begriff ›Nation‹ nicht einfach Fiktion, sondern historische Realität – zumindest sind sie es in unserer Epoche geworden. ›Deutschland‹ im Sinne des modernen Nationenbegriffs kann sich erst das 1871 gegründete Deutsche Reich nennen. Es stand aber auch vor dem Problem, ob Österreich auszugrenzen oder einzubeziehen sei. Zu einer Einigung kam es nicht. Auch viele Österreicher verstanden – und verstehen sich immer noch – als Deutsche, aber in einem eigenen Land – eine eindeutige Definition von ›Deutschland‹ gibt es also nicht und kann es folglich wohl auch gar nicht geben.

Dieses Gebilde ›Deutschland‹ kann nur begreifen, wer es als Abkömmling und Haupterben des Heiligen Römischen Reiches erkennt, das mit verschiedenen Verfassungen von 800 bis 1806 existierte. Der Glaube, daß durch den Willen Gottes das im Jahr 476 untergegangene weströmische Kaisertum auf die Franken und später dann auf die Sachsen übertragen worden sei, begründete und legitimierte es. Der Kaiser galt als von Gott eingesetzter Weltherrscher. Ideeller Mittelpunkt blieb Rom.

Die Aufgabe der Reichsherrschaft war auf ganz Europa, ja auf die gesamte bekannte Welt bezogen. Das war eine Utopie, aber zu ihrer Verwirklichung fühlten sich die Völker und Länder unter kaiserlicher Herrschaft berufen und verpflichtet, zuerst die Franken – aus deren westlichen Volksteilen später die Franzosen wurden –, danach die Sachsen. Sie integrierten andere Völker Europas: aus den in ihr Reich einbezogenen Stämmen germanischen Ursprungs wurden später die Deutschen; die Stämme, die sie nicht einbeziehen konnten, aber bildeten eigene Königreiche, so etwa die Engländer und die Schweden. Die fränkische Dynastie der Karolinger wie die sächsische der Ottonen versuchten, jeweils die italienischen Gebiete und möglichst große Teile des übrigen Europa ihrem Reich einzufügen.

Dieser Versuch einer gemeinschaftlichen Umsetzung der Reichsidee war kunsthistorisch äußerst folgenreich und führt dazu, daß die Kunst in Deutschland, zumindest vor 1800, als europäisch gemeinte Kunst verstanden werden muß. Häufig ist sie es eher der Absicht nach, als in der Sache. Und oft wurde das Europäische nur dadurch erreicht, daß man Künstler aus Nachbarländern berief. Deshalb wurde dem Buch der Titel »Kunst in Deutschland« gegeben und nicht »Deutsche Kunst« (im Sinne einer Wesensidentität).

Es war der Anspruch des ›Römischen Reiches‹, der zur Orientierung an der Kaiserkunst der Antike führte und damit Vorbilder in den Bild- und Baukünsten sowie Maßstäbe für die Qualität der Ausführung aufzwang, die den umherziehenden Germanenstämmen der Völkerwanderungszeit ebenso fremd waren wie den sie missionierenden Iren und Angelsachsen.

Die Länder des Reiches konnten die hohen Ansprüche der Kaiserherrschaft kaum erfüllen. Diese Überforderung hat zur Auflösung der politischen Strukturen Mitteleuropas beigetragen. Seit dem 12. Jahrhundert verwandelte sich das Reich in ein Konglomerat selbständiger Territorien und Reichsstädte, ein Prozeß, der von der machtpolitisch orientierten Geschichtsschreibung nach 1871 beklagt wurde, der aber auch als positiver Teil unseres Erbes zu sehen ist. Dennoch – auch die Länder und Städte konnten niemals das Erbe des Reiches gänzlich abschütteln. Deshalb kann man – streng genommen – auch nicht von einer ›bayerischen‹ oder ›lübischen‹ Kunstgeschichte sprechen, sondern nur von einer in Bayern oder in Lübeck. Diese historische Struktur erklärt zu Teilen die unserer Kunst und Geschichte eigentümliche Polarität zwischen Lokalpatriotismus und Kosmopolitismus, zwischen bieder und weltausgreifend.

Im Laufe der Geschichte wurden einige Länder des Heiligen Römischen Reiches zu unabhängigen Staaten, so Holland, Belgien, Böhmen, die Schweiz oder Österreich. Andere Kernlandschaften des Reiches gehören heute zu Nachbarstaaten, wie das Elsaß oder Schlesien. Wer die Kunstgeschichte Deutschlands historisch angemessen darstellen will, kann deshalb nicht an den Grenzen der heutigen Bundesrepublik haltmachen. Die Grenzen der Betrachtung sind in jeder Epoche entsprechend den jeweiligen historischen Realitäten neu zu ziehen. Doch erschien es sinnvoll, sich im Kompromiß mit dem modernen Nationenbegriff im Wesentlichen auf den deutschen Sprachraum zu beschränken.

Ein besonderes Erbteil (und in gewisser Weise eine Erblast) unserer Geschichte ist die deutsche Kolonisationstätigkeit in Nord- und Osteuropa. Der christliche Anspruch von Kaiser und Reich, Beschützer und Förderer der Kirche und des christlichen Glaubens zu sein, hat der Idee nach zur Missionierung, der Sache nach häufig zur Zwangschristianisierung und Unterwerfung der Nachbarvölker geführt. Dies war oft verbunden mit massiver deutscher Einwanderung.

Am Beispiel Böhmens sei angedeutet, wie verwickelt die sich daraus ergebenden Verhältnisse sind: Slawische Stämme rückten im 6. und 7. Jahrhundert in das von den Germanen in der Völkerwanderungszeit verlassene Böhmerland ein und assimilierten die Restbevölkerung. Seit dem 10. Jahrhundert wurden sie vor allem von den deutschen Nachbarländern aus christianisiert: Böhmen gehörte seitdem offiziell zum Deutschen Reich, behielt aber eine gewisse Autonomie, die sich auch in der Gewährung des Königstitels im 12. Jahrhundert ausdrückt. Der böhmische König war als vornehmster der sieben Kurfürsten, die den Kaiser zu wählen hatten, eine Säule des Reiches. Unter den Dynastien der Luxemburger und der Habsburger war Prag für jeweils viele Jahrzehnte im 14. sowie im 16. und 17. Jahrhundert die eigentliche Hauptstadt Mitteleuropas. Deutsche wurden früh und in großer Zahl nach Böhmen gerufen, vor allem in die Stadt- und Bergbaugebiete, oder sie siedelten als Rodungsbauern in den bewaldeten Randgebirgen. Dort dominierte bald Deutsch als Sprache und führte zur Assimilierung der einheimischen Tschechen. Der tschechische Adel hingegen vermischte sich zwar auch mit deutschen Herren, setzte aber die Beibehaltung seiner Sprache durch, zwang damit seinerseits die Deutschen zur Assimilation und bewahrte sich und großen Teilen des von ihm beherrschten Landes auf diese Weise die tschechische Identität. Die böhmische Geschichte ist dadurch an sozialen, politischen und mentalen Spannungen und Krisen außerordentlich reich: Deutsche Einwanderer wurden vertrieben oder assimiliert, dann wieder neue Zuwanderermassen ins Land gerufen. Andererseits suchten zahllose ›Böhmische Brüder‹, d.h. hussitische Protestanten, vor der habsburgischen Gegenreformation Zuflucht bei den deutschen evangelischen Fürsten: Dörfer wie Nowawes bei Potsdam wurden eigens für sie gegründet. Dort gingen sie aber, wie die altansässigen slawischen Völker in Holstein oder Mecklenburg, in Oberfranken oder der Lausitz, mit der Zeit in der deutschen Bevölkerung auf. Nur in der Lausitz und in Kärnten gibt es heute noch slawische Sprachinseln. Das führt unter anderem zu dem Schluß, daß es kaum Deutsche ohne slawische Vorfahren gibt, kaum slawische Nachbarn ohne deutsche – der Unterschied liegt ›nur‹ in der Sprache, die allerdings mehr ist als nur ein Werkzeug.

Es gibt also ein außergewöhnliches Maß an Gemeinsamkeiten in Geschichte und Kunst mit den Schweden, Finnen, Balten, Polen, Ungarn, Rumänen und anderen von Deutschland (teil-)kolonisierten Völkern, das kaum bewußt ist. Analoges gilt für die übrigen Nachbarn. Die Deutschen selbst sind letztlich ›multinational‹, und sie verhielten sich über lange Strecken ihrer Geschichte auch ›multikulturell‹.

Wer den Blick auf das ›Eigene‹ beschränkt, legt sich selbst Scheuklappen an: Er verkennt, warum Deutschland als Folge seiner Trägerschaft des Römischen Reiches so viel ›Fremdes‹ aufgenommen hat. Das ›Eigene‹ ist also fast immer ein Angeeignetes. Der Blick zurück zeigt außerdem, daß die Kultur dieses Landes dort am großartigsten erstrahlt, wo sie sich öffnet, daß Provinzialismus sie stumpf, Nationalismus aber blind macht.

Stilbegriffe, Kunstbegriffe

Kunstgeschichte wird gern als Gänsemarsch der Epochenstile geschrieben. Das ist eine irreführende Vereinfachung. Begriffe wie Romanik oder Renaissance suggerieren Allgemeingültigkeit, als ließe sich das Wesentliche einer Epoche auf einen einzigen Begriff bringen oder gar als Merkmalkatalog erlernbar machen. Die angeführten Stilmerkmale sind jedoch meist nur äußerlich, die Begriffe deshalb meist nur Etiketten. Ebenso verfälscht der der Biologie entlehnte Gedanke einer ›Entwicklung‹ vom Früh- zum Hoch- und Spätstil das Geschichtsbild mit seinen Vorstellungen von Naturwüchsigkeit, Zwangsläufigkeit und Zielgerichtetheit sowie den daraus resultierenden, oft nur unterschwelligen Wertungen.

Die Kunst hat seit der Antike ihre Theorie und deren Begriffsapparat vor allem der Rhetorik und Poetik entlehnt. Der Begriff ›Stil‹ stammt aus der Redekunst und meint ursprünglich die ›Stillagen‹, wobei jedem Thema, Anlaß und Adressaten eine angemessene, d.h. einfache, mittlere oder feierliche Ausdrucksweise zu entsprechen habe. Diese Forderung nach Angemessenheit (lat. ›decorum‹), also nach bewußter, bedeutungsdarstellender Formgebung, war bis zum frühen 19. Jahrhundert allgemein anerkannt und ist deshalb bei der Werkanalyse immer zu berücksichtigen.

Der Begriff ›Stil‹ wurde aber auch auf die persönliche Ausdrucksweise und Kunstanschauung übertragen, die sich in der Eigenart des Redners, ebenso in der ›Handschrift‹ des Künstlers offenbart. Die Entfaltungsmöglichkeit des Individuums war aber je nach Epoche, Land und Gruppe verschieden, so daß die Untersuchung des Persönlichen im Stil methodisch jeweils anders angegangen werden muß und im Mittelalter teilweise sogar entfällt.

Früh finden sich auch schon Ansätze zu einem allgemeineren Gebrauch des Begriffs, meist in Verbindung mit einer Technik, so in der Charakterisierung der französischen gotischen Architektur als ›mos francigenus‹ (Bauart französischen Ursprungs).

Mit Vorsicht dürfen wir den Begriff Stil also verallgemeinern: Er meint dann – neben den bereits genannten Bedeutungen – die Summe künstlerischer und gesellschaftlicher Prinzipien und Normen, die zeitweilig in einem begrenzten Raum, mitunter nur für eine Gruppe, Gültigkeit besaßen. Wie und ob ein Stil durchgesetzt wird und wie einheitlich er ist, wird selbst zu einer historischen Aussage: Der Absolutismus etwa entwickelte vor allem wegen seiner festen Strukturen eine relativ geschlossene Stilbildung, die Gotik eher durch die Systematik ihres künstlerischen Denkens. Umbruchszeiten hingegen, wie das 15. Jahrhundert, und insbesondere die Zeit um 1800, sind gekennzeichnet durch Gegensätzlichkeit, Vielfalt, ja Auflösung der Normen. Auch geographisch ist zu unterscheiden: Im straff regierten Bayern findet man beispielsweise eine geschlossenere Stilbildung als im zersplitterten Rheinland.

Stile werden erfunden, weiterentwickelt, zur Konvention erhoben, behalten aber fast immer ihre Vielschichtigkeit. Im innovationsfreudigen Westeuropa waren sie jedoch meist in beständiger Umbildung begriffen (im Gegensatz etwa zu Byzanz und dem islamischen Orient). Stilbegriffe sind zugleich kunsthistorische wie historische Kategorien.

Ähnlich unscharf und komplex ist der Kunstbegriff, weil er nie von den gegenwärtigen Verhältnissen zu lösen ist und Künstler, Philosophen, ja fast jedermann sich zu einer eigenen, entschiedenen Meinung berufen fühlt. Die philosophische Disziplin der Ästhetik hängt immer noch an der Vorstellung, man könne Kunst auf eine für alle gültige Weise definieren. Die Äußerungen der Künstler dagegen sind heutzutage höchst widersprüchlich: Sie reichen von »Die Kunst ist tot« und »Jeder Mensch ist ein Künstler« bis hin zu

»Kunst ist, was Künstler machen.« Für die meisten Kunsthistoriker aber ist ›Kunst‹ vor allem ein relativer, geschichtlich wandelbarer Begriff.

Die Theorie der Kunst ist griechisch-antiken Ursprungs und meint ein handwerkliches Können, das abbildend (mimetisch) und bildend (auch im übertragenen Sinne) ist. Sie ist eine eigenständige Form geistiger Äußerung, die auf den Menschen eine moralische, läuternde und erhebende Wirkung haben kann, ähnlich der Dichtung, die mehr ist als bloßes Sprechen und Schreiben.

Der Untergang der antiken Welt verschüttete ihre Kunstphilosophie und -deutung nur zum Teil. Im Mittelalter wurden die Bildenden Künstler zu den Handwerkern gezählt – womit man allerdings etwas anderes meinte als im heutigen Sprachgebrauch – und hatten nicht das Ansehen der Intellektuellen. Andererseits galten die heiligen Bilder und Bauten als etwas Gottgewolltes, Sakrales. Die Sakralbaukunst war durch die biblischen Vorbilder von Moses' Stiftshütte und Salomos Tempel geheiligt, deren Errichtung und Anordnung Gott selbst bestimmt hatte. Die eigene Leistung ihrer Verfertiger war kaum von Bedeutung, doch stellte man wegen der Heiligkeit der Aufgabe höchste Ansprüche an die Ausführung. Die mittelalterliche Kunsttheorie ist im Prinzip Teil der Theologie, die Kunst ist primär auf sakrale Funktionen bezogen und darstellend – heute würde man sagen: fremdbestimmt. Das hat ihrem Rang keinen Abbruch getan.

Die Verhältnisse sind jedoch paradox: In den Blütezeiten des Mittelalters beherrschte man die lateinische Sprache, studierte nicht nur die Bibel oder die Kirchenväter, sondern mit Eifer auch den – damals allerdings recht engen – Kanon der lateinischen Klassiker, unter anderem die Poetik des Horaz, die Schulbücher der Rhetorik sowie die Naturgeschichte des Plinius mit seinen Berichten über antike Kunst. Man besaß keine genauen, wohl aber lebendige Vorstellungen von der antiken Kunst, deren Begrifflichkeit und Theorie in die Praxis und die ästhetische Würdigung eingingen. Und man stützte sich eher auf das Studium der antiken Schriften als auf das der antiken Kunstwerke.

Es bedurfte Jahrhunderte des künstlerischen Forschens und Nachdenkens, bis man die bildnerischen Mittel und den ganzen Umfang an Theorie wiedergewonnen hatte, die durch die antiken Originale vorgegeben waren. Das Ergebnis war jedoch keineswegs eine in ähnlicher Weise gefestigte Theorie und Praxis, sondern vielstimmiger.

Mit dem Anbruch der Moderne um 1800 wurden die Begriffe und Vorstellungen von Kunst metaphysisch überhöht und schroff von Nichtkunst oder Kunstgewerbe abgesetzt. In diesem Sinne wird der Begriff ›Kunst‹ heute noch oft gebraucht, wenn auch meist nicht im vollen Bewußtsein dessen, was gemeint ist. Es kommt zu Widersprüchen: Handwerkliches Können war bis zum 18. Jahrhundert Voraussetzung, damit etwas als Kunst gelten konnte. Danach aber wurde es zugunsten der ›Idee‹ zurückgestellt. Kunst wird als autonom beschrieben, d.h. als frei von den Forderungen der Technik, der Auftraggeber, der Funktionen und der Aufgabe, etwas darzustellen, erliegt aber gleichzeitig dem Diktat von Kunstbetrieb, Medienwirksamkeit und Kunsthandel. Bisher ist es noch nicht gelungen, den Kunstcharakter der medialen Bilderwelt zufriedenstellend zu beschreiben und das Verhältnis der Gebrauchskünste zu der sogenannten autonomen Kunst befriedigend einzuschätzen. Doch können die das Denken und Empfinden der Menschen so stark beherrschenden ›Gebrauchsbilder‹ in einer Geschichte der Kunst nicht einfach ignoriert werden.

Kunstgeschichtsschreibung

Die Kunstgeschichte als Wissenschaft ist ein Kind des Umbruchs um 1800, d.h. der Geschichtsanschauung des Historismus, für die alle Epochen und Stile »mit gleichem Recht vor Gott stehen« (Ranke). Dadurch wurde die ganze Fülle der Vergangenheit für die eigene Gegenwart interessant und verfügbar. Man erhob jedoch den hohen Kunstbegriff des Klassizismus und der Romantik zum Maßstab und projizierte ihn unreflektiert in die Geschichte zurück. Was sich nicht einordnen ließ, wurde und wird als Volks- oder Gebrauchskunst abqualifiziert oder ignoriert. Die Situation ist paradox: man weiß seit langem, daß das Denkmodell falsch ist, ändert daran aber nichts, auch aus Angst, an den Institutionen des Kunst- und Kulturbetriebs zu rütteln. Mit der offenkundigen Krise der ›Moderne‹ müßte die Geschichte der Bildenden Künste erst recht auch zur Geschichte der Bilder und visuellen Zeichen, die der Architektur auch zur allgemeinen Baugeschichte werden.

Die Geschichtsschreibung hat seit altersher eine Muse, Clio. Sie ist eine Meisterin der Erzählung. Aber kann man Kunstgeschichte erzählen? Die Antike hat nur Künstleranekdoten überliefert oder rhetorisch kunstvoll konstruierte Bildbeschreibungen geübt, die uns heute wenig helfen. Kunstgeschichte kann nur in geringem Maße Ereignisgeschichte sein. Sie kann sich nur begrenzt darauf konzentrieren, Konjunkturen, Prozesse und Strukturen herauszuarbeiten, wie in der Wirtschafts- und Sozialgeschichte üblich, und sie kann sich trotz der Bedeutung der großen Künstler auch nicht in eine Abfolge von Biographien auflösen. Das Einzelwerk, das Bild bzw. der Bau an sich, steht so sehr im Zentrum der künstlerischen Bemühungen wie auch der Rezeption, hat also einen so hohen Eigenwert, daß Kunstgeschichte, wenn sie ihren Gegenstand ernst nimmt, immer auch Werkanalyse sein muß. Und dabei hat sie die Sehweise von der überschauenden Vogelperspektive bis hin zur detaillierten und minutiösen Untersuchung der Materialoberflächen zu wechseln.

Schwierigkeiten bereiten die in der Kunstgeschichtsschreibung geläufigen geschichtsphilosophischen Konzepte. Trotz allgemeinen Unbehagens behauptete man lange, es gäbe ein Ziel und damit eine klassische Norm der Kunstgeschichte. Erst wurde die Renaissance als klassische Kunst inthronisiert, dann postulierte man in der Moderne immer neue Ziele, die zugleich jeweils Beurteilungsmaßstab für die älteren Kunstwerke waren: im frühen 20. Jahrhundert war es das Malerische, dann die Expression oder die Abstraktion. Der Glaube an solche Normen ist verlorengegangen und damit auch der Glaube an die Logik der ›Entwicklung‹. Von Fortschritten ist ebenfalls nur selten zu reden. Man kann nicht einmal von der Einheit der Künste ausgehen. Baukunst und Bildende Künste haben nicht dieselbe Epochenteilung (Kap. 2–4) – Glas- und Buchmalerei haben eine andere Geschichte als die Tafelmalerei. Selbst eine Geschichte der einzelnen Bau- und Bild-Aufgaben würde die Zäsuren oft unterschiedlich setzen.

Trotzdem kann auf Epochenabgrenzung nicht verzichtet werden. Unbefangene Betrachtung zeigt, daß eine nur von formalen Gesichtspunkten ausgehende Abschnittbildung der Lebenswirklichkeit der Kunst nicht entspricht. Das liegt in der (Kunst-)Geschichte selbst begründet: Solange die Kunstproduktion mit tausend Fäden an Auftraggeber, Funktionen und überhaupt an gesellschaftliche und ökonomische Verhältnisse gebunden ist, folgt sie der Geschichte mit ihrer Epochenbildung – deshalb sind die Zäsuren nicht für alle Länder Europas gleich. Auch in der Neuzeit ist die Kunst trotz aller Bemühungen um Autonomie keineswegs frei. Aber künstlerische Momente können in den Vordergrund treten.

Die Wechselbeziehungen zwischen Kunst, Staat und Religion sind jeweils von unterschiedlicher Richtung und Stärke: Als das Wort vorherrschte, wie im 16. und 19. Jahrhundert, war das Ansehen der Bildenden Kunst geringer. Auch konkurrierte sie mit anderen Künsten, vor allem mit der Musik.

Kunst ist keine Illustration der Geschichte. Sie spiegelt sie nicht wieder, reflektiert sie jedoch vielfältig. Und sie schlägt die schönsten Seiten im Buch der Vergangenheit auf. Aber eins ist nicht zu vergessen: Viele der wichtigen Bauvorhaben versuchten, utopische Ideen zu verwirklichen, die Geschichte der Kunst ist auch eine der allgemeinen und persönlichen (Schönheits-) Ideale. Bilder sind oft Wunschbilder, zuweilen auch Propaganda.

Keine um Angemessenheit bemühte Kunstgeschichtsschreibung kann darauf verzichten, die historischen Bindungen der Künste zu erörtern. Doch kann sie kein Geschichtsbuch ersetzen. Dieses Buch will mit dem Sinn für die Kunst auch den Sinn für die historische Wirklichkeit fördern, und zwar für die ganze, nicht nur für die der Moderne. Was uns prägt, reicht vor das 19. Jahrhundert zurück. Auch haben die älteren Jahrhunderte wahrlich keine geringere Kunst geschaffen als das zwanzigste. Es geht dabei zugleich immer auch um die Darstellung der Bezüge der Kunst in Deutschland zu derjenigen der europäischen Nachbarn.

Alte Kunst scheint uns oft unmittelbar anzusprechen, erweist sich aber bei genauerer Betrachtung oft als sehr fremd. Dieser Widerspruch ist nicht aufzulösen. Bei der Auswahl unserer Bequemlichkeit nachzugeben, hielt ich für falsch: Weder die Paradoxe der Theologie, noch die Gelehrsamkeit, die einige der Werke prägen, konnten ignoriert werden. Andererseits wollte ich die Probleme nicht bis in die Verästelungen der Fachdiskussion verfolgen, weil sich dieses Buch nur als Einführung versteht, nicht als wissenschaftliches Handbuch.

Da jeweils maßgebliche Werke ausgewählt wurden, handelt es sich bis 1800 fast immer um Beispiele höchster technischer und künstle-rischer Vollendung. Das Gebrauchsbild und das Gebäude von geringem Anspruch mußten zurücktreten, leider auch die Ensembles und die Behandlung der Einbettung der Bauten in ihre Kulturlandschaft. Auf andere Weise gilt dies auch für die Zeit nach 1800, in der die Gebrauchskünste deshalb kaum berücksichtigt werden konnten, weil die ›Ideen‹ so sehr im Zentrum des künstlerischen Bemühens stehen. Ausführungen zu Techniken wie zur Handwerks- und Sozialgeschichte wurden nur in jeweils einem Kapitel exemplarisch gegeben. Daß Kunstgeschichte immer auch Wirtschafts- und Sozialgeschichte ist, ebenso Körper- und Geistesgeschichte, daß Bilder und Skulpturen die Wirklichkeitserfahrung einer Epoche nicht nur widerspiegeln, sondern auch beeinflussen, daß sie Augenerziehung, aber auch Antwort auf emotionale Bedürfnisse sind, konnte nur angedeutet werden. Und wer aus einer so überquellenden Fülle von Werken auszuwählen hat, kann Ungerechtigkeit und Ungleichmäßigkeit kaum vermeiden.

Das 20. Jahrhundert war das erste in der europäischen Geschichte, das mehrheitlich das Erbe der Vergangenheit für eine abzuwerfende Last hielt. Es verstand sich in erster Linie als modern und gab dabei vor, eine bessere Zukunft herbeizuführen. Vor allem in Deutschland hat man in diesem Jahrhundert besonders zerstörerisch gewütet: Sogar in den ›Friedenszeiten‹ wurden so viele Kunst- und Geschichtsdenkmale vernichtet wie nie zuvor, wobei in jüngster Zeit im Westen vor allem dem ›Wirtschaftswachstum‹, im Osten der ›Planerfüllung‹ wie einem Götzen geopfert wurde. Ich gebe die Hoffnung nicht auf, daß es so nicht weitergeht. So sehr wir uns von allem Vergangenen entfernen mögen, die alte Kunst wirkt und erfreut noch in der Gegenwart, wie die klassische Musik, und sie wird es auch in Zukunft tun. Deshalb verdient sie sorgfältigen Umgang und Pflege, um auch zukünftigen Generationen möglichst lange erhalten zu bleiben.

ꝐMEREGES
REGNANT

Kapitel 1

Die Kaiserkunst

800–1060

Die Voraussetzungen

Wer nach den Anfängen und Voraussetzungen der Künste in Deutschland fragt, wird sich nur wenig darum kümmern müssen, welche Völkerschaften germanischer Zunge in diesen Ländern gewohnt haben, denn ihre künstlerische Wirkung auf die folgenden Jahrhunderte ist gering. Entscheidender ist hingegen das Vorbild des Römischen Reiches, obwohl es nur einen Teil Deutschlands beherrscht hat. Seine Wirkung ist so nachhaltig, daß noch heute spürbar bleibt, ob eine Stadt oder Region diesseits oder jenseits des römischen Limes lag. Dieser Schutzwall lief zunächst den Rhein entlang nach Süden, zweigte bei Koblenz nach Südosten ab, wurde bei Miltenberg am Main weiter nach Süden bis nach Lorch gezogen, dann durch das Altmühltal, um schließlich die Donau wieder als natürliche Grenze zu benutzen. Regensburg ist eine Stadt mit römischer Wurzel, Nürnberg nicht, das linksrheinische Deutschland steht den romanischen Völkern näher, als das rechtsrheinische.

Im 4. Jahrhundert war das weströmische Reich so geschwächt, daß es dem ständigen Druck der Germanenstämme auf die Grenzen nicht mehr standhalten konnte. Die Invasoren kamen jedoch nicht nur als Zerstörer. In den heutigen romanischen Ländern gingen sie in der ansässigen Bevölkerung auf und bildeten die vorhandenen antiken Strukturen zum Teil nur um. Ihre Assimilierung schritt nur langsam voran: erst im 9. Jahrhundert kam die Muttersprache beim fränkischen Adel Galliens außer Gebrauch. Die römische Grenzprovinz Germania wurde dagegen vom Sturm der Völkerwanderung verwüstet, die verbliebene Bevölkerung überfremdet und sprachlich germanisiert. Aber nicht alles ging unter, und es zeigte sich, daß selbst die antiken Trümmer auf deutschem Boden für den kulturellen Neubeginn wichtig werden sollten. *(Abb. 2)*

Die Provinzen ›Germania superior‹ mit dem Zentrum Mainz und ›Germania inferior‹ mit der Hauptstadt Köln waren bedeutende Teile des römischen Staates. Trier war sogar für mehr als ein Jahrhundert Hauptstadt des gesamten westlichen römischen Teilreiches. Von hier aus eroberte der erste christliche Kaiser Konstantin der Große Rom, ehe er die alte griechische Handelsstadt Byzanz am Bosporus zu seiner neuen Hauptstadt Konstantinopel machte, dem späteren Istanbul. Triers großes römisches Stadttor, die Porta Nigra, ist mit den simplen Formen ihrer Festungsarchitektur für die Baukunst allerdings erst im 11. Jahrhundert stilbildend geworden.

Die entscheidende Rolle bei der Gründung der neuen Kultur spielte die Kirche. Der Papst in Rom war zum Erben der römischen Kaiser geworden, und in den Provinzen traten häufig Bischöfe an die Stelle der kaiserlichen Statthalter. Man übernahm die kaiserlichen Hallen (Basiliken), somit das kaiserliche Zeremoniell für den Gottesdienst und damit auch Vieles von der antiken Bau- und Bildkunst. Das Herrscherzeremoniell wurde auf Christus übertragen, Römisches Recht diente als Grundlage des Kirchenrechts. Die Kirchensprache Latein wurde auch nach der Entstehung der Volkssprachen beibehalten. Auf diese Weise lebte die antike Literatur als Teil der Sprachausbildung fort.

Die Kirche organisierte sich gemäß den vorhandenen staatlichen Strukturen. Köln (Colonia Agrippina), Mainz (Moguntiacum) und Trier (Augusta Treverorum) wurden Erzbischofssitze, andere Städte wie Augsburg (Augusta Vindelicum) oder Regensburg (Castra Regina) Bischofssitze. Doch konnten die Städte ihre ursprüngliche Bedeutung und Größe nicht halten, und in manchen von ihnen erlosch zeitweise das städtische Leben, an das sich die germanischen Bauernvölker nur schwer gewöhnen konnten. Die Kirche fand jedoch Mittel, sich dieser neuen Ländlichkeit anzupassen.

Mit Erfolg hatten die Päpste in Rom die Iren und Schotten, Völker jenseits der Grenzen des Kaiserreiches, mit Hilfe von Wandermönchen mis-

1. ***Reichskrone,*** *Italien (?), Ende 10. Jh. (?), Bügel nach 1024, Wien, Geistliche und Weltliche Schatzkammer*

Die Krone ist achteckig und erinnert an den Grundriß des Aachener Münsters, ebenso wie an ein aus der Antike stammendes ›Weltbild‹, die achtteilige Windrose. Der Bügel mit dem aufgesteckten Kreuz ist Symbol der Weltherrschaft. Die byzantinisierenden Zellenschmelzplatten stellen vorbildliche Könige des Alten Testamentes dar.

Geschichte:

Karolingische Dynastie:
Karl der Große (reg. 768–814, 800 Krönung zum ersten abendländischen Kaiser in Rom) - Ludwig I. der Fromme (814–840) - 843 Teilung in drei Teilreiche, das Ostreich erhält Ludwig der Deutsche (†876)

Sächsische Dynastie:
Heinrich I. (919–936) - Otto I. der Große (936–973, 962 Kaiser) - Otto II. (973–983) - Otto III. (983–1002) - Heinrich II. (1002–1024, kanonisiert 1146)

Salische Dynastie:
Konrad II. (1024–1039) - Heinrich III. (1039–1056)

sioniert und ebenso die angelsächsischen Invasoren Englands unter ihren Einfluß gebracht. Klöster bildeten die Keimzellen kirchlichen Lebens. Die iroschottischen und angelsächsischen Mönche trugen als unermüdliche und mutige Missionare ihren neuen Glauben sowie die mit Fleiß angeeignete lateinische Kultur in die fränkischen und andere germanische Gebiete. Der wichtigste Missionar Deutschlands und einer der Patrone des Landes, der Angelsachse Bonifatius (eig. Wynfred, um 675–754), erlitt in Fulda den Märtyrertod, der Ire Virgil in seiner Bistumsgründung Salzburg und der ebenfalls aus Irland stammende Wandermönch Kilian in Würzburg.

Die Mönche überzogen das Land mit einem Netz von Klöstern. Sie waren Missionszentren und Schulen zugleich: Die Iren haben gewissermaßen den Deutschen das Lesen und Schreiben beigebracht. *(Abb. 3)* Gleichzeitig waren die Klöster auch Zentren für die Ausbildung in Ackerbau und Handwerk sowie Vermittler von Kenntnissen in den Künsten und Wissenschaften. Aber erst unter den Karolingern erlangten Klöster wie Echternach, Reichenau, St. Gallen oder Tegernsee überragende Bedeutung. Karl der Große setzte in ihnen die Regel des Ordensgründers Benedikt von Nursia durch und ordnete das Leben der Mönche, machte die Klöster andererseits aber auch zu Zentren der politischen Macht. Um manche dieser Abteien bildeten sich später Städte, so Fulda oder Kempten, obwohl das den ursprünglichen Absichten der Klostergemeinschaften, die sich vom Weltlichen zurückziehen wollten, zuwiderlief.

Die weltlichen Oberhäupter siedelten, wie der Bayernherzog Tassilo in Kremsmünster, an ihren ländlichen Stützpunkten, den Pfalzen, ebenfalls Klöster an. *(Abb. 4)* Sie setzten jedoch anstelle von Mönchen (und Nonnen) bevorzugt Stiftsher-

2. Trier, römisches Stadttor, sog. Porta Nigra, 3.–4. Jh.

Das Stadttor wurde während der Antike nicht vollendet. Im 11. und 12. Jahrhundert erfolgte der Umbau zur Einsiedelei und später zur Kirche St. Simeon.

3. Der Löwe des Markus, Evangeliar des hl. Willibrord aus dem Benediktinerkloster Echternach, *34 x 27 cm, Irland, vor 690, Paris, Bibliothèque Nationale, ms. lat. 9389, fol. 75v*

Das Evangeliar wurde dem hl. Willibrord für seine Missionsreise zu den Friesen mitgegeben. Der Löwe, das Symbol des Evangelisten Markus, wird in seiner Wirkung und Bedeutung durch die ganzseitige Darstellung aufs Höchste gesteigert, denn er diente zugleich als Metapher der Auferstehung Christi. Die Gestalt ist zwar sehr stilisiert, das Motiv der Bewegung geht letztlich aber auf antike Vorbilder zurück.

ren (und Stiftsdamen) ein, die in höherem Maße dienstbar waren. Auch die Bischöfe beteiligten sich durch Kloster- und Stiftsgründungen an diesem Kolonisierungswerk. Die Stifte übernahmen bei der Erschließung des Landes eine wichtige Rolle. So gehen Städte wie Aachen, Goslar, Gelnhausen oder Nijmwegen in Holland auf kaiserliche Pfalzstifte, Essen, Herford oder Quedlinburg auf kaiserliche Damenstifte und Bonn oder Koblenz beispielsweise auf bischöfliche Chorherrenstifte zurück.

Das Missionswerk konnte aber erst vollendet werden, als die Frankenkönige vom ehemaligen Gallien aus die östlichen Stämme unterwarfen, die Alemannen, Bayern, Friesen und schließlich auch die Sachsen. Die Franken (d.h. die Freien bzw. die Kühnen) waren im 5. Jahrhundert, der späten Völkerwanderungszeit, von ihrem Siedlungsgebiet am Niederrhein aufgebrochen und in das noch von der römischen Aristokratie beherrschte Gallien eingefallen. Mit der Taufe König Chlodwigs in

rechte Seite:
***5. Aachen, Münster St. Marien,** Innenansicht, 794–805*
Diese Aufnahme zeigt das Münster nach der wilhelminischen Verkleidung des Raumes mit Marmor und Mosaik. In der Mitte hängt der 1165 gestiftete Radleuchter Kaiser Friedrichs I. Barbarossa.

Reims, vermutlich im Jahr 496, nahmen sie das Christentum an. 751 errang das Geschlecht der karolingischen Hausmeier mit Pippin die fränkische Königswürde. Dessen Enkel Karl, der schon zu Lebzeiten den Ehrentitel ›der Große‹ erhielt, beherrschte später dann fast das ganze westliche Abendland. Zwar wird bei der Aufzählung seiner Länder ›Germania‹ genannt, doch der Begriff wurde im Sinne der antiken Formel verwendet. Dahinter verbargen sich die Stammesherzogtümer der Alemannen, Bayern, Thüringer, Sachsen und Friesen. Das Rhein-Main-Gebiet betrachteten die Franken als ihr ureigenes Land.

Künstlerisch und kulturell ist die Herrschaft Karls des Großen ein epochaler Neuanfang von seltener Eindeutigkeit, der unter dem Zeichen der Erneuerung des Römischen Imperiums steht, nicht jedoch unter dem der Nationenbildung.

***4. Kelch des Bayernherzogs Tassilo,** Kupfer, vergoldet und nielliert, 25 cm, Northumbrien (?), um 770, Kremsmünster/AU, Stiftssammlungen*
Bayern ist das einzige, wenn auch in erheblich veränderten Grenzen noch existierende Stammesherzogtum. Herzog Tassilo (748–788) war mütterlicherseits Karolinger. Das 777 von ihm gegründete Benediktinerkloster Kremsmünster ist eines der wichtigsten bayerischen Hausklöster. Die Erhaltung dieses allerdings nur aus vergoldetem Kupfer bestehenden Kelches bezeugt die Pietät der Mönche gegenüber dem Klostergründer. Die Formen sind sowohl anglo-irischen wie italienischen Vorbildern verpflichtet.

Die Pfalzkapelle in Aachen

Am Anfang der Architektur- und Kunstgeschichte dieses Landes steht die Aachener Pfalzkapelle Karls des Großen. *(Abb. 5)* Obwohl sie schon vor rund 1200 Jahre errichtet wurde, gehört sie zu den wenigen Bauwerke aus jener Zeit, die in wesentlichen Teilen erhalten sind. Sie ist ein europäischer Bezugspunkt, für die Franzosen und Niederländer genauso bedeutsam wie für die Deutschen.

Als die Ottonen im Jahr 919 die Herrschaft über das östliche karolingische Teilreich und die Kaiserwürde errangen, erklärten sie sich zu Nachfolgern Karls des Großen und zu Erneuerern seines Reiches. Damit rückte das Aachener Münster samt Ausstattung in den Mittelpunkt ihres Interesses. Offiziell wurde es ›die Hauptkirche des Deutschen Reiches‹ und behielt diese Vorrangstellung trotz seiner späteren Randlage. Dreißig deutsche Könige wurden hier gekrönt. Deshalb besaß das Münster in der deutschen Kunstgeschichte für lange Zeit die Autorität eines verpflichtenden Vorbildes, das man kopierte oder zitierte.

Ursprünglich wurde das Bauwerk als ›basilica‹ (Königshalle) bezeichnet. Man kannte und benutzte den Begriff also noch im ursprünglichen Wortsinn, nicht in seiner inhaltlichen Einengung der Kunstgeschichte, die, ausgehend von römischen Bauten, einen gestuften, mehrschiffigen Längsraum als Basilika bezeichnet. Daneben trug der Bau auch den Titel einer ›capella‹, weil man in ihm die ›cappa‹, der Mantel des hl. Martin, des Patrons der fränkischen Dynastie, aufbewahrte. Er wurde bewacht von den ›cappellani‹. So wie der Name Kapelle von der königlichen Palastkirche später auf kleinere Kirchenräume übertragen wurde, so der eines Kaplans vom Hofgeistlichen auf nachgeordnete Kleriker. Am gebräuchlichsten wurde es schließlich, die Pfalzkapelle ein Münster zu nennen, von ›monasterium‹ (Kloster), weil die Kleriker dort gemeinschaftlich nach der Stiftsherrenregel lebten.

Die ›Kapelle‹ wurde wahrscheinlich um 794 begonnen, 798 war sie im Rohbau fertig. Ihre feierliche Weihe am Dreikönigsfest 805 durch Papst Leo III. bezeichnet wohl die Vollendung der Aus-

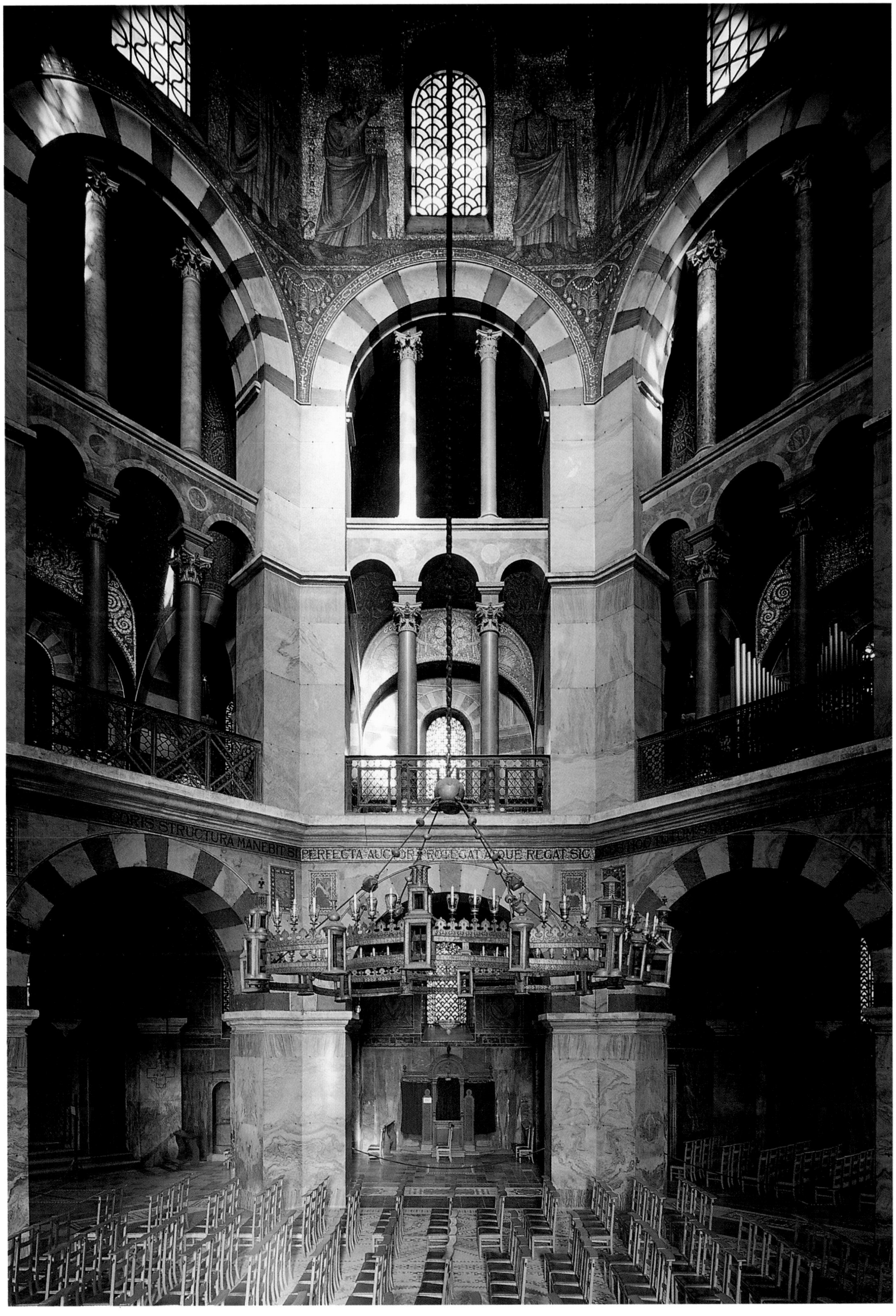
STRUCTURA MANEBIT SI PERFECTA AUCTOR PROTEGAT ATQUE REGAT SIC

stattung. Der Baumeister, Odo aus Metz, kam aus dem lothringischen Ursprungsort der Karolinger; denn in Gallien war im Gegensatz zu den germanischen Stammesgebieten das Bauen in Stein in Übung geblieben. Der Hofmann und Biograph Karls, Einhard, überwachte die Bau- und Ausstattungsarbeiten; hierfür holte man aus verschiedenen Regionen Europas Fachleute zusammen.

Bei dem Gebäude handelt es sich um eine Doppelkapelle. Das untere, niedrigere und einfacher gestaltete Geschoß mit seinen Pfeilerarkaden ist Maria geweiht, das obere, höhere und reichere dem Salvator (Erlöser). Die außen rechteckigen Altarnischen beider Geschoße wurden durch den Chorneubau der Jahre nach 1355 ersetzt. Im säulengeschmückten Obergeschoß steht im Westen der Marmorthron des Kaisers, ehedem flankiert von zwei kostbaren Säulen. *(Abb. 6)* Außen ist das Bauwerk durch einen mächtigen, von kleineren Treppentürmen flankierten Westbau ausgezeichnet, der im Obergeschoß als Schatz- und Reliquienkammer diente. Das Untergeschoß ist als Exedra (Apsisnische) gestaltet. Hier wurde der Kaiserthron aufgestellt, wenn im Vorhof (Atrium) Zeremonien stattfanden, womit ein imperialer römischer Brauch aufgegriffen wurde.

Karl faßte den Entschluß zum Bau, und er bestimmte auch seine Grundzüge »nach dem Beispiel des biblischen Königs Salomo«. Der vom Kaiser beabsichtigte Bezug auf den »weisen Herrscher« wurde damals sehr genau verstanden.

Man lebte zu jener Zeit in kleinen, engen Holzbauten, und selbst die kaiserlichen Wohngebäude in Aachen bestanden aus Fachwerk. Die Errichtung eines Steinbaus von gut 32 Metern innerer Höhe mit großer, überwölbender Kuppel, war eine außerordentliche Leistung, die nur auf Befehl des Herrschers und unter Zusammenfassung aller Kräfte gelingen konnte. König Karl hatte diese Macht. Doch folgte auch er vorgegebenen Handlungsmustern.

Zum einen diente ihm die Geschichte des biblischen Königs als Vorbild, der in Jerusalem den im 3. Buch der Könige (Kap. 5–8) ausführlich beschriebenen Tempel erbaut hatte, von dem viele im Mittelalter meinten, er sei im Felsendom erhalten geblieben. Zum anderen orientierte sich Karl an den römischen Kaisern, insbesondere an Augustus, Trajan und Konstantin den Großen, dem ersten christlichen Kaiser, aber auch an deren Nachfolgern in Byzanz, vor allem an Justinian, dem Erbauer der Hagia Sophia. Darüber hinaus leiteten ihn aber auch die eigenen Vorfahren, so sein Vater Pippin, der die Abteikirche St.-Denis bei Paris neu hatte errichten lassen. Das ehrwürdigste dieser Vorbilder war Salomo. Von ihm lesen wir in der Bibel, daß Hiram als Gießer und Künstler für ihn arbeitete, den Tempelbau aber erdachte Salomo selbst nach den von Gott gegebenen Vorschriften für die Stiftshütte des Moses. Das Errichten von Kirchen galt deshalb bis zum Niedergang des alten Europa im 18. Jahrhundert als eine gottgefällige, herrscherliche Aufgabe: Großzügiges Bauen war ein fürstlicher Ruhmestitel und ließ zudem auf einen Platz im Himmel hoffen.

Die germanisch geprägten Reiche hatten keine Hauptstadt. Es fehlte die Infrastruktur in Verkehr und Agrarwesen, um dauerhaft Tausende von Menschen an einem Orte zu ernähren. Für die ›Reisekönige‹ schuf man ein System fester Stützpunkte, die sogenannten Pfalzen. Geleitet wurden sie von Grafen, den Leitern der karolingischen Verwaltungsbezirke. Sie hatten dafür Sorge zu tragen, daß der ihren Gau bereisende Lehnsherr samt Gefolge versorgt werden konnte.

Pfalzort war Aachen schon unter Pippin geworden; aber erst durch Karl erhielt es seine überragende Stellung. Die Stadt lag strategisch günstig, da die Unterwerfung und Christianisierung der Sachsen, die im heutigen Westfalen, Niedersachsen, Holstein sowie dem Land westlich der Elbe siedelten, ein Hauptanliegen der damaligen fränkischen Politik war. Außerdem schätzte der Kaiser Aachens warme Heilquellen, mit deren Hilfe man die Adelskrankheiten der Zeit, Rheuma, Gicht und Arthritis, lindern konnte. Sie machten den Ort zum beliebten Winterquartier.

Anscheinend begann allmählich das Bedürfnis nach einem dauerhaften Regierungssitz zu wachsen. Der Kaiser hatte auf seinen Italienzügen Ravenna, die Hauptstadt des sagenumwobenen Ostgotenkönigs Theoderich kennengelernt, und vor allem das päpstliche Rom, das zwar verwildert war, aber seinen Hauptstadtcharakter bewahrt hatte. Aachen als ›neues Rom‹ zu bezeichnen war mehr als eine Ruhmesfloskel: Dort hatte der Kaiser seine Hofkapelle installiert, die zugleich als Kanzlei und Ausbildungsstätte für Kleriker in des Herrschers

*6. **Aachen, Münster,** der Thron des Kaisers, um 800 (?)*

Die Stufen des Thrones sind aus einer antiken Marmorsäule geschnitten. Die Sechszahl spielt auf den Thron des Königs Salomo an. Die ehemals vergoldeten Bronzegitter sind aus karolingischer Zeit und in ihren Formen klassizistisch. Es ist nicht ausgeschlossen, daß die Thronanlage erst in ottonischer Zeit errichtet wurde.

Diensten fungierte. Hier arbeitete man am großen Bildungswerk: Die alten Texte wurden gesammelt und in philologisch gereinigten Abschriften verbreitet. Viele der besten Kunstwerke damaliger Zeit sind in Aachen entstanden. *(Abb. 15)*

Auf der Nordseite des Münsters lag die Pfalz mit der Großen Aula, bei der man sich möglicherweise am Vorbild der Trierer Basilika Kaiser Konstantins des Großen orientierte. Teile davon sind noch im Rathausmauerwerk erhalten. Ein überdachter Gang verband Aula und Münster. Darum gruppierten sich weitere Gebäude, von denen nur noch Spuren nachweisbar sind. Leider ist nichts von dieser Ausstattung erhalten, zu der auch ein goldener Tisch mit einem Bild des Sternenhimmels gehörte.

Die Materialien als Bedeutungsträger

Das Bauen mit Stein war mit dem Ende des Römischen Reiches in Westeuropa zurückgegangen. Zwar geriet die römische Bautechnik nicht in Vergessenheit, wie die Wölbung oder die Aussteifung der Kuppelschubkräfte mit Hilfe der ansteigenden Emporenwölbungen in Aachen zeigen, aber man lebte lange von der Wiederverwendung der Materialien aus der baulichen Hinterlassenschaft der Antike, so etwa in Worms. Auch für Aachen entnahm man Quader aus der römischen Stadtmauer von Verdun. Den größten des Münstermauerwerks errichtete man hingegen mit Bruchsteinen in Mörtelbettung. Daß dies nicht aus Bequemlichkeit geschah, beweisen die Säulen und andere kostbare Materialien, die man eigens aus Ravenna und Rom heranschaffte, obwohl man sie auch in nordalpinen Römerstädten hätte finden können.

Den Stellenwert, den diese Säulen in den zeitgenössischen Berichten erlangten, ist nur mit dem damaligen symbolischen Weltbild zu erklären, das in seinen Grundzügen bis ins 18. Jahrhundert galt: Alle Dinge, Pflanzen, Tiere dieser Welt sind Teil der Offenbarung Gottes in der Natur. Sie weisen über sich hinaus auf Höheres. Über allem steht Gottes Offenbarung in der Geschichte, zu der auch die biblischen Bauten und die Architekturallegorese im Neuen Testament gehören. Die Steine werden ›lebende Steine‹ der Kirche genannt, ›lapides vivi‹ (1. Petr. 2,5), deren Eck- und Schlußstein Christus ist (1. Petr. 2,7), der Stein also, den die Bauleute verworfen hatten. Deshalb wurden gerade die eigentlichen Architekturglieder, wie Säule, Kapitell oder Bogen, als hochbedeutsam verstanden. Natur und menschliche Welt verweisen aufeinander. Aber sie haben eine Hierarchie, da man sich alles im Himmel und auf Erden nach Rang und Stand unterschieden und geordnet dachte. In der Bibel werden Säulen mehrfach rühmend erwähnt, wenn beispielsweise die Apostel als Synonym für die Säulen der Kirche (Galather 2,9 etc.) verstanden werden. Diese Bauglieder galten folglich als die vornehmsten überhaupt. Auch in der antiken Architekturtheorie Vitruvs wurden Säulen mit der menschlichen Gestalt verglichen und als wichtigste Zier jedes Bauwerks gepriesen.

Die Aachener Säulen bestehen aus purpurrotem Porphyr, grünem Serpentin, gelblichem Syenit, schwärzlichem Granit und farbigem Marmor. Die hohe Wertschätzung und symbolische Bedeutung ihrer Farben, Musterung und Festigkeit ist unserer heutigen Vorstellung fremd geworden. Derartige Säulen galten als Wunderwerke der Natur, als höchste Kostbarkeit, als etwas Heiliges. Grüner und roter Marmor, insbesondere aber der rotviolette Porphyr, war ausschließlich dem Kaiser vorbehalten. Die alten Ägypter hatten diesen Stein über alle anderen erhoben, und die späteren Monarchien waren ihnen ausnahmslos gefolgt: Im Palast des byzantinischen Kaisers in Konstantinopel gab es einen mit Porphyr verkleideten Raum nur für die Prinzen, und in der Hagia Sophia bezeichnet eine große Porphyrscheibe im Fußboden den Ort, wo der Herrscher stand. Nur Mitglieder der Kaiserfamilie hatten das Recht, purpurfarbene Gewänder zu tragen.

Die antiken Römer beanspruchten außerdem den schneeweißen, kristallenen Marmor als kaiserliches Material. Das war dem Mittelalter aus der Anschauung antiker Bauten und durch Lektüre sehr wohl bekannt. Da die alten Marmorbrüche in Carrara oder auf den griechischen Inseln geschlossen oder unzugänglich waren, mußte man auf den in antiken Bauten verwendeten Marmor zurückgreifen. Derartige Spolien machten die karolingische Bezugnahme auf das kaiserliche wie das päpstliche Rom dingfest. In der Pfalzkapelle sind deshalb die Platten und Stufen des Thrones auf der Empore aus Marmor, außerdem die Säulenkapitelle, Altäre und Teile des Fußbodens. Die Empore wurde damit als kaiserlicher Bereich gekennzeichnet. Erst unter Wilhelm II. verkleidete man in einer von Prunksucht bestimmten Restaurierung auch die übrigen Teile des Münsters mit Marmor, selbst die Pfeiler, Wände und Böden des Untergeschoßes, und verwischte so die ursprünglich hierarchische Raumordnung.

Die Übertragung der Säulen aus Rom war also eine symbolische Handlung. Durch sie wurde die ›renovatio romani imperii‹, die Erneuerung des Römischen Reiches, architektonisch umgesetzt und die ›translatio‹, die Übertragung der Kaisermacht auf die Franken, sinnbildlich dargestellt. Diese metaphorische Denkweise lebte im übrigen bis in die Zeit fort, als die französischen Revolutionsheere die Aachener Säulen demontierten und in den Louvre brachten, um Paris als neue Hauptstadt der Völker herauszustellen.

Doch nicht alle Säulen des Aachener Münsters stammen aus Rom. Einige wurden, da die Anzahl der Importe nicht ausreichte, neugefertigt und fallen in der Qualität kaum ab, andere Säulen und Beutestücke kamen aus Ravenna. Der Ostgotenkönig Theoderich (471–526) war als ›Dietrich von Bern‹ in die Heldensage eingegangen. Die von Karl befohlene Übertragung seiner bronzenen Reiterstatue nach Aachen zeigt, wie hoch man ihn als Vorbild schätzte. Bildwerke aus Bronze waren schon wegen der römischen Vorbilder, besonders dem Reiterstandbild des Marc Aurel, das man im Mittelalter für das Konstantins des Großen gehalten hatte, Herrschern vorbehalten; deshalb sind auch die kostbaren Gitter der Empore oder die Türen aus Bronze. Selbst die Gitter waren ursprünglich vergoldet. Gold, Silber und Edelsteine verwendete man in verschwenderischer Fülle. Wie in Rom, Byzanz oder Ravenna war die Kuppel mit Mosaiken verziert, die den Eindruck eines überirdisch erglänzenden Himmelsgewölbes schufen. Sie gingen verloren und sind heute nur in der Rekonstruktion des 19. Jahrhunderts zu sehen. Dies alles hatte eine zugleich sakrale wie politische Aussage: Das Kaisertum wurde als von Gott eingerichtete Herrschaft und der Kaiser neben dem Papst als Stellvertreter Gottes auf Erden verstanden.

Es ging also bei der Errichtung der Pfalzkapelle auch darum, unterschiedlichste Ansprüche architektonisch umzusetzen. Deshalb sind im Bautypus unterschiedliche Vorbilder und Formen zu einer Synthese vereint. Die Nutzung der Empore als kaiserliches Geschoß sowie der Typus der Doppelkapelle folgen der byzantinischen Herrschaftskirche. Wie die Würzburger Schloßkapelle zeigt, wurde sie im Abendland vorbildlich, und zwar bis zum 18. Jahrhundert *(Abb. VI/77)*. Die Kuppel der Aachener Pfalzkapelle ist nicht nur Gewölbe und Bekrönung, sondern Symbol der Welt und der Weltherrschaft. Der berühmteste Kuppelbau im Westen, das Pantheon in Rom, ursprünglich ein antiker Tempel, war Maria und allen Heiligen umgewidmet worden; Maria ist auch die Hauptpatronin des Aachener Münsters. Doch dachte man darüber hinaus auch an Theoderichs Palastkirche San Vitale in Ravenna, an die Zentralbauten in Konstantinopel und vor allem in Jerusalem – an die Grabeskirche Christi, die Marienkirche und den Felsendom. Dieser hat, wie die Pfalzkapelle, innen einen achteckigen Grundriß, außen einen sechzehneckigen.

Der Aachener Thron ist sechsstufig und folgt darin, ebenso wie in dem runden Abschluß seiner Rückwand, der Beschreibung von König Salomos Thron. Er war von zwei besonders wertvollen Säulen gerahmt, die an das Säulenpaar Jachin und Booz des Jerusalemer Tempels erinnerten. In sie waren Reliquien der Apostel Simon und Judas Thaddäus eingelassen, womit sie selbst zu Heiligtümern wurden. Gleichzeitig symbolisierten sie die Apostel als Säulen der Kirche.

Die Westanlage kopierte den angeblich von Kaiser Konstantin erbauten päpstlichen Lateranpalast in Rom. Ein weiterer Rombezug war durch die Anordnung eines großen Atriums vor der Fassade gegeben. Daß man sich dabei auf Alt St. Peter, die Krönungskirche der Kaiser, berief, belegt der bronzene Pinienzapfen, der demjenigen nachgebildet ist, der einstmals im Vorhof von St. Peter stand.

Insgesamt zitierte man vielerlei alte, als heilig geltende Bauten, verpflanzte, wo man konnte, Teile davon nach Aachen und verschaffte dem Bau somit die für die Hofkirche des neuen Kaisers notwendige Autorität. Im Ergebnis aber schuf man etwas Neues, denn dort, wo die Pfalzkapelle errichtet worden war, fehlten jegliche Vorstufen und Voraussetzungen für ein derartiges Gebäude.

linke Seite:
7. Arnulfziborium,
Gold über Eichenkern, 59 cm, Reims, um 890, München, Schatzkammer der Residenz
Seinen kostbaren Tragaltar für die Meßfeier auf Reisen hinterließ Kaiser Arnulf (887–899) St. Emmeram in Regensburg, das ihm als Pfalz gedient hatte. Die Bodenplatte enthält einen wertvollen grünen Serpentin mit eingelegter Reliquie, auf den der Kelch gestellt wurde. Sie wird überhöht durch ein Ziborium, ein auf vier Säulen stehender Baldachin mit seinerseits auf Säulen ruhendem, kreuzförmigem Satteldach. Auf ihm sind in Goldtreibarbeit u.a. acht Szenen aus dem Leben Christi dargestellt. Derartige als Himmelszelt zu deutende Ziborienbaldachine in monumentaler Größe gab es seit der Antike vor allem in Italien.

8. Deckel des Codex Aureus von St. Emmeram,
Gold, Edelsteine, Perlen, 42 x 33 cm, Reims, 870, München, Bayerische Staatsbibliothek, clm 14000
Der Deckel schließt ein Reimser Prunkevangeliar derselben Zeit in Goldschrift ein. Der Goldcodex wurde wie das Ziborium von Arnulf an das Kloster St. Emmeram in Regensburg geschenkt und gilt als Grundlage und Ausgangspunkt für die Regensburger Stilbildung in der ottonischen Epoche. Die in Goldblech getriebene ›Majestas Domini‹ wird gerahmt von den vier Evangelisten und Bildern mit Wundertaten Christi. Der Edelsteinbesatz bildet ein kunstvolles, geometrisches und symbolisches System.

Die Goldschmiedekunst

Der kostbarste Teil der Aachener Ausstattung wurde von den Normannen im Jahre 881 geraubt. Es müssen darunter Goldschmiedewerke von außerordentlicher Kunstfertigkeit gewesen sein. Schon bei den Germanenvölkern hatten Goldschätze und Goldschmiede in höchstem Ansehen gestanden, wie die Sagen vom Nibelungenhort und vom Schmied Wieland belegen. Grabfunde bestätigen den staunenswerten Stand dieser Kunst schon im 6. bis zum 8. Jahrhundert, die wie nur wenige andere Handwerkskünste eines freien Mannes für würdig galt. Der fränkische Hofgoldschmied Eligius konnte gar zum Bischof von Noyon aufsteigen (641–660). Er wird als Patron der Gold- und Kunstschmiede verehrt.

Auf den Reisen durch ihre Hoheitsgebiete wurden die Herrscher ständig von einem Schatz liturgischer Goldgeräte und kostbar eingekleideter Reliquien begleitet. Das legitimierte sie in der damaligen Öffentlichkeit. Als Vermächtnis des letzten karolingischen Kaisers im Ostreich, Arnulf von Kärnten (887–899), bewahrte seine Hauptpfalz, die Regensburger Benediktinerabtei St. Emmeram, u.a. einen Tragaltar mit Ziborium und ein Prunk-

kostbar, weil er nicht beraubt oder verändert wurde. Die Steine sind nach Größen genau abgestuft: die größten Saphire bilden ein Kreuz, die Smaragde ein in der damaligen Weltvorstellung ebenso bedeutsames Diagonalsystem. Kleinere Saphire werden auf ähnliche Weise von Smaragden umgeben. Die Edelsteine besitzen symbolische Bedeutung und magische Kräfte: Am höchsten steht der Saphir, Symbol Gottes und des Himmels, während das Gold das göttliche Licht darstellt. Das Ganze ist ein höchst ausgeklügeltes System.

evangeliar, den Codex Aureus (Goldenes Buch). *(Abb. 7 u. 8)* Auch Karl der Große hatte ein derartiges Altarziborium an eine der römischen Basiliken geschenkt.

Das Einkleiden der liturgischen Hauptbücher mit Metall war bis zum 13. Jahrhundert eine Hauptaufgabe der Goldschmiede. In Goldtreibarbeit wurde das zentrale Bildthema des Regensburger Evangeliars dargestellt: Christus in der Majestas auf dem Himmelsthron, umgeben von den vier Evangelisten. Daneben wurden vier Wunder Jesu gezeigt. Die Blattfassungen der Saphire, Smaragde und Perlen stehen auf kleinen Türmen oder gebäudeartigen Rahmen aus Goldfiligran-Arkaturen. In seiner Gesamtheit bildet der Deckel das Himmlische Jerusalem en miniature ab.

Die Steine sind nur gemugelt, d.h. gerundet, denn die Kunst des Edelsteinschleifens beherrschte man erst ab dem 14. Jahrhundert wirklich. Viele zeigen eine Durchbohrung. Sie hatten zuvor vielleicht als Glieder einer Halskette gedient, denn es war üblich, Kronen und Prachtschmuck nach der Krönungszeremonie an Klöster und Kirchen zu verschenken. So erhielt beipielsweise das burgundische Kloster Cluny die Krone Heinrichs II. Der Regensburger Deckel ist auch deshalb für uns so

Die höfische Buchmalerei

Wie das Kircheninnere die Form des Außenbaus bestimmt, aber durch eine Fassade geschmückt wird, so ist das Wort Gottes, die vier Evangelien, mehr als seine goldene Verkleidung: Deutlicher als andere Religionen stellt das Christentum das Gotteswort in den Mittelpunkt. Evangeliare mit den Texten der vier Evangelisten Matthäus, Markus, Lukas und Johannes galten als der Inbegriff der Offenbarung. Sie standen im Mittelpunkt des Kultes und hatten, auch ohne Reliquien zu enthalten, den Rang von Reliquiaren, die man bei Prozessionen mit sich trug, bei Wettersegen benutzte, auf die man Eide ablegte usw. Deshalb legte man hohen Wert auf ihre Gestaltung und Ausstattung, die als führende Aufgabe der damaligen Buchkünstler aufgefaßt wurde. Eine Hofhandschrift der Art, wie es sie auch im Aachener Münster gegeben hat, ist das aus dem karolingischen Hauskloster Lorsch bei Heidelberg stammende Evangeliar. *(Abb. 9–13)* Von seinen Buchdeckeln sind nur noch die Elfenbeinplatten erhalten, verloren ist deren Gold- und Edelsteinfassung.

Das Öffnen des Buches und das Durchblättern seiner ersten Seiten ist mit dem Durchschreiten einer sorgfältig inszenierten Abfolge prunkvoller Palasträume zu vergleichen. Zuerst treffen wir auf mehrere Vorreden, die wie monumentale Inschriftentafeln der Antike gestaltet sind. Eine Folge von Blättern mit gemalten Arkaden, die sogenannten Kanontafeln, welche die Evangelienkonkordanz enthalten, bilden gleichsam die Säulengänge (Kolonnaden), durch die wir angemessen einge-

linke Seite:
9. Deckel des Lorscher Evangeliars: Thronende Muttergottes zwischen Johannes dem Täufer und Zacharias (?), im Sockel: Geburt Christi und Verkündigung an die Hirten, *Elfenbein, 37 x 27 cm, Aachener Hofschule, um 810, London, Victoria and Albert Museum*

Der Goldrahmen des Evangeliars ist verloren. Die fünfteilige Elfenbeintafel folgt einem byzantinischen Schema, dessen Gebrauch Kaisern vorbehalten war. Byzantinisch ist auch der Typus der Madonna. Der von fliegenden Engeln gehaltene Clipeus (Schild) mit der Büste Christi ist von spätantiken Sarkophagen abgeleitet. Bei der Gestaltung wurde jedoch eher von Mustern der Buchmalerei ausgegangen als von skulpturalen Vorbildern.

---

10. Kanontafel, Lorscher Evangeliar, *37 x 27 cm, Aachener Hofschule, um 810, Alba Julia/RO, Biblioteca Documentara Batthyaneum, fol. 11*

Kanontafeln dienten seit der Spätantike der vergleichenden Übersicht (Synopse) der Evangelientexte. Sie vermittelten mit ihrer Dekoration späteren Zeitaltern – sehr unarchitektonische – Vorstellungen von der antiken Architektur und zugleich Fragmente des antiken, der Natur abgeschauten, Dekors, wie beispielsweise die Hähne und Enten.

---

11. Evangelist Matthäus, Lorscher Evangeliar, *37 x 27 cm, Aachener Hofschule, um 810, Alba Julia/RO, Biblioteca Documentara Batthyaneum, fol. 13v*

Kloster Lorsch war eines der bedeutendsten karolingischen Hausklöster. Der Codex mit den vier Evangelien dürfte eine Stiftung Karls des Großen sein und wurde in den folgenden Jahrhunderten oft kopiert. Das Evangelistenbild am Anfang des Evangeliums versteht sich als Autorenbild in antiker Tradition. Reste antiken Formengutes zeigen sich in der Landschaft und in der Kleidung. Sie wurden durch die byzantinische Stilisierung umgeprägt, wie u.a. die Gestaltung des Antlitzes beweist.

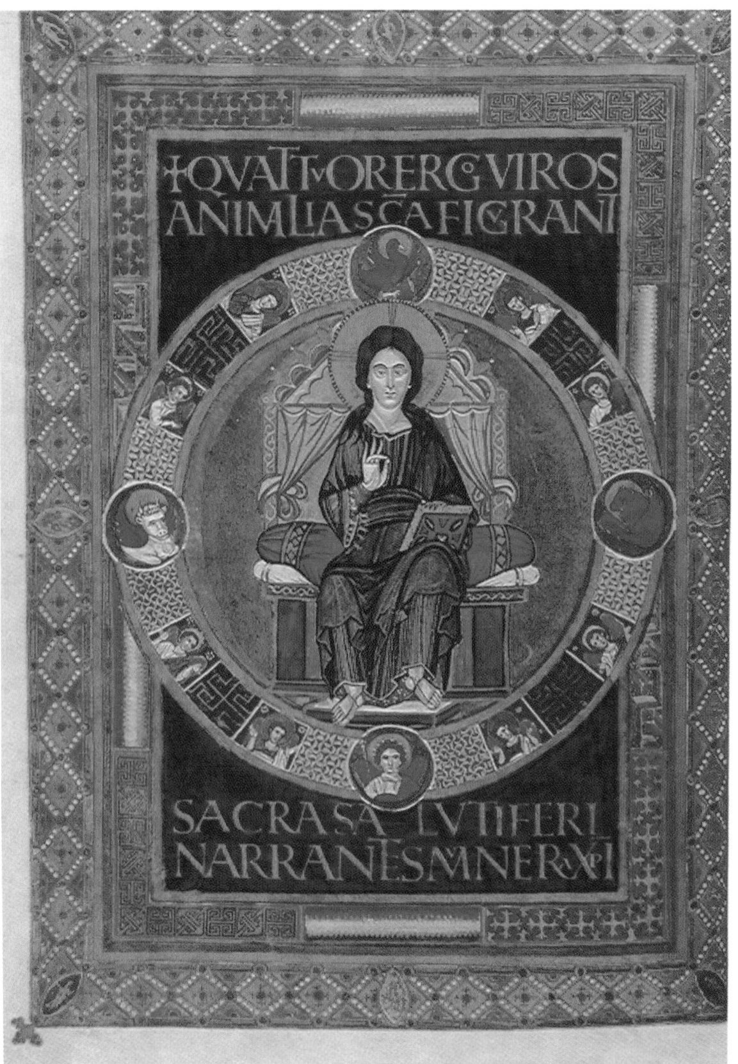

*12. **Christus auf dem Thron, Lorscher Evangeliar,** 37 x 27 cm, Aachener Hofschule, um 810, Alba Julia/RO, Biblioteca Documentara Batthyaneum, fol. 18v*

Der Purpur steigert ebenso wie der gemalte Perlen- und Steinschmuck die Pracht aufs Höchste. Im Achsenkreuz der Göttlichen Majestät die vier Evangelistensymbole.

*13. **Initialseite des Matthäusevangeliums, Lorscher Evangeliar,** 37 x 27 cm, Aachener Hofschule, um 810, Alba Julia/RO, Biblioteca Documentara Batthyaneum, fol. 19*

Die beiden ersten Buchstaben L und I sind nach irischer Art stilisiert. Die folgenden Zeilen in römischen Großbuchstaben (Kapitalis) sind abwechselnd in goldener und silberner (oxydierter) Tinte gemalt. Die übrigen Schmuckelemente verbinden antike mit merowingischer Tradition.

stimmt werden. Daß wir noch nicht im allerheiligsten Bereich sind, zeigen die Elemente profanen Schmucks in den Zwickeln. Das nächste Bild, der Evangelist Matthäus am Schreibpult zwischen Säulen vor einer skizzierten Landschaft, mit dem Evangelistensymbol in der Lünette darüber, ist ein Autorenporträt in der Nachfolge antiker Buchausstattung. Seine Gestaltung bezeugt die Benutzung einer im lockeren Strich des späten Hellenismus gemalten Vorlage. Nach einer weiteren Einleitung und einem Verzeichnis der Kapitel, die im Gottesdienst gelesen werden sollen, beginnt der eigentliche Text mit einer prunkvollen Doppelseite. Schon durch diese Paarung von Seiten wird ein Bezug zu den kaiserlich-römischen Diptychen aus Elfenbein hergestellt, die als Zeichen herrscherlicher Würde verstanden wurden. Eine weitere Auszeichnung erhält dieses Seitenpaar dadurch, daß nur hier auf purpurnem Grund gemalt wurde: Links thront Christus in der Majestas, umgeben von Evangelistensymbolen und Engeln in einem inneren, kreisförmigen Rahmen, der kosmische Symbolik entfaltet. Der äußere Rechteckrahmen imitiert Goldschmiedearbeit mit Perlen und antiken Gemmen, in denen mythologische Themen erkennbar werden. Das Bild Christi geht in seiner starrfaltigen Stilisierung auf byzantinische Vorbilder zurück. Das neubegründete westliche Kaisertum suchte den Maßstab für die ranghöchste Ausdrucksweise seiner Kunst am byzantinischen Kaiserhof.

Die ersten Evangelienworte gegenüber dem Christusbild sind mit Gold- und Silbertinte geschrieben. Die beiden Initialbuchstaben L und I sind eigenartig verfremdet, stilisiert und mit Flechtband und anderem reichen Zierrat versehen. Sie variieren anglo-irische Buchmalerei, während schon die folgenden Worte wieder aus Großbuchstaben der monumentalen römischen Inschriftentafeln gebildet sind. Das ›Wort Gottes‹ wird zum Bild und zum Monument. Dem entspricht der Glaube an die magische Macht des Wortes, des nicht nur gelesenen oder gesprochenen, sondern auch als Bild gestalteten und gesehenen Wortes. Nur aus diesem Glauben ist der ungewöhnliche Aufwand bei der Herstellung einer solchen Handschrift zu verstehen.

Die Buchkunst ist wie die Baukunst des Aachener Münsters Ergebnis eines kaiserlichen Befehls, einer absichtsvollen Komposition und sorgfältig reflektierten Synthese aus Motiven und Stilen unterschiedlicher Herkunft und Art. Der neue Stil war nicht das Ergebnis eines langwierigen Prozesses, sondern er wurde sukzessive auf die gewünschte Höhe und in die angestrebte Form gebracht. Seine Verbreitung erfolgte auf Befehl des Herrschers, und nur selten wagte es einer seiner Paladine, eigene Wege zu gehen. Zu ihnen zählte der Gelehrte und Ratgeber Alkuin im Kloster St. Martin in Tours. *(Abb. 14)*

Wie schon in der Spätantike finden wir unterhalb dieses ›Hochstils‹ auch andere Ausdrucksweisen, die mit diesem kaum in Verbindung zu stehen scheinen, und denen man nicht ansieht, daß sie zu derselben Zeit in demselben Land gebräuchlich sind; in ihnen lebt Irisches weiter, auch die Kunst der Völkerwanderungszeit. Teilweise handelt es sich dabei um eine absichtsvolle Stufung in der Art der rhetorischen Stillagen, den ›modi‹ oder ›genera dicendi‹. Bis zum Beginn der Gotik bleibt es ein bezeichnendes Charakteristikum der europäischen Kunst, daß fast unvermittelt unterschiedliche Stile nebeneinander stehen, so als seien zwei oder mehr künstlerische Sprachen gleichzeitig in Gebrauch gewesen.

Nie wieder haben in Europa an einem Ort Menschen aus so vielen verschiedenen Völkern an der Schaffung einer gemeinsamen Kultur gearbeitet: Der damals einflußreichste Theologe, Alkuin (Alchvine), war Angelsachse, der Chronist Paulus Diaconus Langobarde, der Dichter Theodulf spanischer Westgote, der Grammatiklehrer Cadac Ire usw. Ihr wichtigster gemeinsamer Bezugspunkt war die christliche, aber auch die heidnische Antike. *(Abb. 15 u. 16)* Aus Byzanz wurde die

__14. Die Schöpfungsgeschichte, Bibel,__ 47 x 36 cm, Tours, 834–843, Bamberg, Staatsbibliothek, Msc. Bibl. 1, fol. 7v

Die Abtei St. Martin in Tours an der Loire war unter Abt Alkuin, dem Hoftheologen Karls des Großen, eine der wichtigsten Schreib- und Malschulen des Reiches. Eine Spezialität war die Anfertigung großer Bibeln. Sie wurden meist nur mit einer einzigen Bildseite jeweils am Beginn des Alten und Neuen Testamentes verziert. Die Bildseite der Bamberger Bibel stellt die Schöpfungsgeschichte von der Erschaffung Adam und Evas bis zur Beerdigung des ermordeten Abel dar und folgt dabei einem spätantiken Vorbild. Die Bibel ist eine Schenkung Kaiser Heinrichs II. an seine neugegründete Domkirche in Bamberg, ein Zeugnis der Verehrung der Ottonen für das karolingische Erbe.

__15. Der Evangelist Johannes, Krönungsevangeliar der deutschen Kaiser,__ 32 x 25 cm, Aachen, kurz vor 800, Wien, Geistliche und Weltliche Schatzkammer, fol. 178v

Dieses Buch gehört zu den Reichskleinodien. Es ist in Goldschrift auf Purpur geschrieben. Die Evangelistenbilder stehen in Kleidung und skizzierender Malweise der Spätantike besonders nah, die für das Mittelalter als christliche Antike das wichtigste Vorbild war. Der Maler kam möglicherweise aus Rom.

*16. **Aratus: Phainomena, Das Sternbild der Andromeda,** 23 x 20 cm, Reims (?), um 830, Leiden, Bibliothek der Rijksuniversiteit, cod. Voss. lat. Q 79, fol. 30v*

Die Handschrift kopiert eine spätantike Vorlage und scheut dabei nicht vor der Darstellung von Nacktheit zurück. Auf diese Weise blieb immer etwas von der klassischen Körperauffassung im Mittelalter präsent.

erste, viel bewunderte Handorgel nach Aachen geschenkt und dort nachgebaut. Nur die islamische Kultur, zu der man seit den Spanienzügen Karls viele Kontakte hatte, wurde nicht imitiert. Ihre kostbaren, reich gemusterten Stoffe verwendete man jedoch gerne.

Die Bedeutung der Klosterkultur

Die Reformatoren des 16. Jahrhunderts hielten das Mönchtum für unbiblisch und heilsegoistisch. Sie beklagten die Ritualisierung des religiösen Lebens und die Anhäufung von Besitz. Insbesondere die Aufklärer des 18. Jahrhunderts sahen in den Klöstern nichts als Stätten des Müßiggangs, ohne Nutzen für Gemeinwesen und Wirtschaft. Darüber hinaus glaubte man, daß sie dem Bevölkerungswachstum im Wege standen. Fast alle Klöster wurden aufgehoben und ihr Besitz beschlagnahmt oder vernichtet. Die sich anschließende romantische Bewegung belebte zwar einige von ihnen wieder, doch noch heute fällt es schwer, die Schlüsselrolle des Mönchtums für die frühe Geschichte und Kultur Europas zu begreifen.

Entstanden ist es als Weltfluchtbewegung aus dem Chaos der Spätantike. Man ging ins Kloster (von ›claustrum‹, Verschluß), um den Greueln der irdischen Welt zu entfliehen und in Armut, Keuschheit und Gehorsam – den drei auf die Apostel zurückzuführenden Mönchsgelübden – zu leben, vor allem aber, um in Gottesdienst, Gebet und geistlicher Betrachtung der Auflösung der irdischen Dinge zu harren. Es war eine der fruchtbaren Ideen des altrömisch-praktisch denkenden Ordensgründers Benedikt von Nursia (um 480–um 543), diese Vorschriften um das Gebot der Arbeit zu ergänzen. Damit war nicht allein schwere Handarbeit gemeint, sondern auch das Abschreiben von Büchern. Diese Aufgaben wurden durch Unterricht und Studium ergänzt. Ohne die Mönche wäre ein Großteil des literarischen und wissenschaftlichen Erbes der Antike verlorengegangen.

Das Klosterleben ist gelebte Utopie. Der Klosterbezirk wurde als ein auf Erden gebautes Abbild der Himmelsstadt, aber auch als Vorhof des Paradieses begriffen. Der Lobgesang der Mönche vereinigte sich mit dem der Engel im Himmel. Es ist ein Paradox, daß erst die utopische Ausrichtung die Kräfte mobilisierte, die zur Verbesserung des irdischen Lebens führten. Aus den Weltflüchtigen wurden die Gestalter der neuen Welt. Auch hier griff die ökonomische Regel, daß bescheiden lebende, tätige und findige Gruppen von Leuten mit der Zeit reich werden. Sie konnten Geldmittel und Kräfte für anderes als das Notwendigste freimachen. Da sie über die täglichen Bedürfnisse hinaus denken und handeln konnten, wurden sie zu anerkannten Experten für Landwirtschaft und Viehzucht, für Baukunst und für andere Künste sowie für Handwerke, nicht zuletzt gingen aus ihnen Gelehrte und Wissenschaftler hervor. Das maßvolle und ›regelgemäße‹ Leben befruchtete nicht nur die Frömmigkeit und das Denken, das wirtschaftliche Handeln und die Kultur, sondern das gesamte Verhalten der europäischen Gesellschaft, deren Lehrmeister die Benediktiner waren.

Die Idee eines Lebensplanes legte es nahe, auch die Gehäuse und Formen des Klosterlebens zu reflektieren und zu systematisieren. Der Klosterplan von St. Gallen ist dafür ein kostbares Zeugnis. *(Abb. 17)* Er ist Denkmodell und utopischer Gesellschaftsentwurf zugleich, eine Welt im Kleinen und ein Abbild des Kosmos, gruppiert um die Kirche als Mitte, das Himmlische Jerusalem auf Erden. Nicht Künstler, sondern Theologen und Äbte entwarfen derartige Pläne, die kreuz und quer durch Europa verschickt und auf den Klostersynoden diskutiert wurden.

Kirchliche Institutionen blieben nur der äußeren Form nach gleich, die innere Struktur aber wandelte sich. Die Benediktregel erwies sich über Jahrhunderte als anpassungsfähig. In der karolingischen und auch noch in der ottonischen Epoche waren die Benediktinerklöster unentbehrlich beim Aufbau des Staats- und Gesellschaftssystems. Deshalb wurden ihre Äbte zu Heer- und Hoffahrt verpflichtet, deshalb die wichtigeren Klosterämter mit Mönchen aus dem Adelsstand besetzt. Ein Kloster wie St. Gallen hatte zeitweise größere Bedeutung als der benachbarte Bischofssitz Konstanz.

Die Mönche realisierten die Schulpläne Karls des Großen. Sie kopierten unermüdlich Handschriften in der neu geschaffenen karolingischen Minuskelschrift, die wir heute Antiqua nennen. St. Gallen war künstlerisches, dichterisches und musikalisches Zentrum in einem. Hier blühten die Theologie und die Wissenschaften. *(Abb. 18)* Wie lebendig und humorvoll es dabei zuging, zeigen die Erzählungen aus der Klosterchronik des Mönches Ekkehard, die *Wechselfälle des hl. Gallus.*

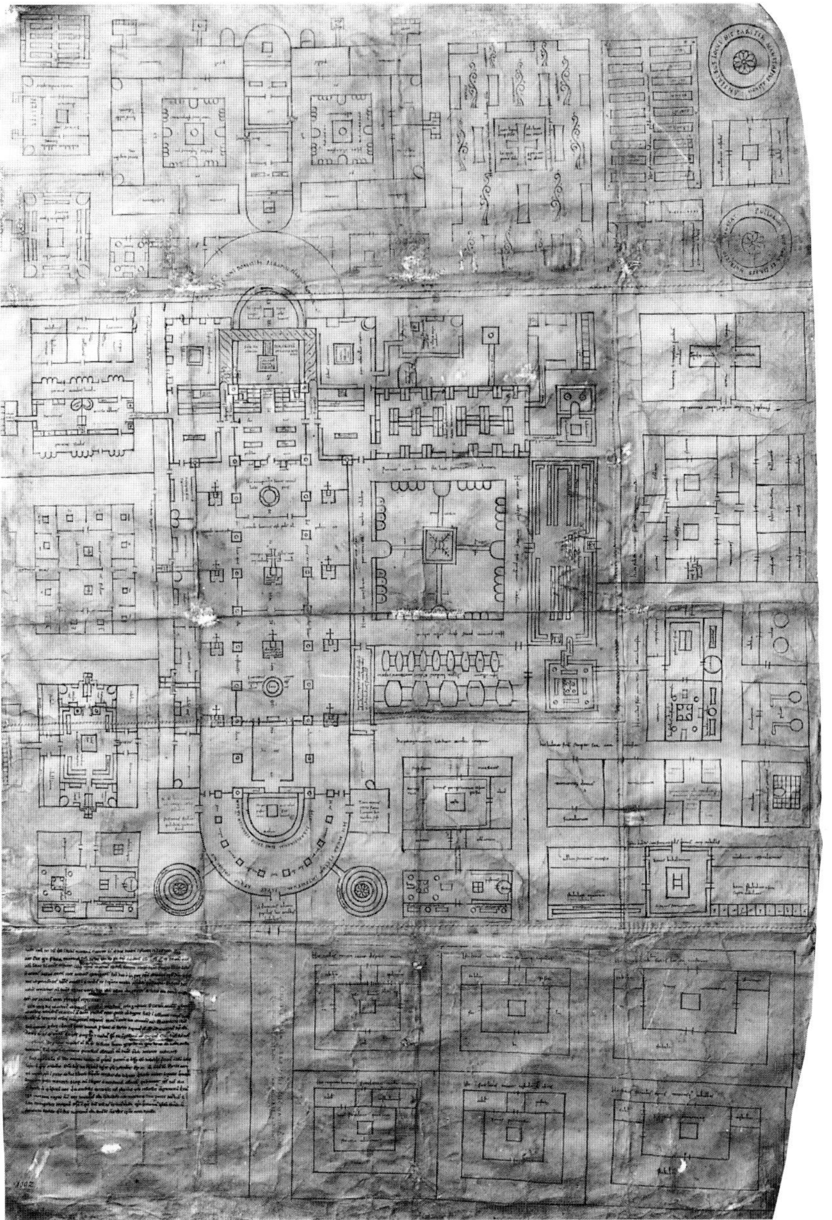

17. ***Klosterplan von St. Gallen,*** *Pergament und farbige Tinten, 78 x 112 cm, um 830, St. Gallen/ CH, Stiftsbibliothek, Cod. Sang. 1092*

Der älteste erhaltene Plan eines mittelalterlichen Klosters ist nicht Ergebnis eines architektonischen Entwurfs, nach dem gebaut werden sollte, sondern einer mönchischen Diskussion über das ideale Kloster; im gewissen Sinne handelt es sich um ein utopisches Konzept. Der Plan definiert weniger Form oder Proportion der Bauteile, sondern ihre Anordnung und Funktion. Dabei wird den Altären der Kirche die größte Aufmerksamkeit gewidmet, jedoch auch die Folge der Küchengärten bedacht.

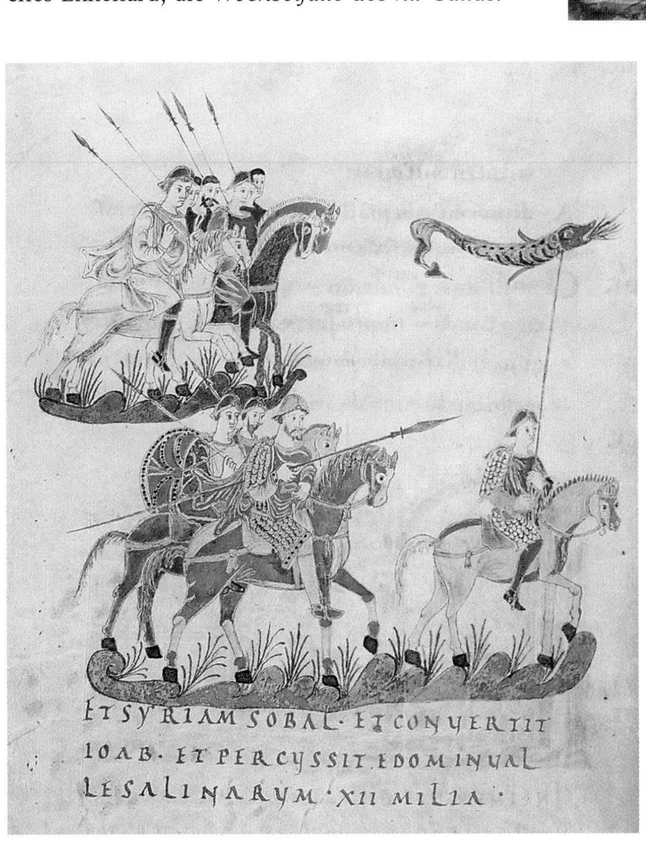

18. ***Joab zieht in den Krieg, Goldener Psalter,*** *37 x 27 cm, St. Gallen, um 870, St. Gallen/CH, Stiftsbibliothek, Cod. Sang. 22, S. 140*

Der Psalter war für Liturgie und Frömmigkeit gleichermaßen wichtig. In der Regel wurde er einmal in der Woche von der Mönchsgemeinschaft gebetet. Ihn auswendig zu kennen, war eine Voraussetzung für die Zulassung zum Bischofsamt. Für besondere Festtage bzw. hohe Würdenträger besaß man Prachtpsalter. Joab war ein Feldherr des alttestamentarischen Königs und Psalmendichters David. Das Bild zeigt jedoch karolingische Reiter. Drachen sind als Feldzeichen zu dieser Zeit nachweisbar.

*19. Kaiser Ludwig der Fromme als christlicher Ritter, **Hrabanus Maurus: Laudes Sanctae Crucis,** 40 x 31 cm, Fulda, um 840, Wien, Österreichische Nationalbibliothek, cod. 652, fol. 3v*

Hrabanus, der erst Fuldaer Abt (822–842), dann Erzbischof von Mainz wurde (847–856), war ein Enzyklopäde. Seinen Ruhm aber begründeten die Figurengedichte zum Lob des Heiligen Kreuzes, mit denen er eine poetisch-bildliche Form aus der Zeit Kaiser Konstantins des Großen aufgreift: In diesem Kaiserbild enthält die Gestalt des Herrschers ein Widmungsgedicht, die Worte innerhalb des Nimbusreifes bitten Christus, Ludwig zu krönen. Der Kaiser wird in spätantiker Feldherrntracht dargestellt. Der Maler hat also nach einer alten Vorlage kopiert.

*20. **Corvey, Benediktinerkloster St. Veit,** Westfassade, 873–885, mit späteren Auf- und Umbauten*

Das Erscheinungsbild der Kirchenfassade wird durch die Aufstockung der Oberteile im 12. Jahrhundert und die noch späteren Türme bestimmt. Das Bruchsteinmauerwerk war ursprünglich verputzt und bemalt.

791–817 errichtete man in Fulda, der Lieblingsklostergründung des hl. Bonifaz, eine neue, große Basilika nach römischer Art, deren Mauerwerk in der barocken Umbauung teilweise noch erhalten ist. Sie vermittelt noch heute eine Ahnung von der Größe der einstigen karolingischen Kirche. Da die großen Basiliken nicht gewölbt werden konnten, gerieten ihre offenen Dachstühle leicht in Brand. Deshalb ersetzte man sie im Laufe der Zeit durch Neubauten. Der romtreue Bonifaz hatte Fulda dem Apostelfürsten und ersten Papst Petrus geweiht. Die Karolingerzeit war nicht weniger romorientiert. Es lag also nahe, sich beim Neubau auf die Grabeskirche Petri in Rom zu beziehen. Den Vorgängerbau des heutigen Petersdoms kennen wir aus alten Plänen und Ansichten: eine fünfschiffige, langgestreckte Säulenbasilika mit großem Atrium und breitem Querhaus im Westen. Diese gegen die Gewohnheit der Ostung gehende Westausrichtung ist in Rom topographisch bedingt, wird aber fast überall, wo man sich auf das römische Vorbild bezog, nachgeahmt. In Fulda errichtete man jedoch noch einen zweiten Chor im Osten, um das Grab des hl. Bonifaz aufzunehmen. Davor lag ein großes Atrium. Nur in der Karolingerzeit konnte es ein Klosterbau wagen, eine Kathedralkirche des Bischofs von Rom zu kopieren. Dabei sollte man allerdings im Auge behalten, daß die Äbte nicht zu ihrem eigenen Ruhm bauten, sondern stellvertretend für den Kaiser. So erklärt sich auch die Umsetzung kaiserlicher Ansprüche in der Buchmalerei. *(Abb. 19)*

Ein anderes bauliches Erbe der Karolinger ist das Westwerk. Aus dem 9. Jahrhundert besitzen wir noch ein einziges, allerdings mehrfach umgebautes Beispiel in der Klosterkirche Corvey an der Weser, dem Kerngebiet des damaligen Sachsen-

21. Corvey, Benediktinerklosterkirche St. Veit,
Johannischor im Westwerk, 873–885
Erhalten sind noch bedeutende Reste der spätkarolingischen Raumfassung mit Scheinarchitektur, so auch die später in Sachsen gern imitierten Kantensäulen, mit Ranken und antiken Fabelwesen. Die durch ihre vergrößerte Bogenöffnung erkennbare Empore war wohl zur Aufstellung eines mobilen Fürstenthrons gedacht, dem sogenannten Faldistorium (Faltstuhl).

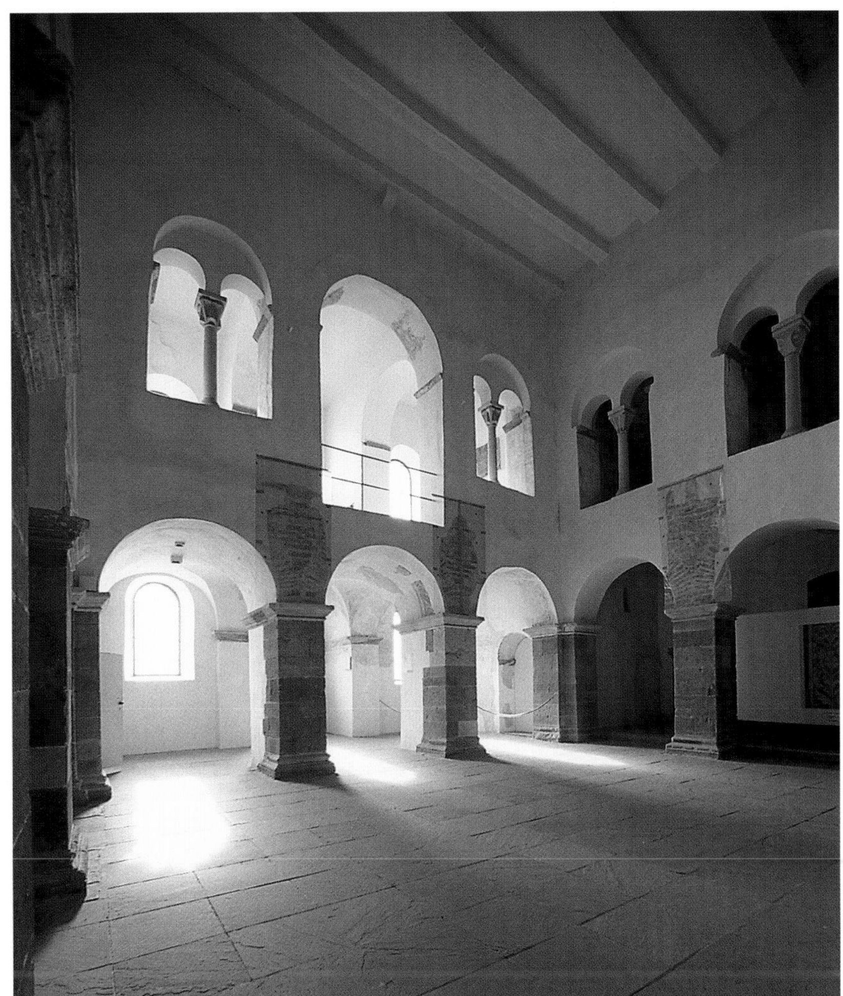

landes. *(Abb. 20 u. 21)* Benediktiner aus dem nordfranzösischen Corbie begannen auf Geheiß von Verwandten Karls des Großen im Jahre 815 mit der Errichtung von ›Neu-Corbie‹. Der heutige Westbau entstand allerdings erst zwei Generationen später. Klöster dienten der Festigung der Landesherrschaft, wenn nötig aber auch als Festungen. Diese Doppelfunktion als reales Bollwerk gegen Feinde und symbolisches Bollwerk gegen die Mächte der Finsternis bestimmt die Westwerke. Eine Inschrift brachte dies zum Ausdruck: »Umgürte, o Herr, diese Stadt, und Deine Engel sollen ihre Mauern bewachen!« Im Inneren folgt auf einen kryptenartigen unteren Bereich der sogenannte Johannischor, ein hoher, quadratischer Raum mit auffälliger Westloge auf einer eigenen Empore. Wir wissen nicht, ob diese die Aachener Pfalzkapelle zitierende Architektur jemals als Kaisersitz benutzt wurde. Aber genau wie später die Kaisersäle barocker Klöster signalisierte damals das Westwerk den Status als Reichsabtei. Westwerke waren Räume mit vielen Funktionen und vielen Bedeutungen. Man kann in ihnen gewissermaßen ein Sinnbild der karolingischen Synthese sehen.

Die ottonische Dynastie im karolingischen Ostreich

Das Karolingerreich brach unter dem Ansturm der Normannen von Norden und Westen, der Sarazenen von Süden und der Awaren, Ungarn und Slawen von Osten zusammen. Streitigkeiten hatten das Band zwischen den Teilreichen zerstört und gemeinsames Handeln verhindert. Damit wurde die Grundlage für die Entstehung der Einzelreiche geschaffen, aus denen die Nationen hervorgingen. Wenn später vom ›regnum theutonicorum‹ gesprochen wird, so war nur das Ostreich gemeint, also der Zusammenschluß der Alemannen, Bayern, Thüringer, Sachsen und Friesen mit den rheinischen Franken. Es bezieht sich aber immer noch nicht auf eine Sprachgemeinschaft oder gar auf das ›deutsche Volk‹ oder die Nation im modernen Sinne. Denn in ›Lotharingien‹, zu dem auch die linksrheinischen Gebiete mit den Niederlanden gehörten, sprach man schon damals großteils französisch.

Die durch Karl den Großen zwangschristianisierten Sachsen nahmen aufgrund ihrer militärischen Überlegenheit die führende Rolle im Ostreich ein. Die Zeitgenossen empfanden dies als Wille des Himmels, als Bestimmung zu Höherem. Der Chronist Widukind von Corvey sah in der Übertragung der Gebeine des hl. Veit von St. Denis nach Corvey im Jahre 836 den Wendepunkt dafür, daß »bei den Franken die Dinge abnahmen, bei den Sachsen aber zu wachsen begannen.«

Die sächsischen Herrscher festigten ihre Macht mit Hilfe einer klugen Heiratspolitik. Dadurch und aufgrund gemeinsamer Kriegszüge entstand allmählich die Basis für ein Zusammengehörigkeitsgefühl, obwohl etwa Bayern und Sachsen einander sprachlich wesentlich schlechter verstanden als heute und die Ottonen im Süden eher die Funktion von Ehrenkönigen hatten.

Der erste König der Liudolfingerdynastie, Heinrich I. der Vogeler, konnte die Kaiserkrone noch nicht anstreben. *(Abb. 1)* Seit Otto I. der Große sich im Jahre 962 vom Papst hatte krönen lassen, verstanden sich die Ottonen – und ihre Nachfolger auf dem deutschen Thron bis zur Auflösung des Reiches im Jahre 1806 – als von Gott eingesetzte Herrscher über die Welt. Bereits hier zeichnet sich die deutsche Geschichte und Kultur kennzeichnende Kluft zwischen Anspruch und Wirklichkeit ab. Die Ottonen beherrschten bald nicht nur das alte Ostreich, sondern auch Lotharingien und Italien. Zeitweise erkannte sogar der König von Frankreich eine gewisse Oberhoheit an. In der Tat findet man dort zwischen 950 und 1050 Kunstwerke, die sich an den kaiserlichen Arbeiten orientieren. Aber das Reich Karls des Großen war nicht wiederherzustellen, obwohl der Begriff des ›Regnum Francorum‹ noch bis Friedrich Barbarossa aufrechterhalten wurde und damit das Ziel, auch den Westen zu beherrschen.

Die kaiserliche Politik war auf Rom gerichtet. Während Karl in seiner langen Regierungszeit nur dreimal kurz in Italien weilte, verbrachte Otto der Große die meisten seiner letzten Regierungsjahre dort. Man kann bedauern, daß Otto II. und Otto III. in frühen Jahren an der ›italienischen Krankheit‹, der in den damals versumpften Niederungen Italiens verbreiteten Malaria, starben. Es wurde auch von vielen Historikern beklagt, daß die Deutschen ihre Kräfte außer Landes vergeudeten und im Laufe ihrer Geschichte einen hohen Preis für die kaiserliche Italienpolitik bezahlten. Aber man muß bedenken, daß es ohne das Ziel, das Römische Reich zu verwirklichen, vielleicht nie zu einer deutschen Nation gekommen wäre. Man sollte sich vor Augen führen, daß Deutschland das Hinterhaus Europas war. Nur über Italien konnte es Anschluß an die Kultur, an das Mittelmeer und damit an den damaligen Welthandel gewinnen. Und man muß zur Kenntnis nehmen, daß auf diese Weise eine außergewöhnliche Beziehung zwischen beiden Völkern entstand. Die Italiensehnsucht der Deutschen beginnt nicht erst im Zeitalter des Humanismus um 1500 oder im Klassizismus um 1800, sie reicht weiter zurück. Immer wieder zogen Deutsche nach Italien, um dort zu lernen, aber auch um dort zu herrschen, dort zu rauben oder – dort zu bleiben. Andererseits wurden Italiener als Helfer und Lehrmeister in den Norden geholt. Der Austausch zwischen beiden Völkern ist viel dichter und bedeutsamer, als man heute zu denken geneigt ist. Italien ist ein auratischer Ort im kollektiven deutschen Unterbewußtsein.

Viele Zeugnisse dieser engen, zeitweilig geradezu symbiotischen Beziehung sind verloren. Wir wissen, daß Otto III. ›der Römer‹ zur Ausmalung des Aachener Münsters einen Maler mit dem Namen Johannes aus Italien holte. Man hat dort Spuren seiner Kunst gefunden, zu wenig zwar, um sich von ihr ein Bild machen zu können, doch war dieser Künstler so angesehen, daß er sich in einer langen lateinischen Inschrift verewigen durfte. Wir erfahren, daß der Kaiser ihn aus dem ›Nest des Vaterlandes riß‹ und der ›docta manus‹ (gelehrten Hand) zum Lohn ein italienisches Bistum versprach – er war also Geistlicher. Am Ende seines Lebens finden wir ihn in Lüttich in den Diensten eines der wichtigsten Reichsbischöfe. Und auch sein Ehrenbegräbnis in St. Jacques bezeugt, wie hoch sein Ansehen war.

Das politische System

Das Lehnswesen ist in frühfränkischer Zeit als System von Abhängigkeiten geschaffen worden. Der König konnte Rechte an die Kirche verleihen und vergab Ländereien ›zu Lehen‹ an hohe Adlige, die sich in freiwilliger Abhängigkeit zu ›Rat und Tat‹ verpflichteten, vor allem zu Kriegsdiensten, aber auch zur Aufnahme und Bewirtung Verbündeter. Das Lehen blieb Eigentum des Gebers, war also nur beschränkt vererbbar (was im Laufe der Geschichte aufgehoben wurde). Die Adligen vergaben ihrerseits Teile ihrer Lehen an ihre Dienstmannen, die sogenannten Ministerialen, aus denen die Ritterschaft entstand: Diese Leute leisteten Kriegsdienst zu Pferde, brauchten also viel Land, um die Kosten für Pferde, Knappen und Ausrüstung aufbringen zu können. Die Ministerialen wiederum gaben es an Bauern zur Bearbeitung, die für ihre Abgaben den Schutz ihrer Herren erhielten. Eine weitere Abgabe, den ›Zehnten‹, bekam die Geistlichkeit. Das System war vielfältig. So verstanden sich etwa die sächsischen Bauern als Freie, im Unterschied zu den fränkischen. Auch war das Ostreich in Stammesherzogtümer gegliedert und hatte in den Grenzmarken (z.B. Mark Meißen oder Österreich) ein System von Grenzburgen, die mit ›milites agrarii‹, Bauernkriegern, besetzt wurden. So entstand bzw. vertiefte sich eine gewisse regionale Differenzierung.

Geistliche standen in einem doppelten Lehensverhältnis. Offizieller Lehensgeber war der Heilige. In Urkunden ist immer wieder zu lesen, daß etwa dem hl. Stephan etwas geschenkt oder geraubt wurde. Gemeint ist aber die kirchliche Insti-

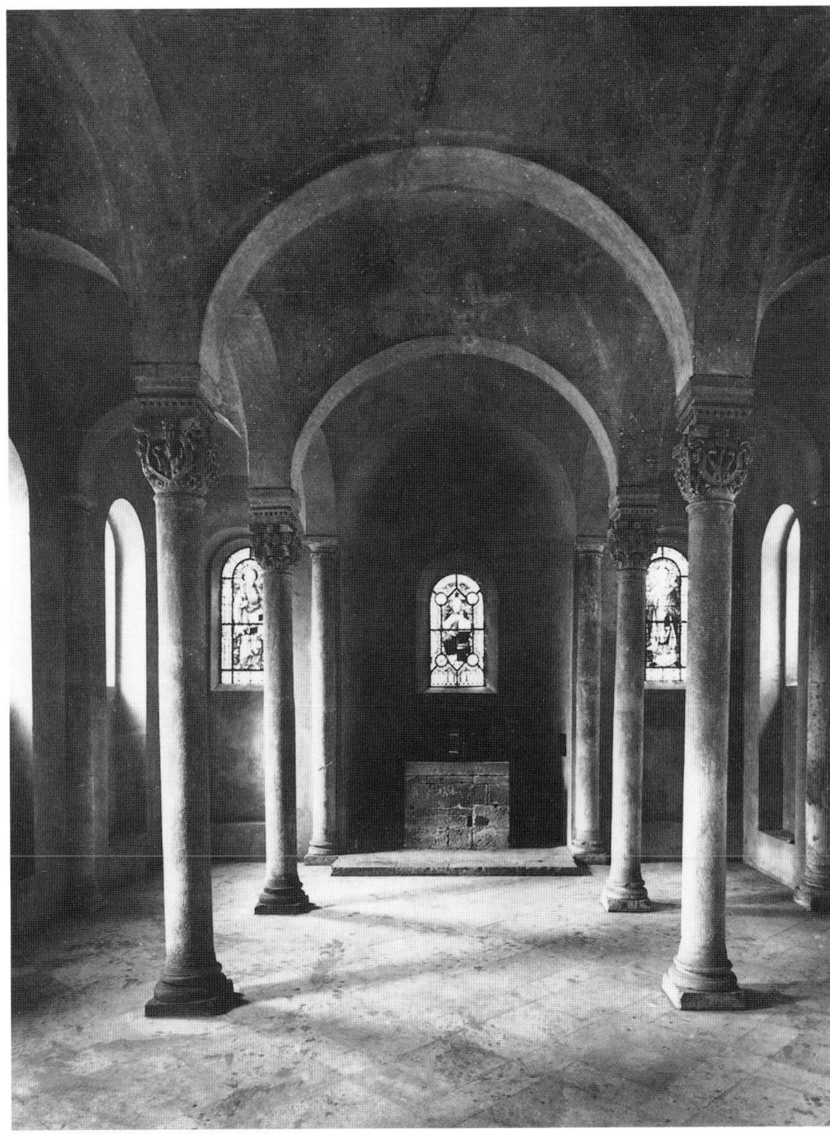

*22. **Paderborn, Bartholomäuskapelle,** Innenansicht, um 1017*
Die Kapelle wurde von Bischof Meinwerk für die ehemals nördlich anschließende Pfalz nach Quellen von ›griechischen Werkleuten‹, wahrscheinlich Handwerkern aus den byzantinischen Regionen Italiens, errichtet. Doch mauerten sie nur die Gewölbe, alles andere stammt von sächsischen Bauleuten. Es handelt sich um eine der frühesten Hallenkirchen auf deutschem Boden.

tution, deren Patron Stephan war. Rechtlicher Lehensgeber und eigentlicher Inhaber der Kirchengüter war jedoch der König. Er gab sie an die Bischöfe, Äbte und Äbtissinnen der Reichsklöster zu Lehen. Daraus leitete man die Vergabe des geistlichen Amtes (Investitur) durch den Herrscher ab, worüber seit Mitte des 11. Jahrhunderts ein heftiger Streit entbrannte. Die Geistlichen hatten für weltliche Geschäfte, wie etwa die Blutsgerichtsbarkeit, Vögte, die ihre Lehnsmannen waren. Ebenso gab es auch geistliche Abhängigkeiten, wie bischöfliche Eigenklöster oder dem Domkapitel nachgeordnete Stifte.

Die Karolinger stützten sich eher auf die Reichsklöster. Die Ottonen hingegen förderten die Bischöfe, um dem Partikularismus der Herzöge und Grafen entgegen zu wirken. Die hohen Geistlichen hatten damals auch in politischer Hinsicht ein hohes Bildungsniveau; von ihnen konnte man ein Eintreten für Belange des Reichs erwarten. Sie erhielten umfangreiche Rechte, mußten dafür aber viele weltliche Pflichten übernehmen.

Ein typischer ›Reichsbischof‹ war Erzbischof Bruno von Köln, der jüngste Bruder Ottos des Großen (953–961). Er wurde zur unentbehrlichen Stütze des Kaisers: Zeitweise führte er dessen Urkundenwesen, war Hofkaplan, Herzog im umstrittenen Lotharingien und Friedensstifter in Frankreich. Als eine Art Vizekönig vertrat er die ottonischen Interessen im alten karolingischen Mittelreich.

Die Kaiser gingen bei der Auswahl der Bischöfe sorgfältig und planmäßig vor: Berufen wurden sie nach Rücksprache mit den Vertretern der weltlichen und geistlichen Interessen. Sie sollten aus dem Adel kommen, gut ausgestattet und gebildet sein. Bevorzugt wurden Kapläne aus der Hofkapelle und Männer aus königsnahen Domschulen wie Hildesheim oder später Bamberg. Dabei verfolgten die Kaiser keineswegs nur politische Ziele: Heinrich II. etwa schickte den reichen Geistlichen Meinwerk auf den Paderborner Bischofsthron, damit er dem armen Bistum aus seinem Privatvermögen aufhelfe. *(Abb. 22)*

Deshalb vollendete das Herrscherhaus in Abstimmung mit dem Papst die Diözesanorganisation Karls des Großen. Otto der Große gründete Magdeburg als neues Erzbistum für die Missionierung der ostelbischen Slawenstämme. *(Abb. 23)* Für die Bekehrung des Nordens wurde das Erzbistum Hamburg/Bremen eingerichtet. Auch Polen, Ungarn und die böhmischen Länder erhielten ihre kirchliche Gliederung durch Kaiser und Papst. Die damals geschaffene Ordnung gilt im wesentlichen noch heute, abgesehen von einigen Neugründungen, den Grenzkorrekturen und den Aufhebungen der Reformation. Sie zu kennen ist für das Verständnis der Kunstgeographie Deutschlands unerläßlich.

Die Kanzlei, d.h. die Verwaltungsorganisation, in der die im Rechtswesen so wichtigen Urkunden ausgestellt und verwahrt wurden, hatte an ihrer Spitze immer einen Bischof. Es bürgerte sich ein, daß der Mainzer Erzbischof Kanzler für Deutschland, der Kölner für Italien und der Trierer für Frankreich wurde. In gleicher Weise, in der man für weltliche Herren eine Rangfolge festgelegt hatte, richtete man auch eine der einzelnen Erzbischöfe und Bischöfe, der Äbte und Stiftspröpste ein – beides war Quelle ständigen Ärgers.

Die Ottonen übernahmen das karolingische System der Reichsabteien, gründeten aber kaum neue, sondern überließen dies den Bischöfen oder Grafen. Da man an der inneren und äußeren Stabilität von Einzelkonventen zweifelte, förderten die Kaiser die Reform der Klöster und deren Beaufsichtigung durch die Bischöfe sowie den Zusammenschluß zu Kongregationen.

23. Magdeburg, Dom St. Mauritius, *Chor, nach 1207*

Otto der Große erbaute für sein neu gegründetes Erzbistum einen im Jahre 967 vollendeten Dom, für den er Säulen, Kapitelle und andere Spolien aus Porphyr, Granit und Marmor aus Italien herbeischaffen ließ. Diese architektonischen Reliquien wurden in den gotischen Domneubau (nach 1207) integriert und dadurch neuinszeniert, diesmal eher als Erinnerungszeichen an den Gründer. In den Dreipaß-Nischen befanden sich ursprünglich Schreine mit Reliquien.

24. Essen, Damenstiftskirche St. Kosmas und Damian, *Innenansicht nach Westen, um 1039–1058 auf älterem Grundriß, Halle 1276–1327*

Der Westteil ist nach dem Aachener Münster kopiert. Er hat eine Empore für die Plazierung des Kaisers und anderer Herrschaften und ein Atrium. Der Bau wurde von Äbtissin Theophanu, einer Enkelin Ottos II., errichtet. Von der alten Ausstattung ist der große, siebenarmige Leuchter bemerkenswert, ein Goldschmiedewerk, das der Menorah im Tempel Salomos nachempfunden wurde.

Die innere Größe der ottonischen Führungsschicht zeigt sich beispielhaft daran, wieviel Macht und Entfaltungsmöglichkeiten sie den Frauen der Oberschicht einräumte. Man kann sie mit einem alten, heute ungebräulichen Wort als ›Herrinnen‹ bezeichnen. *(Abb. 24–27)* Die Kaiserinnen bestimmten die politischen Entscheidungen in hohem Maße mit. Dies gilt nicht nur für die Zeit, in der sie als Regentinnen für ihre minderjährigen Söhne handelten, wie Theophanu für Otto III. Während der zahlreichen Reisen und Kriegszüge der Herrscher ins Ausland lag das innenpolitische Regiment wie im Fall von Kunigunde, der Gemahlin Heinrichs II., häufig in den Händen der Kaiserin. Gerade Heinrich beteiligte seine Gemahlin auch sonst gern an seinen Entscheidungen.

Die Herrscherinnen hatten Bereiche, in denen sie selbständig agierten. Seit Mathilde, der Gemahlin Heinrichs des Vogelers, gründeten sie von sich aus großzügig ausgestattete, hochadlige Damenstifte oder sie förderten solche Einrichtungen von anderer Seite nachhaltig. Einige dieser Damenstifte nahmen einen sehr hohen Rang in der Reichshierarchie ein: Essen, Gandersheim oder Quedlinburg sind Fürstentümern vergleichbar. Ihre Äbtissinnen führten im Namen des Kaisers das politische, aber auch das kirchliche Regiment, da den Stiften in der Regel eine oder mehrere Pfarreien gehörten. Nachgeordnete Konvente von Stiftsherren halfen dabei. Kaiserwitwen zogen sich gerne in die von ihnen gegründeten Häuser zurück und leiteten sie, wie Mathilde in Quedlinburg oder Kunigunde in Kaufungen. Der Einfluß der Äbtissinnen-Prinzessinnen bei Hofe war erheblich, zumal die Kaiser ihre Hoftage gerne in Quedlinburg und anderen Damenstiften abhielten. So begleitete die Äbtissin Mathilde von Quedlinburg ihren Bruder Otto II. nach Italien und vertrat ihren Neffen Otto III. als Regentin in Sachsen.

Stiftsdame konnte man nur nach einer Prüfung werden, bei der auch Lateinkenntnisse nachgewiesen und die Liturgie beherrscht werden mußten. An jedes Stift war eine Schule angeschlossen, in der die Töchter des Adels ausgebildet wurden. Auch die Liturgie gestalteten die Stiftsdamen in hohem Maße selbständig. Roswitha von Gandersheim bezeugt den literarischen und theologischen Rang, den Stiftslehrerinnen damals erreichen konnten. Die Kanonissen entfalteten eine bemerkenswerte Aktivität beim Bau und bei der Ausstattung ihrer Kirchen. Dabei ist die politische Komponente auffällig: So wird beispielsweise im Westbau der Stiftskirche Essen das Aachener Münster zitiert. *(Abb. 24)* In den überaus kostbaren Handschriften und Kunstwerken verwirklichten diese Frauen durchaus eigene Vorstellungen und bestimmten die Themen nach ihren Interessen. *(Abb. 25–27)*

Überhaupt wurde die Epoche lange Zeit von Herrschern wie Klerikern geprägt, die Geistliches und Weltliches zu vereinen wußten. Die ersten sieben deutschen Könige bzw. Kaiser galten sämtlich als große Fürsten und fromme Männer zugleich, wobei nur Heinrich II. zu Lebzeiten sowohl der ›Große‹ wie der ›Fromme‹ genannt und schließlich auch heiliggesprochen wurde. *(Abb. 28)* Ihnen zur Seite standen gleichbedeutend die Kaiserinnen, mehrere von ihnen kanonisiert: die hl. Mathilde, Gemahlin Heinrichs I., die hl. Adelheid, zweite Frau Ottos des Großen und die hl. Kunigunde, Ehefrau Heinrichs II. Man war überzeugt, daß adliges Blut zur Heiligkeit prädestiniere. Auch der Episkopat hat selten so viele Heilige hervorgebracht; das beruht keineswegs nur auf späterer Verklärung – schon die Zeitgenossen waren sich darüber einig: 993 wurde zum Beispiel

25. Stifterinnenbild, 26. Sturm auf dem See Genezareth, Evangeliar der Äbtissin Ida von Meschede, *29 x 22 cm, Köln, um 1030 (?), Hessische Hochschul- und Landesbibliothek, cod. 1640, fol. 6 und 117*

Die Äbtissin Hitda/Ida tritt als Herrin auf; sie trug keine Bedenken, sich in Lebensgröße vor der Klosterpatronin Walburg darstellen zu lassen. Das Evangeliar ist einerseits besonders antikennah, greift andererseits aber byzantinische Motive und Formen auf. Auffällig ist die schwungvolle, auch im Pinselstrich dynamische Erzählweise: Naturnachahmung galt damals nicht als erstrebenswertes künstlerisches Ziel, wohl aber die Darstellung der Macht des Sturmes.

Bischof Ulrich von Augsburg, zwanzig Jahre nach seinem Tode und als erster Heiliger überhaupt, von einer öffentlichen Synode kanonisiert. Die Vorstellung von Heiligkeit bildete sich nicht nur an Modellen lange vergangener Zeiten, sondern auch an Personen der Gegenwart.

Mit dem Reichskirchensystem wurde ein nur der deutschen (teilweise auch der italienischen) Geschichte eigener Prozeß in Gang gesetzt, der seit dem 12. Jahrhundert aus den Bischöfen und einigen Äbten und Äbtissinnen Territorialfürsten machte. Absicht der Kaiser war ursprünglich, große Teile des Reichsgutes dem Erbgang und damit möglicher Entfremdung zu entziehen, da die Geistlichen nichts vererben durften. Letztlich führte dies aber zur Zersplitterung des Landes. Andererseits findet sich noch bei den Fürstbischöfen des 18. Jahrhunderts viel von dem staatstragenden Denken des ottonischen Reichsepiskopats. *(Abb. VI/66)*

Für Architektur und Kunst hatte das System vielerlei Folgen und Auswirkungen: Die Kaiser bauten kaum selbst, vielmehr bauten die Gefolgsleute in ihrem Sinne, so daß selbst ein bischöflicher Klosterbau wie St. Michael in Hildesheim oder eine gräfliche Damenstiftskirche wie St. Cyriakus in Gernrode immer auch als ›politische‹ und somit als kaiserliche Architektur zu verstehen sind. *(Abb. 31 u. 32)* Das gilt teilweise sogar für die Ausstattung. Deshalb bedurften Neugründungen im Prinzip der Genehmigung des Kaisers.

Im Deutschen Reich entstand keine Metropole. Ideelle Hauptstadt war Rom, aber nur Otto III. hat die Heilige Stadt als Regierungssitz nutzen wollen. Heinrich II. gestaltete Bamberg als ›Neues Rom‹ auf sieben Hügeln an der Regnitz. Die Anordnung seiner Hauptkirchen in Kreuzform bezeugt die Dominanz symbolisch-theologischen Denkens auch im Städtebau, nach dem Vorbild der karolingischen Anlage von Fulda. Von den kaiserlichen Pfalzen erlangte nur Goslar unter Heinrich III. und Heinrich IV. zeitweilig Zentrumscharakter, Aachen lag zu dezentral. Die anderen Kaiser bevorzugten jeweils eine andere Bischofsstadt: Konrad II. Speyer oder Rudolf von Habsburg Straßburg. Dieser Prozeß machte Deutschland zu einem Land mit vielen Hauptstädten.

Die politische Indienstnahme der Kirche ist keineswegs als Säkularisierung zu verstehen, denn das Kaisertum war selbst eine sakrale Institution. Der Kaiser wurde als Stellvertreter Gottes in irdischen Dingen verstanden, seine Weihe ähnelte einem Sakrament. *(Abb. 28)* Deshalb hatte er von Amts wegen den Rang eines Diakons – und deshalb war er in den meisten Domstiften Ehrenkanoniker, für den ein Platz im Chorgestühl vorgesehen war. Zu seinen Aufgaben gehörte es, das Evangelium in der Weihnachtsmesse zu lesen. Die Kleidung, die er während der Krönungszeremonie trug, hatte geistlichen Charakter. Der Kaiser hatte die Kirche zu schützen, den Glauben zu fördern und zu verbreiten. Er verstand dies als Auftrag, auch reformierend einzugreifen. Im Gegenzug wurde von ihm erwartet, die Kirchen reich zu beschenken, Neugründungen zu fördern und damit das ›Reich Gottes auf Erden zu mehren‹.

*27. **Der hl. Erhard bei der Messe, Evangeliar der Äbtissin Uta von Stift Niedermünster in Regensburg,** 38 x 27 cm, Regensburg, um 1020, München, Bayerische Staatsbibliothek, clm 13601, fol. 4*

Die bayerische Äbtissin ist auf der gegenüberliegenden Seite als Teilnehmerin an der Messe des hl. Regensburger Bischofs Erhard dargestellt. Die Handschrift ist ein Kompendium der symbolischen Theologie und bezeugt die gelehrten Interessen damaliger Stiftsdamen. Das ornamentreiche Bild steht in der Tradition des karolingischen Codex Aureus von St. Emmeram, der zusammen mit dem Arnulfziborium auf dem Altar zu sehen ist. (Abb. 8 u. 9)

Öffentlich sichtbar wurde die Sakralität des Kaisers vor allem bei der Krönung zum König in Aachen und zum Kaiser in Rom, die einem aufwendigen, durchdachten Zeremoniell folgte: Die Königskrönung fand in der Pfalzkapelle statt. Zuerst bestieg der neue König in der Exedra des Atriums einen Thron. Dort huldigten ihm die einflußreichen Persönlichkeiten des Reiches und schworen den Treueid. Die Kirche betrat der König im Gewand Karls des Großen, der Erzbischof von Mainz geleitete ihn in die Mitte, dort wurde er ›dem Volk‹ vorgestellt, das ihn durch Zuruf als Herrscher bestätigte. Dann wurde er zum Altar geführt, wo Krone, Zepter, Reichsapfel und die anderen Reichskleinodien bereitlagen, von denen sich die meisten heute in der Wiener Schatzkammer befinden. Damit begann die kirchliche Weihe. Darauf folgten Salbung und Krönung, die gemeinsam von den Erzbischöfen von Mainz und von

*28. **Sternenmantel Kaiser Heinrichs II.,** Regensburg (?), um 1020, Bamberg, Dom- und Diözesanmuseum*

Die Heiligsprechung Heinrichs II. und seiner Gemahlin Kunigunde machte ihre Hinterlassenschaft zu sorgfältig bewahrten Reliquien. Der Sternenmantel hat die Form eines halbkreisförmigen Mantels (Pluviale) und besteht aus blauer Seide mit Goldstickereien. Dargestellt sind um die Majestas Christi das Universum in Raum (Sternenbilder) und Zeit (Tierkreiszeichen) sowie eine Reihe heiliger Gestalten. Die Inschriften nennen den Mantel eine ›Beschreibung der ganzen Welt‹ und verherrlichen Kaiser Heinrich als Zierde Europas.

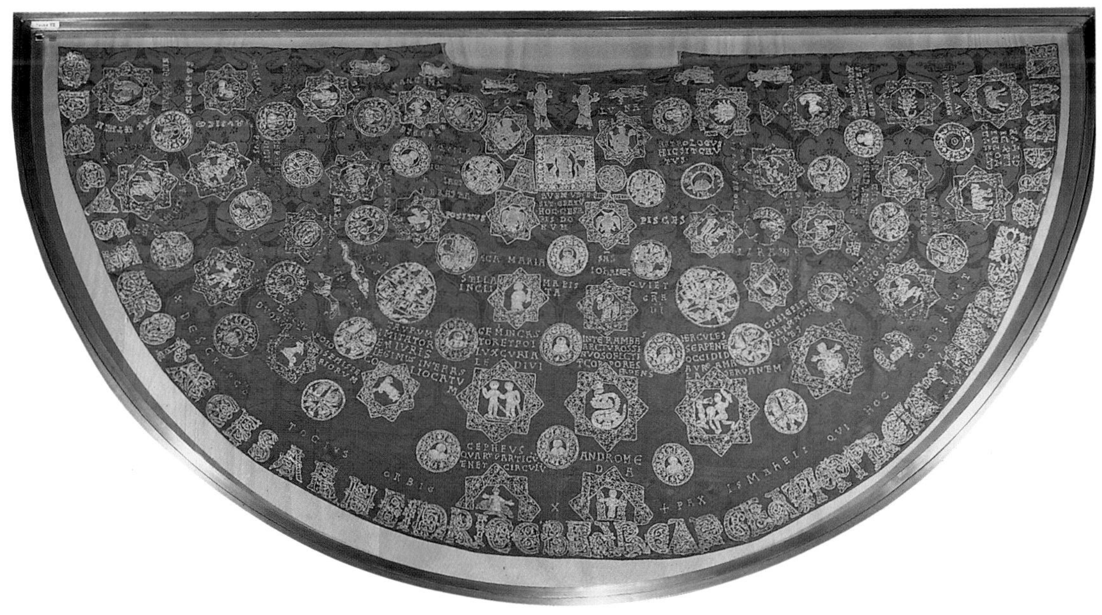

*29. **Lotharkreuz,** Vorderseite, Gold, Silber, Perlen und andere Edelsteine, 50 cm, Aachen (?), um 997, Aachen, Münster-Schatzkammer*

Das Prozessionskreuz ist im Auftrag Kaiser Ottos III. entstanden. Die Vorderseite, die dem Herrscher vorangetragen wurde, zeigt einen antiken Kameo mit dem Bildnis des Kaisers Augustus, als Zeichen der Erneuerung der römischen Kaiserherrschaft, außerdem ein in Glas geschliffenes Bildnis Kaiser Lothars II. (855–869), als Zeichen des Anschlusses an die karolingische Vorgängerdynastie. Die dem Kaiser bei Prozessionen zugewandte Seite zeigt in feiner Gravur eine Darstellung des tot am Kreuz hängenden Christus im ausdrucksstarken Typus des Gerokreuzes. (Abb. 37)

Köln ausgeführt wurden. Daran schloß sich die Inthronisation auf dem Marmorthron Karls des Großen an *(Abb. 6)*. Dort, zwischen den beiden kostbaren Reliquiensäulen thronend, wohnte der König der feierlichen Messe bei. In der Kaiserpfalz folgte das Krönungsmahl, bei dem die Herzöge ihre Lehnsabhängigkeit erneuerten, indem sie Hofdienste leisteten, der Herzog von Schwaben beispielsweise als Mundschenk und der Herzog von Bayern als Marschall. Für das Volk floß aus dem Marktbrunnen während der Zeit Wein, Ochsen wurde gebraten und verteilt. Der Zulauf war so groß, daß die Straßen nach Aachen selbst für Fußgänger nicht mehr passierbar waren.

Das Inventar der Reichskleinodien in der Wiener Schatzkammer liest sich wie ein Reliquienverzeichnis. Menge und Rang dieser Reliquien galten als Zeichen dafür, daß der Kaiser von Gott auserwählt und er sich der himmlichen Gunst sicher sein konnte. Die Reichskrone mit ihren Emailplatten und großen Edelsteinen ist zwar besonders ansehnlich, *(Abb. 1)* aber die Heilige Lanze steht als Reliquie im Rang höher, weil sie als diejenige galt, mit der Christi Seite und Herz geöffnet wurde und weil außerdem einer der Nägel darin eingeschlossen ist, mit denen Christus ans Kreuz geheftet war.

Die öffentliche Selbstdarstellung der deutschen Könige und Kaiser fand vor allem im Rahmen der kirchlichen Festliturgie statt. Jeder Dom und jedes Reichskloster im damaligen Reich, also auch in Italien, mußten das Zeremoniell der Kaiserliturgie mit ihren ›Laudes Regiae‹ durchführen können. Dafür mußte man die angemessenen Paramente, Gerätschaften und Bücher anschaffen – oder sie sich von den Kaisern schenken lassen. *(Abb. 29 u. 30)* Die Kirchen und Pfalzbauten mußten so gestaltet sein, daß der Einzug des Herrschers in angemessener Feierlichkeit durchgeführt werden konnte. Deshalb besaßen alle dem Reich verbundenen kirchlichen Institutionen mindestens ein Prunkevangeliar mit Golddeckel, ein kostbares Prozessionskreuz, ein Pontificale mit den Zeremonialvorschriften, Kaiserhymnen und anderes mehr.

Eine Hauptaufgabe der Reichsklöster war folglich die Anfertigung prunkvoll illuminierter Hand-

*30. **Der bethlehemitische Kindermord, Perikopenbuch des Erzbischofs Egbert von Trier,** 27 x 21 cm, Reichenauer und Trierer Maler, um 990, Trier, Stadtbibliothek, cod. 24, fol. 15v*

Der Trierer Erzbischof hatte das Recht, bei kaiserlichen Festmessen die Evangelienperikopen zu lesen. Dafür ließ sich der kunstsinnige Egbert (reg. 977–993), ein Graf von Holland, einen überaus reich mit Bildern ausgestatteten Prachtcodex arbeiten, an dem mehrere Künstler beteiligt waren, so die Reichenauer Mönche Kerald und Heribert. Als Vorlagen wurden im Sinne der ›Erneuerung des Römischen Reiches‹ spätantike italienische bzw. oströmische Handschriften gewählt.

schriften. Sie wurden dafür mit großen Gütern und Privilegien belohnt. Die Tegernseer Chronik unterrichtet uns für das Jahr 1054 über diese Art von Tauschgeschäft zwischen dem alten oberbayerischen Kloster und Kaiser Heinrich III.: Für zwei Stück Land erhielt er eine ›angemessen‹ geschriebene und mit Gold und Silber verzierte Bibel. Andere Buchbesteller mußten warten. Der Abt konnte dem Kaiser sogar drohen, als ihm zu Ohren kam, er wolle das Reichskloster zu Lehen vergeben: »Sicherlich wird hier alle Kunstübung zu Ende gehen, weil denen, die des Lebens überdrüssig sein werden, die Lust am Malen und Schreiben vergeht.« Die Künstler sind übrigens nicht immer Mönche gewesen, wie das Bild eines malenden Laien in der Handschrift Heinrichs III. für den Bremer Dom belegt. *(Abb. 54)*

St. Michael in Hildesheim, die Abtei des Bischofs Bernward

An der Benediktinerabteikirche St. Michael läßt sich nachvollziehen, welche Elemente die ottonische Kunst von der karolingischen übernommen hat und worin sie weiterführt. Daß die Abtei im alten Sachsenland liegt, ist kein Zufall. Karl der Große hatte Hildesheim als Missionsbistum gegründet, als Vollender der Bistumsorganisation gilt Bischof Bernward (993–1022). Er kam aus hochadligem sächsischen Hause, war einer der Erzieher Ottos III. und hatte als Kanzler in der Hofkapelle gedient. Die Gründung der Abtei als bischöfliches Eigenkloster geschah im Sinne des Kaiserhauses. *(Abb. 31 u. 32)*

Ein bemerkenswertes Kennzeichen des Bauwerks und ein Indiz für die Zugehörigkeit der Abtei zum Benediktinerorden, ist seine Lage auf der Kuppe eines Hügels. Denn während diese Berge liebten, bevorzugten die Zisterzienser Täler als Standorte für die Klosteranlagen. Darüber hinaus liegen die für die Verehrung des Erzengels Michael bedeutungsvollsten Kultorte auf Bergen. In der Wahl dieses Engels als Patron kommt ein weiteres Charakteristikum der Abtei zum Ausdruck: die christianisierten Germanenvölker schätzten die Engel, insbesondere den Erzengel Michael, von dem es hieß, er habe den abtrünnigen Luzifer von seinem Himmelsthron in die Hölle gestürzt. Er galt deshalb als Verteidiger gegen alle teuflischen Mächte und als Beschützer der abgeschiedenen Seelen – St. Michael ist die Grabeskirche Bernwards. In Kirchen errichtete man ihm in der von Dämonen beherrschten West- oder Nachtseite auf Emporen oder in Türmen plazierte Altäre, auf Friedhöfen Kapellen. Die Verehrung für den Erzengel wuchs noch, als König Heinrich I. seinen ersten Sieg über die Ungarn im Jahre 933 unter dem Feldzeichen des hl. Michael errang. Michael wurde zum Nationalpatron – der ›deutsche Michel‹ ist als Abziehbildchen davon geblieben. Der Michaelskult war weit verbreitet, obwohl ihm ein wesentliches Element damaliger Heiligenverehrung fehlt: die Reliquie.

Da man Christus als unnahbare göttliche Majestät empfand, bedurfte man der Heiligen als Mittler. Man stellte sich den Himmel als eine um den Thron Gottes gruppierte Hofgesellschaft von Paladinen und Gefolgsleuten vor. Die sterblichen Überreste der Heiligen (Reliquien) faßte man als Unterpfand für himmlischen Beistand auf. Das machte den großen, meist in kostbare Behältnisse gefaßten Reliquienschatz, den Bernward seinem Kloster übergab, besonders wertvoll. Heute würde

*31. **Hildesheim, Benediktinerabtei St. Michael,** 1010–1033,*
Die Abteikirche wurde mehrfach umgebaut, zerstört, wiederaufgebaut, in Teilen rekonstruiert, so daß nur noch ein ungefährer Eindruck der ottonischen Abteikirche mit ihren Türmen entsteht.

33. ***Reliquiar des Apostels Andreas,*** *Trier, um 980, Trier, Domschatz*

Dieses ›redende‹ Reliquiar ließ Erzbischof Egbert von Trier für eine Sandalenreliquie in der bischöflichen Werkstatt anfertigen. Der Fuß wurde aus Goldblech getrieben, der Schrein mit Elfenbeinplatten, Emails der Evangelisten, Almandinen, einer Goldmünze des byzantinischen Kaisers Justinian und anderem Schmuck versehen. Die Ringe zeigen an, daß das Reliquiar aufgehängt werden konnte. Doch wurde es auch als Tragaltar genutzt.

man von einer Kapitalanlage sprechen. Von ihr erwartete man Zins und Zinseszins: Gläubige, die davor beteten, spendeten Gaben, und oft wurden Pilger von weither angezogen. Aufbewahrungsorte waren die Altäre selbst, die unterirdische Krypta, aber auch Reliquienkammern und Sakristeien. Die Schaugefäße waren häufig als ›redende‹ Reliquiare gebildet: Eine Fingerreliquie wurde in einem Gefäß geborgen, das wie ein Finger gebildet war, ein Schädel in einer Büste. *(Abb. 33)* Je höher das ›Heiltum‹ geschätzt wurde, desto größer war der Aufwand, den man an Material und Arbeit betrieb.

Bischof Bernward war durch seine Reisen mit der Architektur Deutschlands, Frankreichs und Italiens wohl vertraut. Er wählte für seine Stiftung den Typ der zweichörigen Kirche mit doppeltem Querhaus. Beim Michaelschor im Westen lag der Hauptzugang, in der Ringkrypta darunter

linke Seite:
32. ***Hildesheim, Benediktinerklosterabteikirche St. Michael,*** *Langhaus, um 1015–1020 und nach 1162*

Die Wände der Kirche waren ehemals bemalt. Die ursprünglichen Würfelkapitelle sind u.a. in der linken Arkade hinten erhalten. Aus der Mitte des 13. Jahrhunderts stammt die kostbare, bemalte Holzdecke.

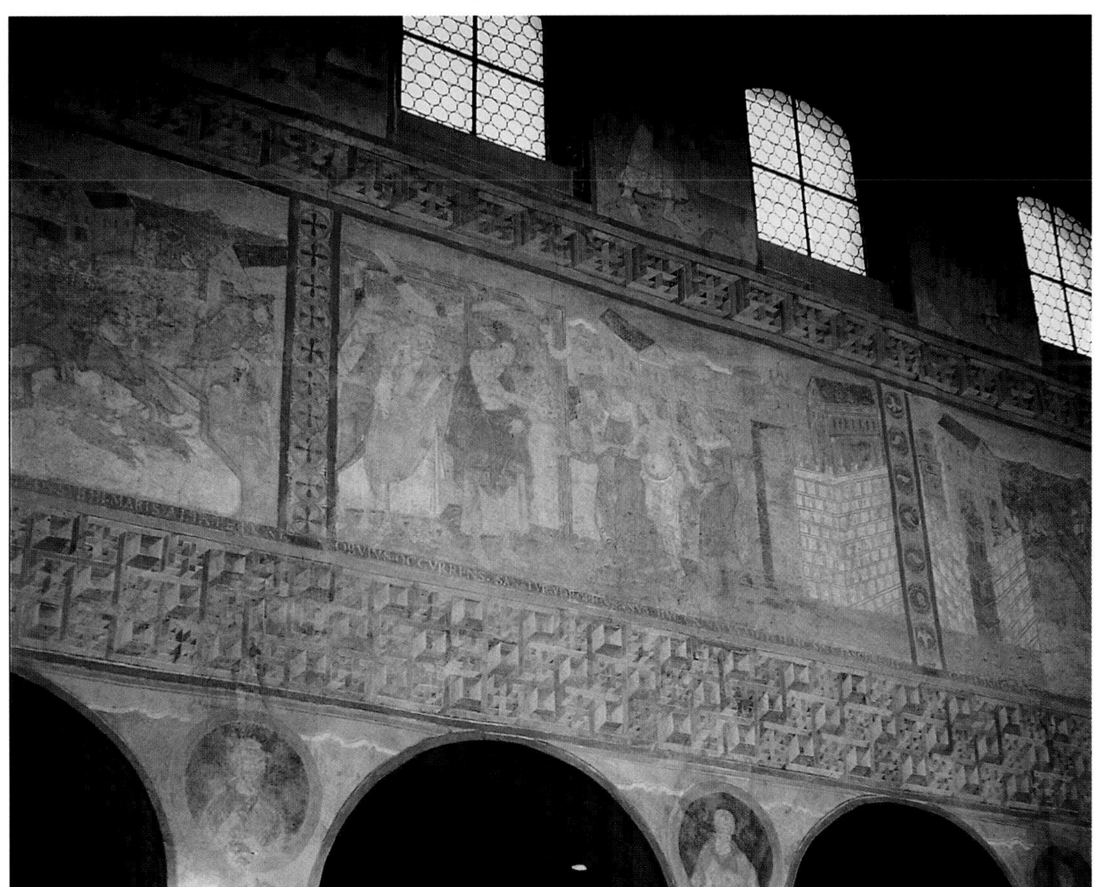

34. ***Reichenau-Oberzell, Benediktinerklosterkirche St. Georg,*** *Wandmalerei, um 980–990*

Die spätkarolingische Kirche der Jahre 890–896 wurde im späten 10. Jahrhundert erhöht. Dabei wurde die Bemalung erneuert. Dargestellt ist ein Zyklus der Wundertaten Christi, eingerahmt von einem reich gestalteten, perspektivischen Mäanderornament, das aus der Antike stammt und möglicherweise durch karolingische Buchmalerei übermittelt wurde.

war der Bischof bestattet. Die Westlösung ist bereits in der Martinsbasilika in Tours vorgegeben und derjenigen im Klosterplan von St. Gallen verwandt. *(Abb. 17)* Das Westquerhaus hat auffällig gestaltete Emporen; vielleicht befanden sich hier die Kultstätten der Heiligen Engel. Auf der Nordseite war der Zugang der Mönche. Gemessen an der karolingischen Abtei Fulda war der Anspruch an Höhe, Länge und Breite bescheiden. Da es sich um eine bischöfliche Abtei handelt, war ein Westwerk wie in Corvey nicht erforderlich. *(Abb. 20 u. 21)*

Im Hildesheimer Arkadentyp, auf je zwei Säulen folgt ein Pfeiler, ist trotz der weiten Verbreitung dieses Stützenwechsels deutlich ein Bezug zum Aachener Münster zu erkennen, wobei die Obergadenarkade vereinfacht wurde. *(Abb. 5 u. 6)* Ähnliches gilt auch für den farbigen Wechsel der Bogensteine und die glatte Profilierung des Arkadenbogens. Wie in Aachen teilen auch hier Inschriften auf Blöcken über den Kapitellen die Namen der Heiligen mit, deren Reliquien sie enthielten.

Das Würfelkapitell ist der in der ottonisch-salischen Baukunst bevorzugte Kapitelltyp. Es handelt sich um einen unten abgerundeten Würfel, wobei in einigen späten Bauten auch eine geometrisch konstruierte Form zu finden ist, bei der sich Würfel und Kugel zu durchdringen scheinen. *(Abb. 57)* Das Kapitell hat einen runden Halsring und eine einfache Deckplatte: Es findet sich nichts Figürliches – weder der bei der römisch-griechischen Säulen verwendete ornamentale Blattschmuck (Akanthusblatt) noch komplizierte Bohrungen. Als Vorbild diente vielmehr das römische Polsterkapitell, wie man es u.a. an der Porta Nigra in Trier fand. *(Abb. 2)* Sein lapidarer Charakter entsprach der ottonischen Neigung zu Strenge und Reduktion auf das Wesentliche. Späteren Zeiten war das zu schlicht, weshalb die meisten dieser Kapitelle durch reicher verzierte ersetzt wurden.

Im Kirchenbau dieser Zeit wird konsequent ein Modulsystem durchgehalten. Es findet sich sowohl in der Gesamtanlage des Bauwerks als auch in einzelnen Elementen wieder. Aus dem Maß der Vierung, dem Mittelpunkt zwischen Quer- und Langhaus, wurde die Höhe und Breite der Schiffe abgeleitet. Leider wirkt der Raum heute wegen der vielen späteren Umbauten, Zerstörungen und Restaurationen kahl und leer. Nach dem Vorbild römischer Basiliken müssen die Wände des Langhauses ehemals mit großen Bilderzyklen verziert gewesen sein. Das Beispiel der Oberzeller Kirche auf der Reichenau zeigt, wie sehr der Baueindruck von der Wandmalerei bestimmt wurde. *(Abb. 34)* Auch außen war das Bruchsteinmauerwerk verputzt und bemalt. Das Äußere hat mit den Vierungs- und Treppentürmen eine ausgeprägte Silhouette und erscheint wie eine Himmelsburg.

Bronzetüren und Plastiken

Das wichtigste bernwardinische Ausstattungsstück der Hildesheimer Klosterkirche sind die Bronzetüren. *(Abb. 35)* Im Gegensatz zu den Türen der Aachener Pfalzkapelle sind sie mit einem großen Bilderzyklus für die Unterrichtung der Gläubigen ausgestattet. Bischof Bernward hat die Metallgießerei in Hildesheim begründet. Die Legende sah in ihm sogar selbst den Künstler. Das ist allerdings schon deshalb nicht möglich, weil Entwurf und Ausführung der Reliefs von mehr als einer Person stammen. Der Bischof schuf jedoch in vieler Hinsicht die Voraussetzungen für die Realisation der Türen. Regelmäßig und gern besuchte er die Metallwerkstätten. Er war künstlerischer Experte. Dergleichen Kenntnisse waren damals bei hohen Geistlichen häufig: Bischof Benno von Osnabrück (1068–1088) etwa wurde von Heinrich IV. als Spezialist in Fundamentierungsfragen beim Umbau des Doms zu Speyer gerufen *(Abb. 55–57)* und damit betraut, das sächsische Burgenbauprogramm durchzuführen.

Bernward nahm begabte junge Künstler mit zum Hoftag oder auf eigene Reisen, andere werden es ähnlich gehandhabt haben. Das erklärt auch, warum der Austausch selbst zwischen entlegenen Zentren des Reiches so eng war und trotz des Reisekaisertums die Auffassung des Hofs so dominieren konnte. Meister ihres Fachs waren sehr gesucht und wurden weithin vermittelt: So empfahl der Bischof von Utrecht um 1080 seinem Bamberger Mitbruder einen Künstler. Den schlechten Verkehrsverhältnisse zum Trotz war der kulturelle Horizont also sehr weit.

Hildesheim liegt nordwestlich des Harzes und hatte damals die ergiebigsten Bergwerke Mitteleuropas. Offenbar hatte man hier die Bronzegießerei als lukratives Gewerbe entdeckt, denn man produzierte auch für fremde Auftraggeber. Es wurden vor allem Kleinkruzifixe, liturgische Gießgefäße und Leuchter, aber auch anderes Gerät aus wiederverwendbaren Formen (Modeln) hergestellt.

Die Hildesheimer Türen wurden wahrscheinlich von Glockengießern gegossen und von Goldschmieden bearbeitet. *(Abb. 36)* Der Bischof wird das Programm entworfen haben. Er hat die Auswahl und Abfolge der Szenen festgelegt und den Künstlern die Bildvorlagen verschafft, denen u.a. eine Bibel aus Tours zugrundelag *(Abb. 14)*. Der Bilderzyklus beginnt links oben und erzählt nach unten hin die Erschafffung und den Sündenfall der Ureltern bis zum Brudermord Kains an Abel, mit dem die Menschheit ihren ›Absturz‹ besiegelte. Rechts folgt in Gegenrichtung, also von unten nach oben, der ›Wiederaufstieg‹, die Geschichte der Erlösung, von der Verkündigung bis zur Erscheinung Christi vor Magdalena.

Der Bilderzyklus ist eine ›stumme Predigt‹, eine ›muta praedicatio‹, wie der Kirchenlehrer Papst Gregor der Große sie von allen christlichen Bildern gefordert hatte. Adressaten waren die Gläubigen im Vorhof der Kirche, insbesondere die öffentlichen Büßer, die man am Gründonnerstag vor der Tür der Kirche versammelte. Einerseits wollte man klar und eindeutig erzählen, andererseits sind auch subtilere Ideen für theologisch Gebildete eingebracht: So etwa Parallelisierungen, wie die zwischen dem Baum der Erkenntnis links und dem Kreuz, dem Baum des Lebens, rechts. Oder zwischen der nährend sitzenden Eva links

35. Hildesheim, Dom St. Maria, Bronzetüren, *um 1013–1015*

Jeder einzelne der aus einem Stück gegossenen Türflügel ist 4,72 m hoch, 1,25 bzw. 1,15 m breit und wiegt 1800 kg. Die Löwenkopf-Türzieher sind während desselben Gußvorgangs hergestellt worden. Die Inschrift mit Datum und Erinnerung an Bischof Bernhard ist nachträglich, aber noch im 11. Jahrhundert hinzugefügt. Die Lesefolge ist so zu verstehen, daß die Geschichte von Gott im Himmel ausgeht und mit Christi Auferstehung wieder zu ihm zurückkehrt.

36. ***Der Herstellungsprozeß der Hildesheimer Bronzetüren*** *(Zeichnung: Drescher/Sánchez)*

Die Türen sind Unikate, d.h. ein Hohlguß aus der ›verlorenen Form‹. Mit Formlehm wurde ein durch Eisen verstärkter Rahmen für jeden Türflügel gebildet. Die Bildfelder sind einzeln in Wachs modelliert und auf dem waagerecht liegenden Rahmen befestigt. Das Ganze war von einem oberen Lehmmantel abgedeckt. Diese Form wurde in einer Grube gebrannt, so daß das Wachs ausfloß. Danach hat man das in mehreren Schmelzöfen nebeneinander vorbereitete Metall über viele Kanäle an der äußeren Längsseite eingegossen. Nach Erkalten wurden der Mantel abgeschlagen, die Gußkanäle entfernt, Fehlstellen nachgegossen. Die Oberfläche wurde mit Hammer, Meißel und Schaber überarbeitet; Einzelheiten wie Haare, Pflanzen oder Architektur wurden mit Punzen und Ziseliereisen eingraviert. Die Türen sind also sowohl plastisch modelliert wie skulptural durch Abtragung von einem Kern geschaffen. Ihre Herstellung dauerte etwa zwei Jahre. (Zeichnung: Drescher/Sánchez)

und der Maria der Epiphanie. Auch die Symbolik der Verkündigungsdarstellung ist nur Kennern verständlich.

Die Künstler verwirklichten im Dialog mit ihren Auftraggebern deren Ideen: So hat die linke Sündenfallhälfte keine Hintergrundarchitektur, während die rechte Erlöserseite nach römischen Vorbildern Säulen, Baldachine und Draperien zeigt, um den Szenen höhere Bedeutsamkeit zu geben. Die Figuren zur rechten sind plastischer, größer und stehen in der Regel auf erhöhten Bodenstreifen, was ihre Würde ebenfalls steigert. Als künstlerische Erfindung sehen wir das Urelternpaar mit ausgebreiteten Armen entzückt aufeinander zugehen. Der lebendige Zug dieser Erzählung wird noch durch das Strafgerichtsrelief unterstrichen: Adam schiebt die Schuld für den Sündenfall auf seine Frau, Eva jedoch weist ihrerseits auf den Teufelsdrachen. Die Position der Ureltern in der Gesamtdarstellung wurde im übrigen von Bildfeld zu Bildfeld geistreich verändert.

Dabei ist schon die Schaffung wirklich körperlicher Skulpturen bzw. Plastiken bemerkenswert. Rein technisch wäre dies früheren Bronzegießern ebenfalls möglich gewesen. Doch hatte man in der Karolingerzeit große Vorbehalte gegen das plastische Bild, zumal wenn es öffentlich und in der Kirche gezeigt werden sollte. Man fürchtete, was man damals ›Götzendienst‹ nannte: die kultische Verehrung des Bildes statt des Abgebildeten, wie es bei den Kultbildern und Kaiserstatuen der Antike der Fall war. Sie waren zwar seit dem ausgehenden 4. Jahrhundert zerstört oder vergraben worden, aber die Macht der Bilder über die Menschen war groß und die Sorge vor dem Aufflackern des Bilderkultes berechtigt. Im byzantinischen Reich hat-

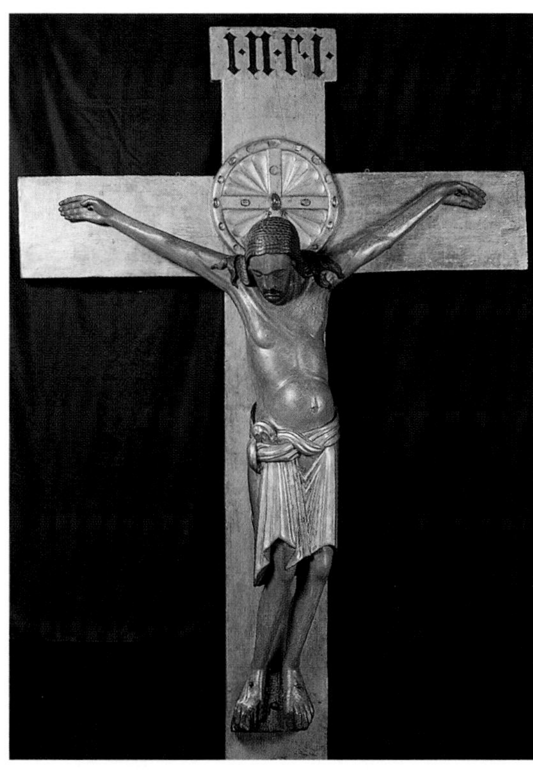

37. ***Der tote Christus am Kreuz des Erzbischofs Gero von Köln,*** *Corpus 187 cm, Holz, vergoldet und bemalt, Köln, um 975, Köln, Dom St. Peter*

Nur der Corpus ist original, aber mehrfach übermalt. Der Bildschnitzer hat das Herabhängen und das Erschlaffen der Muskulatur am toten Körper erschütternd drastisch dargestellt. Die Körperformen, insbesondere das Antlitz Christi, sind vereinfacht und geometrisiert, die plastischen Gegensätze kraftvoll artikuliert. Die byzantinisch-zackenfaltigen Motive im Lendentuch weisen auf den Ursprungsort der Bilderfindung hin.

te im 7. und 8. Jahrhundert ein Bildersturm die Kirchen leergefegt. Dort kam es danach nie wieder zur Schaffung von Statuen, allenfalls zu Reliefs: alles, was den Anschein von Lebensechtheit hätte hervorrufen können, wurde vermieden. Im karolingischen Reich war man jedoch vor allem deshalb bildkritisch, weil in unmittelbarer Nachbarschaft bei den Slawen heidnische Bildkulte verbreitet waren. Nichtsdestotrotz müssen das ganze erste Jahrtausend über Statuen im kultischen Gebrauch gewesen sein. In der Lebensbeschreibung Ulrichs von Augsburg lesen wir beispielsweise von dem schon im mittleren 10. Jahrhundert populären Brauch, einen geschnitzten Palmeselchristus während der Palmsonntagsprozession mit sich zu führen.

Die Ottonenzeit entwickelte – vielleicht in Erinnerung an das Rom der Cäsaren – Bildwerke. Berühmtestes Beispiel ist der Kruzifix des Kölner Erzbischofs Gero. *(Abb. 37)* Er ist ein heute noch verehrtes Gnadenbild, vor dem nach frommer Meinung die Betenden besonderer Barmherzigkeit teilhaftig werden können. Der Stifter des Kreuzes stammt aus einem sächsischen Markgrafengeschlecht (969–976), war Brautwerber für Otto II. in Konstantinopel, und hatte dort wohl den Typus des toten Christus am Kreuz kennengelernt. Doch reichte diese Form der Christusdarstellung, die bei den Gläubigen die fromme Andacht zum Menschen Jesus gefühlsmäßig ansprechen sollte, noch nicht aus, um den Typus zur Monumentalfigur zu machen. Eine zeitgenössische Legende führt dies vor Augen: demnach war am Kopf der Skulptur ein tiefer Riß entstanden. Ratlos und sorgenvoll stand man davor. Da legte Erzbischof Gero eine geweihte Hostie in den Spalt, worauf er sich schloß. Es bedurfte also des in der Hostie präsenten Christus, um sein Abbild zu rechtfertigen.

Man barg gerne Hostien oder Reliquien in Statuen. Zwar darf es theoretisch im christlichen Glauben keine Kultbilder geben, da das Bild weder als ›Sitz der Gottheit‹ zu verstehen ist wie in der Antike, noch überhaupt der Unendlichkeit Gottes angemessen sein kann. In der Frömmigkeitspraxis aber war der Bildkult unvermeidbar, und da die Verehrung der Hostie nicht als Götzendienst verstanden werden konnte, wendete man diese Methode gerne an. *(Abb. 38)*

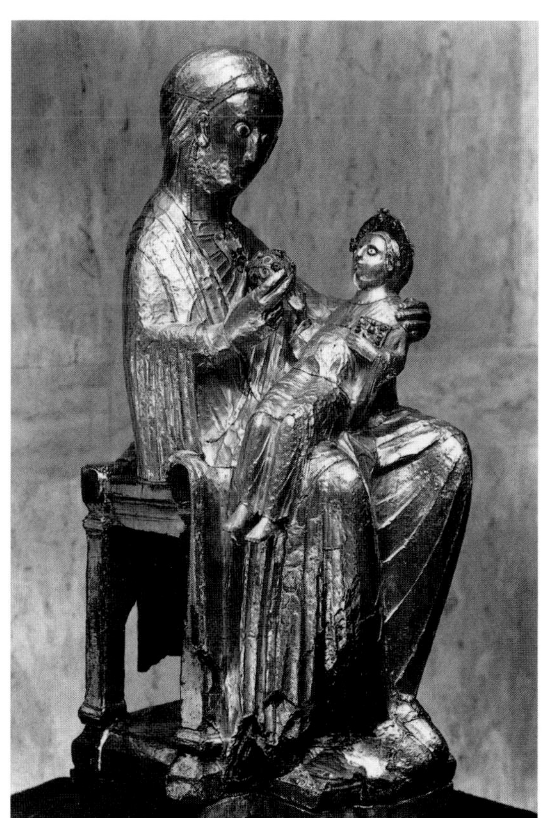

38. ***Goldmadonna,*** *mit Goldblech verkleideter Holzkern, Emaileinlagen und Edelsteine, 70 cm, Essen (?), um 990, Essen, Damenstiftskirche St. Kosmas und Damian*

Pendant der monumentalen Kruzifixe waren Bildwerke der Muttergottes mit Kind. Die wichtigsten unter ihnen wurden mit Gold verkleidet. Die Statue aus dem Essener Damenstift gehört zu den wenigen, die nicht ihrer Hülle beraubt wurden, aber auch sie ist verändert. Stifterin war die Äbtissin Mathilde, eine Enkelin Kaiser Ottos des Großen. Der Apfel in der Hand Mariens weist darauf, daß sie als ›neue Eva‹ den Sündenfall der Urmutter ›repariert‹ hat.

Die Reichenauer kaiserliche Buchmalerei

Die wichtigsten Handschriften der Ottonenzeit dienten der Inszenierung des Kaisers in der Liturgie. In einigen sind an prominenter Stelle noch Kaiserbilder zu finden. Das Bild Ottos III. in

39. u. 40. Die Nationen huldigen dem Kaiser, Evangeliar Ottos III., *34 x 25 cm, Reichenau, um 998–1001, München, Bayerische Staatsbibliothek, clm 4453, fol. 23v und 24*

Das Diptychon ist Widmungsbild und stellt zugleich die Kaiserherrschaft dar. Der junge Otto verstand sich als neuer Konstantin. Dies drückt sich in der Monumentalität und der imperialen Geste der Kaiserfigur aus. Das reich bebilderte Evangeliar schenkte Ottos Nachfolger, Heinrich II., an den neugegründeten Bamberger Dom.

seinem Evangeliar ist das herausforderndste. *(Abb. 39 u. 40)* Es ist zweigeteilt, in der Art antiker Herrscher-Diptychen aus Elfenbein. Von links treten, gemäß ihrem Rang, Figuren zum Kaiser, die die Nationen der damaligen Welt vorstellen: an erster Stelle ›Roma‹ für Italien, dann Gallien für das Frankenreich, danach erst Germania und zuletzt das Slawenland (Sclavinia). Sie bringen ihre Gaben dem Herrscher dar. Dieser thront übergroß und frontal unter einem Baldachin vor einem Ehren-

41. Kaiserbild, Perikopenbuch Heinrichs II., *43 x 32 cm, Reichenau vor 1012, München, Bayerische Staatsbibliothek, clm 4452, fol. 2*

Das Perikopenbuch kann als Stiftungsurkunde des Kaisers für den neugegründeten Bamberger Dom und seine Diözese gelten. Es ist eine der repräsentativsten Handschriften der Epoche, wie sich schon am prächtigen Einband zeigt. Zugleich ist es eine Ermahnung an den Bamberger Klerus, für das Seelenheil des Stifterpaars zu beten.

rechte Seite:
42. Goldantependium Heinrichs II. aus dem Dom zu Basel, *120 x 178 cm, Bamberg (?), kurz vor 1019, Paris, Musée National du Moyen Age, Thermes de Cluny*

Das Antependium, die vordere Verkleidung des Altartisches, dürfte ursprünglich für die 1015–1021 entstandene Benediktinerkirche Michelsberg bei Bamberg gedacht gewesen sein. In diesem der Öffentlichkeit zugänglichen Bild sind Kaiser Heinrich und seine Gemahlin Kunigunde klein, zu Füßen Christi, in einer Byzanz abgeschauten, demutsvoll kniefälligen Haltung dargestellt, die man Proskynese nennt (sich ›wie ein Hund‹ erniedrigen). Die fünf Hauptfiguren, Christus in der Mitte, zu seiner Rechten Erzengel Michael mit der Feldherrenlanze sowie Benedikt, zur Linken Gabriel und Raphael mit Botenstäben, stehen streng symmetrisch geordnet und pfeilerhaft aufgerichtet unter Arkadenbögen, die auf Säulen mit Würfelkapitellen und Schaftringen ruhen. In den Zwickeln finden sich die Büsten von Tugendpersonifikationen inmitten von antikisierenden Ranken.

tuch. Er ist mit Krone und Zepterstab nach dem Vorbild des Augustuskameo im Aachener Lotharkreuz abgebildet. Seine Begleiter sind ihm untergeordnet, zur Rechten in der Ehrenposition zwei Erzbischöfe, zur Linken zwei Herzöge, der ältere jeweils vor dem jüngeren Mann.

Daß das kaiserliche Selbstverständnis verschiedene Aspekte hatte und sich entsprechend unterschiedlich äußerte, zeigt das kaum zehn Jahre jüngere Bild, das Heinrich II., Ottos Nachfolger, in das Perikopenbuch malen ließ, und das er seinem Bamberger Dom gleichsam als Stiftungsurkunde schenkte. *(Abb. 41)* Es ist ein Stifterbild, in das auch seine Gemahlin Kunigunde zu integrieren war. Schon die Proportionen signalisieren Veränderung. Petrus und Paulus sind – stellvertretend für das Papsttum – übergeordnet, nicht, wie die Völker, untergeordnet, sie alle aber sind größer als das Herrscherpaar. Die Heiligen empfehlen und assistieren bei der Vergabe der Kronen des Ewigen Lebens aus der Hand Gottes, die sich das Kaiserpaar als Lohn für seine Stiftung erhofft.

Die Reichenau, wo beide Handschriften entstanden, war keine lokale Klosterschule, sondern für ein halbes Jahrhundert das Zentrum kaiserlicher Kunst. Ihre Bildfindungen und ihr Stil wurden in Minden genauso nachgeahmt wie in Salzburg, ja selbst in Frankreich oder Italien. Die Reichenauer Äbte bekamen bei Hofe Ideen und Vorlagen vermittelt. Die Maler formten aus diesen dann etwas Neues, Eigenes. Allerdings sollten wir uns keineswegs vorstellen, daß sie alle auf der Insel, in einer Werkstatt zusammengedrängt arbeiteten. Das in der benediktinischen Regel formulierte Ideal der ›stabilitas loci‹, der Bindung an einen Ort, galt in den damaligen Reichsklöstern kaum, erst recht nicht für Künstler. Reichenauer Mönche sind in Trier und Köln nachweisbar und auch an anderen Orten zu vermuten. *(Abb. 30)* Diese Künstlergruppe arbeitete beständig an der bestmöglichen bildlichen Umsetzung der theologischen und politischen Ideen in Form und Farbe. Noch heute ist es beeindruckend nachzuvollziehen, wie sie um die Abfolge ihrer Bilder rangen. Da derart kostbare Bücher sorgfältig gehegt wurden, zeigen einige noch heute ihren ursprünglichen, kühlen und lichten Farbenglanz.

Ohne die Einwirkung des Kaisers und seiner Berater ist diese Stilbildung nicht zu denken, denn Stil meint in dieser Zeit fast ausschließlich die Summe der Normen, Prinzipien und Anschauungen, die vom Herrscherkreis vorgegeben waren, nur selten die persönliche Auffassung eines Malers. An der Reichenauer Malerei können wir den Prozeß ablesen, wie seit Mitte des 10. Jahrhunderts zunächst verschiedene ältere, vor allem karolingische Vorlagen aufgegriffen und umgestaltet wurden. Schlichtheit und Monumentalität waren zuerst das vorrangige Ziel. Ab 980–990 wird – mit Blick auf Byzanz – die Pracht vermehrt; spätantike italienische sowie byzantinische Vorbilder wurden integriert. Man trieb diese Neuerungen bewußt und schnell voran. Um das Jahr 1000 erreichte man Resultate, die offenbar als mustergültig angesehen wurden, weil sie die Intentionen der Auftraggeber vollendet ausdrückten. Typen, Formen

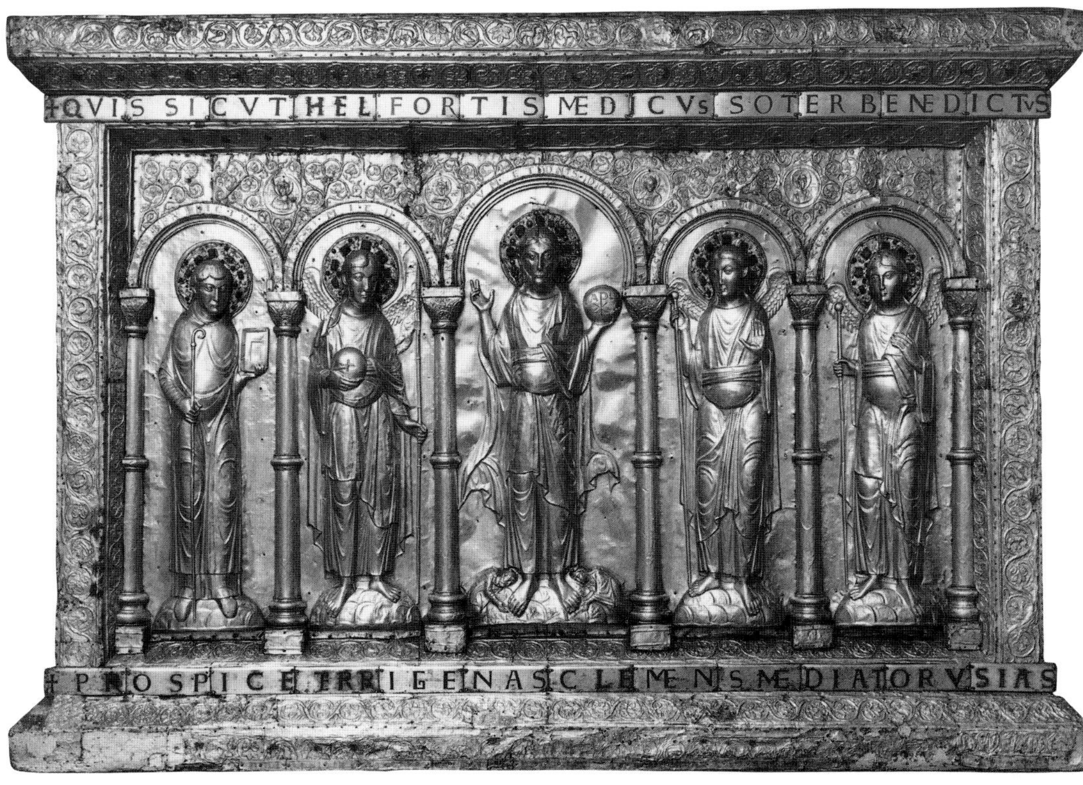

43. Deckel eines Evangeliars aus dem Bamberger Domschatz, 31 x 22 cm, Elfenbein mit Taufe Christi und Rahmen, Lothringen, Ende 10. Jh., München, Bayerische Staatsbibliothek, clm 4451

Die eigenständige, ottonische Stilbildung setzt mit Schnitzwerken wie diesem ein. Knappe, geometrische, kraftvoll plastische Formen sind in ein strenges Achsensystem gebracht, dessen Mittelpunkt der Kopf Christi bildet, und das auch die Edelsteinrahmung bestimmt. Plastische Kraft und Klarheit geben dem kleinen Relief außergewöhnliche Bildmacht.

und Farben dieser Bilder wurden deshalb als mustergültiges System gerühmt, das zwar variiert, doch lange nachgeahmt wurde. *(Abb. 42 u. 50)*

In der ottonischen Epoche ist der individuelle Faktor auch bei den Auftraggebern gering zu veranschlagen. Ein hoher Grad an gemeinschaftlichem Wollen ist kennzeichnend. Es werden weder persönliche Vorlieben befriedigt, noch sind die Bücher zur Erbauung von Kunstfreunden gedacht: Alles dient der kirchlichen und zugleich staatlichen Feier. Es hat eine symbolische Funktion und damit eine allem Persönlichen übergeordnete Aussage.

Konstant ist an dieser Kunst das propagierte körperliche Schönheitsideal: ›adlig‹ ist gleich ›schön gestaltet‹, aber auch gebildet, gesittet, gar heilig. Wir finden es in allen Beschreibungen oder Biographien dieser Zeit. *(Abb. 43)* Daß das Heilige nicht anders als ›schön‹ gedacht werden konnte, zeigt die Geschichte des von Heinrich III. bestellten Kopfreliquiars des hl. Servatius: Der Kaiser war mit der abgelieferten Büste höchst unzufrieden, weil sie schielte. Er ließ die Künstler dafür sogar ins Gefängnis werfen und drohte ihnen mit einer hohen Strafe. Als sich ihm aber der Heilige im Traum als schielend offenbarte und die Richtigkeit des Abbildes garantierte, kamen die Goldschmiede frei.

Die ottonische Kunst setzt die Anerkennung des Körpers voraus, aber es ist ein asketisch beherrschter, kein sinnlich faszinierender Leib. Deshalb hatte diese Epoche zwar Sinn für Skulptur, also auch für die Macht des Leiblichen, aber es wurde ein plastisch begrenztes Volumen des Körpers angestrebt, eine insgesamt also eher durch ihre Massigkeit machtvolle Erscheinung, als ein Leib, dessen Gliedmaßen deutlich ausgebildet sind oder in Bewegung. Die künstlerische Gestaltung konzentriert sich auf den Blick und die Gebärdensprache der übergroßen Hände.

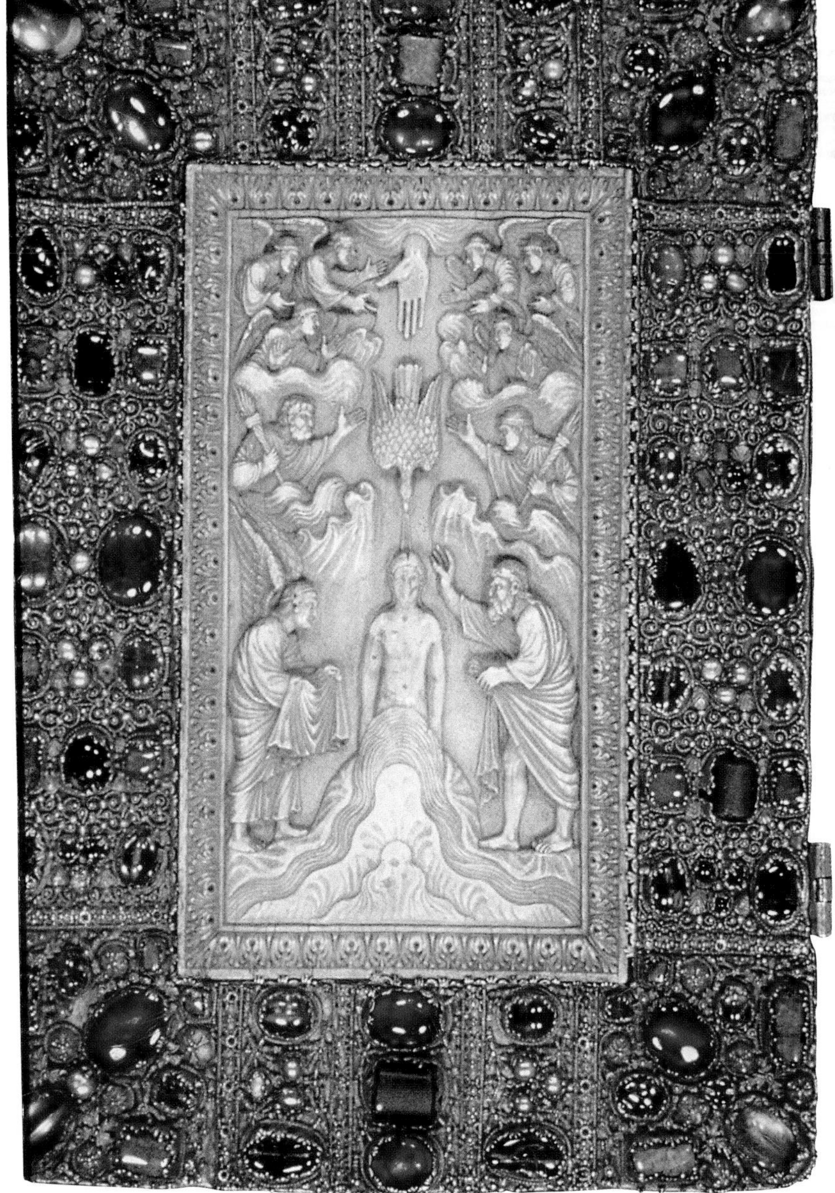

LUC
ABACUC
SOPHON
FONTE PATRU DUCTAS BOS AGNIS ELICIT UNDAS

Ottonische Schriftseiten beeindrucken durch nie nachlassende Klarheit, Gleichmäßigkeit und Monumentalität. Erstaunlich ist die nie nachlassende Disziplin der Schreiber, der Verzicht darauf, die eigene Handschrift zur Geltung zu bringen. Auch die Malerei ist präzise und beherrscht in ihren Initialen und Figuren, aber nie gleichförmig. Feierliche Stilisierung kultischer Prägung durchdringt sie. Dies ist angesichts der liturgischen Kunst als führende Aufgabe kaum anders zu erwarten. Die Epoche hat einen hohen Sinn für Würde. Selbst die Hirten der Verkündigung bewegen sich wie Herzöge bei Hof. Andererseits ist der Herzog noch kein Höfling im späteren Sinne, sondern versteht sich noch als Diener des Herrschers, gleich ob Christus oder Kaiser. In der Literatur entspricht dem der panegyrische, d.h. verherrlichende Stil. Strenge Weltflucht und Machtentfaltung schlossen einander nicht aus. Man versuchte der Welt innerlich zu entsagen und sie doch zu ordnen. Dieses Paradox war nicht lange aufrechtzuerhalten. Daß aus dieser Zeit keine Profankunst erhalten blieb, ist jedoch kein Zufall: Karl der Große sorgte für die Aufzeichnung der fränkischen Heldensagen. Sie sind verloren, weil man in den nächsten beiden Jahrhunderten keine Abschriften anfertigte.

Erich Auerbach hat von einer ornamentalen Kunstgesinnung gesprochen, die alte Elemente wie Edelsteine auswählt, umschleift und in neue Fassungen einsetzt. Die wiederholte Verwendung von Vorlagen und Zitaten verschiedenster Herkunft besagt zunächst, daß diese Autorität besitzen und sie dem neuen Werk weitergeben. Dies sind keine Kopien im modernen Sinne, erst recht keine Plagiate, sondern sie bezeugen den zielgerichteten Willen, das Alte zu bewahren und doch etwas Neues, Einheitliches, Endgültiges zu schaffen.

Kunst muß nicht autonom im modernen Sinne sein, um originell zu werden. Im Evangeliar Ottos III. findet sich zu Beginn jedes Buches eine Doppelseite mit einem Evangelistenbild links *(Abb. 44)* und einer prunkvollen Initialseite rechts. Das ist auf ältere Vorbilder zurückzuführen und wird doch neu durchdacht, denn die traditionellen Angaben über Ort und Gerät des Schreibens sind weggelassen. Den Hintergrund bildet eine Goldfläche, die symbolisch zu verstehen ist und Ewigkeit meint. Der Evangelist Lukas thront in einer mandelförmigen Gloriole und hält wie ein zweiter Herkules oder Atlas ein aus mehreren Strahlenkreisen bestehendes Gebilde, in dem wir König David, den Lukasstier sowie Propheten- und Engelsbüsten erkennen, die Wolke der Zeugen (Hebr 12,1). Zu seinen Füßen quillt aus dem Boden Wasser, das von zwei Hirschkühen getrunken wird, ein Bild der Heiligen Schrift als Quelle der Offenbarung aller Weisheit und alles Wissens zugleich, eine

44. Evangelist Lukas , Evangeliar Ottos III., *34 x 25 cm, Reichenau, um 998–1001, München, Bayerische Staatsbibliothek, clm 4453, fol. 139v*

Über dem thronenden Evangelisten in den Strahlenkreisen die alt-testamentarische »Wolke der Zeugen«, die ihn inspirieren. Unter ihm entspringen die vier Paradiesflüsse, die Quellen erfrischenden Wassers, welche die Gläubigen erquicken und beleben; das Motiv ist aus römischen Apsismosaiken übernommen.

45. u. 46. Doppelbild mit dem Traum Nebukadnezars und der Vision Daniels, Kommentar zum Hohen Lied, den Sprüchen Salomonis und zum Buch Daniel, *je 25 x 19 cm, Reichenau, um 1000, Bamberg, Staatsbibliothek, Msc. Bibl. 22, fol. 31v und 32*

Das Bild des schlafenden Königs ist mit dem Abbild seines Traums von den vier Weltreichen, die durch das Reich Christi zerstört und abgelöst werden, zu einem gemeinsamen Bild verschmolzen. Von der anderen Seite aus erblickt der Prophet Daniel das Ganze und notiert das Gesehene. Das Silber der Brustpartie der Statue ist durch Oxydierung eingeschwärzt.

Anspielung auf einen Psalmvers (Ps 41,2), der damals jedermann geläufig war: Die Seele, die nach Gott dürstet wie der Hirsch nach frischem Wasser.

Das Evangelistenbild ist nicht nur neoantikes Autorenbild, es wird zum Bild einer Vision. Die Offenbarungen der alttestamentarischen Zeugen, die von Lukas geschaut werden, gehen ein in die Botschaft des Evangeliums, an der die Welt Nahrung findet. Die damalige Biographik spricht von Visionen und Träumen wie von etwas Selbstverständlichem, das keinesfalls nur einigen auserwählten Mystikern vorbehalten ist. Das Visionäre dieser Kunst ist Teil der damaligen Wirklichkeitsauffassung – soweit wir Aussagen darüber überhaupt machen können. Dies erklärt auch die Vorliebe für Lichterscheinungen, für die Lichtqualität der edelsteinartigen Farben, für weite leere Flächen, für die Konzentration auf das Wesentliche.

Die Reichenauer Kunst kennt neben dieser feierlichen noch eine einfachere Stillage. *(Abb. 45 u. 46)* Eine Doppelseite in einem kleinformatigen Kommentar zum Propheten Daniel zeigt links den ruhenden Nebukadnezar, König von Babylon, auf seinem Lager, wohlbehütet von vier Wächtern. Vor ihm erscheint ein Engel und als Traumgesicht ein großes glänzendes Standbild. Dessen Kopf ist aus Gold, Brust und Arme sind aus Silber, Bauch und Lenden aus Bronze, die Schenkel aus Eisen, dessen Füße aber bestehen aus mit Eisen vermengtem Ton (daher die Redewendung ›etwas steht auf tönernen Füßen‹). Ein vom Himmel fallender Stein zerstört die Statue und wächst zu einem hohen Berg. Dieser Traum wurde dem jungen Daniel vom Engel offenbart und erklärt: Die Statue bedeute, beginnend mit dem Goldenen Zeitalter Babylons, die Folge der vier Weltreiche, die abgelöst werden vom Königreich Gottes. Deshalb der von Engeln begleitete christusgleiche König auf dem Berg. Daniel als vom Engel inspirierter Prophet und Autor ist rechts auf einer aus einem A-Initial hervorkommenden Ranke zu sehen, eine in mehrfacher Hinsicht geistreiche Erfindung: Der Platz, den sonst das Autorenbild einnimmt, ist für das Bild des Traumgesichtes reserviert, während der Autor von seinem Sitz auf der anderen Buchseite aus erschaut, was er aufzuschreiben hat. Zugleich ist dieses Sitzen in der Ranke ein Motiv wie aus dem

47. Bindung und Lösung des Drachens, Apokalypse, *30 x 21 cm, Reichenau, um 1020, Bamberg, Staatsbibliothek, Msc. Bibl. 140, fol. 51*

Das Buch wurde von Heinrich II. und seiner Gemahlin Kunigunde an das von der Kaiserin gegründete Stift St. Stephan geschenkt. Kraftvolle Bilder beschreiben Visionen der Weltendzeit. Dem Bild liegt Apokalypse 20, 1–7 zugrunde: Im oberen Teil bindet ein Engel den Satansdrachen und wirft ihn für tausend Jahre in den Abgrund der Hölle, im unteren Teil wird er von einem Dämon wieder befreit.

48. u. 49. ***Doppelbild mit der Anbetung der Heiligen Drei Könige, Perikopenbuch Heinrich II.,*** *43 x 32 cm, Reichenau, vor 1012, München, Bayerische Staatsbibliothek, clm 4452, fol. 17v und 18*

Die Heiligen Drei Könige sind als gleichalte Greise mit Stufenkronen zu sehen. An den Kronenformen sieht man, daß die alte Ikonographie der Weisen aus dem Morgenland noch nicht vollständig in die der Könige umgewandelt ist. Die Aufteilung der Szene auf zwei Seiten schafft Distanz zwischen der ›Herrscherin‹ mit ihrem majestätischen Kind und den Ankommenden. Die Rahmenarchitektur steigert die monumentale Wirkung: Über Maria sehen wir zwei Bögen, über den Königen nur ein gerades Gebälk. Die Darstellung von Räumlichem, das durch das Gehen bzw. durch das Sitzen erzeugt wird, interessiert den Künstler nicht. Deshalb ist auch nicht ein grasbewachsener Boden gegeben, sondern nur eine smaragdene Hintergrundsfläche, die den Boden nur zeichenhaft andeutet, und deshalb ist der Himmelsstreifen auf der einen Seite blau, auf der anderen purpurn.

Märchen von Dornröschen, nur ist das Unwirkliche noch gesteigert.

Das Buch stammt wie das Evangeliar wahrscheinlich aus dem Besitz Ottos III. Es spiegelt sein Interesse an der politischen Theologie mit ihren Vorstellungen einer von Gott bestimmten Geschichte der Weltreiche, aber auch die endzeitlichen Ideen, die damals durch die Köpfe geisterten. *(Abb. 46)* Der künstlerische Rang ist der gleiche wie beim Evangelistenbild, aber die Ausführung ist einfacher: kein Gold-, sondern Farbgrund, kleinere Säulen mit einfachen Kapitellen, schlichtere Rahmen, die Verflechtung der Ranken nicht ganz so komplex. Nicht zuletzt ist auch das Format kleiner gewählt.

Unter Heinrich II. wird der repräsentative Grundzug dieses Stils in den Hauptwerken noch gesteigert: *(Abb. 41, 48 u. 49)* Im Perikopenbuch für den Bamberger Dom ist die Zahl der Bilder im Vergleich zum Evangeliar Ottos III. zwar vermindert, dafür aber ist vor den Lektionen zu den Hochfesten jede Doppelseite im Sinne der repräsentativen Diptychonformel gestaltet. Das Format des Buches ist größer als das des Evangeliars Ottos III. Die farbigen Gründe werden nach byzantinischem Vorbild weitgehend durch Goldgrund ersetzt. Auch die Figuren werden monumentaler, ihre Bewegungen gemessener, ihre Gewandung strenger linear stilisiert. Die Würde dieser kultisch-repräsentativen Gestalten wird durch mächtige architektonische Binnenrahmen und weite Zwischenräume gesteigert. So entsteht ein schwerer, feierlicher Rhythmus. Der Betrachter wird auf Distanz gebracht. Mit diesem Werk hatte der ›ottonische Stil‹ das gewonnen, was bis dahin nur die antiken, byzantinischen oder karolingischen Vorbilder besaßen, Autorität. Dies ist auch an der nachfolgenden Kunst abzulesen.

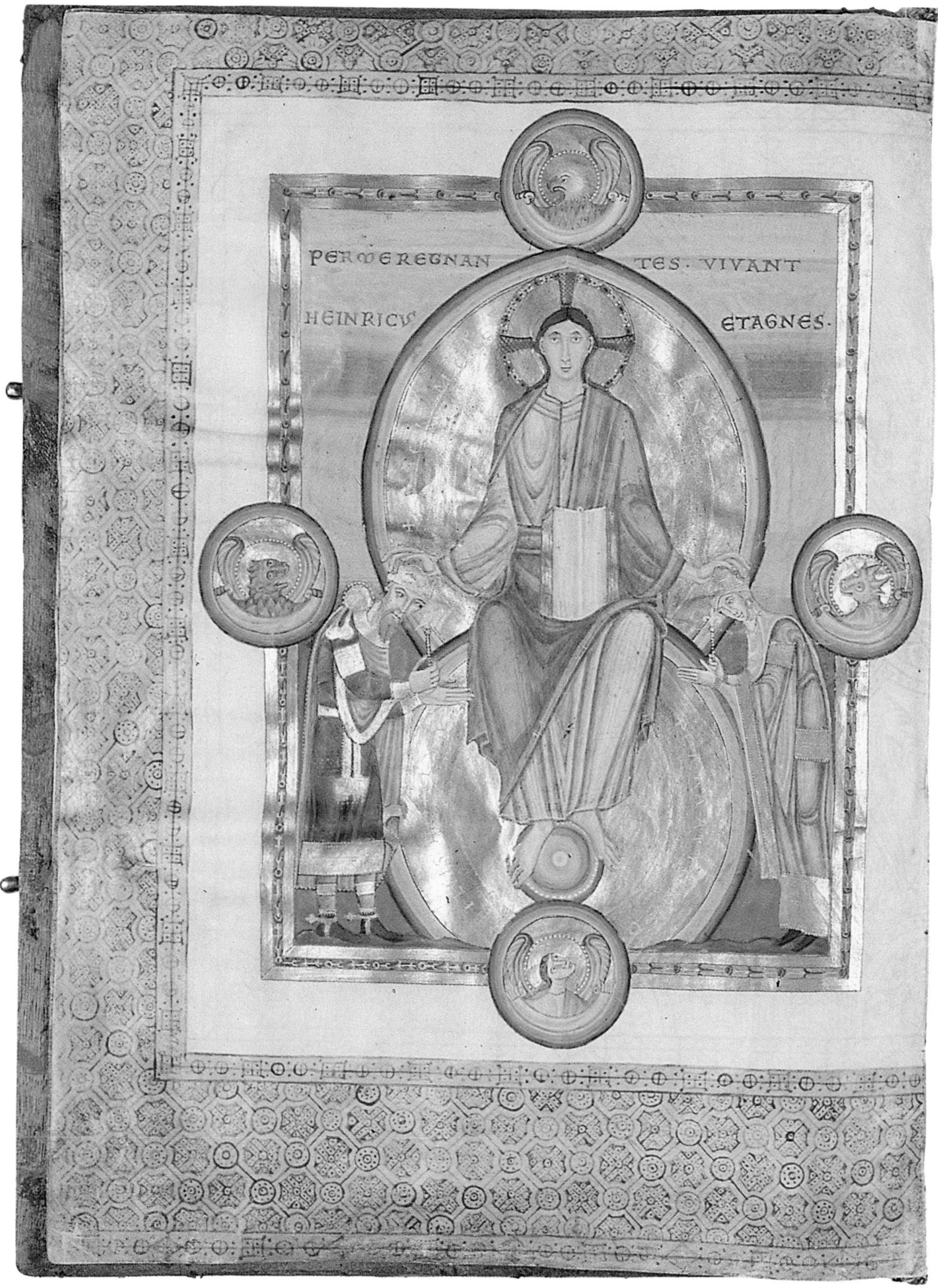

50. Kaiser Heinrich III. und seine Gemahlin Agnes vor Christus, *32 x 28 cm, Echternach, um 1050, Uppsala/S, Universitätsbibliothek, cod. C 93, fol. 3v*

Die lichte Farbigkeit der Zeit Heinrichs wird durch eine neue, imperiale Farbskala von Purpur-, Marmor- und Porphyrtönen ersetzt. Die Monumentalität und hierarchische Strenge werden gesteigert. Neuartig sind die textilen Ornamentmuster im Rahmen.

Die salischen Herrscher

Konrad II., der erste Salier, war ein Urenkel Ottos des Großen, was für die Legitimierung seiner Herrschaft wichtig war. Aber er war Alemanne, und die Herrschaft der salischen Dynastie verschob das politische Gewicht in den Südwesten. Daraus erwuchsen Spannungen mit dem alten sächsischen Kaiserland im Norden, die sich in den folgenden Jahrzehnten noch verstärkten.

Die Salier konnten die Kaiserherrschaft festigen und ausbauen. Charakteristisch dafür ist das Bild Kaiser Heinrichs III. und seiner Gemahlin Agnes von Poitou in dem zwischen 1047 und 1056 geschaffenen Evangeliar für das Stift in Goslar, das er zu Ehren der Heiligen seines Geburtstags, der Apostel Simon und Juda, hatte errichten lassen. *(Abb. 50)* Dabei fällt auf, daß die Gruppe im wesentlichen die 40 Jahre alte Formel aus Heinrichs Perikopenbuch in Bamberg aufgreift – vereinfacht, aber monumentalisiert. *(Abb. 41)* Christus bekrönt das Kaiserpaar jedoch nicht mit Kronen des Ewigen Lebens, sondern mit den Kronen realer irdischer Macht. Die Miniaturen stammen von Künstlern der trierischen Abtei Echternach in Luxemburg. Die dort praktizierte Verwendung alter Formeln der Reichenauer und Trierer Malerei aus der ottonischen Zeit hat nichts mit künstle-

*51. **Gleichnis von den bösen Winzern, Echternacher Codex Aureus,** 44 x 31 cm, Echternach, um 1030, Nürnberg, Germanisches Nationalmuseum, Hs 2° 156142, fol. 77*

Dieses Gleichnis bezieht sich, ebenso wie das ihm gegenüberstehende Bild von den Arbeitern im Weinberg, auf die Verwerfung des ursprünglich von Gott erwählten Volkes und auf seinen Mord an Gottes Sohn. Die Teilung der Erzählung in drei Streifen stammt aus der karolingischen Malerei.

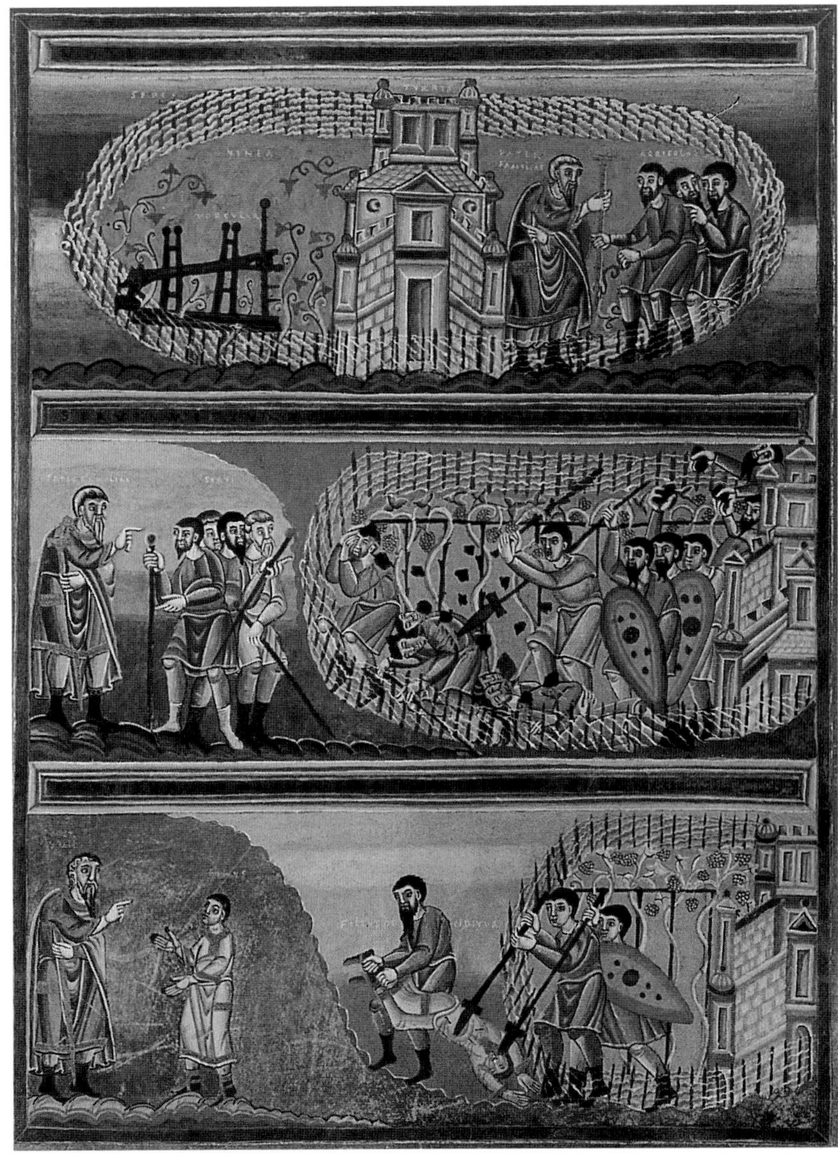

rischer Erstarrung oder Verarmung zu tun. Die Kunst an ihrer ›Originalität‹ zu messen, ist eine Idee, die sich erst im 18. Jahrhundert durchgesetzt hat und zunehmend an Verbindlichkeit verliert. Dennoch ist nicht zu leugnen, daß durch das Festhalten am Alten die Lebendigkeit verlorengeht und daß die Formen durch stärkere Stilisierung Wirklichkeitsnähe einbüßen. Eigen ist jedoch die Farbe: die edelsteinartig strahlende, lichte Farbigkeit des Perikopenbuches wird durch eine dunklere, um die bedeutsame Purpur- und Porphyrfarbe gruppierte Tonfolge ersetzt.

Die Darstellung des Kaiserpaares thematisiert die Veränderung der salischen Politik: Man könnte sie als ›Theorieverzicht‹ bezeichnen, da nicht mehr versucht wird, in komplexen Herrscherbildern das schwierige Verhältnis geistlicher und weltlicher Macht auszuformulieren. Hier wird das ›Gottesgnadentum‹ der Kaisermacht ohne die Notwendigkeit kirchlicher Vermittlung vorgeführt.

Dies entspricht der damaligen politischen Praxis: Auf der einen Seite betonte Frömmigkeit, auf der anderen vollständige Beherrschung der Kirche. Letztere zeigte sich besonders deutlich, als Heinrich III. in die römischen Verhältnisse eingriff. Ansatzweise hatten schon Otto der Große und seine Nachfolger, vor allem Heinrich II., die Reform einzelner Klöster und Stifte verordnet. Schon lange hatten sie monastische Reformbewegungen unterstützt, wie sie vom lothringischen Gorze und vom burgundischen Cluny ausgingen. Und sie hatten sich auch in die römischen Querelen eingeschaltet. Nun aber wurde der kaiserliche Einfluß zum Diktat über das Papsttum: Auf den Synoden von Sutri und Rom 1046 ließ Heinrich III. die miteinander rivalisierenden Päpste wegen des ungesetzlichen Charakters ihrer Wahl absetzen. An ihrer Stelle wurde Bischof Suidger von Bamberg zum Papst erhoben; er nannte sich Clemens II. Viermal hintereinander setzte der Kaiser einen deutschen Kandidaten auf dem päpstlichen Thron durch, von denen insbesondere der mit dem Kaiser verwandte Bischof Brun von Toul in Lothringen, als Papst Leo IX. (1049–1054), entscheidende Schritte zur inneren Erneuerung der Kirche unternahm: kirchlicher Ämterkauf (Simonie), Korruption und Klientelwesen wurden unterbunden,

*52. **Kreuzabnahme, Mittelteil eines Triptychons,** Birnbaumholz, 27 x 18 cm, Trier (?), Mitte 11. Jh., Berlin, Skulpturensammlung SMPK*

Die Seitenteile sind nicht erhalten. Das Vorbild für derartige Flügelretabel, ein weit verbreiteter Bildtyp des Mittelalters, stammt aus Byzanz. Es ist eines der frühesten Andachtsbilder, bestimmt für eine persönliche, gefühlsintensive, anteilnehmende Frömmigkeit.

53. Bronzekruzifix der Benediktinerabtei St. Liudger in Helmstedt, *um 1060/80, Essen-Werden, Benediktinerabteikirche St. Liudger*

Beispiel der strengen und linearen salischen Gestaltungsweise in der Monumentalskulptur, die jedoch eine emotionale Intensivierung mit sich bringt. Die Figur wurde erst in der Reformationszeit nach Essen gebracht.

das Zölibat verschärft, die Reform auf allen Ebenen und in allen Zweigen der Kirche gefördert. Man bemühte sich um die Rückkehr zu den Wurzeln des Christentums. Leo wurde schon bald nach seinem Tode als Heiliger verehrt.

Damals erhielten immer mehr Bilder und Bildwerke, vor allem der Passion Christi, einen stärker emotionalen, appellativen Charakter, der die Betrachter zu einer persönlichen Anteilnahme am Geschehen aufforderte. *(Abb. 52)* Außerdem finden sich vermehrt Bilder, in denen zugunsten einfacher Federzeichnungen auf Farbe und Schmuck verzichtet wird. Überhaupt ist die strengere, vereinfachende Stilisierung der salisch-kaiserlichen Kunst als ein Ausdruck wachsender Askese zu verstehen.

Die kaiserliche Architektur

Die gemalten Rahmen vieler salischer Widmungsbilder bilden Bauwerke ab, womit das grosse Interesse dieser Kaiser am Bauen deutlich wird. *(Abb. 54)* Sie lassen nicht mehr andere für sich bauen, sondern tun dies selbst. Die Architektur wird somit für das salische Kaiserhaus zum führenden Instrument künstlerischer Selbstdarstellung. Das erklärt auch die Monumentalität und Einfachheit der Buchmalerei dieser Epoche. Leider ist von der zu dieser Architektur gehörenden Wandmalerei bis auf Reste im Dom von Aquileja (Oberitalien) nichts erhalten. Gerade in ihr hatten wohl die politischen Ziele des Zeitalters ein angemessenes Ausdrucksmedium gefunden.

Auffällig ist das Traditionsbewußtsein auch im Bauen. Niemals wurden so viele Aachenkopien geschaffen wie in frühsalischer Zeit, so in den Damenstiftskirchen von Essen oder Ottmarsheim. *(Abb. 24)* Doch ist die künstlerische Haltung eine andere: alles ist zwar schlichter, aber schwerer. Die zierlichen Aachener Säulen mit ihren antikisierenden Kapitellen werden durch stämmige Schäfte und schwere Würfelkapitelle ersetzt. Vergleicht man sie mit den von Bernward entwickelten Formen in St. Michael in Hildesheim, *(Abb. 32)* so bemerkt man, daß die salische Architektur noch massiger und gedrungener ist. Im Grunde ist ihr der eckige Pfeiler bzw. die Wandvorlage ge-

55. Speyer, Dom St. Maria und St. Stephan, *Gesamtansicht von Osten, um 1025 – um 1106*

Der Dom lag ursprünglich nahe am Rhein. Die Ostfront ist als Fassade ausgebaut, wobei für die Apsis Motive des älteren Trierer Domes verwendet wurden. Die Blendarkaden und die Zwerggalerie sind symbolische Baumotive von hohem repräsentativem Anspruch.

mäßer als die runde Säule. Bezeichnenderweise wird der rechteckige Abschluß des Sanktuariums wie ehemals in Aachen zur bevorzugten Apsisform der Epoche.

Die Distanzierung von den Aachener Einzelformen sollte man nicht als programmatische Entfernung von der Antike oder Karl dem Großen mißverstehen. Erst unter Konrad II. setzt sich der Titel des ›Königs‹ bzw. ›Kaisers der Römer‹ und des ›Römischen Reiches‹ durch. Dieser Herrscher und sein Sohn Heinrich III. errangen eine fast vollständige Herrschaft über Italien. Der Anschluß an die römischen Grundformen, der bei den Würfelkapitellen der Hildesheimer Michaelsabtei zu bemerken war, wird in salischer Zeit noch deutlicher. Auffällig ist die Erneuerung des Quaderbaus. Die wichtigen Bauglieder wurden aus Steinblöcken errichtet und große Teile der Mauern sogar als Großquaderwerk von zuvor nicht gekannter Mächtigkeit zusammengesetzt. Die Steine sind in genaue Paßform gebracht, sorgfältig bearbeitet und oft an der Oberfläche etwa mit Fischgrätmustern subtil verziert, was auf ein vielleicht auch symbolisch motiviertes Interesse am einzelnen Block (›lapides vivi‹), aber auch auf das Ansteigen des technischen wie künstlerischen Niveaus der Steinmetzen schließen läßt.

Die salische Architektur verzichtete weitgehend auf Spolien, was angesichts der Möglichkeit, Bauteile aus Rom und Italien zu verwenden, durchaus bemerkenswert ist. Denn Rom spielte, wie man an der ersten Klostergründung Kaiser

linke Seite:
54. Maler und Schreiber bei der Arbeit, Perikopenbuch Heinrichs III. aus dem Bremer Dom, *19 x 15 cm, Echternach, 1039–1043, Bremen, Universitätsbibliothek, Ms. 21, fol. 124v*

Das Buch war ein Geschenk der Abtei Echternach an den Kaiser.
Die beiden Künstler, ein Schreibermönch und ein Laienmaler, sind unter einem symbolisch verkürzten Bild der Echternacher Kirche dargestellt. Der schreibende Mönch ist vorangestellt: Schreiben galt als Schule kirchlicher Disziplin, die jeder Mönch zu durchlaufen hatte.
Malen aber erforderte Spezialistenwissen und dauerhafte Übung, weshalb sich hier sehr früh das Laienelement durchsetzte.

56. Speyer, Dom St. Maria und St. Stephan, Innenansicht nach Osten, um 1025 – um 1106

Die in strengem Wandrelief gehaltene, ursprünglich flach gedeckte Basilika Konrads wurde durch die Einziehung von Gewölben unter Heinrich IV. samt den dazu notwendigen Wandvorlagen zu einem der ersten großen Gewölbebauten des westlichen Abendlandes.

Konrads II. in Limburg an der Haardt ablesen kann, als Vorbild sogar eine größere, ja bestimmende Rolle: Das Limburger Langhaus folgt dem römischen, frühchristlichen Typus der Säulenbasilika. Der Kirchenraum wird in deren Sinne als eine Heilige Straße (via sacra) gedeutet. Die Wiederherstellung der Strenge und Größe des frühen, konstantinischen, kaiserlich-christlichen Rom drückt sich auch in der vom neuen Kaiser durchgesetzten Klosterreform aus. Der Bau wurde durch sein straff gegliedertes, rechteckig geschlossenes Sanktuarium und andere Bauideen für die Klosterbaukunst der folgenden Epoche vorbildlich. Die flachen Pilaster mit ihren trapezförmigen Kapitelldeckplatten greifen auf römisch-trierische Vorbilder zurück. Bezeichnenderweise hat das sich so römisch-militärisch gebende salische Haus keine bedeutenden Frauenklöster gestiftet.

Der salische ›Gründungsbau‹ ist der Dom zu Speyer. *(Abb. 55–57)* 1025 begann Konrad II. mit dem Neubau, wohl in demselben Jahr, als auch Kloster Limburg errichtet wurde. Der Gegensatz zwischen den beiden Kirchenbauten könnte größer kaum sein. 1041 wird die Krypta geweiht, 1061 die Kirche, von der zunächst nur die Krypta und das Altarhaus eingewölbt waren. Unter Heinrich IV. wurde der Dom dann ab 1080 stark umgebaut und erhielt als erster Großbau nach Aachen Gewölbe. Speyer II ist Zeugnis einer neuen, epochemachenden Architekturauffassung.

Doch schon der Speyerer Dom Konrads ist ungewöhnlich genug. Das oberrheinische Bistum

war klein und recht arm. Das legt den Schluß nahe, daß das Bauwerk kaiserliche Vorstellungen und Ansprüche widerspiegelte. nicht die des Bischofs oder des Domkapitels. Der Dom war nicht allein Grablege des kaiserlichen Stifters – das war der Bamberger Dom Heinrichs II. auch. Um seine Macht zu demonstrieren, baut Konrad größer und höher, als je ein Bischof oder Erzbischof zuvor. Auch vom Anspruch seiner Bauformen her ist die Speyerer Bischofskirche in einem zuvor nicht gekannten Maße ›Kaiserdom‹. Die Nachfolger Konrads haben diesen Bau zu einem Monument der salischen Dynastie gemacht, und seine Funktion als kaiserliche Grablege wurde auch von einigen staufischen und habsburgischen Nachfolgern angenommen. Berücksichtigt man die Zerstörungen, Umbauten und Restaurierungen, die er im Laufe der Zeit erfuhr, ist der Dom zu Speyer die mit historischen Erinnerungen am schwersten befrachtete Kathedrale Deutschlands.

Die konradinische Architektur ist heute am reinsten in der ausgedehnten und erstaunlich hohen Krypta zu erfahren. In ihr dominieren gedrungene Säulen mit massigen Würfelkapitellen. Auf Verzierung und ornamentale Belebung wurde fast vollständig verzichtet. Das Langhaus zeigte ursprünglich eine lange, dichte Reihe von Vierkantpfeilern mit schmalen, hohen Halbsäulen als Wandvorlagen. Die Wand muß wie ein römisches Aquädukt gewirkt haben. Insofern kann man von einer eigenen Art der Kolossalordnung sprechen. Vorbild dafür war vielleicht die Konstantinsbasilika in Trier. Es handelt sich um eigenwillige Umprägungen antiker Architekturvorstellungen.

Die Einziehung der Gewölbe unter Heinrich IV. verwandelte den Raum. Es entstand das sogenannte Gebundene System: Dem quadratischen Mitteljoch entsprechen auf jeder Seite je zwei (im Prinzip ebenfalls) quadratische Seitenschiffjoche. Vor allem kam so ein rhythmischer Wechsel zustande, der die schwerfällige, einförmige Reihung belebte. Gewölbe waren zuvor nie in einer Reihe, sondern eher als Auszeichnung einzelner Raumzellen eingesetzt worden, zum Beispiel als Kuppel oder über dem Sanktuarium. Die symbolische Bedeutung blieb dabei immer erkennbar. Die durchgehende Einwölbung gibt dem Dom als ganzem repräsentativen Charakter, überhöht den Anspruch des Baus noch einmal und steigert ihn ins Unermeßliche. Die symbolische Bedeutung der einzelnen Gewölbe wird damit aber verklärt. Der Neubau betont durch die Applikation von Halbsäulen vor die ehemals flachen Wandvorlagen des Mittelschiffes das Wandrelief stärker und ersetzt die einfachen Würfelkapitelle ottonischer Art durch korinthische römisch-kaiserlicher Herkunft. Auch dies ist als Stärkung des Charakters als rein kaiserliche Architektur zu verstehen. Ein weiteres neues, ebenfalls antikes Importmotiv sind die von Säulenädikulen gerahmten Altarnischen des Querhauses. Zur Verwirklichung dieser Ideen holte sich der Kaiser unter anderem oberitalienische Steinmetze. Man darf jedoch nicht übersehen, daß zwar unter Heinrich IV. die Machtansprüche gesteigert, jedoch von seinen Zeitgenossen wie nie zuvor in Frage gestellt wurden. Speyer II entspricht der gesellschaftlich-politischen Wirklichkeit der Zeit weniger als je ein Bau zuvor.

57. Speyer, Dom St. Maria und St. Stephan, *Domkrypta, um 1025 – vor 1061*

Die äußerst weitläufige Krypta ist eine Unterkirche, die insbesondere auch als Grablege und Aufbewahrungsort für Reliquien gedacht war.

INPERATRIX RICHENZE
INPERATOR LOTHARIUS
DUCISSA GERTRUDIS
DUX HEINRICUS
DUX HEINRICUS
DUCISSA MATHILDA FILIA HEINRICI REGIS ANGLICI
REGINA MATHILDA

Kapitel 2

Gregorianische Kirchenreform und ritterliche Hofkultur

(1060–1250)

Das ottonisch-salische Reich und seine Kunst schienen an Dauerhaftigkeit Byzanz vergleichbar. Doch der Anschein täuschte. Noch während der Glanzzeit des Reiches gärte es in den anderen Ländern Europas. Es formierten sich neue gesellschaftliche Gruppen, technische Innovationen veränderten das Agrarwesen grundlegend, neue Wirtschaftsformen kamen auf und existierende Denkmodelle wurden revolutioniert.

Konrad II. und Heinrich III. hatten jedoch selbst durch die von ihnen befohlene Reform des Papsttums das ungefähr im Gleichgewicht befindliche Verhältnis der weltlichen und geistlichen Gewalt aus dem Lot gebracht. *(Abb. I/50)* Dies provozierte Widerstand. Ein Auslöser, an dem sich die Krise in Italien entzündete, war die Regelung der Papstwahl. Das aufflammende Feuer wurde dann jedoch von den tiefgreifenden politischen und ökonomischen Umwälzungen genährt.

Die Einsetzung von Päpsten durch den Kaiser hatte sich zwar als notwendig erwiesen, wurde jedoch mehr und mehr als Eingriff in die Freiheit der Kirche empfunden: Leo IX. (1049–1054) wollte die Reform noch gemeinsam mit dem Herrscher regeln, beförderte aber diejenigen Männer in Schlüsselstellungen, die die Loslösung der Kirche von jeder Fremdbestimmung anstrebten. 1159 setzte eine Synode fest, daß der Papst nur vom Kollegium der Kardinäle zu wählen sei. Die Rolle des Kaisers wurde auf die eines Beschützers beschränkt. Entscheidend für die Verfassungsgeschichte Europas war die Durchsetzung des Prinzips freier Wahlen und die Schaffung von Wahlmännergremien.

Es wäre jedoch falsch, dieser Bewegung ausschließlich politischen Charakter zuzusprechen. Papst Gregor VII. (1073–1085) und einige seiner Nachfolger waren Mönche aus Cluny. Wieder andere kamen aus dem Kloster Monte Cassino. Die ›gregorianischen‹ Reformer waren von mönchischen Idealen geprägt, asketisch und glühend fromm. Sie sahen die Welt nicht optimistisch, sondern in den Fängen Satans, die Kirche erschien ihnen von allen Seiten bedroht. Die Wurzel aller Kirchennöte war für sie der Ämterkauf (Simonie) und die Einsetzung von Geistlichen durch Laien (Laieninvestitur). Heftig bekämpften die Gregorianer die Priesterehe, weil sie die Kleriker zu sehr an Weltliches kettete.

Der Begriff Simonie bezieht sich auf Simon Magus, der dem Apostel Petrus die Wunderkraft abkaufen wollte. Ämterkauf gab es in der Kirche immer. Mit dem Anwachsen der Geldwirtschaft im 11. Jahrhundert aber erhielt er eine neue Qualität: die Herrscher waren zunehmend auf Bargeld angewiesen, so daß die Übertragung von Ämtern und Lehensdiensten zunehmend in bar abgegolten wurde. Geld wurde zum Maß aller Dinge. Das zerrüttete die Finanzen der kirchlichen Institutionen: Sie verschuldeten, denn die ›Geschenke‹ waren meist durch Kredite finanziert, die wegen der damals unvorstellbar hohen Zinsen schwer lasteten; für die Abzahlung wurden sogar kaiserliche Altarausstattungen eingeschmolzen. Korruption beförderte zunehmend diejenigen Geistlichen, die zahlen konnten. So entstand eine Spirale aus schlechter Amtsführung und wirtschaftlichem Verfall.

Auch die Einsetzung von Laien war eine uralte Gewohnheit. Der Gründer einer Kirche oder eines Klosters behielt die Besitzrechte und war darüber hinaus befugt, Geistliche einzusetzen – sie gehörten zum Personal der Gründerfamilie. Eigenkirchen gab es auf allen Ebenen, vom Landadel über die Bischöfe bis zum Kaiser. Die Verbindung des Geistlichen mit dem Weltlichen war die Grundlage

1. Heinrich der Löwe und seine Gemahlin Mathilde von Gott gekrönt, begleitet von ihren Vorfahren, Evangeliar Heinrichs des Löwen, *Helmarshausen, vor 1188 (?), 34 x 26 cm, gemeinsamer Besitz der Bundesrepublik Deutschland, des Freistaates Bayern (München, Bayerische Staatsbibliothek München, clm 30055), des Landes Niedersachsen (Wolfenbüttel, Herzog-August-Bibliothek, Cod. Guelf. 105, Noviss. 2°) und der Stiftung Preußischer Kulturbesitz, fol. 171v*

Das Evangeliar war für die herzogliche Stiftskirche St. Blasius in Braunschweig bestimmt, vielleicht für den 1188 geweihten Marienaltar. Der Typus des Herrscherbildes greift auf ottonische Vorbilder zurück, weitet sie aber im scholastisch-kosmologischen Sinne aus. Neu ist, daß der hohe Rang des Fürstenpaares durch die Darstellung ihrer kaiserlichen und königlichen Genealogie unterstrichen wird. Damit wird der Anspruch des Welfenherzogs auf Königsgleichheit manifestiert. Hergestellt wurde der Codex im paderbornischen Eigenkloster Helmarshausen, dessen Vogt Heinrich war.

Geschichte:
Salische Dynastie:
Heinrich IV. (1056–1106) - 1076 Kirchenbann durch Papst Gregor VII.- Heinrich V. (1106–1125) - 1122 Wormser Konkordat - Lothar III. (1125–1137)
Dynastie der Staufer:
Konrad III., der 1. Staufer (1138–1152) - Friedrich I. Barbarossa (1152–1190) - 1180 Sturz Heinrichs des Löwen - Heinrich VI. (1190–1197) - Philipp (1198–1208) - Friedrich II. (1212–1250) - 1239 Bannung durch den Papst
Dynastie der Welfen:
Herzog Heinrich der Löwe (1142–1195) - Otto IV. (König 1198–1215)

2. ***Petrus übergibt die beiden Schwerter an Papst und Kaiser,*** *Fresko in der Vierung der Benediktiner-Klosterkirche Prüfening bei Regensburg, zweites Viertel 12. Jh.*

Prüfening war eine der Bastionen der gregorianischen Reformpartei. Der Papst befindet sich in der Ehrenposition zur Rechten Petri. Daß nicht Christus, sondern Petrus die Schwerter übergibt, verdeutlicht noch die propäpstliche Parteinahme. Über ihm die Personifikation der Ecclesia (Kirche). Die beiden Burgtürme stehen für Herrschaft. Die abgeriebenen Oberflächen lassen die geometrische Konstruktion des Entwurfs hervortreten.

des gesellschaftlichen Systems, ja des historischen Erfolgs der Karolinger und ihrer Nachfolger. Sie wurde nun von den Reformern aufgekündigt. Es war also die Kirche, die einen Trennungsstrich zwischen ›geistlich‹ und ›weltlich‹ zog. Überspitzt kann man diesen Schritt den Anfang vom Ende des Mittelalters nennen; abgeschlossen wurde dieser Prozeß jedoch erst 1806 mit der Auflösung des ›Heiligen Römischen Reiches Deutscher Nation‹.

Auch die Klöster sollten ihren Abt fortan selbst wählen. Bischöfe sollten künftig nicht mehr vom Herrscher, sondern von den Domkapiteln bestimmt werden, die dadurch an Macht gewannen. Dem Kaiser blieb nur noch die Aufgabe, die Wahl in bezug auf die weltlichen Rechte und Besitztümer zu bestätigen. Damit aber war der Eckpfeiler des Reichskirchensystems weggebrochen, die Kaisermacht in den Grundfesten erschüttert.

Verschärft wurde der Streit dadurch, daß Gregor VII. und seine Kirchenjuristen universale Machtansprüche zu formulieren begannen, die auf eine Theokratie (Herrschaft der Geistlichen) hinausliefen. Die Theorie, derzufolge Gott dem Kaiser ein Schwert zur weltlichen, dem Papst eines zur geistlichen Machtausübung übergeben habe, wurde so gedeutet, daß der Papst dem Kaiser übergeordnet sei. *(Abb. 2)* Der Papst verstand sich nun als Lehnsherr der Herrscher dieser Welt, und es gab zahlreiche Könige, die ihn als solchen anerkannten: die Spanier, die Ungarn, die Normannen in Unteritalien. Die Auffassung der kaiserlichen Partei verband im Gegenzug den Kaiser als dem Papst übergeordnet, welcher sich überhaupt nur um geistliche Angelegenheiten zu kümmern habe. Sie trug damit ebenfalls zur Zerstörung des ottonischen Gleichgewichts bei. Durchzusetzen war diese politische Auffassung erst in der Neuzeit.

Der Papst hatte im Reich aber nicht nur den Kaiser zum Gegner, sondern auch viele Reichsbischöfe und -äbte, die sich nicht »wie Amtsleuten befehlen lassen« wollten. Nach der Bannung einiger geistlicher Räte Heinrichs IV. erklärte 1076 eine vom Kaiser einberufene Synode deutscher und oberitalienischer Bischöfe den Papst für abgesetzt. Im Gegenzug sprach der Papst den Bann über den Kaiser aus und löste dessen Untertanen vom Treueid. Durch den sprichwörtlich gewordenen Gang nach Canossa 1077 konnte sich Heinrich kurzfristig vom Bann lösen. Doch dann eskalierte die Krise noch mehr: Gregor wurde vertrieben, ein Gegenpapst vom Kaiser eingesetzt.

Die Erschütterung war außerordentlich. Die Welt schien aus den Fugen geraten. Deutschland spaltete sich in eine kaiserliche und eine stärkere päpstliche Partei. Die in der Apokalypse vorhergesagte Endzeit schien angebrochen. Dem jeweiligen Gegner wurde vorgeworfen, im Dienste des Teufels zu handeln. Um 1145 schreibt Bischof Otto von Freising, der aus dem Kaiserhaus stammende Chronist: »Wieviel Unheil, wie viele Kriege mit ihren verhängnisvollen Folgen daraus entstanden sind, wie oft das unglückliche Rom belagert, erobert und verwüstet, wie Papst wider Papst und König wider König gesetzt worden ist, das zu erzählen widerstrebt mir. Kurz, so viel Unheil, so viele Spaltungen [...] bringt der Sturmwind dieser Zeit mit sich...«. Dabei konnte er noch gar nicht wissen, daß der Konflikt bis zum 14. Jahrhundert immer neu aufbrechen würde.

Die Krise eskalierte jedoch nur im Deutschen Reich derartig folgenschwer. In Frankreich zum Beispiel fand man Wege, die Rechte des Königs im Wesentlichen zu wahren und doch der Forderung der Kirche nach Freiheit zu genügen. Dies zeigt, daß in Deutschland noch ganz andere Ursachen für die Situation verantwortlich waren: In Sachsen empörte man sich gegen die Vorherrschaft Schwabens und die Verschärfung der Lehnspflichten. Der hohe Adel wollte stärker an der Herrschaft beteiligt werden, und auch die aufkommenden Schichten der Dienstmannen (Ministerialen) und Bürger wollten mitbestimmen. Große Umwälzungen wurden in Gang gesetzt bzw. durch die Ereignisse sichtbar.

Die Päpste nutzten alle Mittel der Politik. Sie förderten die Unabhängigkeit der Nachbarvölker Deutschlands, so der Dänen oder der Polen und trugen damit zur Bildung von Nationen in Europa bei. Indem sie dem Kaiserreich Titel und Funktion des ›Imperium Romanum‹ absprachen und es als ›regnum theutonicum‹ verunglimpften, weckten sie das Bewußtsein deutscher Eigenart. Sie vertieften die regionalen Gegensätze und bedienten sich der aufkommenden kommunalen Bewegung in Oberitalien für ihre Zwecke. Vor allem inzenierten sie große europäische Massenbewegungen, zum einen als bewaffnete Pilgerfahrt nach Santiago di Compostela, zum anderen als Kreuzzüge zur Befreiung des Heiligen Landes von islamischer Herrschaft. Der erste Kreuzzug fand 1096–1099 ohne nennenswerte deutsche Beteiligung statt. Erst das endgültige Scheitern der Kreuzzugsbewegung im 13. Jahrhundert brachte auch die theokratischen Ansprüche des Papsttums zum Erliegen.

Die Kirchenreformer und die Kunst

Der Kaiserkunst alten Stils wurde durch den Umbruch die Existenzgrundlage entzogen. Die in der ottonischen Kunst praktizierte Verschmelzung von Politischem und des Sakralem war nicht mehr glaubwürdig, ebensowenig wie der Kompromiß zwischen Sinnlichkeit und Geistigkeit. Prachtentfaltung wurde an sich verdächtig.

Das wechselseitiges Geben und Nehmen zwischen Hof und Klöstern fand ein Ende. Statt dessen kam es zur Entfremdung. Liturgische Bücher erhielten keine Kaiserbilder mehr. Die Reichsklöster verfielen, soweit man sie nicht der Klosterreform anschloß und die klösterliche Produktion für den Hof erlosch. Die Reformklöster strebten vor allem nach Spiritualisierung. Kennzeichen der neuen Zeit ist die asketische Unterdrückung aller sinnlichen Neigungen und Genüsse. Der Körper war nur noch als Versucher ja als Gefängnis der Seele.

Zwar arbeitete man weiterhin an der Ausschmückung der Gotteshäuser, die Prachtliebe aber suchte man zu zügeln: Der Reformabt Wilhelm von Hirsau beipielsweise lehnte den Gebrauch kostbarer metalldurchwirkter Paramente, ja sogar wollener Gewänder, ab. Zeitweilig verschwinden das Gold und die Farben aus den Büchern, selbst aus wurden verbannt und allenfalls Federzeichnungen geduldet. Bei den Altargeräten wird der Gebrauch von Kupfer zur Regel. Was in irgendeiner Form als Luxus erscheinen konnte, war zu vermeiden. Einem Abt wurde gar zum Vorwurf gemacht, er habe ein Portal mit Skulpturen ausschmücken und Bücherschränke bemalen lassen.

Auch in der Amtskirche verschob sich vieles. Baueifer galt weniger als Arbeit am ›Ausbau des Reiches Gottes auf Erden‹, sondern als Ausdruck von falschem Ehrgeiz. Zum ersten Mal in der Geschichte taucht der Vorwurf auf, mit den Neubauten würden die Frondienst leistenden Bauern ausgebeutet, wodurch sie verarmen würden. Die Reformbischöfe sahen sich also weniger als Vertreter des Reiches, sondern als Streiter Christi.

Die Gregorianer brachten den Begriff des ›Höfischen‹ auf, eine zunächst negative Kategorie: Mehr als ein halbes Jahrhundert verlor der Hof für geistlich Gesinnte an Anziehungskraft. Er galt als Lasterhöhle. ›Hofnähe‹ war kein Ehrentitel mehr, Hofdienst bedeutete ›schlechte Gesellschaft‹: Deshalb taucht in der Hirsauer Verfassung der Wunsch auf, von ihm befreit zu sein. Letztlich hat diese Absonderung, wenn auch mit der Verspätung von zwei Generationen, die Schaffung einer eigenen weltlichen Kunst herausgefordert.

Da dem ottonischen Stil die Grundlage entzogen war, gab man ihn auf und orientierte sich eher am päpstlichen italo-byzantinischen Stil. Die Kaiser und ihre Leute hielten zuweilen bis ins frühe 12. Jahrhundert an der alten Reichs-Sakralkunst fest, doch blieb ihnen nichts anderes übrig, als sich, gegen ihre eigenen Interessen, anzupassen. Denn wenn sich gemäß eines gängigen Vorwurfs ein Simonist bereits am Äußeren erkennen ließ, was lag näher, als das Äußere zu verändern?

Bildfeindlichkeit an sich entspricht nicht der kirchlichen Lehre und Tradition. Selbst die radikalsten Reformer haben den Bildgebrauch daher höchstens eingeschränkt, denn man kannte die Macht der Bilder zu gut. Da man wirken wollte, schuf man Bilder sogar in größerer Menge und vielfältigerer Verwendung als zuvor. Man entwikkelte eine eigene Bildtheologie zu Lehrzwecken. Insgesamt wurde diese Epoche bildkünstlerisch eine der innovativsten des Mittelalters.

Die antikaiserlichen Bilder in Lambach

Die Wandgemälde der Westempore der Benediktinerabteikirche Lambach in Oberösterreich spiegeln den Gesinnungswandel. Bischof Adalbero von Würzburg gründete die Abtei 1056 in der Stammburg seines Hauses und besetzte sie mit Reformmönchen. Als radikaler Gregorianer war er von Heinrich IV. aus seinem Bistum vertrieben worden und flüchtete sich in seinen Heimatort. Das Lambacher Bildprogramm dürfte auf ihn zurückzuführen sein. *(Abb. 3 u. 4)*

Wir haben schon bei der Hildesheimer Tür *(Abb. I/35)* gesehen, daß durch die Auswahl der Szenen und Einzelmotive Bedeutungsakzente gesetzt wurden. Bei der Marienkuppel fällt auf, daß die Heiligen Drei Könige nicht als Könige mit Kronen dargestellt sind, wie es sich im Reich seit dem frühen 11. Jahrhundert als monarchische Ausdeutung des Themas durchgesetzt hatte, sondern wieder als Weise des Morgenlandes mit Hauben, die den phrygischen Mützen der frühchristlichen Bilder ähneln. Die Zeitgenossen erkannten das Weglassen der Herrschaftszeichen als Weigerung, der kaiserlichen Ikonographie folgen zu wollen.

Im Vergleich mit dem Perikopenbuch Heinrichs II. *(Abb. I/48 u. 49)* fällt auch die Darstellung Mariens auf: Übergroß thront sie und wird streng frontal gezeigt. Nur ihr Sohn wendet sich ein wenig den Ankommenden zu und erteilt den Segen, an ihren Gaben hat er kein Interesse. Um diese Bildformulierung zu verstehen, muß man sie gemäß der theologischen Deutungsweise 1. nach dem Wortsinn sowie 2. nach dem geistlichen bzw. allegorischen Sinn lesen. Auf unser Beispiel bezogen heißt das: Historisch ist Maria die Mutter Jesu, allegorisch ist sie die Braut Christi des Hohen Liedes, eines vielstudierten Buches des Alten Testamentes. Die Braut Christi wird immer auch als Kirche (Ecclesia) verstanden, und Maria ist nach dieser Theo-Logik in mystischer Weise identisch mit der Kirche. Wenn sie hier so triumphal auftritt und im Mittelpunkt der Verehrung der die drei Erdteile vertretenden Weisen steht, so bezieht sich das konkret auf den Marienaltar der Westempore, im tieferen Sinn aber auf die Rolle der Kirche als Mitte der von Gott geschaffenen Weltordnung. Zur Verdeutlichung dierser Idee hat man neben dem Thron zwei Personifikationen aus altrömischen Kirchenprogrammen angebracht: Die der Heidenkirche zur Rechten mit Heiligenschein (Nimbus) und gegenüber die der Judenkirche. In verschlüsselter, aber damals unschwer erkennbarer Form wird in diesem Bild der Machtanspruch der Kirche zum Ausdruck gebracht.

Aktueller gemeint sind die ungewöhnlich ausführlichen Herodesszenen. *(Abb. 4)* Allein schon das Herausstreichen dieses verbrecherischen jüdischen Königs hat einen herrschaftskritischen Zug. Das Hauptbild der Reihe zeigt die Verwirrung des Herodes, als ihm die Geburt des neuen Königs der Juden angekündigt wird: erfüllt von einer Schreckensvision stürzt er zu Boden. Was für eine finstere Gestalt! Es war neu und unerhört, einen Herrscher so dämonisch darzustellen. *(Abb. I/30)* Bemerkenswerterweise ist die Figur des Herodes hier nach dem Vorbild des Siegels von Kaiser Heinrich IV. gestaltet. Sie entspricht ihm in Haltung und Kleidung. Die Bügelkrone und der Globus, der die Schemaaufteilung der Welt in drei Erdteile zeigt, stehen nur dem Kaiser zu, nicht einem Provinzkönig wie Herodes. Fast jedem Betrachter war die Zeichensprache der kaiserlichen Herrschaftssymbole (Insignien) bekannt. Ihm mußte das Bild als kaum verhüllte Darstellung Heinrichs IV. erscheinen, der hiermit zum neuen Herodes erklärt wurde. Der vertriebene Bischof von Würzburg muß von glühendem Haß auf den Kaiser erfüllt gewesen sein. Damit stand er nicht allein, wird doch Heinrich auch in der Biographie des Wilhelm von Hirsau als die ›verbrecherischste Gottesgeißel, die jemals die Erde trug‹, verdammt.

Die ottonischen Kaiserbilder verkündeten ihre Auffassung von Herrschaft, aber sie waren im Einvernehmen von Kirche und Staat konzipiert und nicht gegen jemanden gerichtet. Im Gegensatz dazu sind die Lambacher Bilder tendenziöse Parteipropaganda. Bezeichnend ist bereits, daß sich die Kaiserbilder in Handschriften befinden und somit nur wenigen zugänglich waren. Die Fresken hingegen waren öffentlich. Es war die Kirche, die sich als erste der Bilder zur Propaganda bediente, während die Kaiserpartei in der Polemik nicht sprachlos, aber bildlos blieb. Wie sehr die gregorianischen Bilder schmerzten, belegt der Streit um eine Darstellung im Lateranspalast in Rom, die Kaiser

3. ***Die Anbetung der Könige,*** *Fresko, vor 1089, Benediktinerkirche Lambach/AU, Mittelkuppel der Westempore*

Der Typ der Kuppelausmalung stammt aus Oberitalien. In den Zwickeln der Flachkuppel jeweils ein brennender Dornbusch aus der Vision des Moses als Symbol der Unbefleckten Empfängnis Christi. Auf der Maria gegenüberliegenden Seite die drei Magier, die nach dem Stern von Bethlehem Ausschau halten, auf der vom Thron aus rechten Seite die Anbetung der Magier und auf der anderen der Traumbefehl des Engels an die Schlafenden, nicht zu König Herodes zurückzukehren.

Lothar III. zeigt, der dem Papst Lehnsdienste leistete. Kaiser Friedrich I. Barbarossa verlangte die Entfernung des Bildes. In einem Bericht heißt es, »daß alles Übel mit dem Streit um dies Bild anfing.« Denn Bilder konnten auf ihre Art Wirklichkeit erzeugen. Das drückt sich noch heute in der Redewendung »den Teufel an die Wand malen« aus.

Man übernahm aus Italien nicht nur den italobyzantischen Stil, sondern auch die Technik der Wandmalerei. Die Farben sind ›al fresco‹ aufgetragen, also auf den frischen Kalkputz, mit dem sie eine chemische Verbindung eingehen. Dadurch veränderte sich zwar der Farbton, insgesamt wurde die Farbe aber haltbarer. Der Putz war während des Malens feucht zu halten und durfte nicht gefrieren, weshalb man im Winter nicht arbeiten konnte. Die Wand wurde in Tagwerke aufgeteilt, mit der Abfolge von oben nach unten. Einige Farben, etwa Blau und Gold, waren für Freskotechnik nicht geeignet und wurden deshalb ›al secco‹, also auf die trockene Wand aufgetragen; sie gingen mit der Zeit zuerst verloren.

Die Freskotechnik hat einen besonderen Farbschichtenaufbau: Gemäß byzantinischen Rezepten sind die Inkarnatteile grünlich. Anschließend wur-

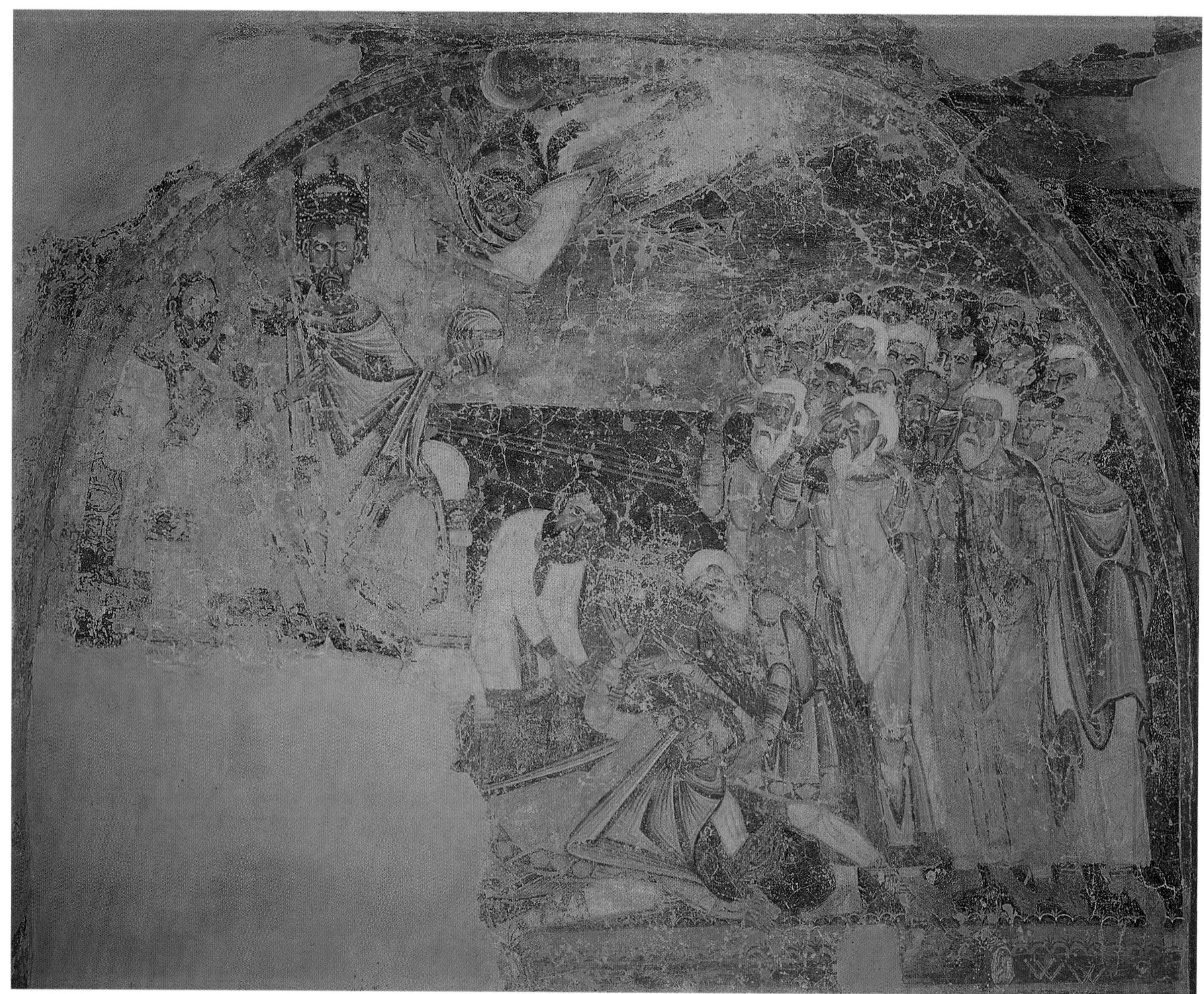

4. Das Erschrecken des Königs Herodes (?), *Fresko, vor 1089, Benediktinerkirche Lambach/AU, Westempore*

Der König hält nicht, wie man von einem christlichen Herrscher erwarten würde, in der Rechten das Zepter, sondern ein Schwert. Bei dem Herabgestürzten ist die Krone im Fallen gezeigt. Die Hofleute verdecken sich die Augen, um den fürchterlichen Anblick nicht ertragen zu müssen.

den, zum Teil erst nach der Trocknung, weiße oder dunkle Binnenschraffuren und schwarze Begrenzungslinien aufgetragen. Bei den Gewändern wurde keine besondere Grundierung gewählt, doch fällt der Gebrauch von wechselnden (changierenden) Farben wie Gelb, Weiß und Rotbraun im Mantel des Kaisers auf. Auch diese Farbpaarungen, zu denen Blau in Verbindung mit Rotlila gehört, stammen aus der oströmischen Maltradition. Sie war in Italien geläufig, weil Venedig samt Umland sowie große Teile Unteritaliens zum byzantinischen Reich gehörten, wenn auch in zunehmend lockerer Verbindung. Die konfessionelle Trennung von Rom und Konstantinopel hat paradoxerweise die Integration byzantinischer Kunst nur gefördert – die Papstkirche drückte so den Anspruch ihrer Vormacht über beides aus.

Das Reformkloster Hirsau

Eine Hochburg der gregorianischen Reform zwischen 1070 und 1130 war das Benediktinerkloster Hirsau im Schwarzwald, ursprünglich ein Eigenkloster der Grafen von Calw. *(Abb. 5)* Auf Anraten Leos IX. berief sein Neffe Adalbert von Calw den Mönch Wilhelm aus dem Reformkloster St. Emmeram in Regensburg zum Abt. Dieser setzte beim Grafen als erste Amtshandlung dessen Verzicht auf einen Großteil der Rechte durch, über die er als Eigentümer verfügte. Oberster Schutzherr des Klosters wurde nun der Papst, doch bemühte man sich auch um kaiserliche Förderung. Die Ordensverfassung wurde in Anlehnung an die Gebräuche Clunys gestaltet. Hirsau wurde jedoch kein Mitglied seiner Kongregation, es bildete auch keine eigene, aber es passte die Ideen von Cluny deutschen Verhältnissen an.

Der Erfolg war überwältigend. Er überbot alles, was je an Wirkungen von einem Kloster im Deutschen Reich ausgegangen war. Zehn Jahre nach Vollendung der ersten Kirche mußte man eine neue bauen: Zwischen 1082 und 1091 entstand die im Mittelalter größte Kirche Südwestdeutschlands.

Förderer der Hirsauer waren vor allem aufstrebende Adlige, die eigene Klöster zur Fürbitte (memoria) für ihr und ihrer Angehörigen Seelenheil einrichten wollten, ohne einer Kontrolle durch den Kaiser oder der Bischöfe unterworfen zu sein. Sie ließen sich von der Frömmigkeit der Reformer mitreißen und erfüllten deren Forderungen nach

5. Paulinzella, Benediktinerkirche St. Marien, Innenansicht

Zwischen 1102 und 1105 von der adligen Dame Paulina mit Hilfe des ihr verwandten Bischofs Werner von Merseburg als Doppelkloster für Mönche und Nonnen gegründet. Im Jahr 1107 ziehen Hirsauer Mönche ein. Erst nach der Weihe 1124 werden die Vorhalle und die beiden Türme vollendet. Die Steinmetzen kamen aus Hirsau. Der Bau ist einfacher als das Vorbild, ein Quaderbau von hervorragender Präzision. In der Reformationszeit wurde das Kloster aufgehoben, die Bauten dienten als Steinbruch. Die Romantik entdeckte die Ruine als stimmungsvollen Ort und sorgte für ihre Erhaltung. Die Vorkirche mit dem Hauptportal ist eine frühe Rezeption des Westportals und Atriums der dritten Kirche von Cluny in Burgund, das zwischen 1110 und 1120 fertiggestellt war.

mehr Freiheit. Denn man war überzeugt, daß nur die Gebete von asketisch lebenden Geistlichen im Himmel etwas bewirken konnten. Trotz ihres adligen Hintergrundes waren die neuen Orden nicht so exklusiv wie die Reichsabteien. Sie verstanden sich weniger als gesellschaftliche Einrichtung, sondern als religiöse.

Der Kirchenbau folgt in wesentlichen Punkten der von Konrad II. gegründeten Reformabtei in Limburg an der Haardt: Besonders bemerkenswert sind der rechteckige Abschluß des Sanktuariums und der Typus der flachgedeckten Säulenbasilika. Auch in den Formen der schweren Säulen mit Würfelkapitellen, den einfachen Wandvorlagen oder den rechteckigen Rahmungen der Arkaden hielt man sich an die frühe salische Baukunst.

Wie also unterscheidet sich Hirsau von der kaiserlichen Baukunst? Nach damaliger Überzeugung konnten die Reformer das Kaisertum nicht in Frage stellen. In der Zitierung von Limburg machten sie die Vorbildlichkeit des frühen kaiserlichen Reformklosters deutlich, kritisierten aber zugleich den Aufwand von Speyer II mit seinen Gewölben und seinem Schmuck *(Abb. I/55–57)*: Sie unterstellten seinem Erbauer Heinrich IV. damit, vom rechten Weg, nämlich der Strenge der Frühzeit, abgewichen zu sein. Andererseits wurden die technischen Errungenschaften seiner neuen Bauweise gern aufgegriffen.

Der Bau der Klosterkirche hat noch einen zweiten Bezugspunkt: Cluny und – über Cluny – Rom. Wie dort bildet eine Folge gestaffelter Triumphbögen den östlichen Abschluß der Kirche: der erste steht am Eingang des ›chorus minor‹, wo die Mönche saßen, die nicht an der Gestaltung des Gottesdienstes teilnahmen. Der zweite befindet sich vor der Vierung, die zugleich der ›chorus major‹ (Hochchor) war, in dem die beiden den Antiphonengesang des Chordienstes tragenden Mönchsgruppen aufgestellt waren, und den dritten Torbogen hatte man am Eingang des Sanktuariums errichtet, in dem sich der Hochaltar befand. In diesem Raum ertönte Tag und Nacht außerhalb des Chordienstes die ›laus perennis‹, das ewige Gotteslob. Vor den Chören verlief eine Schranke quer durch das Mittelschiff und grenzte die Laien aus. Davor stand der Kreuzaltar, auf oder über ihm ein großer Kruzifix. Die Konversen, d.h. Laienmönche, die für die Arbeiten im Kloster zuständig waren, hatten ihren Platz im Südquerhaus. Bemerkenswert ist auch die große Zahl von Kapellen und Altären. Hirsau besaß allein im Ostbereich sieben Altarnischen.

Die Architektur reflektiert die großräumige Inszenierung der Liturgie wie die Strenge ihrer Ordnung. Kritiker warfen den Mönchen vor, sie hätten das ›ora et labora‹ (bete und arbeite) des hl. Benedikt aus dem Gleichgewicht gebracht, da der Gottesdienst an hohen Feiertagen bis zu neun Stunden beanspruchte. Doch vollzogen die Mönche nur, was die damalige Gesellschaft vor allem wünschte: Fürbitte für die Seelen der Verstorbenen. Das erklärt auch die Vermehrung der Altäre, an denen die Seelmessen gelesen wurden. Und es erklärt den großen Raum, der den Laien zugeteilt wurde: Das Langhaus der Klosterkirche kann man als Festtagskirche der Laien bezeichnen. Im Süden waren die Männer, im Norden die Frauen aufgestellt. Sie wurden in die großen, theatralisch gestalteten Prozessionen einbezogen, die ein regelmäßiger Bestandteil der neuen Gottesdienstform waren. Diese wiederum wirkten auf die Gestalt des Kirchenraumes ein, da sie Platz zur Aufstellung und Entfaltung brauchten. Man hat von dem Schreitraumcharakter und dem ›heiligen Weg‹ (via sacra) der hirsauischen Kirche gesprochen.

Dazu gehört die große Vorkirche, die sich durch ein weites Portal zum Mittelschiff öffnet. Abzuleiten ist sie vom frühchristlichen Atrium in Rom. Wie dieses war sie teilweise nach oben offen und wird im damaligen Sprachgebrauch Galiläa genannt, nach dem Land, von wo Christus die Apostel zur Mission in die Welt schickte. Hier endeten die Prozessionen. Die Vorkirche aber fungierte auch als Aufenthaltsraum für die Laien, gelegentlich als Ort der Predigt, und zur Not auch als Übernachtungsstätte. Die Hirsauer errichteten keine imperialen Westwerke mehr wie die Reichsklöster und -stifte.

Es fällt auf, daß Krypten, die zuvor die Regel waren, fehlten. Reliquien sollten nicht mehr versteckt, sondern gezeigt werden. Die Liturgie hatte Schaucharakter. Manche Hochfeste, wie das der Heiligen Drei Könige, wurden von Aufführungen begleitet, die Karfreitags- und Osterliturgie von Spielszenen der Grablegung und Auferstehung.

Die Zunahme der Gottesdienstzeit hat auch mit den Vorstellungen vom Mönchsleben als ›vita angelica‹, als engelsgleiches Leben und von der Vorwegnahme des Himmels zu tun. Wer hätte aber je gehört, daß Engel arbeiten? Mechanische Arbeit, so lautete die Interpretation von ›mechanicus‹, kommt von der Erbsünde unserer Ureltern Adam und Eva und ist eigentlich eine Strafe.

Waren die Priestermönche von der Handarbeit freigestellt, mußten andere sie erledigen. Die Hirsauer hatten dafür die Konversen (Laienbrüder) und räumten damit Leuten einfacher Herkunft die Möglichkeit des Klosterlebens ein. In Bild und Wort versuchten sie eigene Wege der Seelsorge für sie zu entwerfen. Die Hirsauer begründeten damit die religiöse Pädagogik (Katechetik).

Als Radikale im kirchlichen Dienst bemühten sich die Mönche, das Volk zu gewinnen. Als Wanderprediger zogen sie durch die Lande, was älteren benediktinischen Vorstellungen vom Ordensleben widersprach und von den Gegnern gehörig gegeißelt wurde – ein Beleg für ihren Erfolg. Das Volk hörte ihren Hetzreden gegen geistliche Pfründenjäger, korrupte Höflinge und die Reichen gerne zu. Ihre Wirkung ging weit über den eigenen Orden hinaus, und Elemente ihrer Bau- und Bildkunst finden sich bei den reformierten Chorherrenorden ebenso wie in Kathedralen. Sie führten die Reformer in Deutschland an.

Die Radikalisierung der Reform durch die Zisterzienser

Der Erfolg der Hirsauer entsprang einer besonderen historischen Konstellation, doch schon wenige Jahrzehnte später entsprachen aufgrund der schnellen allgemeinen Veränderungen andere Ordensgemeinschaften den neuen Bedürfnissen besser. Sich ausschließlich mit den von Cluny abgespalteten Zisterziensern zubefassen, bedeutet, nur ein bis zwei Generationen zu berücksichtigen. Es mag überzogen erscheinen, diesen Zweigen der Benediktiner so viel Aufmerksamkeit zu widmen, aber der Reihenfolge ›Reichsklöster – Hirsauer – Zisterzienser‹ entspricht in der Architektur die Steigerung ›sehr gut – besser – hervorragend‹, denn einige zisterziensische Bauten gehören zu den Höhepunkten der Architekturgeschichte.

Der Name der neuen Kongregation leitet sich vom Kloster Cîteaux (lat. ›Cistercium‹) bei Dijon in Burgund ab. Dort suchten seit 1098 eine Handvoll Mönche die Ursprünglichkeit der Benediktregel wiederherzustellen. Sie waren unzufrieden mit Cluny, seiner Pracht und seiner Einseitigkeit. Mit ihrer ›Restauration‹ schufen sie jedoch etwas Neues. Ihr Erfolg liegt in der Schlüssigkeit der neuen Verfassung, mehr noch in der Persönlichkeit des Ritters Bernhard von Fontaines (†1153), der im Jahr 1113 mit mehreren Gefährten in Cîteaux eintrat und von dort als Gründungsabt nach Clairvaux ging . Er gehört zu den überragenden Gestalten in dem an bedeutenden Köpfen reichen 12. Jahrhundert und nannte sich selbst die Chimäre seiner Zeit: Ein feuerspeiendes Ungeheuer der Antike, teils Löwe, teils Schlange.

Was aber unterscheidet nun die Zisterzienser von den Mönchen in Cluny?

1. Sie bildeten eine noch straffer organisierte Kongregation unter einem Generalabt. Das jährliche Generalkapitel in Cîteaux mußte von allen Äbten besucht werden. Die Leiter der Mutterklöster visitierten die Tochterabteien, und alle Angehörigen des Ordens wurden einheitlicher Disziplin und ständiger Kontrolle unterworfen.

2. Die Klöster wurden fern von Siedlungen in möglichst unkultivierten Gebieten errichtet. Die Zisterzienser machten das Land urbar und erbrach-

ten dadurch außerordentliche Leistungen für die Kolonisation und Rodung des Landes.

3. Die Mönche lebten nicht von Zehnten, Pachteinnahmen oder gar von Kirchen- oder Altarabgaben, sondern von Handarbeit, an der sich Priestermönche und Konversen gleichermaßen beteiligten. Alles sollte arm und einfach sein. Die Zisterzienser hatten deshalb großen Zulauf an Laien. Die Langhäuser der Klosterkirchen waren ausschließlich ihnen zugedacht, und große Abteien zählten in ihrer Blütezeit über 200 dieser Laienbrüder. Deshalb konnten auch Projekte von außerordentlichem Umfang in Angriff genommen werden: Ganze Sümpfe wurden trockengelegt, die steilsten Hänge der Mosel dem Weinbau erschlossen, Fisch- und Viehzucht in geradezu frühindustriellem Maßstab betrieben. Die Zisterzienser waren mit ihren neuen Großpflügen, Mühlen oder Schmieden Meister der Wasserbaukunst, überhaupt ein Motor des Fortschritts in Agrarwesen und -technik. Dies machte sie schnell zur reichsten Institution des Abendlandes.

4. Sie betrieben keine Seelsorge. Laien, insbesondere Frauen, waren im Kloster überhaupt nicht, in der Kirche nur eingeschränkt zugelassen. Doch gründete der Orden einen weiblichen Zweig.

5. Strengste Askese wurde gefordert: Stillschweigen, keine Fleischspeisen, Heizung nur im Schreibzimmer.

6. Für die Kunst galt das Gebot, auf Türme, überflüssigen Zierrat, Bildschmuck, bunte Glasmalereien, goldene Geräte, kostbare Paramente usw. zu verzichten. *(Abb. 6)*

Man könnte die Hirsauer vereinfacht den Orden des Hochadels und die Zisterzienser den der Ritter nennen. Diese neue Gesellschaftsschicht hatte sich aus sogenannten Ministerialen, den Dienstmannen des Hochadels und der Kirche gebildet. Ihr Aufstieg setzte mit dem 11. Jahrhundert ein, und mit ihnen halten Vorstellungen von Dienst, von Kampf, von persönlicher Tüchtigkeit, aber auch die Marienminne als Vergeistigung des ritterlichen Frauenkultes Einzug in die Glaubenswelt. Deshalb sind alle Zisterzienserkirchen der Muttergottes geweiht. Aber die Mentalität der Ritter wie der Mönche wandelte sich rasch, und binnen kurzem eignete sich der Hochadel die neuen Ideale von ›Ritterlichkeit‹ an, während die Zisterzienser immer elitärer wurden.

6. Grisaillefenster aus Kloster Eberbach,
Kloster Eberbach, Abteimuseum, Drittes Viertel 12. Jh.
Die Zisterzienserregel schrieb bild- und farblose Fenster vor. Das Ergebnis waren rein ornamentale Scheiben von raffinierter, geometrischer Musterung, die aber auch die Vergitterung des Fensters thematisiert.

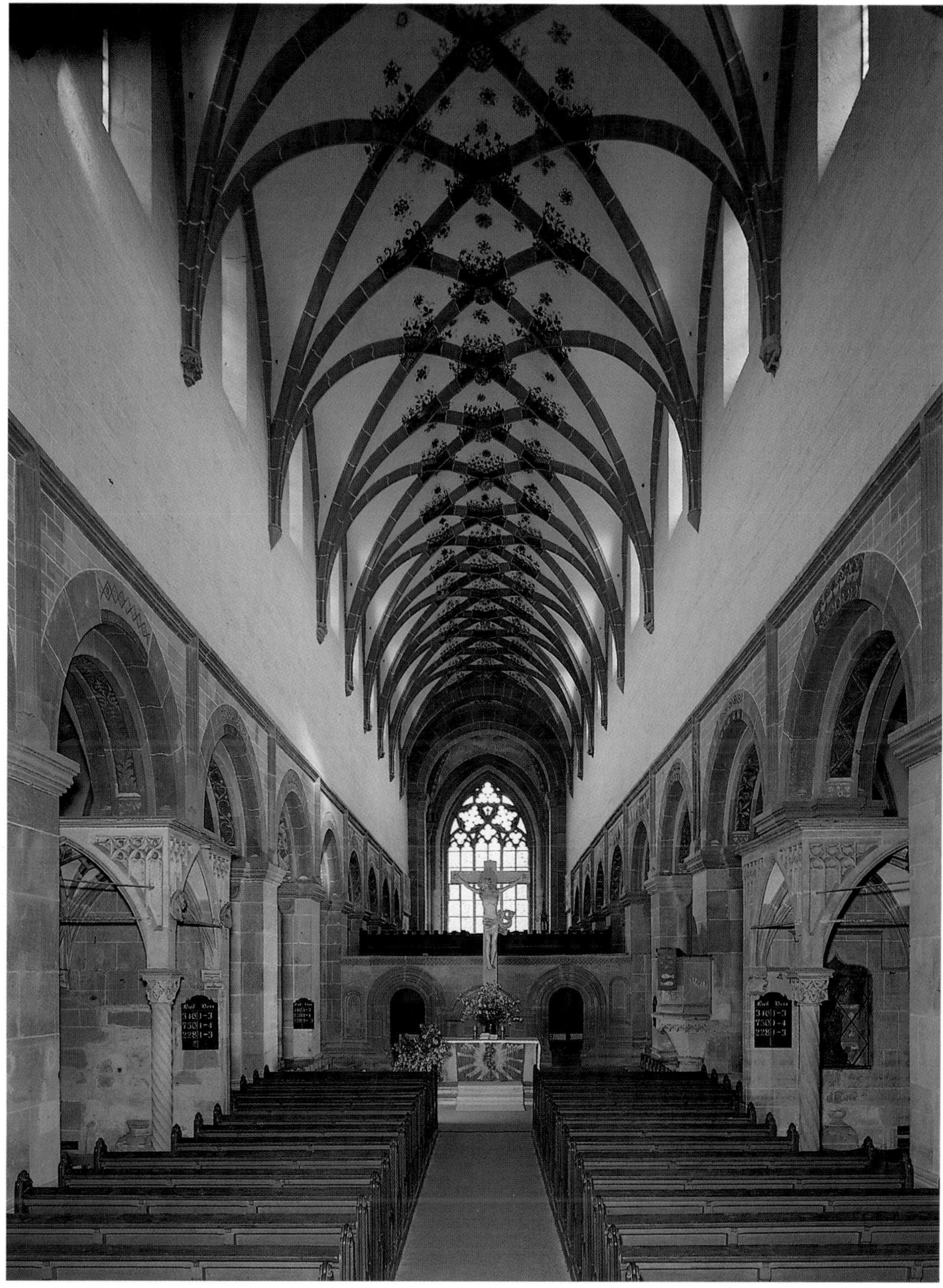

linke Seite:
*7. **Eberbach, Zisterzienserkirche St. Marien,** Innen- ansicht nach Osten, ab Mitte 12. Jh., 1186 Weihe*
Das Sanktuarium ist stark verändert. Es war zuerst niedriger, wurde dann aufgestockt und in der Gotik umgebaut – vor allem mit größeren Fenstern versehen. Restauratoren haben eine Rekonstruktion der Ostwand versucht und alles purifiziert. Es sind einige Reste der ersten Raumfassung mit ihrer Zick-Zack-Ornamentik an den Wandvorlagen der Vierung erhalten.

*8. **Maulbronn, Zisterzienserkirche St. Marien,** Langhaus nach Osten*
Die Kirche wurde um 1148 begonnen und 1178 geweiht. Schon früh wurde das Sanktuarium aufgestockt. Ursprünglich war das Langhaus flach gedeckt, das Gewölbe wurde erst von einem Zisterzienserbaumeister 1424 eingezogen. Bemerkenswert ist die erhaltene Schranke zwischen dem Chor der Priestermönche im Osten und dem Raum der Konversen im Westen. Der Kruzifix über dem Kreuzaltar ist eine Kopie nach dem berühmten Werk des Nikolaus Gerhaert van Leiden aus dem Jahr 1467 in Baden-Baden. (Abb. IV/34)

Zisterziensischer Kirchenbau

Bei einem Vergleich der beiden frühen Abteikirchen Eberbach und Maulbronn wundert es, warum sie angesichts der vorgeblichen Einheitlichkeit des Ordens so voneinander abweichen, besonders, da die Mönche zugleich Baumeister und Steinmetzen waren. Beide hatten französische Mutterklöster, aber Französisches findet sich in den Bauten nicht. *(Abb. 7 u. 8)*

Der hl. Bernhard hatte als eins der Grundübel der Benediktinerkonvente ihre oft fruchtlosen Versuche erkannt, sich von der Oberaufsicht der Diözesanbischöfe zu befreien, also exemt zu werden. Er verbot dies seinen Äbten, weshalb Bischöfe die Zisterzienser besonders gerne förderten: Der Bischof von Speyer war Mitbegründer des Klosters in Maulbronn, der Mainzer Erzbischof gründete das in Eberbach.

Die frühen Abteikirchen beziehen sich also in der Regel auf die zuständige Domkirche, die ›mater ecclesia‹ (Mutterkirche). Das will nicht

9. Mainz, Dom ***St. Martin und St. Stefan,*** *Langhaus nach Osten*

Das zwischen 1106 und 1137 errichtete, später neu gewölbte Mainzer Langhaus ist dem Entwurf nach ein spätsalischer Bau im Gefolge von Speyer II, seinem Anspruch nach die bedeutendste Kathedrale des Reiches, dessen Primas (oberster Geistlicher) der Mainzer Erzbischof war.

gleich einleuchten, wenn man Eberbach mit dem Mainzer Dom vergleicht: *(Abb. 9)* Der Klosterkirche fehlt zum Beispiel die Apsis im Osten, statt dessen schließt sie gerade ab. Sie hat keine Rippen-, sondern Kreuzgratgewölbe, das Wandrelief in Eberbach ist viel einfacher gestaltet, als das des Doms, und die Wandvorlagen sind eckig, nicht rund; sie enden obendrein in Konsolen – vieles mehr wäre aufzuzählen.

Gerade in diesen Abweichungen wirken sich die zisterziensischen Vorschriften aus. Anders als die Kathedralen hatten die Klosterkirchen bescheiden zu sein. Nach damaligem Verständnis ist aber die runde Form anspruchsvoller als die eckige, die Kreuzrippe steht höher als der Kreuzgrat, das Kapitell höher als die Deckplatte, die Basis mit doppeltem Wulst und Zwischenkehle ist geschmückter als der einfache Wulst. Die Kappung der Wandvorlage demonstriert geradezu den Verzicht auf Bauluxus.

Zitate wurden in der alten Baukunst als Anspielung verstanden, nicht als Kopie. Bei einem Zisterzienserbau hatte das Zitat zwar auch die Funktion, auf das Vorbild hinzuweisen, gleichzeitig sollte es sich aber von ihm distanzieren. Es galt in der damaligen, auf Autoritäten fixierten Gesellschaft, im Bauwerk Zugehörigkeit und Unterordnung darzustellen.

Die Eberbacher Kirche ist trotz der Papsttreue des Ordens keine römische Säulenbasilika, sondern folgt dem gebundenen System der Kaiserdome. Der Mainzer Wandaufriß ist am engsten verwandt. Zweifelsfrei erkennbar ist dies nur an zwei Dingen: an der Eberbacher Pfeiler-Deckplatte, die eine

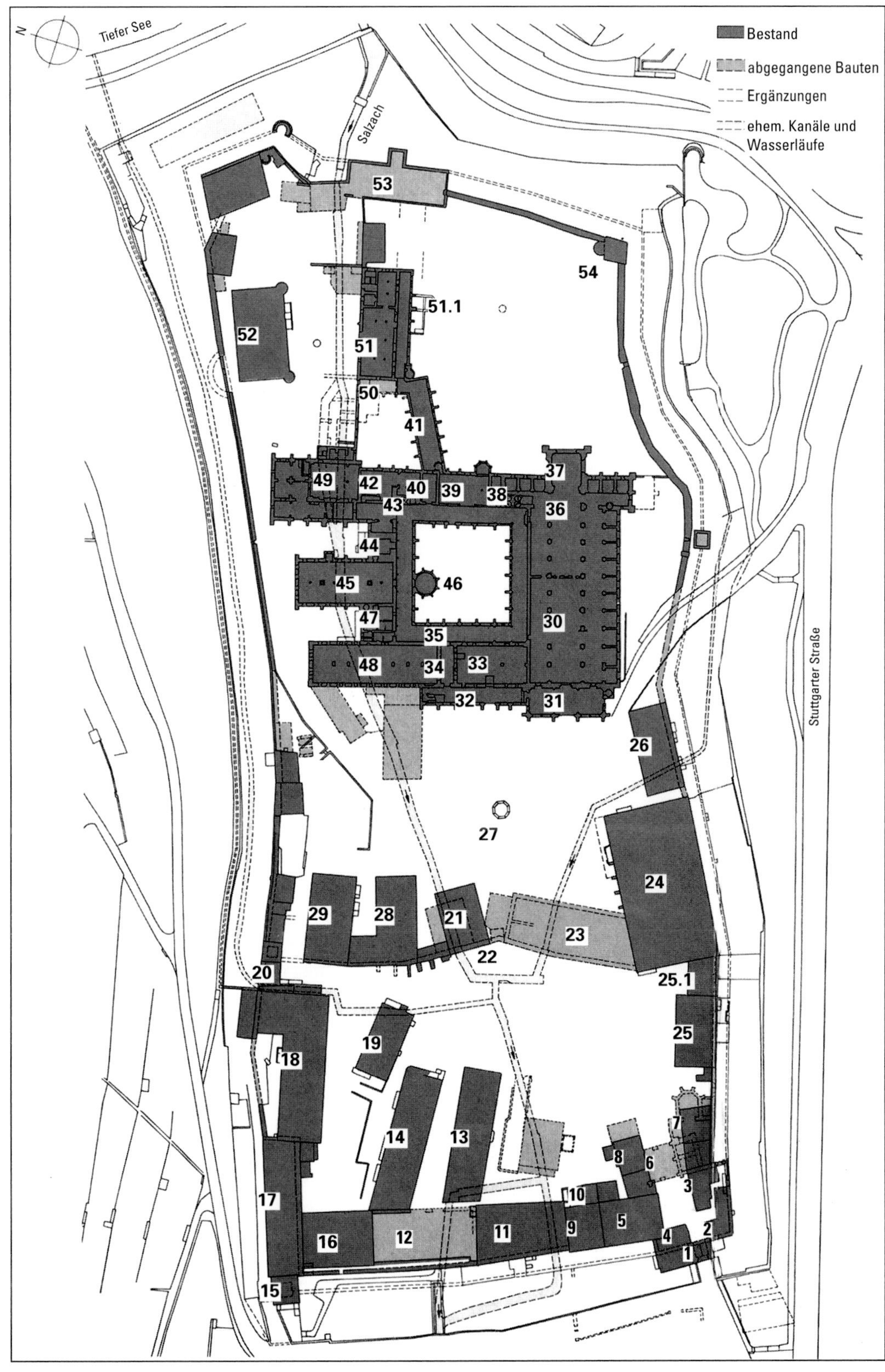

10. Maulbronn, Zisterzienserkloster, *Grundriß der gesamten Klosteranlage*

1. Klostertor, 2. Pförtnerhaus, 3. Wachhaus, 4. Apothekennebengebäude, 5. Vogtei (?), 6. innerer Torturm, 7. Dreifaltigkeitskapelle, 8. Frühmesserhaus, 9. Wagnerei, 10. Wohnung des Wagners und Abgang zum Elfinger Keller, 11. Klosterschmiede, 12. Ökonomiegebäude, 13. Marstall, 14. Haberkasten, 15. Haspel- oder Hexenturm, 16. Speicher, 17. Melkstall und Eichelboden, 18. Klostermühle, 19. Pfisterei und Wohnung des Pfistermeisters, 20. Mühlturm, 21. Kameralamt, 22. Torturm, 23. Heuhaus, 24. Fruchtkasten mit Kelter, 25. Klosterküferei, 25.1 Scheune, 26. Weingartmeisterei, 27. Klosterhofbrunnen, 28. Gesindehaus, 29. Speisemeisterei, 30. Klosterkirche, 31. Paradies, 32. Arkadengang, 33. Cellarium, 34. Ern, 35. Kreuzgang, 36. Querschiff, 37. Chor, 38. Armarium, 39. Kapitelsaal, 40. Ern, 41. Parlatorium (?)/Bibliothek (?), 42. Frateria, 43. Höllentreppe, 44. Kallefaktorium, 45. Herrenrefektorium, 46. Brunnenhaus, Lavatorium, Tonsorium, 47. Klosterküche, 48. Laienrefektorium, 49. großer Keller, Dormentbau, 50. Abtshaus/Prälatur, 51. Herrenhaus, 51.1 Scheerbrunnen, 52. Jagdschloß, 53. Klosterspital, Pfründhaus, 54. sog. Faustturm

Ein Zisterzienserkloster war eine Stadt im Kleinen, jedoch eine, die nicht für die Öffentlichkeit zugänglich war. Sie war um den Kreuzgang (lat. ›claustrum‹) gruppiert, der dem Kloster seinen Namen gab und der der individuellen Lektüre und Betrachtung, aber auch der gemeinsamen Andacht diente. Die Priestermönche hatten ihren Lebensschwerpunkt im Ostteil, wo u.a. der Kapitelsaal lag, der seinen Namen nach dem täglich dort vorgetragenen Kapitel aus der Benediktregel trägt, darüber der gemeinsame Schlafraum, das Dormitorium, von dem man auf dem kürzesten Weg in die Kirche gelangen konnte. Im Süden lag u.a. das Sommerrefektorium. Ursprünglich gab es nur einen beheizbaren Raum; darüber lag die Schreibstube. Um diesen Klosterbezirk im engeren Sinne waren Kranken- und Gästehäuser, Wirtschaftsgebäude usw. locker gruppiert.

Vereinfachung der Mainzer ist, sowie an einer Abweichung im Aufrißsystem. Am Eingang des Sanktuariums und in den Ecken dieses Raumes (sowie des Querhauses) ist jeweils ein Runddienst in die Ecken eingestellt, der den Bereich betont. Dieses Motiv findet sich so nur vor dem Ostchor des Mainzer Doms. Den Kundigen war erkennbar, auf welche Autorität sich Kloster Eberbach bezog.

Die komplexe Architektur von Maulbronn erscheint hingegen wie eine Hirsauer Kirche, in der die Säulen durch Pfeiler ersetzt wurden. *(Abb. 5)* Aber worin zeigt sich dann der angeblich so große Gegensatz zwischen Cluny und Cîteaux?

Man sollte nicht ohne Weiteres das, was für Frankreich galt, auf Deutschland übertragen. Hirsau ist selbst ein Reformkloster, und der Gegensatz der Kongregationen konnte gerade aufgrund der Kampfsituation in Deutschland nicht auf die gleiche Weise deutlich ausgefochten werden wie in Frankreich, denn beide Vereinigungen gehörten zur selben Partei. Außerdem war der Mitbegründer von Maulbronn, Bischof Gunther von Speyer, ein ehemaliger Hirsauer Mönch. Der Dom zu Speyer war jedoch der kaiserliche Bau schlechthin, Ausdruck der Ansprüche des Erzfeindes der Gregorianer, Heinrich IV. *(Abb. 1/55–57)* Und doch ist

*11. **Herrenrefektorium des Zisterzienserklosters Maulbronn,** um 1210*
Die Kapellenform des äußerst sorgfältig errichteten Quaderbaus erklärt sich aus dem klösterlichen Charakter des Speisesaals: Beim Essen durfte nicht geredet werden, alle hatten der Vorlesung aus geistlichen Schriften zu lauschen. Die Konversen aßen nicht gemeinsam mit den Priestermönchen. Gemäß ihrem nachgeordneten Status hatten sie einen niedrigeren Speiseraum von einfacherer Gestalt. Die Formgebung orientiert sich an der Architektur Burgunds, dem Herkunftsgebiet des Ordens.

das merkwürdige Motiv der Halbsäulen an den Pfeilerinnenseiten (und den Seitenschiffwänden) mit den Würfelkapitellen und Gurten als Zitat nach dem Speyerer Dom zu lesen – allerdings als Zitat untergeordneter Bedeutung.

Die ersten Zisterzienserkirchen sollten in ihrer Erscheinung nicht wie Cluny die Pracht des Himmlischen Jerusalem vorwegnehmen, sondern nur dessen ›dunkles Atrium‹ sein. Man betonte nicht die Ähnlichkeit zum Himmel, sondern die Unvergleichbarkeit beider. Diese Vorstellung wurde jedoch – wie die strenge Armut der Ursprungszeit – bald aufgegeben: Die Sanktuarien, die – als Hinweis auf die Demut Christi gegenüber seiner Kirche – ursprünglich niedriger und dunkler waren als das Langhaus, wurden aufgestockt und durchfenstert.

Bernhard von Clairvaux prägte die für den Orden bezeichnende, paradox erscheinende Verbindung von Mathematik und Mystik und damit eine nur ihm eigene Ästhetik: Ihre Elemente sind die Geometrie als göttlich reine Form, *(Abb. 6)* die Musik als himmlischste Kunst und Lehrerin der Proportion, das Licht als Wesenszug Gottes. Bernhard spricht von »nüchterner Trunkenheit, trunkener Nüchternheit« (sobria ebrietas, ebria sobrietas). Geometrie, Proportion und Licht führten zu einem Kult der reinen Form, der das Bemühen um Perfektion erklärt. Die Maßverhältnisse sind so genau wie die Oberflächenbearbeitung der Steine. Mit der Zisterzienserbaukunst verhält es sich wie mit Platin: Es scheint billiger zu sein als Gold, ist aber wertvoller. Analoges ist wieder in der italienischen Renaissance, im Klassizismus oder im 20. Jahrhundert zu finden. Daß die weißen Mönche im Grunde einen viel höheren Aufwand betrieben als die anderen Orden, ist an ihren durchorganisierten Klosteranlagen zu studieren. *(Abb. 10 u. 11)*

In dieser Epoche bildeten sich weitere Ordensgemeinschaften heraus. So können die reformierten Augustinerchorherren als Parallelerscheinung zu Hirsau bezeichnet werden, die Prämonstratenser zu Cîteaux. *(Abb. 12)* Ihr Stifter, der adlige Domherr Norbert von Xanten, begründete als Wanderprediger den Orden in Prémontré (von Gott gewiesenes Feld) bei Laon in Nordfrankreich. Nach seiner Berufung zum Erzbischof von Magdeburg sorgte er für die Verbreitung seines Seelsorgeordens im Osten. Die Prämonstratenser schauten den Zisterziensern viele Baumotive ab, vor allem die Schlichtheit der Architektursprache. Sie selbst hatten aber keine Bauvorschriften und deshalb keinen eigenen Ordensstil. Eines ihrer Verdienste ist die Errichtung vieler schöner Dorfkirchen, wie man sie in der Umgebung von Kloster Jerichow beispielhaft studieren kann. In Nord- und Ostdeutschland haben sie im übrigen den Gebrauch von Backsteinen durchgesetzt.

*12. **Jerichow, Prämonstratenserkirche St. Marien und Nikolaus,** Innenansicht nach Osten*
Das Kloster wurde 1144 vom Liebfrauenstift in Magdeburg gegründet. Es lag damals an der Ostgrenze des Reiches, und seine Gründung war Teil des Unterwerfungs- und Kolonisierungsprozesses der Mark Brandenburg. Die Kirche stammt aus den Jahren nach 1148 und gehört zu den frühesten Backsteinbauten. Anregungen kamen aus Oberitalien, etwa vom Dom in Modena. Der kühle, harte Charakter des Raumes geht auf die Restaurierung von 1856 zurück. Die Prämonstratenser gehörten zu den wenigen Orden des 12. Jahrhunderts, die Krypten nicht ablehnten.

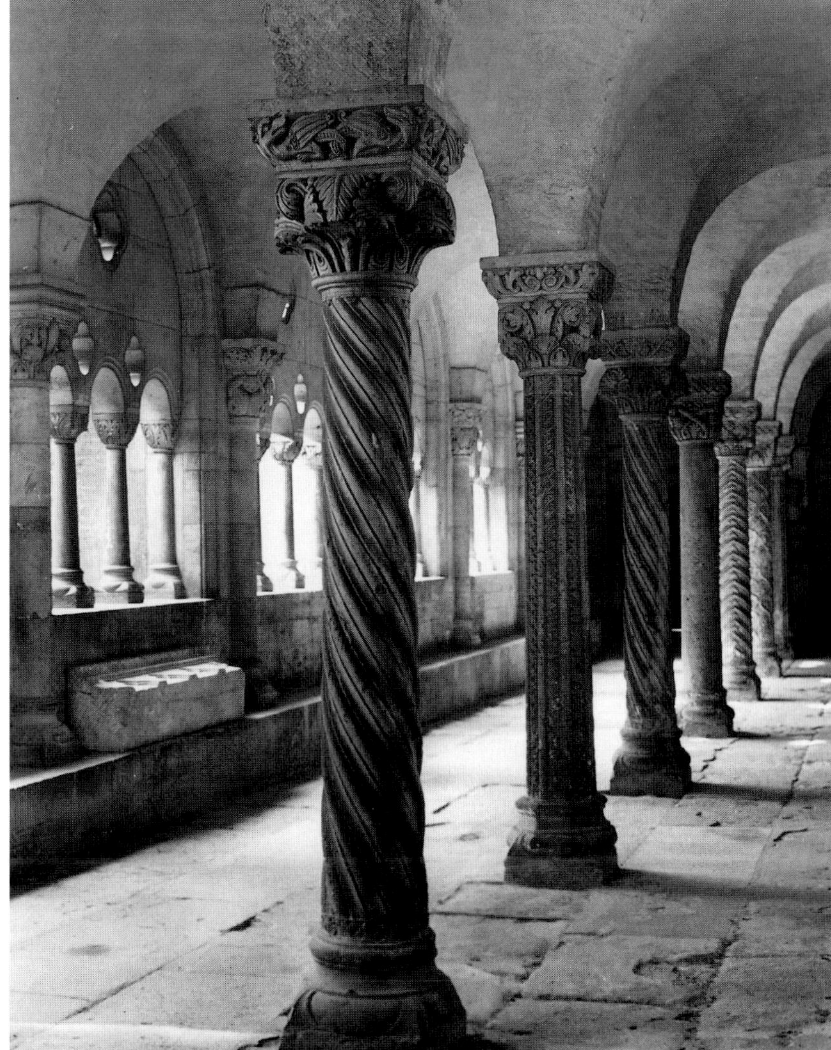

Bischöfe und Kaiser

Der Umbau des Speyerer Domes war eine Manifestation kaiserlicher Ansprüche. In Mainz als ranghöchstem Erzbistum des Reiches konnte man nicht hinter Speyer zurückbleiben und bereicherte den Formenapparat noch. *(Abb. 9)* Soweit sie nicht wie Konstanz Zentren der Gegenpartei waren, wurde auch an den meisten anderen Domen im ›Speyerer Stil‹ gebaut, der sich dadurch als der Stil des Reichsepiskopats und seiner Domkapitel etablierte. Aber die meisten Bauten vereinfachen das Speyerer Vorbild und wandeln es, wohl mit Blick auf die Baukunst der Reformorden, zum Strengeren hin ab. Je nach Aufgabe konnten der reichere und der einfachere Stil nebeneinander gebraucht werden.

Kaiser Heinrich V. hat kaum gebaut. Nach seinem Tod im Jahr 1125 wurde sein Gegner, der Sachsenherzog Lothar von Supplinburg, gewählt, ein Gregorianer. Er ist der Begründer der welfischen Macht. Ab 1135 errichtete er auf seinem Hausgut an Stelle eines Damenstiftes die Abtei Königslutter mit der Bestimmung, ihm und seinen Angehörigen als Grablege zu dienen. *(Abb. 13 u. 14)* Damit ist er der erste deutsche Kaiser, der als Begräbnisplatz nicht eine Bischofskirche aussuchte oder einen historischen Ort wie Aachen.

Der in den ersten Jahren mit großer Energie errichtete Bau ist in der Staffelung von fünf Apsiden hirsauisch geprägt, ebenso in der Öffnung der inneren Seitenapsiden zur Mitte hin. Allerdings verweisen die ursprünglich für die ganze Kirche geplante Wölbung und das ›Gebundene System‹ auf imperiale Ansprüche. In einem Punkt aber wurde der Bau richtungweisend. Der Kaiser hatte oberitalienische Steinmetzen unter Meister Nikolaus nach Königslutter geholt, die den Kreuzgang und die Ostanlage errichteten. Zwar waren schon zuvor italienische Bauleute in Deutschland tätig, und häufig wurden auch italienische Vorbilder imitiert, so der Dom von Benevent in der Bremer Bischofskirche. Der skulpturale und ornamentale Stil des Niccoló jedoch war eine neuartige, kommunal geprägte, italienische Kunst. Er wurde vielerorts zum Vorbild genommen, vor allem aber bildete er die Grundlage des welfisch-sächsischen Stils der folgenden Epoche. *(Abb. 49 u. 54)* Er bezeichnet letztlich das Ende der strengen Reformkunst, sein Bildprogramm ist eher weltlich und mit geistreichen Anspielungen durchsetzt.

*13. **Königslutter, Benediktinerkirche St. Peter und Paul,** Ostansicht der Mittelapsis*
Der Neubau wurde ab 1135 von dem zuvor in Oberitalien tätigen Baumeister und Bildhauer Nikolaus als Grablege für Kaiser Lothar III. begonnen, zunächst schnell vorangetrieben, dann aber in vereinfachter Form vollendet. Über der Blendbogenreihe befindet sich eine lateinische Künstlerinschrift, die spiegelbildlich (!) geschrieben ist und über dem Bild eines Hasenjägers abbricht. Es bedurfte einigen Scharfsinns herauszufinden, daß es sich dabei um eine Kryptosignatur des Nikolaus handelt. Künstlerstolz, der sich in ruhmredigen Inschriften niederschlug, findet sich von Italien ausgehend im 12. Jahrhundert häufig. Der Künstler kommt mit seiner Fabulierlust einem Bedürfnis seiner Zeitgenossen entgegen: Die aus der Antike stammende Tierfabel gelangte als unterhaltsame und zugleich moralisierende Form der Belehrung zu neuer Blüte.

*14. **Königslutter, Kreuzgang,** nach 1135*
Die überaus reiche Verzierung der Säulenschäfte und Kapitelle weist den Bau als ein Werk höchsten Anspruchs aus und blieb Vorbild bis in die Mitte des 13. Jahrhunderts (Abb. 48) Ein Gewölbeanfänger wird von einer Atlantenfigur antiker Art nach oberitalienischem Muster getragen, die Gewölbe selbst sind barock.

15. Die Herstellung eines Buches, Vorschaltblatt zu den Werken des Ambrosius, 16 x 13 cm, Michelsberg, Mitte 12. Jh., Bamberg, Staatsbibliothek, Msc. Patr. 5, fol. 1v

Der Maler ist in der Mitte des Blattes bei der Ausmalung des Giebelrahmens gezeigt. In der Mitte unten könnte der Armarius, der für die Bibliothek zuständig ist, bei der Planung des Werkes gezeigt sein, möglicherweise aber ist nur Schulunterricht gemeint – jedenfalls hat der ältere Mönch kein Buch in der Hand, wie wir es oben in der Mitte sehen, sondern ein Wachstafel-Diptychon. Außerdem zeigt das Bild in der linken Spalte von von unten nach oben: 1. das Zimmern des Bucheinbandes, 2. das Arbeiten der Beschläge und Schließen, 3. die Pergamentbereitung, 4. das Zuschneiden und Bereiten der Seiten; in der rechten Spalte, ebenfalls von unten nach oben: 5. die Konzeption des Textes auf Wachstafeln, 6. die Bindung der Pergamentlagen zum Buch, 7. das Prüfen der Feder durch den Schreiber, 8. die Arbeit des Textkorrektors mit Rasiermesser in der Hand und Feder hinter dem Ohr. Die Ranke im Buch weist ihn auch als Rubrikator (Auszierer) aus.

Die bildkünstlerische Tätigkeit der Reformkräfte

Die in der Regel geforderte Tugend der Demut, ja der Selbstverleugnung, erlaubte es den Mönchen nicht, sich wie Laienkünstler in Szene zu setzen. Doch hatten sie subtile Mittel, das Bewußtsein vom Wert ihrer Tätigkeit darzustellen. *(Abb. 15)* In einem Blatt aus dem Bamberger Reformkloster Michelsberg sehen wir in der Mitte den Patron des Klosters, den Erzengel Michael, auf dem Dach der Kirche, in der unter der Leitung des Abtes drei Mönche beim Chorgebet zu sehen sind. Darum herum sind andere Brüder bei der Herstellung eines Buches gezeigt. Der Stellenwert dieser Arbeit wird somit dem des Gottesdienstes gleichgesetzt. Unter ihnen nimmt der Maler, der an der Giebelschräge pinselt, einen Hauptplatz ein und ist doch voll Demut zu Füßen des Erzengels niedergebeugt. Die Kunst im liturgischen Dienst verliert das Stigma des ›Mechanischen‹, Niedrigen.

Der Mönch Roger von Helmarshausen war zugleich Künstler, Technikexperte und Theologe. *(Abb. 16)* Möglicherweise kam er aus dem maasländischen Kloster Stavelot; spätestens in St. Pantaleon in Köln wurde er mit dem italo-byzantinisch geprägten Stil der Reformpartei bekannt. Er ist der Begründer der bedeutenden Kunstschule im paderbornischen Eigenkloster Helmarshausen an der Weser. *(Abb. 1)* Seine Erfahrungen als Goldschmied, Bronzegießer, Maler und vielfältig gebildeter Techniker vereinigte er unter dem Namen Theophilus in einem Rezeptbuch, das er bescheiden ›schedula diversarum artium‹ (Zettelsammlung der verschiedenen Künste) nannte, hinter dem sich tatsächlich aber der wichtigste kunsttechnische Traktat der Zeit verbirgt. Er belehrt uns nicht nur über die Herstellung sämtlicher Geräte für den liturgischen Bedarf, sondern auch etwa über Gläser, Messergriffe aus Bein, Möbelbeschläge, Glockenspiele, Pferdegeschirr und Jagdhörner. Ein Mönch gewährt uns so einen Einblick in den damaligen gehobenen Luxusbedarf. Zugleich werden wir gewahr, daß man sich nicht mehr damit begnügte, das von der Antike Überkommene weiterzugeben, sondern daß man experimentierte und neue Techniken entwickelte.

In den gedankenreichen Prologen formuliert Roger unter Rückgriff auf Ideen des Hugo von St. Viktor die für die weitere Kunsttheorie so wichtige Vorstellung, daß alles Geschaffene von Gott ausgeht, daß die Künste und Techniken Gott wohlgefällig seien und daß der Heilige Geist, also Gott in seiner dritten Person, den Künstler erfüllt. Das ist ein neues Selbstverständnis. Die zentralen Begriffe rechten künstlerischen Schaffens sind Ordnung, Abwechslung (varietas) und Wahrung der Maßverhältnisse. Sie stammen aus der Antike, aber ihr Ziel ist christlich: Die Kunst soll einen Vorgeschmack himmlischen Glanzes und paradiesischer Schönheit bieten.

Kunst zur Belehrung der Gläubigen

Nach den Vorschriften des Kirchenvaters Gregor hatte Kunst dem Kult, der Lehre und der Andacht zugleich zu dienen. Die ottonische Ära hatte den kultischen Aspekt besonders betont. Die gregorianischen Reformer versuchten zwar auch, die emotionale Wirkung zu steigern, wie man etwa an dem monumentalen Kreuzabnahmerelief der Externsteine in Westfalen studieren kann. *(Abb. 17)* Doch lag der Schwerpunkt ihres Bemühens

16. Roger von Helmarshausen (tätig ca. 1090 – ca. 1125), Seite des Tragaltars für das Benediktinerkloster Abdinghof in Paderborn (Detail), *vergoldete Bronze, Länge 31 cm, um 1101, Paderborn, Dom- und Diözesanmuseum*

Technik und Material sind ohne Anspruch: die vergoldeten Kupferbleche in Ausschnittechnik (opus interrasile) waren ursprünglich farbig hinterlegt. Auf den Schmalseiten sehen wir dynamisch gestaltete Erzählungen der Martyrien dieser Heiligen. Die Ornamentik, vor allem aber die Art der eckigen Stilisierung, die Auflösung der Gewänder in einzelne ›Zellen‹ haben die italobyzantinische Kunst der gregorianischen Reform um 1100 zum Vorbild.

linke Seite:
17. Externsteine bei Horn, Erinnerungsstätte an das Heilige Grab, *1115 geweiht*

Die Mönche des Benediktinerklosters Abdinghof in Paderborn errichteten in fünf mächtig aufragenden Sandsteinfelsen eine Gedächtnisstätte, in der mehrere Monumente Jerusalems abgebildet waren, ein Zeugnis der Verehrung für die Wallfahrtsstätten des Heiligen Landes, aber auch dazu gedacht, die Kreuzzugsbegeisterung wachzuhalten. Neben der unteren Kapelle, einer Nachahmung der Kreuzauffindungsgrotte, wurde eines der monumentalsten Reliefs des Mittelalters aus dem Fels gehauen, die fast fünf Meter große Gruppe der Kreuzabnahme. Ihr zu Füßen Adam und Eva von der Schlange umschlungen, oben Gott (mit Kreuznimbus) mit der Siegesfahne in der segnenden Hand, daneben Sonne und Mond, die ihr Haupt verhüllen. Der Betrachter soll durch das Pathos eingeschüchtert und seine Anteilnahme am Drama der Passion geweckt werden.

18. Hildegard von Bingen: Liber divinorum operum, Der Makrokosmos, *39 x 26 cm, Mainz (?), um 1230, Lucca/I, Biblioteca Statale, cod. 1942, fol. 9*

Hildegard, Äbtissin des Benediktinerinnenklosters Rupertsberg bei Bingen (1098–1179), ist eine der großen Mystikerinnen des 12. Jahrhundert. Ihre Visionsgeschichte diktierte sie um 1165 einem Schreiber. Die Abschrift wurde wahrscheinlich im Zuge der Bemühungen um ihre Kanonisation geschaffen. Im Bild der zweiten Vision sehen wir Hildegard links unten, wie sie das Gesehene auf ein Wachsdiptychon notiert. Vorgeführt wird das Ineinandergreifen von Mikrokosmos (Mensch) und Makrokosmos (Gott und Welt), dargestellt als Rad der Ewigkeit und als Bild der Windrose. Es ist ein aufs Wesentliche reduziertes und dabei doch außerordentlich reiches Weltbild. Eine der Wurzeln für dieses Bild ist die Proportionsfigur des antiken römischen Architekturtheoretikers Vitruv.

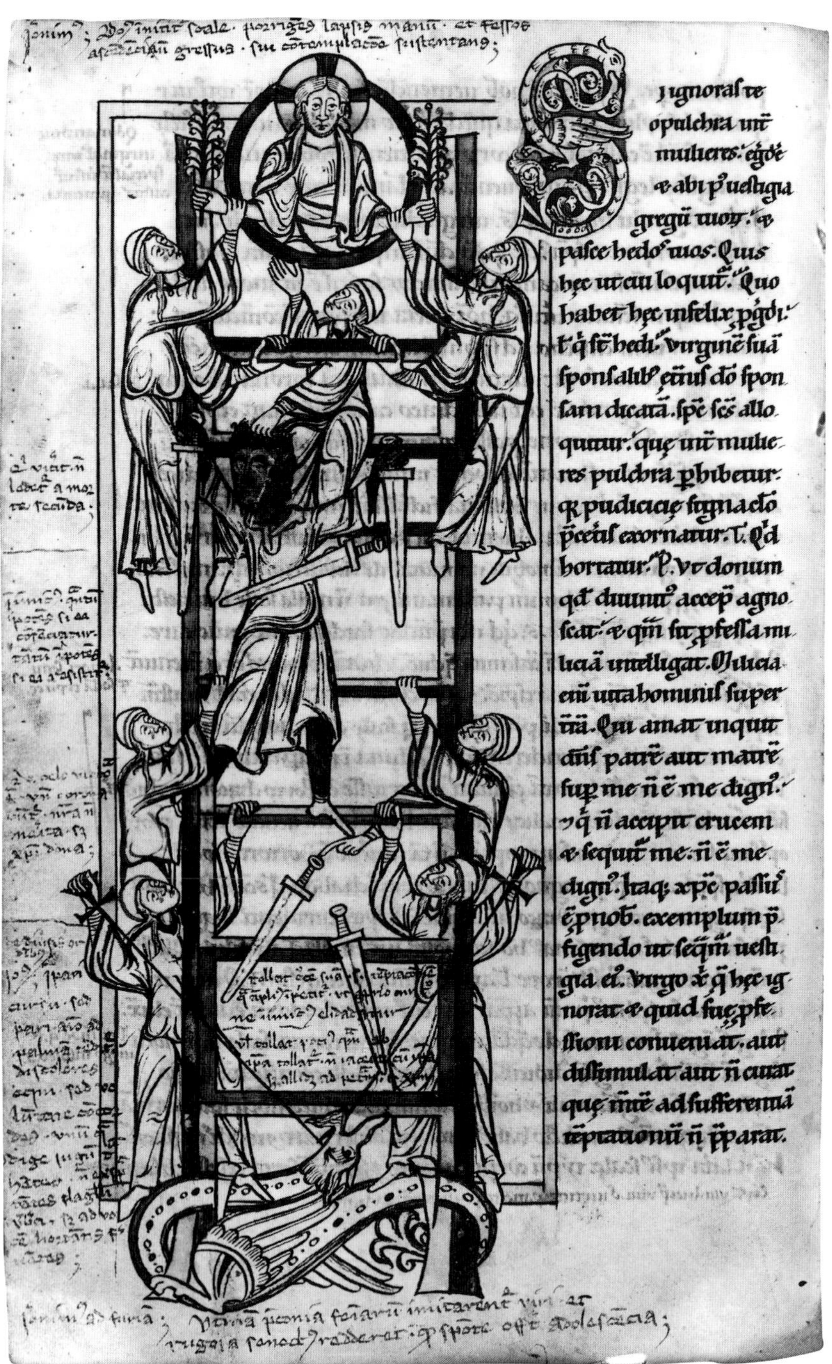

19. Die Tugendleiter, Konrad v. Hirsau, ›Jungfrauenspiegel‹, 27 x 17 cm, Springiersbach, um 1150, Köln, Historisches Archiv, W 276 a

Die Handschrift stammt aus dem Augustinerinnenkonvent St. Maria in Andernach. Der Text war ein Tugendspiegel für Nonnen. Dargestellt ist die Leiter, die sie erklimmen müssen, um das Ewige Leben im Paradies aus der Hand Christi zu empfangen. Der als schwarzer Äthiopier gezeigte Teufel versucht das zu verhindern.

auf der Lehre. Sie setzten dabei in vorher unbekanntem Ausmaße Bilder ein, weil sie wußten, daß das Auge aufnahmefähiger ist als das Ohr. Da uns aus dieser Zeit keine Ausmalungen von Schulräumen und somit von Kreuzgängen oder Kapitelsälen erhalten sind, müssen wir uns an den erhaltenen Handschriften orientieren. *(Abb. 18 u. 19)* Doch belegen noch einige Glasfenster und Wandgemälde, wieviel Wert man auf Belehrung legte. *(Abb. 20 u. 21)*

Während dieser Epoche wurde die Theologie zugleich empirischer, kritischer, logischer und philosophischer. Diese gesamteuropäische Bewegung bezeichnet man als Scholastik. Ausgangspunkt waren einige Kloster- und Domschulen im anglonormannischen Königreich. Paris wurde im Verlauf des 12. Jahrhunderts zum Sammelpunkt und besaß im 13. Jahrhundert geradezu das Monopol.

Bilder spielten bei der Visualisierung der Gedanken besonders in der Frühzeit der Scholastik bis etwa 1200 eine große Rolle. Man darf sogar behaupten, daß bestimmte komplexe Gedankensysteme nur über Bilder darzustellen waren, so etwa die Vorstellungen vom Ineinandergreifen der Welt im Großen (Makrokosmos) mit der Welt im Kleinen, dem Menschen (Mikrokosmos). *(Abb. 18)* Nach dem damaligen Verständnis bildete die Erde das Zentrum des Weltalls, während der Mensch als Inbegriff der göttlichen Schöpfung galt. Er repräsentierte die gesamte Kreatur und war vor dem Sündenfall inoptimaler Verfassung. Der Stammvater Adam, dessen vier Buchstaben auf die griechischen Namen der vier Himmelsrichtungen bezogen wurden, steht deshalb im Zentrum der Komposition. Er ist das Maß aller Dinge. Die geometrische Mitte des Bildes bzw. auch des hinter ihm zu sehenden Erdballs ist sein Zeugungsorgan. Was der alte Adam im Sündenfall verdarb, wurde durch den neuen Adam, nämlich Christus, und dessen Erlösungstod am Kreuz wiederhergestellt. Deshalb sind Adams Arme so ausgebreitet wie die des gekreuzigten Christus bei den Kruzifixen der Zeit, was im übrigen darauf hinweist, daß im damaligen Verständnis Kruzifixe kosmische Bilder waren. Die Maßeinheit der Erde wird in der Vertikalen siebenmal, in der Horizontalen fünfmal wiederholt. Die verschiedenen Himmelssphären mit den Regenwolken, den Winden, den Planeten und den Fixsternen werden umfangen vom feurigen Rad der Ewigkeit, das keinen Anfang und kein Ende hat, gehalten von der göttlichen Liebe (caritas), aus deren Haupt ein grauer Kopf, die Güte, d.h. Gott, herauswächst. Der Kopf ist geostet, Süden ist auf der Seite der rechten Hand. Das Liniennetz verdeutlicht den Kräfteaustausch zwischen Gott und der Welt im Großen wie im Kleinen. Dies ist nur eine Andeutung der Fülle und Tiefe des Gehalts eines derartigen Bildes, das u.a. auch noch eine Elementen-, Temperamenten- und Jahreszeitenlehre enthält. Darstellungen dieser Art verdeutlichen aber auch, daß das Bildverständnis des Mittelalters sich erheblich von dem uns gewohnten unterscheidet. Das zeigt sich schon darin, daß die Bild- bzw. Rahmenform selbst einen hohen symbolischen Aussagewert hat. Bildsysteme dieser Art sind nicht nur didaktische Schautafeln, sie sind im eigentlichen Sinne des Wortes ›Weltbilder‹, Ordnungsweise und Medium des Weltverständnisses zugleich. Dieser umfassende Anspruch steht hinter vielen Bildern, denen wir es auf den ersten Blick gar nicht ansehen würden. *(Abb. 1 u. 18)*

Didaktisch orientierte Kunst beschränkt sich in der Regel jedoch auf das Notwendige und ist deshalb fast immer arm an Zierrat. Bevorzugt wird die bisweilen farbig lavierte Federzeichnung. Die meisten dieser Bilder sind Erzählungen, weil ja ›Geschichten‹ am eingängigsten sind. Auf sie ist hier weniger einzugehen, sondern vielmehr auf eine Besonderheit dieser Gattung, die Allegorie (andere Sprechweise), auf die bei den Lambacher Fresken *(Abb. 3 u. 4)* schon hingewiesen wurde. Demnach haben alle Ereignisse und Dinge einen tieferen geistlichen Sinn. Allegorie ist aber auch eine Methode, abstrakte Begriffe und Gedankensysteme anschaulich und damit eingängiger zu machen. Hierzu bediente man sich gegenständlicher oder abstrakter Symbole und verkörperte Begriffe in sogenannten Personifikationen. Das erscheint gelehrt und weltfremd. Doch sind Allegorien leichter zu erfassen als Begriffe und waren deshalb ein wichtiges Mittel des Unterrichts. Nicht ohne Grund bedienen sich Karikaturen und andere Formen der populären Bildsprache noch immer der Allegorie: Wer kennt nicht Marianne und den deutschen Michel? Oder das Bild des Todes als Sensenmann oder klappriges Gerippe? Es sind Personifikationen. *(Abb. IV/6)*

Allegorien und ihr Bildapparat sind eine Erfindung der Antike, dem Mittelalter sicher nicht nur aus Texten geläufig. Im 12. Jahrhundert hat man sie zu komplexen Bildern ausgestaltet, wie der *Tugendleiter* aus dem ›Jungfrauenspiegel‹. *(Abb. 19)* Thema ist der Aufstieg der Nonnen zu Gott. Unten ringelt sich der teuflische Drache um die Leiter. Oben hält Christus die Siegespalmen. Er ist als Halbfigur in einem Medaillon dargestellt, das als Himmelsabbreviatur zu verstehen ist. Dazwischen sehen wir mehrere Frauen auf den Stufen der Leiter: Die untersten haben ihre Kreuzeslanzen dem Drachen in den Schlund gestoßen als Zeichen der Überwindung der ›Welt‹. Darüber befinden sich Nonnen auf verschiedenen Stufen des Aufstiegs, bedroht von einem großen schwarzen Mann, der als ›Äthiopier‹ beschriftet ist und den Teufel bedeutet: Die Angst vor dem ›Schwarzen Mann‹ war ein sehr tief sitzender Aberglauben, der nur schwer abzubauen war. Dies Bild bezeugt noch eine andere bildgläubige Praxis: daß man annahm, durch Auswischen oder Auskratzen des Teufels, insbesondere der Augen, seine Macht brechen oder hemmen zu können. Diese Bilder wurden wahrlich nicht als abstrakt und unlebendig empfunden!

Theologisches und allegorisches Denken durchdringen die gesamte Kunst dieser Epoche, auch die profane. Teilweise zeigt es sich jedoch einzig an der Auswahl und Zusammen- bzw. Gegenüberstellung der Szenen. Ein schönes Beispiel dafür ist die Grabkapelle des Bischofs Sigwart von Minden in Idensen. *(Abb. 20 u. 21)* Sigwart kam aus dem Pantaleonskloster in Köln, war Anhänger der Reformpartei und Ratgeber Kaiser Lothars. Seine Kirche ist gut erhalten, ihr Ausmalungsprogramm noch fast vollständig erkennbar. Daß Christus in der Mittelapsis dargestellt wird, darf als traditioneller Zug gelten, jedoch bezieht sich die Inschrift in seinem aufgeschlagenen Buch ›Ich bin das Licht der Welt‹ allegorisch auch auf das Licht, das von Osten kommt, die Kreuzesfahne neben ihm hingegen bezieht sich auf die siegreiche Auferstehung, die ja auch Bischof Sigwart erhoffte. Paulus und Petrus weisen auf die römische Kirche, deren Patrone sie sind und stehen allegorisch für Papsttreue.

Die Gewölbemalereien der drei Joche sind zweigeteilt: Die Südseite zeigt Szenen des Alten Testamentes, die Nordseite solche des Neuen. Es handelt sich um eine besondere Form der allegorischen Antithese, die Typologie. Sie ist biblisch begründet und besagt, daß alles im Neuen Testament durch ›Figuren‹ im Alten angedeutet und vorbereitet ist. Beide Testamente erhellen sich gegenseitig. Typologische Gegenüberstellungen haben also einen allegorischen Sinn. Doch nicht alle Allegorien sind typologisch. Dem Pfingstbild steht in Idensen die Geschichte des Turmbaus zu Babel gegenüber: Hier wird besonders die Antithese beider Ereignisse herausgearbeitet: der Turmbau führte zur Verwirrung der Sprachen, die Herabkunft des Heiligen Geistes hingegen ließ alle Zuhörer der verschiedensten Völker die Apostelpredigt verstehen. Etwas anders ist die Gedankenführung im nächsten Joch zur Apsis: Dort stehen die Taufe durch Petrus und die Arche Noah einander gegenüber. Ohne das Bild der Arche würde man dies Taufbild zunächst nur für eine Szene aus der Apostelgeschichte halten. Die Arche galt in dieser

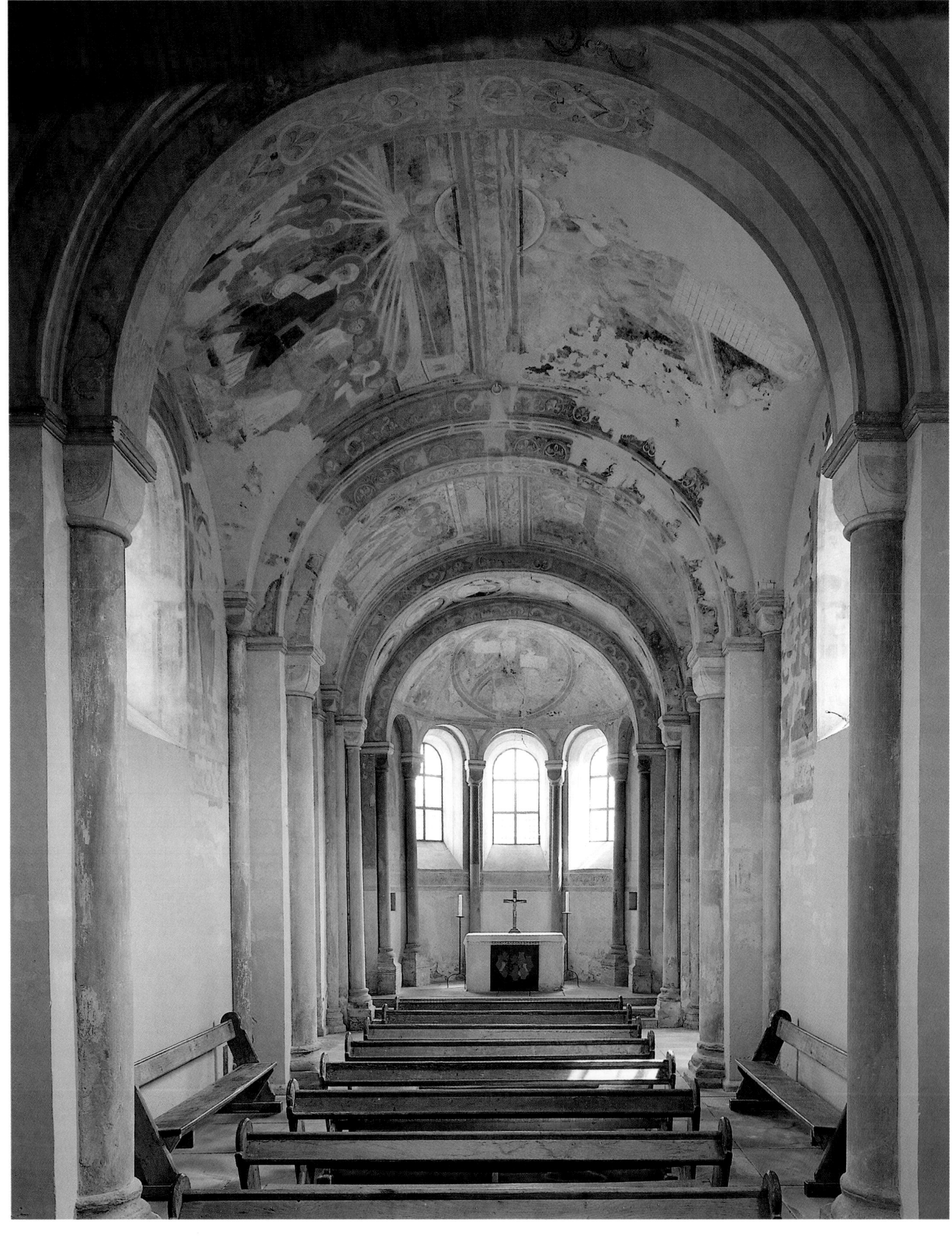

20. Idensen bei Wunstorf, Grabkapelle des Mindener Bischofs Sigwart, *1129 oder kurz davor, Innenansicht nach Osten*

Die Kirche ist ein aus Quadern gearbeiteter Bau, der durch seine Würfelkapitelle Bescheidenheit demonstriert, durch seine Wölbung aber auch Machtanspruch. Die Bogenfolge in der Apsis lehnt sich an kaiserliche Architektur an. Die Maler kamen anscheinend aus Köln. Der Bischof hat ein allgemein heilsgeschichtliches und ekklesiologisches, also ein theologisch auf das Wesen der Kirche bezogenes Programm entworfen.

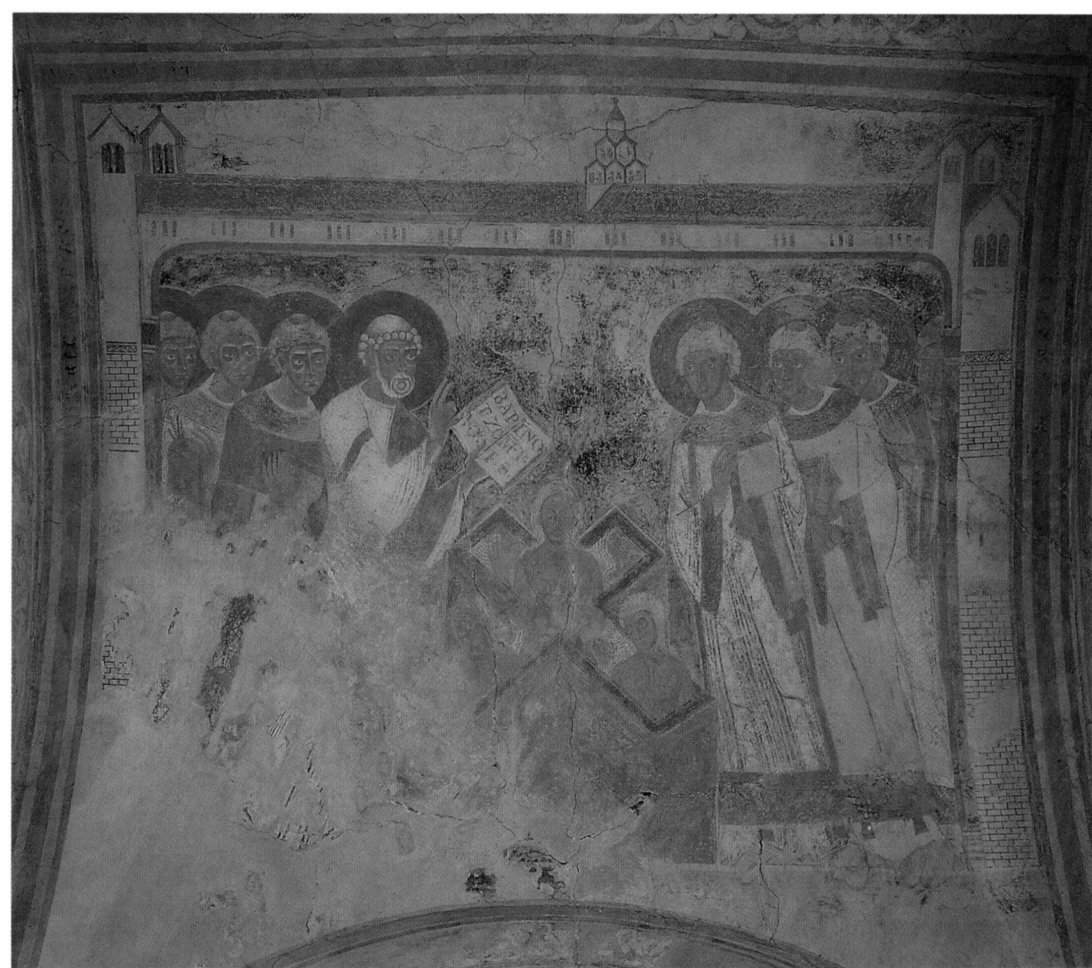

21. Idensen bei Wunstorf, Grabkapelle des Mindener Bischofs Sigwart, Petrus tauft, 1129 oder kurz davor

Die Kreuzesform des Taufbeckens ist symbolisch zu verstehen und bezeichnet die Taufe als ersten Schritt der Erlösung, die durch die Kreuzigung Christi vollendet wurde. Das rahmende Gebäude ist eine Abbreviatur für die Kirche und bezeichnet sowohl den materiellen Kirchenbau, in dem die Taufe stattfindet, als auch die Institution der Kirche, es ist also zunächst zeichenhaft, sodann allegorisch-übertragen zu verstehen. Die architektonische Rahmenform geht auf salische Kaiserhandschriften zurück (Abb. I/54)

Zeit zum einen als Sinnbild der errettenden Kirche, zum anderen aber auch als eines der heilen Welt. Auf das Petrusbild übertragen heißt das vereinfacht: Das Heil der Welt ruht auf der Papstkirche, und nur in ihr gibt es Rettung vor der Verdammung im Jüngsten Gericht! Dieser Bilderzyklus war ohne Erläuterungen sicher nur für theologisch Gebildete zu verstehen. Es gab also Allegorien aller Schwierigkeitsgrade, vom handfesten Bildbegriff für die einfachen Leute bis zur subtilen Spekulation.

Neue Bildaufgaben und Kunstzentren

Die Möglichkeiten der Künstler wurden durch die historischen Veränderungen nicht eingeschränkt, sondern ausgeweitet. Daß sich der thematische Spielraum vergrößerte, wurde bereits erwähnt. Man griff viele Gestaltungsmöglichkeiten erst damals auf, wie zum Beispiel die Ausschmükkung von Taufbecken, Lesepulten oder Grabanlagen. *(Abb. 22 u. 23)* Da es für Vieles noch keine Tradition gab, blieben die Lösungen oft einmalig. Technische Fortschritte, etwa in der seit langem bekannten Glasmalerei, erlaubten eine stärkere Verbreitung des Mediums.

Die steigende Zahl künstlerischer Produktionsstätten in der damaligen Zeit ist nur bedingt sichtbar zu machen. Der Streit zwischen Papst und Kaiser begünstigte die regionale bzw. territoriale Schulbildung, da der Hof als stilbildendes Zentrum weitgehend ausfiel, die Reformer aber keinen überregionalen Zusammenhalt hatten. *(Abb. 24, 25 u. 26)* Hierbei machten die Bistümer den Anfang. Sie gingen nicht nur von den Motiven und Formen der päpstlich geprägten italo-byzantinischen Kunst aus, sondern eigneten sich auch viele Motive und Traditionen der kaiserlichen Kunst an, vor allem derjenigen, die in ihrem lokalen Bereich erhalten war. Um die Kathedralen und bischöflichen Hausklöster bildeten sich Kunstschulen, neben die bald städtische Laienwerkstätten traten. Der historisch-geographische Kontext machte sich in der Kunst deutlicher bemerkbar, und die Stilbildung in Salzburg, Magdeburg oder Lüttich entfernte sich voneinander.

Lüttich war Hauptstadt des Herzogtums Niederlothringen, Sitz eines wichtigen Reichsbischofs und seit dem 10. Jahrhundert Forum der Kirchenreformer. Die Domschule und die ihr nahestehenden Klöster waren Bildungsstätten von internationalem Rang. Das Maasland und das weiter westlich gelegene, unter französischer Oberhoheit stehende Flandern wurden im 11. Jahrhundert die erste verstädterte und industrialisierte nordalpine Region – der Gegenpol zu Oberitalien und dem übrigen, agrarisch denkenden Deutschland eher fremd. Damals begann sich das Sonderbewußtsein zu bilden, das zum heutigen Belgien führte.

Das bahnbrechende Werk einer wirklich eigenständigen Maaskunst ist das bronzene Taufbecken des Goldschmieds Reiner von Huy, der wohl ein Laienkünstler aus der gleichnamigen Stadt an der

Maas war. *(Abb. 27)* Es ruht auf zwölf Rindern, für die sich eine Erklärung in der Schilderung der Ausstattung des Salomonischen Tempels findet: Dort war in der Vorhalle ein ›Ehernes Meer‹, also ein bronzenes Wasserbecken, aufgestellt, das auf zwölf Rindern ruhte. Typologisch-allegorisches Denken sah in ihm eine Präfiguration der Taufe und des kirchlichen Taufbeckens, neu war die Art, das Vorbild im Nachbild durchscheinen zu lassen, mit ihm gleichsam zu verschmelzen. *(Abb. 44)*

Es gibt kein der Antike näher stehendes Werk aus dieser Zeit: Die Rundung der nackten Körper, die Drehfigur des den Mantel wie eine Toga tragenden Täuflings – wie ist das zu erklären in einer Epoche, in der alle Skulpturen an körperlicher Auszehrung zu leiden scheinen? Zwar florierte um das Jahr 1000 in Lütich unter Bischof Notker aus St. Gallen bereits eine Schule von Elfenbeinschnitzern, in der antike und der Antike nahestehende karolingische Kleinkunstwerke als Vorlagen

linke Seite außen:
22. ***Taufbecken,*** *Sandstein, 1129, Freckenhorst, Damenstiftskirche St. Bonifatius*

Die Kirche wurde laut Inschrift am Taufstein 1129 durch Bischof Egbert von Münster, einem Parteigänger Kaiser Lothars, geweiht. Der untere Streifen des Beckens stellt den Propheten Daniel in der Löwengrube dar, in die ihn der babylonische König Nebukadnezar hatte werfen lassen. Daniel wurde von Gott beschirmt. Die Darstellung ist also Sinnbild der Bedrohung durch den Teufel, vor der nur Gott schützen kann. Die im Vergleich zu den heiligen Figuren übergroß abgebildeten Löwen bringen die Angst der Menschen damals vor den Mächten der Finsternis zum Ausdruck. Über diesem Bild unter Arkaden ein heilsgeschichtlicher Zyklus in acht Bildern.

---

linke Seite innen:
23. ***Lesepult,*** *bemaltes Lindenholz, 1,21 m, Südwestdeutschland, erste Hälfte 12. Jh., Freudenstadt, Stadtkirche*

Herkunft und Datierung des Werks sind ungewiß. Die Zugehörigkeit zur Reformkunst ist offensichtlich. Die aus einem einzigen Lindenstamm gewonnene Skulptur zeigt die Evangelisten in antiker Art als Atlanten (Träger) des Pultes, das wiederum mit Evangelistensymbolen verziert ist. Die Skulptur bedurfte zur Vollendung ihrer Form der Faßmalerei.

---

rechte Seite:
24. ***Grabmal des Erzbischofs Friedrich von Wettin,*** *† 1152, Bronze, Magdeburg, Dom*

Das Aufgreifen eines sonst für Kaiser reservierten Materials bezeugt die Ansprüche damaliger Reichsbischöfe, die ihre Herrschaftsgebiete immer mehr in Territorien eigenen Rechts umwandelten. Auch die Physiognomik – etwa die Hakennase – ist herrscherlich. Sonst zeigt die Gestalt ein Bild strenger Askese – körperliches Volumen besitzt nur der Kopf. Unter dem Dorn des Bischofsstabes eine kleine Kopie nach der antiken Statue des Dornausziehers, der in der damaligen Meinung ein Bild des Bösen, vor allem der Wollust, war.

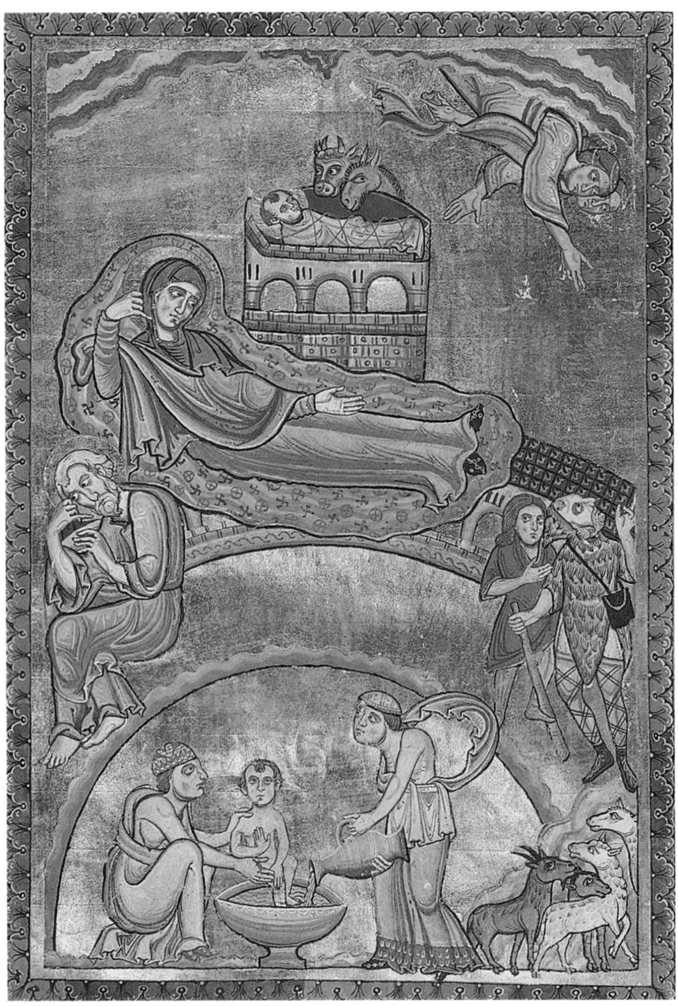

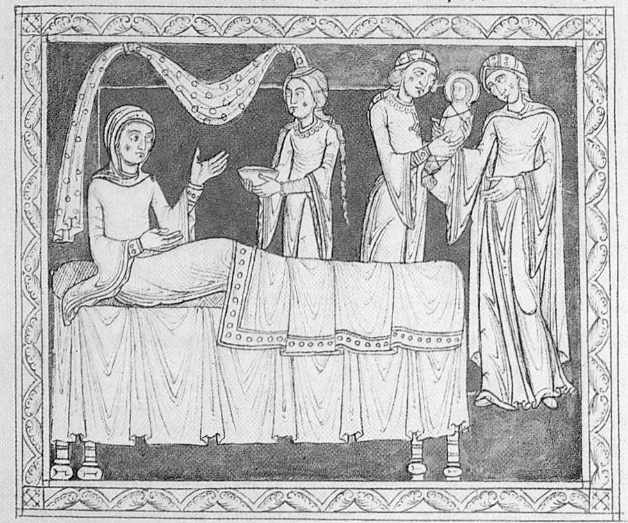

25. Geburt Christi, 26. Geburt Mariens, Antiphonar der Benediktinerabtei St. Peter in Salzburg, 43 x 31 cm, um 1150–1160, Wien, Österreichische Nationalbibliothek, cod. s.n. 2700, Geburt Christi S. 182; Geburt Mariens S. 713

Das Buch der monastischen Chorgesänge, ein Auftrag des Abtes Heinrich I. (reg. 1147–1167) zeigt ganzseitige Bilder zu den Hochfesten und Federzeichnungen zu den weniger wichtigen Feiertagen. Diese Unterscheidung wird durch die Art der Verzierung noch deutlicher differenziert. Das Bild von der Geburt Christi ist vor allem byzantinischer Herkunft, auffällig etwa in der Figur der Maria. Das hochfliegende Tuch der rechten, halbnackten Hebamme ist ein Motiv, das aus der Antike übernommen wurde. Bei dem Bild der Mariengeburt hingegen fällt die Verwendung von zeitgenössischer Bekleidung und ein Zug von Alltäglichkeit auf.

eine stilbildende Rolle spielten. Doch reicht das kaum zur Erklärung der neuen Kunst um 1100. Ein weiterer Aspekt mag in dem wachsenden Selbstbewußtsein der aufkommenden städtischen Künstler zu finden sein. Das gilt insbesondere für die Metallkünstler. Wahrscheinlich war jedoch noch ein anderer Faktor wirksam: Lüttich war Alterssitz des von seinem Sohn abgesetzten Kaisers Heinrich IV. Ein befreundeter Bischof gewährte ihm in einer Stadt Zuflucht, die er immer geschätzt hatte. Dieser Kaiser hatte bei seinem Speyerer Umbau und andernorts eine besonders antikennahe Architektur gefördert. Vielleicht ist dieses Werk ein Zeuge für den Beginn einer neuartigen Bildkunst mit höfischem, sogar weltlichem Einschlag? Wir wissen es bislang nicht. So bleibt uns nur zu staunen über ein Werk, das zum Hauptvorbild der neuen französisch-gotischen Skulptur wie auch der Hofkunst Kaiser Friedrich Barbarossas wurde, ein Werk, in dem eine neue Epoche der Kunstgeschichte gleich einem Blitz aufscheint.

Die höfisch-ritterliche Kultur

Die Kultur der damaligen Gesellschaft ist die erste eigenständige Profankultur im Abendland nach der Antike, aber fast alle ihre Zeugnisse sind verloren: Burgen und ›Feste Häuser‹ sind zerstört, erst recht ihre Ausstattung. Bilderhandschriften weltlichen Inhalts wurden früh verschlissen oder als unmodern empfunden und der Zerstörung preisgegeben. Dieser Gesellschaft war es zudem wichtiger, sich bei Festen und Turnieren in vergänglicher, d.h. ephemerer Form selbst darzustellen, als mittels dauerhafter Materialien. Ihre Kultur war eher mündlich geprägt als schriftlich und hat sich teilweise kaum für bildwürdig gehalten. Selbst berühmte Autoren wurden zu Lebzeiten nie dargestellt und auch deren Epen oft erst

27. Reiner von Huy (tätig während des ersten Drittels des 12. Jh.), Johannes der Täufer tauft am Jordan, Taufbecken aus dem Baptisterium beim Dom St. Lambertus, *Bronze, Dm. 80 cm, zwischen 1107 und 1118, Lüttich/Liège/B, St.-Barthélemy*

Besonders zu beachten ist die antikische Rückenfigur rechts vom Taufrelief. Ursprünglich hatte das Werk noch einen reich verzierten Deckel mit Gestalten von Propheten und Aposteln. Unklar ist, ob Reiner von Huy der Entwerfer, der Gießer oder beides war.

Generationen später, zur Zeit des Niedergangs der Ritterschaft, mit romantisch verklärtem Blick illustriert. *(Abb. III/35)* Es sind immer noch die Kirchen, in denen wir die eindrucksvollsten Zeugnisse der höfisch-ritterlichen Gesellschaft finden.

Die Verschmelzung von Geistlichem und Weltlichem im ottonisch-salischen Staat hatte die Schaffung einer weltlich-höfischen Kultur behindert. Erst die Abgrenzung beider Sphären im Investiturstreit schuf die Voraussetzung für ihre Herausbildung. Doch hemmte die Feindschaft der Frommen gegen das ›Weltliche‹ und das Bemühen, die Macht der Bilder ausschließlich für heilige Themen zu reservieren, lange die Entwicklung einer künstlerisch und gedanklich anspruchsvollen visuellen Hofkultur jenseits des kirchlichen Einflusses. Sie bedurfte eines religiösen Deckmäntelchens. Es war die Kirche selbst, die für die Kreuzzüge eine Sakralisierung des Rittertums betrieb: Sie erhob den Kämpfer, der zur Befreiung Jerusalems und Spaniens von muslimischer Herrschaft auszog, zum heiligen Krieger, seine Aufgabe zur ›militia Christi‹, zum Waffendienst im ›Namen des Herrn‹. Damit waren keineswegs nur die neugegründeten Ritterorden der Templer, Johanniter oder Deutschherren gemeint, sondern der Stand der Ritter als solcher wurde kirchlich überhöht. Es bildete sich ein Ehrencodex ritterlichen Verhaltens heraus, in dem christliche Tugenden und weltliche Normen miteinander verschmolzen und der das Bild eines Idealritters anstrebte, der »Gott und der Welt gleichermaßen gefallen« sollte. Dieser Prozeß wurde in Frankreich in Gang gesetzt, die anderen europäischen Länder zogen nach. Maßgeblich für die feine höfisch-ritterliche Lebensart, Poesie und Kultur aber blieben die Höfe Westeuropas.

Dieser neue Streiter Christi erhielt ein himmlisches Vorbild: den Ritterheiligen, der im 11. Jahrhundert aus der byzantinischen Kultur übernommen worden war. Erst hundert Jahre später hatte man im Westen einen eigenen Typus geprägt.

Im Magdeburger Domchor steht eine um 1240 gemeißelte Statue des hl. Mauritius, des Magdeburger Schutzheiligen. *(Abb. 28)* Der Legende nach war er Anführer der aus Afrika stammenden, unter Kaiser Diokletian um 300 n. Chr. gemarterten Thebäischen Legion, nach damaligen Vorstellungen ihr ›Herzog‹. Mauritius, zu deutsch Moritz, trägt jedoch nicht die Insignien des Heerführers, sondern eine gewöhnliche, zeitgenössische, nach der Natur studierte Ritterrüstung mit Kettenhemd und verstärktem Lederpanzer. Man trug sie im Kampf, nicht bei Hofe oder im Turnier. Das Kettenhemd ist über Kopf und Hände gezogen, mit aufmerksamem Blick erwartet der Kämpfer sein Gegenüber. Aber Blick und Haltung sind nicht aggressiv, sondern voll Milde und Ruhe. Es ist bemerkenswert, wie hier aus einem tausend Jahre zuvor gemarterten Heiligen ein äußerst wirklichkeitsnaher, lebensgroßer Ritter wird, der ja zugleich das Bild des Patrons von Klerus und Kirche Magdeburgs verkörpern sollte. Ein Heiligenbild der grausamen Wirklichkeit damaligen Kriegswesens so sehr anzunähern war gewagt. Man schützte sich mit der Behauptung, daß die heiligen Ritter den Waffendienst mit dem Mönchsgelübde verbanden, was man ja von den Ordensrittern auch in der Tat verlangte. Doch bevorzugte man nicht ohne Grund die fiktiven Ritterheiligen: als Märchenfigur und Wunschbild wurde der Drachentöter Georg zum beliebtesten Heiligen der damaligen Zeit.

Mauritius ist als Afrikaner dargestellt, mit schwarzer Haut und negroiden Zügen. Das scheint uns heute selbstverständlich. Damals war es eine kühne Neuerung. Schwarz war die Hautfarbe des Teufels *(Abb. 19)*, und die negroide Physiognomie galt seit der Antike als Entstellung der ursprünglichen menschlichen Schönheit. In der Heiligenlegende und anderen Texten hatte man zwar längst zugestanden, daß die Thebäer schwarzhäutige Afrikaner waren, aber zwischen dem Wissen und seiner bildlichen Umsetzung lag ein großer Schritt: In dem für die Öffentlichkeit bestimmten Bild war vieles tabu, was in der Literatur zu sagen möglich war. Unmöglich schien es, einen schwarzen Mann als Heiligen zu verehren. Die vielen Afrikaner in den islamischen Heeren mußten dies Vorurteil noch vertiefen. Die Wende wurde von oben eingeleitet, als der in Sizilien residierende Friedrich II. in seinem Gefolge schwarze Hofleute nach Deutschland brachte. Dieser erstaunlichste aller Kaiser war ein unerbittlicher Zerstörer von Vorurteilen und unvoreingenommener Beobachter der Wirklichkeit, ein Vorläufer der Aufklärung. In seinem Buch über *Die Kunst mit Vögeln zu jagen* steht der Satz: »Es ist unsere Absicht, die Dinge, die sind, so zu zeigen, wie sie sind.« Er hatte, anders als die meisten Zeitgenossen, so wenig Respekt vor Autoritäten, daß er Angaben des größten griechischen Weisen, Aristoteles, die er als falsch erkannt hatte, ohne Zögern in das Reich der Fabel verwies. Etwas von diesem Wirklichkeitssinn dürfte auch auf seine Umgebung, zu der der Erzbischof von Magdeburg zählte, abgefärbt haben. Eigentlich entscheidend ist aber doch wohl, daß die Gesellschaft in der ersten Hälfte des 13. Jahrhunderts es wagte, ihre Ideale in Einklang mit der Wirklichkeit zu entwickeln, sie mit Leben zu erfüllen und öffentlich in der Kirche auszustellen.

Die damalige Neuformulierung des christlichen Ritterideals ging einher mit veränderten Vorstellung vom Königtum. Das Reiterbild des hl. Ungarnkönigs Stephan im Bamberger Dom bezeugt eindrucksvoll die Vereinigung dreier Ideale: das des Ritters, das des Königs und das des Heiligen. *(Abb. 29)* Der Bamberger Reiter ist nicht im Kriegsgewand, sondern in Hoftracht dargestellt. Er sitzt auf einem Sattel mit hoher Rückenlehne, wie man ihn im Turnier und beim Kampf gebrauchte. Außer der Krone trägt er keine herrscherlichen Insignien und auch keine Waffen. Als Zeichen seiner Ritterlichkeit sind lediglich die Sporen betont – sie wurden aus vergoldeter Bronze separat gearbeitet. Mit einer eleganten, an den Höfen aufgekommenen Gebärde hat er seinen rechten Arm in die Mantel-

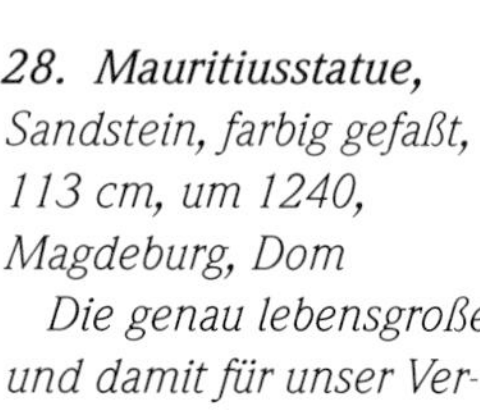

28. Mauritiusstatue, *Sandstein, farbig gefaßt, 113 cm, um 1240, Magdeburg, Dom*

Die genau lebensgroße und damit für unser Verständnis eher bescheiden wirkende Statue wurde von einem am Bamberger Dombau geschulten Bildhauer geschaffen. Schild, Schulterschild, Beine usw. waren angestückt und sind heute verloren. Das Kettenhemd war versilbert, der Panzer vergoldet. Der ursprüngliche Bestimmungsort der Figur innerhalb des Doms ist unbekannt, doch besitzt er ein Gegenstück in der Statue der hl. Prinzessin Katharina von Zypern, der Patronin aller gelehrten Studien.

*29. **Reiterstatue des hl. Ungarnkönigs Stephan,** Sandstein, ehem. bemalt, 233 cm (Pferd und Reiter), um 1225–1230, Bamberg, Dom*

Der hl. Stephan ist der erste christliche König und Nationalpatron der Ungarn. Er war mit einer Schwester Kaiser Heinrichs II. verheiratet. Der Legende nach wurde er im Bamberger Dom getauft und dort deshalb hochverehrt. Im Unterschied zur ungarischen Bildtradition hat man ihn bartlos und jugendlich dargestellt, wohl auch, um ihn vom Typus des hl. Kaisers Heinrich abzusetzen. Stephan ist lebensgroß, nicht monumentalisiert, als Idealbild des christlichen Königs dargestellt, in Hoftracht und zu Pferde, das er gezügelt hat. Sein Blick ist ins Weite gerichtet. Es handelt sich nicht um ein Standbild im eigentlichen Sinne, sondern um ein Relief. Das vom Heiligen überwundene Böse ist in Form einer Blattmaske zu seinen Füßen dargestellt.

schnur eingehängt. Der König wird jugendlich schön, mit weichen, idealisierten Zügen gezeigt, sein Blick ist visionär in die Ferne gerichtet. Gleichsam nebenbei wird hier auch das antike Reiterdenkmal als Typus wiederbelebt. Die geistlichen Auftraggeber aus der Fürstenfamilie der Andechs-Meranier vergaben den Auftrag zur Anfertigung dieses Bildwerks nicht ohne Absicht an einen Bildhauer, der an der französischen Krönungskathedrale in Reims gelernt hatte, wo gerade eine Reihe neuer, vorbildlicher Königsstatuen geschaffen worden waren.

Die Ritterburg – Ideal und Wirklichkeit

Die höfisch-ritterliche Gesellschaft entfaltete ihren Glanz vor allem im Freien oder nutzte die Kirchen, die weiterhin für herrschaftliche Zwecke offenstanden. Die Burgen, für uns die eigentlichen Bausymbole der Ritterzeit, waren enge, dunkle, unbequeme Gebäude, in denen kaum so etwas wie Wohnkultur möglich war. Ihr primärer Zweck war die Vorführung und Ausübung von Herrschaft, und damit von Gewalt. Dies machten die Staufer allen Fürsten vor, indem sie eine Burgenbau-Politik verfolgten, die ausschließlich dem Ausbau ihrer Territorialmacht diente. Vom Vater Friedrich Barbarossas heißt es, er habe am »Schwanz seines Pferdes immer eine Burg hinter sich hergezogen«.

Die meisten Burgräume waren so klein, daß sie heute als Wohnungen nicht zugelassen würden. Beheizbar war meist nur eine kleine und holzvertäfelte ›Stube‹ (von ›stufa‹, der Ofen), weil Brennstoff rar und teuer war. Ansonsten half man sich zum Schutz vor Kälte mit Wandteppichen und warmer Kleidung, vor allem mit Pelzen. Allerdings war bis zum 13. Jahrhundert das Klima in Europa so mild, daß selbst in Holstein Weinstöcke gezogen werden konnten und Palmen an der Loire wuchsen.

Reicher ausgestattet waren die Pfalzburgen, die einem Kaiser oder einem Fürsten als Residenz

30. Wartburg bei Eisenach, Palas der Pfalzburg der Landgrafen von Thüringen, *um 1200*
Das Gebäude ist zu großen Teilen eine Rekonstruktion des 19. Jahrhundert, geschaffen aus romantischer Verklärung der Minnesängerzeit. Die Landgrafen Hermann I. von Thüringen († 1217) und Ludwig IV. († 1227) waren große Gönner der Literatur – angeblich fand 1207 auf der Wartburg der berühmte Wettstreit der Minnesänger statt. Veranstaltungsort war der große Festsaal im obersten Stock des Palas, der mit mehr als 400 qm zu dieser Zeit wohl einer der größten im Reich war.

dienten und häufig in der Nähe einer Stadt gelegen waren. *(Abb. 30)* Das berühmteste Beispiel ist die Wartburg der Landgrafen von Thüringen. Ihr aufwendigster Raum war der große Saal im Palas – wie die meisten Begriffe der Hofkultur aus dem Französischen übernommen –, sowie die daneben liegende Hauskapelle, keine Privaträume im heutigen Sinn also. Überhaupt wurde die Abtrennung einer Privat- bzw. Intimsphäre erst seit dem 18. Jahrhundert üblich. Es gab auch kaum feste Möblierung – das Wort ›Möbel‹ (von lat. ›mobile‹, beweglich) besagt ja, daß es sich um Hausrat handelt, den man – in reduziertem Umfang – sogar auf Reisen mitschleppte. Was für einen Hausstand nötig war, wurde einem jungen Mädchen mitsamt einer dafür gefertigten Truhe zur Hochzeit übergeben. Schränke wurden zuerst für kirchlicheZwecke geschaffen. Kulturellen Fortschritt brachte die Orienterfahrung der Kreuzfahrer, Pilger und Handelsleute. Man lernte neue Formen der Wohnkultur kennen, wie die Ausstattung der Wohnräume mit Kissen, Polstern und Teppichen, außerdem viele Speisen und Gewürze, den Gebrauch des Papiers, die arabische Medizin und andere Wissenszweige, die das Leben der Menschen veränderten.

Feste, Turniere, ritterliches Leben

Die Berichte der Chronisten und die Schilderungen der Dichter vermitteln uns ein buntes Bild von den großen Hoftagen der Kaiser und Fürsten mit den feierlichen Einzügen und Festkrönungen, von den Hochzeiten oder den Schwertleiten der Prinzen. Die prächtigen Zelte mit ihrem Wappen- und Bildschmuck, aber auch die kostbaren Gewänder der Herren und Damen werden eingehend beschrieben. Von den Turnieren und anderen Ritterspielen, die man aus Frankreich seit dem mittleren 12. Jahrhundert übernahm, haben wir ausführliche Berichte, in denen selbst der Verbrauch von Schlachtvieh und Wein erwähnt wird. Auch die Freizeitvergnügungen, vor allem die Minnehöfe und ritterlichen Jagden, werden ausführlich geschildert. *(Abb. 31)* Die wenigen erhaltenen Bildzeugnisse schildern diese untergegangene Welt jedoch nur vereinfacht und bedürfen einer Erklärung.

Wohl für den Bamberger Bischof Otto II. aus dem Hause Andechs-Meranien wurde um 1180 eine Lebensgeschichte des alttestamentarischen Königs David gemalt, von der hier nur eine Doppelseite gezeigt werden kann. *(Abb. 32 u. 33)* Geistlicher Anlaß war die Ausstattung einer modernen theologischen Handschrift, des Psalterkommentars des berühmten Pariser Scholastikers Petrus Lombardus. Letztlich aber machen gerade diese Bilder deutlich, daß es vielen Kirchenfürsten des späten 12. Jahrhunderts weniger um Kirchenreform und Bibelstudium ging, als vielmehr um Teilhabe an der neuen Hofkultur, denn die Geschichte des als Propheten und als Autor der Psalmen verehrten David wird wie die eines zeitgenössischen Fürsten erzählt.

Die linke Seite zeigt Davids Minne, die rechte König Sauls trauriges Ende. Im ersten Bildstreifen erhält David zum Lohn für die Tötung des Riesen Goliath Sauls Tochter Michol zur Frau. Das Ereignis findet im Freien statt und entsprach damit einem noch aus germanischer Zeit stammenden Brauch: Rechtsakte mußten öffentlich sein. Auch die kirchliche Einsegnung erfolgte damals im Freien, vor den sogenannten Brautportalen. David ist als Höfling charakterisiert, begleitet von zahlrei-

31. ***Äneas und Dido reiten aus; ihr Liebeslager, Szenen aus der Eneit des Heinrich von Veldeke,*** *25 x 18 cm, Regensburg (?), um 1230, Berlin Staatsbibliothek SMPK, ms. germ. fol. 282, fol. 11 v*

Heinrich von Veldeke vollendete sein Epos der Äneasgeschichte auf Betreiben des Landgrafen Hermann I., vielleicht sogar auf der Wartburg. Die abgenutzte Handschrift ist ein seltener Zeuge profaner Malerei. Sie ist ebenso Bilderbuch wie zur Lektüre gedacht. Bild und Textseite stehen einander gegenüber. Meist konnten damals nur die Frauen lesen. Die Figuren sind in bunten Tinten gezeichnet, nur die Hintergründe sind deckend gemalt, ein Zeichen niedrigeren Anspruchs, ähnlich didaktischen Handschriften. Das Reitpferd der Dido ist reicher aufgezäumt als das des Äneas.

chem Gefolge in festlicher Tracht, wie es einem hohen Herren zustand. Hofmode sind die langen Ärmel Michols, die der Vater zum Zeichen der Übergabe der Braut über die Hände zieht. Der zweite Bildstreifen schildert das Festmahl, von dem in der Bibel überhaupt nicht die Rede ist. Seine Einfügung verdeutlicht die wichtige Funktion, die es im ritterlich-höfischen Milieu hatte. Es findet ebenfalls im Freien statt. An einer für unsere Vorstellung bescheiden gedeckten Tafel sitzen – prachtvoll gekleidet – Braut und Bräutigam in der Mitte. Er greift ihr zum Zeichen seiner Liebe unter das Kinn, ein heute nicht mehr praktizierter Gestus. Ein Messer zum Zerschneiden und Vorlegen bildet das einzige Essgerät: Gegessen wird mit den Fingern, direkt aus der Schüssel, ohne Teller, ohne Besteck, ohne Servietten. Und doch wird ein genaues Zeremoniell eingehalten, wie man an den von rechts herantretenden Männern erkennen kann: Ihre Stäbe kennzeichnen sie als Truchsesse, als Inhaber eines Hofamtes. Sie waren für die Durchführung höfischer Gastmähler zuständig. Der Ranghöhere ist an der an den Säumen gezaddelten Gewandung und dem sogenannten Doppelkopf in der Hand zu erkennen und steht vorne. Sein Amt war eines der höchsten Hofämter überhaupt. Am Kaiserhof hatte es der König von Böhmen inne. Links vor dem Tisch sitzt eine andere für diese Epoche wichtige Person, der Spielmann bzw. Fiedler. Er war in dieser Gesellschaft genauso unentbehrlich wie die fahrenden Poeten. Diese heute in der Literaturgeschichte hochberühmten Vaganten wurden damals so verachtet, daß sie kaum für bildwürdig gehalten wurden.

Kleidung, überhaupt die Ausstattung mit Stoffen, hatte in der höfisch-ritterlichen Gesellschaft eine für uns nur noch schwer nachvollziehbare Bedeutung. Dies gilt für den kirchlichen wie für den weltlichen Bereich. Zu Feiertagen wurden Teppiche oder kostbare Stoffe zwischen den Pfeilern bzw. an den Wänden aufgehängt oder über Tische, Stühle und Boden gebreitet. Am Festtag trug man reichere Kleider als am Werktag, wobei zwischen Kirchgang-, Trauer-, Tanz- und allgemeiner Feiertagskleidung unterschieden wurde. Gute Kleidung und feinere Textilien waren oft unvorstellbar teuer, wohl auch deshalb, weil die besten Stoffe aus dem Orient oder sogar aus China bezogen wurden. Die langen Beschreibungen der Bekleidung, ihrer Farben und ihres Schmuckes in den ritterlichen Epen bezeugen, welchen Wert man ihnen beimaß. Man stellte sich, die Zugehörigkeit zu einem Herrn oder einer Gruppe sowie den eigenen Rang über gemeinsame Kleider-

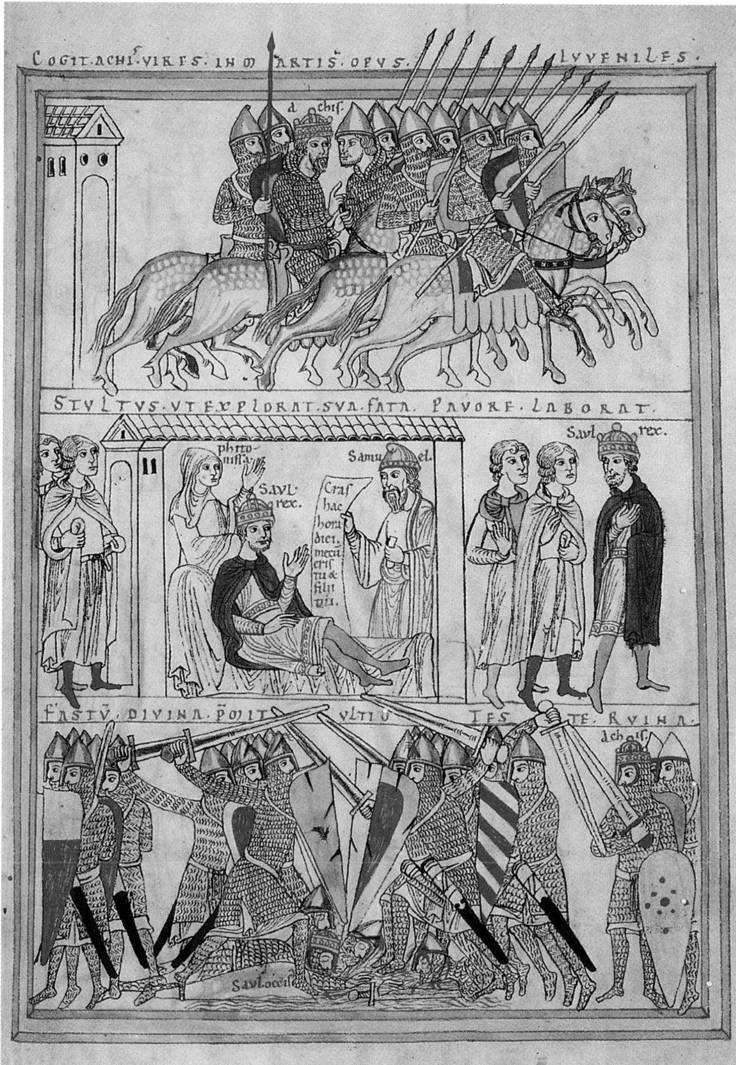

32. u. 33. Szenen aus dem Leben Davids, Petrus Lombardus, Psalmenkommentar, 33 x 24 cm, Bamberg, um 1180, Bamberg, Staatsbibliothek, Msc. Bibl. 59, fol. 2v–3r

Der Bilderzyklus ist, in der Tradition der didaktischen Zeichnung, nur leicht laviert und folgt in der Aufteilung der Seite in jeweils drei Spalten einem alten Typus. (Abb. I/51) Dargestellt sind links (von oben nach unten): 1. König Saul vermählt David mit Michol, 2. das Hochzeitsmahl, 3. der eheliche Bund und Davids Abreise sowie rechts: 4. der Auszug des Philisterkönigs Achis zum Krieg gegen die Israeliten, 5. Saul bei der Wahrsagerin von Ensor. Dieses seltene Bild ist als Warnung vor abergläubischen Praktiken, vor Wahrsagerei und Hexenwesen zu deuten, die auch in hohen Schichten der damaligen Gesellschaft weit verbreitet waren, 6. Sauls Niederlage und Tod.

farben und Applikationen dar. Dies sollte man aber nicht mit modischem Denken verwechseln. Ein Adliger, der wie ein Bauer herumlief, machte sich unmöglich und umgekehrt: Ein Fürst, der als solcher erkannt werden wollte, mußte bis zu einem gewissen Grad Verschwendung betreiben.

Ein Merkmal für das Selbstverständnis der Gesellschaft ist auch die ausführliche Darstellung von Kämpfen. Doch werden die Bilder weniger geprägt von der Erfahrung und der Wirklichkeit der Schlachten, als von der des Turniers, eines Zeremoniells, das die Gesellschaft um das Kriegswesen herum aufgebaut hatte. Nur so ist etwa der stattliche Reiterzug (Kavalkade) oben im Bild zu erklären, der König Achis beim Auszug in den Krieg zeigt, zu erklären. Von dem Ereignis wird in der Bibel nicht berichtet. Es ist deshalb ein untrügliches Zeichen für das besondere Interesse der Zeit an solchen Inszenierungen. Das Ereignis selbst ist nebensächlich, in erster Linie geht es um die Zurschaustellung der Ritterschaft: Auf schön mit Pferdedecken geschmückten Apfelschimmeln reitet die Kohorte der Lanzenritter im Galopp aus dem Stadttor – ein stolzer Anblick, so soll dem Betrachter suggeriert werden. Die Wirklichkeit war prosaischer: Der Panzerreiter ritt in der Regel ohne Kettenhemd und Panzer – die waren schwer, schweißtreibend und lästig. Er ritt auch nicht auf seinem Schlachtroß – das war zu kostbar und wurde geschont –, sondern auf einem schweren Reitpferd. Also brauchte er Knappen und Troßdiener, um die übrigen Pferde, Maulesel und das umfangreiche Gepäck, zum Beispiel Ersatzschilde und weitere Waffen zu transportieren. Die meisten dieser Gehilfen liefen zu Fuß; der ganze Trupp bewegte sich also nur langsam voran – von einer stolzen Kavalkade war nicht die Rede. Im unteren Bildstreifen der Darstellung erscheint die Schlacht wie ein Gruppenturnier zu Fuß. Derartige Fiktionen erinnern an die Filmmythen des Western, die nichts anderes sind als späte Verwandlungen von Ritteridealen. Die Wunschbilder von Ritterlichkeit dienten aber nicht nur der Unterhaltung, sondern sie dienten der Gesellschaft als Leitbilder, und Kunstwerke halfen, diese Ideale durchzusetzen.

Die Schilde lassen den Gebrauch von Wappen erkennen. *(Abb. 34)* Sie wurden zum Symbol der Adelsgesellschaft. Zwar setzte sich mit der den ganzen Körper bedeckenden Rüstung und den größer werdenden Heeren der Gebrauch von Unterscheidungszeichen schon im 11. Jahrhundert durch, doch erst allmählich schuf man ein System der Wappensprache, die Heraldik. Sie war der Hauptzweig der sich seitdem bildenden Zeremonialwissenschaft, die ihre Vervollkommnung und bald auch ihr Ende im 18. Jahrhundert erfuhr. Was heute allein noch die Protokollabteilung des Außenministeriums beherrscht, war früher Metier der Herolde, aber in der ritterlich-höfischen Gesellschaft Anliegen von Jedermann.

Die Bedeutung der Wappentiere und anderer heraldischer Zeichen nahm so stark zu, daß sie als Ornament manchmal hundertfach auf Kleider gestickt und auf Wände gemalt wurden, auch dort, wo sie überhaupt nicht hingehörten, etwa auf Kruzifixen. Die Wappenmaler bildeten mancherorts einen eigenen Berufszweig. Aber auch bedeutende Künstler waren sich nicht zu schade, Fahnenstangen, fürstliche Schiffe, Truhen und dergleichen damit zu verzieren. Mit der Heraldik geht eine eigene Art der linearen, teils expressiv, teils eher geometrisch typisierenden Stilisierung einher. Man kann von einem ›heraldischen Stil‹ sprechen. *(Abb. III/35)* Er ähnelte nur scheinbar dem didaktischen Stil der linearen Vereinfachung, da es ihm um die schlichte und schlagkräftige Form an sich ging.

Ebenso bemerkt man die zunehmende Kodifizierung von Gebärden und Handlungen, im Rechtswesen wie im Alltagsleben. Rechtshandschriften wie der Sachsenspiegel wurden illustriert, um die bedeutsamen Gebärden festzuhalten. Einige uns immer noch vertraute Gesten stammen aus dem Verhaltenscodex dieser Epoche: So nahm ein Ritter, um seinem Gegenüber Friedfertigkeit zu beweisen, den Helm ab oder lupfte das Visier, woraus sich das Abnehmen des Hutes zum Gruß herleitet. Mit derselben Absicht zog er sich den eisernen Handschuh aus und reichte die rechte Hand, was noch heute geläufig ist. Es ist Teil des mittelalterlichen gesellschaftlichen Zeremoniells, der zu ehrenden Person den Vortritt einzuräumen, ihr Pagen und Diener voranzuschicken, sie zur Rechten gehen zu lassen oder – bei mehreren Personen – sie in die Mitte zu nehmen. Manches davon ist bis auf das Kaiserzeremoniell der Antike zurückzuführen und war von der Kirche beeinflußt, die ja in Protokoll- und Diplomatiefragen über Jahrhunderte das Sagen hatte.

34. Schild mit stilisiertem Panther,
Leder auf Holz, z.T. versilbert, 87 cm, Ende 12. Jh., Zürich, Schweizerisches Landesmuseum
Der Schild war als Totenschild in dem Spital in Seedorf/Kanton Uri aufgehängt. Die der Schildform gut eingepaßte Figur des Panthers ist linear stilisiert und vereinfacht, zudem durch Stuckauftrag plastisch gebuckelt, wie zur Abwehr. Die übergroßen Klauen und Zähne sollen Furcht einflößen.

Kaiser Friedrich I. von Hohenstaufen

Kaiser Friedrich I. Barbarossa (Rotbart) gehört zu den mythischen Herrschergestalten der deutschen Geschichte. *(Abb. 41)* Dies ist keineswegs nur eine Projektion späterer Generationen. Selbst zeitkritische Chronisten feiern seine Herrschaft als Erneuerung früherer Macht. Prächtige Hoffeste für Tausende von Teilnehmern, wie das zu Pfingsten 1184 in Mainz, sollten den Zeitgenossen ein Weltkaisertum in der Tradition des ›Frankenreiches‹ vorspiegeln, ein Name, der bis ins 13. Jahrhundert für das Deutsche Reich gebraucht wird. Die Wirklichkeit allerdings sah anders aus.

Die auf Lothar III. folgenden Kaiser haben nicht mehr maßstabsetzend gebaut, etwa Dome

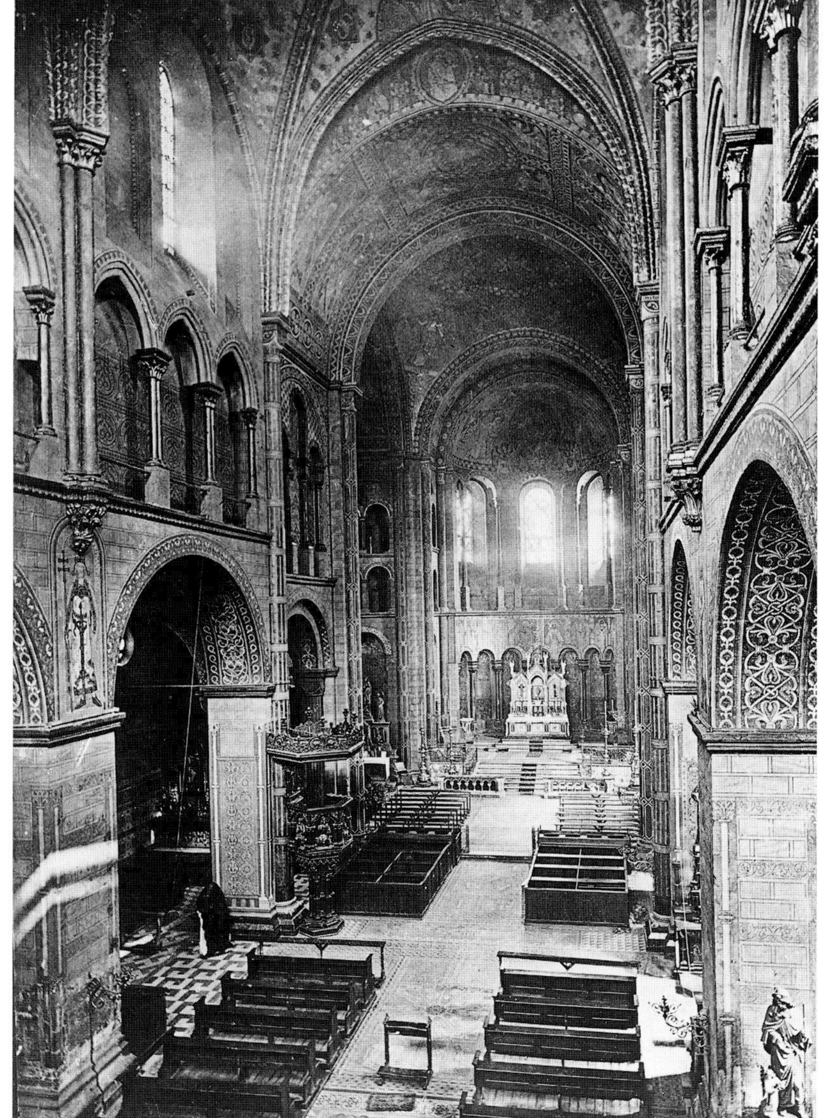

35. ***Nürnberg, Burg, Burgkapelle,*** *innen, oberes Geschoß, zweite Hälfte 12. Jh.*

Die Kapelle schließt an den Palas an, an den Hauptteil der Burg mit dem großen Saal. Die Bauzier verdeutlicht, daß das obere Geschoß das noblere ist. Sie folgt teilweise italienischen Vorbildern.

36. ***Schwarzrheindorf bei Bonn, Doppelkapelle St. Klemens,*** *Außenansicht von Osten*

Die Kapelle hat einen eigenartigen kreuzförmigen Grundriß nach byzantinischem Vorbild. Die Ostteile wurden 1151 geweiht. Nach dem Tode des Stifters Erzbischof Arnold von Wied erweiterte man die Kapelle nach Westen für die Zwecke eines Benediktinerinnenstiftes. Der Turm wurde aufgestockt (Turmhaube 18. Jh.). Ursprünglich standen neben der Kapelle noch die Burg und die Baulichkeiten des Damenstiftes. Eigenartig ist die ganz um den Kirchenbau herumlaufende Zwerggalerie.

37. ***Köln, Benediktinerkirche Groß St. Martin,*** *Sanktuarium nach Osten, geweiht 1172, (Vorkriegszustand)*

Der mehrfach veränderte Bau ist nur noch in seiner Struktur alt. Wände und Gewölbe waren vollständig bemalt. Den Boden zierte ein reiches Mosaik. Der Turm gehört zu den Wahrzeichen Kölns, ist jedoch mehr in rheinisch-romanischen Formen gehalten.

38. Worms, Dom St. Peter, Außenansicht von Westen, 1181 geweiht
Die Zickzack-Binnenrahmung der Bögen, die Schachbrettfriese, Bogenfriese oder die Zwerggalerie mit ihren auf Dämonen stehenden stämmigen Säulen gehen auf Wormser Gewohnheiten bzw. auf Traditionen der rheinischen Kaiserdome zurück, die mit Knäufen geschmückten Giebelfenster der Dächer auf französische Vorbilder. Der Nordturm wurde nach einem Einsturz 1473 retrospektiv erneuert, eine frühe Denkmalpflegemaßnahme, die hohen Respekt vor dem Bau bezeugt. Man behielt in Erinnerung, daß das salische Kaiserhaus seinen Ausgang von Worms genommen hatte.

oder Abteien für Grablegen. Sie betrieben in erster Linie Herrschaftssicherung und errichteten Kaiserpfalzen und Burgen, von denen noch Reste zu finden sind wie beipielsweise die Kapelle der Nürnberger Burg. *(Abb. 35)* Ihre Doppelgeschossigkeit zitiert das Aachener Münster Karls des Großen, *(Abb. I/5)* das Barbarossa in großen Ehren hielt. Vergleicht man aber beide Bauten, so möchte man den Nürnberger kaum für ›kaiserlich‹ halten – er hat zwar eine rechteckig geschlossene Apsis in salischer Tradition und verwendet für die Säulen der Oberkapelle den kaiserlichen Marmor, doch zeigt die geringe Größe des Raums oder die Gestalt der für den Kaiser bestimmten Empore, daß wir einen Zweckbau vor uns haben, in dem herrscherliche Majestät kaum entfaltet werden konnte.

Die Bauten der Gefolgsleute zeigen eher, was man unter herrschaftlicher Architektur verstand. Die Doppelkapelle in Schwarzrheindorf bei Bonn wurde von dem Kölner Erzbischof Graf Arnold von Wied (†1156) errichtet. *(Abb. 36)* Er war Kanzler und Ratgeber des ersten Staufers auf dem deutschen Thron, Konrads III., der bei der Weihe anwesend war. Ursprünglich nur als Burgkapelle des Hofgutes gedacht, dann zur Damenstiftskirche umgewandelt, will der Bau aber mehr aussagen. Das zeigt der Anschluß an den Typus des Aachener Münsters. Der Formenapparat entspricht dem rheinischer Kaiserdome, *(Abb. I/57)* um das französische gotische Motiv des Vierpaß-Fensters bereichert und feinsinnig rhythmisiert. Der in Teilen noch erhaltene Freskenzyklus zeigt ein heilsgeschichtlich-eschatologisches Programm, das die Taten Gottes (Heilsgeschichte) sowie den Tod und die Auferstehung Christi (Eschatologie) vorführt, aber mit imperialen Zügen versieht.

Der 1172 geweihte Neubau von Groß St. Martin in Köln geht auf denselben Kölner Erzbischof zurück. *(Abb. 37)* Das Sanktuarium zeigt in der Zweischaligkeit der Wand sowie in der extremen Ausdünnung und Längung der Stützen des Obergeschosses die Orientierung an der neuen gotischen Konstruktionsweise und Form, wie wir sie im Querhaus der Kathedrale von Noyon finden. Vielleicht wurde sie über südniederländische Bauten vermittelt. Der Grundriß der Drei-Konchen-Anlage und die meisten Formmotive jedoch folgen der rheinischen Tradition. Bezeichnenderweise wurde die neue Gestaltungsweise vor allem für das Sanktuarium rezipiert: Die Steigerung der Lichtwirkung durch Vergrößerung der Fenster und die ans Unwirkliche grenzende Verfeinerung der Säulen zeichneten die neue Bauweise in den Augen der Zeitgenossen aus, ebenso die Rhythmisierung der Säulen- und Bogenfolge oder ihre Ausrichtung auf die Mittelachse.

Das Untergeschoß der Treppentürme und Teile der Grundmauern der Westanlage des Kaiserdomes von Worms stammen aus dem 11. Jahrhundert. *(Abb. 38)* Als man seit 1170 daran ging, den Westchor zu erneuern, wählte man für die Apsis einen neuen, polygonalen Grundrißtyp. Der auf wenig überzeugende Weise eingepaßte Mittelpunkt der Wandkomposition ist die große zwölfspeichige Fensterrose, begleitet von Vier- und Sechspaß-Trabanten. Dieser Fenstertypus war eine der beeindruckendsten Neuerungen der gotischen Baukunst. Konstruktive Kühnheit versuchte, die Rosen immer mehr zu vergrößern und ihre Bedeutung entsprechend der symbolischen Theologie sinnfällig zu steigern. Die Kreisform selbst war kosmologisches Symbol, ähnlich die einbeschriebene Kreuzform. *(Abb. 18)* Die Zahlensymbolik der Zwölf bot reiche Möglichkeiten für große, gedankenreiche Glasmalereizyklen. Das symbolische Architekturmotiv wird die Auftraggeber, d.h. Bischof und Domherren, die dergleichen von ihrem Studienort Paris her kannten, besonders gereizt haben. Dabei interessierte vor allem die Symbolsprache, weniger die Nachahmung der neuen Technik und Konstruktionsweise. Ohne ›Stilbrüche‹ zu scheuen, wurde sie mit Bedeutungsmotiven eigener Tradition verbunden, mit Zwerggalerien, Bogenreihen oder massiven Turmanlagen.

Es ist also geradezu ein Kennzeichen der kaiserlichen Architektur dieser Epoche, daß sie keine Geschlossenheit aufweist. In jedem bedeutenderen Bau werden zweierlei Stile auf unterschiedliche Weise miteinander kombiniert, aber nicht zu einer gemeinsamen Formensprache verschmolzen. Darin spiegelt sich deutlich die zwiespältige kaiserliche Haltung: Barbarossa versteht sich als Erneuerer des ottonisch-salischen Reiches, aber auch als westlich modern. Beides zusammen war in einem gemeinsamen Stil kaum zu vermitteln.

Die Schatzkunst Kaiser Friedrichs I. Barbarossa

Es gab eine kaiserliche Schatzkunst, anders als in der ottonisch-salischen Zeit jedoch kaum eine kaiserliche Buchmalerei. Diese Schatzkunst ist maasländisch orientiert. Der kaiserliche Hof prägte also keinen neuen Stil, sondern bevorzugte einen bereits vorhandenen Regionalstil, der auch im königlichen Frankreich, der Champagne, England sowie im Rheinland Nachahmer fand, der aber vielleicht seinen Ursprung in der Hofkunst Heinrichs IV. hat. *(Abb. 27)* Ein Unterschied zur älteren Kunst fällt besonders ins Auge: Die früheren Werke bestanden oft aus Gold oder vergoldetem Silber und faßten kostbare Materialien wie Edelsteine und Elfenbein ein. Die jüngeren bestehen meist nur aus vergoldetem Kupfer bzw. Bronze und zeigen weniger Neigung zu Virtuosität.

Bezeichnend sind die Veränderungen der Emailtechnik. Die älteren Emails waren fast alle Zellenschmelze, eine aus Byzanz übernommene, schwierige Technik: In die Vertiefungen werden dünne Goldstege aufgelötet, zwischen die Emailpulver gefüllt wird. *(Abb. I/1)* Nun bevorzugte man den Grubenschmelz, so in den Armspangen Barbarossas: *(Abb. 39)* In die Vertiefungen der

*39. **Armspange von einem fürstlichen Mantel,** Kupfer vergoldet, Email, H. 12 cm, Maasgebiet, um 1170–1180, Paris, Louvre*

Die Schreibweise ›rexurrextio‹ mag als eine Anspielung auf Christus als König (rex) verstanden werden. Es fällt auf, daß Christus sein Grabtuch hinter sich herzieht, wie einst Elias seinem Schüler Elisa den Mantel vom feurigen Wagen herunterwarf, der ihn gen Himmel führte. Das ist ein ebenso ungewöhnlicher Bildgedanke wie der, Christus nach der Art byzantinischer Majestätsbilder von zwei Engeln begleiten zu lassen. Die Aufteilung der Bildfläche ist geschickt gelöst, ebenso die Verbindung von repräsentativer mit erzählender Anordnung. Die Gesichtsbildung nähert sich antiken Vorbildern. Das gilt auch für die Rüstung des rechten, gestürzten Wächters.

Kupferplatten wurde zunächst eine erste Schicht farbiges Emailpulver gefüllt und dann zum Schmelzen gebracht, erst danach wurden die anderen teilweise abgestuften Farben aufgeschmolzen, so daß eine reiche Farbwirkung entstand. In das Feld des Sarkophags wurden zerstoßene Emailstücke mit Emailpulver vermischt, um die Sprenkelung von kostbaren Steinen wie Porphyr oder Serpentin nachzuahmen. Zum Schluß wurde das Ganze geschliffen und die Metallfläche vergoldet. Die künstlerische Wirkung übertrifft die der technisch virtuoseren Zellenschmelze. Dies folgt der ästhetischen Maxime Ovids ›opus superat materiam‹, d.h. der Kunstwert überragt den Materialwert. Sie war auch geeignet, der immer wieder von den Kirchenreformern, vor allem von Bernhard von Clairvaux, suggestiv gestellten Frage »Was soll das Gold im Heiligtum?« auszuweichen.

Daß sich die künstlerischen Prinzipien so grundlegend – und das heißt auch: gegen die Tradition der älteren kaiserlichen Kunst – änderten, hängt u.a. mit der gesellschaftlichen Umwälzung zusammen. Die neuen Goldschmiede sind Städter, und sie zeigen Selbstbewußtsein. *(Abb. 40)* Aufschlußreich ist der Briefwechsel des kaiserlichen Rates Abt Wibald von Stavelot und Corvey mit dem Goldschmied G., über dessen Person bisher nur Mutmaßungen möglich sind. Wibald schreibt: »Männer Deiner Kunst pflegen häufig ihre Versprechen nicht zu halten, indem sie mehr Aufträge annehmen, als sie ausführen können. Die Wurzel aller Übel ist die Geldgier. Aber Dein Genie sowie Deine geschickten und berühmten Hände sollten das Nichteinhalten von Zusagen vermeiden [...] Wir glaubten, Dich an die Verpflichtung Deiner Zusage erinnern zu müssen, weil kein Verdacht von Unglaubwürdigkeit und Täuschung aufkommen darf bei einem Menschen solcher Begabung. Warum sagen wir das? Damit Du unsere Arbeit, die wir Dir aufgetragen haben, eifrig fortführst und nichts anderes hinzunimmst, das das Werk für uns

*40. **Aquamanile in Gestalt eines Greifen,** Bronze vergoldet und nielliert, 17 cm, Rhein- oder Maasgebiet, erste Hälfte 12. Jh., Wien, Kunsthistorisches Museum*

Ein Aquamanile ist eine verzierte Gießkanne, die zur Handwaschung bei der Messe, aber auch profanen Zwecken dienen kann. Entsprechend dem geringeren Anspruch der Aufgabe war die künstlerische Freiheit größer. Der Goldschmied verwandelte den gefürchteten Vogel Greif in ein Spieltier mit putzigen Zügen und beinahe gequältem Ausdruck. Vor allem nutzte er die Gelegenheit, ein formvollendetes Kunstwerk von großer plastischer Kraft, Dynamik der Form und abwechslungsreicher Verzierung zu schaffen.

behindert. Du weißt, daß wir es mit unsern Wünschen sehr eilig haben. Und was wir wollen, das wollen wir sofort«. Seneca sagt in seinem Werk *Über Wohltaten*: »Doppelt gibt, wer schnell gibt (bis dat, qui cito dat)...«. Die ironisch gespickte Replik des Goldschmieds lautet: »Die Mahnworte aus dem Schatze Deines Wohlwollens und Deiner Weisheit habe ich ebenso freudig wie gehorsam empfangen. Sie scheinen mir sehr beachtenswert, sowohl durch das Gewicht des Inhalts wie durch die Autorität des Absenders. Also habe ich meinem Gedächtnis eingeschrieben und mir gleichsam unters Kopfkissen gelegt, meine Kunst durch Glauben zu empfehlen, bei meiner Arbeit Wahrhaftigkeit walten zu lassen und meine Versprechungen auch wirklich zu erfüllen. Doch nicht immer ist es dem Versprechenden möglich, die Versprechungen einzuhalten. Meistens nämlich hat der die Verantwortung, dem etwas versprochen wurde, wenn durch ihn die Erfüllung einer Zusage vereitelt oder verzögert wird. Wenn Du es also, wie Du sagst, mit Deinen Wünschen eilig hast und das, was Du willst, sofort willst, dann beschleunige, daß ich eilig an Dein Werk gehen kann. Denn ich eile und werde eilen, wenn ich nur nicht durch die Not aufgehalten werde. Mein Geldbeutel ist nämlich leer, und keiner von denen, für die ich gearbeitet habe, hat etwas eingezahlt [...] Da nun der bedrängte Mensch sich freut, wenn nach der Leere die Fülle kommt, so hilf meiner Not ab, wende das Heilmittel an, gib rasch, damit Du doppelt gibst, und Du wirst mich zuverlässig, beständig und schließlich auch ganz bei Deiner Arbeit finden. Leb wohl!« Eine solche Selbstsicherheit hat kein Abhängiger, denn Ironie ist nicht möglich ohne Überlegenheitsgefühl. Latein war Verkehrssprache zwischen den Gebildeten – der Goldschmied gehört offenbar dazu.

Die Cappenberger Barbarossa-Büste blieb erhalten, weil man sie zu einem Johannesreliquiar umarbeitete. *(Abb. 41)* Im Umkehrschluß besagt das, daß damals die profane Kunst noch nicht deutlich von der sakralen unterschieden war. Sie sollte es nach den Absichten Barbarossas auch gar nicht sein. In seinem Kreis wurde die Formulierung vom ›Sacrum Imperium‹, vom Heiligen Reich, geprägt. Die mit einer Schleife zusammengebundene Haarbinde weist auf Vorbilder der Römerzeit, wie den Augustuskameo des Aachener Lotharkreuzes *(Abb. I/29)*. Die feine Kräuselung und Zwirbelung von Haar und Bart hingegen sind damalige Mode. Der Kopf steht über einem von Engeln gehaltenen Zinnenkranz, der als Bild der Stadt Rom und als Zeichen kaiserlicher Weltherrschaft zu verstehen ist.

Der Heiligen- und Reliquienkult war nicht der einzige Anlaß für die Anfertigung immer prächtigerer Schreine. Der Heribertschrein in Köln-Deutz *(Abb. 42)* wurde wahrscheinlich einige Jahre nach Heriberts Heiligsprechung im Jahre 1147 in Angriff genommen, wohl um 1160, der Frühzeit Barbarossas. Schon der Kult hatte einen politischen Beigeschmack, denn Heribert war ein typischer ottonischer Reichsprälat, unter Otto III. erst Kanzler

41. Büste Kaiser Friedrichs I. Barbarossa, *Bronze, vergoldet, 31 cm, südwestdeutsch, um 1155, Cappenberg, Pfarrkirche*

Die Haarbinde aus Silber ist verloren. Die Inschriften sind spätere Ergänzungen im Zusammenhang mit der Umwandlung in ein Reliquiar. Manche Gelehrte halten auch die Engel mit dem Zinnenkranz für eine spätere Zutat.

42. Heribertschrein, *Silber und Kupfer vergoldet, Grubenschmelzemails, Gesamtgröße des Schreins 68 x 153 cm, um 1160, Köln-Deutz, Stiftskirche St. Heribert*

Der Schrein zeigt u.a. einen Ausschnitt aus der Lebensgeschichte des hl. Heribert, wie er als Kölner Erzbischofs installiert wird. Die Anfertigungsdauer eines derartigen Schreins betrug gut fünf Jahre.

für Italien, dann für Deutschland, schließlich Erzbischof von Köln (999–1021). Das Bildprogramm zielt auf die Erneuerung der Kaiserherrschaft alten Stils. Das belegen die Medaillons auf dem Schreindach mit der Lebensgeschichte des Heiligen: Entgegen der Lehre der Kirchenreformer wird hier vorgeführt, wie Heribert nicht nur die Herzogsfahne, sondern auch den Bischofsstab aus der Hand des Kaisers empfängt. Diese Laieninvestitur war ja Hauptanlaß des Kirchenkampfes. Die pikante Note des Bildes besteht darin, daß der Papst im Bild unter(!) dem Kaiser sitzt und das erzbischöfliche Pallium bereithält. Man kann zwar einschränken, daß er durch das Thronen in der Mittelachse und die Frontalität ausgezeichnet wird, was immerhin ein Bemühen um Ausgewogenheit andeutet; im entscheidenden Punkt aber wird die kaiserliche Position vertreten.

Eine solche Idee wie überhaupt die Schaffung des Schreins ist keineswegs etwa dem Stiftspropst von Deutz zuzutrauen – nicht ohne Grund hat man als Auftraggeber den damaligen Kölner Erzbischof, Barbarossas Erzkanzler Rainald von Dassel, vermutet. Dies würde auch erklären, warum der Auftrag an die bei Hofe in großer Gunst stehenden maasländischen Goldschmiede ging. Rainald war ein Inspirator der harten kaiserlichen Linie, ein Verfechter der Idee des Sacrum Imperium und – einer seiner gefürchtetsten Generäle in den Kriegen gegen den Papst. Die Reichsprälaten hatten überhaupt mehrheitlich aufgehört, sich als radikale Gregorianer zu gebärden. Als hohe Adlige hatten sie eigene politische Interessen, die sich nur selten mit denen des Papstes deckten, aber auch nicht immer mit denen des Kaisers. Doch hatten die Päpste selbst nach ihrem Sieg im Wormser Konkordat 1122 ihren Asketismus zunehmend gegen eine weltlich-triumphalistische Haltung eingetauscht.

Nikolaus von Verdun

Um 1170 tritt ein Goldschmied auf, der der Kunst neue Dimensionen eröffnet: Nikolaus von Verdun. Sein Herkunftsort weist in das obere Maasgebiet nach Lothringen, seine Lehrzeit wird er im Lütticher Raum verbracht haben. Im Jahr 1181 wird sein Name erstmals in einer Inschrift in Klosterneuburg bei Wien erwähnt, in dem der Abschluß der Arbeit an der Ambo-Verkleidung des Stiftes mitgeteilt wird. Klosterneuburg war das Hauskloster der babenbergischen Markgrafen, die mit den Staufern verwandt waren. Ein berühmtes Mitglied dieses Hauses war der Chronist und Bischof Otto von Freising. Auch hier könnte die Bindung an das Kaiserhaus ein Grund für den Auftrag an den maasländischen Goldschmied gewesen sein. *(Abb. 43–45)*

Andererseits waren die Augustinerchorherren sicher gut über die Vorgänge im Westen Europas informiert. Die Kanzelverkleidung, die später zu einem Flügelretabel umgearbeitet wurde, ist so gegliedert, daß der mittlere Streifen die Bilder der Heilsgeschichte (sub gratia = unter der Gnade) zeigt, mit der Kreuzigung als Mittelpunkt des Erlösungswerkes. Darüber befinden sich typologisch zugeordnete Szenen aus dem Zeitalter der Patriarchen, d.h. aus der Zeit, bevor Moses das Gesetz auf dem Berge Sinai erhielt (ante legem). Darunter folgen zugehörige Ereignisse aus dem Zeitalter des mosaischen Gesetzes (sub legem). An einem Beispiel illustriert: Das Pfingstfest im Mittelstreifen wird im ersten Weltzeitalter (darüber) präfiguriert durch die Taube, die Noah den Ölzweig als Zeichen der göttlichen Gnade überbringt, im zweiten (darunter) durch Moses, dem Gott auf dem Berge Sinai in Feuer und Rauch das Gesetz übergibt. Dieses Streifensystem der drei Zeitalter wird

43 ›Samson zerreißt den Löwen‹ und ›Samson trägt die Türflügel der Stadt Gaza hinweg‹, 44. Das ›Eherne Meer‹ und ›Das Osterlamm wird zur Schlachtung in den Tempel gebracht‹, darunter die Künstlersignatur, Nikolaus von Verdun (tätig um 1170 – um 1210), Flügel der ehem. Kanzelverkleidung (Details), *Bronze emailliert und vergoldet, H. 109 cm, vollendet 1181, Stift Klosterneuburg bei Wien*

Alle vier Szenen stammen aus der mosaischen Epoche ›sub legem‹. Der jüdische Löwentöter Samson, dessen Kraft in seinen langen Haaren steckte, ist das Vorbild Christi, der in seiner Auferstehung Tod und Teufel überwindet. Der Künstler hat für die Gestalt des Untiers antike Vorbilder von Herkulesstatuen mit mittelalterlichen heraldischen Löwen vermengt. In den Zwickeln über den Bildfeldern Personifikationen von Tugenden. Nikolaus zieht es vor, bei Figuren nur die Binnenzeichnung mit Emailfarbe auszufüllen, sie dafür aber umso reichlicher für die Hintergründe zu verwenden. Dadurch wirken seine Figuren teilweise wie mit der Feder gezeichnet. Dominant ist das zum Gold geradezu komplementär erscheinende Blau.

ergänzt und abgeschlossen durch ein viertes, die Endzeit des Jüngsten Gerichtes, dem rechts zwei vertikale Kolumnen reserviert sind. Der Sinn des Programms war es, den Betrachtern in der Art eines Katechismus die Heilsgeschichte vor Augen zu halten, ihm aber nicht nur Wissen zu vermitteln, sondern auch durch die Dramatik der Erzählungen zu bewegen.

Bei so vielen theoretischen Vorgaben würde man heutzutage vermuten, daß der Künstler kaum Geschmack an der Aufgabe bekommen habe und nur eine staubtrockene, didaktische Darstellung dabei herausgekommen sein kann. Dies ist bei Nikolaus keineswegs der Fall, vielleicht auch weil er selbst an der Ausarbeitung des Programms beteiligt war. Intellektueller Ehrgeiz ist ein Kennzeichen aller hochwertigen Kunst damaliger Zeit. Vergleicht man die drei Reihen miteinander, so spürt man, daß der Künstler zwar Ähnlichkeiten bei den aufeinander bezogenen Bildern anstrebte, jeder Reihe aber einen eigenen Charakter geben wollte: In der Patriarchenreihe wird am einfachsten und knappsten erzählt, wie es der Urzeit entspricht. Auch die Emails der Rahmung sind nicht so üppig wie die der übrigen Reihen. Die Bilder der Reihe Christi sind am repräsentativsten und

strahlen feierliche Ruhe aus: Viele Szenen betonen die Mittelachse, das Rahmenornament ist überreich, und zusätzlich kommentieren in den Zwickeln Propheten die Ereignisse. Die mosaische Reihe hingegen hat einen heroisch-pathetischen Zug; Darstellungen der ›virtutes‹ (Tugenden) begleiten jede dieser besonders kraftvoll aufgefaßten Szenen im Zwickel. Sie entfalten schon deshalb einen höheren Anspruch als die Bilder der Patriarchenzeit.

Das Antikenstudium des Nikolaus, in dem mehr Byzantinisches steckt, als man auf den ersten Blick meint, erneuert nicht die heidnischen Themen, nicht einmal die antike Form als solche. Sie fußt auch nicht allein auf der Körperbejahung der höfisch-ritterlichen Gesellschaft mit ihren eng anliegenden Seidengewändern. Nikolaus ringt um die psychische Dimension, um den Ausdruck. Das Geistige wird konsequent als Bewegung und Äußerung des Leiblichen gedacht: Deshalb die großen Hände und Füße, das Pathos der Gebärden, die Intensität des Blickes. Anders als in der Ottonik sind die Körper nicht die durchgeistigten Gefäße des Heiligen, sondern entfalten eine fast michelangeleske Kraft. Ihre mächtigen Köpfe allerdings betonen, daß der Geist den Körper beherrscht.

Die Bejahung des Körpers beschloß auch die der plastischen Form mit ein; die Voraussetzungen für eine Blüte der Skulptur waren niemals zuvor so gut. Aber es ist bezeichnend für den Geist des Zeitalters, daß der Michelangelo unter diesen Bildnern ein Goldschmied ist.

Am größten aller Schreine, dem Drei-Königen-Schrein im Kölner Dom, entfalten sich die Körper der Propheten unverkürzt. *(Abb. 45)* Beine und Arme zeichnen sich unter den Gewändern ab, ebenso die Schwellung von Bauch und Brust. Der reiche Gewandwurf und die vielen Fältelungen der antiken Tracht sind genau studiert – nicht nur nach antiken Originalen: Der Künstler muß auch Draperiestudien nach der Natur betrieben haben. Es wäre jedoch verfehlt, von klassizistischen Figu-

45. Nikolaus von Verdun, Propheten vom Schrein der Heiligen Drei Könige, *Silber vergoldet, Email u.a., Gesamthöhe 153 cm, um 1190, Köln, Dom*

Die Ausführung des Schreins zog sich bis ca. 1220 hin. Mehrfach mußte das Werk ergänzt und restauriert werden. Nikolaus selbst hat wohl nur einige Figuren der Langseite gearbeitet, vor allem die Propheten. Wie weit der Anspruch über die Klosterneuburger Kanzelverkleidung hinausgeht, zeigt sich bereits an der überreichen Ornamentik.

ren zu sprechen. Dies sind keine neo-antiken Götter oder Helden. Leidenschaftlich ergriffene Seher und Propheten sind gemeint. Der Künstler betreibt religiöse Psychologie, ja Psychopathologie und zeigt nicht nur den Ernst und die Würde dieser Männer, sondern wagt sogar die Ausprägung des Radikalen, des Außenseiterhaften, ja sogar des Verschrobenen. Die Kunst dieser Zeit entfaltet ihre Größe im Ringen um die Erfassung und Darstellung des Themas.

Der Wandel der religiösen Bildauffassung

Einige Lehren der christlichen Religion muten paradox an, so die von den Zwei Naturen Christi: daß Christus also wahrer (unsterblicher) Gott und wahrer (sterblicher) Mensch zugleich ist. Analog betont die Mariologie, daß Maria, Frau des Zimmermanns Josef von Nazareth, Jesu leibliche Mutter ist, als Geschöpf Gottes zugleich sein Kind, aber auch die von Weltbeginn an vorbestimmte Gottesmutter, die höher steht als alle Heiligen und einen besonderen Platz einnimmt zwischen dem Dreifaltigen Gott und den Menschen. Deshalb hat sie die Privilegien der Unbefleckten Empfängnis und der ewigen Jungfräulichkeit erhalten. Es war die besondere Aufgabe der Bildenden Künstler, diese nicht zu verstehenden Paradoxe im Bild aufzuheben und der andächtigen Betrachtung ›begreiflich‹ vorzustellen. Meist jedoch haben die Gläubigen und mit ihnen die Künstler entweder mehr die göttliche oder mehr die menschliche Natur Christi im Sinn, Gleiches gilt für Maria. Auch historisch wechseln die Schwerpunkte: Das ottonisch-salische Zeitalter mit seinem Nachdruck auf der herrscherlichen Majestät betonte eher den göttlichen Charakter Christi und Mariens, mit einigen bemerkenswerten Ausnahmen, wie beispielsweise dem Gerokreuz. *(Abb. I/37)* Das ritterlich-höfische Zeitalter brachte das Menschliche an Christus und Maria wieder stärker in Erinnerung, in unterschiedlicher Akzentuierung: bei Christus wurde der Leidensweg betont, bei Maria aber die jungfräuliche Schönheit und Mütterlichkeit. Sollten die Betrachter der Christusbilder dazu bewegt werden mitzuleiden oder gar erschüttert zu sein. So waren bei Marienbildern hingebungsvolle Huldigung an die ›edle Dame‹ und Entzücken über die ›bildschöne‹ junge Frau erlaubt. Dies zeigt sich zuerst in der mystisch übersteigerten Frömmigkeit der Mönche, in den Predigten des Bernhard von

46. Madonna mit Kind, *Stein, Fassungsreste, 90 cm, Köln, um 1170, Köln, Damenstiftskirche St. Marien im Kapitol*

Das Werk stammt von der Hand eines maasländisch geschulten Künstlers. Der Marientyp geht auf eine byzantinische Ikone, die sog. Eleousa, zurück, in dem das innige Verhältnis von Mutter und Kind zugleich die mystische Brautschaft beider ausdrückt. Bezeichnend für die damalige Neigung zum Plastisch-Figuralen ist, daß man aus dem Brustbild eine ganze Figur und aus dem Gemälde erst ein Relief, später eine Statue gemacht hat.

47. Der Autor überbringt der Gottesmutter seine ›Blumenlese‹,
Titelbild zu den ›Flores in honorem Beatae Virginis‹, Blattgröße 20 x 14 cm, Weingarten, frühes 13. Jh., Stuttgart, Württembergische Landesbibliothek, HB VII 56, fol. 90

Das Bild, eine farbige Federzeichnung vor gefeldertem Grund, steht in der Tradition schwäbischer monastischer Reformkunst, ist in seiner sensiblen, flüssigen Zeichenweise aber modern, ein Zeugnis der bedeutenden Weingartener Malerschule. Maria thront mit dem Zepter auf dem herrscherlichen Faltstuhl und nimmt die Gabe des Autors in Empfang, eine Huldigung der geistlichen Minne.

Clairvaux oder den Gedichten des Prämonstratensers Herrmann Josef. Kunst und Frömmigkeit wurden insgesamt emotionaler und persönlicher. Bilder wurden zunehmend auch in privaten Räumen aufgestellt. Illuminierte Psalterien und Gebetbücher, wie sie zuvor vor allem von Nonnen gebraucht worden waren, wurden nun auch von Laien verlangt und in großer Zahl von spezialisierten Werkstätten hergestellt.

Die mystisch gestimmten Stiftsdamen und Klosterfrauen aktualisierten einen alten byzantinischen Marienbildtypus, die Eleousa: *(Abb. 46)* Innig halten Mutter und Kind einander umarmt, Wange an Wange geschmiegt. Das ist theologisch zu deuten als die bräutliche Verbindung von Christus mit seiner Mutter und mit der Kirche, eine bildliche Verdichtung des Hohen Liedes. Aber es hat auch unübersehbar eine neue, menschlich anrührende Seite, die gerade den Klosterfrauen wichtig war. Aber auch der ritterliche Minnekult steigerte die Marienfrömmigkeit. Beides mündete in eine neue poetische Qualität der Lyrik sowie in eine Poetisierung der Bilder. *(Abb. 47)*

Die Madonna im Halberstädter Domschatz *(Abb. 48)* belegt, daß selbst Kultbilder dieser Tendenz folgten. Maria ist zwar sehr würdevoll und trägt eine Krone. Das Majestätische in Haltung und Ausdruck Mariens verbindet sich jedoch mit liebreizender fraulicher Schönheit, und das Jesuskind wirkt trotz seiner antikisierenden Toga kindlich. Die Darstellungsziele sind komplexer als in der Kölner Gruppe, entsprechend auch die bildnerischen Mittel: Die Madonna ist als Sitz der Weisheit zu verstehen, das Kind als Fleisch gewordenes Gotteswort und zugleich als Lehrer. Der Thron ist als Altar der mosaischen Stiftshütte mit vier Hörnern gestaltet und definiert die Madonna als neue ›Bundeslade‹ usw. Andererseits zeigt ihr Gesicht psychologisierend den Ausdruck verhaltener Trauer, eine Vorahnung der kommenden Passion. Und es wird mit genauer Beobachtung der Natur sowie höchster Kunst der reiche Fall des Gewandes über die Arme und um die Beine inszeniert, wobei den unterschiedlichen Stoffqualitäten Beachtung geschenkt wurde. Der Faßmaler bereicherte die Erscheinung des Bildwerks und verzierte das gemalte Gewand mit Schmuckrosetten. Die Aufgabe, Marienbilder zu gestalten, führte also zur Vertiefung der theologischen Reflexion, zur Intensivierung des Naturstudiums und zur Bereicherung der bildnerischen Mittel. Die langen Abhandlungen der Zeit über die Schönheit Mariens bilden die Grundlage für eine neue Schönheitslehre bzw. Ästhetik; Marienbilder wurden zum Kristallisationspunkt der neuen Kunst.

Die tiefsinnige Meditation über das Geheimnis der Gottesmutterschaft wie die unermüdliche künstlerische Arbeit an der Ausgestaltung dieser Gedanken haben eine reiche Welt von Bilderfindungen hervorgebracht, den Gegenstand aber auch zu großen theologischen Bildsystemen ausgeweitet. Aus Frankreich wurde das mit Skulpturen geschmückte Portal übernommen; sie boten eine Formgelegenheit von besonderer Anregungskraft, im künstlerischen wie im theologischen Denken. *(Abb. 49)* Dabei machte man sich die Tatsache zunutze, daß die Pforte selbst ein Symbol ist: Christus nennt sich das ›Tor der Welt‹, und Maria hat den Ehrentitel einer ›porta coeli‹ (Pforte des Himmels), was bei einer Kirche doppelt Sinn macht, da sie selbst als Symbol und Abbild der Himmelsstadt gilt.

__48. Thronende Madonna mit Kind,__ Eichenholz mit großen Resten ursprünglicher Fassung, 70 cm, Sachsen, um 1230, Halberstadt, Domschatz

Das Christuskind ist so dargestellt, als thronte es auf einem eigenen kleinen Thron. Das bezieht sich auf Maria, die nach der theologischen Deutung ›Thron des Königs Salomo‹ bzw. ›Sitz der Weisheit‹ ist. Mit der Rechten segnet es seine Mutter, in der Linken hält es eine Schriftrolle; sie bezeichnet Christus als das ›fleischgewordene Wort‹ gemäß dem Anfang des Johannesevangeliums. Die hornartigen Zuspitzungen an den Thronwangen symbolisieren die vier Eckhörner des Stiftshüttenaltars des Moses, bezeichnen also die mystische Identität des Thrones mit dem Altar und Maria damit als ›Bundeslade‹.

49. Freiberg, Dom, Goldene Pforte, *Sachsen, um 1230*

Das Portal war so geschätzt, daß man es beim Bau der neuen Kirche im späten 15. Jahrhundert Stein um Stein abbaute und an einen anderen Ort übertrug. Die seitlichen Portallöwen auf Säulen weisen es als Gerichtsstätte aus, wodurch die Anbringung des weisen Richters und Königs Salomo eine weitere Bedeutungsebene erhält. Neben altsächsischen Vorbildern wurden byzantinische Musterbücher und die Skulpturen der Kathedrale von Laon in der Champagne sowie des Bamberger Doms rezipiert.

Die ›Goldene Pforte‹ an der Marienkirche in Freiberg/Sachsen war ursprünglich großenteils vergoldet, ein Tribut der reichen Bergbaustadt an die Gottesmutter. Der Auftrag dürfte auf die wettinischen Markgrafen von Meißen zurückgehen. Der sogenannte Dom war Kirche ihres Burgbezirks und Pfarrkirche der rasch wachsenden Stadt. Vom französischen Standpunkt aus betrachtet ist der Wechsel von Figuren mit architektonischem Schmuck eigenwillig, wobei letzterer den italienischen Zierrat abwandelt, wie er zuerst bei der kaiserlichen Abteikirche Königslutter verwendet worden war. *(Abb. 14)* Jedes Marienprogramm ist zugleich christologisch, d.h. es bezieht sich letztlich immer auf Christus. Das ist zu bedenken, wenn man die kunstvolle Verflechtung der Gedanken verstehen will, die der Torbogen bildlich umsetzt. Um einen gedanklichen Aufriß des Konzeptes zu erhalten, muß die Betrachtung in der Mitte beginnen, über dem Türsturz im Tympanon, das Maria inmitten einer Anbetung der Könige mit Josef und einem Erzengel zeigt und sich auch auf die Verkündigung bezieht. Die inneren Figuren der Portalgewände sind Johannes der Täufer und Johannes der Evangelist, die prophetisch auf das Opferlamm und den Erlöser verweisen, aber auch auf das Wort Gottes, das Fleisch geworden ist. Es folgen Salomo mit der Königin von Saba sowie David mit Bathseba, die auf Maria wie auf Christus vorausdeuten und zuletzt zwei Propheten mit marianischen Weissagungen. Die Bogenlaibungen sind so angeordnet, daß in der Mittelachse die Trinität und die Marienkrönung zu sehen sind, seitlich von innen nach außen erst Engel, dann die Apostel und zuletzt die Auferstehenden des Jüngsten Gerichts. Alle drei Hauptzeitalter der Heilsgeschichte, Altes und Neues Testament sowie Endzeit sind auf diese Weise zugleich dargestellt. Außerdem wird auch auf die Brautschaft Christi mit seiner Mutter und auf die mystische Identität

50. Hermann und Reglindis, 51. Ekkehard und Uta, die beiden Stifterpaare des Naumburger Doms,
Stein, zwischen 183 und 198 cm, um 1250, Naumburg, Dom, Westchor

Die Steinmetzen der Wanderhütte, die Bau und Ausstattung schufen, hatten in Frankreich eine Kunst kennengelernt, die Menschen aufmerksam und feinfühlig beobachtete und sie so darstellte, daß Bildnisse des Charakters unter genauester Wiedergabe des Einzelnen entstanden, zugleich aber Idealtypen höfisch-ritterlichen Verhaltens. Diese so normierungsfreudige Gesellschaft gelangte zuerst bei der Darstellung von Verstorbenen zu individualisierender Sicht.

Mariens mit der ›Kirche‹ angespielt. Künstlerischer und gedanklicher Reichtum greifen Hand in Hand.

Eine der stärksten religiösen Antriebskräfte des Mittelaltes war die Fürsorge für das Seelenheil. Ohne die ›Seelgeräte‹, d.h. die Stiftungen für Messen zugunsten der Verstorbenen, wären viele Kunstwerke nie entstanden. Neben die Grabmale trat seit dem frühen 13. Jahrhundert – wiederum in Nachahmung Frankreichs – eine eigene Bildform, das Memorial- und Stifterbild. Der berühmteste Zyklus dieser Art steht im Westchor des Naumburger Domes. *(Abb. 50 u. 51)* Die Ekkehardinger, Ahnen des späteren sächsischen Königshauses der Wettiner und Stifter des Bistums Naumburg in ottonischer Zeit, erhielten beim Neubau des Domes um 1250 im Westchor ein kollektives Gedächtnis. Statuen der wichtigsten Stifterinnen und Stifter wurden in Lebensgröße an den Diensten des Chores und Sanktuariums angebracht, wobei zwei Paare rangmäßig hervorgehoben wurden. Alle wurden als Menschen des 13., nicht als solche des 11. Jahrhunderts, vergegenwärtigt. Sie verkörpern die Ideale von Ritterlichkeit, Fraulichkeit und Schönheit mit den damit verbundenen Wertvorstellungen: Gemessenheit, Würde, Stärke . Ihre Bemalung verstärkte den Eindruck von Wirklichkeitsnähe. Es ging nicht nur um Erinnerung an Verstorbene, sondern um die Setzung von Vorbildern. Die Betrachterinnen und Betrachter fanden unter ihnen vielerlei Identifikationsmöglichkeiten. Dabei wurden nicht einfach nur Typen, wie der trutzige Ritter, der Hofmann oder die Nonne, dargestellt, die Frauen und Männer wurden nach ihren Charakteren differenziert: Haltung und Antlitz unterscheiden sich im Ausdruck, sie nähern sich dem Individuellen, und erstmals in der nachantiken Kunstgeschichte scheint die Möglichkeit des individuellen Porträts auf. Es wurde bereits darauf hingewiesen, daß in den Bildkünsten im Vergleich zur Literatur erst spät weltliche Stoffe thematisiert wurden. Im Gegenzug wird man angesichts der Naumburger Bildwerke sagen müssen, daß die Bildhauer – sie gehen hierin den Malern voran – eine Wirklichkeitsnähe und Individualisierung erreicht haben, die weit über das hinausgeht, was damaligen Dichtern möglich war.

Die Epoche wird geprägt durch eine auffällig große Zahl bedeutender Frauen, fast möchte man von einer Renaissance der ottonischen Frauenkultur sprechen. Herrscherinnen wie Stiftsdamen sind daran beteiligt. Hinzukommen als neue Erscheinung die Mystikerinnen, wie Hildegard von Bingen, Gertrud die Große von Helfta oder Mechthild von Magdeburg. Nur mit Hildegard sind heute noch Kunstwerke in Verbindung zu bringen. *(Abb. 18)* Doch zeigt seit etwa 1200 auch die Kunst gesteigertes Bemühen bei der Darstellung von Weiblichkeit. Bei den Naumburger Statuen sind die Herzogin Uta und die als polnische Königstochter an den Ehrenplatz gerückte Reglindis zwei auffällig unterschiedliche Muster: *(Abb. 50 u. 51)* Beide sind ideal schön, und beide reagieren auf ihre Weise jeweils auf den Mann an ihrer Seite, der nach dem Zeremonialverständnis den Ehrenplatz zu ihrer Rechten einnimmt: Uta hält sich zurück, während ihr Mann Ekkehard vortritt; sie hüllt sich in ihren Mantel, als fröre sie oder wollte sich verstecken. Reglindis hingegen kann sich neben ihrem etwas linkisch erscheinenden Gemahl besser entfalten; sie hat mehr Ausstrahlung. Allerdings zieht sie nach Art damaliger Damen züchtig die beiden Mantelenden vor ihren Leib und hält den andern Arm in der Mantelschnur. Der Künstler überschreitet den thematischen Rahmen und analysiert Paarbeziehungen des 13. Jahrhunderts. Selbst Personifikationen von Begriffen wie ›Kirche‹ und ›Synagoge‹ werden zu lebendigen Wesen, die handeln oder leiden können, die eine Lebensgeschichte zu haben scheinen und deshalb unsere Anteilnahme herausfordern. *(Abb. 52 u. 53)*

Heinrich der Löwe und die Territorialisierung Deutschlands

Staufer und Welfen stammen beide aus Schwaben: Die Staufer hatten ihre Hausmacht vor allem im Norden und im Elsaß, die Welfen im Bodenseeraum. Doch verlagerte sich im frühen 12. Jahrhundert der Machtschwerpunkt der Welfen nach Sachsen und Bayern, deren Herzöge sie in Personalunion waren. Der Staufer Barbarossa *(Abb. 41)* und der Welfe Heinrich der Löwe *(Abb. 54)* waren eng verwandt und in den ersten beiden Jahrzehnten nach des Kaisers Wahl 1152 auch verbündet. Man könnte Heinrich den Löwen wegen seiner Machtfülle Vizekönig nennen: Er

52. Ecclesia,
53. Synagoge
vom Südquerhaus des Münsters, *Sandstein, 193 cm, um 1220, Straßburg/Strasbourg/F, Frauenhausmuseum*

Die Personifikationen der christlichen Kirche und der jüdischen Synagoge unterscheiden sich durch Auftreten und Gewandung: Die der Verachtung der Betrachtenden preisgegebene Synagoge trägt ein Seidenkleid der älteren Mode, das den Körper durchscheinen läßt und deshalb – nach damaligem Verständnis – tadelnswert sinnlich ist. Die Ecclesia hingegen trägt einen dickeren, sich in plastischere Falten legenden Wollstoff nach der neueren Vorschrift, darüber als Zeichen ihres fürstlichen Ranges den Radmantel. Ihre Brosche ist prächtiger als der Fürspan der Synagoge. Die Kirche trägt Kelch und Kreuzesstab mit erhobenen Armen, die Synagoge hat ihre Arme gesenkt: die Gesetzestafeln fallen ihr aus der Hand, ihre Fahnenlanze, das wichtigste Herrschaftszeichen, ist in Stücke zerbrochen. Die Synagoge hat jedoch keinerlei häßliche Züge. Das höfische Frauenideal ließ nur die adelige Form zu, die immer die adelige Seele einschloß.

54. Grabmal Herzog Heinrichs des Löwen und seiner Gemahlin Mathilde von England, *Kalkstein, 238 cm, 1194 (?), Braunschweig, Stiftskirche St. Blasius*

Das Grabmal ist zugleich Stifterbild. Es war nicht das Ziel, ein realistisches Abbild zu geben, denn es wird verschleiert, daß Mathilde erheblich größer war als ihr Gemahl. Gezeigt wird die ewige Jugend und alterslose Schönheit der Seligen im Paradies. Doch sollte auch der dynastische Anspruch des gescheiterten Herzogs durch die deutliche Darstellung des Herzogsschwertes verewigt werden. Das reich gefältelte Gewand greift auf byzantinisch orientierte Vorlagen der englischen Kunst zurück.

durfte im Slawenland Bistümer gründen, so Ratzeburg *(Abb. 55)* und Schwerin, und mit Bischöfen eigener Wahl besetzen, betrieb im Namen des Reiches die Ostkolonisation und konnte mit kaiserlicher Hilfe seine Hausmacht ausbauen. Seine Finanzkraft erlaubte es ihm, großzügig zu bauen. *(Abb. 56)* Sein Einfluß wuchs derartig, daß er die Macht des Kaisers zu übertreffen drohte. 1176 brach der Konflikt auf und führte 1180 zur Absetzung Heinrichs und zu seiner Verbannung ins anglo-normannische Exil. *(Abb. 1)*

Als folgenreich erwies sich die Zerschlagung des Herzogtums Sachsen: Westfalen wurde dem Erzbischof von Köln unterstellt, der nun seinerseits begann, eine unabhängige Territorialpolitik zu betreiben. Die östlichen Teile des heutigen Niedersachsen, Holstein, Mecklenburg, Sachsen-Anhalt und Thüringen fielen an verschiedene Herren, die sich beeilten, sich nach dem Muster Heinrichs wie Fürsten aufzuführen. *(Abb. 24)*

Im Grunde bricht im Konflikt dieser beiden Herrscher die alte Rivalität der Königslandschaften Sachsen und Alemannien auf. Der Gegensatz wurde keineswegs mit der Zerschlagung der welfischen Macht beendet, sondern lebte in verwandelter Weise weiter, und sei es nur in dem Mentalitätsunterschied zwischen dem hansea-

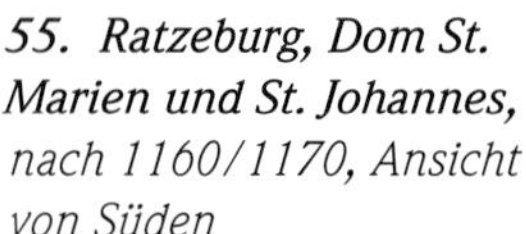

55. Ratzeburg, Dom St. Marien und St. Johannes, *nach 1160/1170, Ansicht von Süden*

Die Bischofskirche des von Heinrich dem Löwen kolonisierten Gebiets ist aus Verteidigungsgründen auf einer Insel begründet worden. Es ist eine der ersten Kathedralen, für die man das als minderwertig erachtete Material Backstein verwendete, allerdings in künstlerisch aufwendiger, dekorativer Gestaltung. Die Vorhalle folgt westfälischen Vorbildern.

56. Braunschweig, Stiftskirche St. Blasius nach Osten, 1173–um 1200

Der nach 1173 auf Befehl Heinrichs des Löwen erneuerte und zu seiner Grablege bestimmte Quaderbau folgt in der Grundriß- und teilweise auch der Aufrißdisposition der Abteikirche Königslutter, der Grablege seines Großvaters und Vaters: er ist jedoch durchgehend gewölbt. Die Ausmalung stammt aus dem zweiten Viertel des 13. Jahrhunderts. An ihr war der Maler Johannes Gallicus (d.h. der Welsche) maßgeblich beteiligt. Der siebenarmige Leuchter ist eine Stiftung Heinrich des Löwen, ebenso der 1188 geweihte Marienaltar in der Vierung, eine auf schwarzen Marmorsäulen und Bronzekapitellen stehende Platte.

tischen Norden und dem Süden des Reiches. Doch hat dies auch einen europäischen Kontext. Barbarossa schaute nach Italien und den deutsch-französischen Grenzregionen, Heinrich der Löwe, der über eine uralte Seitenlinie des Hauses, die Markgrafen von Este, ebenfalls in die italienischen Kämpfe einbezogen war, verbündete sich mit dem anglo-normannischen Königreich. Guelfen (Welfen) und Ghibellinen (Waiblinger) wurden zu Parteinamen in den Kämpfen der verschiedensten Fraktionen; die Träger dieser Namen kamen dabei ebenso aus dem Blick wie die Sache, für die sie ursprünglich einstanden: Papst- oder Kaiserherrschaft.

Das anglo-normannische Königreich war damals der modernste Staat Europas, mit zentralistisch organisierter Verwaltung, einer geschulten Beamtenschaft, die Steuern eintrieb, Gericht hielt und die königlichen Interessen gegen den Adel vertrat. Manches davon wurde im welfischen Bereich nachgeahmt. Heinrich machte Braunschweig zur Hauptstadt. Dort errichtete er nach dem Muster der Goslarer Kaiserpfalz die Burg Dankwarderode und daneben eine Stiftskirche von der Größe einer Kathedrale, gedacht als seine Grablege. *(Abb. 56)* Er nahm dafür die von seinem Großvater, Kaiser Lothar III. gegründete Abteikirche Königslutter zum Vorbild. *(Abb. 13 u. 14)* Der Vierkantpfeiler mit eingestellter Ecksäule ist ein bezeichnendes Motiv. *(Abb. I/21)* Den Anschluß an ältere Bautraditionen bezeugt auch die Errichtung einer – damals im Prinzip unmodernen – Krypta sowie der siebenarmige Leuchter. Der

Braunschweiger Dom wiederum wurde zum Vorbild für die von Heinrich in den Kolonien gegründeten Domkirchen, so die in Ratzeburg. *(Abb. 55)* Sie wurden jedoch nicht aus Quadern, sondern aus Backsteinen errichtet. Analog zu den kaiserlichen Reichskleinodien brachte Heinrich einen eigenen Kronschatz zusammen, der im Blasiusstift aufbewahrt wurde, von dem noch einige Reliquiare erhalten sind. Sie spiegeln auf vielfältige Weise den Anspruch und das europäische Beziehungsnetz des Welfenhauses.

1180 war das Welfenreich zerschlagen. Aber auch das schwäbische Herzogtum der Staufer und was sie sonst an Territorien zusammengerafft hatten, wurde binnen der nächsten Jahrzehnte aufgeteilt. An ihre Stelle traten kleinere ›Länder‹, so die Bezeichnung im Mittelalter. Wir verwenden diesen Begriff etwas anders interpretiert noch heute. Denn die ›Bundesländer‹ sind letztlich Ergebnis dieses Aufspaltungsprozesses, der von Barbarossa selbst begonnen wurde, um seine Gegner kleinzuhalten, schließlich aber das ganze Reich erfaßte. Holland, Belgien oder die Schweiz sind ebenfalls auf diesen Vorgang zurückzuführen. Die Länder hatten, was dem Reich abging: Der Fürst wurde nicht gewählt, sondern seine Herrschaft war ererbt, er hatte alle Regalien, also die finanziell einträglichen Rechte, und mit der Zeit gelang es auch, die Kontrolle über die Kirche des Territoriums zu gewinnen. Er zentralisierte zunehmend die Verwaltung an seinem Hof – deshalb enstanden nach und nach immer neue Residenzstädte. An ihnen konzentrierte sich das Kunstschaffen. Um 1200 gab es etwa 15 weltliche Fürstentümer, dazu eine noch größere Zahl an geistlichen, deren Machtbasis sich aber mit dem Niedergang des Kaisertums verkleinerte.

Die Krise der höfischen Gesellschaft

Otto, der Sohn Heinrich des Löwen, erlangte mit englischem Geld und Kölner Hilfe die Kaisermacht. Aber er scheiterte an der Zahl seiner Gegner ebenso wie an den Verhältnissen. Somit blieb auch das welfische Herzogtum auf den Raum Braunschweig-Lüneburg beschränkt. Ottos staufischer Widersacher Friedrich II. trug zwar zu Recht den Ehrentitel ›stupor mundi‹, Staunen der Welt, aber er hielt sich fast ausschließlich in seinem unteritalienisch-sizilianischen Reich auf und kam nur zweimal nach Deutschland. Der Konflikt dieses Herrschers mit dem Papst hinterließ jedoch einen Scherbenhaufen. Es hat nicht viel gefehlt, und das gesamte Reich wäre mit den Staufern untergegangen.

Die Stauferzeit ist also eine Epoche der Erosion kaiserlicher Macht: Nachdem er 1122 bereits seinen Einfluß auf die Bischofswahlen in Italien eingebüßt hatte, verlor er 1213 dieses Recht offiziell auch in Deutschland. 1220 mußte er den größten Teil der Machtbefugnisse an die bischöflichen, 1232 an die weltlichen Territorialherren abgeben. Von da an bis zum 19. Jahrhundert ist die deutsche Geschichte und Kunstgeschichte eine Dynastien- und Territorialgeschichte. Die Macht des Reiches zersplitterte, während die der Nachbarn geschlossener wurde und zunahm.

Nicht ohne Grund wurde damals ein vom Philosophen Boethius im 6. Jahrhundert geprägtes allegorisches Bild, das Rad der Fortuna, bildwürdig und sogleich beliebt. Die Vorstellung von einer launischen Glücksgöttin, die ein großes Rad dreht und damit den einen nach oben befördert, den anderen aber herabstürzt, erschien den Zeitgenossen ein treffendes Abbild der Verhältnisse.

Die uns in ihren Kunstwerken so harmonisch und ideal erscheinende Epoche des 13. Jahrhunderts war in ihrem Selbstverständnis und in der Realität keine ideale Zeit. Dichtungen, wie die des Walter von der Vogelweide, und Chroniken sind voller Klagen. Auch Bildwerke weisen Symptome dieser Krise auf, die sich zur Bewußtseinskrise ausweitete.

Der Bamberger Dom, als Neubau des frühen 13. Jahrhunderts eine neo-ottonische Architektur mit Zitaten nach oberrheinischen Kaiserdomen und französischen Kathedralen, hat zwei kurz nacheinander geschaffene Figurenportale mit Tympanonreliefs. Die ältere Gnadenpforte stammt etwa aus dem Jahr 1215, das Fürstenportal ist fünf bis zehn Jahre jünger. *(Abb. 57 u. 58)* Das ältere Werk zeigt eine wie von einem Zeremonienmeister erdachte himmlische Hofgesellschaft: In der Mitte, auf dem Thron, Maria, übergroß und zudem erhöht. Hierarisch abgestuft sind auf den Treppen-

*57. **Tympanon des Gnadenportals,** 58. **Tympanon des Fürstenportals, Bamberg, Dom,** um 1215 und 1225*

Beide Bogenfelder waren bemalt. Das ältere Gnadenportal diente eher dem Domkapitel, das jüngere Fürstenportal eher dem Bischof. Die Bildprogramme lassen sich jedoch nicht aus den Funktionen erklären. Ein Gegensatz zwischen den Auftraggebern ist ebensowenig gegeben, da der Bischof Ekbert und der Domdekan Poppo aus derselben Familie stammten, dem Fürstenhaus der Andechs-Meranier. Vielmehr kann man von einem religiösen und zum Teil auch gesellschaftlichem Paradigmenwechsel sprechen: Die strenge hierarchische Ordnung wird unter dem Eindruck der chaotischen gesellschaftlichen Zustände und unter dem Einfluß der franziskanischen Bußbewegung abgelöst von einer drastischen Hervorhebung von Papst, Bischof, Kaiser und Kaufmann in der Hölle. Die wirklichkeitsnahe Darstellungsweise des jüngeren, französisch geschulten Bildhauers verstärkt die Wirkung noch.

absätzen unter ihr und jeweils zu ihrer Rechten bzw. Linken Petrus und Kaiser Heinrich, dann Georg und Kaiserin Kunigunde plaziert. Auf der nächsten Stufe in die Knie gehend, Bischof Ekbert von Bamberg und sein Bruder, der Domdekan Poppo; zu Füßen der Madonna ist Herzog Otto von Andechs-Meranien als Kreuzfahrer fußfällig und wesentlich kleiner abgebildet als seine geistlichen Brüder. Die Figuren nehmen stufenweise an Größe und Plastizität ab und ergeben das Bild einer strengen, von der Kirche bzw. Maria dominierten Hierarchie, unerschütterlich dem Betrachter gegenübergestellt. Die Vergoldung großer Teile des Reliefs steigerte ehedem noch den sakralen Eindruck.

Das als Bischofstor repräsentativere Fürstenportal zeigt das Jüngste Gericht. In ihm sind die am älteren Relief so sorgfältig ausgearbeiteten Hierarchien durcheinandergeworfen: Klein und geduckt erscheinen Maria und Johannes der Täufer zu Füßen des Weltenrichters, groß und aufdringlich hingegen die zu Betrachtung und Warnung vorgeführten Verdammten und Seligen. Wo im älteren Portal strenge Klarheit herrscht, überwiegt hier chaotisches Durcheinander. Das liegt nicht nur am abgebildeten Thema. Und auch der Auffas-

*59. **Regensburg, Goliathhaus,** erste Hälfte 12. Jh. – Mitte 13. Jh., Fresko um 1570 mit späteren Übermalungen*
Von den Adelsgeschlechtern übernahmen die Patrizier den Gebrauch von Türmen, weniger als Befestigung, sondern zum Zeichen des Machtanspruchs. In Regensburg sind noch mehrere solcher Wohntürme aus dem 12. bis14. Jahrhundert erhalten, wie wir sie auch aus Italien kennen.

sungswandel, der sich dahinter verbirgt, ist nicht allein auf die Künstler zurückzuführen, obwohl der Steinmetz des jüngeren Bogenfelds zu den in Frankreich geschulten, expressiver und wirklichkeitsnäher arbeitenden, jungen Kräften der Bamberger Hütte gehörte. Denn während sich die Prälaten des Hauses Andechs-Meranien im Gnadenportal gehörig in Szene gesetzt hatten, haben dieselben Auftraggeber im Jüngsten Gericht unter die Seligen keinen einzigen Geistlichen bringen lassen, wohl aber einen König, während unter den Verdammten ein Papst, ein Bischof und ein Kanoniker auffällig plaziert sind. Der Kaufmann mit dem Geldsack und der geblendete Jude unter der Statue der Synagoge bezeugen die ökonomischen Probleme, vor allem die damalige Schuldenkrise.

Dieses Tympanon offenbarte einer Gesellschaft, die zuvor kaum Skulpturen kannte, auf ihre Lebensechtheit deshalb umso stärker reagierte, eine auffällige Selbstanklage der Kirche. Die Gründe lassen sich erahnen: Die berühmtesten Mitglieder des Hauses Andechs-Meranien sind zwei heilige Frauen: Hedwig, Herzogin von Schlesien (1174–1243) und Schwester der drei schon erwähnten Brüder, und mehr noch ihre Nichte Elisabeth, Prinzessin von Ungarn sowie Landgräfin von Thüringen und Hessen (1207–1231). Elisabeth ist eine fromme Radikale, die von der Bußpredigt des hl. Franz von Assisi (1182–1226) entflammt war. Der hatte den Ruf Christi zur Nachfolge in Armut kompromißlos angenommenseine Pflichten als Kaufmannssohn hinter sich gelassen und rief seit 1207 als Wanderprediger und Bettelmönch das Volk in Umbrien und Toskana zur Umkehr auf. Dabei löste er eine Volksbewegung erstaunlichen Ausmaßes aus, die ab etwa 1218 auch auf die Länder nördlich der Alpen übergriff. Man hielt Franz, der bereits 1228, zwei Jahre nach seinem Tode, heiliggesprochen wurde, für einen Engel Gottes, ja, für einen zweiten Christus. Elisabeth, deren Mann auf dem Kreuzzug 1227 verstorben war, stellte die bestehende Ordnung in Frage: Sie gehorchte nicht der Aufforderung ihres Onkels, des Bischofs von Bamberg und Oberhaupt des Hauses Andechs-Meranien, sich wieder zu verheiraten. Ihr Gut wollte sie den Armen verschenken, spann für sie Wolle und ließ sich duzen. Sie kritisierte die fürstliche Jagd- und Turnierlust. Ja, sie zweifelte die Legitimität der Zehnten und anderer Abgaben an, die sie ›unrecht Gut‹ nannte. Ganz der Pflege der Armen, Kranken und Aussätzigen gewidmet, verstarb sie, verzehrt von ihren Mühen, vierundzwanzigjährig, in Marburg, wo man seit 1236 um ihr Grab herum eine prächtige Begräbnis- und Wallfahrtskirche in den neuen französisch-gotischen Formen errichtete und die Radikalität ihrer Botschaft in einen populären und einträglichen Heiligenkult ummünzte.

Epilog über den Aufstieg der Städte

Barbarossa konnte seine Gegner in Italien zeitweise militärisch besiegen. Doch die dortige städtische Gesellschaft hatte die Grundlagen der Wirtschafts- und damit auch der Gesellschaftsordnung geändert: Für die Bedürfnisse eines schnell wachsenden, internationalen Handels wurde das moderne Geld- und Bankenwesen entwickelt. Die Grundbegriffe des Kapitals sind italienisch (banca, giro, credito, brutto, netto usw.). Finanzwesen und Handel gingen einher mit frühen Formen der Industrie. Dies wiederum führte zur Vergrößerung der Städte: Mailand, Florenz und Venedig zählten bereits mehr als 100.000 Einwohner, als die größten deutschen Städte Köln und Regensburg von kaum mehr als 20.000 Menschen bewohnt waren und Nürnberg noch ein Örtchen war. Für diese neuen Verhältnisse bedurfte es anderer Regierungsmethoden, als sie das deutsche Feudalsystem vorzuweisen hatte. Gegen die innovativen Kräfte wie gegen den ökonomischen und politischen Druck aus Italien konnten sich auch noch so große deutsche Heere nicht durchsetzen. Die Deutschen mußten lernen oder verlieren.

Aber auch die neue höfisch-ritterliche Gesellschaft Westeuropas ist ohne die Städte undenkbar, ohne ihre Finanzkraft und ohne das Geschick ihrer Handwerker, Schwertfeger, Harnischmacher, Weber, Färber und Goldschmiede. Da wir aber aus dieser Zeit über Bürger und Bauern viel zu wenig wissen und die Städte in der Folge eine noch größere Rolle spielten, ist hier nur insoweit auf sie einzugehen, als es für das Verständnis der Epoche notwendig ist.

Der Aufstieg der Städte beginnt im 11. Jahrhundert in der Lombardei und in Flandern. Aber schon um das Jahr 1070 wird ihre Macht auch im Rheinland spürbar, als sich etwa Kaiser Heinrich IV. ihrer Hilfe gegen die Fürsten bedient. Für Lübeck, das Zentrum Norddeutschlands, wird die Zerschlagung der Herrschaft Heinrichs des Löwen, ihres Gründers, im Jahre 1180 zum Signal, als erste deutsche Stadt die völlige Selbständigkeit anzustreben. Die Gründungs- wie die Emanzipationsbewegung der Städte wird im 13. Jahrhundert abgeschlossen. Danach erfolgt der Ausbau der Macht und der kulturelle Aufstieg, der das Antlitz Deutschlands so nachhaltig geprägt hat.

Erhalten sind uns nur wenige architektonische Zeugnisse aus der Frühzeit, wie die Brücke und die Geschlechtertürme in Regensburg, der altertümlichsten unter den mittelalterlichen deutschen Städten. *(Abb. 59)* In Soest finden sich mit St. Patrokli der erste Turm als Zeichen kommunaler Freiheit *(Abb. 60)* sowie mit St. Nikolai erstmals ein Kapellenbau in ausschließlich bürgerlicher Verwaltung. Bezeichnend an ihnen ist der bescheidene Anspruch und die Orientierung an kaiserlichen Vorbildern.

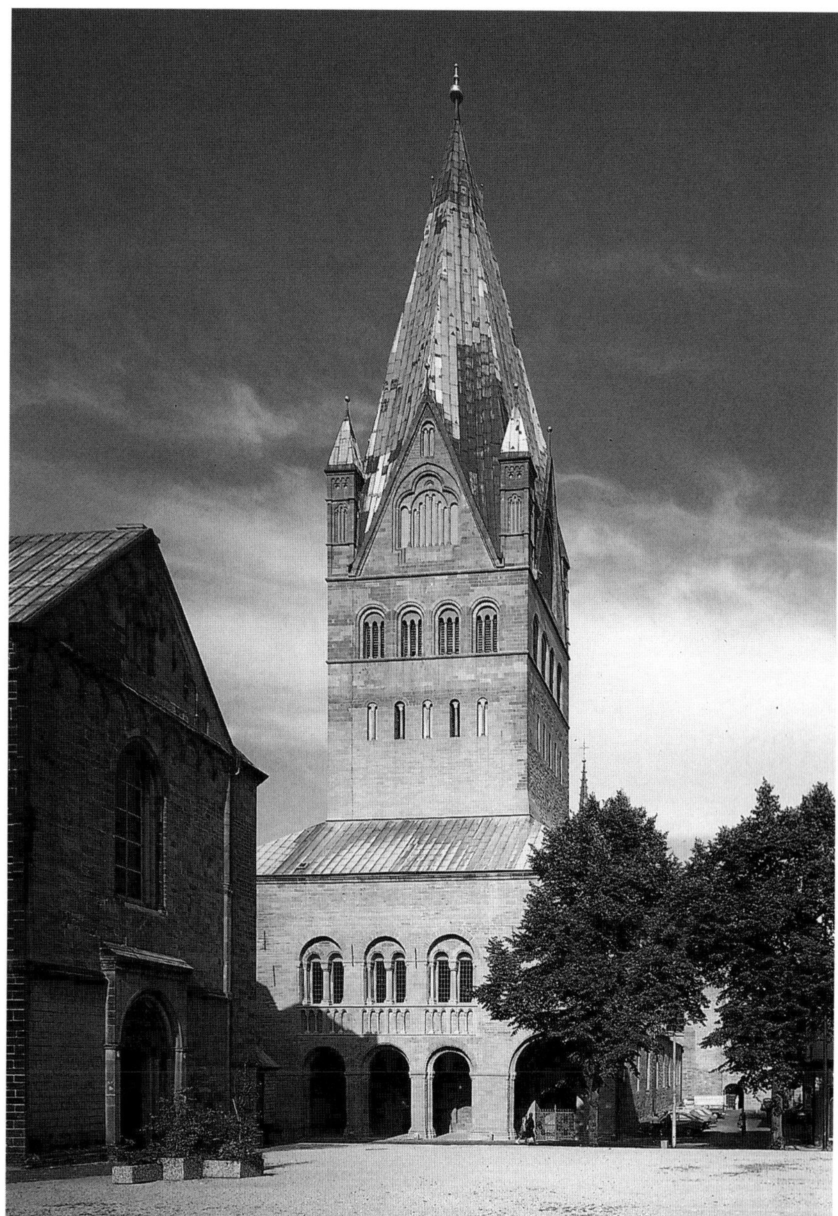

60. ***Soest, Turm der Stiftskirche St. Patrokli,*** *um 1190–1230*
Der Turm des vom Kölner Erzbischof gegründeten Stifts war schon früh im Besitz der Kommune und diente auch weltlichen Zwecken, etwa als Ratssaal. Der einzeln stehende Turm wurde zum Symbol städtischer Macht, im Gegensatz zu den Doppeltürmen und Mehrturmgruppen von Domen, Stiften und Abteien. Soest gehört zu den ersten Städten in Westfalen, die eine wesentliche Rolle bei der Gründung des hanseatischen Wirtschaftsbundes spielten. Der Patrokliturm wurde selbst noch in Wisby auf Gotland als städtisches Symbol imitiert.

Das 12. Jahrhundert war eines, das die Geschichte nachhaltig prägte: Es hat die ritterlich-feudale Gesellschaft, die Scholastik und die Naturwissenschaften, nicht zuletzt die Städte und die kapitalistische Wirtschaftsordnung hervorgebracht und vorangetrieben. Das Verhältnis dieser Kräfte zueinander hat sich bis zum 18. Jahrhundert immer nur verschoben und wurde erst damals aufgebrochen.

Kapitel 3

Übernahme und Umwandlung der französischen Gotik

(1250–1420)

Die gotische Bauweise

Den Begriff ›Gotik‹ haben Italiener der Renaissance geprägt, um den nordalpinen Baustil mit seinen spitzen Türmen, blattberankten Giebeln und astartigen Strebebögen als krausborstiges Gespinst barbarischer Phantasie zu denunzieren, als düsteres Gegenbild zur Klarheit und Reinheit der klassisch-mediterranen Formenwelt. Daß sie die Goten der Völkerwanderungszeit mit einer Erfindung der Franzosen des 12. Jahrhunderts schmückten, war ihnen nicht bewußt.

Einen ähnlichen Fehler machte man um 1800 in Deutschland, als man die zuvor in Verachtung und Verfall geratene gotische Baukunst als das ›Ureigene‹ wiederentdeckte und mit der Parole ›Zurück zur altdeutschen Architektur‹ zu erneuern versuchte. Dagegen erhielten die vorangegangenen drei Jahrhunderte antikisch orientierter Baukunst den Stempel des ›Undeutschen‹ und des ›Verfalls‹. Der Kölner Dom wurde zum sinnreichen ›Nationaldenkmal‹: Im 13. Jahrhundert in riesenhaften Dimensionen geplant, war der Bau unter dem Diktat der Konfessionswirren und eines sich ganz nach Italien orientierenden Geschmacks im 16. Jahrhundert aufgegeben worden. Nach der Übernahme des Rheinlandes durch Preußen im Jahr 1815 sollte er als Mahnzeichen, letztlich aber als Ersatz für die Einheit des zersplitterten Landes vollendet werden. *(Abb. 2)* Erst um 1850 wurde dank der damals entstehenden Kunstwissenschaft bekannt, daß auf deutschem Boden ausgerechnet dieser Bau sich am engsten an französischen Vorbildern orientierte. Diese Entdeckung versuchten viele zu verdrängen, andere lehnten nun die Gotik des Kölner Domes ab und orientierten sich an der angeblich deutscheren Romanik der Kaiserdome.

Immer wenn Geschichte für Zwecke der Gegenwart zurechtgemacht wird, führt das zu einseitiger, allzu einfacher Sicht. Zwar ist die Gotik eine französische Erfindung und war zunächst auch nur im Gebiet des französischen Königreichs verbreitet. Doch sah man damals in der gotischen Bauweise weniger einen Nationalstil, als eine neue, überlegene, allgemein gültige Technik und Raumkunst. Genausowenig fragte man, ob ein scholastisches Werk von einem Engländer, Italiener, Franzosen oder Deutschen geschrieben worden war. Nationales Bewußtsein im modernen Sinne war gerade in Deutschland während des 13. Jahrhunderts kaum vorhanden, eher Anhänglichkeit an den jeweiligen Herrscher. In Köln stand man zum Zeitpunkt der Grundsteinlegung des Doms 1248 jedoch im Gegensatz zum staufischen Kaiser Friedrich II. und pflegte statt dessen gute Beziehungen zu König Ludwig IX. dem Heiligen in Paris, so daß die Gotikrezeption wohl doch einen politischen Beigeschmack hat. Zumindest darf man die Durchsetzung der Gotik in ihrer reinen, französischen Form in den Territorien Mitteleuropas als Zeichen eines epochalen Umbruchs in Kultur und Geschichte des Landes deuten.

Es ist jedoch verwunderlich, daß man gerade in Köln mit der Tradition brach, da es am Ort eine eigene kreative Bauschule und eine altehrwürdige Bautradition gab. *(Abb. II/36 u. 37)* Domkapitel und Erzbischof entschlossen sich sogar, entgegen der eigenen traditionalistischen Mentalität, den doppelchörigen Grundriß des Vorgängerbaus aufzugeben, um an seiner Stelle nur eine einchörige Anlage zu errichten, der mit Umgang und Kranzkapellen der französischen Art entsprach. Damit entschieden sich die Bauherren des Doms auch gegen die eigenen liturgischen Gewohnheiten: Der Kölner Dom ist dem hl. Petrus geweiht. Nach dem Muster der Peterskirche in Rom hatte

*1. **Köln, Dom,** Chor, Innenansicht nach Osten*
Der vordere Teil mit dem Gestühl ist der Chor für die Domherren (oben) und ihre Vikare (unten). Die beiden östlichsten Plätze für die Ehrenkanoniker Papst (im Norden) und Kaiser (im Süden) sind durch ihre Baldachine betont. Das Polygon mit Hochalter und Bischofsthron dient als Sanktuarium (Allerheiligstes). An den Pfeilern seitlich der Mittelachse stehen die Statuen von Christus und Maria, die zwölf Apostel folgen. Die mittleren Pfeilerdienste gehen ohne Unterbrechung bis zum Gewölbeansatz durch und steigern die Höhenwirkung. Auf den Arkaden fußt ein verglaster Laufgang, das Triforium, darauf die Hochschiffenster. Beide sind kompositorisch zusammengefaßt. Die Mauer ist aufgelöst in Fensterflächen und Stützen. Fensterstabwerk und Gewölbeträger bilden ein gemeinsames Dienstsystem.

Geschichte:
1247–1273: kaiserlose Zeit - Rudolf I. von Habsburg (1273–1291) - Albrecht I. von Habsburg (1298–1308) - Heinrich VII. von Luxemburg (1308–1313) - Ludwig IV. der Bayer (1314–1347) - Karl IV. von Luxemburg (zuerst König von Böhmen, 1346–1378 Deutscher König und Kaiser) - Wenzel I. (1378–1400) - Sigismund (1410–1437), zuvor König von Ungarn - 1348 Ausbruch der Schwarzen Pest - 1378–1417 Papstschisma - 1414–1418 Konzil von Konstanz

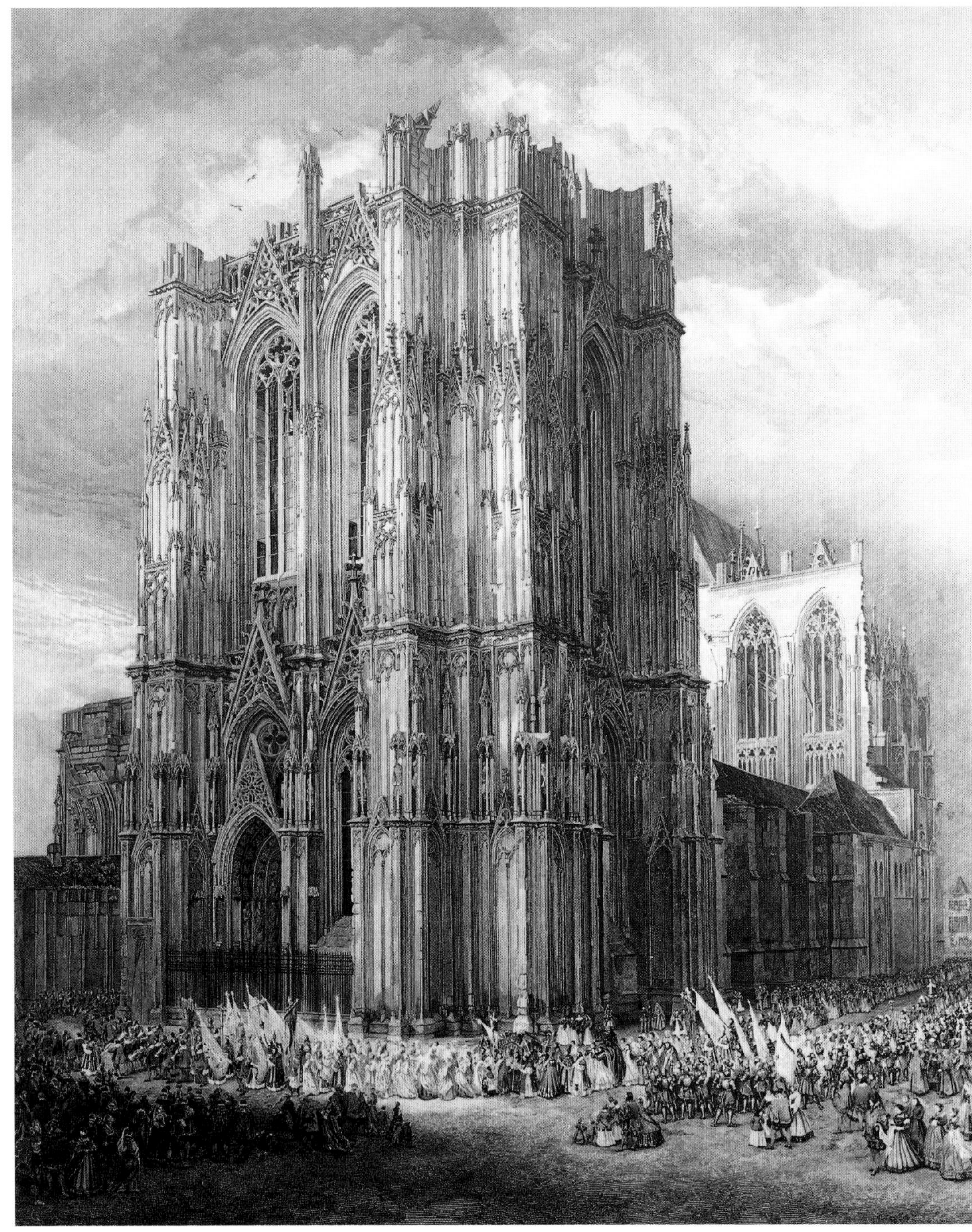

2. Wilhelm von Abbema (1812–1889), Historisch kostümierte Prozession bei der Grundsteinlegung zum Neubau des Kölner Domes, Radierung, 1842
Von 1248 bis 1322 wurde der Chor mit Anbauten errichtet, im 14. und 15. Jahrhundert der Bau des Südturms und der Langhausseitenschiffe vorangetrieben, die provisorisch nutzbar gemacht wurden.
Um 1560 stoppten die Bauarbeiten. König Friedrich Wilhelm IV. von Preußen setzte sich an die Spitze der Bewegung für die Vollendung des Domes und legte 1842 den Grundstein zum Weiterbau. Er hatte dabei mehrere Absichten: Versöhnung der Konfessionen, Stärkung der preußischen Herrschaft in den Rheinlanden, Ablenkung der die wirkliche nationale Einheit anstrebenden Kräfte auf symbolische Ziele.

man ursprünglich den Hauptchor im Westen errichtet und dem Dom ein großes Atrium vorgelagert. Mit der neuen Baukonzeption ging der Rombezug verloren, was als Distanzierung vom Papsttum verstanden werden konnte. Doch ergaben sich auch Vorteile: So konnte die Wallfahrt zum Schrein der Heiligen Drei Könige *(Abb. II/45)* nun ohne Störung des Chordienstes stattfinden. Als endgültiger Platz des Schreins war die Vierung vorgesehen, aber auch die Achskapelle, in der man ihn vorläufig aufstellte, konnte über den Umgang von zwei Seiten betreten und verlassen werden. Ein weiterer Vorteil der neuen Raumanordnung war die Verdoppelung der Chorseitenschiffe. Sie wurden zu Nebenkirchen und Kapellen.

Was das Neue der gotischen Architektur ausmacht, erkennt man im Vergleich des Speyerer und des Kölner Doms. *(Abb. I/55)* Beide sind Basiliken, ihr Mittelschiff ist also höher als die Seitenschiffe. Der Raum ist aus einer Folge von Jochen (Gewölbeabschnitten) gebildet, wobei es sich in Speyer um Doppeljoche im Gebundenen System handelt. Die Maßverhältnisse und viele Baumotive ähneln sich. Denn Romanik und Gotik sind nicht, wie später Gotik und Renaissance, gegensätzlich, sondern die Gotik verstand sich vielmehr als Verbesserung der Romanik. Die Verwandlung geschah schrittweise, weshalb keine zeitliche Trennlinie zwischen beiden zu ziehen ist. *(Abb. II/37)* Die neue Baukunst bemühte sich um gesteigerte Sakralwirkung durch Inszenierung des Lichts und Weitung der Räume. Der Kölner Dom ist in allen drei Zonen seines Aufrisses (Arkaden, Triforium und Obergaden) so weit wie möglich durchfenstert, und obwohl er mit 43m viel höher ist als der Speyerer Dom (33m), sind seine Fenster und Arkaden größer. Die Wandflächen wurden so weit wie möglich durch Öffnungen ersetzt, was dazu führte, daß die Wandmalerei damals verkümmerte, die Glasmalerei aber einen nie zuvor gekannten Aufschwung erlebte. Auch die Auszierung mit Bauornament wurde auf die Fenster konzentriert.

Diese Raumweitung wurde möglich durch eine Verbesserung der Konstruktion und Neuerungen der Technik. Hätte man den Speyerer Dom in seiner Bauweise noch höher bauen wollen, wären so dicke Mauern notwendig gewesen, daß die Kirche unförmig und dunkel geworden wäre. Die französischen Baumeister des 12. Jahrhunderts jedoch hatten, normannische Ideen aufgreifend, die Mauermassen ersetzt durch ein Stützensystem aus Pfeilern, Diensten und Streben, über das der Schub der Gewölbe abgeleitet und durch Strebebögen von außen aufgefangen wurde. Die Füllwände hatten kaum statische Funktion und konnten gefahrlos durchfenstert werden. Diesem System entsprach am besten das Kreuzrippengewölbe, ebenso wie der Spitzbogen, die beide schon seit dem 11. Jahrhundert im Gebrauch waren.

Die gotische Baukunst ist auf neue Weise intellektuell, indem sie der Geometrie, auch den Zahlenverhältnissen, einen höheren Wert einräumt als vorherige Baustile. Darin ist sie der zisterziensischen Baukunst verpflichtet. Das Neue zeigt sich deutlich im Fensterschmuck des Maßwerks: Es ist zusammengesetzt aus Zirkelschlägen, also ein geometrisch-abstraktes Ornament, im übrigen das einzige in Europa, das nicht auf antike Vorbilder zurückgeht. Alle Formen der Pfeiler und Wandvorlagen sind betont geometrisch gebildet, sogar der Baugrundriß selbst: Das Chorhaupt des Kölner Doms gründet auf sieben Seiten des Zwölfecks, für die Kranzkapellen wurde das einfachere Achteck gewählt. Diese Zahlen sind symbolisch zu verstehen. Mathematik war die Wissenschaft von den kosmischen Beziehungen, der Astronomie und Musik verwandt. Den Vers: »Du hast alles nach Maß, Zahl und Gewicht geordnet« aus dem Buch Weisheit Salomonis 11,22 verstand man mehr denn je als Leitsatz. Deshalb wurde Gott bei seinem Schöpfungswerk gern mit dem großen Bodenzirkel des Architekten abgebildet. Natur und Geometrie wurden also nicht als Gegensätze verstanden. Eine idealistische Philosophie sah im geometrischen Grundtypus jedes Lebewesens die reinere und wahrere Naturform als in der individuellen Ausprägung. Deshalb finden wir an den Kapitellen nach der Natur studierte Pflanzen, die aber typisiert und geometrisiert wurden.

Jeder christliche Kirchenbau, ob karolingisch oder barock, symbolisiert das Himmlische Jerusalem. Doch wird die Symbolik auf unterschiedliche Weise anschaulich gemacht: Der Speyerer Dom geht von der Vorstellung der Himmelsstadt als fester Burg aus. Die gotische Kathedrale aber versucht, das Überirdische, die Himmelsstadt aus Glas und Kristall, aus Edelsteinen und Gold zu verwirklichen. Sie ist Phantasiearchitektur aus einem Gewirr von steilen Giebeln, Fialtürmchen und Strebepfeilern. Erst recht werden wir im Inneren durch die Räume, die Farben und das Licht der Fenster entrückt. Gotische Baukunst versucht, ein Vorgefühl himmlischer Schönheit zu geben.

Die Geometrie hatte für die Architekten auch eine gesellschaftliche Bedeutung. Sie gehörte im Wissenschaftskanon zu den Sieben Freien Künsten (artes liberales), das Bauen hingegen galt als mechanische Kunst und stand folglich niedriger. Kenntnis und Praxis der Geometrie veränderten das Berufsbild des Baumeisters und hoben sein Ansehen. Er nannte sich nun häufiger Architekt, ein Titel, den man zuvor nur Gott beigelegt hatte. Architekten konnten in den inneren Kreis der Gesellschaft vordringen, sogar in Hofämter aufsteigen, was sich zuerst in England und Frankreich, seit der Mitte des 14. Jahrhunderts auch in Deutschland ereignete. *(Abb. 50)* Zwar ist dies bei den ersten Kölner Dombaumeistern noch nicht der Fall, doch kennen wir immerhin ihre Namen: Der erste hieß Gerhard, sein 1271–1299 nachweisbarer Nachfolger Arnold. Ihm folgte sein Sohn Johannes.

Neu an der gotischen Baukunst ist die Verwendung der maßstäblich verkleinerten Planzeichnung. Im Kölner Dombau war sie Grundlage des Entwurfs und einer der Garanten für die Einheitlichkeit der Fortführung. Pläne konnte man verschicken und als Studienmaterial sammeln. Auch die Planzeichnung förderte die Intellektualisierung des Entwurfvorgangs: Es ist ein wesentlicher Unterschied, ob der Baumeister Grundriß und Aufriß auf dem Baugrund absteckt bzw. auf dem Reißboden im Maßstab 1:1 mit dem großen Bodenzirkel vorbildet, oder ob er sie nun mit dem Handzirkel auf Pergament durchspielt. Die kleinformatige Zeichnung beflügelte den Innovationsgeist, erleichterte die Erfindung von Maßwerkformen, aber verstärkte auch das Graphisch-Flächige der Architektur auf Kosten des Plastisch-Räumlichen.

Der Kölner Dombau ist in einem neuen Ausmaße systematisch. Die Dienstbündel sind den jeweiligen Rippen logisch zugeordnet. Haupt- und Nebenrippen sind zentimetergenau abgestuft. Alles ist exakt aufeinander bezogen. Es wird mit wiederkehrenden Einheiten (Modulen) gearbeitet, beispielsweise in den Fensterbahnen. Der Aufriß des unteren Geschoßes wird im oberen aufgegriffen, verfeinert und bereichert: Die robuste Sockelzone wird zum zierlichen Triforium, und die in drei Dreipässen endenden Fenster der Kranzkapellen werden im Obergaden durch Rosetten und die aufwendigere Fensterbekrönung gesteigert. All dies ist Ausdruck einer Freude an der Ordnung an sich, die als Kennzeichen von Schönheit verstanden wurde. Doch ist dies auch motiviert durch das Streben nach Theoretisierung, nach Logik, ebenso durch das Bemühen, erlernbare Prinzipien der Stilbildung zu schaffen, ohne jedoch auf das antike ästhetische Prinzip der Abwechslung (varietas) zu verzichten.

Gotische Architektur ist also nicht nur eine neue Art, sondern auch eine neue Qualität künstlerischen Denkens. Die Durchdringung von geometrischer und theologischer Intellektualität, Lichtmystik und künstlerischer Komposition bilden eine neue Ästhetik und Kunstlehre, einen eigenen Begriff von Schönheit, der in vielfältiger Abwandlung bis zum Beginn des 16. Jahrhunderts und in seinen Grundzügen sogar noch darüber hinaus gültig blieb. Allerdings hat man damals keine Lehrbücher geschrieben, sondern sich weiterhin der antiken und biblischen Architekturlehre und Rhetoriktheorie bedient.

Der Dombau in Köln

Aus der Steinversatztechnik und anderen Anzeichen ist geschlossen worden, daß der erste Dombaumeister Gerhard kein Franzose war. Doch sollte man nicht zu viel dem Baumeister zuschreiben. Nach Lage der damaligen Verhältnisse wäre es nie dem Architekten allein möglich gewesen, die Umorientierung zur Gotik durchzusetzen. Dies war Sache der Auftraggeber. Sie bestimmten die Anlehnung an den französischen Kathedraltypus, den der Erzbischof und die meisten Domherren kannten und offenbar bewunderten. Sie bestimmten u.a. auch, daß im Chorinneren mit dem Apostelzyklus und der reichen Raumfassung in den französischen Königsfarben (Blau-Rot-Gold) die berühmte, von König Ludwig dem Heiligen 1243–1248 zur Aufbewahrung von Reliquien errichtete Sainte-Chapelle in Paris zu zitieren sei: Man verstand den Kölner Dom wegen der Drei-Königs-Reliquien zugleich als riesige Reliquienkapelle. Die Auftraggeber empfahlen wohl auch deshalb, Motive der französischen Krönungskathedrale in Reims beispielsweise für die Dachgalerie oder solche der königlichen Hausabtei St.-Denis bei Paris für die Bündelpfeiler zu übernehmen, weil sie den Kölner Dom als Königskathedrale und Krönungsort der deutschen Könige inszenieren wollten. Ansonsten werden sie ihren Dombaumeister auf eine Studienreise in den Westen geschickt haben, wo er, etwa in Amiens und Beauvais, die neuesten Bauideen und die Organisation einer Großbaustelle studieren konnte.

Es ist uns heute schwer vorstellbar, wie man in einer Zeit ohne Motoren, ohne gute Straßen mit einfachsten Hilfsmitteln Riesenbauten zustandebrachte, die auch Technikverwöhnte staunen lassen. Dabei dürfte die Zahl der am Bau Beteiligten einschließlich der Arbeiter im Steinbruch durchschnittlich kaum größer als 30 Mann gewesen sein: Tagelöhner, Steinmetzen, Maurer, Zimmerleute, Schmiede und Glaser. Von Fall zu Fall zählten auch Bildhauer dazu. Das Erfolgsgeheimnis war die neue Arbeitsökonomie. Man richtete zum Beispiel die Steine nicht für jeden Ort einzeln zu, sondern mit System und fertigte im Winter in der beheizbaren Bauhütte, welche der ganzen Organisation den Namen gab, die für den Versatz im Sommer bestimmten Steine auf Halde. Die zugehauenen Steine wurden numeriert oder markiert, so daß die Versatzkolonne ohne längeres Hin und Her arbeiten konnte. Arbeitsteilung griff um sich, und es sonderten sich Spezialisten ab, wie etwa Laubhauer für Kapitelle. Eine eigene Gruppe bildeten die Zimmerleute, ohne deren kühne Gerüstkonstruktionen diese Architektur nicht möglich gewesen wäre, sowie die zunehmend wichtiger werdenden Schmiede. Abgerechnet wurde meist im Stücklohn, gestaffelt nach Leistung und Wert der Arbeit. Obendrein erhielten die Bauleute

Badegeld, Naturalienlieferungen oder Kleidung. Diese Nebenleistungen konnten sich bei den privilegierten Mitgliedern der Hütte zu einer hübschen Summe addieren. Die Abrechnung und damit die Kontrolle lag meist in der Hand eines vom Domkapitel bestimmten Geistlichen. Die Bauhütte bildete damals eine neue Form der sozialen Organisation von Arbeit: eine eigenartige Verbindung von künstlerischer und ökonomischer Rationalität, die im Dienste der religiösen und zum Teil auch gesellschaftlichen Bauaufgabe ›Kathedrale‹ entwickelt worden war, deren Wirkung aber weiter reichte.

Da eine wesentliche Aufgabe des Architekten darin bestand, Pläne und Schablonen zu entwerfen, konnte er sich zeitweise von der Baustelle entfernen und andere Aufträge übernehmen. Ein solcher Nebenauftrag des Meisters Gerhard sind Chor und Sakristei der Abteikirche in Mönchengladbach nördlich von Köln. Deshalb brauchte er an der jeweiligen Baustelle einen Stellvertreter, den Polier, ein Begriff, der aus dem Französischen abgeleitet ist (von ›parleur‹, Sprecher). Die berühmteste Baumeistersippe der Gotik in Mitteleuropa, die Parler, entstammt der Kölner Dombauhütte. Sie trägt diese Berufsbezeichnung als Eigennamen und verdeutlicht damit die Wege beruflichen Aufstiegs. *(Abb. 50)*

Große Bauhütten wie die des Kölner Domes hatten eine weit über Stadt und Region hinausreichende Bedeutung. Ihr Leiter wurde als Gutachter in Problemfällen bemüht. Steinmetzen und andere Bauleute kamen von überall her, um den Bau kennenzulernen, eine gewisse Lehrzeit durchzumachen oder Fragen beantwortet zu bekommen. Die Plankammer der Hütte enthielt ein Arsenal von Studien und Entwürfen aller Art, kurz: Man muß sich die Bauhütten in Köln, Straßburg und Regensburg, später die von Prag und Wien, als eine frühe Art von Bauakademie vorstellen.

Die Gotik setzt eine städtische, arbeitsteilige und offene Gesellschaft voraus. Doch nicht der Kölner Dom ist der erste gotische Bau in der Stadt, sondern die Minoritenkirche, die Predigtkirche der Franziskaner, die sich auch Minderbrüder oder Minoriten nennen, um die Bescheidenheit ihres Anspruchs auszudrücken. Die Bettelorden der Franziskaner, Dominikaner, Augustinereremiten und Karmeliten sind die ersten rein städtischen Ordensgründungen – alle im frühen 13. Jahrhundert im Mittelmeerraum entstanden und binnen weniger Jahrzehnte in allen europäischen Städten zu finden. Ihre Klöster lebten nicht von Grundbesitz, sondern von Spenden der Stadtbevölkerung. Ihre Kirchen dienten hauptsächlich der Predigt und frommer Andacht der Bruderschaften und anderer Gruppen. Deshalb waren die Bettelorden gelehrte Orden, mit eigenen Studienzentren. Ihr wichtigstes Kolleg lag in Paris. Die Orden hatten alle einen Schwerpunkt in Italien, was sich spürbar auf den Bildgebrauch auswirkte, hatten sich aber unter den speziellen Schutz des französischen Königs begeben. Auch deshalb wurden sie zu Verbreitern und Vermittlern der französischen gotischen Bauweise, die jedoch nicht in der formenreichen Kathedralbauweise übernommen, sondern ihrem Armutsideal entsprechend vereinfacht wurde. Nach zisterziensischem Vorbild sind die Bauten ohne Türme, Skulpturen, Bauschmuck und ähnlichen Zierrat gestaltet, zeigen aber nicht den Verarbeitungsluxus oder die geometrische Perfektion der weißen Mönche. In der Regel sind die Bauten der Dominikaner jedoch reicher als die der Franziskaner, welche die Armut stärker betonten. *(Abb. 27 u. 31)*

Daß die Gotik städtischen Ursprungs ist, erweist sich auch daran, daß ländliche Institutionen am längsten am älteren Stil festhielten. Ein Beispiel ist das Reichskloster in Essen-Werden, dessen Kirchenneubau der Jahre 1256–1275, also acht Jahre nach Beginn des Kölner Dombaus, in den Formen der rheinischen Romanik errichtet wurde. Die meisten geistlichen Institutionen aber beeilten sich, dem neuen Muster zu folgen, das den Ruf höherer Religiosität hatte.

Die gotische Skulptur

Die neue Epoche ist gekennzeichnet durch ein genau gestuftes System der Künste: Die Herrschaft hat die Architektur. Unter den Bildenden Künsten nimmt die Skulptur den führenden Platz ein, dann folgen Glasmalerei und Schatzkünste. Die anderen Gattungen der Malerei fristen für einige Jahrzehnte ein Schattendasein. Dieses Verhältnis verschiebt sich jedoch, ausgehend von

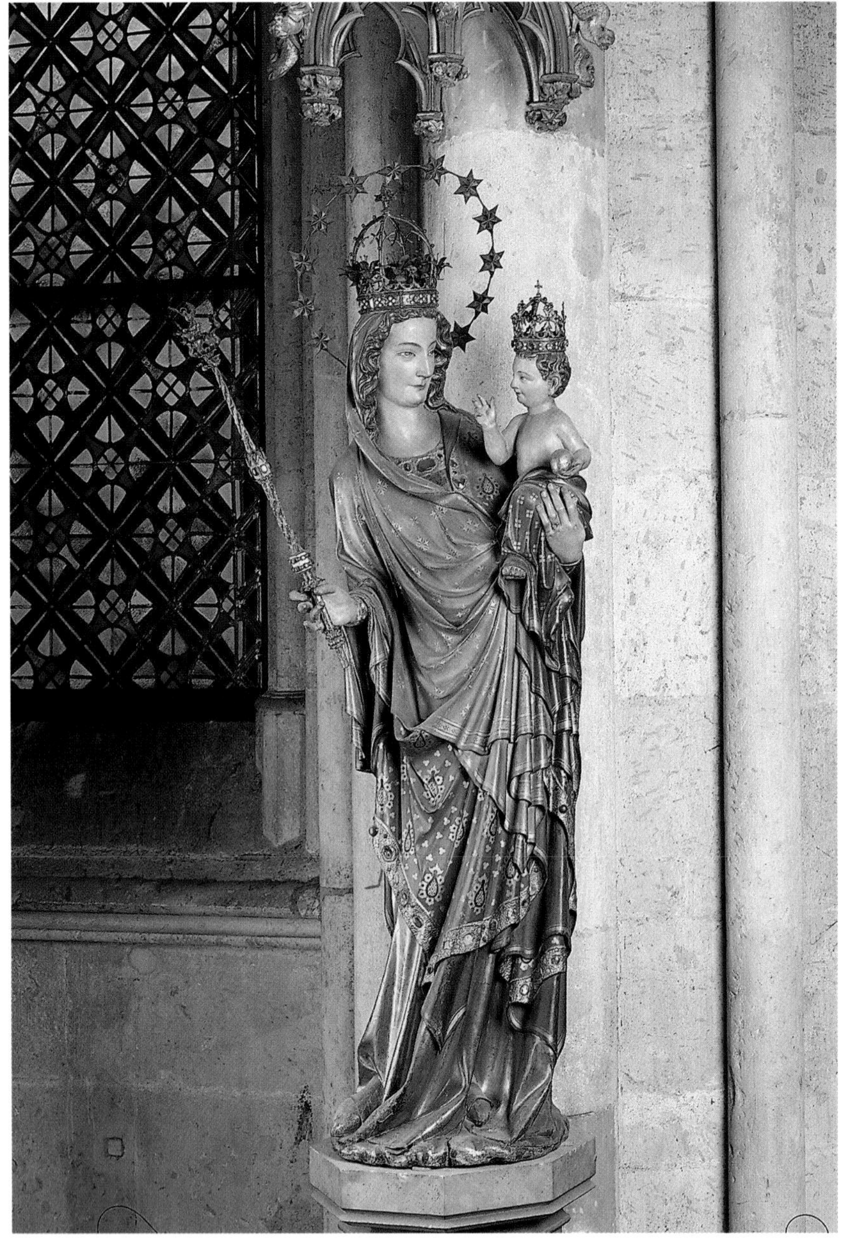

3. Sogenannte Mailänder Madonna, Nußbaum, 165 cm, um 1300, Köln, Dom

Die Madonna war ursprünglich das Kultbild der Marienkapelle, eingeschreint von einem kostbar gefaßten Steinbaldachin, von dem noch Fragmente erhalten sind. Die Architektur diente als Rahmung, aber auch zur symbolischen Überhöhung der Statue, und bildete das Himmlische Jerusalem bzw. das Neue Paradies en miniature ab.

Italien, nach 1300 immer mehr zugunsten der Tafelmalerei, bis sie dann nach 1400 fast ausschließlich in der Gunst der Gesellschaft steht.

Die vornehmste Aufgabe der Steinmetzen Frankreichs war um 1200 die Schaffung figurenreicher Portale zur Ausschmückung des Eingangsbereichs und zur Belehrung der Gläubigen. In Mitteleuropa, wo das öffentliche Leben weniger auf Platz und Straße stattfand, konzentrierte man sich eher auf die Ausstattung der Innenräume. In Köln hängt das auch damit zusammen, daß das Domkapitel zuerst an sich selbst dachte, danach erst an die Öffentlichkeit. Es beauftragte Grabmäler für die wichtigsten früheren Erzbischöfe, ein prächtiges Chorgestühl, kostbare Altarverkleidungen sowie viele Statuen- und Bilderzyklen, die teilweise noch erhalten sind.

Doch waren es wohl kaum Steinmetzen der Bauhütte, die um 1300 den Zyklus der Apostel für Chor bzw. Sanktuarium und die sogenannte Mailänder Madonna für die Marienkapelle im südlichen Seitenschiff schufen. *(Abb. 3–5)* Unter den möglichen Künstlergruppen damaliger Zeit ist entweder nach zünftischen, in der Stadt angesiedelten Bildschnitzern zu suchen oder nach wandernden Spezialisten für Grabmäler und andere bildnerische Arbeiten aus Stein; letztere arbeiteten gelegentlich auch mit anderen Materialien. Unser Wissen über die Bildhauer ist gering. Wahrscheinlich wurden alle Domfiguren unter Aufsicht des Dombaumeisters gearbeitet, denn von der zünftisch-städtischen Schnitzkunst unterscheiden sie sich erheblich. Wohl nach dem Entwurf von Meister Arnold meißelten Hütten-Steinmetzen für die Madonna den prächtigen Baldachin als Kreuzkernfiale, von dessen einstiger Schönheit noch die Fragmente künden.

Eine flächige Bemalung, vor allem in Blau und Rot mit reichen Goldmustern, prägte die Erscheinung der Figuren. Im 19. Jahrhundert wurde sie erneuert, blieb aber nahe am Urzustand. Die Marienkrone und das Zepter sind neu, doch waren sie wohl immer separat gearbeitet. Hochverehrte Marienfiguren wie diese konnten wie Fürstinnen eine Schatzkammer voll mit Schmuck besitzen, so sehr bemühten sich die Gläubigen, sie mit Geschenken zu überhäufen, in der Hoffnung auf Gunst und Fürsprache.

Auf Maria, Jungfrau und Gottesmutter, Magd und Königin, Braut Gottes und Sinnbild der Kirche, konzentrierte sich die persönliche Frömmigkeit der Fürsten wie der Armen, der Frauen wie der Männer, der Prälaten wie der Mönche. Deshalb stand ihr Bild im Zentrum allen künstlerischen Bemühens. Ihre Darstellung wurde je nach Epoche und Auftraggeberschicht immer neu angegangen. Im Kölner Dom finden wir nicht die einfache Frau des Zimmermanns Joseph aus Nazareth, auch nicht die thronende Gottesmutter und ›Sitz der Weisheit‹ *(Abb. II/46)*, sondern die zierliche Fürstin aus dem Hause Davids und Königin des Himmels, ein Muster an höfischer Eleganz, die sich im Standbild offenkundig besser entfalten ließ als bei der thronenden Figur.

Da Christus und Maria als die schönsten Menschen überhaupt galten, sind ihre Bilder immer auch Verkörperungen des jeweils herrschenden Schönheitsideals. An der Mailänder Madonna fällt auf, daß ein sehr schlanker Frauentypus mit kleinem Kopf bevorzugt wurde. Die Körperformen sind kaum zu erahnen, denn eine adlige Dame zeigte sie nicht, sondern deutete sie über die kunstvolle Drapierung der Gewänder nur an. Im

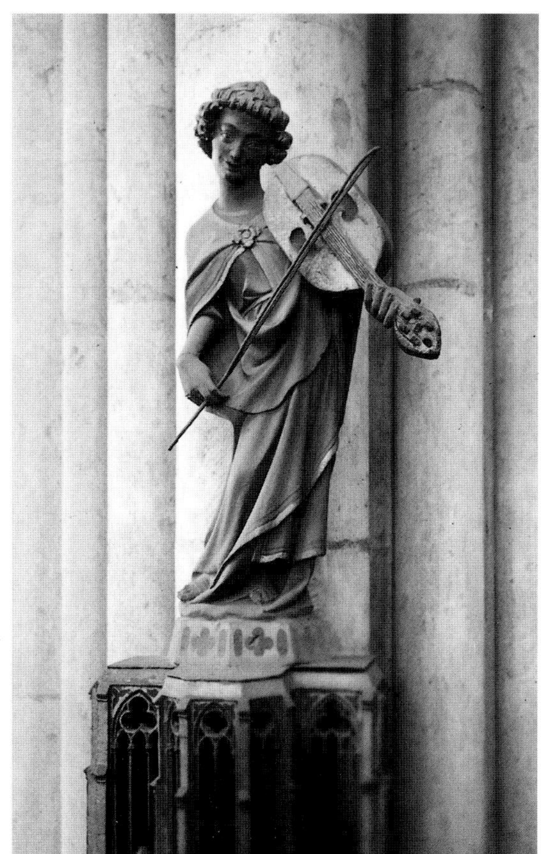

4. Apostel Matthias,
Stein gefaßt, ca. 200 cm,
5. Musizierender Engel,
Stein gefaßt, ca. 65 cm,
Köln, um 1300,
Köln, Domchor

An den Statuen wird deutlich, welche Rolle für die künstlerische Gesichtsbildung die Frisuren und für die Körpergestaltung die Gewandung hat. Auf dieser sowohl abstrakten wie naturnahen Ebene konnten die Bildhauer ihre Kompositions- und Verzierungskunst virtuos entfalten. Die Figuren sind in ein aufwendig verziertes architektonisches System mit Blattkonsole und Baldachin eingefaßt, das insgesamt ca. 5 m hoch ist.

Vergleich mit den Fürstinnenstatuen im Naumburger Dom *(Abb. II/50 u. 51)* hat die Kölner Madonna etwas Geziertes, Verfeinertes. Besondere Mühe ist auf die Gestaltung des Gesichtes verwandt worden: Der Mund ist schmal und klein, ein geometrisch konstruierter Linienzug führt von der geraden Nase in die Bögen der Brauen, die Augen sind mondsichelförmig stilisiert. Mit Hilfe des Moduls der Stirnhöhe wurde das Antlitz in drei gleichhohe Zonen aufgeteilt und mittels zweier Maßeinheiten auch seine Breite bestimmt – auch hier waltet das vom architektonischen Denken bestimmte geometrische Prinzip. Und doch haben wir nicht nur ein künstlerisches und religiöses Ideal vor uns, sondern auch ein gesellschaftliches. Denn nach der damaligen Vorstellung bedingen echter Adel und wahre Schönheit einander. Zwar gab man Maria alle Züge einer höfischen Dame, erlaubte in der Regel aber nicht, daß Gewand, Kopftuch oder Frisur gemäß einer jeweils aktuellen Mode gestaltet wurden. Sie trägt die königliche Tracht des frühen 13. Jahrhunderts, den offenen Schleier und die reich gelockten Haare der Jungfrauen.

Der Bildschnitzer plazierte das Kind sehr hoch, Auge in Auge mit der Mutter, um die von der natürlichen Haltung und Proportion her gegebene Unterordnung des Kindes aufzuheben. Mit inniger Liebe schauen beide einander in die Augen und lächeln sich an, wodurch die mystische Brautschaft verdeutlicht wird. Christus segnet seine Mutter und weist damit auf ihre im ›Ave Maria‹ ausgesprochene Segnung. Überhaupt werden die Betrachtenden trotz der Distanziertheit, die aus der frontalen und bildhaft-flächigen Präsentation entsteht, in hohem Maße einbezogen. Ihr Blick wird durch die zugespitzte Seitwärtsbiegung der Mutter zum Kind geleitet, mehr noch durch den Strom der Falten, der – für unser Auge – von links nach rechts fließt und damit auf das Ziel und den Endpunkt der Verehrung hin: auf das Gotteskind. Von ihm wird der Blick zurück auf die über die Maßen geehrte Mutter, die beste nur denkbare Fürsprecherin in allen Anliegen, geführt. Die Zugfalten in Brusthöhe vollenden diese nicht endende Kreisbewegung wechselseitiger Beziehungen.

Diese Bildwerke sind für eine lange, teils nahsichtige, teils sich verlierende Betrachtung geschaffen: deshalb die Fülle der Ornamente und der symbolisch zu verstehenden Edelsteine; deshalb die subtile Rhythmik der Zugfalten, die in jedem Gewandteil nach einem neuen Takt komponiert, überall aber umspielt wird von den Koloraturen der Saumlinien: deshalb auch das In-der-Schwebe-Bleiben der Gestaltung zwischen Flächigkeit, Plastizität und Linearität. Geschaffen wurde auf diese Weise ein Gebilde, das uns fremdartig und überladen erscheint, den Zeitgenossen jedoch als Werk virtuoser Kunst, überirdischer Schönheit und tiefer Frömmigkeit galt.

Dieselben Bildhauer passten ihren Formenkanon der jeweiligen Aufgabe an. Sie schufen auch die Apostelfiguren an den Chorpfeilern, die nicht ganz so reich ausgeführt sind wie die Madonna. Sie beleben die Monumentalität und Rigidität der Pfeilerdienste durch ihren Rhythmus. Noch einfacher sind die kleinen Engel in den Fialen darüber. Es ist gerade das Mehr oder Weniger an Faltenformen, Säumen, aber auch an Locken, das über die beabsichtigte Ranghöhe Aufschluß gibt.

Am einfachsten gehalten sind die Misericordien (Erbarmen) des Chorgestühls. *(Abb. 6)* Der

*6. **Misericordie am Chorgestühl, Mädchen macht Kopfstand,** Eichenholz, Köln, 1308–1311, Köln, Domchor*

Eine Misericordie ist eine Art Konsole unter dem Klappsitz, die beim Stehen als Stütze dienen kann. Das Motiv des kopfstehenden Mädchens entstammt der zwar sozial niederen, aber dennoch sehr beliebten Welt der Gaukler und wurde hier, begleitet von zwei Eichblättern, kompositorisch sehr geschickt der Konsolform eingefügt.

Name geht darauf zurück, daß ein großer Teil des langen Chordienstes im Stehen stattfand. Um dies zu erleichtern, wurden unter den hochklappbaren Sitzen kleine Konsolen angebracht, die als Stütze dienten. Diese Konsolen waren eine Formgelegenheit besonderer Art: An diesem Ort war es kaum denkbar, geistliche Themen anzubringen. Also wählte man Drolerien (Scherzbilder), spielerische, heitere, gelegentlich auch erotische Figürchen, Sprichworte, Genreszenen und andere Dinge, je nach Laune und Einfallsreichtum der Schnitzer. In dieser ›Unter‹-Welt, zu der auch die Wasserspeier außen, die Dachreiter, die vielen Masken und Konsolen unter den Statuen, Wimpergen und ähnliches gehörten, konnten sich die Künstler frei entfalten und Kritisches, Ironisches, Freches, ja sogar Obszönes unzensiert zeigen.

Der Kunstbegriff der Gotik zeigt sich in diesem Punkt eigenartig gespalten: Der Anspruch eines Kunstwerks wurde von der Ranghöhe des dargestellten Themas bestimmt, sein Kunstwert auch am Formenaufwand gemessen, so daß das Formenreichere – man zählte geradezu die Falten und Schmuckelemente – auch als das Ranghöhere galt. Zugleich aber erschienen weiterhin gemäß der ästhetischen Tradition der Antike Abwechslung (varietas) und Erfindung (inventio) als wesentliche Eigenschaften des Kunstwerks und als Maßstäbe seiner Bewertung. Deshalb gibt es bis zum 15. Jahrhundert, außer in mechanisch vervielfältigenden Künsten wie dem Kleinbronzenguß, keine genaue Wiederholung desselben Werkes, also

*7. **Der tote Christus am Astkreuz,** Holz, Körper 150 cm, Köln, 1304, Köln, Damenstiftskirche St. Maria im Kapitol*

Das Kreuz war für den Kreuzaltar in der Mitte der Kirche bestimmt und somit in besonderem Maße öffentlich zugänglich. Eingebettet in den Corpus waren Reliquien und ein Verzeichnis, auf dem auch das Entstehungsdatum festgehalten ist. Für die Dornenkrone nahm man Taue mit eingesteckten geschnitzten Dornen, d.h. die Natur wird nicht mehr nur nachgeahmt, sondern unverändert integriert. Die Grundidee ist auf die leidenschaftliche Passionsfrömmigkeit italienischer Bettelorden zurückzuführen, die Formulierung selbst wurde von unbekannten Künstlern im Rheinland entwickelt.

8. Drei-Königs-Fenster im Obergaden (Ausschnitt), *um 1310-1320, Köln, Dom*

Das Fenster nimmt den vornehmsten Platz überhaupt ein, die Mittelachse des Obergadens von Sanktuarium und Chor. Die Reliquien der Heiligen Drei Könige waren der größte Schatz des Domes, weshalb die Könige und nicht der eigentliche Dompatron Petrus an diesem Ehrenplatz dargestellt werden. Unter der Szene das Wappen des Kölner Erzstiftes, darüber ein kunstvoll verschränktes, in dieser Form architektonisch nicht umsetzbares System von Baldachinen, Fialen und Wimpergen.

keine Kopie im modernen Sinne, obwohl es die Pflicht gab, sich an alte Vorbilder anzulehnen. Aus diesem Grund war allein schon der Erfindungsreichtum der Misericordien ein Zeichen künstlerischen Ranges. Auf Farbe und Ornamente wurde verzichtet, und die Faltensprache ist einfach gehalten. Doch ist die Ausführung niemals nachlässig oder grob. Die Höhe der Stillage ist also nicht maßgeblich für die künstlerische Qualität, und doch verführte ein niedrigeres sujet oft zu geringerer Anstrengung.

Die Kunst in Köln um 1300 scheint sich leicht in ein System bringen zu lassen. Der Blick auf die von zünftischen Bildschnitzern gearbeiteten Madonnen und Heiligen würde dies noch bestätigen. Und doch trifft dies nur zum Teil zu. Wenige hundert Meter vom Dom entfernt hängt in der hochadligen Damenstiftskirche St. Maria im Kapitol ein 1304 datiertes Astkreuz, das die Zerstörungen am Leib Christi durch die Leidensgeschichte und den Martertod am Kreuz brutal zur Schau stellt und allen Schönheitsidealen der Zeit Hohn spricht. *(Abb. 7)* Unter dem geglätteten, zur Konvention neigenden Erscheinungsbild der damaligen Kunst brodelt eine leidenschaftlich miterleidende, radikal fromme, mystisch irrationale Gesinnung, die immer wieder durchbricht.

Die Glasmalerei

Einzigartig ist der Kölner Domchor durch seinen so gut wie vollständig erhaltenen Glasfensterzyklus. *(Abb. 8 u. 9)* Diese schon durch ihr hochempfindliches und zerbrechliches Material besonders gefährdeten Werke sind Sorgenkinder der Denkmalpflege, da die Schadstoffe in Luft und Regenwasser Schwarzlot-Bemalung, Bleiruten und Glas gleichermaßen zersetzen. Erhalten blieben sie überhaupt nur, weil man Glasmalereien aufs Höchste schätzte und keine Mühen bei ihrer Anfertigung und für ihre Erhaltung scheute. Man überhöhte sie durch eine symbolische Deutung, welche die Fenster mit den Kirchenlehrern verglich, die das Licht der göttlichen Wahrheit in die Kirche hereinlassen, die Mächte des Teufels, d.h. Wind und Wetter, aber fernhalten. Gemäß dem Ort, aber auch der Höhe ihrer Anbringung sind sie unterschiedlich thematisiert und gestaltet. Die gotische Baukunst ist eine architektonische Inszenierung von Licht- und Raumwirkungen. Die Glasmalerei als Kunst des Farblichts entsprach diesem Ziel ästhetisch wie theologisch besonders gut.

Im Mittelachsfenster des Chorobergadens, an vornehmster Stelle, findet sich auf zwei Bahnen das Bild der Anbetung der Heiligen Drei Könige. *(Abb. 8)* Ihre Reliquien waren der höchste Schatz

9 a. ***Moses vor dem brennenden Dornbusch,***
9 b. ***Geburt Christi,***
Ausschnitte aus dem Hauptfenster der Achskapelle, Köln, um 1260–1261, Köln, Dom

Die Glasmalereien befinden sich an ihrem ursprünglichen Ort in der Mittelachse der Achskapelle des Umgangs. Dargestellt sind in der linken Fensterbahn (von unten nach oben) zehn alttestamentarische Szenen, denen rechts die typologisch entsprechenden Ereignisse aus dem Leben Christi zugeordnet sind. Sie sind an einem Stamm aufgereiht, der sich als Verlängerung des Kreuzholzes versteht, und innen von Propheten gerahmt.

---

des Domes. *(Abb. II/45)* In den anderen Hochchorfenstern folgen jedoch nicht weitere Szenen aus dem Leben Jesu, Mariens oder der Heiligen, sondern 48 stehende Könige, ohne Attribute, ohne Inschriften, deshalb auch nicht eindeutig definierbar. Offiziell dürften es die Könige von Juda, also Vorfahren Mariä, sein, doch hatte man schon früh derartige Zyklen an französischen Kathedralen auch anders, als Könige von Frankreich, gedeutet – eine derartige verschleierte Verschiebung der Deutung vom Theologischen zum Politischen lag nahe: Die deutschen Kaiser waren geradezu verpflichtet, auf ihrer Krönungsfahrt nach Aachen dem Kölner Dom einen offiziellen Besuch abzustatten. Sie hatten dort im Chorgestühl auch einen eigenen, besonders hervorgehobenen Sitz. Deshalb enthält das Programm der Kölner Domausstattung viele kirchenpolitische und staatstheoretische Aussagen und Anspielungen.

Gemäß dem allegorischen Sinn bedeutet die Anbetung der Könige, auch ›Epiphanie‹ (Erscheinung des Herrn) genannt, daß die Könige der Welt den neu geborenen Christusknaben als Erlöser und als ›König der Könige‹ anerkennen. Sie vertreten die drei damals bekannten Weltteile Asien, Europa und Afrika und die drei Lebensalter (etwa 60, 40, 20 Jahre), zuweilen auch drei unterschiedliche Temperamente der menschlichen Natur. Ihre Geschenke sind Gold für die Herrschaft Christi, Weihrauch für die Priesterschaft und Myrrhe für den Ofertod am Kreuz. Eine kirchliche Auslegung betonte, daß die Könige Gott opfern, als Vorbild für die Herrscher der Welt, die der Kirche ihr Opfer darzubringen und sie zu erhalten haben. Eine politische Auslegung wiederum unterstrich seit der ottonischen Epoche, daß die monarchische Regierungsform gottgewollt sei und die Könige Stellvertreter Gottes auf Erden.

Beim Entwurf der Fenster dürfte der Dombaumeister tätig geworden sein. Sie folgen den Vorgaben der Architektur, ja denken sie geradezu zu Ende: Die Könige sind von Baldachinen mit Fialen bekrönt, wie die Apostelstatuen unten. Sie werden gerahmt von einer Zierarchitektur, welche die Fialen außen nachahmt. Die Ornamentfelder darüber zeigen Maßwerkmotive und passen sich in die Architektur ein. Die Figuren sind entsprechend der Fenstergliederung zu je zwei Bahnen zusammengefaßt. Es ist eine auffällige Eigenart der Gotik, daß es keine Trennung zwischen Architektur und Ornament gibt. Die architektonische Form selbst ist Zierrat, wenn auch auf höchster Rangebene; deshalb hat auch die Ornamentik Anteil an der symbolischen Bedeutung der Architektur.

Die Herstellung der Fenster war ein komplizierter Vorgang und sehr teuer. Vermutlich wurde ein erster Entwurf auf Pergament gezeichnet und nach seiner Billigung auf Holztafeln im angestrebten Format 1:1 übertragen. Dann war zu bestimmen, wie groß die einzelnen Scheibenteile sein und welche Farbe sie haben sollten. Wegen der Schwierigkeiten damaliger Glashütten, größere Glasflächen zu blasen, kann man sagen: Je größer das Element, desto teurer. Deshalb sind die Hintergründe kleinteilig, die bedeutungsvollen Figuren aber großflächig. Schließlich wurden die Scheibenteile zurechtgeschnitten und verbleit. Zuletzt wurden die Bildfelder in die vorbereiteten Nuten und Eisenarmierungen der Fenster versetzt und befestigt. In luftiger Höhe hatten sie oft großen Winddruck auszuhalten. Doch waren sie erstaunlich elastisch und erwiesen sich über die Jahrhunderte meist als sehr haltbar.

Beim Entwurf war Vieles zu beachten. Die Farbflächen mußten hinreichend kontrastieren. Bei zusammengehörigen Bildfeldern waren die Farben so zu verteilen, daß die Gewichtung stimmte. Die in Schwarzlot gezeichneten Umrißlinien sowie die Bleinähte selbst mußten so dick sein, daß sie bei großer Ferne nicht überblendet und damit unsichtbar wurden. Die Binnenzeichnung hat man in mehreren Schichten aufgetragen, doch war es sinnlos, genau zu werden oder plastisch abzustufen. In Köln beachtete man derartige Faustregeln der Wahrnehmungspsychologie genau: Deshalb sind die Obergadenfenster flächig und stark vereinfacht.

Im Dom finden wir außer der repräsentativen Figurenfolge des Hochchorobergadens im Arkadenbereich erzählende und belehrende Zyklen, so das 1260–1261 entstandene, sogenannte ältere Bibelfenster in der Mitte der Achskapelle des Chorumgangs. *(Abb. 9 a u. b)* Dort gab es ursprünglich nur dieses eine Bildfenster, und abgesehen von kleinen Farbeinsprengseln waren die anderen Scheiben grau in grau gehalten (Grisaillefenster). Entsprechend der größeren Nähe zum Betrachter konnten die Szenen kleinteiliger sein und das Fen-

10. Diptychon mit der Madonna und der Kreuzigung, *Tempera auf Eiche, jeweils 50 x 34 cm, Köln, um 1340, Berlin, Gemäldegalerie SMPK*

Das um 1340 entstandene Gemälde zeigt in der einfachen und dicken Binnenzeichnung sowie in der Flächigkeit seiner Farbgebung die Vorbildlichkeit der Domglasmalerei, aber auch schon die Auseinandersetzung mit der neueren italienischen Kunst. Dies wird nicht nur u.a. an der Pastigliatechnik deutlich, mit der der Hintergrund der Maria verziert ist, sondern auch an dem Motiv der Wurzel Jesse wie überhaupt der Anreicherung mit symbolischen Elementen, die das Marienbild zu einer frühen Form des ›Gemalten Marienhymnus‹ machen. Die Vertiefungen im Rahmen sind zur Aufnahme von Reliquien gedacht. Das Diptychon besitzt noch die Ringe, an denen es aufgehängt war. Die Rückseite ist mit einer Verkündigung bemalt.

11. ***Bischofskrümme,*** *Silber, vergoldet, mit transluziden Emails, Gesamthöhe des Stabs 146 cm, Paris oder Köln, um 1300, Köln, Domschatzkammer*

Köln war ein Zentrum der Goldschmiedekunst, die höchstes Prestige genoß. Derartige Luxuskünste waren jedoch in höchstem Maße international und an Pariser Mustern orientiert, so daß man Werke kaum lokalisieren kann. In den Formen ist die Anlehnung an die Skulptur und Architektur, in der Farbigkeit an die Glasmalerei der Zeit offensichtlich.

ster vollständig ausfüllen. Die beiden Bahnen sind wie eine Buchseite zeilenweise von links nach rechts zu lesen: Links stößt man zuerst auf eine alttestamentarische Szene, rechts daneben auf die typologisch entsprechende des Neuen Testamentes. Dennoch ging man in der Glasmalerei eigene Wege: Entsprechend dem lichten, geistigen Charakter des Materials sollte auch die Wahrnehmung ›anagogisch‹ als Aufstieg zu Höherem verstanden werden. Die Szenen sind also von unten nach oben zu lesen, von der Geburt Mariens bis zum Jüngsten Gericht, dem Ende der Geschichte. Sie sind an einem grünen Stamm aufgereiht, der sich als das lebendig grünende Kreuzesholz der achten Szene erkennen läßt. Dadurch wird die Kreuzigung als Angelpunkt der Erlösung und das Kreuz als Achse der Welt gekennzeichnet. *(Abb. II/18)* Reiche Zier in Rahmen und Zwickeln überhöhen die angestrebte Aussage: Die Rahmenform ist selbst Teil dieser Zier, so daß ein derartiges Fenster wie eine Kette von Schmuckstücken erscheint. Der Bilderzyklus bietet den Betrachtenden in knapper Form eine heilsgeschichtliche Summe des Alten und Neuen Testamentes und zugleich ein künstlerisches Erlebnis eigener Art. Trotz der bemerkenswert großen Einheitlichkeit in Bau und Ausstattung des Doms werden nebeneinander durchaus unterschiedliche Ziele verwirklicht.

Glasmalerei war zwischen 1250 und 1350 die führende Aufgabe der Malerei, an der sich die anderen Gattungen ausrichteten. Dies ist auch daran zu bemerken, daß die Tafelmaler ihre Flächigkeit und Konturierung aufgriffen, die Buchmaler die Hintergrundmusterung, Architekturornamentik und Reihenkomposition. Die Tafelmaler folgten in der plastischen Gewandgestaltung und der Gesichtstypisierung außerdem den Vorgaben der Bildhauer. *(Abb. 10)* Zudem verarbeiteten sie Anregungen aus der byzantinischen Ikonenmalerei sowie Ziermotive und -techniken der Goldschmiedekunst. Bereits damals deutete sich an, daß die Zukunft dem künstlerisch vielschichtigen Tafelbild gehören sollte. Es hatte – naiv gesprochen – auch den großen Vorteil, daß man sich bei ihrer Betrachtung nicht den Hals verrenken mußte. Darüber hinaus vertiefte man sich anders in ein Einzelbild, als in die großen Zyklen der Glas- und selbst der Buchmalerei.

Die Goldschmiede mußten ihre künstlerisch bestimmende Stellung, die sie – gerade in Köln – noch um 1200 innehatten, an die Bildhauer abgeben. Doch behielten sie als unentbehrliche Münzmeister und Hofjuweliere ihren höheren gesellschaftlichen Rang. Allerdings entzogen auch sie sich nicht der Logik und Ästhetik der neuen Bauweise. Sie griffen deren Motive auf, so die Krab-

12. ***Hostienmonstranz,*** *Silber, vergoldet, Emails, 74 cm, Basel, um 1330, Basel, Historisches Museum*

Die sogenannte Scheibenmonstranz kommt aus dem Baseler Münsterschatz und ist der Rundform der Hostie angeglichen. In den 16 Medaillons sind Christus, Maria, die Apostel und zwei Engel zu sehen. Es handelt sich um eines der frühesten Schaugefäße seiner Art.

ben oder Fialen, *(Abb. 11)* und verwandelten die gerade für das damals so bestimmende Schaubedürfnis neu entwickelten Monstranzen und Ostensorien zuweilen in gotische Türme oder kleine Kapellen. *(Abb. 12)* Bezeichnend ist die Erfindung und schnelle Verbreitung des transluziden Emails: In Italien hatte man Emailfarben entdeckt, die beim Brand durchsichtig wurden. Auf Silber aufgetragen entwickelten sie einen milden Glanz, verglichen mit den älteren Emails also eine schöne Lichtwirkung. Sie verdrängten die ältere Technik und es störte wenig, daß man nicht für alle Farben transparente Pigmente besaß, wie etwa für das beliebte Karminrot.

Köln war um 1300 das wichtigste Kunstzentrum des Deutschen Reiches. Seine Ausstrahlung reichte weit, auch weil es eine Hauptstadt des ganz Nordeuropa umspannenden Städtebunds der Hanse war. Aber – anders als in Frankreich – verhinderten die Territorialisierung und das Schwinden der kaiserlichen Macht, daß ein einziges Zentrum vorherrschend wurde. Köln konnte seine Vorrangstellung aber auch deshalb nicht behaupten, weil der Adelsstolz des Domkapitels und der Konservativismus des herrschenden Patriziats, zunehmend abgeneigt gegenüber Veränderungen, auf dem einmal Errungenem beharrte.

Die Reichsstädte

Das 13. Jahrhundert wird bestimmt durch den Aufstieg der Städte. Er ging aus von den römischen Gründungen an Rhein und Donau. Dann begannen die Handelszentren, z.B. in Westfalen, aufzuholen. Heinrich der Löwe hatte Lübeck und anderen Kolonialstädten besonders große Rechte eingeräumt, um ihr Wachstum zu beschleunigen.

Damals standen wegen der Freiheit auf den Meeren weit voneinander entfernte Städte in engerem Austausch als mit den nur einen Tagesmarsch landeinwärts gelegenen Orten. Die Wege – von Straßen kann man eigentlich kaum sprechen – waren erbärmlich, Räuber und Raubritter bedrohten den Verkehr. Zu viele Herren versuchten, über Zölle und Stapelrechte bei den Kaufleuten abzukassieren. Der Seehandel war trotz der natürlichen Risiken und der Piraterie viel einträglicher. Deshalb hat die Küstenkunst einen weiteren Horizont und ist in höherem Maße international. Auf Gotland, der Drehscheibe des frühen, auf Küstennähe angewiesenen Ostseehandels, kann man nebeneinander rheinische Kruzifixe, westfälische Kirchen, englische Madonnen, maasländische Messinggrabplatten, lübische Glasfenster und russisch-byzantinische Wandmalereien kennenlernen. Die Taufbecken der Kirchen des Ostseeraums kamen meist aus Gotland, die an der Nordseeküste aus Tournai in Belgien.

Der Bund der »Deutschen Kaufleute, die nach Gotland fahren« wurde zum größten, berühmtesten und mächtigsten aller Städtebünde, der Hanse. Die Stadt Lübeck wurde bei der Ausrichtung des Fernhandels auf die Ostsee zum Mittelpunkt der Hanse. Sie verband die älteren rheinisch-westfälischen sowie niederländischen Zentren im Westen mit den Absatzmärkten und Rohstoffquellen des Ostens und des Nordens.

Einst slawische Siedlung (von ›liubice‹, die Schöne) und von zwei schützenden Flußläufen eingefaßt, ist die Stadt Lübeck eine Neugründung Heinrichs des Löwen. Wie alle Kolonialstädte hat sie einen regelmäßigen Grundriß: Eine Doppelstraße bildete das Rückgrat, am Nordende lag die (abgerissene) herzogliche Burg und am Südende findet sich noch der bischöfliche Dom; der Fürst hatte auch das Bistum von Oldenburg/Holstein hierher verlegt. Den Stadtkern bildet jedoch der Komplex um das Rathaus. Die Bürger der ersten Freien Reichsstadt Deutschlands (seit 1226) haben an ihrer Stadt planmäßig weitergebaut, so daß eines der eindrucksvollsten Ensembles entstand, das erst vom 20. Jahrhundert in seiner Substanz ernsthaft angegriffen wurde.

Die Seefahrerstädte hatten ein Interesse an aus der Ferne gut sichtbaren und markant gestalteten Türmen, die deshalb nicht wie andernorts die zuletzt errichteten Teile eines Kirchenbaus waren. Der städtische Turm galt seit dem Vorbild von St. Patrokli in Soest als Symbol von Rechtshoheit und städtischer Macht. *(Abb. II/60)* In Lübeck hatte der Rat seine Marienkirche am Markt zuerst mit einer Einturmfassade versehen, diese aber mit wachsendem Selbstbewußtsein durch eine anspruchsvollere Doppelturmfassade ersetzt, nicht zuletzt, um die zweitürmige Domfassade zu

13. Hermen Rode (um 1440–1504), Ansicht von Lübeck, aus der Auffindung der Reliquien des hl. Victor vom Hochaltarretabel, Mischtechnik auf Holz, Lübeck, 1482, Reval/Tallinn/Estland, Nikolaikirche

Das Retabel war eine Stiftung lübischer Kaufleute, die das Bild ihrer Heimatstadt verewigt sehen wollten.

überbieten und damit öffentlich klarzustellen, wer den Vorrang in der Stadt einnahm. *(Abb. 13)*

Die Bürger gestalteten ihre Stadt auf eine Gesamtsilhouette hin. In Lübeck machte man die Ostansicht von der Wakenitz zur Hauptansicht. Das ist bemerkenswert, weil die Traveseite den größeren Hafen hatte und für die Stadt auch sonst wichtiger war. Die Mitte nehmen Rathaus und Marienkirche ein, deren Türme die höchsten sind – und reicher gestaltet als die des Doms; auf der offiziellen Stadtansicht erscheinen diese auf dem ›Ehrenplatz‹ zur Rechten. Die Einzeltürme ordnen sich unter, haben aber jeweils ein eigenes Profil, das im Barock noch bereichert wurde: der Petrikirchturm zur Rechten von St. Marien ist aufwendiger, der Jakobikirchturm zur Linken einfacher. Zu beachten sind die spitzen Türmchen (die sogenannten Riesen) der Rathausfassaden. Sie wurden zum architektonischen Zeichen städtisch-weltlicher Herrschaft, zitiert z.B. am städtischen Spital (links von St. Jakobi). Zuguterletzt ist auf die Stadttore zu verweisen, von denen nur die große Anlage des Burgtores rechts dargestellt ist, während das Holstentor auf der Traveseite erst im 19. Jahrhundert zum Markenzeichen wurde. Das ›Silhouettenbild‹ wollte also ein Abbild städtischer Rangordnung sein und zugleich schön: »Lubeke aller steden schone, van rieken ehren dregestu die krone«, befand schon ein spätmittelalterlicher Chronist.

Der Rathausplatz war Markt- und Handelsplatz, diente aber auch als Schauplatz städtischer Repräsentation und anderer Ereignisse. *(Abb. 14)* Das Rathaus wuchs aus der Tuch- und Verkaufshalle hervor, wurde jedoch im Laufe der Jahrhunderte ausgebaut und ausgeschmückt. Eine Schauwirkung strebte man allerdings schon früh an und setzte die Fassade mit den Riesen als neuartige Zeichen. Die Anlage bezieht neben der Platzbebauung die Marienkirche mit ein und macht sie zum Gipfel der Baugruppe. Denn auch ein bürgerlicher Rat stellte sich in erster Linie über seinen Kirchenbau dar und repräsentierte sich selbst im Gottesdienst sowie den zugehörigen Prozessionen. Darin folgte

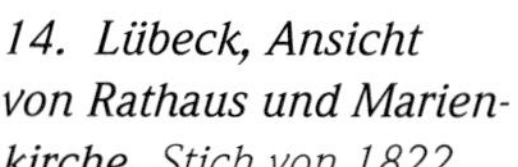

14. Lübeck, Ansicht von Rathaus und Marienkirche, Stich von 1822

Der Hauptbau in der Mitte zeigt den Renaissance-Bau von 1570–1571, rechts davon ist die Kriegsstube zu sehen, die nach 1442 entstand. Dazwischen liegen die Hallen für den Verkauf, links vorne der Pranger, an dem Verurteilte öffentlich ›angeprangert‹ wurden. Die Lauben darunter dienten dem Butterverkauf.

15. ***Lübeck, Marienkirche,*** *Blick in das Gewölbe*
Der Krieg hat die Ausstattung zerstört, bei der Restaurierung jedoch konnten große Teile der ursprünglichen Bemalung freigelegt werden. Die Bemalung hebt die Architekturgliederung hervor, suggeriert jedoch einen Quaderbau. Neuartig ist, daß Schmuckmotive des Außenbaus, wie die Fialen, hier im Inneren verwendet werden.

er wie selbstverständlich kaiserlicher Tradition. Man darf den Unterschied zwischen patrizischem und adligem Verhalten nicht zu groß annehmen. Die Bürger ahmten jahrhundertelang den Adel nach und versuchten seit dem 15. Jahrhundert sogar, mit dem Kauf von Rittergütern auch Adelstitel zu erwerben.

Die Marienkirche ist eine der längsten (103 m) und höchsten (39 m) Kirchen ihrer Zeit. *(Abb. 15)* Man errichtete zuerst eine Halle in der Art der westfälischen Partnerstädte, unter Verwendung von Formen der älteren welfischen Architektur, z.B. den Pfeilern mit Kantensäulen, *(Abb. II/56)* stockte sie aber nach 1277 nach dem Vorbild des Domes in Köln zur Basilika auf und steigerte somit die Ansprüche auf das höchste damals denkbare Niveau. Im Gegensatz zum Kölner Vorbild wurde die Kirche allerdings recht schnell vollendet (bis um 1320–1330). Dies war nicht zuletzt deshalb möglich, weil neben den Kapellen und dem Bauschmuck auch der Grundriß einfacher war. Zum schnellen Bauen trug auch der Backstein bei, den man in großen Mengen zu produzieren und routiniert zu verarbeiten gelernt hatte.

Backstein galt lange als Ersatzmaterial, das man nur gebrauchte, solange man keine besseren Steine finden oder sich leisten konnte, oder, wenn man wie die Reformorden Bescheidenheit demonstrieren wollte. Dies ist zunächst auch in Lübeck so: Die Ecksteine der Türme sind riesige Granitquader aus Findlingen oder Steinbrüchen der dänischen Insel Bornholm, für Bauzier gebrauchte man Baumberger Sandstein aus dem Münsterland oder Material aus Gotland. Backsteinflächen wurden außen farbig geschlämmt, innen aber verputzt und bemalt, und zwar mit einem Fugennetz, das die Verwendung großer Quader vortäuschte. Doch anerkannte man bald die eigenartige Ästhetik dieses Werkstoffs und schuf mit dem Wechsel von scharf gebrannten (versinterten, also schwärzlich und violett erscheinenden), glasierten und einfachen Backsteinen eine bezeichnende Bauzier. Nach und nach entwickelte man eine diesem Material angemessene Gestaltungsweise und betrachtete es nicht mehr nur als notwendiges Übel. Damit machte man zugleich einen wesentlichen Schritt über die französische Gotik hinaus.

Die Stadt organisierte die Ziegelproduktion und setzte die Brandschutzbestimmung durch, wonach auch Privathäuser aus Stein errichtet werden mußten, nicht aus Holz. Schon im 13. Jahrhundert wurde das Lübeck bestimmende spitzgieblige Kaufmannshaus geprägt, das auf handtuchartig zugeschnittenen Grundstücken errichtet wurde, das sogenannte Dielenhaus. Kennzeichnend ist die große, hohe Diele im Erdgeschoß für das Aufstapeln und den Verkauf der Waren, oft mit ausgegliederter Schreibstube, mit Alkoven für die Bediensteten usw. Darüber lagen bis zu fünf Speichergeschosse, die über Öffnungen im Giebel bedient wurden, was die Giebelform zum Normtyp für Häuser dieser sozialen Schicht machte. Auch ohne Baugesetzgebung sorgte der soziale Anpassungsdruck für hohe Einheitlichkeit der Erscheinung, die erst seit Mitte des 18. Jahrhunderts durchbrochen wurde. Gewohnt wurde in rückwärtigen Seitenflügeln. Die rückwärtigen Teile der Grundstücke waren oft mit kleinen Häusern bebaut, sogenannten Gängen und Buden, die jedoch meist eigene Eingänge hatten. Daneben gab es Stiftungshöfe, in denen auch verarmte Witwen und Pensionäre untergebracht waren.

Baukunst und Bildkünste in den kolonisierten Gebieten

Die Erschließung der östlich der Elbe gelegenen Gebiete wurde nicht allein von der Hanse getragen. Im Landesinneren waren es Bischöfe und Fürsten, wie der Markgraf von Brandenburg, welche Siedler aus den Ländern mit Bevölkerungsüberschuß holten, besonders gerne wasserbaukundige Flamen und Holländer. Doch halfen bei der Kolonisierung auch die Orden der Zisterzienser und Prämonstratenser.

In Preußen schuf der Deutsche Ritterorden seit den 1230er Jahren einen eigenen militärisch-geistlichen Ordensstaat. Dieses Land zwischen dem seit langem katholischen Polen und dem sächsischen Elbgau hatte noch bis dahin hartnäckig an der alten Religion festgehalten. Als letzte wandten sich nach der Mitte des 14. Jahrhunderts die Litauer dem Christentum zu, dann aber in Anlehnung an Polen. Denn die ›Christianisierung‹ geschah mit Feuer und Schwert und war Teil der territorialen

Expansion Deutschlands. Doch wurden auch künstlerische Überredungsmittel eingesetzt: Als der Deutsche Orden den ersten großen Preußenaufstand 1230 niedergeschlagen hatte, verpflichtete er im Friedensvertrag die Einwohner, »dreißig schöne neue Kirchen zu errichten, damit sie lieber in diesen Bauten als in den Wäldern ihre Gebete verrichten.« Die Monumentalität und Bildmacht von Statuen wie der Anna Selbdritt in Stralsund *(Abb. 16)* ist auch dadurch zu erklären, daß man den auf Rügen und im Rügener Umland lebenden Slawen, die die Verehrung großer Kultbilder gewöhnt waren, eine christliche Alternative bieten wollte.

Die Künstler, die aus Lübeck und anderen westlichen Zentren berufen wurden, konnten in den neuen Ländern Projekte verwirklichen, die ihnen in ihrer alten Heimat nicht zugestanden worden wären. So ist es kein Zufall, daß die Hochaltarretabel zuerst in den neuen Ländern jene Monumentalität erhielt, die wir heute mit der Bildaufgabe des geschnitzten spätgotischen Retabels verbinden. In ihnen wurden reiche Bildprogramme entfaltet wie zuvor nur in der Apsisaus-

16. Statue der Anna Selbdritt, *um 1250–1270, 224 cm, Stralsund, St. Nikolai*

Die streng und hoheitsvoll konzipierte Statue ist, wie die kleinen viereckigen Öffnungen auf der Brust von Anna und Maria ausweisen, Träger von Reliquien gewesen, wodurch ihre Bildmacht erheblich gesteigert wurde. Der Zulauf war so groß, daß die Kirche Tag und Nacht offen war, die Figur aber eigens bewacht wurde.

17. Kelchschrank, *außen, um 1280, Doberan, Zisterzienser klosterkirche*

Der Schrank stand ehemals neben dem Hochaltarretabel, eingelassen in die den Chorbereich abschrankende Mauer. Die Malereien innen zeigen den alttestamentlichen Patriarchen Melchisedech und Abel, den Sohn des Urelternpaares, als Vorbilder des eucharistischen Opfers. Sie sind lübisch geprägt. Das dezimierte Äußere zeigt ein triumphales Bildprogramm mit der Marienkrönung, Aposteln und Propheten, die auf die marianischen Geheimnisse weisen; künstlerisch sind die Reliefs der Pariser Elfenbeinskulptur nach der Mitte des 13. Jh. verpflichtet.

18. ***Chorin, Zisterzienserkirche,*** *Westfassade, 1273–1309*

Zwischen 1273 und ca. 1309 wurde die Kirche als Grablege der askanischen Markgrafen von Brandenburg gebaut. Rechts neben der Fassade befanden sich eine Kapelle und andere Räume der Fürsten. Das erklärt die Asymmetrie und den für Zisterzienser auffälligen Schmuckreichtum der Fassade. Das Turmverbot des Ordens wird zwar gewahrt, doch sind die Strebepfeiler mit den Treppenspindeln jedoch turmartig ausgebaut. Selbst die Einzapflöcher für die Gerüste sind dekorativ angeordnet.

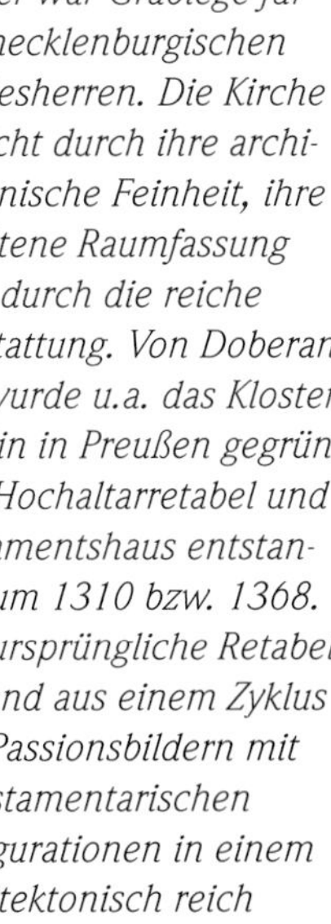

19. Doberan, Zisterzienserklosterkirche, Choransicht mit Hochaltarretabel 1294–1368

Als Vorbild diente die bischöfliche ›Mutterkirche‹ in Schwerin, für diese wiederum die Marienkirche in Lübeck. Das Kloster war Grablege für die mecklenburgischen Landesherren. Die Kirche besticht durch ihre architektonische Feinheit, ihre erhaltene Raumfassung und durch die reiche Ausstattung. Von Doberan aus wurde u.a. das Kloster Pelplin in Preußen gegründet. Hochaltarretabel und Sakramentshaus entstanden um 1310 bzw. 1368. Das ursprüngliche Retabel bestand aus einem Zyklus von Passionsbildern mit alttestamentarischen Präfigurationen in einem architektonisch reich durchgebildeten Rahmen. Um 1368 wurde das Retabel unten um eine Reihe von Aposteln und Heiligen aufgestockt, so daß es nun fast die Gesamthöhe von 10 m erreicht. Zugleich errichtete man das Sakramentshaus als ein 11,60 m hohes, zierliches Fialtürmchen sowie einen aufwendigen Kreuzaltar an der Schranke vor dem Mönchschor.

malung oder an Figurenportalen. Sie dienten der kultischen Inszenierung der Liturgie, des Sakraments sowie der Reliquien, entsprachen aber damit auch dem Schaubedürfnis der Menschen. *(Abb. 17)*

Die Zisterzienser hatten in den Kolonisierungsgebieten ideale Voraussetzungen für ihr Ordensziel gefunden: landwirtschaftliche Rodung und Arbeit in Einsamkeit. *(Abb. 18 u. 19)* Doch standen sie dabei in der Regel unter Kontrolle der Landesherren, die diese Abteien zwar großzügig ausstatteten, sie aber auch als Eckbastionen ihrer Herrschaft ansahen. Die Abteikirchen wurden oft größer als die benachbarten Kathedralen, vor allem, wenn sie auch als fürstliche Mausoleen gedacht waren. Die Zisterzienser handhabten die Backsteinbaukunst meisterhaft, und in der Verbindung einfacher Grundform mit perfekter Ausführung wurden sie Lehrmeister für viele, nicht zuletzt für den Deutschen Orden. Auch in der Ausstattungskunst schufen sie Werke von seltener Vollendung.

Der Deutsche Orden hieß offiziell: Orden der Ritter des Hospitals St. Marien des Deutschen Hauses (oder der Deutschen) zu Jerusalem, kurz Deutschherren. Das Heilige Land ist sein Ursprungsort und die Krankenpflege sein ursprünglicher Zweck. 1198 wurde er zu einem geistlichen Ritterorden, der als Gebieter nur den Papst und den Kaiser anerkannte. Seine eigentliche Geschichte begann aber erst, als Herzog Konrad von Masovien ihn zur Bekämpfung der heidnischen Pruzzen ins Land holte. Im März 1226 erhielt der Orden von Kaiser Friedrich II. das Recht, das von ihm eroberte Land als Reichslehen in Besitz zu nehmen. Das war der Auftakt zu einem der sonderbarsten Gebilde der europäischen Geschichte, des Ordensstaates Preußen.

20. Rehden/Radzyn Chełminski/PL, Ruine der Ordensburg, *um 1300*

Die nie restaurierte Burgruine zeigt den Urtypus der Deutschordensburg, ein Geviert mit Ecktürmen, um die hölzerne Laufgänge führten. Er fußt auf Erfahrungen, die man im Heiligen Land mit Befestigungswerken gemacht hatte, letztlich aber geht dieser Bautypus auf den römischen Ingenieur und Theoretiker Vitruv zurück. Das Mauerwerk ist zweischalig und von Laufgängen durchzogen. Vor dem Mittelportal war ursprünglich ein Fallgitter angebracht. Die Burgkapelle ist in die Hauptfassade integriert. Die Außenmauer ist sehr sorgfältig gegliedert und durch ein Rhombennetz verziert, das aus versinterten, d.h. stark gebrannten und dadurch dunkleren, Backsteinen gebildet ist.

Dieser geistliche Militärstaat überzog das ganze Land planvoll mit einem Netz von großen Burgen, die vorzüglich gebaut waren. *(Abb. 20)* Nachdem 1291 Akkon (im Libanon) und mit ihm der bisherige Sitz des Hochmeisters in islamische Hände gefallen war, wählte man schließlich 1309 die Marienburg im Mündungsbereich der Weichsel als Hauptsitz. *(Abb. 21)* Ein Jahr zuvor hatte man das Herzogtum Pomerellen mit der Stadt Danzig gekauft und damit neben Elbing einen zweiten wichtigen Seehafen gewonnen, außerdem die Landbrücke nach Deutschland hergestellt. Daß man damit Polen vom Meer abriegelte, ist der Ursprung der die weitere Geschichte des Landes bestimmenden Streitigkeiten.

Der Orden besaß außerhalb des Ordenslandes viele Niederlassungen, vor allem in Mitteleuropa, meist Spitäler. Sie bildeten eine eigene Organisa-

tion und standen unter der Leitung des Deutschmeisters. Der Nachwuchs für den Ordensstaat kam meist aus Nieder- und Mitteldeutschland. Da er den Hauptteil seiner Einkünfte über den Handel erzielte, war der Horizont des Ordens ähnlich weit wie der anderer Ostseemächte, zumal der Hanse. Der hohe Klerus und die anderen Klöster standen unter der Oberaufsicht des Hochmeisters. Diese ging so weit, daß er nicht nur den Städten die Errichtung von Türmen versagte, sondern auch den Domstiften, daß er zum Beispiel in der Jakobskirche in Thorn ein Benediktinerinnenkloster gründete, andererseits aber die Niederlassung von Zisterziensern verhinderte. Er konnte auch durchsetzen, daß in den Domstiften zum Teil zisterziensische Formen verwendet wurden. *(Abb. 22)*

Mit Hilfe der zahlreich zuströmenden Siedler wurde schnell ein straff organisierter Staat mit einem Netz von Städten und Dörfern geschaffen, und die Wirtschaft blühte auf. Die Deutschherren, die adlig dachten, aber keine familiären Interessen haben konnten, da sie nichts zu vererben hatten, nutzten ihren Reichtum für die Errichtung unzähliger Kirchen, Burgen, Wirtschaftshöfe oder Mühlen. Dabei baute man zweckmäßig und schlicht, zugleich aber großzügig und monumental. Es gibt im Deutschen Reich aus dieser Zeit nichts den Dorfkirchen des Ordenslandes an Schönheit und Pracht Vergleichbares. Der Backsteinbau erreichte ein bis dahin nicht gekanntes Niveau. Mit Hilfe der Einsetzung glasierter und versinterter Steine wurden reizvolle, großflächige Muster geschaffen. Sockel, Pfeiler und Ecksteine meißelte man aus Granit. Für Kapitelle und Figürliches griff man bevorzugt zu Stuck. Dabei stellte man auch gern Drolerien und Szenen aus Heldenepen dar. Anfangs orientierte man sich an der westeuropäischen ritterlich-höfischen Kultur, ab Mitte des 14. Jahrhunderts eher an der luxemburgischen Hofkunst in Prag.

__21. Ansicht des großen Remters der Marienburg/Malbork/PL,__ 1278-1393, Friedrich Frick nach Friedrich Gilly (1772–1800), 49 x 36 cm, gezeichnet 1796, gestochen in Aquatinta 1797

Den baukünstlerisch bedeutendsten Teil des Schlosses bilden die großen Säle, Räume von großer Weite. Von zierlichen, achteckigen Granitsäulen gehen Rippengewölbe aus, die aus Dreistrahlen komponierte Sternformen zeigen. Den Typus kennen wir von Kapitelsälen des Zisterzienserordens, aber auch von Bauten König Ottokars II. von Böhmen (reg. 1253–1278), dessen Einfluß im Osten Mitteleuropas groß war. Wahrscheinlich stammt die Einwölbung jedoch erst aus den Jahren 1334–1344. Das Ordensschloß ist eine Dreiflügelanlage, die sich um einen großen Innenhof mit zwei Stockwerken von Arkaden gruppiert. In ihr residierten die Ordensritter. Die großen Säle nutzte man für die zentralen Ordensversammlungen und gab es eine große doppelstöckige Kapelle, Zeichen fürstlichen Anspruchs.

__22. Königsberg/Kaliningrad/GUS, Ansicht des Domchores,__ Stich nach J.C. Schultz, um 1840

Der Bischof der Diözese Samland war vom Orden abhängig. Der gerade Chorschluß des ältesten Chorteils (um 1325) bezeugt eine in den Kolonialgebieten häufige Anlehnung bischöflicher Architektur an die der Zisterzienser (so auch in Breslau) und gibt dem Bau zugleich festungsartigen Charakter. Der bis 1340 reichende Umbau greift in Maßwerk und Netzgewölbe auf englische Vorbilder zurück (Kathedrale von Lincoln). Königsberg gehörte der Hanse an. Nachdem sich der Ordensstaat von der Kirche gelöst hatte, wurde der Chor zum Mausoleum der hohenzollernschen Herzöge.

Die Baukunst am Oberrhein seit Kaiser Rudolf I. von Habsburg

Von 1247–1273 war das Deutsche Reich ohne allgemein anerkannten Herrscher. Die Auflösung in selbständige Territorien machte schnelle Fortschritte: die niederländischen und andere westliche Fürstentümer wurden dem Reich entfremdet und gerieten unter französischen und englischen Einfluß, und im Osten bildete sich das Königreich Böhmen zum weitgehend selbständigen Staat um. Auf Betreiben Papst Gregors X., der

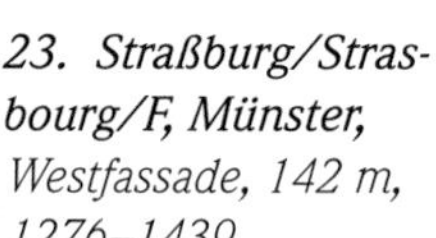

23. Straßburg/Strasbourg/F, Münster, *Westfassade, 142 m, 1276–1439*

Bis zum 19. Jahrhundert war der Turm des Straßburger Münsters das höchste Gebäude der Welt. Der Fassadenblock überragt das Langhaus weit. Es ging also nicht um eine Widerspiegelung des Inneren im Äußeren, sondern um die Schaffung eines Monumentes, das den ehrgeizigen Anspruch der Stadt ausdrücken sollte. Wesentliche Teile sind dem Baumeister Erwin von Steinbach zu verdanken, die Planung des Turmes Ulrich von Ensingen, die Vollendung des Baus dem Kölner Johannes Hültz. Den eigentlichen baukünstlerischen Ruhm der Fassade macht jedoch die ›Bespannung‹ des Mauerwerks mit einer mehrschichtigen filigranen Struktur aus, die sich reichlich des Eisens bedient.

24. ›Fürst der Welt‹ und ›Törichte Jungfrauen‹, Sandstein, der Fürst: 167 cm, um 1290–1300, Straßburg/Strasbourg/F, Münster, Westfassade

Die Übernahme der Bauhütte durch das Bürgertum führte zur Umplanung der Bildausstattung. Von der ersten Planungsphase sind die Sockelreliefs mit den Tierkreiszeichen erhalten, Bestandteil eines kosmologischen Programms der Kathedraltradition. Das Bürgertum bevorzugte moralisierende Bildzyklen, die vor den Verführungen der Welt warnen sollten und die gleichzeitig das höfische Beziehungsmuster zwischen Mann und Frau karikierten.

den Kaiser zur Herstellung des politischen Gleichgewichts in Italien gegen das französische Königshaus der Anjou benötigte, wurde endlich im Jahr 1273 der bejahrte Rudolf I., Graf von der Habsburg im Schweizer Aargau, zum König gewählt. Er war tatkräftig. Seine geringe Hausmacht konnte er im Laufe seiner Regierung durch den Erwerb großer Teile des heutigen Österreich im Wettstreit mit Ottokar II. von Böhmen vervielfachen.

Mit den Habsburgern und den sich bis 1430 mit ihnen abwechselnden Dynastien der bayerischen Wittelsbacher und der Luxemburger, die sich in Böhmen festsetzten, verlagerte sich das Zentrum der Macht und Kultur in den Südosten Deutschlands. Keine dieser Dynastien vermochte ihre Herrschaft auf das ganze Reich auszudehnen oder gar die territoriale Aufsplitterung rückgängig zu machen. Mit der Konzentration ihres Handelns auf die eigenen Länder werden sie selbst Teil der Regionalisierung von Politik und Kultur, ohne deshalb den kaiserlichen Anspruch aufzugeben.

Die neue Lage läßt sich an der Kunst ablesen: Die Straßburger Bürger hatten 1262 das Heer ihres Stadtherren, des Bischofs, vernichtend geschlagen und ihn vertrieben. Die Freie Reichsstadt eignete sich auch die Verfügungsgewalt über das bischöfliche Münster an. Der seit 1276 betriebene Neubau der gewaltigen Westfassade ist daher als ein Monument bürgerlicher Repräsentation zu verstehen. *(Abb. 23)* Die Stadtväter stellten die Baumeister ein, unter denen es Erwin von Steinbach zu großem Ruhm brachte. An der Fassade errichteten die Bürger auch ein Reiterstandbild Kaiser Rudolfs I. und dreier älterer Herrscher, als Demonstration ihrer unmittelbaren Zuordnung zum Reich. Rudolf, der der Stadt lange als Heerführer gedient hatte, betrachtete seinerseits Straßburg als Ersatzhauptstadt, ohne je wesentliche Rechte dort zu besitzen. Doch hat dies zur Verbreitung Straßburger Architektur und Kunst nicht wenig beigetragen. Straßburg wurde im Süden, was Köln im Norden war.

Die Münsterfassade ist harfengleich mit Stab- und Maßwerk überspannt, was ihr trotz der Wuchtigkeit des Mauerwerks den Charakter größter, nahezu unwirklicher Leichtigkeit verleiht. Dabei setzte man Eisen in einem zuvor nie gekannten Ausmaß ein. Die Straßburger Bauweise orientiert sich an den Neuerungen der Querhausarchitektur der Pariser Kathedrale Notre-Dame, verändert die Vorbilder aber stärker, als es am Kölner Dom geschah. In der Formerfindung war man in Straßburg innovativer, in der Konstruktion wagemutiger. Die größte aller erhaltenen gotischen Fensterrosen mit einem Durchmesser von 21 Metern, die um 1285 vermutlich von Erwin von Steinbach entworfen wurde, weckt im Zusammenklang mit der Zwickelverblendung beim Betrachter den Eindruck, als würde sie sich drehen.

Die Drei-Portal-Anlage folgt französischen Vorbildern. Ein geistreicher Einfall ist die Folge von Fialen auf dem Wimperg, die zugleich Platz für die Figuren eines Thrones Salomos bieten, ein beliebtes biblisches Thema mit royalistischem Beigeschmack. Bürgerlich frommes Empfinden füllte das Tympanon des Hauptportals mit einem Passionszyklus und stellte an den Gewänden der Seitenportale moralisierende Statuenreihen auf. Der geckenhaft-höfische ›Fürst der Welt‹ – vorne hübsch, hinten von Kröten, Schlangen und Würmern zerfressen – führt die ›Törichten Jungfrauen‹ an, Christus die Klugen. *(Abb. 24)* Dies ist ein herrschaftskritischer Denkansatz, wie er nur in einer selbstbewußten Stadt möglich war. Auch künstlerisch setzten sich die Straßburger Bildhauer stärker über Konventionen hinweg als die Kölner. Sie sind expressiver und erfindungsreicher.

Auf der anderen Seite des Rheins entstand etwa gleichzeitig das Freiburger Münster als gräfliche und städtische Kirche. *(Abb. 25)* Seinen eigentlichen Ruhm macht der Turm aus. Auf den quadratischen Unterbau folgt – mit geschickt komponierten Übergängen und Kontrasten, u.a. einer sternförmigen Galerie – die achteckige, völlig durchbrochene Spitze: Ein derartiges Maßwerkgebilde ist zwecklos, denn es hält den Regen nicht ab – es ist Architektur um der Architektur willen, ein Versuch der Straßburger Fassade künstlerischen Witz und Neuartigkeit entgegenzusetzen. Die Verlagerung des Wettbewerbs zwischen den Städten auf eine eher künstlerische Ebene hatte größte Folgen für die weitere Geschichte der Architektur: Man löste sich in Süddeutschland schnell von den französischen Vorbildern und entwickelte, ähnlich wie in England oder in Katalonien, eine eigenständige, kreative Gotikauffassung.

Das Langhaus der Katharinenkirche in Oppenheim, ein Bau des Mainzer Erzbischofs, ist nicht nur wegen seiner Schaufassade im Süden mit der Folge großer, das Rosenmotiv variierender Fenster von künstlerischem Reiz. *(Abb. 26)* Bemerkenswert ist auch die eigenwillige Raumlösung: Die Seitenschiffe werden breiter und höher gestaltet, das Mittelschiff aber niedriger, unter Verzicht auf das Triforium. Dadurch entsteht eine neuartige Weitung des Raumes. Ursprünglich waren innen

25. Freiburg i. Br., Turm des Münsters,
115 m, um 1260 – um 1330

Die Freiburger waren zwar mit Straßburg verbündet, aber die Städte standen auch in Konkurrenz zueinander. Der Münsterbau war sowohl Stadtpfarrkirche als auch gräfliche Stiftskirche, seine öffentlichen Funktionen sind entsprechend zahlreich: Im Kriegsfall fanden sich an fest vereinbarten Plätzen der Außenpfeiler die nach Zünften geordneten Truppenkontingente der Bürger ein. An der Tür sind aber auch Eichmaße zu finden oder Erinnerungsmale an die große Hungersnot von 1317. Der Turm überdacht eine Vorhalle mit einem figurenreichen Bildprogramm, das der Andacht wie der Belehrung dient. Außen stehen in Nischen Statuen der Herzöge von Zähringen bzw. der Grafen von Freiburg in Richterpose, als Zeichen ihrer Herrschaft über die Stadt, doch auch zur Kennzeichnung der Turmhalle als Gerichtsstätte.

*26. **Oppenheim, Katharinenkirche,** Südfassade, 1317–1333*
Die Katharinenkirche war eine Stiftskirche und stand unter Obhut des Mainzer Erzbischofs, der hier am Südrand seines Herrschaftsbereichs über den Weinbergen der Stadt eine besonders anspruchsvolle Kirche errichtete, wobei die Südseite des Langhauses als Fassade ausgestaltet wurde. Das Rosenfenster, das sonst eher als Einzelmotiv diente (Abb. 22 u. II/38), wird hier mehrfach kunstvoll variiert und damit Erfindungsreichtum demonstriert. Daß es vor allem als architektonisches Schmuckmotiv zu verstehen ist, erweist sich u.a. daran, daß die Rosen keinen figürlichen Fensterschmuck erhielten.

unter den Fenstern noch kleine Emporengalerien angebracht, die die Vielfalt des Raumbildes noch mehrten.

Die Veränderung des architektonischen und künstlerischen Denkens ging nicht allein vom Straßburger Münsterbau aus, denn bei ihm mußte man sich an den gegebenen Entwurf halten. Dennoch wurden an der Dombauhütte weiterhin neue Ideen und Konzepte entwickelt. Es bildeten sich zwei neue Hauptaufgaben architektonischer Erfindung: Die eine betraf die große Predigthalle, umgesetzt in den großen Bettelordenskirchen, so der Dominikaner in Colmar, *(Abb. 27)* aber auch in den städtischen Hallenkirchen wie Schwäbisch-Gmünd. *(Abb. 42)* Noch wichtiger für architektonische Innovationen waren Kapellenbauten, Sakristeien und andere Sonderräume, wie das Sommerrefektorium der Zisterzienserabtei Bebenhausen bei Tübingen. *(Abb. 28)* Man verzichtete auf die traditionelle Unterteilung des Raumes in Jochzellen oder auf die Hierarchisierung der Rippen. Zwei Säulen tragen je ein palmenfächerartiges Gewölbe, das sich in eine Folge von Drei-

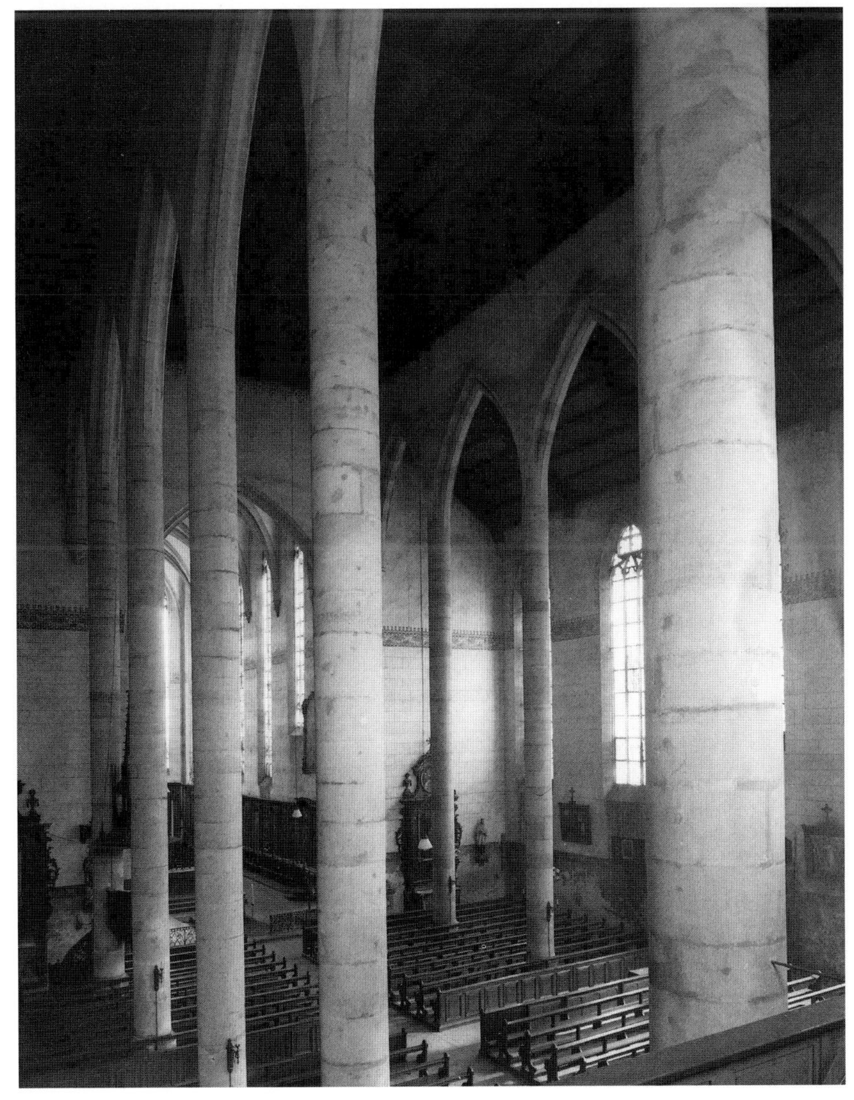

*27. **Colmar/F, Dominikanerkirche,** Inneres, 1283–um 1330*
Der Grundstein wurde 1283 in Anwesenheit von Kaiser Rudolf I. von Habsburg gelegt. Gewölbt ist nur der Chor- und Sanktuariumsbereich, was den symbolischen Charakter der Wölbung verdeutlicht. Die Schlankheit der Langhausstützen erlaubt gute Sicht von allen Plätzen. Große Teile der ursprünglichen Glasgemälde sind noch erhalten.

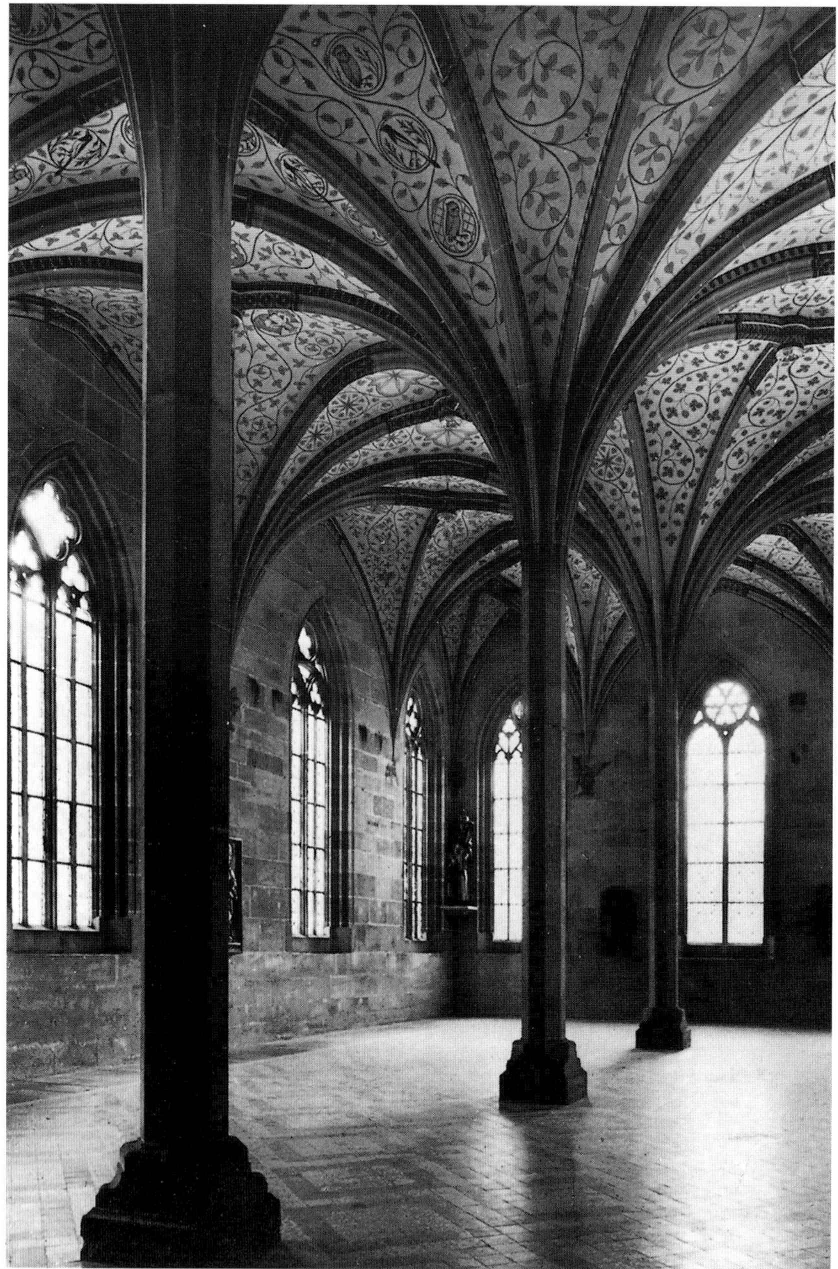

***28. Bebenhausen bei Tübingen, Zisterzienserkloster,** Sommerrefektorium, um 1330*
Der Anstoß zum Neubau kam vom Grafen von Württemberg , dem das Kloster eng verbunden war. Die höfische Architektur folgt der Hofkunst Kaiser Ludwigs des Bayern, Raumfassung und Ausstattung sind teilweise noch erhalten.

strahlgebilden auflöst. Raumweite und größere Helle wurden dadurch gewonnen; Asymmetrien erlaubten Rhythmisierung, und man ersetzte die Gleichmäßigkeit der Reihen von Architekturgliedern durch neuartige Kompositionen, die Spannungen zwischen den glatten Wandflächen und den kristallin prismatisch gebildeten Profilen oder Pfeilern schufen. In dieser Epoche behielt die Baukunst weiterhin ihre Führungsrolle.

Der ›dolce stil nuovo‹ und die neuen Themen in den Bildkünsten

Kaiser Rudolf zeigte sich bürgernah. Er trug in der Öffentlichkeit schlichte Kleidung. Seine größten persönlichen Stiftungen gingen an städtische Bettelordenskirchen. Bezeichnenderweise wurde die für seinen Sohn, den 1308 ermordeten König Albrecht I., errichtete Gedächtniskirche in Königsfelden Franziskanerinnen übergeben. *(Abb. 29 u. 30)* Dies war nicht nur Teil einer Politik popularitätsheischender Bescheidenheit. Die Förderung der Frauenklöster bezeugt die Neigung zu einer auf das persönliche, mystische Erleben ausgerichteten Frömmigkeit.

Die seit dem 12. Jahrhundert aufwallende Weltfluchtbewegung der frommen Frauen hatte man damals in geregelte Bahnen gelenkt, vor allem durch die Beschränkung der Schwesternzahl, außerdem hatte man die Betreuung durch geistliche Berater verbessert. Inspiriert von Lehrern wie Meister Eckart, Tauler und Seuse entwickelte sich vor allem in den süddeutschen Dominikanerinnenklöstern eine breite mystische Bewegung und eine eigentümliche, zarte Kultur.

In der Skulptur kam es zu einigen der einprägsamsten Bilderfindungen der Epoche, so dem Schmerzensmann, dem gegeißelten Heiland, dem Vesperbild oder der Christus-Johannes-Gruppe. Adressaten waren in erster Linie die Schwestern selbst. Die Christus-Johannes-Gruppen standen auf dem Altar, und zwar als Kultbild des Johannes Evangelist, deshalb auch die Vergoldung. *(Abb. 31)* Doch saß der damaligen Rangvorstellung gemäß Christus selbstverständlich zur Rechten und ist größer. Zugleich dienten die Bildwerke der geistlichen Betrachtung: Johannes, der Lieblingsjünger Jesu, ruhte beim Abendmahl an der Brust seines ›Meisters‹, wo er nach der frommen Meinung ›tiefere Weisheit trank‹, als Worte ihn hätten lehren können. Für die Gläubigen des Mittelalters war dies das Inbild der mystischen Gotteserfahrung. Meister Heinrich von Konstanz, einer der wenigen namentlich überlieferten Bildschnitzer dieser Zeit, schuf diese Gruppe für das Kloster Katharinenthal am Bodensee. Bemerkenswert ist, daß auch der Faltenwurf so komponiert wird, daß er die innere Bewegung und das Ineinanderströmen der Empfindung der beiden Männer zum Ausdruck bringt. Auch die ineinandergelegten Hände werden von den Falten umspielt. Alles Eckige, Zugespitzte, Kontrastreiche ist vermieden, eine angenehme, schwingende Weichheit durchdringt alle Formen.

Um 1300 wird die Kunstproduktion teilweise von dem ins Süßliche gehenden, idealisierenden Stil der süddeutschen Frauenkunst dominiert. *(Abb. 32)* Man benennt ihn, ein Wort Dantes aufgreifend, als ›dolce stil nuovo‹ (süßer neuer Stil).

Das kleine Format wird dem großen vorgezogen, die Linienkoloratur der voluminös sich entfaltenden Plastizität, helle, heitere, bunte Farben bestimmen die Palette. Die 1298 von Papst Bonifaz VIII. verschärfte Klausur der Nonnen, die man gerade bei den Bettelorden auch beachtete, wurde uminterpretiert in einen himmlischen Paradiesvorhof, in einen geistlichen Blumengarten, der unter dem Schirm Mariens und der vielen heiligen Jungfrauen, welche die Schwestern als Patroninnen bevorzugten, von Engeln und fröhlichen Jesuskindern bevölkert wird. Dilettantisch, aber innig malten die Nonnen viele Bilder für den eigenen Gebrauch selbst. In Kloster Wienhausen bei Celle hat sich ein kostbarer Schatz von solchen Blättern und anderen Devotionalien erhalten, die im Laufe von Jahrhunderten durch die Ritzen der Chorgestühlbretter gefallen sind.

Das emotionale Kontrastprogramm waren die Passionsdarstellungen, *(Abb. 7)* insbesondere das Vesperbild: *(Abb. 33)* Sein Name leitet sich von der Vorstellung ab, Christus sei zur Vesperstunde vom Kreuz abgenommen und beweint worden. Auf diese Zeit legte man die Abendandacht. Kindhaft klein und völlig zermartert, so daß man alle Rippen und Rückenwirbel zählen kann, von Wunden und Blutstrauben überdeckt, liegt Christus, ein Bild des Elends, auf dem Schoß seiner völlig verheulten Mutter, wirklichkeitsnah und -fern zugleich. Das theologische Konzept dieser Bildprägung ist komplex und paradoxal: Unter dem Kreuz hält Maria ihren Sohn auf dem Schoß und opfert ihn, gleichsam als Sinnbild der priesterlichen Kirche. Sie denkt daran, wie sie ihn als Kind wiegte – deshalb die kindliche Größe Christi. Die Fünf Wunden als Zeichen der göttlichen Liebe sind ein bevorzugter Betrachtungsgegenstand einer mystisch geprägten Frömmigkeit. Die Verehrung der auffällig hervorgehobenen Seitenwunde Christi bezieht sich auf den Kult des Herzen Jesu und auf das Blut Christi als Wein des Altarsakramentes, was die Traubenform der Blutstropfen erklärt. Außerdem fanden aus den Psal-

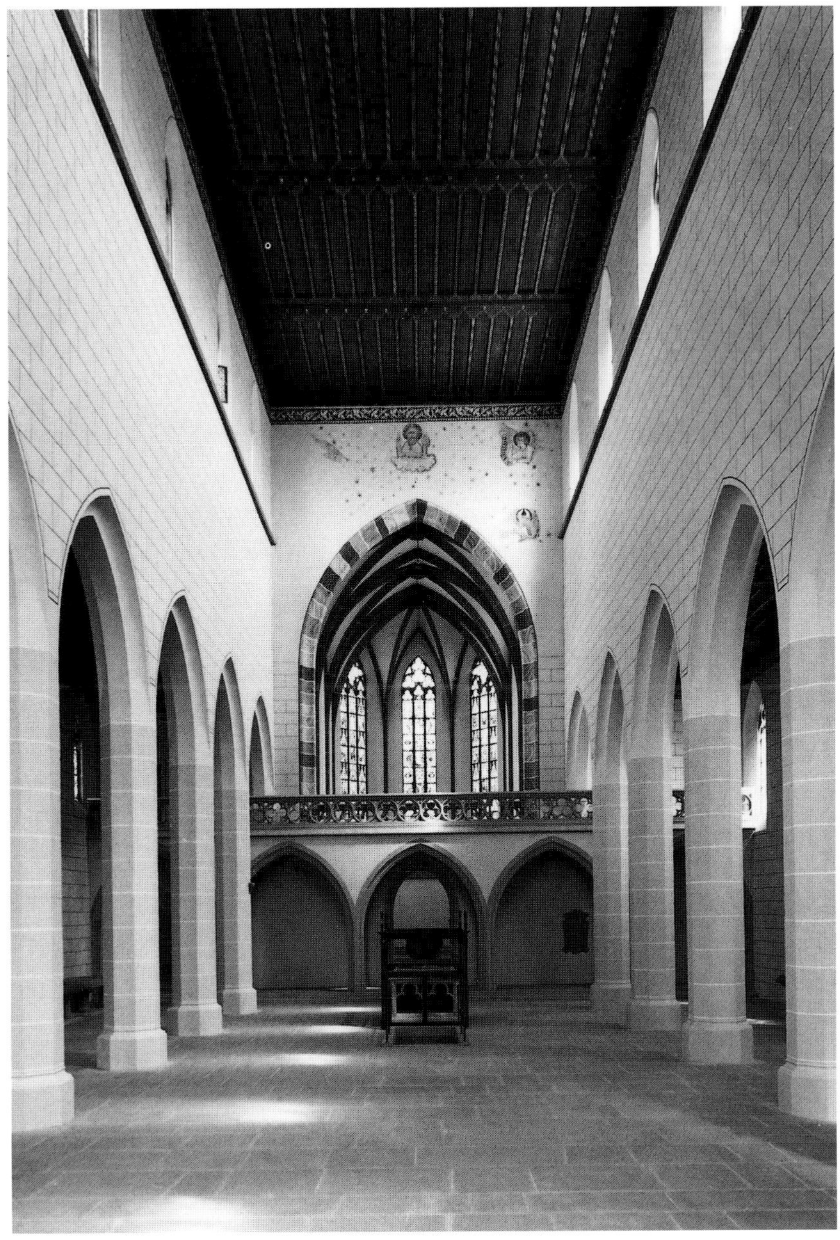

29. Königsfelden/CH, Klarissenkirche,
Innenansicht nach Osten, um 1310–ca. 1330
Die Kirche war als Grablege und Gedächtnisstiftung der Habsburger an der Stelle errichtet worden, wo König Albrecht I. durch einen Verwandten ermordet worden war. Sie zeigt die schlichten Bauformen franziskanischer Kirchen, doch ist die dreischiffige Basilika anspruchsvoller, als es Nonnenkirchen üblicherweise sind. Dem Frauenkloster war ein nachgeordneter Mönchskonvent angegliedert.

30. ***Vogelpredigt des hl. Franz von Assisi,*** *Glasfenster, um 1330, Königsfelden/CH, Klarissenkirche*
Der größte Schatz der Kirche sind die großen Glasfensterzyklen. Im Gegensatz zu den meisten älteren Fenstern zwängen sich die Bildfelder nicht dem Korsett des Fensterstabwerks ein. Sie behalten zwar in Rahmung und Abfolge die alten, zugleich ornamentalen und symbolischen Bildsysteme bei, wollen aber großflächig und einfach ablesbar sein. Die Menschen sind schönlinig und mit einem Zug ins Liebliche stilisiert, aber die Geschichten werden zupackend erzählt. Das ist, wie der räumlich gebildete Konsolenfries, auf die Begegnung mit der italienischen Malerei zurückzuführen.

---

31. ***Meister Heinrich von Konstanz (tätig Ende 13. Jh.), Christus-Johannes-Gruppe aus dem Dominikanerinnenkloster St. Katharinental/CH,*** *Holz, gefaßt, 141 cm, um 1290, Antwerpen/Anvers/B, Museum Mayer van den Bergh*
Derartige Bildwerke, die neben der Erfahrung der Mystik auch die innige menschliche Zuwendung von Christus zu seinem Jünger thematisiert, wurden in südwestdeutschen Nonnenklöstern bevorzugt in Auftrag gegeben. Die Statuen dienten zugleich als Kult- wie als Andachtsbilder.

32. ***Kreuzvision des hl. Bernhard von Clairvaux,***
Graduale des Zisterzienserinnenklosters Wonnental im Breisgau, Freiburg (?), nach 1318, Badische Landesbibliothek Karlsruhe, cod. U.H.1, fol. 195

Die Filigraninitiale stellt ein Lieblingsmotiv mystischer Gottesliebe dar: die Vision des hl. Bernhard, wie sich ihm Christus vom Kreuz herab zuneigt, um ihn zu umarmen. Ein Ordensbruder bestätigt als Zeuge dieses Wunder und verehrt es.

---

33. ***Vesperbild,*** *Holz, gefaßt, 89 cm, Mainz (?), um 1350, Bonn, Rheinisches Landesmuseum*

Die meisten Vesperbilder dürften vor Kreuzen gestanden haben. Der Sockel ist mit Rosen aus Stuck verziert, die sowohl Symbol Christi wie Mariens sind. Auf dem Gewand finden sich Bortenverzierungen aus demselben Material. Die fünf Wunden Christi, von den Mystikern als ›Minnezeichen‹, d.h. als Zeichen der göttlichen Liebe zu den Menschen, besonders verehrt, sind als Blutstrauben plastisch gestaltet. Sie tragen zur drastischen Wirksamkeit dieser Kunst erheblich bei.

men und anderen prophetischen Texten des Alten Testamentes gezogene Vorstellungen von der Passion Christi Eingang in die Darstellung: »Alle meine Knochen konnte man zählen« (Ps 21,18); »ich bin ausgeschüttet wie Wasser« (Ps 21,15); »Vom Scheitel bis zur Sohle wurde an ihm nichts Heiles gefunden« (Ps 1,6) usw. Doch wird die Abstraktheit allegorisch-theologischen Denkens und die Naturferne des gotischen Idealismus durchbrochen, indem Dornen in die Taue der Dornenkrone gesteckt und manche Figuren mit echtem Haar versehen werden. Die distanzierende Wirkung der künstlerischen Form wird durchbrochen: Das Werk soll und will die ästhetische Grenze zu den Betrachtenden niederreißen und einen Schock auslösen: »Oh ihr alle, die ihr hier vorbeigeht, schaut her, ob es ein Leiden gibt wie mein Leiden" (Kagelieder Jeremias 1,12). Einmal in Bann geschlagen, werden beim Betrachter vielfältige Assoziationen angeregt – das ist Teil der suggestiven, poetischen Kraft dieser Bildprägungen.

Die Ritterromantik

Die süddeutschen Kaiserdynastien entstanden auf dem politischen und wirtschaftlichen Fundament des aufstrebenden Bürgertums. Als Idealbild dominierte aber weiterhin der Ritter, obwohl er sich gerade damals im Kriegswesen als nicht mehr zeitgemäß erwies: so 1302 in der Sporenschlacht von Courtrai/Kortrijk, in der die Fußtruppen der flandrischen Städte über 5000 französische Reiter erschlugen; so 1320, als in Sempach die aufständischen Schweizer Bergbauern ein Ritterheer der Habsburger vernichteten; so schließlich 1343, als bei Crécy die französische Kavallerie, unter ihr auch König Johann von Böhmen, im Pfeilhagel der englischen Bogenschützen zugrundeging. Zu einem nicht näher bekannten Zeitpunkt entdeckte damals der Freiburger Franziskanerbruder Matthäus Schwarz das Schießpulver neu, das die Chinesen bereits kannten. In den 1340er Jahren scheint man es zum ersten Mal militärisch eingesetzt zu haben. Die Belagerungsartillerie wurde Schritt um Schritt verbessert. Das Ende der Ritterburg war damit genauso besiegelt wie das der herkömmlichen mittelalterlichen Stadtmauer. Und gegen die neuen Schußwaffen half es bald auch nicht mehr, die Brustpanzer zu verstärken und die Ritter von Kopf bis Fuß in Eisen einzuschienen. Eine gewisse Melancholie legte sich über die adlige Welt. *(Abb. 34)*

Eng damit verbunden ist die zunehmende romantische Verklärung des Ritterlichen. Alte Minnelieder und Ritterepen wurden gesammelt und neue, immer mehr ins Phantastische abdriftende in großer Zahl gedichtet. *(Abb. 35)* Die Ritterturniere

34. Grabmal des Kuno von Falkenstein und seiner Gemahlin Anna von Nassau, *um 1329, Lich, Stiftskirche*

Die Herren von Falkenstein gehörten zu den mittelrheinischen Parteigängern Kaiser Ludwigs des Bayern. Das Grabmal des Ehepaares zeigt es in jugendlicher Idealität und höfischer Tracht, doch liegt ein neuartiger Hauch von Todesmelancholie über dem Bildwerk. Es ist das Werk wandernder Werkstätten mittelrheinischer Herkunft, die bevorzugt für den Hof des Kaisers arbeiteten.

wurden immer prunkvoller und zeremoniöser inszeniert. Es ist eine Zeit der Gründung neuer Ritterorden, die nur scheinbar religiöser Natur sind. Man spielte König Artus' Tafelrunde. Die Damen wünschten sich ein Schmuckkästchen aus Elfenbein oder aus feinem Holz mit Szenen aus den Ritterepen. Diese Ritterromantik bleibt in immer neuen Spielarten über das 16. Jahrhundert hinaus lebendig. Es war eine Hauptaufgabe der Künstler, diese fiktive Welt zu gestalten. Man darf so weit gehen festzustellen, daß sich der damalige idealisierende Stil als ein Bestandteil dieser abgehobenen Phantasiewelt erweist, die eine Gegenbewegung geradezu herausforderte. Die Kunst wurde aus der Orientierung an italienischen Vorbildern und aus der verstärkten Zuwendung zur Wirklichkeit erneuert.

35. Der Minnesänger Konrad von Altstetten, sogenannter Manesse-Codex, 36 x 25 cm, Zürich, begonnen um 1300, Heidelberg, Universitätsbibliothek, cod. pal. germ. 848, fol. 249v

Die Familie Manesse aus dem Patriziat der damals habsburgischen Stadt Zürich strebte wie viele höhere Bürger nach ritterlicher Lebensart. Sie sammelte Gedichte der Meistersinger und ließ deren Autoren von verschiedenen Buchmalern in einem über Jahrzehnte sich hinziehenden Prozeß in einer Prachthandschrift darstellen. Die ritterliche Welt erscheint in diesen Bildern geschönt und mythisch verklärt. Die Frauen sind alle ›minniclich‹, die Recken wacker. Doch wären uns viele ritterliche Gedichte ohne diesen bürgerlichen Sammlerfleiß verloren – und damit der kostbarste Zeuge einer romantisierenden, retrospektiven Gesinnung, wie sie auch beim Adel überwog. Der Minnesänger Konrad von Altstetten war ein Dienstmann des Abtes von St. Gallen.

Die Umorientierung nach Italien

Rudolf I. hatte trotz päpstlichen Drängens die traditionelle Italienpolitik des Deutschen Reiches nicht aufgenommen. Dies taten jedoch seine Nachfolger, wenn auch mit geringem politischen Erfolg. Doch hatte dies große künstlerische Folgen, vor allem seit dem Italienzug Kaiser Ludwigs des Bayern 1327–1330. Der Wittelsbacher wandte sich von Frankreich ab, als das seit 1309 nach Avignon unter die Herrschaft des französischen Königs gezwungene Papsttum ein letztes Mal in der Geschichte versuchte, einen Kaiser unter seine Jurisdiktion zu zwingen und ihn, als dies nicht gelang, mit dem Bannfluch belegte. Selbst das Haus der Luxemburger, das traditionell der französischen Hofkultur zugewandt war, orientierte sich immer mehr nach Süden. Unbestreitbar ist dies Wiederaufgreifen der Beziehungen zu Italien ein Bestandteil der Erneuerung des alten Reichsgedankens. Aber jetzt steht weniger das päpstliche und kaiserliche Rom im Zentrum des Interesses. Auch gibt es für die Bedeutungszunahme Italiens noch andere, tiefer reichende Gründe.

Die von der wohlhabender werdenden Gesellschaft begehrten Luxusgüter, die feineren Stoffe, wie Samt, Seide, Damast und Brokat, die edlen Steine und die Gewürze waren nur über Italien zu beziehen, das den Handel mit dem Orient monopolisiert hatte und das selbst in Lucca und Venedig Produktionszentren der Luxusindustrie aufgebaut hatte. Das Wachstum der Städte in Mitteleuropa und die Zunahme des Handels bedingten einander und förderten die Annäherung an die fortgeschrittene städtische Kultur des Südens.

Die Rechtsschulen Italiens zogen Studenten aus ganz Europa an, die dort auch die neue Kunst,

36. ***Herzogin Johanna von Pfirt,*** *von der Fürstenkapelle in St. Stephan in Wien, Stein, 220 cm, Wien, um 1360, Wien, Historisches Museum*

Die verwitterte Statue der Mutter (!) Rudolfs IV. zeigt das damals beliebte, körpereng anliegende Kleid mit tiefem Ausschnitt sowie den reich gefältelten Kopfputz, den man Krüseler nannte. Doch erst die Kunst des Bildhauers gibt der Figur ihre erotische Ausstrahlung.

die volkssprachliche Poesie und das humanistische Antikenideal kennenlernten. Von dort kamen auch neue politische Ideen, so die von Marsilius von Padua vertretene Forderung der Ausschaltung der Kirche aus den Angelegenheiten des Staates sowie die ihrer Unterordnung. Mit dem Rhenser Weistum 1338 begann sich das Deutsche Reich von der päpstlichen Bevormundung zu lösen, ein Prozeß, der mit dem Erlaß der Goldenen Bulle durch Karl IV. im Jahre 1355 abgeschlossen wurde.

An den Hochschulen Italiens herrschte die philosophische Richtung des Nominalismus. Gegenüber der älteren Philosophie stellte er das Verhältnis von Idee und Erscheinung vom Kopf auf die Füße: Die Idee galt nun nicht mehr als die eigentliche Wahrheit hinter den Dingen, vielmehr waren die Dinge selbst in ihrer individuellen Ausprägung das Wesentliche, die Ideen dagegen nichts als Begriffe (›nomina‹, von daher ›Nominalismus‹). Die daraus entstehende Forderung nach Vertiefung und Ausweitung der empirischen Erfahrung gab den Naturwissenschaften starke Impulse, aber ebenso den Künsten: Die Erforschung und Nachahmung (Mimesis) der Wirklichkeit wurde zwar schon immer kunsttheoretisch gefordert, aber erst jetzt eigentlich zur Hauptaufgabe der Kunst; Naturstudium und idealisierte Typik waren nun miteinander zu vereinen, ein künstlerisches Hauptthema der folgenden Jahrhunderte. Die Individualität des Menschen wurde ernst genommen und eigentlich erst jetzt als künstlerisches Thema entdeckt.

Einen Einschnitt eigener Art brachte die größte bis dahin gekannte Epidemie, die Schwarze Pest, die 1347–1350 in einer ersten Welle Europa heimsuchte und seitdem in unregelmäßigen Abständen die Bevölkerung dezimierte, das letzte Mal im 17. Jahrhundert. Schon zuvor hatten Hungersnöte und Seuchen immer wieder Menschenmengen dahingerafft. Aber die aus dem Orient eingeschleppte, von Ratten verbreitete Pest übertraf alles, stürzte die Welt wieder einmal in Endzeitstimmung und hob eine Zeit lang alle Normen auf: Menschenzüge setzten sich in Bewegung, zogen von Ort zu Ort, geißelten sich zur Buße öffentlich bis aufs Blut. Verführt von der Verleumdung, die Juden hätten die Pest durch Brunnenvergiftung herbeigeführt, ließen sie sich zu den größten bis dahin bekannten Judenpogromen hinreißen, die von daran interessierten Kreisen gesteuert wurden, zu denen auch Karl IV. gehörte, der sich erhoffte, dadurch Schulden zu tilgen und die Kassen wieder zu füllen. Damals retteten sich viele Juden nach Polen, wo sie und ihre Kultur zwischen 1939 und 1945 von Deutschen vernichtet wurden.

Als die Pest vorbei war, fing – einem Chronisten zufolge – »die Welt wieder zu leben an, und die Leute machten sich neue Kleider«. Diese Kleider zeigen eine in unerhörtem Maße sinnliche, diesseitige Gesinnung. Sie sind körperbetont, bei den Männern erstaunlich kurz, bei den Frauen kühn dekolletiert, wobei Einschnürung und Polsterung den Rundungen nachhalfen. *(Abb. 36)* Desillusionierung und Desinteresse gegenüber geistlichen Dingen waren weit verbreitet. Erst damals erhielt die Hofkultur den Glanz und das Exquisite, Luxuriöse, vor allem auch das Erotische, das wir mit ihr allgemein verbinden.

Die Pest hatte langfristige Folgen: Die Verminderung der Bevölkerung um teilweise mehr

als ein Drittel beendete die Auswanderung in den Osten, stoppte das Wachstum der Städte, die ihren Mauerring nicht mehr erweitern mußten, steigerte die Zusammenballung städtischen Kapitals und erweiterte die Wirtschaftstätigkeit. Auf dem Lande hingegen führte die Überproduktion zu einem bis ins frühe 16. Jahrhundert dauernden Verfall der Agrarpreise und aller aus der Landwirtschaft stammenden Einkünfte – dies wieder beschleunigte den Prozeß der Verstädterung, auch der Kultur. Damit ging die Straffung der staatlichen Organisation einher, die die alte Feudalordnung teilweise außer Kraft zu setzen begann. Die Pest war für Vieles ein Katalysator.

Die Veränderungen der Kunst durch die Begegnung mit der neuen Malerei Italiens zeigt sich etwa an einem kleinen, wohl in München am Hofe Ludwigs des Bayern gemalten Tafelbild mit der Geburt Christi: *(Abb. 37 u. 38)* Der süddeutsche Maler kopierte ein Wandgemälde der Arenakapelle in Padua, das der Florentiner Bahnbrecher Giotto di Bondone um 1305 gemalt hatte. Padua, das an der Handelsstraße nach Venedig lag und eine berühmte Hochschule hatte, war fast jedem Italienreisenden bekannt. Giotto hatte in Auseinandersetzung mit den Lehren der Rhetorik und Poetik die Anordnung (compositio) und Wirkweisen (elocutio) der Bilder neu überdacht und bildnerische Äquivalentien für die rhetorischen Prinzipien gesucht. Er gibt seinen Figuren mit Blick auf die gotische Skulptur Prägnanz, Körperlichkeit und Ausdruckskraft. Die heiligen Geschichten werden mit neuartiger Eindringlichkeit erzählt, die traditionelle Ikonographie durch eine Fülle neuer Bilderfindungen erweitert und teilweise abgelöst. Der süddeutsche Maler folgt nicht ganz dieser Vorliebe für das Körperliche, er verzichtet nicht ganz auf das Schwelgen in schönen Linien, vor allem nicht bei der Madonna. Die kühnen Überschneidungen von Ochse und Esel durch den Rahmen sowie andere räumliche Elemente werden zurückgenommen, dafür mehr Tiere auf dem Berg im Hintergrund dargestellt: Fuchs und Hase, Bär und Wiesel, ein ganzer Zoo. Während das italienische Bild Teil eines großen erzählenden Wandzyklus ist, bildete das deutsche zusammen mit einer Kreuzigung ein Andachts- und Hausaltarbild aus zwei Tafeln (Diptychon). Bezeichnenderweise ist im Norden das Tafelgemälde für den privaten Gebrauch diejenige Aufgabe, in der vor allem die künstlerischen Neuerungen dieser Zeit entfaltet werden. Aber auch dieser Bildtyp und seine Maltechnik wurden aus Italien übernommen, wo man die alten Ikonen byzantinischer Prägung in Verknüpfung mit der neuen Poesie zu subtilen Bilderfindungen umgedeutet hatte.

Die Kaufmannsche Kreuzigung ist ein nur wenig jüngeres Prager Bild der Jahre um 1342–1343. *(Abb. 39)* Sein Maler orientierte sich nicht ausschließlich an den Bildern Giottos, sondern stu-

37. Geburt Christi,
Tempera auf Holz, 33 x 24 cm, München (?) um 1335–1340, Berlin, Gemäldegalerie SMPK

38. Geburt Christi aus dem Freskenzyklus der Arenakapelle in Padua/I,
Giotto di Bondone (um 1266– 1337), um 1305

Die zugehörige Tafel des Diptychons, eine Kreuzigung, hängt in Zürich (Sammlung Bührle). Auf den Rückseiten sind ein Bild des Schweißtuches der Veronika und ein Schmerzensmann zu sehen. Der Hintergrund ist nach dem Vorbild von Goldschmiedearbeiten mit einem gepunzten Blattmuster verziert. Dies Bild ist ein kostbares Zeugnis für die erneute Auseinandersetzung mit der Kunst Italiens, die in der Toskana um 1300 einen außerordentlichen Qualitätssprung gemacht hatte.

*39. **Kaufmannsche Kreuzigung,** Tempera auf Holz, 67 x 30 cm, Prag, um 1342–1343, Berlin, Gemäldegalerie SMPK*

Die Form des Rahmens kommt aus der sienesischen Malerei. Der ›Volkreiche Kalvarienberg‹ war eines der beliebtesten Andachtsbilder, aber eines, in dem nicht mehr nur der Blick auf wenige zentrale Motive und Gedanken gelenkt, sondern breit erzählt wird, wie sich Peiniger und Ritter um das Kreuz drängen, wie sich die Schergen um Christi Rock zanken, wie die Freunde des Herrn mit ihm leiden und selbst Opfer der Übergriffe der Soldateska werden. Der Künstler bemühte sich, jeder Figur ihren eigenen, prägnanten Ausdruck zu geben und durch die Wahl und Komposition der Farben die Wirkung zu erhöhen.

*40. **Schmedestedtsche Madonna,** Stein, 110 cm, Erfurt, vor 1352, Erfurt, Dominikanerkirche*

Die pralle Körperlichkeit, bezeichnend für die Zeit nach der Großen Pest, läßt fast vergessen, daß wir eine Muttergottes mit dem Christuskind vor uns haben. Die Statue steht an ihrem ursprünglichen Ort, einer Wandnische am Choreingang hinter dem Lettner. Sogar die Beleuchtungsvorrichtung ist noch vorhanden. Das Töpfchen in der Hand des Kindes ist als Salbgefäß zu deuten und weist auf die Auferstehung, der Vogel in der anderen Hand auf die Passion hin.

dierte auch die farbenprächtigen sienesischen und die expressiven bolognesischen Malereien. Dieser namentlich unbekannte, aber, wie wir aus zahlreichen Kopien schließen können, hochberühmte Maler entwickelte aus seinen Vorbildern einen neuen, eigenen Stil, der in Kompositionskunst und Ausdruck den toskanischen Meistern nahekommt. Seine Figurenprägungen, wie der verkürzt dargestellte Würfelnde oder die verrenkten Schächer, haben ebenso Schule gemacht wie sein Einsatz der Farbe. Schon bald nach dem ersten Italienstudium wurde also eine vorher nicht gekannte Qualität selbständiger künstlerischer Erfindung und Gestaltung erreicht, die mit einer neuen Freiheit der Künstler einherging.

Die neue städtische Baukunst um die Jahrhundertmitte

Im Verlaufe der Epoche wuchs die Zahl städtischer Kunstzentren. Aber ihre Bedeutung wechselte. Reichsstädte wie Frankfurt, Esslingen oder Nürnberg stiegen auf, Soest und Regensburg eher ab, und Residenzstädte, wie München oder Lüneburg, erhielten mehr Gewicht. Im mittleren 14. Jahrhundert erlebte Erfurt seine Blütezeit, nachdem die Oberherrschaft des Mainzer Erzbischofs weitgehend abgeschüttelt war. Das Monopol für Anbau und Handel von Färberwaid, dem beliebtesten blauen Textilfärbemittel, und seine Lage an der Kreuzung wichtiger Handelsstraßen brachten

41. ***Erfurt, Stiftskirchen St. Marien und St. Severin,*** *Ansicht von Osten*

St. Marien war das übergeordnete Stift. Die Dreiergruppe der Türme geht letztlich auf die Aachener Münsterwestfassade zurück. Die Verzerrungen des Blickwinkels wurden von den Architekten durch geschickte Betonung der jeweiligen Mittelpartie ausgeglichen. Die Empore um St. Marien könnte zur Präsentation von Reliquien und für andere repräsentative Zwecke gedacht gewesen sein.

der Stadt Reichtum. Sie zog Zuwanderer aus Köln, Lübeck oder Nürnberg an, und ihre Künstler arbeiteten für den gesamten mitteldeutschen Raum, von Mainz bis Stendal oder Magdeburg. *(Abb. 40)* Für ein halbes Jahrhundert war Erfurt eine überregionale Kunsthauptstadt. Binnen weniger Jahrzehnte konnten mehrere große Kirchen zugleich erbaut und ausgestattet werden. Bürgerschaft und Rat der Stadt gründeten im Jahre 1392 sogar eine eigene Universität. Es ist die erste rein städtische Hochschule Deutschlands.

Neu ist, daß nun Bürger Richtung und Geschmack der Kunst bestimmten. Nicht einmal eine Orientierung am Kaiser oder anderen Fürsten ist festzustellen. Dies erklärt die neue urbanistische Qualität des Städtebaus: Die Stiftskirchen St. Marien und St. Severin wurden so umgebaut, daß ihre Ostseite eine gemeinsame, durchkomponierte Front zur Stadt hin bildet und die Anlage sich dem vorgelagerten Platz öffnet. *(Abb. 41)* Die Rangstufung beider Bauten zueinander wurde in der räumlichen Staffelung offengelegt, in dem unterschiedlichen Schmuck der Ostfassade, der Türme und – für den Nähertretenden – der Portale. Dennoch wird das Ganze zu einer Einheit. Immer häufiger wurden nun auch Straßen gepflastert, Plätze verschönert, städtische Brunnen und sogar Nutzgebäude stattlich konzipiert. Dem folgte bald eine feinere und aufwendigere Innenausstattung, auf die im nächsten Kapitel einzugehen ist. Eine

42. Schwäbisch-Gmünd, Heilig-Kreuz-Münster, Chor, Heinrich Parler (tätig zweites Viertel 14. Jh.) und Peter Parler (1330– 1399), nach 1351

Der Bau wurde zuerst schnell vorangetrieben, nach langer Bauunterbrechung aber provisorisch eingedeckt und erst 1410 geweiht. Die zu kleinteilige Wölbung stammt von Aberlin Jörg aus den Jahren nach 1491.

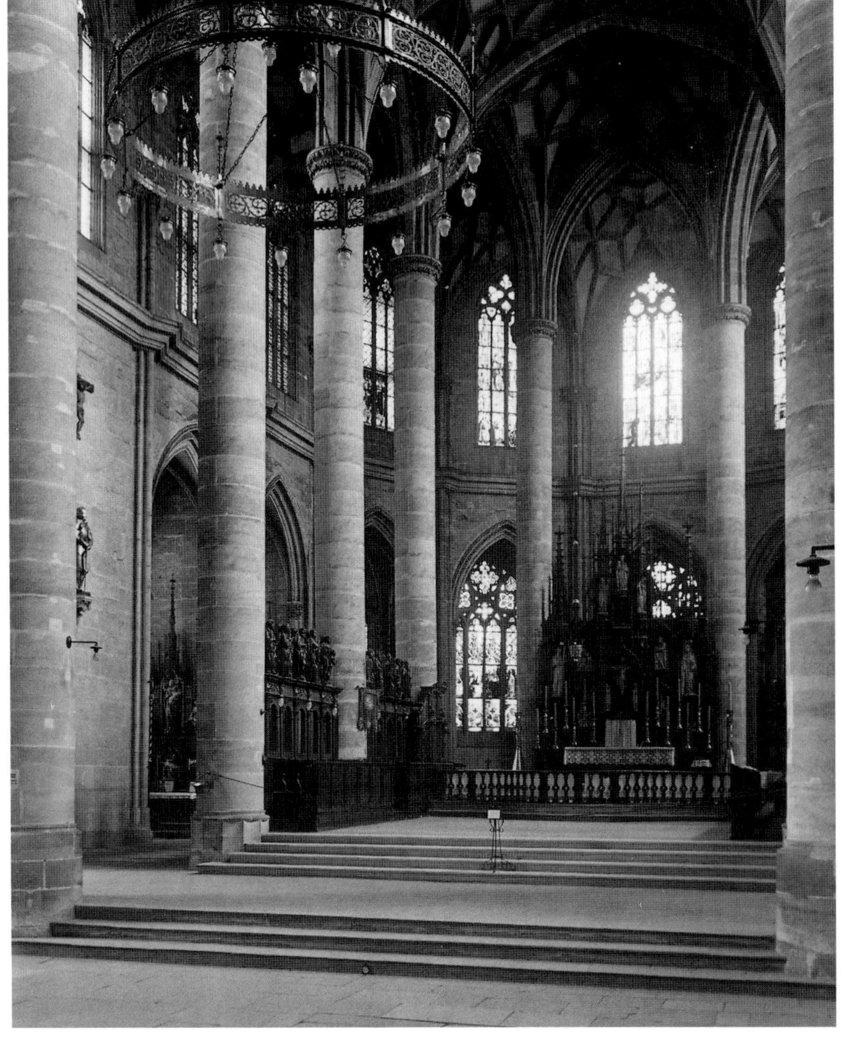

Folgerung ist jetzt schon möglich: Die Umgebung künstlerisch zu gestalten, sich mit Kunst zu umgeben, wurde zu einem Bedürfnis von jedermann. Erst auf diesem breiter werdenden Fundament des neuen Reichtums, der Freude an der Gestaltung sowie dem anwachsenden Kunstschaffen waren die Leistungen der folgenden Zeiten möglich.

Die stärksten Impulse kamen aus bis dahin wenig hervorgetretenen süddeutschen Reichsstädten wie Schwäbisch-Gmünd. Der herausragende Bau ist hier das von Heinrich und Peter Parler erbaute Heilig-Kreuz-Münster. *(Abb. 42 u. 43)* Der aus der Kölner Dombauhütte stammende Heinrich Parler, Stammvater der wichtigsten Baumeistersippe dieser Epoche, errichtete seit den 1330er Jahren das Langhaus. Künstlerisch geprägt wurde er vor allem am Münsterbau in Freiburg im Breisgau. Auffällig ist der Wechsel zwischen Langhaus- und Chorneubau. Das Langhaus ist ein kristallinreiner Bau von größter Präzision der Fertigung und Feinheit des Details, aber der Chorbau bricht mit vielen Konventionen und bringt einen Paradigmenwechsel: Bis dahin waren die Säulen im Polygon immer enger gestellt als im Langchor, nun aber sind alle Säulenabstände (Interkolumnien) gleich. Die Brechung geschieht über drei Seiten des Fünfecks, höchst ungewöhnlich, da bis dahin immer von geradzahligen Polygonen ausgegangen worden war. Der Raum wirkt durch diese Erfindung weiter, die Wand des Hallenumgangschores spricht nun im Raumbild mit, die Fenster der Seitenkapellen bestimmen die Erscheinung des Mittelschiffs; ihre Zweigeschoßigkeit kontrastiert mit den durchgehenden Säulen. Die Spannung zwischen Innen- und Außenraum wird gesteigert: Der Außenbau geht von einem anderen Polygon über fünf Seiten des Zwölfecks aus; der Kontrast zwischen den runden Stützen innen und der glatten Wand außen wird durch die gratige Profilierung des Laufganges an der Wand und die Verkröpfungen um die Wandvorlagen zugespitzt.

Diese alle herkömmlichen Bahnen verlassende, polarisierende Denkweise ist so ungewöhnlich, daß man hier mit Recht Ideen von Heinrichs Sohn Peter Parler verwirklicht sieht, der wohl seinem Vater die Pläne zeichnete. 1356 wurde der 23jährige Peter von Kaiser Karl IV. zum Dombaumeister von Prag berufen. Das setzt voraus, daß er zuvor Bedeutendes geleistet hat. Er ist der Bahnbrecher der neuen Raumkunst, wie seine Werke in Prag und Kolin deutlich machen. Auch die Frauenkirche in Nürnberg trägt seine Handschrift.

Die Steigerung der Innenraumwirkung geht nicht wie so oft in der gotischen Architektur auf Kosten der äußeren Erscheinung. Vielmehr wird außen mit anderen Mitteln eine ähnlich kontrastreiche Komposition geschaffen, und zwar als unterschiedliche Ausdrucksgestaltung der beiden Geschoße. Das untere wirkt geschlossen, mit breiten, stumpf endenden Fenstern. Es zeigt glatte Mauerflächen, die Brechungen des Mauerblocks wurden mit prismatisch gestalteten Vorlagen betont, eine

alte zisterziensische Idee aufgreifend. Das obere Geschoß ist durch die Wandvorlagen mit ihren gestaffelten Fialen stärker zergliedert und wirkt schon deshalb vertikaler, wie auch durch die steileren, regulär spitzbogigen Fenster. Einerseits durchbrechen die Bögen optisch die Balustrade, andererseits sind die horizontalen Gegenkräfte verstärkt: Gekappte Rundbögen und verstärkte, mit Blattwerk verzierte Gesimse fangen die Vertikalbewegung auf und bilden zugleich eine konstruktive Verstärkung im Sinne des traditionellen französischen Aquäduktsystems.

Neuartig und einfallsreich ist das Maßwerk. In ihm konnte der Baumeister mit Gegensätzen spielen: Rundbögen stehen neben spitzen, auf denen Kreise balancieren, während von außen Bogenstücke eindringen. Es entstehen für das Auge reizvolle, abstrakte Kompositionen. Das Maßwerk, das wie die gotische Architektur schon ›zu Ende gedacht‹ schien, erwies sich als erneuerungsfähig. Architekturgeschichte wird mehr als zuvor Künstlergeschichte, d.h. eine Geschichte der Ideen und Erfindungen der einzelnen Architekten. Eine der Voraussetzungen dafür war, daß der Baumeister einen individuelleren Werdegang anstrebte, daß er wanderte, seinen Horizont europäisch weitete und auch ältere Baukunst erneut studierte. Bei Peter Parler bemerken wir zudem, daß er sich entgegen der Gewohnheit gewordenen Arbeitsteilung auch als plastischer Künstler empfand. *(Abb. 48 u. 50)*

Kaiser Karl IV. und der Ausbau Prags als Hauptstadt des Reiches

Hatten die Habsburger das in östlicher Randlage gelegene Wien zum Zentrum gemacht, so geschah dasselbe in gesteigertem Maße unter den Luxemburgern mit Prag, der Hauptstadt des Königreichs und obersten Kurfürstentums Böhmen. Karl IV. war in Paris erzogen worden, und er hatte dort gelernt, was eine moderne Metropole für Staat und Kultur des Landes bewirken konnte. Sein Schloßbau auf dem Hradschin nahm den Pariser Louvre zum Vorbild. Wie in Paris (und Rom) sollten in Prag Kirchen aller Orden zu finden sein, sollten alle Völker zu ihren Schutzpatronen beten können. In Prag wurde deshalb auch eine Universität gegründet, die erste Mitteleuropas. Da man nun nicht mehr zum Studium nach Paris oder Bologna ziehen mußte, stieg zwar die Zahl der Studierten in Mitteleuropa, aber der Horizont wurde tendenziell enger. Es ist unmöglich, die böhmische Kultur unter den Luxemburgern in einen tschechischen und einen deutschen Anteil aufzulösen, abgesehen davon, daß dabei der Anteil Italiens und Frankreichs übersehen würde: sie ist ein gemeinsames Neues, das für ein Jahrhundert tonangebend in Mitteleuropa war.

Die Keime künftiger Spaltung zwischen Tschechen und Deutschen wurden gelegt, als die böhmischen Diözesen aus dem Mainzer Diözesanverband gelöst und Prag zu ihrem Erzbistum erhoben wurde. Diese Rangerhöhung wurde durch den Neubau einer Kathedrale ausgedrückt, deren zweiter und wichtigerer Baumeister Peter Parler wurde. *(Abb. 44)* Er war dem Hof zugeordnet und wurde damit führender Architekt des Landes. Außerdem erhielt er den Auftrag für den schwierigen Neubau einer Brücke über die Moldau, die für die Verbindung der Prager Teilstädte von großer Wichtigkeit war.

Die Bauhütte des Veitsdoms zu übernehmen bedeutete für Peter Parler nicht nur den Höhepunkt seiner Karriere, sondern auch eine Einschränkung: Er stieß nicht nur auf einen durch sei-

43. Schwäbisch-Gmünd, Heilig-Kreuz-Münster,
Chor, Ansicht von Osten, Heinrich und Peter Parler, nach 1351
Das Zierwerk ist nach alten Mustern erneuert. Das hohe Dachwerk bestimmt den Außeneindruck der Halle, indem es wie eine turmartige Bekrönung der Ostseite erscheint und damit ihren Fassadencharakter steigert.

nen Vorgänger Matthias von Arras bereits in fast allen Punkten festgelegten Grundriß und Aufriß, sondern auch auf klare Vorstellungen von architektonisch gebildeten Auftraggebern.

Karl IV. war ein moderner Herrscher mit Sinn für Propaganda. Er war mit Hilfe von Papst Clemens VI., einem seiner Pariser Erzieher, an die Macht gekommen, verhinderte aber letztlich jeden weiteren Einfluß der Päpste auf die Reichspolitik. Der Prager Erzbischof und die anderen hohen Geistlichen schienen auf den ersten Blick eine Stellung einzunehmen wie die ottonischen Reichsbischöfe, tatsächlich jedoch waren sie Hofbeamte neuen Stils. Der Kaiser liebte es nach dem Vorbild König Ludwigs IX. von Frankreich eine sakrale Aura um sich zu verbreiten. Kühl kalkulierend verstärkte er den Kult um die Reichskleinodien und erneuerte den um Karl den Großen, indem er das Aachener Münster umbaute und aufwertete. *(Abb. 45)* Seine berechnende Ideologie und Lebensführung ist jedoch offensichtlich und zeigt sich auch in der durchaus neuzeitlichen Staatsräson. Schon durch die Persönlichkeit des Kaisers wird also ein Element von Widersprüchlichkeit in die Kunst der Epoche hineingetragen.

Seine persönlichste Schöpfung ist die Burg Karlstein. *(Abb. 46 u. 47)* Die Umstände ihrer Entstehung sind, wie Karl es liebte, in mystisches Dunkel gehüllt. Die Burg wurde in einem idyllischen Waldtal gebaut, weit ab von den Hauptverkehrswegen. Sie hütete die Reichskleinodien. Nicht ein ritterlicher Burghauptmann hatte hier das sagen, sondern ein Stiftskapitel wie schon in der Sainte-Chapelle. Außerdem diente die Burg privaten Aufenthalten des Kaisers. Sein Privatoratorium war so klein, daß kaum fünf Personen in ihm Platz fanden. Anders als sonst an den Höfen war Öffentlichkeit geradezu ausgeschlossen. Der dunkle Hauptraum, die Heilig-Kreuz-Kapelle, war der Aufbewahrungsort der Reichskleinodien. Sie wurde von vielen hundert Kerzen erleuchtet, deren flackerndes Licht sich in den polierten Halbedelsteinen, den venezianischen Goldgläsern der Decke und anderen Vergoldungen brach. Die Gewölbe der Nischen sind bemalt und zeigen unter anderem die Anbetung der Heiligen Drei Könige, wobei der Europa vertretende König die Züge Karls trägt. Auffällig sind auch die apokalyptischen Motive. Karl sah sich selbst als Endzeitkaiser. Die Sockel der Wände sind mit Halbedelsteinen ausgekleidet, die an den Tempelbau des Königs Salomo erinnern sollen, mit dem sich der Kaiser gerne verglich – darüber ein wandbedeckender Tafelbilderzyklus mit Vertretern aller Heiligenchöre, der die Kapelle zu einem Abbild des himmlischen Hofes macht. Gleichzeitig erinnert er an byzantinische Bilderwände, denn Karl träumte von einer Vereinigung von Westrom mit Ostrom in seinem Reich und ließ deshalb gern Byzantinisches in Bildern zitieren. Zusätzlich kommt noch die Artussage mit ihrem Mythos vom Heiligen Gral ins Spiel. Der mit der Ausmalung beauftragte Meister Theoderich prägte einen etwas zwitterhaften, zugleich weichen wie

***44. Prag, Veitsdom,** Innenansicht nach Osten, 1344–1393, Matthias von Arras (†1352) und Peter Parler (1330–1393)*
Hauptvorbild war der Kölner Domchor, den man nicht an Höhe, wohl aber an Pracht und architektonischem Witz überbieten wollte. Dies ist in den von Peter Parler geschaffenen jüngeren Teilen gelungen: das jochübergreifende Netzgewölbe, die subtile Rhythmik der Wandgliederung, das einfallsreiche Maßwerk und anderes mehr machen den Veitsdom zu einem epochemachenden Werk.

***45. Aachen, Kapellenchor des Münsters,** 1355–1414*
Karl IV. förderte den Kult um Karl den Großen. So war es ganz in seinem Sinne, daß das Aachener Stiftskapitel einen Kapellenchor zur Erweiterung des Münsteroktogons (in der Bildmitte) konzipierte, der Züge der Sainte-Chapelle in Paris mit einem Polygon als Marienzentralbau verband. Doch geriet der Bau bald ins Stocken. Vollendet wurde die Ausstattung erst um 1430.

46. ***Heilig-Kreuz-Kapelle,*** *Ausmalung von Meister Theoderich (tätig 1359–1380) und Gehilfen, um 1360–1367, Karlstein/Karlštejn/CZ, Burg*

Das Innere der wichtigsten Burgkapelle, hinter deren Altar Kaiser Karl IV. die Reichsreliquien bergen ließ, ist ein Raum von mystischem Dunkel: die Wände sind unten mit Halbedelsteinen, darüber mit einem Allerheiligenzyklus verkleidet. In die vergoldeten Gewölbe sind u.a. venezianische Goldgläser eingelassen. Der Raum wurde mit hunderten Kerzen beleuchtet. Das Bildprogramm war nur Eingeweihten verständlich und stellte das überhöhte Selbstverständnis dar, das der Kaiser von sich und seiner Rolle in der Welt- und Heilsgeschichte hatte. Die Ausführung lag in den Händen des kaiserlichen Hofmalers Theoderich und seiner Werkstatt. Das Gitter trennte den Raum des Stiftskapitels bzw. der Geistlichen von dem der Laien.

monumentalen Stil, der den Absichten des Herrschers offenbar sehr entsprach.

Von einer Überfrachtung mit programmatischen Absichten kann man auch beim Veitsdom sprechen. *(Abb. 44, 48 u. 49)* Er ist Sitz des Erzbischofs, weshalb die erzbischöfliche Kathedrale von Köln zitiert wird, und er ist Krönungskirche, weshalb man sich, wie etwa in der Außenerscheinung, auf die Reimser Krönungskathedrale berief. Zudem ist er Grablege der Przemyslidendynastie, für deren im Dom beigesetzte Mitglieder neue Tumbengräber geschaffen wurden. Das Grab für Ottokar I. wurde von Peter Parler selbst gemeißelt, und zwar in retrospektiver Anlehnung an den Stil des 13. Jahrhunderts. *(Abb. II/50 u. 51)* Schließlich dient der Dom auch als Wallfahrtsstätte zu den wichtigsten Heiligen Böhmens, vor allem zum hl. Herzog Wenzel, dem Nationalpatron, der eine eigene, große Kapelle erhielt. Dieser Bau im Bau weist Formen auf, die sich von denen des Domes deutlich absetzen.

Künstlerisch hatte Peter Parler in Vielem anscheinend freie Hand. Man verlangte von ihm wohl nur, daß er der Kathedrale eine außergewöhnliche Erscheinung gebe. Obwohl ihm eine Fülle von Bedingungen auferlegt waren, die er architektonisch umzusetzen hatte, machte seine Erfindungskraft den Dom zu einem der großartigsten Bauwerke Mitteleuropas. Die konventionelle Chorerdgeschoßzone des Matthias von Arras wurde von ihm außen durch (ehedem) flache Dächer abgeschlossen und darauf ein rhythmisch reich bewegter Glasschrein gesetzt, dessen Maßwerkprunk alles Dagewesene überbietet. Im zweiten Viertel des 14. Jahrhunderts hatte man in der Baukunst die prismatisch-geometrische Form bevorzugt, die Bauglieder selbst wurden geometrisiert und erhielten zugleich eine äußerst scharfe Binnen- und Umrißzeichnung. So entstanden Räume von kristalliner Struktur. *(Abb. 28)* Daß Peter Parler diesen Stil ebenfalls beherrschte, zeigt sich in den Nebenräumen, wie der Sakristei und der Wenzelskapelle. *(Abb. 48 u. 49)* Diese Nebenräume machen jedoch die neue rhythmische und damit emotionale und überredende Qualität des Hauptraums nur desto deutlicher. Der Chor erhielt ein Netzgewölbe und damit eine die Raumkunst der nächsten beiden Jahrhunderte prägende Wölbweise, die man zuvor in kleinen Kapellenräumen erprobt hatte. Das Netzgewölbe schafft eine subtilere Ryhthmisierung, vor allem im Zusammenklang der ein- und ausschwingenden Struktur des Obergadens. Die hängenden Schlußsteine der Sakristei, die freischwebenden Rippen des Südportals oder der filigrane Treppenturm des Südquerhauses sind Erfindungen, die das virtuose Können des

47. Wand der heiligen Könige, Bischöfe und Äbte, *Meister Theoderich (tätig 1359–1380) und Gehilfen, um 1360–1367, Karlstein/Karlštejn/CZ, Burg*

Wahrscheinlich hatte der Kaiser seinen Platz vor dieser Wand. Das Programm ist von unten nach oben und von der Mitte nach außen hierarchisch-heraldisch (jeweils rechts vor links) zu lesen. In der Mitte der unteren Reihe die hl. Kaiser Karl der Große und Heinrich II., beide mit dem Doppeladler. Auffällig ist der prominente Platz des Königs Artus und der anderen legendären britischen Könige (mit dem Wappen der drei Kronen), ein Hinweis auf Karlstein als neue Gralsburg, aber auch auf die Übermacht, die die Engländer im Krieg mit Frankreich damals gewonnen hatten.

*49. **Prag, Domsakristei,** Peter Parler, um 1360*
Der Baukünstler zeigt sich in den hängenden Schlußsteinen der Sakristei als Virtuose, der das anscheinend Unmögliche möglich macht. Die Sakristei diente zugleich als Kapelle.

Baumeisters demonstrieren, indem sie entgegen dem Herkommen der Baukunst so leicht erscheinen, als wäre ein Zauber wirksam. Sie wurden zu Leitmotiven der nachfolgenden Baukunst, deren gewöhnliche Benennung als ›Spätgotik‹ das Innovative an ihr nicht zum Ausdruck bringt.

Über den Türen des Triforienlaufgangs versetzte man eine Folge von Büsten. Dargestellt sind der Kaiser im Kreise seiner Familie, der Erzbischöfe und der Baurektoren des Domkapitels. An hierarchisch letzter Stelle wurden auch die beiden Baumeister durch eine Büste geehrt, Ausdruck ihrer gehobenen sozialen Stellung. *(Abb. 50)* Allein schon die Tatsache des Porträts an sich, das bis dahin keineswegs gängig war, ist bemerkenswert genug. Vergleicht man die Köpfe miteinander, werden zwei Dinge deutlich: die Männer sind individualisierender gestaltet als die Frauen, darunter wiederum eher die Männer niederen als die hohen Ranges. Die idealtypischen Grundmuster wurden für bestimmte Personenkreise lange beibehalten, obwohl auch die Herrscherbildnisse mit der Zeit vom Prozeß der Individualisierung ergriffen wurden.

Peter Parler machte die Prager Hütte zum Zentrum innovativer Bildhauerei. Nur Weniges ist erhalten geblieben: wo wir Nachrichten haben, sind die Bildwerke zerstört, und wo wir Werke haben, fehlen oft Nachrichten. Die gesicherten Skulpturen machen wahrscheinlich, daß auch das monumentale Brünner Vesperbild mit dem in Leichenstarre ausgebreiteten Christusleib eine parlersche Erfindung ist. Die Erfindung des jüngeren, lieblicheren Typus und die Grundidee der Schönen Madonna dürfte allerdings auf einen der Söhne Peters zurückgehen.

Der Kaiser hatte die Kunstpolitik weitgehend in seiner Hand: Viele Kirchen und Klöster wurden neu errichtet und mit Bildern und Skulpturen reich ausgestattet. Vor allem die Tafelgemälde nach italienischen und italobyzantinischen Vorbil-

linke Seite:
48. Prag, Veitsdom, Wenzelskapelle,
Peter Parler, um 1370 mit späteren Ergänzungen
Die Reliquienkapelle des böhmischen Nationalpatrons ist in den feinsten Formen der Kapellenarchitektur als architektonischer Schrein gearbeitet, der die Wallfahrer anziehen sollte. Die Sockel der Wände sind reich bemalt und mit Halbedelsteinen ausgestattet. Die Statue des Heiligen von 1373 stammt, wie die Meistermarke mit dem Winkelhaken zeigt, von der Hand eines Parler, vielleicht von Heinrich, und ist ein Gründungswerk des Schönen Stils. Um 1500 malte ein bedeutender Künstler im Auftrag Königs Wladislaws I. aus der litauisch-polnischen Dynastie der Jagiellonen (Abb. IV/50) den Zyklus der Wenzelslegende. Die gemalten Engel seitlich der Statue beziehen sich auf die Legende, Wenzel sei einst in Begleitung von Engeln aufgetreten.

50. Büste des Baumeisters Peter Parler,
Sandstein, um 1380, Prag, Veitsdom, Triforium
Die Laufgangtüren sind mit den Büsten aller am Bau Beteiligten versehen: des Kaisers und seiner Familie, der Erzbischöfe, aber auch der geistlichen Baurektoren und der beiden Baumeister. Daß sie mitaufgenommen wurden, zeugt von ihrem hohen Ansehen als Hofkünstler. Diese Porträts zählen zu den ersten der Kunstgeschichte Mitteleuropas.

dern boten der damaligen Bilderlust etwas völlig Neues. Noch nie zuvor waren so viele Künstler an einem Ort in Mitteleuropa tätig. Aber fast alle ihre Werke wurden in den Bilderstürmen und Kriegen von 1419–1421 und später vernichtet. Nur eine geringe Anzahl ist bis heute erhalten, die meisten in den Randgebieten Böhmens.

Die Länder der Böhmischen Krone, und damit die Hausmacht der Luxemburger, waren erheblich größer als das heutige Tschechien. Schlesien gehörte dazu, die Ober- und Niederlausitz, seit 1373 auch die Mark Brandenburg, zeitweise Teile der Oberpfalz; auch Luxemburg umfaßte ein Mehrfaches seiner heutigen Ausdehnung. Außerdem verfügte Karl als Kaiser über viel Streubesitz im Reich. Der Deutsche Orden stand in einem gewissen Abhängigkeitsverhältnis. Die Reichsstädte waren ihm verpflichtet. Wichtige Fürsten hatte er sich verschwägert. Kurz, sein Einfluß und damit auch der seiner Hauptstadt Prag war so groß wie früher allenfalls der ottonisch-salische. Doch ist die historische Situation nicht vergleichbar. Die Territorien hatten sich abgekapselt. Die Gesellschaft hatte sich verändert. Die Einwirkungsmöglichkeit des Kaisers war außerhalb seiner Hausmacht gering. Doch war das Ansehen der Prager Kunst so hoch, daß sie auch ohne äußeren politischen Anlaß nachgeahmt wurde.

Wien als Konkurrenzstadt Prags

Eng und spannungsreich zugleich waren die Beziehungen des Kaiserhofes nach Wien. In den Augen der Habsburger waren die Luxemburger unrechtmäßig an die Macht gekommen, aber man war klug genug, ihre Position anzuerkennen. Herzog Rudolf IV. (1358–1365) heiratete eine Tochter Karls IV., um dadurch u.a. sein politisches Hauptziel, die Standeserhöhung, zu erreichen. Dafür griff er schließlich sogar zur Fälschung: Das aus dem 12. Jahrhundert stammende ›Privilegium Minus‹ wurde kunstvoll durch ein ›Privilegium Majus‹ ergänzt. Der philologischen Prüfung durch Petraca, der vom kaiserlichen Schwiegervater damit beauftragt war, hielt dieser Schwindel jedoch nicht stand. Rudolf erfand außerdem den Erzherzogtitel und eine entsprechende Krone samt kaiserähnlichem Bügel. *(Abb. 51)* Ein prätentiöses Siegel wurde entworfen. Rudolfs Nachfolger Albrecht III. gründete einen eigenen, hochadligen Ritterorden, dessen Mitglieder sich durch einen kunstvoll geflochtenen und verzierten Zopf hervorhoben. *(Abb. 52)* Die Hofhaltung war pompös. Wie die Luxemburger schufen sich die Habsburger eine lückenlose Ahnenreihe, die über die fränkischen Kaiser zu den römischen führte und von diesen zurück bis Adam und Eva.

Verständlich, daß die Kunst in hohem Maße zur Darstellung dieser Ansprüche beizutragen hatte. Damals entstanden in Wien viele, der Prager Skulptur ebenbürtige, im Stil aber pointiert gegensätzliche Bildwerke. *(Abb. 36)* Es fällt auf, daß an ihnen überaus verschiedene Konzepte ausprobiert wurden: Der antike Stil der Katharina in St. Michael in Wien suggeriert die Nähe Habsburgs zu den römischen Kaisern. Auch als erstes eigenes

51. Porträt Rudolfs IV. von Habsburg, *Mischtechnik auf Holz, 45 x 30 cm, um 1365, Wien, Dom- und Diözesanmuseum*

Das Bildnis stammt von einem Prager Maler des Theoderich-Umkreises und zeigt den Erzherzog mit der von ihm neugeschaffenen Krone. Wahrscheinlich war die Tafel Teil seiner Grablege in St. Stephan in Wien.

*52. **Erzherzog Albrecht mit dem Zopforden,** Glasfenster, Wien, um 1380, St. Erhard in der Breitenau/AU*

In die steirische Wallfahrtskirche stiftete Herzog Albrecht III. einen von der Wiener Hofwerkstatt geschaffenen Glasfensterzyklus. Der Fürst ist als Stifter in Rüstung mit den Insignien des von ihm 1377 gestifteten Ritterordens ›zum Zopf‹ und seinen beiden Gemahlinnen dargestellt.

*53. **Wien, Stiftskirche (Dom) St. Stephan,** Hoher Turm, 136,70 m, um 1390–1433*

Das Hauptmotiv des Wimpergs ist von der rudolfinischen Umgestaltung der Langhausfassade übernommen. An der Errichtung waren sehr unterschiedliche Baumeister beteiligt. Das hat der Geschlossenheit seiner Wirkung kaum Abbruch getan. Die Vollendung des Turmes wird dem aus Böhmen stammenden Peter von Prachatitz verdankt.

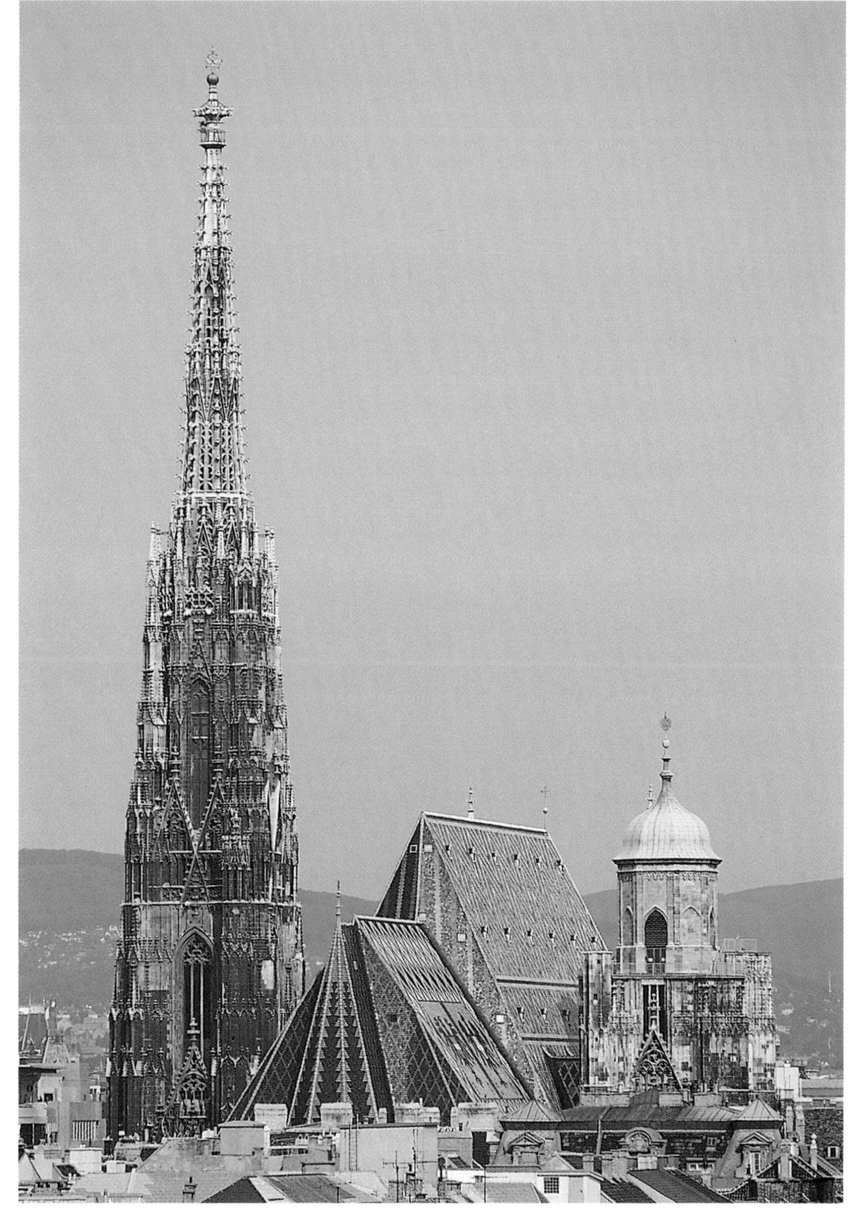

Siegel verwendete Rudolf eine antike Gemme. Andererseits strahlen die Fürstenstatuen von St. Stephan eine Sinnenfreude und erotisierte Leiblichkeit aus, daß man sie kaum für mittelalterlich halten möchte. Hier handelt es sich nicht mehr nur um dynastische Konkurrenz, sondern um einen Wettbewerb von Hofkünstlern miteinander. Leider schweigen die Quellen, ob sie alle gleichermaßen in der Gunst ihres Herrn und seines Hofes gestanden haben. Hofkünstler waren sie gewiß.

Die Architektur um 1400

Die österreichischen Herzöge bauten ihre Wiener Stiftskirche St. Stephan wie eine Kathedrale aus, in der Absicht, in Wien ein Bistum zu gründen, ja es nach Prager Art statusmäßig zu erhöhen. Als man feststellte, daß die Prager ihren Domturm nicht zu vollenden vermochten, legte man allen Ehrgeiz auf den Ausbau des Südturms. *(Abb. 53)* Hierfür bediente man sich auch einiger parlerisch geschulter Baumeister. Die kraftvollen Architekturformen der vorangegangenen Epoche sind trotz der Größe des Turms ins Zierliche abgewandelt.

Die höfische Gesellschaft um 1400 war, wenn sie überhaupt baute, weniger am architektonischen Raumentwurf, als an der Raumausstattung interessiert. Die Bauten sind im Typus meist konventionell. Bevorzugt werden zierliche Kapellen in der Art des 14. Jahrhunderts sowie große Säle, die sich an die Muster des 13. Jahrhunderts anlehnten. Man strebte eher eine Verfeinerung des Alten an, als die Erfindung von etwas Neuem.

Neuartiges gelingt vor allem dort, wo Fürsten in engem Zusammenspiel mit den Bürgern Kir-

54. ***Landshut, St. Martin,*** *Innenansicht nach Osten, Hans von Burghausen (um 1360–1432), um 1395–um 1500*

Die Kirche verbindet die Funktion einer herzoglichen Stiftskirche (mit eigener Fürstenempore) mit der einer Stadtkirche. Der Grundriß des Chors wurde von dem Vorgänger des Meisters entworfen, was seine Konventionalität erklärt. Das Netzgewölbe zeigt Beziehungen zur Prager Veitskathedrale, aber die Einzelformen sind höchst originell.

55. ***Landshut, Heilig-Geist-Kirche,*** *Innenansicht nach Osten, Hans von Burghausen (um 1360–1432), 1407–1461*

Die Transparenz des Raumes wird schon dadurch thematisiert, daß die Apostelstatuen nicht an den Binnenpfeilern, sondern an den äußeren Wanddiensten stehen. Der Wappenstern im Gewölbe – mit dem Wappen des Landesherrn an prominentester Stelle – zeichnet den Ort des Sanktuariums aus.

56. ***Epitaph des Hans von Burghausen,*** *Stuck, Gesamthöhe mit Inschriftentafel und Baldachin 265 cm, 1432 oder kurz danach, Landshut, St. Martin, Südwand des Langhauses außen*

Der Porträtkopf des Baumeisters, der von ca. 1405 bis zu seinem Tod 1432 die Bauarbeiten leitete, dient als Konsole eines Schmerzensmanns böhmischer Art. Die Inschrift nennt die von ihm entworfenen sieben Kirchen und fordert auf, für das Seelenheil des Verstorbenen zu bitten. Die Skulptur ist aus Stuck, einem um 1400 beliebten Material, geformt und ist – ebenfalls einer damaligen Vorliebe entsprechend – recht klein. Die Präzision und Sachlichkeit, mit der die asketischen Züge des alten Baumeisters genau nach der Natur studiert sind, signalisieren jedoch das Heraufziehen einer neuen, wirklichkeitsnahen Kunst.

chen bauen und dabei den Baukünstlern freie Hand lassen. Fast alle Architekten, die den Ruhm der Baukunst der Zeit um 1400 ausmachen, sind aus der Parlerschule hervorgegangen. Hervorzuheben sind zwei Meister des Backsteinbaus, Hans von Burghausen in Niederbayern *(Abb. 54 u. 55)* sowie Hinrich Brunsberg in Pommern. *(Abb. 57)* Landshut, wo zwei von sieben der für Hans von Burghausen gesicherten Kirchenbauten stehen, war die Hauptresidenz des wittelsbachischen Teilherzogtums Niederbayern. Die St.-Martins-Kirche war Stadtpfarrkirche, Stifts- und Residenzkirche in einem. Es handelt sich dabei um eine Halle, die auf die Höhe basilikaler Mittelschiffe gebracht wurde. Ihr langer Kapellenchor bildet einen gläsernen Schrein für sich, nach der Art von Hofkapellen. Durch das langgezogene Achteck als Pfeilerform wird die Längstendenz des Raumes betont, mehr noch durch das Netzgewölbe – während die vor allem als Zugang zu den Einzelkapellen dienenden Seitenschiffe mit jochbetonenden Sterngewölben gedeckt sind. Die Dimensionen sind erstaunlich, denn der Backsteinbau hat nicht die Stabilität des Hausteinbaus. Mit Hilfe

*57. **Tangermünde, Rathaus,** Hinrich Brunsberg (um 1350–nach 1428), um 1420*
Hinrich Brunsberg aus Stettin hatte ebenfalls in Prag gelernt; er schuf in seiner pommerschen Heimat sowie in der Mark Brandenburg filigrane Backsteinfassaden und Kirchenräume.

von Hausteinen wurden denn auch die feineren Teile der Portale sowie der Turm gestaltet. Möglich wurde dieser Raum aber nur durch erneute Fortschritte in der Wölbtechnik.

St. Martin *(Abb. 54)* ist geistreich im Einzelnen, prächtig im Ganzen, im Typus aber, verglichen mit der Spitalkirche Hl. Geist, eher konventionell. *(Abb. 55)* Die weiten Räume zwischen den zierliche Säulen (Interkolumnien) dieser niedrigeren, weiträumigen Hallenkirche lassen den Blick schweifen. Man wird jedoch schon dadurch auf die Säulen aufmerksam, daß eine von ihnen betont in die Mittelachse gesetzt ist. Damit wird eine in der Dekanatskirche Kolin von Peter Parler formulierte Idee umgebildet. Die Art der Stützen und die Gleichheit der Interkolumnien verweisen auf Schwäbisch-Gmünd als Vorbild. *(Abb. 42)* Der Witz dieses im Detail schlichten Baus liegt in der Raumschöpfung.

Hinrich Brunsberg stand in den Diensten der Herzöge von Pommern in Stettin, baute aber auch anderenorts, vor allem in Brandenburg. Er bemühte sich, der Vorliebe des Zeitalters für schmückende Elemente folgend, das spröde Material Backstein zu reichen Mustern in großen Flächen zu fügen, die von Motiven der älteren hansischen Baukunst ausgehen, aber Anregungen der Prager Bauverzierung aufnehmen. *(Abb. 57)* Diese Dekoration wurde auf Kirchen wie auf Rathäuser gleichermaßen angewendet. Daß Brunsberg der Versuchung dieser Epoche, sich in gesteigertem Aufwand für das Dekorative zu erschöpfen nicht erlegen ist, beweisen seine Raumerfindungen der Stadtkirchen in Stargard und Brandenburg.

Der Internationale Schöne Stil unter Kaiser Wenzel I.

Karls Nachfolger Wenzel war ein schwacher Kaiser, so daß er im Jahr 1400 von den Kurfürsten abgesetzt wurde und als König nur in Böhmen weiterregierte, da die anderen Länder der böhmischen Krone seinen Brüdern unterstanden. Aber Prags Ruf als Hauptstadt und vor allem als größte Kunststadt Mitteleuropas hatte sich so gefestigt, daß von hier auch weiterhin Wirkungen ausgegangen sind, deren Wohl und Wehe nicht mehr von Qualität und Aktivität seines Königs abhing. Wenzel war obendrein ein leidenschaftlicher Kunstfreund, ein Sammler fast schon im modernen Sinne. In allen Ländern Europas bildete sich damals im engen wechselseitigen Austausch der Höfe eine raffinierte, luxuriöse und exklusive Kultur. Sie hatte nicht nur ein Zentrum; vielmehr wetteiferten die Fürsten miteinander, die jeweils besten Künstler in ihre Dienste zu nehmen. Der Schwerpunkt lag nicht mehr allein im Westen. Auch Prag, Wien, Budapest und die Kunstzentren Italiens gaben starke Impulse. So entstand eine gleichartige und vielfältige Kunst von großer Schönheit und sinnlichem Zauber. Man nennt sie den ›Schönen‹ oder ›Internationalen Stil‹.

Der Wille zur Verfeinerung der ästhetischen Mittel und zur Bereicherung der künstlerischen Wirkungen ging in Prag von der Bildhauerschule der Parler aus, wie die Statue des hl. Wenzel von 1373 zeigt. *(Abb. 48)* Nicht mehr die Bauskulptur an den Portalen, sondern für die private und liturgische Verehrung bestimmte Bildwerke der Madonna und des Vesperbildes standen im Zentrum der Bemühungen. *(Abb. 58–60)* Eine ähnliche Anregungskraft hatte die Bildhauerei zeitweilig in Burgund und in der Toskana.

Der Typus der Schönen Madonna aus Krumau geht auf ein bolognesisches Gnadenbild zurück. *(Abb. 58)* Die fassadenhafte Flächigkeit der Statue ist u.a. aus der Kultbildtradition zu erklären, zeigt aber auch, daß das Tafelbild zur führenden Aufgabe aufgerückt war. Am sinnfälligsten ist das künstlerisch Neue beim Kind: Es ist zugleich überaus schön und doch wirklichkeitsnah. Äußerst genau ist wiedergegeben, wie sich die zierlichen, aber fest zugreifenden Finger der Mutter in den zarten Kinderleib eindrücken, der geometrisierend idealisiert und geschönt ist. Die Madonna präsentiert den Knaben, wie der Priester die Hostie zur Verehrung vorzeigt. Die Beziehung zwischen Bild und Betrachter wird intensiviert. Dabei wird allerdings nicht auf Überwältigung hingearbeitet, denn die Statue ist klein, sondern auf Berückung. Kurz: Das Werk ist neuartig durch das Maß seiner Idealisierung und seines Naturstudiums, durch den doppelten Prozeß der Theologisierung und der Versinnlichung.

Die Gewandfassade ist eine künstlerische Demonstration: Sie will kompositorisch auf das Kind weisen, diese Komposition aber gleichzeitig im Sinne eines ›Themas mit Variationen‹ abwandeln und rhythmisieren. Sie will Schmuck sein und ist doch neu nach der Natur einstudiert. Das variiert und bereichert auf eigene Weise die traditionelle gotische Gewandsprache. *(Abb. 3)* So fremd ist uns diese gleichsam abstrakte Kunst nicht, daß wir nicht ihren Wert erkennen und genießen könnten. Gerade bei Werken dieser Art gelingt es der Fotografie aber kaum, den eigentlichen Reiz wiederzugeben, der in dem subtilen Wechsel der Oberflächenwirkungen besteht. Er wird durch eine verfeinerte Bildhauertechnik und den planvollen Einsatz unterschiedlicher, mal glatter, mal gezahnter Meißel erreicht, sowie durch die Faßmalerei

58. ***Schöne Madonna aus Krumau/Česky Krumlov/CZ,*** *Kalkstein, 112 cm, Prag, um 1400, Wien, Kunsthistorisches Museum*

Die Madonna präsentiert den Gläubigen das Kind so wie ein Priester die Hostie. Das Kind wird in seiner Leiblichkeit inszeniert, nackt, mit einem weichen Kinderkörper, in den die Finger der Mutter einsinken. Die Körper sind in neuer Weise wirklichkeitsnah und zugleich ideal-schön. Die Rhythmik der Falten und ihrer Kaskaden ist von höchstem Reichtum. Auffällig ist das kleine Format und die zarte, lebensechte Bemalung.

59. ***Passionsmadonna,*** *Kalkstein, 84 cm, Prag, um 1390, Mährisch-Sternberg/Moravsky Šternberk/CZ, Schloß*

Die Statue trägt auf dem Rücken ein ›h‹, vielleicht eine Signatur, die hypothetisch auf Heinrich Parler bezogen wird. Die Figur ist ungewöhnlich kontrastreich komponiert: große und kleine, runde und eckige Formen sind ›mehrstimmig‹ zusammengefügt. Das Kind wird präsentiert und zugleich zurückgenommen. Bestimmend für die Darstellung ist das Thema des Vorherwissens der Passion und der Versuch Mariens, ihren Sohn vor dem drohenden Leiden zu bewahren.

mit ihrer Vielfalt an eindrucksvollen Farb- und Glanzwirkungen.

Dieselben Künstler konnten auch dramatisch-expressiv sein, so bei der Passionsmadonna in Mährisch-Sternberg. *(Abb. 59)* In die Augen springt das kreischende, alles bedeckende Rot, das nur an einigen Stellen durch das Blau des Mantelfutters und das Gold der Säume unterbrochen wird; auch hier also wieder das Aufgreifen malerischer Wirkungsmöglichkeiten. Der bekümmerte Gesichtsausdruck, der Versuch Mariens, das Kind vor den herannahenden Gefahren zu bergen, es also im Präsentieren zurückzunehmen, dazu das Vorzeigen des Fußes, der dereinst von den Nägeln durchbohrt sein wird, dies alles drückt aus, daß in dieser Figur die Vorwegnahme der Passion, das Vorherwissen und die Leidensbereitschaft zur Erlösung der Menschheit thematisiert sind. Nicht mit Attributen und Symbolen wird gearbeitet, sondern die Aussage allein durch bildnerische Mittel sowie Mimik, Haltung und Gestik erreicht. Die Kunst ist damit in vollem Maße eine Bildende, sie hat sich

60. Ölberg
61. Auferstehung des Retabels aus dem Augustinerchorherrenstift Wittingau/Třeboň/CZ,
Mischtechnik auf Fichte, 132 x 92 cm, Prag, um 1390, Prag, Nationalgalerie

Zwei Bilder der Rückseite eines großen Altarretabels für das vom Fürstengeschlecht der Rosenberger gestiftete südböhmische Stift. Ihr Maler ist der führende Prager Maler des Schönen Stils. Er setzt die Ideen der Bildhauer in großzügig geschwungene Umrisse und Kompositionen um. Eindrucksvoll ist die Landschaft am Ölberg und das Helldunkel, das Nacht andeutet. Der Maler betont das Wunder der Auferstehung, indem er zeigt, daß Christus durch den geschlossenen und versiegelten Sarkophagdeckel hindurch ins Freie geschwebt ist. Dabei gibt er das Gewand Christi in einem altertümlichen, fassadenhaften Stil wieder, so als sei der moderne Schöne Stil für den Ausdruck des Sakralen nicht recht tauglich.

vom Wort und vom an das Wort gebundenen Zeichen emanzipiert, jedoch ohne programmatische Abgrenzung. Nur wird damals – wie zuvor in Italien – das Darstellen der Inhalte primär mit bildnerischen Mitteln ehrgeiziges Streben jedes Künstlers.

Trotz des Zündfunkens, der im letzten Viertel des 14. Jahrhunderts von der Skulptur ausging, wurde dies ein Zeitalter der Malerei. Sie hatte mit der Farbe und ihren vielfältigen Wirkungsmöglichkeiten, vor allem dem nun auch in der Tafelmalerei zur Darstellung kommenden Lichtwirkungen, künstlerische Mittel in der Hand, über welche die Bildhauer nur eingeschränkt verfügten. Der Maler der Wittingauer Tafeln baut sein nachtdunkles Ölbergbild um das düstere Grau von Christi Rock auf, die Farbigkeit des Osterbildes um das strahlende Rot des Gewandes Christi. *(Abb. 60 u. 61)* Wo der Bildhauer der Sternberger Madonna mit einem einzigen Rotton auskommen mußte, führt der Maler vor, wie groß die Möglichkeiten seiner Farbkunst sind, indem er eine Tonleiter verwandter Farbwerte von Rot,

Braun und Violett bis hin zu Gelbvariationen inszeniert. Geistreich nutzt er dabei sogar den aus Ersparnisgründen üblichen, gemalten roten Hintergrund der Altartafel-Rückseite. Alles zielt auf die Steigerung des Purpurrot im Mantel Christi, nur daß dessen Glanz wegen des Verlustes der zarten Krapplacklasuren etwas gelitten hat.

In großem Umfang setzt der Maler transparente Lasuren ein. Die traditionelle Verwendung des Eiklar als Bindemittel der Farben wird ergänzt durch neue Mischungen, die Öle und Harze verwenden. Seit dem frühen 14. Jahrhundert experimentierten zunächst italienische, dann nordalpine Maler mit neuen Techniken. Dies führte im frühen 15. Jahrhundert in den Niederlanden zur eigentlichen Ölmalerei, die jedoch – genau besehen – immer eine Mischung von Tempera- und Ölschichten ist, die in mehreren Arbeitsgängen und unterschiedlicher Abfolge aufgetragen werden. Der Maler der Wittingauer Tafeln ist ein früher Meister der Technik: die gepunzten Silberflächen der Rüstungen werden mit bläulichen und grauen Lasuren übermalt. Diese Lüsterung gibt farbigen Glanz und suggeriert verschiedene Metalle. Die Schattierung läßt den Sarkophag aus dem Dunkel auftauchen, gibt ihm etwas Auratisches.

Die neue Technik strebt vor allem eine gesteigerte Wirkung des Bildlichtes an. Damit aber greifen die Tafelmaler mit einer nur ihnen eigenen Technik eins der großen Gestaltungsziele der älteren Sakralkunst auf, das zuvor bereits die Mosaikkunst, die Architektur in Verbindung mit der Glasmalerei, besonders aber die Goldschmiedekunst mit ihrem Einsatz von Edelsteinen und transluziden Emails, sowie von Punzen und Gravuren, mit jeweils eigenen Mitteln verfolgt hatten. Die Ölmalerei konnte mit ihrer neuen Technik den Zauber des Lichtes mit der Wiedergabe der Wirklichkeit verbinden und kam damit den Bedürfnissen der Gesellschaft offenbar besonders entgegen. Sie konnte auch das Dunkel und alle Arten schattiger Übergänge malen und ihren Gegenständen nicht nur Wirklichkeitsnähe, sondern auch eine geheimnisvolle Dimension geben. Selbst das Gold erhielt unter den Händen der Maler eine eigene Lichtqualität, abgesehen davon, daß sie fast alle Mittel der Goldschmiedekunst in die Tafelmalerei integrieren konnte. Dies Bemühen setzt schon bei Theoderich ein, der danach strebte, von der älteren gotischen Linearität wegzukommen und weiche, hell-dunkle Übergänge zu schaffen. *(Abb. 46 u. 47)*

Der Maler verreibt aber nicht nur die Farben, sondern führt an vielen Stellen den Duktus seiner Pinselschrift vor, der er einen optischen Reiz abgewinnt – der neuen subtilen Handhabung der Meißel durch die Bildhauer gleich, ihr aber noch überlegen. Wahrscheinlich wurde der in der antiken Kunstliteratur mehrfach angesprochene Wettstreit zwischen Maler- und Bildhauerkunst schon damals wieder zum Thema. Daß der Maler sich in neuem Maße als denkender Künstler verstand, zeigt sich auch an den vielen Abweichungen, die er im Malprozeß von seinen eigenen Vorzeichnungen machte.

Es wäre deshalb verfehlt, den Rang dieser Malerei nur von ihren technischen Mitteln her zu beschreiben, denn ihre Erweiterung geht einher mit vertiefter Reflexion und Neugestaltung der Bildinhalte. Für den *Ölberg* verwendet der Maler auf suggestive Weise Landschaftselemente, um die Einsamkeit und Not Christi zu verstärken. Seine in sich gedrehte Körperhaltung drückt die Verkrampfung und das Sich-Winden vor dem Unausweichlichen, Schrecklichen aus, sagt aber in der Streckung des Leibes nach oben auch, daß Christus auf die Erfüllung seiner himmlischen Mission ausgerichtet bleibt. Anders die *Auferstehung*: durch den fest geschlossenen, schweren und vierfach versiegelten Sarkophagdeckel ist der Auferstandene entschwebt, leiblich und doch schwerelos. Nicht der Moment der Auferstehung wird erzählt, sondern der Zustand dargestellt. Der Maler zeigt uns ein Wunder: wie gelähmt schauen die Grabwächter auf die Erscheinung, die ihnen wie ein Gespenst erscheint, dem frommen Betrachter hingegen als Bild der göttlichen Macht, die den Tod und alle Bande der Natur zu überwinden vermag.

Höfische Luxuskunst

Auf den ersten Blick scheint Prachtliebe das hervorstechendste Merkmal dieser Epoche zu sein. Es ist eine Zeit der Blüte aller Luxuskünste, allen voran der Goldschmiedekunst und der Textilkünste. Was man nicht selber herstellen konnte,

*62. **Die Schlacht des Kaisers Honorius,** Seidenstickerei vom Festornat des Bischofs von Trient, Georg von Liechtenstein, Prag, um 1390, Trient/Trento/I, Diözesanmuseum*

Ein Prager Luxusgewerbe war die Seidenstickerei. Nach den Vorlagen der besten Maler wurden die Wünsche auch weit entfernter Auftraggeber erfüllt, wie hier des Bischofs von Trient, der aus einem hochadeligen mährischen Geschlecht stammte. Er wollte die Taten des Diözesanpatrons Vigilius verherrlicht wissen. Gleichzeitig sollte durch die hier abgebildete Legende, wie die Vigiliusreliquien dem weströmischen Kaiser Honorius in der Schlacht gegen die Goten helfen, auf die Kraft der Reliquien und das heilsame Miteinander von Kirche und Staat in der damals zum ersten Mal auftauchenden Türkengefahr verwiesen werden.

wurde importiert, Bergkristall aus Venedig, Goldemail aus Paris. Prag wurde jedoch als erste Stadt Mitteleuropas gerade unter Wenzel selbst Zentrum der Luxusindustrie. Böhmische Seidenstickereien waren sehr begehrt. *(Abb. 62)* Die Vorlagen lieferten Maler oder Buchmaler – die Trennung dieser Gattungen war damals noch nicht die Regel, aber daß es die besten Künstler waren, sieht man den Stickereien an. Die ›Nadelmaler‹ entfalteten mit eigenen Mitteln einen samtig-seidigen Glanz und schufen mit der Verzwirbelung verschiedenfarbiger Fäden changierende Farbwirkungen besonderer Pracht.

Auch die Goldschmiede entwickelten unter dem Konkurrenzdruck der aufblühenden Malerei immer raffiniertere Wirkungen, so die Goldschmiedezeichnung mit der feinen Nadelpunze, die sogenannte Punktmanier. *(Abb. 63)* Ziel ist wie in der Malerei eine Lichtwirkung besonderer Art, eher matt glänzend als strahlend. Das Zeitalter entdeckte die verschiedenen Effekte des Lichtes, des Glänzens, Schimmerns und Funkelns in ihrer gegenseitigen Wirkungssteigerung. Bei der böhmischen Prinzessinnenkrone *(Abb. 64)* zeigt das Goldemail eine eher dunkle, transparente Glut abwechselnd roter und blauer Töne. Die Perlen nehmen mit ihrem Schimmer eine Zwischenstufe ein, doch sind sie mit aufblitzenden Brillianten und Smaragden kombiniert. Die Goldteile wurden bevorzugt gratig gestaltet, und konkave Teile wechseln mit konvexen, so daß ein ständiger Wechsel von helleren und dunkleren Lichtern entsteht, die – sobald die Krone bewegt wurde – ein funkelndes Spiel auslösten. Die auf gestelzte Krallenfassungen montierten, wässrig hellen Saphire und Rubine bilden – auch symbolisch – die Bekrönung und schaffen zugleich einen Farb-Licht-Effekt eigener Art.

Zu den Wesenszügen des höfischen Sammelns gehört die Wertschätzung des Außerordentlichen und Einmaligen, des – wie man seither gern sagte – Kuriosen. Das galt für Kunstwerke wie für die Dinge der Natur: Man sammelte mit Leidenschaft Narwalhörner, die man zum wunderwirksamen Horn des sagenhaften Einhorn erklärte – oder vorgeschichtliche Haifischzähne, Natternzungen ge-

63. Reliquienkreuz mit Punktgravur,
Silber, vergoldet, 56 cm, Köln, frühes 15. Jh., Solingen-Gräfrath, Damenstiftskirche
Über dem Gekreuzigten das Symbol seines Opfertodes, der Pelikan, der sich nach der Legende die Brust aufreißt, um seine Jungen zu nähren. Auf den Medaillons die Symbole der Evangelisten als Motiv der Majestas Christi.

nannt, von denen man glaubte, daß sie untergemischtes Gift durch Berührung unwirksam machen – oder Wiesenthörner, die man für Klauen des legendären Vogel Greif hielt und kostbar zu Trinkhörnern umarbeitete – oder Straußeneier, denen man besondere Verehrung entgegenbrachte, weil sie als Natursymbol der Unbefleckten Empfängnis Mariens galten. *(Abb. 65)* Eine besondere Vorliebe hatte man für alle Arten edler und farbiger Steine. Da die edelsten und größten Diamanten am Rande der damaligen Welt gefunden wurden, glaubte man, daß sich in ihnen wunderwirkende oder magisch wirksame Naturkräfte verdichtet hatten. Auch antike Medaillen und exotische Kleinkunstwerke fanden ihren Platz in den

64. Böhmische Prinzessinnenkrone,
Prag, um 1370-1380, München, Schatzkammer der Residenz
Die langgezogenen goldenen Lilien und der Reif sind in einer genau erdachten Folge mit blassen Saphiren und Rubinen, mit Smaragden, Brillianten und Perlen sowie abwechselnd mit roten und blauen transluziden Emails versehen. Größte Zierlichkeit und subtilste Farbrhythmik machen sie zu einer der schönsten erhaltenen Kronen des Mittelalters. Geschaffen wurde sie wahrscheinlich für Anna, Tochter Karls IV., aus Anlaß ihrer Eheschließung mit König Richard II. von England.

Schatzkammern, die zu geordneten Sammlungen und später zu systematisch gegliederten Kunst- und Wunderkammern wurden. Natur-Wunderwerke und Kunstwerke galten als einander wesensähnlich, die einen von Gott, die anderen vom durch Gott begnadeten Künstler geschaffen.

In dieser Epoche setzte sich der Gebrauch des Begriffs ›Künstler‹ (artifex, artista, artiste, artist, kunstenaar) als eine Art Ehrentitel durch, der zuvor für Intellektuelle, d.h. für die Meister der ›artes liberales‹, reserviert war. Theoderich, Hofmaler unter Karl IV., trägt in Urkunden respekterheischend diesen Titel, Peter Parler wird erst recht so genannt. *(Abb. 47 u. 50)* Diese Benennung geht einher mit der sozialen Privilegierung dieser Männer als Hofkünstler. Seinen Ausgang nimmt der Sprachgebrauch von Italien, wo erstmals auch Maler und Bildhauer in Hofämter vorrückten, d.h. ›Kammerdiener‹ wurden und zuweilen sogar einen Adelstitel erhielten. Ihre Kunst sieht zwar sehr unantik aus, aber man sollte sich klarmachen, daß der neue Begriff vom Künstler nichts anderes ist als eine Erneuerung antiker Vorstellungen, wie sie über die alten Autoren wie Plinius und Lukian vermittelt wurden. Die hohe Vorstellung vom Rang und der Aussagekraft der Kunstwerke, die auch auf ihre Verfertiger zurückstrahlte, ist im 14. Jahrhundert erneuert worden. Dies ist eine wichtige Etappe im Prozeß der verstärkten Hinwendung zur Antike.

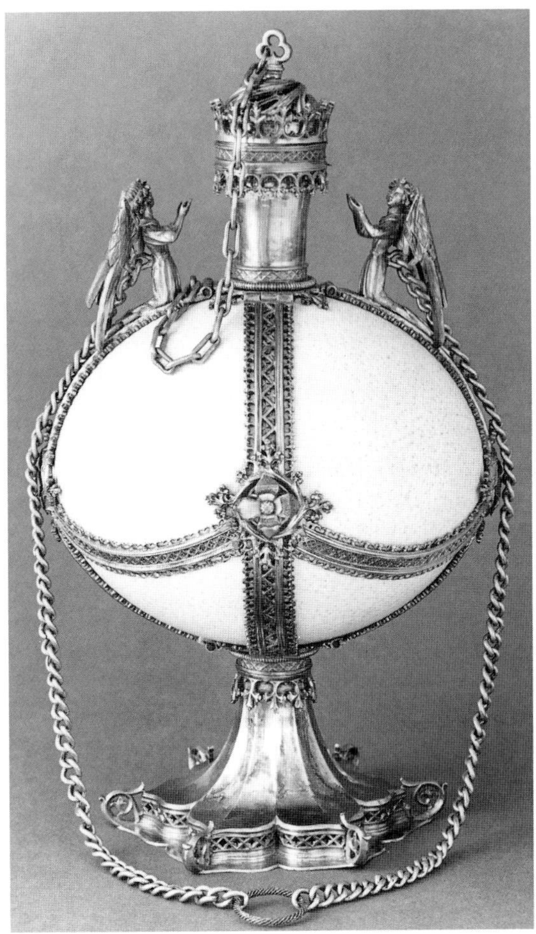

65. Straußeneiflasche, *Reliquiar aus der Stiftskirche St. Veit in Herrieden, Fassung Silber, vergoldet, 29 cm, Deutschland (?), um 1400, München, Schatzkammer der Residenz*

Der Vogel Strauß wurde in der Frühzeit eher negativ gedeutet. Die schöne Oberfläche seiner Eier hat aber sicher zu der Umwertung beigetragen: Das Ei gilt dem 15. Jahrhundert als eins der Symbole der Unbefleckten Empfängnis Mariä. Die anbetenden Engel lassen darauf schließen, daß die Flasche als Reliquiar bzw. als ›Heiltum‹ gedacht war.

Die soziale Realität der Künstler war jedoch keineswegs immer so glänzend, wie es nach der Theorie zu erwarten wäre. Die Epoche des Schönen Stils ist historisch eine Zeit vieler Kriege. Der 100jährige Krieg zwischen England und Frankreich zog die Fürsten des Deutschen Reiches in den Konflikt hinein. Das Schisma der Päpste führte zur Aufspaltung Europas und seiner Länder, ja sogar die Trennung einzelner Institutionen und Familien in verschiedene Lager, die einander bekriegten. Im Osten zog die Türkengefahr herauf. Im Norden kämpfte die Hanse mit den skandinavischen Königen sowie der Deutsche Orden mit seinen Nachbarn. Einige Fürsten errichteten ein Regime von unerhörter Gewalttätigkeit. Die Handwerker zettelten Aufstände gegen die Patrizier an. Die Städtebünde lagen mit den Fürsten im Streit, die Fürsten wiederum untereinander. Brüder des wittelsbachischen Hauses führten genauso gegeneinander Krieg wie die der Luxemburger Dynastie. Kaum irgendwo gab es Ruhe und Frieden, und damit ökonomische und soziale Stabilität. Zwar boten die Kunstwerke Möglichkeiten der Flucht in ›künstliche Paradiese‹. Aber selbst der Künstler, der eine Stellung bei Hofe gefunden hatte, konnte nicht sicher sein, daß er im nächsten Jahr noch genug Aufträge hatte.

Aber es gab noch andere Gründe, sich nicht fest anzusiedeln. Sammler lieben Abwechslung. Nichts ist ihnen langweiliger als Gewöhnung und Tradition. Dies wirkte sich als Druck auf die Künstler aus. Sie mußten lernen, immer wieder Neues zu finden und zu erfinden, und wenn ihre Kunst nicht mehr genehm war, mußten sie sich aufmachen, um sie anderen Herren anzubieten. Ein prominentes Beispiel ist der überragende italienische

*66. **Präsentationsbüchlein eines Malers (Detail),** Pinselzeichnung auf grün grundiertem Pergament, 17 x 14 cm, Prag, um 1410, Wien, Kunsthistorisches Museum*

Der Themenkreis umfaßt Kreuzigung und Schmerzensmann, mehrere Marienbilder, Apostel und Propheten, ideale Bilder adliger Damen und Herren sowie Heraldisches und Dekoratives. Auffällig sind zwei schwierige Verkürzungen italienischer Art. Das Büchlein wurde in Wien um 1420–1430 noch um zwei Porträtvorlagen ergänzt.

Maler des frühen 15. Jahrhunderts, Gentile da Fabriano, den wir kaum länger als drei Jahre an einem Ort finden. Nördlich der Alpen war es kaum anders, wie das Beispiel des Hans Tiefental von Schlettstadt zeigt. Von einem wandernden Prager Buch- und Tafelmaler ist ein Präsentierbüchlein erhalten, ein ausfaltbarer Leporello, auf dem in feinster Pinselzeichnung eine Auswahl der angebotenen Gemäldethemen in Kurzfassung zu sehen ist: Eine Kreuzigung oder ein Marienbild, ein heraldisch gestalteter Greif oder ein Herrenporträt. *(Abb. 66)* Und es gibt auch heute noch Bilder, die von derartigen aus Prag kommenden Künstlern gemalt wurden, so das kleine Retabel aus Burg Pähl am Ammersee.

Die Lust der fürstlichen Sammler auf Abwechslung und Vielfalt trug dazu bei, die um 1400 erreichte Einheitlichkeit des Stils wieder aufzulösen. ›Variatio delectat‹ (Abwechslung erfreut) war einer der Leitsätze der antiken Kunstlehre. Im höfischen Zusammenhang bekam er einen eigenen Nebensinn. Einer der avantgardistischen Mäzene war König Wenzel. An seinen Handschriften läßt sich ablesen, wie man den angestrebten Abwechslungsreichtum erreichte: Man vergab die Ausmalung einer Handschrift an möglichst unterschiedliche Werkstätten, die nun die Arbeit nicht in jeweils möglichst große Blöcke an die Einzelnen aufteilten, sondern die Arbeitsteilung manchmal schon so weit trieben, daß das Rankenwerk von jemand anderem geschaffen wurde als das Bild, als die Initiale oder die Drolerien am Rand. Häufig sind nicht einmal der Vorzeichner und der Maler ein- und dieselbe Person. *(Abb. 67)* Es ging hierbei also nicht – wie lange üblich und in einer so hochgradig konventionalisierten Gesellschaft erst recht zu erwarten – um Angleichung der persönlichen Stile an ein gemeinsames Ideal, sondern um die pointierte Inszenierung von Originalität und das heißt erstmals auch: der eigenen Handschrift. Dazu brauchte man möglichst unterschiedliche, ja stilistisch gegensätzliche Künstler und Werkstätten nebeneinander. Stil wurde damit zunehmend zu einem Begriff für die persönliche Eigenart des Künstlers. Die Fürsten förderten die Zuwanderung fremder Kräfte und profilierter Meister und begünstigten so den internationalen Austausch. Wir besitzen kaum Nachrichten, können aber den Werken ablesen, daß zunehmend fremde, frankoflämische wie italienische Maler in Prag tätig gewesen sein müssen. Ähnliches gilt für Wien oder die Zentren am Oberrhein. Damit trugen die fürstlichen Sammler und Kunstfreunde

*67. **Titelseite der Goldenen Bulle,** Pergament, 42 x 30 cm, Prag, 1400, Wien, Österreichische Nationalbibliothek, cod. 338, fol. 1r*

Wenzel, Sohn und Nachfolger Karl IV., ließ sich eine große Anzahl überaus kostbarer illuminierter Handschriften malen. Typisch für die höfische Kunst Wenzels ist die verschlüsselte Symbolik des Eisvogels mit dem Liebesknoten, ein Zeichen ehelicher Treue zu seiner Gemahlin. Wir können allerdings nur vermuten, was das Bademädchen bedeutet, die dem in seinem Initialbuchstaben gefangenen König hilft. Ein ›Wilder Mann‹ hält oben links das böhmische Wappenschild, oben mitten in der Leiste eine Helmzier mit dem Reichsadler. Die Ranken sind mit Vögeln verziert, unten rechts findet sich ein obszön parodistisch gemeintes Affenpaar.

MS Ambras. 138

68. Teppich mit Gesellschaftsspielen, *Straßburg/Strasbourg/F (?), Ende 14. Jh., Nürnberg, Germanisches Nationalmuseum*

Teppiche konnte man von Burg zu Burg mitnehmen und mit ihnen außerdem die Räume je nach Gelegenheit umdekorieren. Die Fürsten hatten eigene Bedienstete für Transport und Pflege dieser Kostbarkeiten. Gruppiert um eine ›Festkönigin‹ sind hier nach der neuesten Mode bekleidete, junge Damen und Herren bei den damals beliebten erotischen Freizeitvergnügungen dargestellt.

erheblich zur Sprengung der gemeinsamen Kunstideale und somit zur Entstehung eines neuen Stils bei, der Thema des nächsten Kapitels sein wird.

Noch etwas Wichtiges ist den Handschriften für König Wenzel abzulesen: Daß sich der Hof gegen die Öffentlichkeit, ja sogar gegen alle, die nicht zum inneren Zirkel gehörten, abzuschließen begann. Die Symbolik der Bademädchen oder des Eisvogels im Liebesknoten konnte nur Eingeweihten verständlich sein. Der Prozeß der Aufspaltung der Gesellschaft und auch der Kunst ist nicht zu übersehen. Die Fürsten schufen sich in den Innenräumen ihrer Burgen künstliche Paradiese. Eins der wichtigsten Gestaltungsmittel waren Bild- und Ornamentteppiche, bevorzugt mit Szenen aus der höfischen Freizeit oder der Ritterepen. *(Abb. 68)*

Die neue Kunst der westlichen Kunstzentren um 1400

Ostfrankreich und die Niederlande lösten sich allmählich vom Deutschen Reich, zunächst eher kulturell als politisch. Die bayerischen Wittelsbacher waren damals Herzöge von Holland, Seeland und Hennegau (im heutigen Nordfrankreich). Das Herzogtum Luxemburg war zusammen mit Brabant, der Region um Brüssel, in der Hand einer Nebenlinie des luxemburgischen Kaiserhauses. Die Nationalitätenfrage im modernen Sinne spielte von daher so gut wie keine Rolle, und wegen der Schwächung der Zentralgewalten war auch kaum von Interesse, ob ein Herzogtum oder eine Stadt eher vom deutschen Kaiser oder vom französischen König abhing. Die Tendenz, ein eigenes Land zu bilden, verstärkte sich jedoch, als der Großherzog von Burgund, Philipp der Schöne (1419–1467), die meisten niederländischen Territorien in seiner Hand vereinigte und seine Residenz von Burgund in die südniederländischen Städte verlagerte. In diesen Kulturkreis gehörten auch die rheinischen Hauptstädte, ebenso wichtige Hansestädte wie Dortmund, Soest oder die Seehandelsmetropole Lübeck. Böhmische Schöne Madonnen und Vesperbilder waren dort zwar auch sehr geschätzt, doch dominierte nicht der böhmische Stil den Geschmack, sondern der westliche.

Die Neigungen der damaligen Gesellschaft dieser Kulturlandschaft und zugleich ihre Widersprüchlichkeit sind gut an einem ihrer Lieblingsbilder, der Muttergottes im Rosenhag, ablesbar. *(Abb. 69)* Es ist ein kleines Andachtsbild für den privaten Gebrauch und stellt die Ehrentitel Mari-

ens dar, aber in einer raffinierten und naturnahen Weise. *(Abb. 10)* Das Frankfurter Bild ist wahrscheinlich ein Werk des Elsässers Hans Tiefental, von dem wir wissen, daß er in der Kartause von Champmol bei Dijon für den burgundischen Herzog gearbeitet hatte, bevor er nach Basel, dann nach Schlettstadt und schließlich nach Straßburg zog, wo er zu hohen kommunalen Ehren aufstieg. Er erweiterte das Personenprogramm dieses Bildes, das wohl für eine Äbtissin oder eine hohe geistlich gesinnte Dame bestimmt war, um drei weibliche Heilige in der Ehrenposition und drei männliche. Maria ist erhöht, aber nicht genau in die Mitte gesetzt, die alten Rang- und Zeremonialvorstellungen werden spielerisch gehandhabt. Maria liest und wird darin als Vorbild für geistliche Frauen dargestellt. Ihr Kind spielt mit der hl. Katharina, die hl. Dorothea pflückt Kirschen und die hl. Barbara schöpft Wasser aus einem Brunnen. Bezeichnend für die Privatheit des Bildes ist, daß man die heiligen Jungfrauen nicht mit Sicherheit identifizieren kann. Rechts sitzen drei beliebte ritterliche Heilige in höfischem Gespräch, Michael mit einem Affen-Teufel, Georg mit einem Drächlein und der legendäre Oswald mit dem Raben.

Bildlicher Ausgangspunkt war das Mariensymbol des ›Beschlossenen Gartens‹ (hortus conclusus), und die feste Ummauerung weist auf unverletzte Jungfräulichkeit. Auch die Blumen und Vögel haben marianische Bedeutung. Doch ist damit nur eine Sinnschicht angesprochen. Der Maler hat die Gelegenheit ergriffen, eine Gartenlandschaft zu gestalten, die auf eine naiv anmutende Weise zugleich geistlich und weltlich ist. Der Garten Mariens ist ein höfischer Garten, die ›sacra conversazione‹ (hl. Beisammensein) und somit auch Bild einer Hofgesellschaft, mit reich gekleideten, jugendlichen und makellos schönen Menschen in gesittetem Tun und gepflegter Konversation. Es ist ein Bild des Himmlischen und des Irdischen Paradieses – und ein gemaltes Gedicht. Hier blühen Blumen aller Jahreszeiten nebeneinander. Aber solche durch Mauern geschützte und erwärmte Rasenbänke für die Anpflanzung besonders kostbarer Pflanzen hat es – als frühe Form des Hochbeets – genauso gegeben wie die Zinnen auf der Mauer, die kunstvolle Zwirbelung des Kirschbaumstammes genauso wie den steinernen Tisch mit Noppenglas und geklöppelter Serviette. Das Blau des Lapis Lazuli hat edelsteinhafte Qualität. Es steht im Zusammenklang mit dem rubinartigen Rot und dem smaragdenen Grün oder dem emailartigen Weiß. Dieser Bildtyp war in so hohem Maße höfisch, daß die Herzogin Maria von Geldern sich als Maria im Rosenhag hat darstellen lassen können.

69. ***Hans Tiefental (um 1390–um 1450), Paradiesgärtlein,***
26 x 33 cm, um 1420, Frankfurt/M., Städelsches Kunstinstitut
Der Maler war am Oberrhein tätig und – wie die Nachahmungen zeigen – dort auch sehr berühmt. Der ›Beschlossene Garten‹ ist ein Symbol der Unbefleckten Jungfräulichkeit Mariens und zugleich Ort der Aufreihung vieler marianischer Symbole im Kontext eines Bildes der Gottesmutter mit vielen Heiligen, die wie eine höfische Freizeit-Gesellschaft auftreten.

Hans Tiefental steht am Übergang zu einer neuen Epoche, in der es nicht nur um eine Verfeinerung der künstlerischen Mittel und Techniken ging, sondern auch um die Erneuerung des Naturstudiums und um die Ausbildung künstlerischer Individualität. Allerdings ist die Natur hier noch eher konventionell empfunden, und die Individualität geht im Regionalstil auf. Aber das Neue kündigt sich deutlich an.

Im Westen Europas wurde die Tafelmalerei so vorherrschend, daß man zunehmend das ganze Altarretabel durch Maler ausführen ließ, auch den bis dahin den Skulpturen vorbehaltenen Mittelteil, wie in der Niederwildunger Tafel des Conrad von Soest. *(Abb. 70)* Der in der wichtigen Hansestadt Dortmund tätige, führende Meister Westdeutschlands machte aus den Erfindungen der frankoflämischen Hofmalerei etwas überzeugendes Neues, weshalb für lange Zeit sein Stil und seine Bildprägungen im Hanseraum und im gesamten Rheinland bis Straßburg nachgeahmt wurden. Vergleicht man sein Bild der Geburt Christi mit der Giottos *(Abb. 38)*, so erkennt man, daß nun auch die Rhetorik des italienischen Bildaufbaues aufgegriffen und weiterentwickelt wurde: Die innerbildliche Architektur wird dazu verwendet, das Geschehen in der Hütte von der Verkündigung an die Hirten draußen abzugrenzen und beide Teile zu hierarchisieren, außerdem dazu, die Büste der Muttergottes mit dem Kind als Bild im Bilde und als Andachtsbild inmitten der Erzählung einer Geschichte herauszulösen. Der juwelenähnliche Gebrauch der Farbe ist dem im Paradiesgärtlein verwandt, die Ausführung aber dem ländlicheren Auftrag und dem anderen Gebrauch entsprechend weniger kostbar. Der bürgerlichen

Frömmigkeit gemäß wird Joseph nicht als melancholisch sinnender, sondern als sorgender, demütig helfender Hausvater und Handwerksmann gezeigt. Daß dadurch ein Widerspruch zur hochadligen Erscheinung Mariens entstand, nahm man in Kauf.

Von der Kunst des Malers wurde zunehmend gefordert, auf der einen Seite die Szenen als in sich abgeschlossene Bilder zu konzipieren, auf der anderen aber als erfindungsreicher Dramaturg Bild mit Bild zu einem Zyklus zu verknüpfen, mit einer besonders gestalteten Einleitung, mit Pausen und Zwischenhöhepunkten, der Betonung des zentralen Themas und einem eigenen Schluß, der möglichst den Betrachter auf das Hauptbild im Zentrum zurückweisen sollte, alles Prinzipien, die letztlich von der damals aufblühenden Rhetorik hergeleitet sind. Außerdem war die Rückseite der Altartafel in einem anderen Modus zu erzählen als die Feiertagsseite, das Fußstück (Predella) anders als die Standflügel. Für den bei damaligen Bildern so wichtigen Rahmen und das architektonische Beiwerk aber holte er sich als Mitarbeiter einen spezialisierten Schreiner. Diese Helfer galten als so wichtig, daß sie zuweilen die Auftragnehmer waren und den Maler anstellten.

Kaum eine halbe Generation jünger als Meister Conrad ist der letzte der großen geistlichen Maler, der Dominikanerbruder Francke. Er war ein Zeitgenosse und eine nordalpine Entsprechung seines Florentiner Ordensbruders Fra Angelico. Anscheinend stammt er aus Zutphen im Gelderland, wäre also nach heutiger Zuordnung Holländer. Er arbeitete zuerst in Münster, wo der Bilder-

70. Conrad von Soest (um 1370–1420), Verkündigung und Geburt Christi, *Details der Altartafel, jeweils 74 x 61 cm, 1403, Niederwildungen, Pfarrkirche*

Zentriert um die Kreuzigung wird auf der Feiertagsseite die Heilsgeschichte erzählt. Der Schwerpunkt des linken Flügels liegt auf der Jugendgeschichte Christi, beim rechten auf dem Triumph der Auferstehung. Der Dortmunder Maler bringt die neue frankoflämische Hofkunst der Zeit vor 1400 nach Westfalen und begründet dort eine eigene Schule.

sturm der Widertäufer 1534–1535 seine Werke zerstört hat, dann in Hamburg. Eines seiner beiden Hauptwerke ist in Finnland erhalten, und nur durch einen Quellenfund in Riga/Tallinn entdeckte man seinen Namen. Anscheinend verfügte er auch noch in seiner Hamburger Zeit über gute Beziehungen nach den Niederlanden, denn man kann den Bildern seiner späteren Jahre ablesen, daß er auch die revolutionären Neuerungen Robert Campins verarbeitete, so daß er also in die künstlerische Aufbruchsepoche der flämischen Kunst hineinragt.

Seine Legende der hl. Barbara in acht Bildern zeigt, daß er ein begnadeter Erzähler ist. *(Abb. 71–74)* Wir können nur die obere Reihe genauer betrachten. Im Einleitungsbild steht der von Barbara erbaute Turm links, dessen drei Fenster als Bekenntnis des Glaubens an die Heilige Dreifaltigkeit ihren Vater erzürnen ließ. Ihm entspricht das Gefängnistor rechts im Schlußbild. Vater und Tochter sind im ersten Bild Rücken an Rücken dargestellt, um ihr Unverständnis füreinander zu verdeutlichen, Barbara von vorne, da sie als Heilige für die Betrachter auch zu sehen sein mußte, der Vater abgewendet. Sein großer Säbel, mit dem er im letzten Bild die eigene Tochter enthaupten wird, ist signalhaft präsent. *(Abb. 71)* Im nächsten Bild hat er ihn bereits gezückt und verfolgt Barbara. Eine durch ein Wunder gewachsene Mauer versperrt die Flüchtige jedoch vor seinen Blicken. Wir sehen sie im Hintergrund sich in die Gegenrichtung bewegen. *(Abb. 72)* Die von hinten nach

vorn gezogene Mauer suggeriert die Ausweglosigkeit, die Überschneidung des Vaters durch den Bildrahmen den Moment des Hereintretens. Er sieht nicht, was wir sehen. Im dritten Bild ist die Perspektive umgekehrt. Die im Vordergrund befindlichen Hirten sind klein, aber sie verraten Barbara, die größer als sie im Hintergrund, d.h. entsprechend der Bedeutungsproportion, mit dem schon nahe aufgerückten Vater gezeigt wird; zur Strafe wird die Schafherde des Verräters in Heuschrecken verwandelt. *(Abb. 73)* In einer fallenden Linie folgen wir dem Geschehen und sehen im vierten Bild, wie Barbara ins Gefängnis geworfen wird. *(Abb. 74)* So wird uns einprägsam der wechselnde Verlauf der Geschichte erzählt, ohne daß eine Inschrift oder ein Titel benötigt wird. Der Maler verzichtet weitgehend auf die starken Flächenfarben der Tradition, benutzt helldunkle Tönungen in Abstufungen und arbeitet mit Räumen und Landschaft, ohne jedoch Naturwiedergabe um ihrer selbst willen anzustreben.

71–74. Bruder Francke (um 1380–um 1435), Barbaralegende aus dem Dom zu Turku/Åbo/FIN, *Mischtechnik auf Holz, H. 190 cm, um 1412–1415, Helsinki/FIN, Kansalismuseo*

Die Tafeln umschließen einen geschnitzten Marienschrein, der u.a. die Legende des Kanonikus Theophilus erzählt, der von der Muttergottes aus den Händen des Teufels befreit wird. Das läßt auf einen hohen Geistlichen als Auftraggeber schließen. Die obere Reihe der Tafeln erzählt die Geschichte Barbaras und ihres bösen Vaters bis zur Gefangennahme, die untere das Martyrium.

Kapitel 4

Höhepunkte und Krisen der Kunst im Zeitalter der Reformationen

(1420–1530)

Bildmacht und Bildersturm

Die europäische Gesellschaft um 1400 liebte den schönen Schein, und ihre Kunst diente nicht zuletzt der Schönfärberei. Irgendwann mußten die Wiedersprüche aufbrechen, in der Wirklichkeit wie im Bewußtsein. Die Kunst mußte das als erste treffen.

Die Reformbedürftigkeit der Kirche und des Reiches wurde lange schon gesehen. Man konnte und wollte nicht mehr zwei oder gar drei Päpsten oder wie unter Wenzel zwei Deutschen Königen folgen. Konzilien wurden einberufen und zahlreiche Reformvorschläge gemacht. Dennoch konnte das den Flächenbrand, der sich in Prag an theologischen Streitfragen entzündete, nicht verhindern. Soziale und ökonomische Konflikte, auch zwischen den Sprachgruppen, schürten das Feuer. Wortführer war der tschechische Theologe Jan Hus. Sein Hauptangriffspunkt war der Reichtum der Kirche, besonders die Praxis der päpstlichen Kurie, sich über den Verkauf von Ablässen und Pfründen Geld zu beschaffen. Er verglich sie mit der armen Gemeinde der Urchristen. Bald machte er noch einen Schritt darüber hinaus und bezweifelte sowohl das Dogma, wonach die kirchlichen Bräuche im Evangelium begründet seien, als auch die Organisation der Kirche überhaupt, ihre Hierarchie und ihre Sakramente. Der Öffentlichkeit drängten sich vor allem zwei Kritikpunkte auf: Die Forderung nach Gewährung des Laienkelches und der Angriff auf den Bilderkult. Beides haben nach 1517 die deutschen Reformatoren aufgegriffen.

1420 entlud sich in Prag und anderen Orten Böhmens der Volkszorn in einem heftigen Bildersturm. Und wo immer in den Jahren danach die hussitischen Heere hinkamen, wurden Bilder vernichtet. Eine solche Wut ist uns heute nicht ohne weiteres verständlich, vor allem weil uns die damalige Kunst durchaus sakral erscheint. Ihren damaligen Kritikern jedoch galt sie wegen ihrer sinnlichen Reize als Dienerin des Teufels, als Quelle der Verderbtheit.

Wir würden heute sogar noch weiter gehen und fragen, wie man Kunst so wichtig nehmen kann? Warum man sich gegen sie so wehren mußte? Wie glauben, ihre Zerstörung sei ein ›Reinigungsbad der Kirche‹? Wir sollten uns aber vor Augen führen, daß gerade das 20. Jahrhundert besonders viele Bilder und Bauten zerstört hat, und das nicht nur in Kriegen, sondern anscheinend aus ähnlichen Gründen wie damals. Dennoch hat keine dieser modernen Aktionen die Öffentlichkeit in gleicher Weise erschüttert wie der Bildersturm damals. Machen wir uns nichts vor: Würde heute eine der großen Bildergalerien vom Erdboden verschwinden – wen würde es wirklich und dauerhaft schmerzen? In der heutigen Bilderflut hat das einzelne Bild kaum mehr Bedeutung. Nichts beeindruckt so, daß wir wie Rilke in seinem Gedicht *Archaischer Torso Apolls* die Folgerung ziehen würden: »Du mußt dein Leben ändern«. Das war im Alten Europa anders. Der Prager Erzbischof Ernst von Pardubitz hat vor einem Bild seine Bekehrung erlebt, und darin ist er kein Einzelfall. Bilder galten als Träger besonderer Macht und als Vermittler reicher Gnaden, die schon durch Betrachtung, nach dem Volksglauben auch durch Berührung auf die Betenden

*1. **Albrecht Dürer (1471–1528), Die vier biblischen Zeugen des rechten Weges,** Mischtechnik auf Holz, jeweils 215 x 76 cm, Nürnberg, 1526, München, Alte Pinakothek*

Die beiden Tafeln im Format von Altartafel-Seitenflügeln schenkte der Künstler dem Rat der Stadt Nürnberg, zur Mahnung, vom rechten biblischen Weg in den Wirren nach Einführung der Reformation nicht abzuweichen, wie aus den vom Schreibmeister Johann Neudörffer geschriebenen Bibeltexten unter den Bildern hervorgeht. Johannes, Petrus, Markus und Paulus treten als biblische Autoritäten auf, aber auch als Vertreter der vier Temperamente (sanguinisch, phlegmatisch, cholerisch, melancholisch) sowie der vier Altersstufen. Die Führung liegt bei Johannes und vor allem Paulus, der, neueren Florentiner Vorstellungen vom Temperament des Melancholikers folgend, als umdüstertes Genie charakterisiert ist. (Abb. 62) Dürer bemüht sich, den Typus des Apostels neu zu gestalten, ihm mehr Naturnähe, vor allem aber durch die tektonische Faltensprache eine neuartig einfache und ideale Monumentalität zu geben. Er steht dabei im Dialog mit Raffael im weit entfernten Rom.

Geschichte:
Friedrich III. von Habsburg (1440–1493) - 1431–1439 Konzil von Basel - Maximilian I. (1493–1519) - Karl V. (1516 König von Spanien, Kaiser 1519–1556) - 1495 Reichstag zu Worms, Beschlüsse zur Reichsreform - 1517 Beginn der Reformation Martin Luthers (1483–1546) - 1525 Bauernkrieg - 1529 Erste Belagerung Wiens durch die Türken - 1530 Augsburger Bekenntnis

übergehen konnten. Man verehrte Bilder und baute große Kirchen um sie herum. Letztlich aber ging die Verehrung der Bilder in eine der Schönheit über. War das nicht sogar Absicht? Die frommen Kritiker erkannten sehr wohl, daß viele der entzückenden Statuen und Gemälde in zierlichen Kirchenräumen auch in der Absicht aufgestellt waren, Leute anzulocken und ihnen Geld aus der Tasche zu ziehen. Geistliche Geldgier und der Vorwurf, Götzendienst zu fördern, machte die Bilder zu Vertretern eines verhaßten Systems, das man durch ihre Zerstörung ins Herz zu treffen meinte.

›Bildmacht‹ bezeichnet in der Religionspsychologie die Beeindruckbarkeit der Menschen durch Bilder. Alte Kunst wird unter diesem Aspekt zum Thema volkskundlicher Forschung bzw. der Historischen Psychologie. So war man beispielsweise davon überzeugt, daß etwas von der Macht des Abgebildeten auf das Abbild übergeht. Auch habe der Teufel im Angesicht der ›imago‹ des Heiligen keine Macht. Deshalb errichtete man überall Bildsäulen, bevorzugt an Wegkreuzungen, Brücken, auf Bergrücken. Auf die Wände, außen wie innen, wurden Schutzheilige gemalt. Und man trug Bildamulette um den Hals oder auf das Gewand genäht, um nie außerhalb der Sicht- und Wirkweite eines Bildes zu sein. Man verabreichte Schluckbildchen aus Papier als Medizin. Küchlein wurden als Christus-, Marien- oder Heiligenbilder geformt, nicht nur zur Betrachtung, sondern im Glauben, daß das verspeiste Teigbild etwas bewirke. Ebenso meinte man, den Bösen zu zerstören, indem man sein Abbild auskratzte oder bespuckte.

Bildmacht entstand aus der Stellvertreterrolle der Abbilder. Sie stammt aus dem Götter- und Kaiserkult der Antike: Der Kaiser konnte nicht überall sein, deshalb vertrat ihn sein Bildnis oder sein Feldzeichen, denen man dieselbe Reverenz entgegenbrachte wie dem Kaiser. Stellvertretung bedeutete auch, daß Bilder beleidigt wurden, indem man sie bespuckte oder mit Kot bewarf, daß man Statuen die Nase, den Kopf oder die Genitalien abschlug oder daß man bei Herrscherbildern die Insignien und damit die Zeichen der Macht zerstörte. Man schuf auch Schand- und Schmähbilder, die mehr waren als unsere Karikaturen, die ja eher unterhalten oder zum Lachen reizen wollen: Indem man einen Schuldner mit den Füßen an einem Galgen hängend oder mit einem angehefteten Fuchsschwanz zeigte, prangerte man ihn öffentlich an. Eine andere geläufige Praxis war, Bilder von jemandem zu formen oder zu malen und dann unter Flüchen und Verwünschungen zu durchbohren oder zu zerstören – bis heute ist der Brauch, Strohpuppen von Feinden zu verbrennen, populär. Nur war der Glaube an die Wirksamkeit derartiger Maßnahmen früher größer. Herzog Karl der Kühne von Burgund (†1477) etwa hatte panische Angst davor, daß jemand ihm Schaden durch einen derartigen Bildzauber antun könnte.

Bildschändungen waren drastisch: So verwandelten die Wiedertäufer in Münster berühmte Tafelbilder von der Hand des Bruders Francke *(Abb. III/71–74)* in Toilettensitze. Entsprechend schwer waren die Strafen, oft der Feuertod. Der letzte Prozeß dieser Art ist im 18. Jahrhundert nachweisbar. Auf der Suche nach der eigentlichen Epochen- und Mentalitätswende in der Kunstgeschichte stoßen wir immer wieder auf dieses Jahrhundert. Was der Künstler vor 1800 schuf, ist aufgrund des Bilderglaubens grundsätzlich anders als später, es greift stärker an den Lebensnerv. Mit seinem Pinsel bzw. seinem Meißel verfügte er über echte Macht, die noch größer war als die Macht der Werbung heute. Aber die Macht der Bilder ist etwas anderes als die Wirkung der Kunst. Man darf die Bilderstürme auch als krisenhafte Schübe im Prozeß der Ablösung der Kunst von ihren religiösen Bild-Aufgaben und von ihrer sakralen Aura deuten.

Reaktionen auf die Kritik an den Bildern

Der Bildersturm von 1420 ist Folge der Radikalisierung nach der Verbrennung des Jan Hus als ›Ketzer‹ auf dem Konstanzer Konzil 1415 und der Zuspitzung des böhmischen Parteienstreits zum Bürgerkrieg. Anders als ihnen unterstellt wurde, lehnten die Hussiten aber Bilder an sich nicht ab. Ihr Prager Predigtraum, die Bethlehemkapelle, war mit belehrenden Wandgemälden ausgemalt. Sie führten bei ihren Umzügen gemalte Tafeln mit sich, auf denen sie Szenen aus dem Leben Christi solchen aus dem Leben des Papstes gegenüberstellten, um die Verderbtheit der Kirche zu demonstrieren. *(Abb. 86, 87)* Dabei bedienten sie sich der Zierkunst und der Farbenschönheit des Schönen Stils für die Bilder des Papstes, einfacher Formen und schlichter Farben für die Christusbilder. Die Hussiten zogen aus ihrer Lektüre und Deutung der Bibel neue Bildthemen, so *Christus und die Kinder*, *Pharisäer und Zöllner*, vor allem die *Vertreibung der Händler aus dem Tempel. (Abb. 2)* Alle ihre Bilderfindungen wurden vom Luthertum aufgegriffen.

Seit etwa 1405 gibt es in Böhmen und – von dort ausgehend – in den Nachbarregionen eine künstlerische Reaktion auf die Predigt des Jan Hus und seiner Anhänger: die gemäßigt hussitische oder ›utraquistische‹ Reformkunst. Sie bleibt in den Themen katholisch, greift aber die Kritik an der Ästhetik des Schönen Stils auf. Auf Formenschönheit und Farbenprunk wird verzichtet. Der Inhalt dominiert die Form. Manche Arbeiten dieser Richtung wirken kunstlos, ja grob. Dazu zählen die Skulpturen des Baumeisters von St. Moritz in Halle, Konrad von Einbeck. *(Abb. 3)* Seine Architektur erweist ihn als befähigten Parlerschüler. Den Neubau stattete er zwischen 1411–1416 mit aufwendig signierten Statuen aus, die von erschreckender Drastik sind und den Schönheitssinn planvoll verletzen und in ihrer ungeschlachten Monumentalität geradezu gewalttätig wirken. Auftraggeber waren die Augustinerchorherren, die an der Spitze der gemäßigten Reformbewegung standen. Die Moritzkirche war aber auch Kirche der Hallenser Patrizier, die aus der Salzgewinnung großen Reichtum gezogen hatten. Gerade diese Kreise nahmen die Kritik an der Verderbnis der Kirche willig auf, ebenso wie ein Jahrhundert später die Lehren Luthers. Gleichsam als vorprotestantische Kunst blieb vielerorts die Betonung von Schlichtheit und Kunstlosigkeit, von ernster Frömmigkeit und Belehrung das ganze 15. Jahrhundert über lebendig.

*2. **Jesus vertreibt die Händler aus dem Tempel,** Utraquistischer Bildercodex, Mähren, um 1440–1450, Wien, Österreichische Nationalbibliothek, cod. 485, fol. 45*

Die Handschrift enthält eine Folge von hussitischen Bildprägungen zum Leben Christi mit tschechischen und lateinischen Bildunterschriften. Der Stil ist absichtlich kunstlos, Farbe wird nur lavierend eingesetzt. Doch ist diese Kunst formal derjenigen um 1400 noch aufs Engste verhaftet, typisch für die retrospektive Tendenz in und um Böhmen.

*3. **Konrad von Einbeck (nachweisbar 1382–1416), Schmerzensmann,** Stein, unterlebensgroß, 1416, Halle, Augustinerchorherrenstift St. Moritz*

Die Statue ist vom parlerisch geschulten Bildhauer-Architekten auffällig signiert und datiert worden. Bemerkenswert ist die genaue Kopie der Heiligen Lanze aus dem Schatz der Reichsreliquien, die damals noch in Karlstein lagen. Das Bildwerk ist eucharistisch im utraquistischen Sinne zu deuten: Ein breiter Blutsstrom ergießt sich aus der Seitenwunde Christi in den Kelch am Fuß, auf dem auch die Hostie zu sehen ist.

*4. **Grabmal des Ulrich Kastenmayr (†1431),** Rotmarmor, 225 x 115 cm, Straubing, vor 1431, Straubing, Stadtpfarrkirche St. Jakob, Bartholomäuskapelle*

Rotmarmor ist ein herrschaftliches Material, doch ist Kastenmayr bescheiden im Flachrelief dargestellt. Er wird nicht idealisiert, sondern im Alter von ungefähr 32 Jahren abgebildet. Das Relief zeigt ein genaues Porträt, mit ernster Miene und den Spuren des Alters, in seiner niederländischen Hoftracht auf eine merkwürdige Weise zugleich tot und lebendig erscheinend. Der Bildhauer ist im Umkreis des Hofes zu suchen und war vielleicht in Holland geschult.

Daß sich Reformgesinnung und künstlerischer Anspruch jedoch nicht ausschlossen, zeigen vor allem süddeutsche Beispiele, zu denen die Skulpturen des Hans Multscher in Ulm oder das Grabmal des Ulrich Kastenmayr († 1431) in Straubing zählen. *(Abb. 4)* Der Dargestellte war zeitweilig Straubinger Bürgermeister, und er war Kämmerer des wittelsbachischen Herzogs von Holland, dem auch der niederbayerische Landesteil um Straubing unterstand. Deshalb ist er in niederländische Hoftracht gekleidet, wie wir sie auch von den Bildern Jan van Eycks kennen. In Regensburg und anderen Orten war er als religiöser Reformer tätig. Der zu Lebzeiten bestellte Grabstein ist ein genaues Porträt: Er zeigt Kastenmayr auf dem Totenlager mit dem Rosenkranz in der Hand, aber doch mit offenen Augen und mit großem Ernst im Ausdruck. Das Werk, das auch als Denkmal vorbildlicher persönlicher Frömmigkeit gedacht ist, zeigt, daß nicht allein Stand und Amt zählen, sondern der Mensch sich als Einzelner zu verstehen beginnt. Allein mit seinem Gewissen, ohne seine Familie oder seine Gruppe, steht der Mensch vor seinem Erlöser im Jüngsten Gericht.

Die Reformkonzilien und die neue Massenkunst

Erstes Ziel der Konzilien von Pisa, Konstanz und Basel war es, die Einheit der Kirche wiederherzustellen, d.h. statt der zuletzt drei Päpste wieder einen einzigen zu inthronisieren. Doch vermochte man die Schwächung der päpstlichen Herrschaft nicht wiedergutzumachen. Einige Fürsten hatten sich in ihrem Territorium weitgehende Rechte über die Kirche angeeignet und Ansätze eines landeskirchlichen Regiments geschaffen. Die Kirche war fortan gezwungen, vielerlei Kompromisse mit der weltlichen Macht einzugehen.

Eine durchgreifende allgemeine Reform gelang nicht. Einzelne Institutionen, Stifte oder Orden, versuchten sich zu erneuern. Dabei wurde jedoch nicht einmal eine Region oder Institution als ganze erfaßt: Die Melker Reform z.B., der wichtigste Reformversuch des Benediktinerordens, wurde nur in einigen Klöstern Altbayerns und Österreichs durchgesetzt. Es entstand eine viel-

*5. **Freiberg, Stifts- und Pfarrkirche Mariä Himmelfahrt,** Langhaus, Blick von der südlichen Empore, Johann und Bartholomäus Falkenwalt, nach 1484–1512; darin von Hans Witten (tätig um 1500–um 1525), Kanzel in Form eines Blütenkelches, Stein, um 1508–1510, Freiberg, Stifts- und Pfarrkirche Mariä Himmelfahrt*

Freiberg war fürstlich-sächsische Residenzstadt und Zentrum des Bergbaus, der nach einer ersten Blüte im frühen 13. Jahrhundert zurückfiel, durch technische Verbesserungen gegen Ende des 15. Jahrhundert aber wieder aufblühte. Der Kirchenbau ist eine hohe und weite, aber mit Ausnahme der Gewölbe eher schmucklose Halle. Der Zierwille konzentrierte sich auf die Ausstattung. Höhepunkt ist die als virtuoses Meisterstück der Steinmetzkunst angelegte Kanzel, deren Nutzung für die Bergleute reserviert war, weshalb daneben später noch eine zweite Kanzel aufgestellt wurde. Zu Füßen die Skulptur des Propheten Daniel in der Löwengrube, den man sinnbildlich auf die Gefahren der Arbeit unter Tage bezog und deshalb als Patron verehrte.

stimmige und oft erfolgreiche Reformbewegung, aber keine Reformation. Ihre Hauptwirkung entfaltete sie im zweiten Viertel des 15. Jahrhunderts, doch finden wir das ganze Jahrhundert über Ansätze zur Reform. Ja, man kann die Reformation Luthers, Zwinglis und Calvins wie die katholische Reform nach 1500 als Vollendung dieser älteren Ansätze verstehen, die allerdings durch den inzwischen von Gutenberg erfundenen Buchdruck eine neue Breitenwirkung und Durchschlagskraft erlebte.

Die Reformbewegung intensivierte Predigt und Katechese. In den Dom- und Klosterkirchen, vor allem den Stadtpfarrkirchen wurden Predigerpfründen gestiftet, und man erbaute feste, oft prunkvolle Kanzeln. Die Kirchen wurden nun stärker als Predigträume aufgefaßt: Die Längsausrichtung auf das Sanktuarium wurde durch eine Querausrichtung auf die Kanzel ergänzt. Die Pfeiler wurden schlank gebildet, die Pfeilerabstände nach Möglichkeit vergrößert, Emporen unter großen Fenstern eingerichtet, damit alle gut hören und sehen konnten. Die Außenerscheinung hingegen, auf die man früher so viel Wert gelegt hatte, wurde vernachlässigt. *(Abb. 5)* Ein Beispiel ist das von Johann und Bartholomäus Falkenwalt nach 1484–1512 errichtete Langhaus der Freiberger Stiftskirche: Die durch technische Verbesserungen im Silberbergbau wieder reich gewordene Stadt errichtete mit Zustimmung von Herzog Georg des Bärtigen von Sachsen unter Bewahrung der Goldenen Pforte *(Abb. II/49)* das Langhaus der Kirche als Predigthalle neu, während es den älteren Sanktuariums- und Chorbereich abschloß und als Stiftschor und fürstliche Grablege ausbaute. Das Langhaus ist abgerundet und bekommt dadurch Zentralraumtendenz. Die frei stehende Kanzel ist ein Wunderwerk der Steinmetzkunst des Hans Witten und entfaltet ein reiches Bildprogramm: Am Fuß Daniel in der Löwengrube, einer der Bergbaupatrone, am Kanzelkorb die vier Kirchenväter und auf dem hölzernen Schalldeckel Maria, hier auch als Sinnbild der Kirche gemeint, mit den Symbolen der vier Evangelisten. Spielende Engelsputti beleben das fein gearbeitete Astwerk.

Der Kirchenraum diente auch der religiösen Unterrichtung. Besonders seit dem späten 15. Jahrhundert machte die Alphabetisierung, überhaupt die schulische Unterrichtung weiter Kreise der Stadtbevölkerung große Fortschritte. Der Katechismus, also die Zusammenstellung aller Hauptstücke des christlichen Glaubens, ist keine Erfindung Martin Luthers, ebensowenig wie die deutsche Bibelübersetzung oder das Gebet- und Gesangbuch. Luther vollendete nur, was zuvor begonnen worden war, und verhalf ihm zum Durchbruch.

Das Wort an sich begann an Bedeutung zuzunehmen. Die Erfindung des Buchdrucks durch den Mainzer Gutenberg bewirkte eine geistige Revolution, mit Folgen auf allen Gebieten des gesellschaftlichen Lebens. Aber auf das Bild konnte (und wollte) man noch lange nicht verzichten.

6. Der Tod als Trommler, Einblattholzschnitt, 32 x 20 cm, Deutschland, Mitte 15. Jh.

Das Totengerippe ist an sich eine allegorische Personifikation, doch wurde sie so lebendig aufgefaßt, daß man diesen abstrakten Charakter vergißt. Man stellte den Tod als Schnitter mit der Sense dar, als bedrohlichen Reiter, (Abb. 58) aber auch als Trommler, wie er zu den damaligen Heerhaufen notwendig dazugehörte. Die frühen Holzschnitte vereinfachen und vergröbern das Liniengerüst, schon um mehr Abzüge gewinnen zu können.

Im Gegenteil: Zuerst war die massenhaft verbreitete Druckgraphik da, dann folgte die Erfindung des Buchdrucks. Der Holzschnitt, bei dem die frei gelassenen und eingeschwärzten Stege drucken (Hochdruck), stand als Mittel zur Musterung von Textilien (Zeugdruck) schon lange zur Verfügung. Auch die Goldschmiede werden schon früh auf die Idee gekommen sein, ihre Gravuren mittels Einfärbung und Papierabzug zu bewahren bzw. zu vervielfältigen – eine Urform des Kupferstichs also, bei dem die eingravierten Linien drucken (Tiefdruck). Doch erst das Bedürfnis der Reformzeit nach dem tausendfachen, billigen Bild, das im übrigen mit seiner schlichten Aufmachung die Bilderkritiker nicht stören konnte, ließ die Vervielfältigungstechniken zur Geltung kommen und gab wiederum der noch jungen Papierindustrie Aufschwung.

Schon sein Material machte den Holzschnitt zum populäreren, den Kupferstich zum feineren Medium. *(Abb. 6)* Das neo-primitive 20. Jahrhundert entdeckte den künstlerischen Reiz der altdeutschen Holzschnitte wieder. In der Tat kann man sich der Ausdruckskraft mancher Bildprägungen kaum entziehen, selbst wenn es sich häufig nur um Kopien von Kopien handelt. Beim Holzschnitt sind Entwerfer und Formschneider selten ein- und dieselbe Person, und der Entwerfer ist oft nur Verwerter fremder Erfindungen. Aber mindert das die Wucht der Figur des *Todes als Trommler?* Das Dröhnen der von den damaligen Söldnertruppen neu eingeführten großen Trom-

7. Die Schlacht bei Hiltersried, Kupferstich, 29 x 41 cm, Regensburg, nach 1433, Paris, Louvre, Cabinet des Estampes, Collection Rothschild

Die Graphik ist nur in einem Abdruck erhalten, ein Beleg dafür, wieviele Stiche aus der Frühzeit dieser Technik verloren sind. Wahrscheinlich handelt es sich um die Kopie eines aktuellen Wandgemäldes in Regensburg, in dem der Sieg des pfälzischen Herzogs über die Hussiten bei Hiltersried im Jahr 1433 dargestellt war. Von diesem Typus öffentlicher Bildpropaganda, die wohl auf italienische Vorbilder zurückgeht, hat sich nicht ein einziges Beispiel erhalten. Erstaunlich ist, daß das Grauen des Krieges bei einem derartigen ›Siegesbild‹ in aller Drastik gezeigt wird.

mel klingt uns in den Ohren, der Schrecken der Kriege wird sichtbar, die unüberwindliche Macht des Todes, die das Denken und Fühlen der Epoche so sehr überschattete und die doch nur zusammen mit ihrer Lebens- und Lachlust ein Ganzes gibt.

Die Möglichkeiten des Kupferstichs zeigt der wohl in Regensburg entstandene Stich mit dem Bild des Sieges von Pfalzgraf Johann von Bayern 1433 über die Hussiten bei Hiltersried. *(Abb. 7)* Diese Schlacht wurde propagandistisch aufgebauscht, weil sie der einzige katholische Sieg gegen die Hussiten war. Herzog Johann von der Pfalz (seine Truppen bezeichnet durch Fahnen mit dem Pfälzer Löwen) rieb jedoch nur einen größeren, Beute suchenden Trupp auf (ihre Fahnen zeigen eine Gans entsprechend dem tschechischen Wort ›husa‹, Gans). Das Schlachtgeschehen entspricht nicht damaliger Kampfesweise, sondern ist in kleinere Gruppen und Momente aufgelöst, wie die Ermordung oder die Plünderung einzelner Soldaten. Der Stich gibt ein gemaltes Bild ohne volle Berücksichtigung der beim Druck entstehenden Seitenverkehrung wieder, weshalb manche der dargestellten Männer mit der Linken kämpfen. Der Kupferstich ist aber nicht nur genauer, sondern auch wirklichkeitsnäher als der Holzschnitt, indem er detailreich das Morden schildert, eine Kanone vorführt oder wie eine Armbrust gespannt wird, die Schlacht aber auch landschaftlich einbettet. Zugleich versucht der Stecher, etwas von dem künstlerischen Anspruch der Vorlage, ihren Verkürzungen und dynamischen Ausdrucksmotiven wiederzugeben.

Die Reaktion der Künstler auf die Krise

Die kunstfeindlichen Strömungen der Zeit führten außerhalb Böhmens nicht zum Einbruch der Kunstproduktion, sondern – im Gegenteil – zur Vermehrung. An dieser Kunst läßt sich jedoch ablesen, daß Publikum und Künstlerschaft sich spalteten. Eine Reaktion war das beharrliche Festhalten am Alten, Angegriffenen und ist vor allem auf die Auftraggeber, ihnen voran den Kaiser, zurückzuführen. Dort, wo die kaisernahen Maler mehr Freiheit hatten, etwa bei Andachtsbildern oder auf Retabelrückseiten, konnten sie durchaus innovativ im Sinne der neuen Zeit sein. Ein Beispiel dafür ist das Täfelchen mit Christus in der Trauer unterm Kreuz: *(Abb. 8)* Der vom Kreuz Herabgenommene wirkt nicht leichenstarr, sondern ermattet zusammengesunken. Ihm zur Seite sehen wir, nach italienischem Vorbild, die an das Kreuz angelehnten Marterinstrumente und die auf dem Boden sitzende, anbetende Maria mit dem melancholisch abgewandten Johannes, links das offene Grab. Handlung ist allenfalls in der im Stadttor von Jerusalem verschwindenden Figur angedeutet. Die traditionelle Symmetrie ist vernachlässigt. Nicht alle Motive sind eindeutig: Weist der Weg rechts auf den Kreuzweg Christi hin? Der Berg links auf den Ölberg? Und was bedeutet der Mann, der in das Stadttor hineingeht? Auffällig die nächtliche, düstere Landschaft. Sie ist weniger Bedeutungs- als Stimmungsträger und wird zur Passionslandschaft. Technisch eigenwillig ist die Übermalung der silbernen Metallfolie des Himmels mit grauer Lüsterfarbe. Dies subjektiv gestaltete Bild ist einem Trauergedicht vergleichbar.

8. Christus in der Trauer, *Mischtechnik auf Holz, 25 x 34 cm, Wien, um 1425, Berlin, Gemäldegalerie SMPK*
Das Thema ist in dieser Auffassung kein zweites Mal nachgewiesen, was bezeichnend ist für die Originalität in der Andachtsmalerei für den privaten Gebrauch, in der es Malern wie Auftraggebern möglich war, auch ihre künstlerischen Interessen zu entfalten.

Daß diese Epoche in Deutschland insgesamt eine Zeit der Befreiung der Kunst von alten Bindungen, der Erweiterung des Gesichtskreises und der Verfeinerung der bildnerischen Mittel, ja des Aufstiegs zu neuen, zuvor nur in der Antike gekannten Höhen geworden ist, wird auch der Auseinandersetzung mit italienischen und niederländischen Neuerungen verdankt. In Italien hatte man Baukunst und Bildkünste neu begründet, den Gegenstandsbereich der Kunst erweitert, ihre Theorie unter Rückgriff auf Rhetorik und Poetik vertieft und sowohl das genaue Studium der An-

9. Meister der Worcester-Kreuztragung (tätig um 1425–1430), Kreuztragung Christi, *Regensburg (?), um 1425, Mischtechnik auf Holz, 23 x 18 cm, Chicago/USA, The Art Institute*

Wir kennen nicht den Namen des Meisters, noch den Herkunftsort und die Funktion des Täfelchens. Doch seine Kunst spricht für sich selbst, und das auch schon zu seinen Lebzeiten. Das zeigen die vielen Nachahmungen, Paraphrasierungen und Zitate, insbesondere der expressiven Bewegungsmotive.

tike wie das der Natur zur Forderung erhoben. Wir fassen das unter den Begriff der Renaissance (Wiedergeburt). In wechselseitigem Austausch mit Italien erfolgte in den burgundischen Niederlanden ein analoger Aufbruch: hierbei ging es eher um die Wiederbelebung des Naturstudiums der Antike, die Verfeinerung der Technik also und um eine religiöse Vertiefung der Kunst, weshalb der Begriff der Renaissance nördlich der Alpen zwar nicht paßt, ein Anknüpfen an die Antike aber dennoch gegeben ist.

Von diesen Innovationen hatte man in Deutschland durch Reisen von Künstlern und Kunstfreunden oder durch die Verschickung von Werken einen Begriff. Die Konzilien von Konstanz und Basel wurden zum Ideenforum. Die Konkurrenz der Höfe und der Städte untereinander förderten die Profilierung von Künstlern. (vgl. Kap. III) Das Besondere, Einmalige, Individuelle wurde statt der Erfüllung des Ideals bevorzugt, die eigenhändige Arbeit gegenüber dem Werkstattbild. Kunstgeschichte wird damit in zunehmendem Maße zur Künstlergeschichte. Allerdings wurde oft der von Einzelnen geprägte Stil wiederum zur Norm erhoben: manchenorts wird er zum Lokalstil, den fast alle nachahmen (müssen), wie etwa in Ulm um 1450 den Stil Multschers oder in Würzburg um 1500 den Riemenschneiders.

Die wichtigsten Neuerungen vollzogen sich in den süddeutschen Reichsstädten, hauptsächlich in Straßburg, Nürnberg und Augsburg. Die Höfe waren zunächst weniger bestimmend. Am Anfang steht eine Generation eigenwilliger Künstler, denen es zeitgemäß in erster Linie um die Erneuerung der Sakralmalerei geht. Überragend ist der in Wien geschulte, dann wohl in Regensburg tätige Meister der Worcester-Kreuztragung. Von ihm blieben nur ein Bild und zwei Zeichnungen erhalten. *(Abb. 9 u. 10)* Die Pinseltechnik weist ihn als Miniator aus, der zum Zeichner und Tafelmaler wurde. Die große Zeit der Buchmalerei geht zu Ende, das Tafelbild, die Zeichnung, die Druckgraphik treten an ihre Stelle. So heftig die Figuren der Kreuztragung bewegt sind, der Bewegungsablauf

10. Meister der Worcester-Kreuztragung (tätig um 1425–1430), Verspottung Christi, *Regensburg (?), um 1425–1430, Feder laviert, Papier, 18 x 27 cm, London, The British Museum, Department of Prints and Drawings*

Das Grau in Grau wird durch die Anbringung weniger blaulila Töne als Passionsfarbe verdeutlicht. Das Blatt ist eine in sich geschlossene, also ›autonome‹ Handzeichnung, doch läßt der bogenförmige obere Abschluß auch vermuten, daß es als Vorlage für ein Wandgemälde gedacht war. Das Spruchband fragt: »Rat mal, wer Dich geschlagen hat?« (Mt 26, 28) Einige Motive, so der ›Tritt in den Hintern‹, wurden bis ins 16. Jahrhundert nachgeahmt.

ist doch auch stillgestellt. Ortsangaben sind weggelassen, kaum daß die Richtung des Weges angegeben wird. Christus kann nicht gehen, sich nicht rühren, wird zugleich gezogen und festgehalten. Unter der Last des Kreuzes, an das er gleichsam schon festgenagelt scheint, und unter den Schlägen der Schergen knickt er ein und droht, umringt von Peinigern, vornüber zu kippen. An den Rand gezwängt und verspottet sehen wir Maria und Johannes. Dies ist eine Darstellung der Kreuztragung und zugleich der Versuch, das Leiden Christi als Ganzes in einem Bild zu verdichten und dem Betrachter zur Andacht vorzustellen. Daraus erklärt sich wiederum die für eine Keuztragung ungewöhnliche Frontalität Christi und seine Stellung in der Mitte des Bildes. Doch überhöhen ihn diese alten Sakralformeln nur noch indirekt. Bestimmend ist zunächst der Eindruck, er sei gemäß Ps 22,17 (»Viele Hunde umgaben mich«) eingekreist, seine Lage aussichtslos. Die von allen Seiten zuschlagenden, greifenden und drohenden Hände mit ihren heftigen Bewegungen erhöhen die Beklemmung. Der leere Vordergrund steigert die Vereinsamung. Der Betrachter wird von keiner Person angeschaut, aber vor seinen Augen wird ein ganz und gar erbarmungswürdiger Zustand ausgebreitet. Er blickt auf Jesus als das Opferlamm herab. Das soll sein Mitleid wecken, ihn nach Möglichkeit erschüttern. Neu gegenüber älterer Malerei ist neben der Steigerung von Bewegung und Ausdruck sowie der genauen Naturbeobachtung in den Kostümen die Intensivierung von Raumwirkungen in der Komposition, vor allem mittels Verkürzungen. Die meisten Figuren im Hintergrund gehen auf Wiener Vorbilder zurück, auf italienische die Rückenfigur vorne rechts sowie die extremen Verkürzungen. Auffällig sind auch die vielen beleidigenden Gesten. Die Farben der Schergen umkreisen das matte Graubraun Christi wie ein bengalisches Feuer.

Das Bild bewirkt, verglichen mit älterer Sakralkunst, einen Schock. Es ist desillusionierend. Das gilt noch mehr für die Zeichnung der Verspottung desselben Meisters, eine der ersten autonomen Handzeichnungen überhaupt. *(Abb. 10)* In ihr muß man den zu Boden geworfenen Christus erst suchen. Kein Nimbus, keine Farbe in dieser düster gehaltenen Grisaille, weder Schönheit, noch Würdeformeln heben ihn hervor. Die Göttlichkeit Christi kommt aus dem Blick. Statt dessen wird er als die Kreatur vorgestellt, die unter allen am tiefsten erniedrigt wurde. Aus diesem Widerspruch zwischen dem Wissen des Betrachters um die göttliche Natur bzw. den späteren Triumph des Erlösers und seiner Darstellung in vollständiger Erniedrigung leben diese Bilder. Der Künstler benutzt den Bruch der Konvention zur Wirkungssteigerung. In grandioser Einseitigkeit wird nur das Leiden vorgestellt. Deshalb spricht man von ›Passionsrealismus‹ oder mit Erich Auerbach von ›kreatürlichem Realismus‹. Seine Grundhaltung ist Pessimismus. Zwar war man auch schon zuvor der Meinung, daß nichts der Frömmigkeit so aufhelfe wie die Betrachtung von Leiden und Tod Jesu. Nun aber wurde die Sicht geradezu ausschließlich davon bestimmt.

Man kann diese Kunst in Zusammenhänge einordnen und zeigen, woran sie orientiert ist, entscheidend aber ist ihre neue Qualität. Der empfindsame, der denkende Künstler, der aus eigenem Antrieb Bilder erfindet, die Neues, Eigenartiges verwirklichen, das über alle Literatur und Predigt hinausgeht, tritt auf und wird zum Blickpunkt der Gesellschaft. Vorher wurde Kunst allgemein von religiösen Zielen bestimmt, nun beginnt die persönliche religiöse Sicht des Künstlers wichtig zu werden. Dem Einzelnen gelingt es, das auszudrücken, was Viele damals empfanden. Das ist im Prinzip auch schon vorher so: Die Kaufmannsche Kreuzigung *(Abb. III/39)* war ein be-

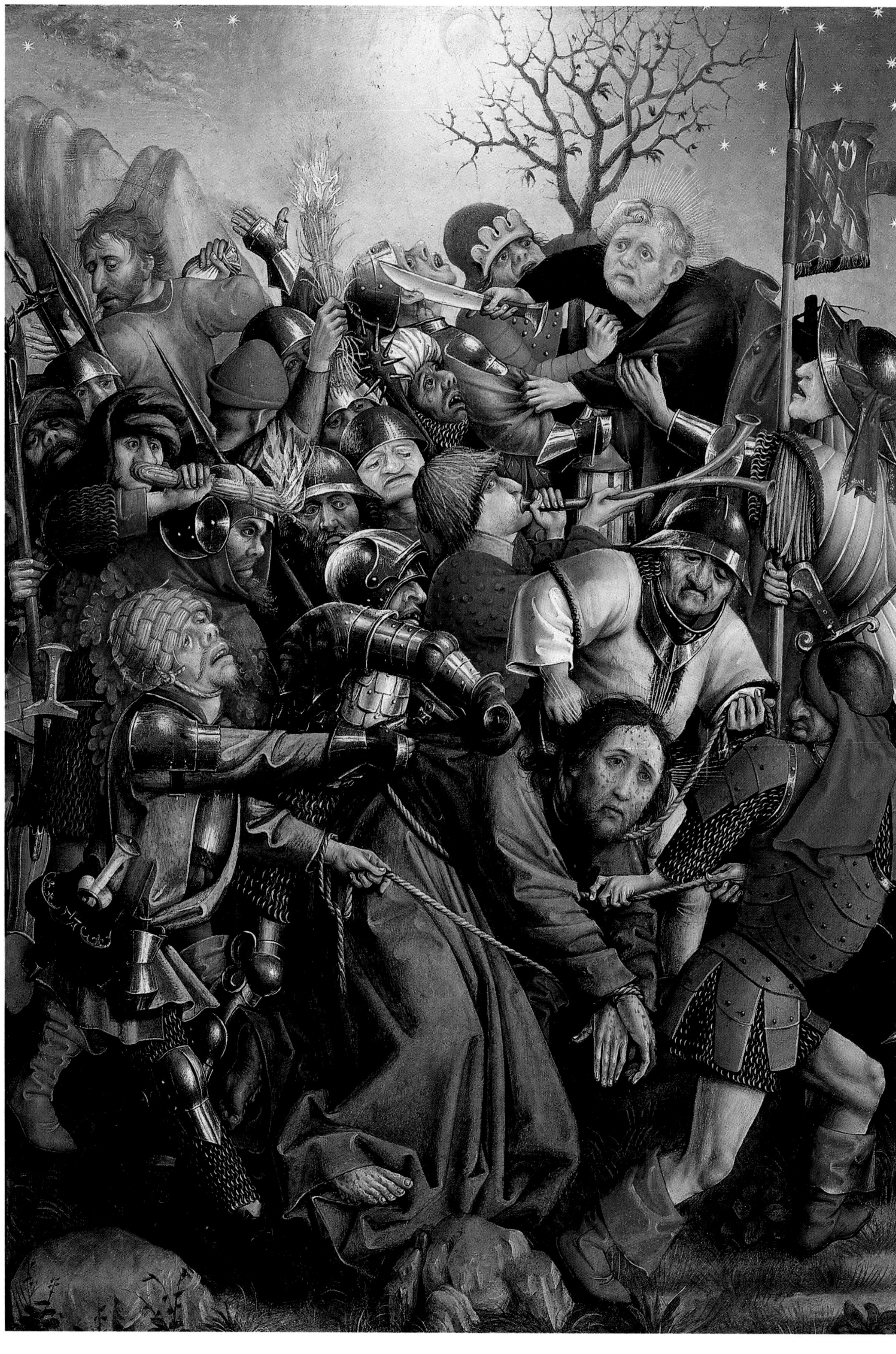

rühmtes Beispiel. Nun aber erhalten die Bilder eine neue Qualität der Überredung, analog den rhetorischen Zielen der damals gleichermaßen geforderten und geförderten Predigt. Auch färbt zunehmend der Ruhm des Bildes auf den Erfinder ab. Wir kennen seitdem immer häufiger die Namen von Künstlern und erfahren auch etwas über ihre Popularität: Die Bilder des Straßburgers Hans Hirtz waren dort noch ein halbes Jahrhundert nach seinem Tod jedermann bekannt. *(Abb. 11)* Bemerkenswerte Lichteffekte, wie die von Fackeln erhellte Nacht, die Spiegelungen in den Rüstungen oder der suggestiv kahle Baum vor dem Nachthimmel, machen diesen Ruhm begreiflich. Indem die Bildende Kunst, in erster Linie die Malerei, in dieser Krisenzeit beginnt, die volle Macht über sich und ihre Mittel zu erringen, zeichnet sich auch die Möglichkeit ab, Höhen der Wertschätzung zu erreichen, die sie zuvor nur in der Antike hatte.

Der sprunghaften Entfaltung der Malerei – wir kennen im zweiten Jahrhundertviertel gut zwanzig bedeutende Maler in Süddeutschland – entsprach anscheinend nicht immer ein gleich großes Interesse der Abnehmer. Die Konkurrenz war groß. Viel wissen wir darüber allerdings nicht. Doch ist der Klageruf des Malers Lukas Moser aus Ulm, den er auf dem Rahmen seines Magdalenenretabels von 1431 in der Kirche von Tiefenbronn angebracht hat, Zeugnis genug: »Schrei, Kunst, schrei und beklag dich sehr! Dich begehrt jetzt niemand mehr! immer mehr oh Weh!« Vielleicht ist es der Schrei eines älteren Künstlers, der sich durch Jüngere an den Rand gedrängt sah.

Sicherlich mußten die Maler auf der Suche nach angemessenen Aufträgen häufig den Wohnort wechseln, denn die Konzilsorte boten keine dauerhafte Tätigkeit. Überhaupt ist das Fehlen eines Zentrums kennzeichnend für die damalige mitteleuropäische Kunst. Während sich in den Niederlanden die große Malerei in vier Städten innerhalb eines geographischen Umkreises von 100 km entfaltete und in Italien Florenz für einige Jahrzehnte der anerkannte Mittelpunkt war, verteilten sich die großen deutschen Maler auf viele verschiedene Orte; das isolierte sie und führte oft zur Erstarrung in der einmal entwickelten Eigenart.

Konrad Witz von Rottweil ist ein Künstler, der in der Konzilsstadt Basel ansässig wurde und dort mit anderen Familienmitgliedern eine Werkstatt begründete, welche die Kunst der Stadt für einige Zeit beherrschte. *(Abb. 12 u. 13)* Er verschmilzt italienische Statuarik mit niederländischer Genauigkeit in der Wiedergabe von Lichteffekten. Sein Ziel ist nicht Dramatik des Ausdrucks. Er ist weniger Erzähler, sondern Schilderer. Er liebt voluminöse, monumentale Figuren in klar definierten Räumen, gekleidet in feste Panzer oder in schwere Mantelstoffe mit eckig gebrochenen Falten.

11. Hans Hirtz (tätig um 1421–um 1462), Gefangennahme Christi, *aus St. Thomas in Straßburg/Strasbourg/F, um 1440–1450, Mischtechnik auf Holz, 66 x 47 cm, Köln, Wallraf-Richartz-Museum*

Die Tafel bildet ein Viertel eines Retabelflügels mit Passionsszenen, von denen andere Teile in der Karlsruher Galerie erhalten sind. Diese Bilder sind die einzigen erhaltenen Tafelmalereien des berühmten Straßburger Meisters Hans Hirtz. Die Gefangennahme und Abführung Christi wird als ungeheurer Menschenauflauf und als ein äußerst rohes Geschehen mit einem sich prügelnden Petrus und einem sich davonstehlenden Judas erzählt, das Christus duldsam über sich ergehen läßt. Es entsteht der Eindruck einer ungeheuren Last, die Christus niederdrückt.

12. Konrad Witz (um 1400–1444), Magdalena und Katharina, *Basel, um 1440, Mischtechnik auf Holz, 161 x 131 cm, Straßburg/Strasbourg/F, Frauenhausmuseum*

Die Tafel ist Fragment eines größeren Retabels. Auffällig ist die einfache quadratische Grundform, die sich von den komplizierten Rahmenformen der älteren Kunst distanziert. Auch in der Formensprache neigt Witz zur Vereinfachung: Die Räume, in denen er auf so subtile Weise die Darstellung des Lichtes entfaltet, sind so leergeräumt, als stammten sie aus dem 20. Jahrhundert

*13. **Konrad Witz (um 1400–1444), Kreuzigung mit Stifter,** Basel, um 1435, Mischtechnik auf Holz, 34 x 26 cm, Berlin, Gemäldegalerie SMPK*
Das Werk ist vielleicht für einen Konzilsteilnehmer geschaffen worden, jedenfalls aber für einen Liebhaber der Kunst, der an der stimmungsvollen Abendlandschaft Gefallen hatte.

Die Differenzierung nach Bildaufgaben ist bezeichnend für die neue Kunst: Betrachtet man den Straßburger Retabelflügel, fällt auf, daß die beiden Heiligen nicht, wie bei der Altarbildmalerei üblich, stehend gegeben sind, sondern sitzend, wie wir es von Andachtsbildern der Maria im Rosenhag kennen. Der betonte, stark fluchtende Raum ist eine Kirche, teils in romanischen Formen des frühen 12., teils mit Fenstern und Gewölben des ausgehenden 14. Jahrhunderts. Der Maler gibt einen Ausblick auf eine Straße mit der frühesten Darstellung eines Kunsthändlers. Seine Hauptaufmerksamkeit gilt der genauen Wiedergabe des Glanzes von Seidenbrokat, Gold und Perlenstickereien. Hingegen verzichtet er in der Kreuzigung auf diesen Farben- und Materialprunk. *(Abb. 13)* Sie zeigt einen Stifter, vielleicht einen hochrangigen geistlichen Rechtsgelehrten, gleichsam im meditativen Dialog vor dem ihm zugewandten Gekreuzigten. Die ohnmächtig zusammensinkende Maria mit den Ihren sowie der trauernde Johannes treten hinter das Kreuz. Als Elemente kommt ihnen somit untergeordnete Bedeutung zu. Eine traditionelle Komposition auf diese Weise aufzulösen ist ebenso ungewöhnlich wie die Landschaft eines Schweizer Sees im Hintergrund. Die Figuren sind von giottesker Einfachheit und Monumentalität gehalten. Das Täfelchen soll, wie oft bei damaligen Bildern für den privaten Gebrauch, zugleich Andachtsbild und Kunst-Werk sein.

Auf dem Basler Konzil hat vielleicht auch Stephan Lochner aus Meersburg am Bodensee Aufträge gesucht, der vielleicht nach einer Lehre bei Hans Tiefental nach Köln wanderte, wo er in den 1440er Jahren zum angesehensten Maler aufstieg. In der damals recht konservativen Stadt hatte man Sinn für seine noch dem Schönen Stil verpflichtete Kunst. Während aber ähnlich retrospektiv denkende Richtungen oft erstarrten, schuf Lochner im Blick auf die niederländischen Neuerungen Gemälde von höchster Malkultur, die man bis ins frühe 16. Jahrhundert und sogar in den Niederlanden zitierte.

Sein 1447 datiertes Bild der Darbringung im Tempel wurde für den Hochalter der Deutschordenskirche in Köln gemalt. *(Abb. 14)* Der stiftende Ordensritter ist rechts zu finden. In seinen Händen hält er einen Zettel mit dem Hinweis, daß an dieser Stelle dem Bild eine Reliquie in einem Säckchen angefügt war. Die wie Orgelflöten angeordnete Lichterprozession der Chorknaben zu Mariä Lichtmeß (2. Februar) ist also auch Reliquienprozession. Das Bild thematisiert neben dem Reinigungsopfer Mariens die Darbringung Christi 40 Tage nach seiner Geburt im Tempel, als die Prophetin Hannah (hinter Josef) und der Priester Simeon im Knaben den Messias erkannten und zugleich Maria priesen. Das Bild von Abrahams Opfer auf der Altarverkleidung (Antependium) fügt eine eucharistisch-sakramentale Bedeutung hinzu. Das Ehrentuch in der Art des Konrad von Soest grenzt aus dem zahlreich anwesenden Volk die Hauptgruppe aus. Das mit raffinierter Maltechnik zum Strahlen gebrachte Blau gibt der knienden Maria das dunkle Leuchten eines Saphirs. Auffällig ist die aus dem Bild blickende, rot gekleidete Dame mit dem Krüseler links, die ein Bildnis von Lochners Frau sein dürfte, vergleichbar dem Porträt, das Jan van Eyck von seiner Gemahlin geschaffen hat. Ihr entspräche der Mann hinter Simeon als Selbstbildnis des Malers. Derartiges ist bei den niederländischen

*14. **Stefan Lochner (um 1410–1451), Darbringung im Tempel,** Köln, 1447, Mischtechnik auf Holz, 139 x 124 cm, Darmstadt, Hessisches Landesmuseum*

Als Hochaltarretabel der Deutschordenskirche St. Katharina in Köln wurde die Tafel von Lochner sehr repräsentativ gestaltet, mit viel Schmuckmotiven, reicher, differenzierter Vergoldung, unter besonderer Berücksichtigung der Symmetrie. Durch Komposition und Farbigkeit ist die Muttergottes herausgehoben. Die Chorknaben bilden eine subtil geordnete rhythmische Reihe. Auch die Gruppen sind durch erzählende Elemente belebt.

Meistern nachweisbar und entstand aus der neuen, betont christlichen Sicht, die statt der in der Antike üblichen Geliebten die Ehefrau als Muse des selbstbewußten Malers fordert.

Der Künstler bevorzugte das Liebliche, verfügte aber in seinem Repertoire auch über düstere und grausame Elemente: In seinem Weltgerichtsbild *(Abb. 15)* konfrontiert er den schönen, süßen Himmel und die Seligen auf der Paradieswiese mit den drastisch geschilderten Verworfenen: mit dem fetten Wucherer vorne im Bild oder dem fanatischen Mönch auf den Schultern des Teufels. Er malt diese Bösen aber nicht nur verächtlich, sondern auch voller Anteilnahme, wie etwa die Gestalt des auf einem Dämon reitenden, verzweifelten Mannes vor der gespenstischen, brennenden Höllenburg, die einen wirkungsvollen Kontrast bildet zu dem in gotischen Sakralformen

15. Stefan Lochner (um 1410–1451), Jüngstes Gericht (Mitteltafel), Köln, um 1440, Mischtechnik auf Holz, 125 x 173 cm, Köln, Wallraf-Richartz-Museum

Die Tafel bildet die Mitte eines Flügelretabels. Auf den Flügeln innen (im Städelschen Institut in Frankfurt) sind die Martyrien der zwölf Apostel dargestellt, außen (in der Alten Pinakothek in München) vier Heilige als Schutzpatrone für das Jüngste Gericht. Das Thema ist ungewöhnlich für Altarbilder und dürfte eher durch den Funktionszusammenhang mit einer Grabstätte zu erklären sein. Während Christus und die fürbittenden Maria und Johannes distanziert und idealisiert gezeigt werden, wird der Maler in der Darstellung der turbulenten Szenen, die sich am Ort des Gerichts, dem Tal Josaphat bei Jerusalem abspielen, sehr genau, ebenso in der Darstellung der Qualen der Hölle. Aus der Zahl der Kopien und Zitate in der späteren Kunst dürfen wir schließen, daß dies eines der berühmtesten Bilder seiner Zeit war.

gestalteten Paradiesestor. Grauen und Angst werden spürbar. Das Gerichtsbild wird zum Drama. Lochners Kunst (und die seiner großen Zeitgenossen) ist subjektiver und aussagefähiger zugleich geworden.

Die Reichsstadt Nürnberg als Kunstzentrum und Lebensraum

Nürnberg wurde um 1050 von Kaiser Heinrich III. bei einer wichtigen Burg gegründet. In der kaiserlosen Zeit nach 1248 bildete sich ein patrizischer Rat, der in der Folge den Kaisern und ihrem Stellvertreter, dem hohenzollernschen Burggrafen, ein Privileg nach dem andern abhandelte, ebenso auch dem Bamberger Bischof, zu dessen Diözese die Stadt gehörte. Ende des 15. Jahrhunderts hatte der Rat alle wichtigen Rechte in seiner Hand. Nürnberg war Freie Reichsstadt, mit eigenem Territorium. Es erkannte nur den Kaiser als (theoretischen) Oberherrn an. Die *Goldene Bulle*, die Reichsverfassung Karls IV. von 1356, hatte bestimmt, daß jeder neugewählte Kaiser seinen ersten Reichstag in Nürnberg abzuhalten habe. Auch ohne derartige Bestimmungen war die Stadt bis zum 16. Jahrhundert ein beliebter Aufenthaltsort der Herrscher. Seit 1424 wurden die deutschen Reichskleinodien im Hl.-Geist-Spital aufbewahrt. Das Rathaus, der Hauptmarkt und die beiden Stadtpfarrkirchen waren so konzipiert, daß sie auch kaiserlicher Repräsentation dienen konnten.

Geschickte Politik sorgte für die Ausrichtung auf die jeweiligen Machthaber und damit für die Sicherung von Wirtschaft und Handel. Mit Hilfe von Privilegien konnten alle konkurrierenden Städte ausgestochen werden, so im Italienhandel insbesondere Regensburg, außerdem Bamberg und die mittelfränkischen Reichsstädte wie Rothenburg ob der Tauber oder Nördlingen. Nürnberg war jedoch niemals ausschließlich Handelsstadt, obwohl es die Straßen nach Prag, Erfurt, Leipzig und Schlesien kontrollierte und den ›Fondaco dei Tedeschi‹ (Kaufhof der Deutschen) in

Venedig in der Hand hielt. Aber Frankfurt war als Messestadt für den Handel wichtiger, und Augsburg, Heimat der unermeßlich reichen Fugger und Welser, wurde Zentrale des Großkapitals. Das Fundament der Nürnberger Größe war sein Gewerbe. Es fußte unter anderem auf der Kontrolle der oberpfälzischen Eisenverhüttung und des mitteleuropäischen Bergbaus. Heute würde man Nürnberg das Technologiezentrum der Epoche nennen: Dort entstanden die ersten deutschen Papiermühlen, wurden die Drahtzieherei und alle Arten von Feinmechanik ausgebildet – der Nürnberger Peter Henlein erfand um 1500 die Taschenuhr –, wurden Metallgeschirre, Eisenpanzer, Bronzegrabplatten und Goldschmiedewerke in großen Mengen und hoher Qualität für den Export hergestellt, ebenso Bücher, Graphiken und Kunstwerke.

Nürnberg zog talentierte Handwerker und Künstler an, so den Goldschmied Albrecht Dürer den Älteren aus Ungarn oder den Maler Hans Pleydenwurff aus Bamberg. *(Abb. 41)* Im Unterschied zu den meisten Städten hatten die Nürnberger Ratsherrn die Bildung von Zünften verhindert, weil sie ihre Macht mit niemandem teilen wollten. Doch unterwarfen sie die militärisch wichtigen Gewerbe strikter Kontrolle, während die anderen ›freie Künste‹ blieben. Solange die Konjunktur florierte – und das war bis um 1520 der Fall –, waren die Vorteile des freien Marktes groß. Er darf als einer der Gründe für den epochemachenden Aufstieg der Nürnberger Kunst seit der Mitte des 15. Jahrhunderts gelten. Die Abschottungsmentalität zünftisch organisierter Handwerker konnte sich kaum entfalten; es kam zu einem freien Austausch von Menschen und Ideen. Der Rat förderte zudem die Ansiedlung vielversprechender Meister.

Ein Kaufmann mußte rechnen, schreiben und lesen können. Lateinische und italienische Sprachkenntnisse zu erwerben, war sinnvoll. Man gründete städtische Schulen, schickte die Patriziersöhne auf italienische oder deutsche Universitäten und vollendete die Ausbildung möglichst durch eine Dienstzeit an einem der benachbarten Fürstenhöfe. Die Durchsetzung des gedruckten Buches erweiterte den Horizont schnell: Binnen zweier Generationen wandelten sich viele Nürnberger Patrizier von frommen, aber biederen Stadtbürgern zu weltoffenen, humanistisch gebildeten. Auch war die soziale Abschottung noch nicht vollendet, so daß Verbindungen zu den Schichten der Handwerker und Künstler offen blieben, wie man an der Lebensgeschichte des größten Nürnberger Künstlers, Albrecht Dürer der Jüngere, ablesen kann, der u.a. mit dem Patrizier Willibald Pirkheimer *(Abb. 80)* befreundet war.

Trotzdem darf man sich die damaligen Lebensverhältnisse nicht zu glänzend vorstellen. Dürer war am Ende seines Lebens ein reicher Mann. Aber sein Haus ist eng, einfach und kunstlos. Es spiegelt weder den ökonomischen Aufstieg, noch den Wandel vom spätmittelalterlichen Handwerker zum neuzeitlichen Künstler. Es läßt aber erahnen, wie hart die damaligen Menschen gearbeitet, wie streng gegen sich selbst sie gelebt haben. *(Abb. 16)* Die häufiger werdenden Selbstzeugnisse offenbaren, daß das Neue mit Leidenschaft, aber auch unter Leiden errungen wurde.

16. Nürnberg, Dürerhaus, *zweite Hälfte 15. Jh. Erdgeschoß und erstes Obergeschoß des von Dürer 1508 für 557 Gulden erworbenen Hauses sind massiv gemauert, darüber drei Fachwerkgeschosse, die eigentlichen Wohn- und Arbeitsräume.*

Der Chorneubau von St. Lorenz

An der Spitze aller Bauaufgaben stand weiter der Kirchenbau, insbesondere die Verschönerung und Ausstattung der beiden Stadtpfarrkirchen: St. Sebald war die ranghöhere und – da Reliquienschrein des Stadtpatrons – *(Abb. 17)* auch die ehrwürdigere, außerdem im feinen Burgviertel beim Rathaus gelegen. St. Lorenz war die reichere und in der Kaufmanns- und Fabrikan-

*17. **Peter Vischer (um 1460–1529) und Söhne, Sebaldusmonument,** Bronze, 471 cm, 1508–1519, Nürnberg, St. Sebald*
Der Schrein im Inneren des Gehäuses stammt aus den Jahren 1391–1397. An dem Entwurf der einzelnen skulpturalen Teile waren wegen der Arbeitsteilung zwischen Modellentwerfer und Gießer verschiedene Hände beteiligt. Erzählt wird im Sockelbereich die Legende des Nürnberger Stadtpatrons. Um den Schrein oben aber steht die Reihe der Apostel. Das ganze wird umspielt von Putten, Meerweibchen und anderen, eher profanen als sakralen Motiven.

tenstadt gelegen. *(Abb. 18)* Die jeweiligen Baumaßnahmen in St. Sebald gehen voran, die in St. Lorenz folgen, überbieten aber immer die der älteren Kirche, so daß im Ergebnis die jüngere und nachgeordnete als die prächtigere und wichtigere erscheint. Nachdem man in St. Sebald 1361–1379 das enge basilikale Langhaus durch einen hohen, lichten Hallenchor erweitert hatte, tat man in den Jahren 1439–1477 ein Gleiches in St. Lorenz. Das steht in der Tradition gotischer Überhöhung des Sanktuariums: Durch das enge, dunkle Langhaus geht man zum Altar und erlebt dabei eine Verwandlung des Raumes. Er weitet sich, weil der Blick nicht mehr nur das Mittelschiff, sondern auch die Seitenräume erfaßt. Die vielen Fenster steigern die Helligkeit, die Bauzier an Pfeilern und Gewölben sowie die reiche Ausstattung nehmen den Blick gefangen. Für uns heute kommt hinzu, daß in der kriegszerstörten Stadt diese Kirche eine Ahnung originaler, unzerstörter Ganzheit vermittelt: Die alten Glasfenster verzaubern den Raum durch ihr farbiges Licht. Nur muß man sich vorstellen, daß um 1500 noch mehr Totenschilde und Epitaphien an den Pfeilern hingen, die freie Sicht aber durch die in den Schlachten erbeuteten Fahnen und andere Andenken beeinträchtigt war, daß man an hohen Festtagen Teppiche und kostbare Tücher aufhing und auslegte sowie die Altäre außerdem mit Reliquiaren bestückte.

Die Architektur ist reich verziert, aber nicht innovativ. Das gilt für weite Bereiche der damaligen städtischen Baukunst Deutschlands. Grund- und Aufriß variieren den Parlerschen Chorneubau des Hl.-Kreuz-Münsters in Schwäbisch-Gmünd *(Abb. III/42 u. 43)*, der Pfeilertypus den der Martinsbasilika des Hans von Burghausen in Landshut. *(Abb. III/54)* Doch hat man nicht die Parleridee der gleichen Pfeilerabstände aufgegriffen, da man sich in diesem Punkt an St. Sebald orientierte. Deshalb wird auch nicht die Raumweite oder der Kontrast zwischen den Pfeilern innen und dem Wandrelief dahinter erreicht. Das Maßwerk der Fenster ist konservativ, das der Balustraden hingegen kleinteilig und überladen. Gewiß war der Ruhm der ›Junker von Prag‹, wie die Parler im 15. Jahrhundert genannt wurden, außerordentlich. Aber der Hauptgrund für diese Bauweise ist ein anderer: Baukunst ist immer auch Träger der herrschenden Meinung. Der retrospektive Grundzug des Lorenzchores ist nicht nur Ausdruck der Bewunderung für das künstlerische Vorbild, sondern auch Reflex der konservativen Politik des Patriziats, das die im 14. Jahrhundert unter Karl IV. festgeschriebenen gesellschaftlichen Strukturen beibehielt – deshalb ja auch die Zitate nach St. Sebald.

In der Ausstattung zeigen sich hingegen innovative Züge. Zwei vom Rat eingesetzte Kirchenpfleger aus dem Patriziat, nach Möglichkeit vermögende Leute, sorgten dafür, daß die Regeln eingehalten wurden und daß dennoch ein glanzvolles Erscheinungsbild entstand. Ihr Amt war eine Art Stiftungs-Privileg. Nicht jeder durfte ein

18. Nürnberg, St. Lorenz, *Innenansicht des Chores nach Osten, Konrad Heinzelmann aus Rothenburg, Konrad Roritzer aus Regensburg und Jakob Grimm, 1439–1477, darin von Adam Kraft (um 1450–1508) das Sakramentshaus, 1493–1496, Sandstein, 20,6 m*

Der Umgang ist mit Altären und Epitaphien von Nürnberger Patriziern und hohen Klerikern besetzt. Der Chorraum besaß niemals ein Hauptaltarretabel. Kultischer Mittelpunkt sind das Sakramentshaus und der Englische Gruß. Die Balustraden sind nicht allein Laufgänge, sondern auch zusätzlicher Platz bei besonderen Gelegenheiten und Aufstellungsort von Sängern und Musikanten.

Altarbild oder gar ein Epitaph in der Kirche anbringen. Nur den Geistlichen und den Angehörigen von Patrizierfamilien war dies vorbehalten. Aber Hans Imhoff der Ältere, einer der reichsten Männer seiner Zeit, hätte kaum das so aufwendige, gut zwanzig Meter hohe Sakramentshaus *(Abb. 17)* stiften dürfen, wenn nicht die Ulmer zuvor in ihr Münster als Herausforderung an alle Nachbarstädte einen (noch sechs Meter höheren) Turm zur Ausstellung des Altarsakramentes aufgestellt hätten. Die Höhe konnte man in Nürnberg nicht überbieten. Bezeichnend für die damalige Entfaltung des Künstlerischen ist, daß man sich allein auf die höhere Qualität verließ, das ›Künstliche‹, wie man es damals nannte, womit man die Virtuosität und die Meisterschaft in der Bewältigung der Schwierigkeiten des Materials meinte. Das Werk wurde deshalb nicht farbig gefaßt, sondern nur weiß – abgesehen von wenigen ergänzenden Farbtupfern – geschlämmt. Der

*19. **Adam Kraft (um 1450–1508), Selbstbildnis des Künstlers am Sakramentshaus,** Sandstein, 1493–1496, Nürnberg, St. Lorenz*
Der Künstler kniet in Alltagskleidung mit dem Klöpfel in der rechten Hand und dient seinem eigenen Werk als Träger. Er wird begleitet von zwei Gesellen, die bei der Arbeit geholfen haben. Die Skulptur ist nur teilweise gefaßt.

erhaltene Vertrag mit Meister Adam Kraft liest sich wie eine Aufzählung von knebelnden Vorschriften. Und doch gestattete man dem Künstler, sich mit seinen beiden Gehilfen als Träger des Gebildes darzustellen, demütig in der Tradition des gotischen Baumeisterbildnisses, aber dennoch selbstbewußt und in natürlicher Größe. *(Abb. 19)*

Architektonisch handelt es sich um eine steinerne Monstranz. *(Abb. 20)* Die dünnen Säulchen des zweiten Geschosses widersprechen den tektonischen Gepflogenheiten, sie sind der Metallkunst abgeschaut. Und der Kranz der gebogenen Fialen darunter ist so gearbeitet, daß auf kupferne Drähte kleine Steinstückchen aufgezogen und mit Steingußmasse verkittet sind – der Bildhauer wird so zum Metallarbeiter. Doch der Vergleich mit Goldschmiedewerken offenbart den Willen, sie zu überbieten. Dies Gebilde hat zwar einen stabilen inneren Kern, wird aber nur durch die Anlehnung an den Pfeiler und durch Eisenklammern im Inneren gehalten – dies aber immerhin seit 500 Jahren. Schon Parlers hängender Schlußstein der Prager Domsakristei *(Abb. III/49)* täuschte etwas vor – im Sakramentshaus wird dies zum Prinzip. Es entstand die Sage, der Künstler habe Stein erweichen können. Dabei hat der Aufbau eine doppelte, gegenläufige Logik: Die architektonische Komposition rahmt vor allem das Gehäuse für die Monstranz ein, wobei der Laufgang mit seiner Maßwerkbalustrade ein Podest bildet und die verflochtenen Fialen mit ihren die Leidensinstrumente Christi haltenden Engeln an die Dornenkrone erinnern sollen. Hingegen will die plastische Steigerung vom Flachrelief des ersten Stocks über das Hochrelief zur Freiplastik, ebenso die Abfolge der Ereignisse von der Verkündigung unten über die Szenen der Passion zur Kreuzigung und Auferstehung im dritten und vierten Stock verdeutlichen, daß der Dreh- und Angelpunkt der Szenenfolge die Kreuzigung ist. Die Heiligen der Kirche und Stadt stehen zum Greifen nah an der Balustrade, an der sich auch die Wappen des Stifters finden. Das reiche Bildprogramm erklärt sich aus der Funktion, die Monstranz mit der Hostie aufzunehmen und auszustellen. Es betont den Gedanken des Opfertodes Christi und den seiner Wiederholung im eucharistischen Opfer des Priesters am Altar: die Verkündigung wird als Moment der Fleischwerdung des ›Wort Gottes‹ (Inkarnation) verstanden. Abraham und Melchisedech sind alttestamentarische Präfigurationen dieses Altaropfers und das Abendmahl in der Mitte zeigt seine Einsetzung. Das Ecce-Homo-Bild ist als Präsentation Christi analog zu derjenigen der Eucharistie zu verstehen. Die Holzfigur Christi im obersten Stock meint Auferstehung und Himmelfahrt zugleich.

Einer der Gründe für die Planung des Sakramentshauses war der Beschluß, in St. Sebald einen großen Bronzebaldachin für den Schrein der Reliquien des Stadtpatrons Sebaldus zu errichten. *(Abb. 17)* Der erste Entwurf Peter Vischers von 1488 sah einen Wald hoher Fialen als Bekrönung vor. Er wurde nicht verwirklicht. Als man sich 1508 endlich an die Ausführung machte, war

20. Jörg Seld (um 1454–1527), Turmmonstranz, Silber vergoldet, Augsburg, um 1512, Tiefenbronn (Enzkreis), Pfarrkirche

Seld, der berühmteste und meistbeschäftigte Augsburger Goldschmied, hat dieses Schaugefäß für die geweihte Hostie, eines der höchsten überhaupt aus dem Mittelalter, sicher nicht alleine geschaffen. Wohl aber dürfte die Erfindung der phantastischen Architektur auf ihn zurückgehen, mit der er die Freiheit des Metallkünstlers im Gegensatz zu der Schwere und der Sprödigkeit des Steins oder der Zerbrechlichkeit des Holzes demonstriert.

die Stimmung umgeschlagen. Italienische Renaissanceformen erschienen den humanistisch gesonnenen Stadtvätern nun passender, im Ergebnis handelt es sich jedoch um verformte Gotik. Außerdem wollte man auch kein rein geistliches Monument mehr: Die auf großen Schnecken ruhende Fußzone wird durch spielende Putti, Kinderengel italienischer Art, durch Tiere und groteske Wesen belebt. Als Gegenstück zur Statue des Heiligen ist die des Gießers Peter Vischer aufgestellt. Sie ist im Ausdruck noch selbstbewußter als die seines Freundes und zeitweiligen Helfers Adam Kraft in St. Lorenz. Das Doppelgesicht dieser Kunst wird auch an den Aposteln um den Sebaldusschrein erkennbar: Das alte Thema wird nicht zeitgemäß neu gestaltet, sondern in Anlehnung an Vorbilder des späten 14. Jahrhunderts. Gerade dieser rückwärtsgewandte, idealisierende Zug machte sie in der Romantik so beliebt, ebenso andere Werke ihres Entwerfers, der den Notnamen ›Meister der Nürnberger Madonna‹ trägt.

Das sich tiefgreifend verändernde Denken am Vorabend der Reformation bewirkte die Entstehung einiger durch die Intensität des religiösen Empfindens herausragender religiöser Kunstwerke. Hierzu zählen viele Skulpturen des Veit Stoß, so der *Englische Gruß* im Lorenzchor. *(Abb. 21)* Der Name bezieht sich auf den Gruß des Engels in der Verkündigung, auf das »Gegrüßet seiest Du, Maria«, das die erste Zeile des *Ave Maria*, des meistgebrauchten Mariengebets der Katholischen Kirche, bildet. Abwechselnd zehn *Ave Maria* und ein *Vaterunser* ergeben fünfmal wiederholt den *Rosenkranz*, auf den sich die Perlenschnur und die Blütenfolge im Rahmen beziehen. Hatte die Stadt sich für ihr Sebaldusmonument des kaiserlichen (und antiken) Materials Bronze bedient, so folgt sie im Rosenkranz-Bild einer von den Habsburgern Friedrich III. und Maximilian I. geförderten Devotion. Denn die erfolgreiche Verteidigung des vom Burgunderherzog Karl dem Kühnen belagerten Neuß im Jahr 1475 wurde auf das eifrig gepflegte Rosenkranzgebet zurückgeführt. Daß als Stifter ein wichtiger Nürnberger Staatsmann, der ehemalige Bürgermeister Anton II. Tucher, auftritt, hat wenig mit dessen privaten Anschauungen zu tun, sondern ist eher ein Akt der Staatsfrömmigkeit. Dies sieht man schon daran, daß er nicht in seine Familienkirche St. Sebald stiftete.

Der Bezug auf einen älteren Kupferstich von Martin Schongauer als Vorlage verdeutlicht einen dem Auftrag entsprechenden konservativ-offiziellen Zug, denn Stoß verwendete zur selben Zeit für andere Werke moderne italienische Vorlagen. Doch mindert das nicht den Zauber, den die überlebensgroße, reich bewegte Gruppe ausübt – vor unseren Augen findet ein wahrhaft himmlisches Ereignis statt, das den Lorenzchor in einen geistlichen Festsaal verwandelt. Ursprünglich war noch zwischen Gottvater und Maria ein herabschwebendes Christkind angebracht. Die Bildmedaillons beziehen sich auf die Thematik des ›glorreichen‹ Rosenkranzes. Die Schlange mit dem Apfel unten symbolisiert das von Maria als Neuer Eva über-

*21. **Veit Stoß (um 1447–1533), Verkündigung im Rosenkranz (›Englischer Gruß‹)**, Lindenholz gefaßt, Gesamthöhe 372 cm, 1517–1518, Nürnberg, St. Lorenz*

Gebetsschnüre als Hilfsmittel beim Gebet zu verwenden, ist in vielen Religionen üblich und auch im Abendland damals bereits ein alter Brauch (Abb. 4). Doch erst im späten 15. Jahrhundert wurde die zyklische Betweise des ›Rosenkranzes‹ populär (und blieb es in der katholischen Kirche bis heute). Das Bild der Verkündigung ist sehr passend, da der Erzengel Gabriel ja bei diesem Ereignis den ersten Teil des Mariengebetes ›Ave Maria‹ ausspricht, das der Hauptbestandteil des Rosenkranzes ist. Der Engel ist in feierlicher liturgischer Gewandung dargestellt, wie er die Magd des Herrn beim Psaltergebet antrifft. Die Gruppe wird eingerahmt von einem Kranz von Rosenblüten, in den Medaillons die fünf ›freudreichen Geheimnisse‹.

wundene Böse. Der in liturgischer Gewandung heranschreitende Engel und die Muttergottes werden von kleinen Engelchen umschwirrt, in denen der Bildschnitzer virtuos seine eigene Deutung der italienischen Kinderengel vorträgt. Der *Englische Gruß* hing, gehüllt in einen Sack mit Stifterwappen, im Gewölbe und wurde nur zu bestimmten Festtagen herabgelassen. Zum Bildwerk gehört ein Leuchter, der der Gebetszahl folgend 55 Kerzen auf einem aus Rosenblättern gebildeten Rahmen trägt.

Andere Städte statteten ihre Stadtpfarrkirchen auch mit einem repräsentativen Ratsgestühl aus. Das berühmteste ist das des Ulmer Münsters, das städtische Hauptpfarrkirche und Ratskirche in einem war. Es ist eingespannt zwischen den Dreisitz der Geistlichkeit im Westen und dem (im Bildersturm zerstörten) Hochaltarretabel im Osten. Der Kirchenraum ist also ganz und gar mit Holz ausgekleidet, dem profanen Raumschmuck der Zeit ähnlich. In den Jahren 1469–1474 wurde das Gestühl von dem hochgeachteten Schreiner Jörg Syrlin der Ältere mit mehreren Helfern errichtet. Die Wangenbüsten der unteren Sitzreihe zeigen auf der (nördlichen) Evangelienseite weise Männer des Altertums, auf der (südlichen) Epistelseite

Sybillen, legendäre Seherinnen. *(Abb. 22 a u. b)* Rangmäßig über ihnen folgen zuerst die alttestamentarischen Propheten, in der Bekrönung die Apostel und Heiligen des Neuen Testamentes. Im Grunde aber wird die traditionelle Gewichtung verkehrt gestellt: Die antiken Personen sind als einzige vollrund und rangieren deshalb nach der damaligen Hierarchie der plastischen Werte am höchsten. Auch wegen ihrer subtilen Gestaltung zogen sie die meiste Aufmerksamkeit auf sich.

Vergil (70–19 v. Chr.) galt dem Mittelalter als Weiser, der in der 4. Ekloge seiner Sammlung ausgewählter Gedichte, den Eclogae, das Kommen des Messias verkündete. Vor allem seine Äneis, mit der er das Epos schlechthin verfaßt hatte, machte ihn zum Musterdichter. Mit den Georgica (Gedichte vom Landbau) und den Bucolica (Hirtengedichte) schuf er Vorbilder für die Lyrik, deren Motive und Verse als Topoi bis ins 18. Jahrhundert verwendet wurden. Erst mit der Wiederentdeckung Homers und dem zunehmenden Gewicht, das man der zeitgenössischen Literatur beimaß, verdunkelte sich Vergils Ruhm. Gebildete kannten seine Dichtungen oft auswendig.

Im Ulmer Gestühl ist Vergil nicht als antike Gestalt, sondern als Magister des 15. Jahrhunderts dargestellt. Künstlerisches Vorbild ist das Selbstbildnis des Nikolaus Gerhaerts von Leiden. *(Abb. 33)* Dies ist Frühhumanismus in christlichem Gewande, denn es geht hier weniger um die Christlichkeit der antiken Vorbilder, als um ihre Wissenschaft und Weisheit. Der sakrale Rahmen wird mit philosophischem Gedankengut durchsetzt und erweitert und erinnert nur äußerlich an die Vermischung des Weltlichen und des Geistlichen im Hochmittelalter. Weltliche und politische Interessen setzen sich allmählich durch. Sie drängen das Geistliche schließlich in einen separaten Bereich, der unter Kontrolle der städtischen (oder fürstlichen) Obrigkeit steht.

22 a. Chorgestühl, 22 b. Büste des Vergil aus dem Chorgestühl, Jörg Syrlin der Ältere (um 1425–1491) und Gehilfen, *Eiche, 1469–1474, Ulm, Münsterpfarrkirche*

Das Gestühl flankiert einen Dreisitz für die die Messe zelebrierenden Geistlichen. Es hat 89 Sitze. Im großen Bildersturm 1531 wurden viele Figuren religiöser Thematik zerstört. Deshalb stehen heute die Baldachine über dem Gestühl leer.

Die städtische Profanbaukunst

In dieser Epoche wurden von den Städten in größerem Umfang Gemeinschaftsbauten errichtet. Die oberste Bauaufgabe blieb das Rathaus, doch kam es selten zu bemerkenswerten Neuerungen. Die Städte blieben konservativ. Man griff noch nicht die in Italien entwickelte ›Rhetorik‹ der Fas-

23. Gewandhaus in Zwickau, *1522–1525 von Friedrich Schultheiß (erweitert 1515–1533), wohl nach Entwurf von Jakob Heilmann (†1526)*

Jakob Heilmann aus Schweinfurt ist einer der wichtigsten Schüler des niederbayerisch-böhmischen Baumeisters Benedikt Ried (Abb. 50) und hat im sächsisch-schlesischen Raum viel gebaut. Er verbindet in seinem Stil Elemente der nordalpinen Spätgotik mit solchen der italienischen Renaissance.

sadenarchitektur auf. Letztlich war man mehr auf die Ausschmückung des Inneren bedacht.

Die wachsende Durchschlagskraft der Kanonen zwang immer größere Mittel und Arbeitskraft in Verstärkung und Neubau von Befestigungs anlagen. Doch gab man sich im 15. Jahrhundert weiterhin große Mühe bei der Gestaltung von Mauern, Türmen und Toren. Die Nürnberger Stadtmauer verstärkte alle fünfzig Meter ein Turm. Kleine Städte schmückten sich wenigstens mit schönen Tortürmen. Besonders Städte mit Tradition und Anspruch wie Lübeck wandten Bauehrgeiz auf diese Aufgabe: Das Holstentor drückt seine Funktion als Bollwerk überzeugend aus. Am meisten Aufmerksamkeit erhielt der städtische Kirchturm. Nicht ohne Grund stammt der über Jahrhunderte höchste Turm Deutschlands aus dem 15. Jahrhundert: Es ist der von Hans Hültz 1439 vollendete Turm des Straßburger Münsters. *(Abb. III/23)* Die stattlichen Türme sind immer auch ein Zeichen des Bürgerstolzes, und die Fürsten verstanden die ›Spitze‹ sehr wohl.

Den neuen militärischen Verhältnissen fielen die Vorstädte zum Opfer. Wer Schutz wollte, mußte hinter die Mauern ziehen. Wachstum und Zuwanderung führten also zur Verdichtung der Städte. Viele Häuser stockte man auf, die oft von Stockwerk zu Stockwerk tiefer in die Straße hineinragten, viele Gärten und Hinterhöfe wurden bebaut. Bauvorschriften wurden notwendig. Hauptgesichtspunkt dabei war der Brandschutz. Deshalb wirkte man darauf hin, daß die Häuser nicht mit Stroh eingedeckt und nicht aus Holz oder Fachwerk errichtet wurden, sondern möglichst aus Stein oder Ziegel, dies vor allem in den Produktionszentren mit hohem Holzverbrauch. Man regelte das Ausmaß der Hausvorsprünge, die Größe der Erker, die Giebelstellung usw.

Die Städte blieben jedoch komplexe Gebilde mit vielerlei Rechten und Zuständigkeiten: Klöster, Adlige und fürstliche Herren hatten jeweils ihre eigenen Bezirke und Immunitäten, oft mit eigener Mauer. Dort endete die städtische Macht. Häufig bewahrte sich der Charakter eines Ortes als Zusammenschluß mehrerer Siedlungen, deshalb behielten beipielsweise die verschiedenen Stadtteile Braunschweigs oder Brandenburgs ihr eigenes Rathaus; oder man baute ›Inselrathäuser‹ zwischen die Teilstädte, so in Hamburg, Berlin und Bamberg, von denen nur letzteres erhalten ist, aber barock umgebaut wurde. Das führte dazu, daß fast jede Stadt sehr verschiedene Viertel und Bezirke, mit jeweils eigenen Haustypen hatte. Spezifische Baumotive und Baugewohnheiten gaben jedem Ort eine eigene Physiognomie, ein Stadtbild, das man im neuen Bildtyp der Vedute gebührend feierte. Hierzu gehörte auch die Dachlandschaft, so wichtig nahm man die Gestaltung dieses Teils der Gebäude. Bis zum Zweiten Weltkrieg und der auf ihn folgenden Abriß-, Neu- und Umbauwut hatten die meisten deutschen Städte zumindest in einigen Vierteln ihren, meist im 15. Jahrhundert geprägten, Charakter noch bewahrt. Heute findet man nur noch wenig davon.

Eine weitere Folge der neuen Verhältnisse war die Notwendigkeit größerer Lagerhaltung. Zeughäuser für die Waffen, Kornhäuser, Salzhäuser, ›Unschlitthäuser‹ (für die Herstellung von Talgfackeln u.a.) wurden benötigt und von der Stadtregierung als wichtige Bauaufgabe in eigene Hände genommen. *(Abb. 23)* Zur Einschränkung der offenen Märkte und ihres Schmutzes wurden oft feste (und kontrollierbare) Markthallen,

24. Überlingen, Rathaussaal, *3,6 m hoch, Jakob Russ von Ravensburg (um 1455– um 1525), 1490–1494*

Die Vertäfelung ist mit einem großen Figurenzyklus geschmückt, der einem Programm des Staatsrechtlers Peter von Andlau folgt. Außer Christus und zwei Heiligen sowie zwei Herrschern sind sämtliche Stände des Heiligen Römischen Reiches in Vierergruppen dargestellt.

Tuchlauben und Fleischhallen errichtet. In Süddeutschland erhielten viele Straßen Laubengänge, um dort unbeschwert Kleinhandel betreiben zu können. Kellergewölbe dienten dem Wein- und Biervertrieb, oft waren sie mit einer Schankstätte oder einem Tanz-, Fest- oder Hochzeitshaus verbunden, das von den Bürgern für große Feiern angemietet werden konnte – und wo sie zugleich unter Aufsicht der Obrigkeit standen.

In vielen, vor allem kleineren Orten hielt man es für zu teuer oder für unnötig, Steinbauten zu errichten. Man bevorzugte weiterhin Fachwerk, die Zimmermannsbaukunst eines Gerüstes aus Ständern, Balken und Streben also, das man mit Bruch- oder Backstein sowie einem Lehm- und Strohgemisch ›ausfachte‹. *(Abb. 16)* Die Fachwerkbaukunst erlebte erst jetzt – im Blick auf die neue städtische Steinbaukunst – ihre künstlerische Blüte. Es ist ein Vorurteil, Fachwerk sei eine mittelalterliche, gar eine ›germanische‹ Bauweise. Sie ist es nur in der Technik, in der Form ist sie neuzeitlich – die berühmten Fachwerkhäuser stammen alle aus der Zeit zwischen 1500 und 1700.

Auf uns wirken diese Häuser eng und unbequem, allenfalls malerisch. Die Zeitgenossen sahen das anders: Ulrich von Hutten, der Ritter, Dichter, Humanist und Streiter für die Sache der Reformation, beschreibt in einem Brief an seinen und Dürers Freund Pirckheimer das Leben auf der mittelalterlichen Burg in den schwärzesten Farben und vergleicht es mit den bequemen städtischen Verhältnissen: »Die Burg ist nicht als angenehmer Aufenthalt gebaut, sondern als Festung [...] innen ist sie eng und durch Stallungen für Vieh und Pferde zusammengedrängt. Daneben liegen dunkle Kammern, vollgepfropft mit Geschützen, Pech, Schwefel und sonstigem Zubehör für Waffen und Kriegsgerät. Überall stinkt es nach Schießpulver; und dann die Hunde und ihr Dreck, auch das ein lieblicher Duft!« In der Tat lebte der Adlige damals eher unwirtlicher als der reiche Bürger. Nicht ohne Grund zog es die Fürsten von ihren Burgen in Schlösser, die sie sich jedoch aus Mißtrauen zunächst am Rand der Städte errichteten.

Vertäfelung und Mobiliar

Der architektonisch und bildnerisch ansehnlichste Teil damaliger Rathäuser waren Vertäfelung und Schmuck der großen Säle, zumal der Ratsstube. Ein Beispiel ist der Ratssaal in Überlingen, den der Schnitzer Jakob Russ zusammen mit Schreinern in den Jahren 1490–1494 verzierte. *(Abb. 24)* Gotisch empfunden ist es, daß man die Balken vorzeigte und somit die Konstruktion der Decke sichtbar machte. Dies bot reiche Möglichkeiten der Rhythmisierung und Ausschmückung. Der Raum erhielt ein politisches Bildprogramm, in dem eine Folge von Statuetten den ständischen Aufbau des Heiligen Römischen Reiches Deutscher Nation darstellten, hinzu kamen außerdem Wappen und einige Heiligenfiguren. Auch moralisierende Exempel gerechter Justiz oder Warnungen vor der Verführung durch die Frau waren beliebt. Durch sie kam ein Zug von oft recht derbem Humor in die Säle. Dies muß in den öffentlichen Tanzsälen und Badehäusern noch auffälliger gewesen sein.

Die Schreinerei erhielt einen viel weiteren Aufgabenkreis und stieg also nicht erst durch die

25. ***Liebeszauber,***
Öl auf Holz, 24 x 18 cm, Westfalen, um 1470, Leipzig, Museum der bildenden Künste

Man kann das Täfelchen ein privates Liebhaberbild nennen, denn es hat offenkundig voyeuristische Züge; leider fielen die meisten Bilder dieser Art späterer Zensur zum Opfer. Zugleich ist es ein wichtiges Zeugnis für populäre magische Praktiken.

immer größer werdenden Altarretabel *(Abb. 43)* im Ansehen. Aber gerade bei den Arbeiten für die Kirche standen die Schreiner in Tuchfühlung mit Baumeistern, Bildschnitzern und Malern, was ihren künstlerischen Ehrgeiz weckte. Der Aufstieg von Jörg Syrlin ist bezeichnend. Dies ging einher mit wichtigen technischen Neuerungen und zunehmender Arbeitsteilung. In schnellen Schritten wurden im frühen 15. Jahrhundert die noch heute üblichen Brettverbindungen entwickelt. Bretter wurden nicht nur gespalten, sondern immer häufiger gesägt, zuweilen in eigenen Sägemühlen. Es entstand ein eigener Holzhandel, vor allem für Hölzer mit schöner Maserung und Farbe oder anderen besonderen Qualitäten.

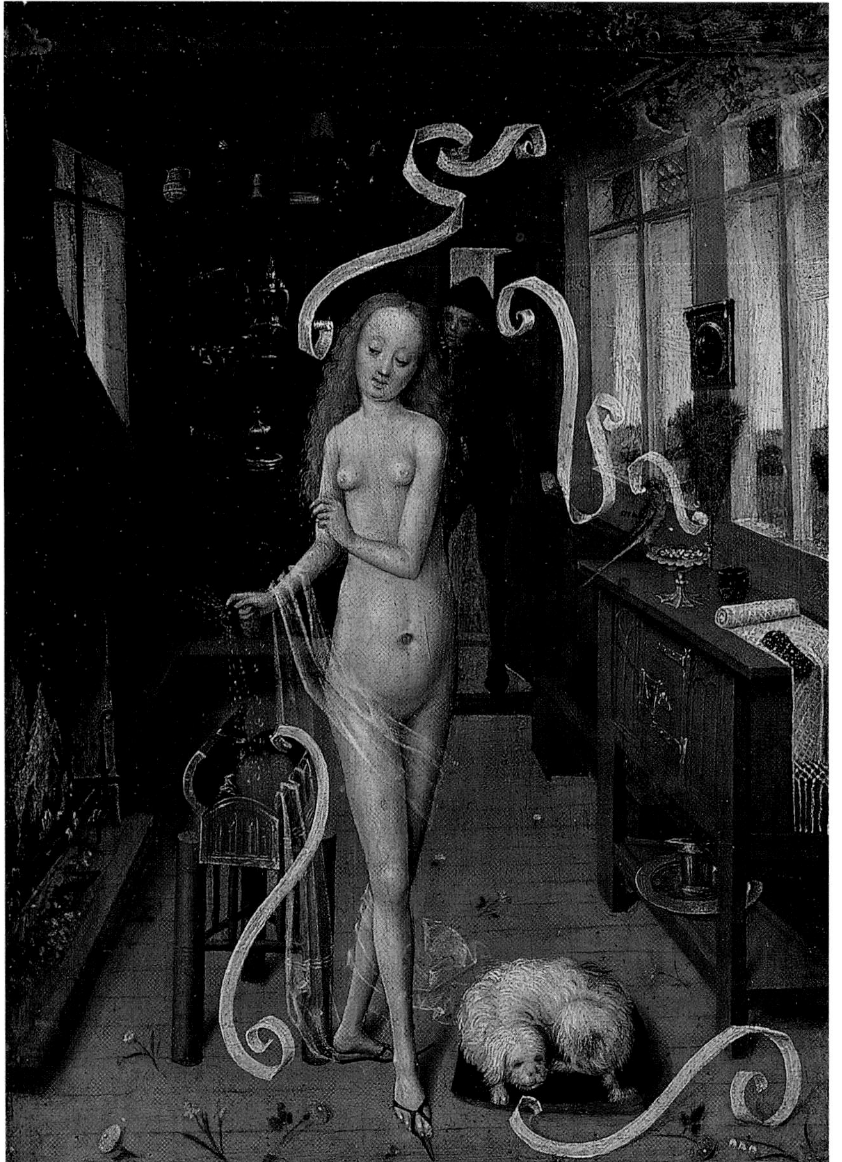

Die Wohnkultur des Patriziats und Adels veränderte sich auch dadurch, daß immer häufiger zur wandfesten Ausstattung die bewegliche kam. Aus dieser Epoche stammen die ersten Meisterwerke der Möbelkunst, hauptsächlich Schränke und Kredenzen, d.h. halbhohe Anrichten, auf denen Silbergeschirr und anderes Prunkgerät ausgestellt wurden. Führend waren hierin anscheinend die Niederlande. Das Leipziger Bild des Liebeszaubers ist lehrreich: *(Abb. 25)* Eine nackte junge Frau muß über einem wächsernen Herz zugleich Funken schlagen und Wasser träufeln. Das Herz ist getauft als das des von ihr ersehnten Geliebten, den wir bereits durch die Tür hinten eintreten sehen. Der Maler schildert ein damaliges Zimmer in seiner Verbindung von festen Wandschränken, Vertäfelung und einer Kredenz rechts. Der Unterschied an künstlerischem Gestaltungsaufwand zwischen der Zimmerauskleidung (wie zum Beispiel Faltwerk) und dem traditionellen, primitiven Drei-Bein-Hocker ist auffällig. Da Glas zu teuer war, wurden die unteren Teile der Fenster nicht verglast und konnten nur mit Holzläden oder Pergamenteinsätzen verschlossen werden. Fester Bestandteil damaliger Räume wurde der Kachelofen, bevorzugt in Süddeutschland. Viel Kunst wurde auf ihn verwendet, und das Hafnerhandwerk nahm dadurch großen Aufschwung.

Die weltliche Goldschmiedekunst

Bis etwa 1500 wurden in weltlichen Bauten bevorzugt kirchliche Bauformen verwendet. Eine Ausnahme bildeten nur die Zinnen, Ecktürmchen und andere Motive der Burgarchitektur. Anders in der Goldschmiedekunst. Mit der Veredelung von Formen und Gegenständen der Alltagskultur bildete sie eine erste eigenständig weltliche Formkultur. Besondere Fortschritte machte sie seit dem 15. Jahrhundert.

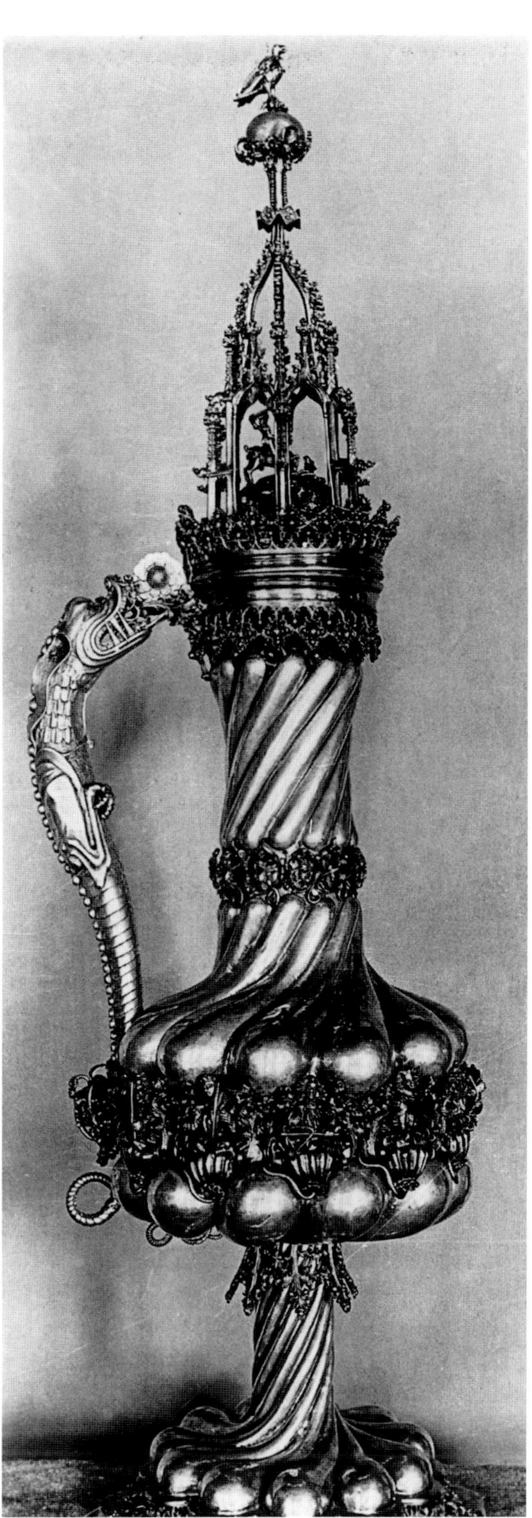

26. ***Katzenelnbogenscher Willkomm (Weinkanne),*** *Silber, vergoldet, 41 cm, Frankfurt/M. oder Mainz, um 1440, Kassel, Hessisches Landesmuseum*

Die Prunkkanne für die feierliche Begrüßung von Gästen verbindet die Form eines Fasses mit pflanzlichen und tierischen Formen. Stab und Sieb im Inneren belegen, daß die Kanne auch für die Bereitung des damals so beliebten Würzweins gedacht war.

27. ***Bergkanne,*** *Silber, vergoldet und emailliert, 73 cm, Nürnberg (?), 1477, Goslar, Rathaus*

Oft benutzte man die Freilegung einer besonders reichen Metallader, um daraus Prunkstücke der Goldschmiedekunst anzufertigen. Zu dieser Bergkanne gehört ein Gegenstück.

Die um 1440 von einem Frankfurter oder Mainzer Goldschmied entworfene Weinkanne (›Willkomm‹) der Grafen von Katzenelnbogen *(Abb. 26)* versucht nicht, Anleihen bei sakralen Formen zu machen, sondern setzt eine gebötticherte, hölzerne, mit Tauwerk zusammengehaltene Kanne in Metallarbeit um. Als Widerspiegelung von Wirklichkeit konkurriert dies mit der damaligen Malerei. Sie wird ornamental (durch Blattranken) bereichert und symbolisch überhöht, durch Kronen, Tortürme und besonders durch den Greifenkopf, der die Wappen hält und als Ausguß dient. Der Begriff ›Willkomm‹ bezieht sich auf das Empfangszeremoniell, bei dem einem hohen Gast zur Begrüßung ein Prunkpokal mit Wein gereicht wurde.

Die Hauptaufgabe weltlicher Goldschmiedekunst war die Gestaltung der zeremoniellen Trinkgefäße Becher, Pokal und Kanne, den Gegenstücken zur geistlichen Monstranz. Kulturgeschichtlicher Hintergrund ist die unbändige Trinklust der Deutschen, die schon damals im In- und Ausland als Nationallaster galt. Die Phantasie in der Erfindung und Ausgestaltung der Gefäßformen war unerschöpflich. Sie zielte auf immer größeren Prunk, aber auch auf Phantastisches. Die Goslarer Bergkanne ist in ihrer Längung und spiralförmigen Wirtelung höchst gekünstelt. *(Abb. 27)* Die Buckelung der Oberfläche war die weltliche Lieblingsform des ausgehenden Jahrhunderts. Entstehungsanlaß war wohl, daß 1477 das ›abgesoffene‹, silberreiche Bergwerk des Rammelsberges mit Hilfe von Nürnberger Technologie wieder in Betrieb genommen werden konnte. Die Kanne war vielleicht aber auch eine künstlerisch gestaltete Abgabe an den Stadtrat oder ein Ehrengeschenk. Der Drache am Henkel und der hl. Georg als Drachentöter sollen Unheil im Bergbau abwehren.

Nicht nur Fürsten prunkten mit ihrem Schatz. Reiche Bürger ahmten sie nach und die Stadtväter erst recht: Bei Turnieren, Staatsempfängen oder Festmahlen wurde das Ratssilber ausgestellt. Es war das Hauptstück städtischer Repräsentation. Außerdem war es üblich, hohem Besuch ein Ehrengeschenk, meist einen kostbaren Pokal zu überreichen. Dafür benötigte man einen Vorrat. Der Nürnberger Ratsschatz enthielt noch im frühen 17. Jahrhundert 582 Stücke mit einem Gesamtgewicht von neun Zentnern Silber. Erhalten hat sich in Teilen nur der Lüneburger Schatz (im Berliner Kunstgewerbemuseum). Im Grunde ist eine derartige Hortbildung mittelalterlich und höfisch gedacht, diente den Städten aber auch zur Vorsorge. Anders als heute wurden Gold und Silber nicht zu Barren gegossen, sondern in künst-

*28. **Schlüsselfeldersches Schiff,** Silber, vergoldet, teilweise bemalt, 79 cm, 5,9 kg, Nürnberg, vor 1503, Nürnberg, Germanisches Nationalmuseum (als Leihgabe)*

Die Nürnberger Patrizierfamilie Schlüsselfelder ließ sich nach höfischen Vorbildern, die jedoch allesamt verloren sind, dieses reich gestaltete Schiff als Tafelaufsatz für Festmähler anfertigen, zusammen mit einem schönen Lederfutteral. Es befindet sich noch heute im Besitz der Familie.

lerisch veredelter Form gehortet. Man schmolz diese Arbeiten aber auch ohne Skrupel wieder ein. Ein großer Schatz, auf der Anrichte präsentiert, signalisierte zudem Kreditwürdigkeit.

Tafelschmuck war eine verwandte Formgelegenheit. Was man damals mit größtem Vergnügen bewunderte (und sich ein Vermögen kosten ließ), wie beipielsweise ein großes Segelschiff aus Silber, würde heute als Spielzeug abgetan. *(Abb. 28)* Doch beweist das nur die Einengung und den Pseudo-Ernst des offiziellen Kunstbegriffs. Künstlerisch veredeltes Spielzeug war eine vielgesuchte Nürnberger Spezialität. Immerhin ist das Werk so hervorragend, daß man an Albrecht Dürer der Ältere als Urheber gedacht hat. Es diente als Tafelaufsatz für Festmahle. Das Schiff, eine sogenannte Karacke, ist nach einer Graphik gearbeitet. Bestückt ist es mit 74 Figürchen, meist Kriegern oder Matrosen. Die gute Erhaltung verdankt es ehrfürchtiger Pflege und seiner Aufbewahrung in einem großen Futteral.

Im Gegensatz zu den Malern und Bildhauern standen die Gold- und Silberschmiede der Stadt unter strenger Ratsaufsicht. Die Zulassung zum Handwerk war genau geregelt. Ihre Arbeiten mußten eine öffentliche Kontrolle (die sogenannte Beschau) mit anschließender Stempelung durchlaufen. Betrügereien wurden so erschwert und im übrigen schwer geahndet. Denn Goldschmiedewerke waren einer der wichtigsten Exportartikel Nürnbergs. Manche Kaufleute waren auf den Handel damit spezialisiert oder traten als Agenten für Bestellungen auf: Dies ist der Beginn des Kunsthandels. Kaiser, Könige, Fürsten und Bischöfe gehörten zu Nürnbergs Großkunden. 1514 sind dort 129 Meister dieses Fachs nachgewiesen, mehr als sämtliche Künstler anderer Gattungen zusammengezählt. Zu Ihnen gehörten auch Juweliere, Siegelschneider und Medailleure. Manche von ihnen besaßen Bergwerksanteile und wurden als Münzmeister oder gleich als Kaufleute tätig. Keine Künstlergruppe hatte höheres soziales Ansehen.

Auffällig ist die Arbeitsteilung. Die Quellen sprechen fast immer von zwei Meistern, die an einem Werk tätig waren. Gesondert zu nennen ist der Schnitzer für die Modelle, später oft ein Maler als Entwerfer der Form. An anderer Stelle war bereits auf die enge Verbindung von Kupferstich und Goldschmiedekunst hingewiesen worden. Tatsächlich stammen zwei der größten Maler und Stecher, Martin Schongauer und Albrecht Dürer, aus Goldschmiedefamilien und hatten Goldschmiede zu Brüdern, für die sie Vorlagen zeichneten. Der Maler und Stecher dokumentiert damit seine führende Position als Erfinder und Entdecker, kurz als Künstler, der sich über das Handwerkliche erhebt.

Für die Jahrzehnte um 1500 ist die Verwandlung architektonischer Formen in Laub- und Astwerk bezeichnend. Die architekturtheoretische Literatur der Antike behauptete, daß die Bauformen nach dem Vorbild der Natur entworfen worden seien. Diese Theorie wird durch das Astwerk sichtbar gemacht. Außerdem liebte man es, Garten- und Paradiesmotive in die Kunstwerke einzubringen. Ein anderer, noch kühnerer Denkansatz der damaligen Kunst war die Beschränkung auf Urformen, so in der Rückführung des Pokals auf das Ei. *(Abb. 29)* Man kann diese Vereinfachung auch als Reaktion auf die Neigung des späten 15. Jahrhunderts zu Überladung und Überfeinerung verstehen, als einen Einschnitt und Neubeginn bei den Grundformen. Der Hauptkünstler der Devise ›Zurück zu den Anfängen‹ war Albrecht Dürer der Jüngere, deshalb ist eine Zuweisung des Pokalentwurfs an ihn wahrscheinlich. Dabei könnte es sich um eines der zahlreichen Ehrengeschenke der Stadt Nürnberg an Kaiser Maximilian gehandelt haben, das dieser dann seinerseits weitergab.

Man sollte sich die Goldschmiede allerdings nicht nur als Ausführende fremder Ideen vorstellen. Ganz im Gegenteil: Die Architektur der Sakramentshäuser und Chorschranken, der Chorgestühle und Schnitzretabel ist ohne die Anregungen aus der Metallkunst und ohne ihr Vorbild nicht denkbar. *(Abb. 20)* Nördlich der Alpen wird der Wettstreit der Künste nicht nur zwischen Malern und Bildhauern, sondern auch mit den Goldschmieden ausgetragen.

29. ***Eipokal Kaiser Maximilians I.,*** *Silber, vergoldet, Emails, 36 cm, 1,2 kg, 1,8 l, Nürnberg, 1510, Kirchheim unter Teck, Rathaus*

Vielleicht hat Albrecht Dürer diesen Pokal entworfen; jedenfalls besitzen wir von ihm Zeichnungen mit sehr ähnlichen Motiven.

Stagnationstendenzen der Zünfte

Die Zahl der Bilder, insbesondere der Altarretabel, nahm seit dem frühen 15. Jahrhundert immer mehr zu. In der Mitte des Jahrhunderts erlahmten die künstlerischen Impulse jedoch zeitweilig. Die Zeit des Experimentierens schien abgeschlossen, und Individualität wurde zurückgedrängt. Die Generation der Bahnbrecher wurde durch Künstler abgelöst, die auf hohem Niveau fremde Kostgänger blieben. Vor allem hielt man sich an die von dem Brüsseler Stadtmaler Rogier van der Weyden (1399/1400–1464) und seinem Kreis ausgebildete Bild-Rhetorik und die burgundisch-höfischen Stilnormen. Dies gilt insbesondere für die alten Kunstmetropolen des Hanseraums, Lübeck und Köln. Mit der Ausführung der Niederländer konnten die deutschen Adepten jedoch nicht mithalten, so daß wirklich reiche Leute es vorzogen, Kunstwerke aus dem Westen zu importieren. *(Abb. 30 u. 31)*

Hermen Rode ist ein Vertreter dieser gediegenen, konservativen Richtung: Seine Erzählung der Geschichte des Evangelisten Lukas ist recht steif und arbeitet mit einem Schatz von Motiven und Formeln niederländischer Prägung. Der Maler hat sich größte Mühe gegeben, aber damit auch die Grenzen seiner Erfindungskraft und sein eingeschränktes Naturstudium offenbart, wie sich an den gleichförmigen Hintergrundsarchitekturen und Gesichtstypen zeigt: Lukas war Patron der Maler und aller bildenden Künstler, weil ihm nach der Legende die Gottesmutter erschienen

30. Hermen Rode (um 1440–1504), Geschichte des Evangelisten Lukas, *Flügel der Altartafel der Lübecker Künstlerzunft in der Katharinenkirche, ›Lukas als Autor‹, ›Sein Tod‹, Mischtechnik auf Holz, je 174 x 57 cm, 1484, Lübeck, St. Annen-Museum*

Der Apostelschüler und Evangelist Lukas malte nach der Legende die Madonna mit dem Kind, die ihm in einer Vision erschienen. Viele der ehrwürdigsten Ikonen Europas gelten deshalb als Lukasbilder. Lukas wurde zum Patron der Maler, zugleich zu dem der Apotheker, in deren Händen auch der Farbenhandel lag. Den Malern war auch wichtig, daß Lukas ein Gelehrter war, wie seine Magisterhaube zeigt; das entsprach ihrem Wunsch, vom Handwerk zur ›freien Kunst‹ aufzusteigen.

31. Hans Memling (um 1430/1440–1494), Kreuztragung, *Flügel des Greverade-Triptychons aus dem Lübecker Dom, Mischtechnik auf Holz, 203 x 65 cm, Brügge, 1491, Lübeck, St. Annen-Museum*

Hans Memling stammt aus Seligenstadt am Main. Seit 1466 war er in Brügge führend tätig. Als Schüler von Rogier van der Weyden gehört er zu den Niederländern. Er praktizierte ein genaues Naturstudium, aber ohne die Radikalität seiner süddeutschen Zeitgenossen wie Schongauer.

war, um gemalt zu werden. Die Legende machte ihn auch zum Arzt und Apotheker, deshalb die Arzneigefäße im Regal des ersten Bildes, *(Abb. 30, oben)* der Inspiration des Lukas durch die Madonna. Er galt auch als einer der Jünger, die am Emmausgang Jesu teilnahmen und von dem Auferstandenen berichteten. Im vierten Bild erscheint Jesus den Aposteln. Die untere Reihe schildert Tod *(Abb. 30, unten)* und Begräbnis des Lukas sowie die Übertragung der Reliquien in zwei Bildern.

Wenige Jahre später importierte die Familie Greverade ein Triptychon des Brügger, ursprünglich aus Seligenstadt am Main stammenden Malers Hans Memling. *(Abb. 31)* Europas Fürsten wie Kaufleute schätzten den samtigen, milden Glanz seiner Tafeln. Memling verbindet die dynamischen Erzählformeln des Rogier van der Wey-

32. Meister des Hausbuchs (tätig um 1465 – um 1495), Die Kinder des Merkur, aus dem sogenannten ›Hausbuch‹, Feder auf Pergament, 29 x 19 cm, Mittelrhein, um 1480–1490, Schloß Wolfegg, Fürstlich Waldburg-Wolfegg'sche Kunstsammlungen, fol. 16

Das Hausbuch gehört zum Typus des Almanachs, der einen genauen Kalender mit Gesundheitsregeln darüber, wann man beispielsweise zur Ader lassen müsse, mit Weisheitslehren und anderen nützlichen Texten verbindet und gerne illustriert war. Der Typus verarbeitet viel orientalisches medizinisches Gedankengut, was sich an der Vorliebe für die Astrologie zeigt. Doch nahm das Studium der Geheimwissenschaften seit dem 13. Jahrhundert überhaupt einen großen Aufschwung. Die Bilder der Planetenkinder stellen die Einflüsse dar, welche die Planeten auf die unter ihrer Konstellation Geborenen ausüben, indem sie sie nicht nur zu bestimmten Verhaltensweisen veranlassen, sondern auch die Berufswahl prägen. Das Hausbuch selbst enthält außerdem große militärtechnische Teile.

den mit einer schildernden Feinmalerei. Er malte viel genauer als seine deutschen Zeitgenossen, sowohl in Hinblick auf die Wiedergabe der bis ins Mikroskopische gehenden, nahen Dinge als auch auf die Tiefensicht der fernen Dinge, die er wie mit dem Fernrohr erfaßt zu haben scheint: fast bis an den Horizont erstreckt sich das Stadtpanorama von Jerusalem mit den Szenen von acht (!) vorangegangenen, figurenreichen Ereignissen der Passion Christi, und trotzdem vermochte der Maler noch, mehr als ein halbes Dutzend unterschiedlicher Gebäude darzustellen und etwas von der nächtlichen Düsternis einzufangen.

Ein Grund für dieses Stagnieren der Kunst war die Herrschaft der Zünfte. Hervorgegangen aus religiösen Bruderschaften, mit dem Nebenzweck der Versorgung der Witwen, Kranken und Alten, wurden sie vom Stadtregiment auch mit

Wach- und Verteidigungsaufgaben betraut. Ihre Mitglieder wohnten deshalb gern in derselben Straße, was Namen wie ›Malergasse‹ bis heute bezeugen. Mit dem frühen 15. Jahrhundert wandelten sie sich zu Institutionen, die die Arbeit möglichst gleichmäßig verteilen und Konkurrenz ausschalten wollten. Das Zunftwesen ist der Struktur nach konformistisch, mobilitäts-, innovations- und fremdenfeindlich. Es begünstigt die Spezialisten, nicht die Universalisten, die Handwerker, nicht die Künstler. Es beschränkt die Zahl der Meister, wobei einheimische Handwerkersöhne den Vortritt hatten vor den von auswärts Kommenden. Dadurch entstand das Sozialproblem der ausgelernten Gesellen, die kaum eine Chance auf Eröffnung einer Werkstatt bekamen, außer wenn sie eine Meisterwitwe ehelichten. Der Erwerb des Meistertitels war mit einem teuren Meisterstück und einem kostspieligen Gastmahl verbunden, erforderte meist lange Wartezeiten, den Kauf des Bürgerrechts (falls man es nicht von Geburt her besaß) und – immer – die Verheiratung. Es herrschte Zunftzwang. Oft konnte man sich nicht einmal außerhalb der Mauern niederlassen. Aber die Zunft übte auch Zensur aus: Wer ›schändliche‹ Bilder malte, konnte ausgeschlossen werden, ebenso, wer nicht zur Kirche ging oder die Ehe brach. Zunftordnungen enthielten im übrigen viele Vorschriften über Wahl und Gebrauch von Materialien. Allerdings erfahren wir aus dem 15. Jahrhundert, daß, nicht selten auf Betreiben des Rates selbst, Ausnahmen gemacht wurden, wie bis etwa 1520 überhaupt vieles im Fluß bleibt. Erst das spätere 16. und vor allem das 17. Jahrhundert sind als eigentliche Periode des Erstarrens anzusehen.

Ein humorvolles Bild der damaligen Künstlergesellschaft gibt uns der sog. Hausbuchmeister in seiner Zeichnung mit den Kindern des Planeten Merkur: *(Abb. 32)* Gemäß den alten astrologischen Vorstellungen waren die menschlichen Tätigkeiten und Charaktere den Sieben Planeten zugeordnet. Merkur war der Planet der Künste und Wissenschaften, er wird zwischen den Sternkreiszeichen Zwillingen und Jungfrau gezeigt. Oben und ihm am nächsten sind die edelsten (und miteinander verwandten) Künste, Astronomie, Musik und Malerei, mit ihrem Gerät abgebildet, darunter die Grammatik im Schulbetrieb, Goldschmiedekunst und Skulptur. Der bekränzte Maler wird im Sonntagsstaat bei der Arbeit an einer Marien-Altartafel von seiner Frau umarmt. Der Bildhauer schnitzt an einem Schmerzensmann, eine Dame reicht ihm einen Trunk, dies auch als Zeichen für die größere körperliche Anstrengung, die die Bildhauerei erfordert. Der bebrillte Goldschmied hämmert an einem Becher, seine alte Frau bedient das Gebläse und treibt ihn an; er befindet sich in der ungemütlichsten Lage: Auch die Paarbeziehungen der drei Künstler spielen mit Witz auf die Idee vom ›Wettstreit der Künste‹ an, den der Maler – selbstverständlich – gewinnt.

Der Aufstieg der Bildenden Kunst Deutschlands zu europäischem Rang – Der Oberrhein

Die Erneuerung der Kunst nach der Mitte des 15. Jahrhunderts ging wie zu Jahrhundertbeginn von den großen Städten Süddeutschlands aus. Bahnbrecher war ein Bildhauer und -schnitzer aus Holland, Nikolaus Gerhaerts von Leiden, vor allem während seiner Straßburger Jahre. Zuvor war er in Köln und Trier tätig, danach in Konstanz und Wien. Daß er in Straßburg so anregend wirken konnte, hängt mit der Rolle der Stadt als weltoffener Metropole zusammen, mehr noch mit der besonderen Situation der Münsterbauhütte, die er eine Zeitlang leitete: Sie war nach wie vor die wichtigste des Reiches und frei von jeder zünftischen Einengung. Ihre Leiter hatten jedoch am Münster so gut wie nichts mehr zu bauen. Sie warfen sich deshalb auf den Entwurf und die Ausführung einiger weniger Ausstattungsstücke, wie Altarretabel, Kanzeln, Gestühle, und schufen jeweils neuartige Lösungen, die von den zünftischen Handwerkern aufgegriffen und verbreitet wurden. Oder sie führten Arbeiten an städtischen Gebäuden aus. Die Straßburger Bauhütte blieb auch nach dem Weggang Gerhaerts' unter Männern wie Hans Hammer, Konrad Syfer oder Nikolaus von Hagenau ein Zentrum bildnerischer Innovation.

*33. **Nikolaus Gerhaerts von Leiden (um 1420/30–1473), Selbstbildnis,** Sandstein, 44 cm, Straßburg, um 1463, Straßburg/Strasbourg/F, Frauenhausmuseum*

Der Bildhauer hat sich in dieser Skulptur vom Portal der Kanzlei der Stadt Straßburg als Baumeister mit dem Zirkel in der Hand dargestellt, aber auch als ein Grübler. Der Block ist völlig durchschluchtet, was schon aus rein handwerklicher Sicht eine Steigerung des technischen Schwierigkeitsgrades darstellt.

*34. **Nikolaus Gerhaerts von Leiden (um 1420/30–1473), Kruzifix,** ehemals auf dem Alten Friedhof in Baden-Baden, Sandstein, Corpus 220 cm, Straßburg, 1467, Baden-Baden, Stiftskirche*

Der Bildhauer hat den wohl zuerst von dem in Burgund tätigen Holländer Claus Sluter entwickelten Kruzifixtyp zur klassisch gewordenen Formulierung umgeprägt. Allerdings fiel es den meisten seiner Nachahmer schwer, mit den genauen anatomischen Kenntnissen und der Virtuosität, wie sie hier in der Wiedergabe der Dornenkrone zu erkennen ist, mitzuhalten.

Das Frauenhausmuseum in Straßburg bewahrt eine Büste von Gerhaerts' Hand. *(Abb. 33)* Das Bildwerk stammt vom Kanzleigebäude der Stadt. Der Mann hielt wohl ehemals in seiner Linken einen Zirkel, es ist also ein Baumeisterbildnis. Da Nikolaus Gerhaerts auf seinem Grabstein in Wiener Neustadt ›Werkmeister des Großen Baus zu Straßburg‹, also Straßburger Münsterarchitekt, genannt wird, darf man die Büste als Selbstbildnis deuten. Es geht weit über die Konventionen dieses Bildnistyps hinaus, indem die geschlossenen Augen das künstlerische Schaffen als ein ›Tun von innen heraus‹, als Denken, darstellt. Die Gebärde der um das Kinn greifenden Hand betont das Grüblerische des Künstlers, seinen melancholischen Grundzug. Die Büste ist mehransichtig konzipiert, ihre Form fordert den Betrachter auf, sich um sie herumzubewegen. Die Naturwiedergabe, zum Beispiel von Haar und Pelz, ist virtuos, die Oberflächenbearbeitung von taktilem Reiz, was als eine Antwort des Bildhauers auf die Ansprüche der Maler im ›Wettstreit der Künste‹ um den ersten Platz gedeutet werden kann.

Seine Typenprägung des ausgespannten Gekreuzigten *(Abb. 34)* verdeutlicht in der Ausgemergeltheit, den hervortretenden Adern und Knochen das Leiden des Menschen Jesus von Nazareth, in dem Ausgreifen der Arme sowie der Verbindung von Kraft und Milde den Gedanken der Erlösung der Welt durch den Gott am Kreuz bzw. das Weltumspannende des Ereignisses. *(Abb. II/18)* Diese Lösung des überaus schwierigen künstlerischen Problems, die beiden Naturen Christi gleichermaßen darzustellen, galt bis zum 17. Jahrhundert als klassisch. Die locker geflochtene, nach der Natur studierte Dornenkrone und die auffliegenden Teile des Lendenschurzes geben der Gestalt Leidenschaft und Ausdruck, die durch die Überlebensgröße der Figur noch gesteigert werden.

Bezeichnend für diese bildnerische Richtung ist der weitgehende Verzicht auf Bemalung und Farbe. Die virtuose Schnitzerkunst sollte allein aus sich selbst wirken. Die Monochromie stammt aus der Kleinkunst für den privaten Gebrauch. Bei dem ulmischen Marienfigürchen aus der Nachfolge Gerhaerts' sind nur Details wie Augen oder Lippen farbig gefaßt. *(Abb. 35)* Dies besagt, daß diese Statuette auch um ihres Kunstwertes willen betrachtet und genossen wurde. Die Kleinplastik,

35. Muttergottes mit dem Kind, *Holz, monochrom gefaßt, 25 cm, Ulm (?), um 1470–1480, Berlin, Skulpturensammlung SMPK*

Das von vielen Seiten aus zu betrachtende Figürchen ist in seiner Zuschreibung noch umstritten. Bemalt waren nur Mund, Augen und andere Einzelheiten. Das Kind legt seinen Arm um die Mutter als Zeichen der Liebe zwischen Mutter und Sohn im Sinne der mystischen Brautschaft des Hohen Liedes. Der Apfel bezieht sich auf seine Weltherrschaft, aber auch auf Maria als neue Eva, die Evas Sündenfall tilgt. Die Mutter wendet sich ganz ihrem Kind zu und versucht, es vor den Gefahren zu beschützen. Der Mond zu ihren Füßen ist ein Sinnbild ihrer unbefleckten Empfängnis.

welche ja ursprünglich angefertigt wurde, um größere Werke vorzubereiten, wird nunmehr analog zur Zeichnung ein autonomes Kunstwerk. Die Formen bzw. Bewegungen der Körper ergeben mit denen der Gewandung ein mehrstimmiges, kunstvoll instrumentiertes Zusammenspiel. Die Figur wirkt jedoch weniger durch eine detailreiche Oberflächenerscheinung als durch Licht und Schatten. Dadurch wird der an sich schon große Spannungsreichtum zwischen fallenden und hochgezogenen Gewandteilen, zwischen Vorwärts und Rückwärts ins Dramatische gesteigert. Die süddeutschen Schnitzer dieser Zeit sind in ihrer Darstellung von Bewegung noch bis zum Barock mustergültig geblieben.

Martin Schongauer und der Kupferstich

Gerhaerts wurde auch von den Künstlern anderer Gattungen studiert, so von dem Straßburger Kupferstecher E.S., dessen Monogramm bisher nicht aufgelöst werden konnte. *(Abb. 36)* Er begann im Sinne seines Gewerbes als Kopist und massenhafter Verbreiter von Bilderfindungen, zum Beispiel des Malers Hans Hirtz *(Abb. 11)*, versuchte dann aber den Kupferstich von der ausschließlichen Aufgabe als Reproduktionsmedium zu lösen und im Sinne Gerhaerts' eigenständiger in der Bilderfindung zu werden. Seine thronende Maria ist als Kaiserin mit Propheten und Engeln dargestellt, das Kind als Weltherrscher. Das reich ondulierte Haar, die gezierte Haltung, die virtuos gestaltete Draperie, aber auch architektonische Motive, wie die aus Astwerk gezwirbelte Fiale reflektieren Erfindungen des Nikolaus Gerhaerts bzw. der niederländischen Malerei, ohne wirklich zu kopieren. E.S. reproduziert Bilder auch nicht einfach in Umrißlinien, sondern differenziert den Strich und versucht zu modellieren. Dadurch wird auch etwas von der Neuartigkeit der Erscheinung Mariens weithin vermittelt und – wie viele Gemälde und Skulpturen belegen – nachgeahmt.

Der Kupferstecher und Maler Martin Schongauer in Colmar übertrifft diese Errungenschaften noch bei weitem. Durch ihn wird der Kupferstich zum Medium freier künstlerischer Erfindung, losgelöst von Vorbildern, von Auftraggebern und kaum noch im Blick auf spezielle Funktionen. Doch läßt sich bei ihm eine Vorliebe für die Auffassungsweise und Thematik des privaten Andachtbildes feststellen. Schongauer versteht sich weniger als Verarbeiter von Traditionen, sondern als Erfinder und als Erneuerer der Kunst. Das mag mit seiner Herkunft aus einer patrizischen Augsburger Goldschmiedefamilie zusammenhängen, der es auch in der neuen Heimat Colmar nicht an hohen Verbindungen mangelte. So war ein Bruder Schongauers mit einer Tochter des Nikolaus Gerhaerts verheiratet. Martin selbst finden wir im Jahr 1465 als Studenten der Leipziger Universität. Er verfügte also über höhere Bildung, denn gelehrt und disputiert wurde an den Universitäten nur lateinisch. Wenn er sich dann doch dem

Malerberuf zuwandte, so tat er es aus Berufung, nicht aus Familiengewohnheit, derzufolge er Goldschmied hätte werden müssen. Und er holte sich sein Wisssen direkt an der Quelle: Eine längere Studienreise über Köln in die Niederlande im Jahr 1469 ist nachweisbar, während ihn der Weg nach Leipzig wohl auch über Nürnberg und Bamberg geführt haben wird.

Schongauers Literaturkenntnis bringt uns auf einen wichtigen Punkt: Nördlich der Alpen kannte man damals antike Kunstwerke so gut wie gar nicht. Aber man kannte antike Kunstschriftsteller. Der Ruhm der von ihnen gepriesenen griechischen Maler Apelles oder Zeuxis war groß, obwohl man nicht die geringsten Vorstellungen von ihrer Kunst hatte. Immerhin berichten die Texte von den künstlerischen Prinzipien und der mimetischen Qualität antiker Bilder, von Künstlerwettbewerben und dem Wettstreit der Künste. Ein fester Topos ist die gelungene Augentäuschung: Demnach sahen die von Zeuxis gemalten Weintrauben so echt aus, daß Vögel sie von dem Bild hätten aufpicken wollen. Über diese Trauben habe nun der heimlich das Atelier besuchende Konkurrent Parrhasios einen Vorhang gemalt, den Zeuxis seinerseits versucht habe wegzuziehen. Daraufhin habe Zeuxis seinen Konkurrenten zum Sieger in diesem Wettstreit der Malkunst erklärt. Eine Erneuerung des Naturstudiums in diesem Sinne schien möglich und beflügelte seit der Epoche Giottos die Maler. Ein Signet derartiger Bemühungen ist die lebensecht und lebensgroß gemalte Fliege, die wir schon auf Bildern des Hans Hirtz finden. *(Abb. 11)*

Schongauers Aquarell einer Pfingstrose *(Abb. 37)* rechtfertigt seinen Ehrentitel, der ihn zum neuen Apelles kürt, vollauf. Mit dieser Qualität der Naturnachahmung hat Schongauer das antike Vorbild erreicht. Die Antike aber sollte überboten werden, und der Kupferstich, den ›die Alten‹ ja nicht kannten, erwies sich als geeignetes Mittel. Ein derartiges Bestreben mag zunächst absurd klingen und kann nur aus dem Selbstbewußtsein der Zeit erklärt werden, das in erster Linie auf technischer Überlegenheit basierte. Diese zeigt sich am offensten in der Architektur, wo man von dem Vorrang der eigenen, der gotischen, Konstruktion vollkommen überzeugt war: Wenn man den 1439 vollendeten Straßburger Münsterturm das achte Weltwunder nannte – die Vorstellung von Sieben Weltwundern stammt aus der antiken Reiseliteratur –, so glaubte man, die Antike zugleich erneuert und überwunden zu haben. *(Abb. III/23)* Außerdem verstand sich die abendländische Christenheit immer schon als Vollendung der Geschichte, die weiterhin als Heilsgeschichte gedeutet wurde und in drei, vier oder sechs Zeitalter aufgeteilt war. *(Abb. II/49)* Die Grundstimmung des späten 15. Jahrhunderts ist durchaus optimistisch, trotz des immer wieder aufkommenden Gefühls von Tod und Untergang. Das bestimmte erst recht das Handeln italienischer Künstler: Selbstbewußt türmte man in der Peterskuppel in Rom das Pantheon auf die Maxentiusbasilika.

Der Stich mit dem Tod Mariens begründete den Ruhm Schongauers als Techniker und Künstler. *(Abb. 38)* Dargestellt ist der Moment des Hinscheidens. Die Zwölf Apostel sind auf wunderbare Weise zur Sterbestunde nach Ephesus gebracht worden, wo Maria unter der Obhut des

36. Meister E.S. (tätig um 1440–1470), Thronende Madonna, *Kupferstich, 21 x 14 cm, Straßburg/Strasbourg/F, um 1467*

Dargestellt ist die Muttergottes als Kaiserin auf dem Thron. Bei der Konzeption des Bildes dürfte der Künstler von Erfindungen Gerhaerts ausgegangen sein.

Johannes lebte. Die beiden Jünger vorne links sprechen die Fürbittgebete, andere sind betend niedergekniet. Die sakramentalen Handlungen sind aber schon abgebrochen, das Weihrauchfaß links wird nicht mehr geschwenkt, Petrus hält den Weihwasserwedel still. Denn Maria ist tot. Deshalb nimmt Johannes ihr die Sterbekerze aus der Hand, und Jakobus ist im Begriff, ihr den Schleier über das Gesicht zu ziehen und es zu bedecken, wie es bei Verstorbenen der Brauch war. Aber zugleich zeichnet sich schon auf ihrem verjüngten Antlitz die Aufnahme Mariens in den Himmel und ihre Krönung ab. Dieses Bild des Todes ist Trostbild einer seligen Sterbestunde, denn Maria ist – gemäß der Bitte im zweiten Teil des *Ave Maria* – die eigentliche Helferin in der letzten Stunde der Menschen. Alle Drastik und der Horror damaliger Todesdarstellungen sind vermieden.

Die Bildaufgabe bietet beträchtliche Schwierigkeiten: Zwölf Apostel waren am Totenbett unterzubringen, ohne Maria zu bedrängen, zu verdecken oder einzuschränken. Ihr Tod hatte zugleich auch Stunde ihres Triumphes zu sein. Schongauer löst sich mit Geschick von der traditionellen Reihen- und Haufenbildung. Mit der Gruppe vorne links schafft er eine Einleitung ins Bildzentrum. Wo auch immer das Auge des Betrachters hinwandert, es wird auf immer neuen Wegen zur Mitte, dem Antlitz Mariens, hingeführt. Der Künstler benutzt den Betthimmel als natürlichen Baldachin. Zugleich grenzt er mit seiner Hilfe und dem Prozessionskreuz einen inneren, heiligeren Bezirk aus und konzentriert das Bild innerhalb dieser Grenzen mit wieder anderen Mitteln auf die ikonenartig verknappte Büste Mariens. Die Qualitäten dieser Erfindung sind beschreibend nicht auszuschöpfen und Kunstwer-

*37. **Martin Schongauer (um 1445–1491), Pfingstrose,** Wasser- und Deckfarben auf Papier, 25 x 33 cm, Colmar/F, vor 1473, Malibu/USA, John Paul Getty Museum*

Die äußerst genaue und lebendige Naturstudie wurde in dem 1473 datierten Bild der Madonna im Rosenhag in der Dominikanerkirche in Colmar verwendet und später u.a. von Dürer aufgegriffen. Die subtil strichelnde Binnenzeichnung und die Schärfe der Umrißzeichnung verraten den Meister des Kupferstichs. Von diesem Typus geht die spätere botanische Pflanzenpräsentationsweise aus.

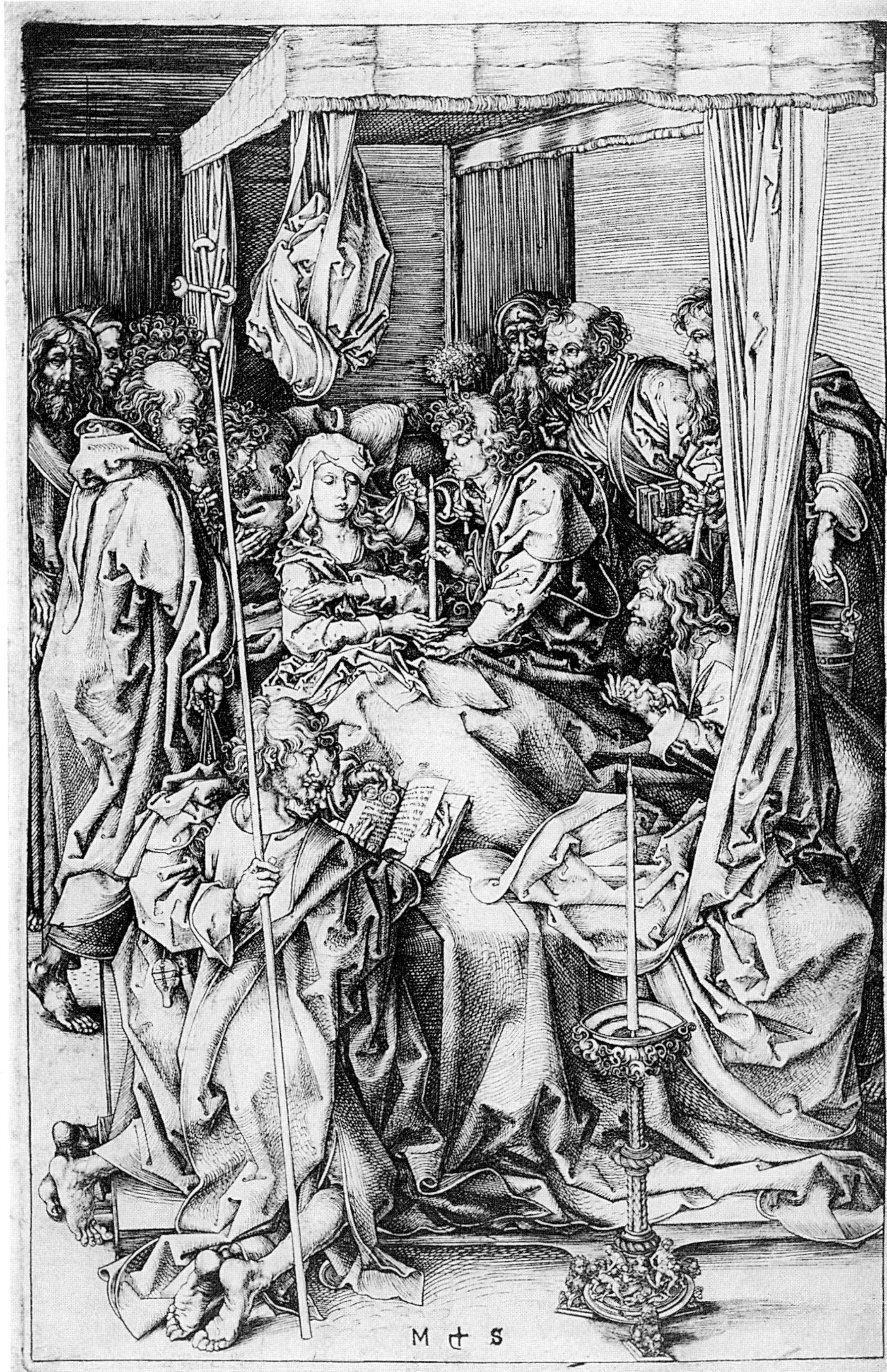

38. Martin Schongauer (um 1445–1491), Tod Mariens, Kupferstich, 26 x 17 cm, Colmar, um 1470

Das Blatt ist als Einzelbild gedacht. Der Stich wurde von Malern und Bildschnitzern auch jenseits des mitteleuropäischen Raumes hundertfach nachgeahmt und darf als epochemachend bezeichnet werden. Dies bezieht sich insbesondere auf den Ernst der Darstellung des Themas, auf die Verkürzung des Totenlagers der Gottesmutter, auf die Genauigkeit des Naturstudiums und die Virtuosität und Subtilität der Zeichnung.

ke dieses Ranges sind ›unendlich‹. Wo in den Gemälden noch ein halbes Jahrhundert zuvor recht einfache Äquivalentien für die Forderungen der Rhetorik geschaffen worden waren, *(Abb. III/60 u. 61)* entsteht nun ein komplexes, in dieser Art nur der Malkunst mögliches Bezugssystem zwischen Thema und Ausdruck.

Schongauer demonstriert also auch den theoretischen Anspruch der neuen Kunst: Die Naturnachahmung ist vollkommen, die Zeichnung virtuos, vor allem in den Gewändern, dem Vorhangknoten und der verdrehten Vorhangbahn rechts. Die gelungene Verkürzung Mariens bezeugt die vollendete Beherrschung der Raumdarstellung, die dennoch die Geschlossenheit der Bildwirkung bewahrt. Deshalb setzte sich auch der größte niederländische Maler der Zeit, Hugo van der Goes, mit diesem Stich auseinander. Ein Paradestück für sich ist der Leuchter im Vordergrund, sozusagen ein Goldschmiedewerk der Vergangenheit wie

linke Seite:
39. Martin Schongauer (um 1445–1491), Anbetung des Jesuskindes,
Mischtechnik auf Holz, 38 x 28 cm, Colmar/F, um 1480, Berlin, Gemäldegalerie SMPK
Das Bild verbindet in der Art der niederländischen Meister das ganz Nahe und das ganz Ferne, zeichnet aber eher mit dem Pinsel, als mit ihm zu malen. Der Reisesack am Knotenstock, das Strohbündel, das Dach usw. sind graphische Meisterleistungen. Mit Schongauer setzt die Vorherrschaft des Zeichnerischen in der deutschen Kunst ein.

der Zukunft, denn es zeigt Figuren in antikischer bzw. paradiesischer Nacktheit, so einen Streicher auf der Viola, eine Erinnerung an Orpheus. Damit führt uns Schongauer vor, daß er auch antikische Themen zu bewältigen vermocht hätte, dies aber nicht wollte. Das Heidnische bleibt dem Christlichen untergeordnet, es ist ›nur‹ Schmuck.

Leider besitzen wir vom Maler Schongauer kaum mehr als drei eigenhändige Werke. *(Abb. 39)* Ob dies durch die Auftragslage zurückzuführen ist, wie später bei Dürer, von dem wir erfahren, daß manche Kunden nicht bereit waren, seine Mühen angemessen zu entlohnen, wissen wir nicht. Jedenfalls sind Schongauers Gemälde eher Arbeiten eines Zeichners und Stechers als die eines Malers. Das trifft vor allem auf die späteren Bilder zu, in denen er sich bevorzugt mit seinen eigenen Stichen auseinandersetzt, nicht mehr mit fremden Vorbildern. Kunstreich werden in der Berliner Weihnachts-Tafel die beiden theologischen Pole des Bildes herausgearbeitet, Maria und das Kind, und doch der Blick immer wieder auf das Kind gezogen. Die Hirten sind analog zu den Königen in drei Altersstufen gezeigt. Vorne links ein kunstvoll gezeichneter Reisesack. Die Farbigkeit der Hauptfiguren ist Rogier van der Weyden nachempfunden, die Feinmalerei des Pinsels vermag mit der Van Eycks zu konkurrieren. Ein besonders reizvoller Aspekt des Bildes liegt in der Darstellung des nächtlichen Dunkels und des Lichts, das sowohl von Christus als auch vom Himmel ausgeht.

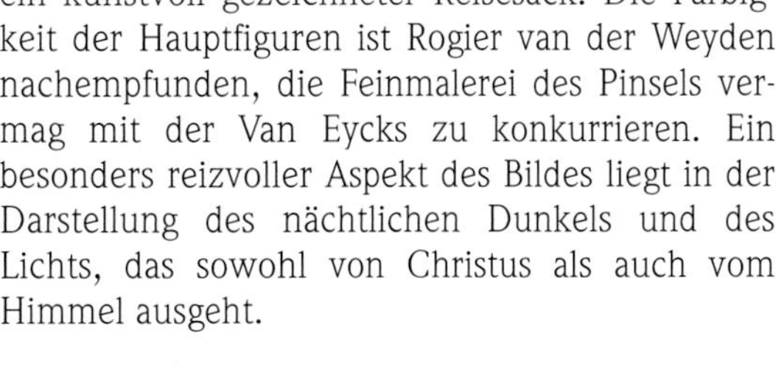

Andere süddeutsche Meister der Schongauer-Generation

Die Druckgraphik hat entscheidend dazu beigetragen, daß sich der Austausch zwischen den Künstlern und den Kunstzentren in der zweiten Hälfte des 15. Jahrhunderts intensivierte, während die großen Meister um 1440 noch eher isoliert voneinander gearbeitet hatten. Ein mittelrheinisches Pendant zu Martin Schongauer ist der Hausbuchmeister: Auch er ist ein Neuerer der Graphik; doch bevorzugt er statt des Grab-

40. Meister des Hausbuchs (tätig um 1465 – um 1495), Die drei lebenden und die drei toten Könige,
Kaltnadel, 12 x 19 cm, um 1485, Stuttgart, Graphische Sammlung
Das späte Mittelalter lebte unter dem Schatten des Todes. Das Bewußtsein von der Endlichkeit des Lebens, ja von einer ständigen, tagtäglichen Drohung eines jähen Todes durch plötzliche Krankheit, einen Sturz vom Pferd, Krieg oder Totschlag, prägte das Lebensgefühl und fand Ausdruck in vielen Bildern (Abb. 6). Thematische Vorlage dieses Stiches war die Legende von der Begegnung dreier reisender Könige auf ihrer Fahrt mit drei toten, die sie in einen Dialog verwickelten. Doch faßte man das Thema immer mehr als einen Angriff der Toten gegen die Lebendigen auf. Dies spiegelt die damals um sich greifende Angst vor spukenden Gespenstern, Wiedergängern und anderen herumgeisternden Toten.

*41. **Hans Pleydenwurff (um 1430–1472), Der Bamberger Domherr Georg Graf von Löwenstein,** Mischtechnik auf Holz, 34 x 25 cm, Bamberg, 1456 (?), Nürnberg, Germanisches Nationalmuseum*

Das Bildnis bildet mit einer Schmerzensmannbüste (im Museum Basel) ein Diptychon. Wahrscheinlich steht es im Zusammenhang mit einer großen testamentarischen Stiftung in der Nagelkapelle des Bamberger Domes. Es wurde an Tagen der Seelmesse für den Verstorbenen geöffnet und sollte die Erinnerung und vor allem die Fürbitte an ihn, der der letzte seines Geschlechtes war, wachhalten.

stichels die leichter zu führende, skizzenhafte ›kalte‹ Nadel, die ihren Namen zur Unterscheidung von der geätzten Radierung, der ›heißen‹ Nadel, trägt. *(Abb. 40)* Diese Technik hat etwas Exquisites, wie es fürstlichen Kunstliebhabern damals gefallen mochte, aber auch den Nachteil, daß man nur wenige gute Drucke von den Platten ziehen kann. Wir sehen drei Reiter – ein Kaiser, ein König, ein Herzog –, die bei der Jagd auf drei Tote gleichen Ranges stoßen, von denen sie angesprochen und zur moralischen Umkehr gemahnt werden. Das Thema der Begegnung stammt aus der französischen Hofkunst, war aber von italienischen Malern aufs Höchste dramatisiert worden, auf die sich dieser bedeutende Künstler anscheinend bezieht. Er war ein wichtiger Anreger Dürers.

In den fränkischen Kunstzentren Bamberg und Nürnberg wirkte seit der Jahrhundertmitte eine Künstlergruppe um Hans Pleydenwurff. Seine künstlerischen Fähgkeiten stellt er in dem Porträt des über 80jährigen Bamberger Domherrn Georg Graf Löwenstein unter Beweis. *(Abb. 41)* Durch die geschickte Verkürzung der Hände und die perspektivisch genaue Untersicht des Buches erhält die Gestalt eine zurückhaltende, aber eindrucksvolle Größe. In Verbindung mit dem Aufleuchten des Hauptes vor dunkelblauem Grund gelingt es dem Künstler, die Figur des Greises zu überhöhen. Das Antlitz mit den Spuren des Alterns zeigt jedoch weniger Verfall, sondern eher Erwartung und Vergeistigung. Der Wechsel des Malers von Bamberg nach Nürnberg führte zu einer Ausweitung der Produktion. Die Einstellung von zusätzlichen Malergesellen brachte aber wie so oft eine Absenkung der Kunst Pleydenwurffs an das Niveau seiner Gehilfen mit sich.

Aus der selben Schule gingen jedoch auch große Maler wie Albrecht Dürer und – noch vor seiner Zeit – der ebenfalls bambergische Meister LCZ hervor. *(Abb. 42)* Sein Ruhm war so groß, daß es der Nürnberger Patrizier Hans VI. Tucher hinnahm, daß im Hintergrund seines Epitaphs eine topographisch genaue Ansicht von Bamberg auftaucht, die die Stadt als Abbild Jerusalems sakralisiert. Daneben finden wir eine fränkische Flußlandschaft mit Wassermühle und im Vordergrund einige genau studierte Pflanzen. Dieses Bild ist ein Zeugnis für den Beginn der Städte- und Landschaftsmalerei im Rahmen sakraler Thematik. Auch die Aufgaben des Stillebens und des Genre (Milieuschilderung), die später zu eigenständigen Gattungen werden, bilden sich zu dieser Zeit und in diesem Rahmen aus. Für die Anfänge des Genre bietet das Bild selbst ein Beispiel: Die Schergen erscheinen nicht nur als grotesk verzerrte Peiniger Christi, *(Abb. 9–11)* sondern

*42. **Meister LCZ (nachweisbar zwischen 1485 und 1497), Epitaph des Hans VI. Tucher,** Mischtechnik auf Holz, 180 x 133 cm, 1485, Nürnberg, St. Sebald*

Das Bild ist in seiner unteren Zone von rechts nach links zu lesen, weil es so aufgehängt ist, daß man von rechts herantritt. Aus dem Tor der Stadt quillt ein zahlloser Zug von Reitern und Kriegsvolk aller Kategorien heraus, bis hin zum Lumpenpack in abgetragenen Rüstungen, die eine geradezu unvermeidliche Begleiterscheinung aller Heerhaufen waren. Der kreuztragende Christus geht darin für den ersten Blick fast unter, doch bei näherer Betrachtung wird der Blick in vielerlei Weisen auf ihn gezogen. Dann wendet sich der Zug nach hinten und oben, der Blick stößt auf die mitverurteilten Schächer und die am Wegrand lagernden Freunde Christi, um zuletzt zur Kreuzigung auf dem Berg Golgatha zu gelangen.

1485

der Maler betreibt nüchternen Blickes Sozial- und Kostümstudien, auffällig etwa in der Gruppe am rechten Rand: Wir sehen Typen der damaligen, aus fremden Völkern angeworbenen Soldateska. Allerdings werden die Ritter links und die hohen Herrschaften zu Pferde ebenso sachlich-kritisch geschildert. Auffällig ist, daß mindestens sechs Personen aus dem Bild auf den Betrachter blicken, Christus aber nicht. Damit wird auf hintergründige Weise die Neugier und Augenlust der Bildbetrachter thematisiert und ihre Zuwendung zu Christus gefordert. Die Komposition ist kunstvoll verschlüsselt. Man erkennt beispielsweise nicht auf den ersten Blick, daß sich das Haupt des Kreuzträgers in der Mittelachse befindet. Der Meister ist außerdem ein subtiler Erzähler. Seine Darstellung ist voller Anspielungen und Vorgriffe. Die Gruppe um den Ritter greift den Diskussionen um den Guten Hauptmann unterm Kreuz vor, der Mann mit der Leiter weist schon auf die Kreuzabnahme. Dennoch handelt es sich hier nicht um ein traditionelles Arma-Christi-Bild, vielmehr könnte man es eine zeitgemäße Erneuerung der Kunst des Worcester-Meisters nennen. *(Abb. 9 u. 10)* Auch verschmilzt es die in der Hussitenzeit beliebte zweizonig übereinandergeordneten Darstellungen von Kreuztragung und Kreuzigung zu einem Bild. Die räumliche wird zur zeitlichen Abfolge. Diese neue Form der Bilderzählung geht von niederländischen Anregungen aus, *(Abb. 31)* prägt sie jedoch zu etwas Eigenständigem um. Die Kreuztragung verarbeitet einen Stich Schongauers, die Kreuzigung steht in der Tradition Pleydenwurffs.

Die Schlußfolgerung drängt sich auf, daß wir erst seit dieser Epoche von einem Ansatz zu einer autonomen Geschichte der Kunst sprechen können. Denn erstmals überwiegt die Auseinandersetzung der Künstler mit den bildnerischen Mitteln und Möglichkeiten die Einwirkung von außen. Es geht nicht mehr primär um Fragen der Inhalte und Funktionen, sondern um solche des künstlerischen Gestaltens, Darstellens und Erfindens. In sie ist allerdings unendlich viel von der damaligen Wirklichkeit und Erfahrung eingegangen, und insofern ist die Kunst bis zum 18. Jahrhundert niemals im strengen Sinne autonom.

Michael Pacher

In der gleichen Zeit erglänzte in Südtirol der Stern des als Bildschnitzer und Maler gleich bedeutenden Michael Pacher aus Bruneck. Auch er erscheint nicht unvermittelt. Tirol war ein Land des Austausches, des Nehmens und Gebens. So hatte man sich etwa in Sterzing an der Brennerstraße ein großes geschnitztes und gemaltes Retabel des Ulmers Hans Multscher besorgt, das der lokale Ausgangspunkt des Schnitzers Pacher wurde, dem auch die Kunst Gerhaerts' geläufig war. Der Maler Pacher hingegen war fasziniert von den Gemälden des Andrea Mantegna und anderer Oberitaliener, kannte aber auch die Kunst des Genter Malers Hugo van der Goes. Sein Horizont war sehr viel weiter und europäischer als der seiner mitteleuropäischen Kollegen aus derselben Generation.

Pachers Schaffen ist ausschließlich dem geschnitzten, vergoldeten und mit bemalten Flügeln ausgestatteten Altarretabel (auch Altarschrein oder Altartafel genannt) gewidmet, also einer Gattung des Kultbildes, die zu diesem Zeitpunkt bereits eine lange Tradition hatte. Schon früh begann man die Altäre, an denen der Priester mit dem Rücken zur Gemeinde zelebrierte, rückseitig auszuschmücken, entweder durch ein Retabel auf der Altarplatte oder durch die Gestaltung der Wand dahinter. Als sich diese Stellung des Priesters mit dem 12. Jahrhundert für fast alle Altäre durchsetzte, begann die große Zeit der Retabel (von ›retro-tabulum‹, rückwärtige Tafel). Die auf Altären stehende Kultstatue wurde einbezogen, und es entstand daraus die Schreinfigur mit seitlichen Bildern. Das Ver- und Enthüllen der Kultbilder konnte nun von den klappbaren Flügeln übernommen werden. Schon im frühen 14. Jahrhundert entstanden Flügelretabel von oftmals erstaunlicher Größe, und es setzte ein Wettbewerb um immer aufwendiger gestaltete Altaraufbauten ein. *(Abb. III/19)* Dabei konnte durch Vermehrung der klappbaren Flügel Sinn und Aufgabe des Bildes mehrfach variiert werden. Es wurden aber auch Sakramentshäuser, Kanzeln, Chorgestühle und schon bald auch Orgeln in den Wettbewerb miteinbezogen.

43. Michael Pacher (um 1435–1498) und Werkstatt, Hochaltarretabel,
Feiertagsseite, H. 12,16 m, Br. geöffnet 6,64 m, ca. 1474–1481, St. Wolfgang am Abersee/AU, Pfarr- und Wallfahrtskirche St. Wolfgang

Auftraggeber war der Abt des Benediktinerklosters Mondsee, einem Zentrum der Melker Klosterreform, deren Ideen Eingang in das Programm fanden. Der Auftrag erging schon 1471, doch wurde verstärkt erst seit 1477 gearbeitet.

Das Retabel von St. Wolfgang *(Abb. 43–45)* mißt über zwölf Meter, was der Höhe eines vierstöckigen Wohnhauses entspricht, und kann somit nicht mehr als ›Ausstattungsstück‹ verstanden werden. Die Kirche wird zum Rahmen und Gehäuse für den Schrein. Aufbau, Programm und Funktionen eines derartigen Werkes können nur skizziert werden: Das Retabel ziert den Ort des Allerheiligsten. In Salomos Tempel stand an diesem Ort die Bundeslade, auf die sich Form und Vergoldung des Schreinmittelteils beziehen. Sie wurde von geflügelten Cherubim bewacht. Diese Funktion übernehmen hier die ›Schreinwächter‹, Ritterheilige, die bei geschlossenem Werktags-Zustand an den Seiten zu sehen sind. Bei einfachen Messen klappte man höchstens die Predellenflügel auf. Alltags waren also nur vier Szenen aus dem Leben des hl. Bischofs Wolfgang von Regensburg zu sehen, der sich jahrelang an diesen Ort am Abersee zurückgezogen hatte. An hohen Feiertagen wurde ›aufgetafelt‹, wie es heißt. Bei einigen Festen öffnete sich die erste Wandlung mit einem Zyklus von acht Bildern zum Leben Jesu, an besonders hohen Feiertagen die zweite: *(Abb. 43)* Dann sah man den geschnitzen Schrein, ein Bild des Himmlischen Thronsaales mit der immerwährenden, triumphalen Krönung der Gottesmutter, begleitet von den hl. Wolfgang und Benedikt sowie außerdem vier gemalte Marienszenen. Diese Feiertagsseite eröffnete dem Gläubigen schon auf Erden einen Einblick in das Jenseits, das zugleich als fortdauernde Vergangenheit und ewige

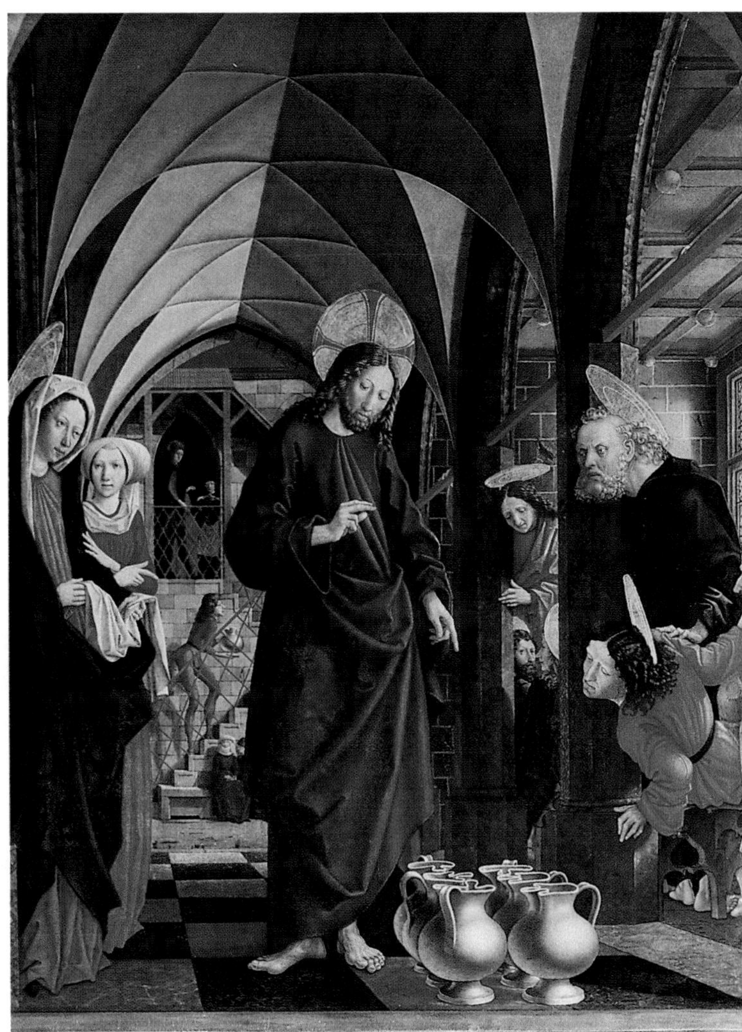

*44. **Michael Pacher (um 1435–1498), Beschneidung Christi,** Feiertagsseite des Hochaltarretabels, ca. 1474–1481, St. Wolfgang am Abersee/AU, Pfarr- und Wallfahrtskirche St. Wolfgang*

Einige Farben sind stark nachgedunkelt, so etwa der Rock des Mannes links. Das Bild ist aufschlußreich für die Raumfassung von Kirchen der Epoche, etwa die farbig wechselnde Marmorierung der Achteck-Säulen bei abruptem Wechsel zum Weiß des Gewölbes.

*45. **Michael Pacher (um 1435–1498) und Werkstatt, Das Wunder zu Kana,** von der ersten Wandlung des Hochaltarretabels, ca. 1474–1481, St. Wolfgang am Abersee/AU, Pfarr- und Wallfahrtskirche St. Wolfgang.*

Gegenwart verstanden wurde. Ein eigenes Programm hat die Rückseite, da der Platz hinter dem Altar auch der Beichte diente.

Das 15. Jahrhundert ist ein Neubeginn und gleichzeitig Endpunkt und Vollendung von längst Angebahntem. Vorbild für Pachers Marienkrönung war eine Skulpturengruppe der Bozener Pfarrkirche aus der Zeit nach 1400. Obwohl alle Elemente seines Schreins schon in vorherigen Epochen nachzuweisen sind, übertrifft seine Architektur alles Vorangegangene. Insbesondere die Bewegung und Steigerung zur Mitte und nach oben macht Pachers Arbeit aus, der auf neue Weise mit der Raumwirkung des Schreines arbeitet. Das Gehäuse ist sehr tief, so daß das seitlich einfallende Licht nur die vorderen Teile erhellt, während die hinteren helldunkel verdämmern. Die Figuren treten aus dem Schatten nach vorn, eine Aura des Geheimnisvollen umgibt sie. Im Vergleich dazu scheinen sich die Personen der gemalten Szenen in rational geklärten Räumen und Beziehungen zu befinden. *(Abb. 44)* Alles ist nach den von dem Florentiner Architekten Brunelleschi entdeckten Regeln der Zentralperspektive durchkonstruiert. Der Maler hat die Gemälde der Feiertagsseite repräsentativer und flächiger angelegt als die anderen Bilder. Die Raumkonstruktion wird vor allem zur repräsentativen Überhöhung genutzt: Die Architektur des Hallenumgangschores gibt wie die Kachelung dem Motiv der Beschneidung eine mittelachsiale Struktur und bildet zugleich eine Art Baldachin. Das Kind liegt auf Augenhöhe. In diesem strengen Rahmen aber verschiebt der Maler das Gefüge, schafft ein andeutungsreiches Netz von Blick- und Handlungsbezügen. Andächtige Stille erfüllt die Szene.

Demgegenüber ist etwa die Verwandlung von Wasser in Wein beim Hochzeitsmahl in Kana ein lautes Bild. *(Abb. 45)* Die Architektur dient hier eher der Ausdruckssteigerung. Links sehen wir Maria, auf deren Bitten Jesus sein erstes öffentliches Wunder vollbrachte. Ihr Sohn ist im Begriff, durch den Segen die Umwandlung zu vollziehen, wobei der damalige Betrachter auch an das Wunder der Transsubstantiation denken sollte, bei der sich im Meßopfer der Wein in das Blut Christi wandelt. Rechts sehen wir die Reaktionen, vom allmählichen Aufmerken zum erschrockenen Sich-auf-die-Krüge-Stürzen des Johannes – eine derartig gewagte Verkürzung zu malen, hätte sich bis dahin in Deutschland niemand getraut. Die Jünger erschrecken über das Wunder und purzeln fast übereinander. Mit dem Aufgreifen der italienischen Kunst wurde somit eine neue Freiheit der Erzählung und vor allem ein neues Pathos möglich.

Die wachsende Macht der Fürsten

Das 15. Jahrhundert wird zu Recht eine Epoche der Städte genannt. Aber zugleich verstärkte sich der fürstliche Druck auf die Bürger. Die Kassierung der städtischen Freiheiten von Mainz im Jahre 1462 durch den Erzbischof wurde allgemein als Signal verstanden. Der Adel verdrängte die Bürgerlichen aus den Domkapiteln und von den Bischofsstühlen. Doch auch Teile des Ritterstandes sanken nach dem verlorenen Ritterkrieg von 1522/1523 zur Bedeutungslosigkeit herab, soweit sie nicht in den Dienst der Fürsten traten. Diese aber bauten in einem langwierigen Prozeß, der erst um 1700 vollendet war, schrittweise ihre Territorialherrschaft zu einem absolutistisch regierten Staat aus, allen voran die Habsburger.

Beispielhaft sind die Würzburger Verhältnisse. Fürstbischof Rudolf von Scherenberg nutzte in seiner langen Regierungszeit (1466–1495) die im Prinzip immer schon vorhandenen Rechte des Bischofs, der auch Herzog von Franken war, effizienter, straffte die Verwaltung und mehrte seine Macht. Schwierigkeiten machte ihm nur noch die Hauptstadt selbst. Dort baute er die bischöfliche Residenz Marienburg zur Zwingveste aus. Auch die Kunst nahm er für seine Zwecke in Anspruch: Tilman Riemenschneider wurde sein Hofkünstler. Das erlaubte dem Bildschnitzer, sich über zünftische Einengungen hinwegzusetzen und zeitweilig bis zu zwölf Gesellen anzustellen. Darüber hinaus verschaffte der Fürstbischof ihm in seinem Herrschaftsbereich eine Art Monopol, so daß Riemenschneiders persönlicher Stil zu einer Art Territorialstil wurde. Andererseits wurde Riemen-

46. Tilman Riemenschneider (um 1460–1531), Grabmal des Fürstbischofs Rudolf von Scherenberg (1402–1495), *Rotmarmor und Sandstein, 515 cm, Würzburg, 1496–1499, Würzburg, Dom St. Kilian*

Die Bischofsfigur ist eine eigenhändige Arbeit Riemenschneiders im Auftrag des Fürstbischofs Lorenz von Bibra. Gehilfen arbeiteten nur am Beiwerk. Der Bischof ist als Standbild aufgefaßt, das fränkische Herzogsschwert in der Rechten. Eine der Aufgaben derartiger Wanddenkmäler war neben der Sicherung der Memoria der Nachweis adliger Herkunft. Das erklärt die vielen Wappen.

47. Hans Burgkmair (1473–1531), Farbholzschnitt des Kaisers Maximilian I. als Ritter, *32 x 27 cm, Augsburg, 1508*

Auf der Datumsrolle steht anstelle der Null ein Strich. Der Holzschnitt wurde von zwei Platten gedruckt. Die Technik des Farbholzschnitts stammt aus Italien. Die Graphik steht im Zusammenhang eines Reiterdenkmals, das sich der Kaiser bei der Reichsabtei St. Ulrich und Afra im Sinne seines Ehrentitels ›Der letzte Ritter‹ in Augsburg setzen wollte.

schneider Ratsherr, zeitweise auch Bürgermeister der Stadt, ein Zeichen für das hohe Ansehen, das er genoß. Er beteiligte sich aber mit der Stadt am Aufstand der Bauern 1525 gegen den Bischof und Landesherrn, was er mit Folterung und dem Einzug fast seines gesamten Vermögens büßte. Damals endete die Freiheit Würzburgs. Die Epoche des fürstlichen Absolutismus begann.

Als einer der ersten Bischöfe hatte Rudolf von Scherenberg seine Gesichtszüge Bildwerken des Diözesangründers und -patrons Kilian geben lassen und damit die höfische Praxis des Identifikationsporträts aufgegriffen. Kaiser Maximilian I. etwa ließ sich gern als einer der Heiligen Drei Könige darstellen. Das sakralisierte die Person und Gestalt des Herrschers, profanisierte aber das religiöse Bild, indem es offen politischen Zwecken zugeführt wurde. Auch in einem anderen Punkt orientierte sich der Bischof am Kaiser: Er ließ sein Grabmal aus dem ›kaiserlichen‹ Rotmarmor errichten, der umständlich aus dem Voralpengebiet herangeschafft werden mußte. *(Abb. 46)*

Für die Bischofsgrabmäler wurden zunächst Tumbengräber bevorzugt, auf denen der Bischof aufgebahrt und zugleich stehend dargestellt war. *(Abb. II/24)* In den mit Gräbern angefüllten Domen ging man dann allmählich zum Wanddenkmal über: In den älteren sind Bischöfe studierend, segnend, lehrend oder betend dargestellt, manche sogar als unter der Bürde ihres Amtes

49. ***Maximiliansgrabmal in der Innsbrucker Hofkirche,*** *Planung seit 1502*
Das ehrgeizigste Grabmalprojekt seiner Zeit wurde vor allem aus Geldmangel nicht mehr zu Zeiten Maximilians vollendet. Ferdinand I. errichtete in der Lieblingsresidenzstadt seines Großvaters 1553–1563 die Hofkirche als Mausoleum. Das Grabmal erhielt eine ganz andere Gestalt. Das Modell für die Grabfigur des Kaisers schuf der Flame Alexander Colin (um 1527–1612) um 1581. Es war der Wunsch des Kaisers, den Mittelpunkt im Kreis seiner wirklichen (und der erdichteten) Vorfahren zu bilden. Für die Ausführung bestimmte er viele, durchaus unterschiedliche Künstler, die sich jedoch alle darum bemühten, den historischen Unterschied zur Gegenwart in der Kleidung herauszustreichen.

leidend. Überhaupt ist an ihnen der Wandel des Amtsverständnisses gut ablesbar. Um 1500 aber wurde schließlich der Wille zur Inszenierung fürstbischöflicher Macht bestimmend: Rudolf von Scherenberg ist weit überlebengroß dargestellt. Riemenschneider bevorzugte zwar Material, das nur in wenigen Teilen oder gänzlich monochrom gefaßt war, doch mußten die bischöflichen Insignien und die Familien-Wappen, welche die Ritterbürtigkeit und Turnierfähigkeit des Bischofs demonstrieren sollten, farbig sein. Auch Gesicht und Teile der Verzierung sind bemalt. Die Augen waren ursprünglich direkt und durchdringend auf den Betrachter gerichtet. Das weltliche Herzogsschwert in seiner Rechten kennzeichnet die Achse des Bildwerks, der geistliche Hirtenstab ist nachgeordnet. Ein geschärfter Sinn für die Vermischung von Unzusammengehörigem wird sich auch über die Engel als Wappenhalter und ihre Verbindung mit Löwen wundern. Dies ist eher das Bild eines machtbewußten Fürsten als das eines Seelsorgers und Nachfolgers der Apostel.

Der habsburgische Kaiser Maximilian I. spielte in der Geschichte und Kunst Deutschlands nicht eine so bestimmende Rolle, wie man von seinem Amt und seiner Persönlichkeit her erwarten könnte. *(Abb. 47–49)* Zwar hatte Friedrich III. seinem Haus durch geschickte Verheiratung des Kronprinzen mit der Erbin des Burgunderherzogs große Teile der Niederlande und damit erheblichen Machtzuwachs beschert, dadurch aber auch die Interessen Habsburgs weg vom Deutschen Reich auf Europa gelenkt. Maximilian fühlte sich als burgundischer Fürst und sprach bevorzugt französisch. Österreich wurde fast zum habsburgischen Nebenland, und sein Enkel und Nachfolger Karl V. Maximilian, der den Ehrentitel ›der letzte Ritter‹ trug, verschwendete seine Energie in weltumspannende Projekte. Die alte Residenzstadt Wien war nicht einmal mehr Zentrum der österreichischen Hofkunst, denn der Kaiser bevorzugte das tirolische Innsbruck. Für seine Selbstdarstellung aber bediente er sich der großen reichsstädtischen Künstler Augsburgs, Nürnbergs und Regensburgs. Viele seiner Projekte blieben unvollendet, teils aus Geldmangel, teils weil sie zu groß angelegt waren – der Widerspruch zwischen Wollen und Können kennzeichnet sein Handeln.

Auffällig sind in dieser Zeit der kaiserliche Rollenwechsel und Stilunterschied in der Kunst, je nachdem ob für die breite Öffentlichkeit oder den inneren Hofzirkel gearbeitet wird. Die Schutzmantelmadonna der Wallfahrtskirche von Frauenstein in Oberösterreich von der Hand des Augsburger Schnitzers Gregor Erhard ist bezeichnend für die öffentlich bekundete Rosenkranz-Frömmigkeit des Kaisers, *(Abb. 21)* der sie wohl gestiftet hat. Er tritt hier nicht in seinem herrscherlichen Ornat oder in Prunkrüstung auf, sondern,

48. Gregor Erhart (um 1470 – vor 1540), ***Schutzmantelmaria,*** *Lindenholz bemalt, Augsburg, 1515, Wallfahrtskirche Frauenstein/AU*
Die Kirche gehörte der Benediktinerabtei Garsten. Die Gruppe, wohl eine Stiftung Kaiser Maximilians I., stand ehemals wohl in einem mit Flügeln verschließbaren Schrein. Auffällig ist das Fehlen der Geistlichkeit unter den Schutzbefohlenen.

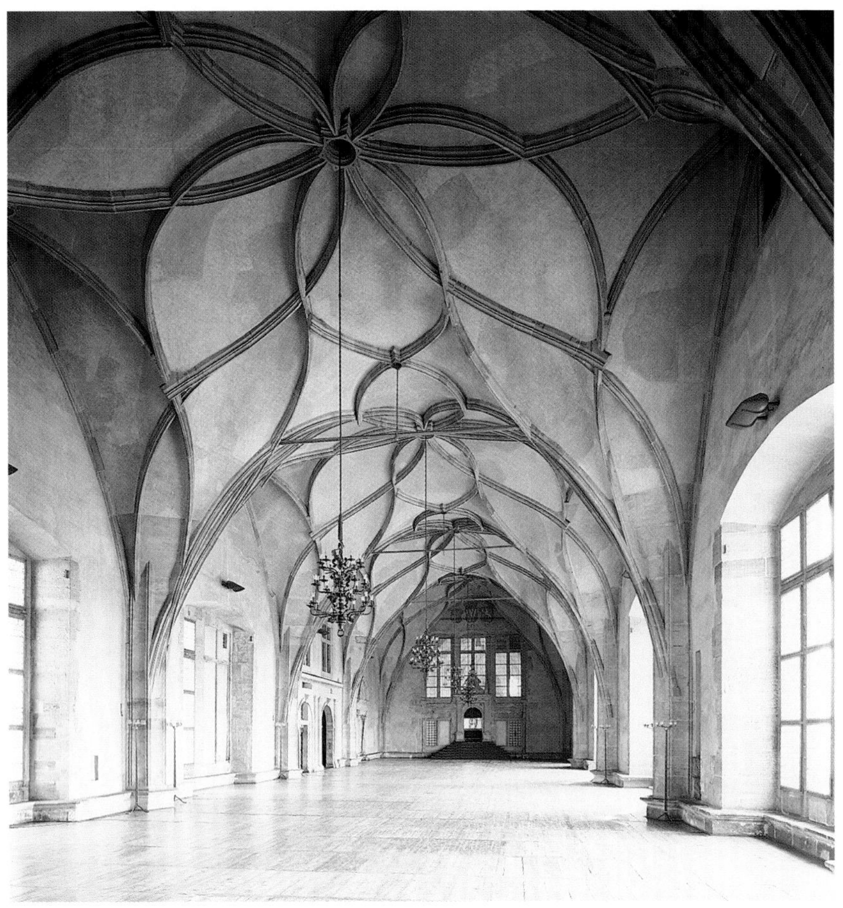

50. ***Prag/Praha/CZ, Hradschin, Wladislawsaal,*** *Innenansicht, 62 m lang, 14 m hoch, 16 m breit, 1493–1502, Benedikt Ried (um 1454–1534)*

Der Saal ist eine kühne Konstruktion aus kurvierten Rippen. Er diente von Anfang an vielen Zwecken, auch solchen, die wir kaum bei Innenräumen für möglich halten würden, nämlich ritterlichen Schauturnieren. Im Hintergrund der Übergang zur Allerheiligenstiftskapelle von Peter Parler.

in Anlehnung an die Schlichtheit Rudolfs I., in einer fast bürgerlichen Kleidung. Ganz anders das Grabmal in der Innsbrucker Hofkirche, für das der Kaiser 1502 den ersten Plan anfertigen ließ: *(Abb. 49)* 40 überlebensgroße, prunkvoll gewandete Bronzestatuen von Vorfahren und Verwandten sollten als kerzentragende Teilnehmer an seinem Leichenzug dargestellt werden, ein Grabmal, wie es das zuvor noch nie gegeben hatte. Das Hauptmotiv, die Darstellung beweinender Vorfahren, stammt aus den pleurants an den Seiten niederländisch-burgundischer Tumbengräber. Viele Künstler schufen Entwürfe und Modelle, aber vollendet wurden nur 28 Statuen. Das Monument sollte in der Burgkapelle von Wiener Neustadt aufgestellt werden, was sich als unmöglich erwies. Es ist an Zierrat und Gedanken überladen. Viele Personen wurden in der Kleidung ihrer eigenen Zeit oder in einem allgemein retrospektiven Stil gehalten: Erstmals wird im neu einsetzenden historischen Differenz-Bewußtsein jede Epoche als eine eigene, andersartige Zeit begriffen. Italienisch-moderne Züge kamen bei der Vollendung des Werks durch den Enkel Maximilians, Kaiser Ferdinand I., hinein.

Die ostmitteleuropäischen Königreiche

Im Osten des Reiches bildeten sich in der zweiten Hälfte des 15. Jahrhunderts mächtige eigenständige Königreiche: In Ungarn schuf Matthias Corvinus (1458–1490) nach italienischem Muster einen straff organisierten Staat, auch um der wachsenden Türkengefahr Herr zu werden. Sein Hof wurde lange vor den anderen Zentren Mitteleuropas zur Pflanzstätte des Humanismus und der italienischen Renaissancekunst. 1485 eroberte er Wien. Im Norden hatte er 1468–1478 die Herrschaft über die böhmischen Nebenländer Schlesien und Lausitz, wo noch heute Kunstwerke von ihm zeugen. Seine Erben wurden die aus Litauen stammenden Jagiellonen, die bald nach der Annahme des Christentums 1386 auch Könige von Polen geworden waren. In der Schlacht von Tannenberg hatten sie den Deutschen Ritterorden vernichtet, der sich die eigenen Städte Danzig, Thorn und Elbing durch Mißachtung ihrer Interessen entfremdet hatte. Die Ordensmacht zerfiel, und die Städte begaben sich in lockere Abhängigkeit vom polnischen König.

Die Jagiellonen bauten Krakau zur Königsstadt aus und machten es für einige Jahrzehnte zu einer internationalen Hauptstadt. An der damals berühmten Universität studierte u.a. der Thorner Kaufmannssohn und Astronom Nikolaus Kopernicus (1473–1543), später Domherr im ermländischen Frauenburg/Frombork, der die ›kopernikanische Wende‹ im abendländischen Weltbild einleitete. Gleichzeitig errichtete der aus Nürnberg für mehrere Jahre zugewanderte Hofkünstler Veit Stoß in der Krakauer Marienkirche das größte und prächtigste Retabel Mitteleuropas und bildete eine Kunstschule mit italienischem Einschlag.

1471 entstand ein zweites jagiellonisches Königreich, als Prinz Wladislaw in Absprache mit Matthias Corvinus König von Böhmen, 1490 König auch von Ungarn wurde. Die Mitglieder dieser Dynastie gingen mit den Habsburgern eine Erbverbrüderung ein. Als Wladislaws Sohn Ludwig II. 1526 gegen die Türken fiel, waren die Habsburger die glücklichen Erben. So entstand das große, eher europäische als deutsche Vielvölkerreich, das bis 1918 die Geschicke Ostmitteleuropas wesentlich bestimmte, weil ihm das Glück dynastischer Kontinuität beschieden war.

Die Jagiellonen bedienten sich in europäisch-königlicher Art italienischer, niederländischer und deutscher Räte, Künstler und anderer Helfer. König Wladislaw fühlte sich im Königspalast inmitten der hussitisch denkenden Prager Altstadt nicht sicher und ließ die Burg durch den niederbayerischen Festungsbaumeister Benedikt Ried wieder herrichten und ausbauen. Der Große Saal, der kühnste Raum dieser Zeit mit erstaunlicher Spannweite der Gewölbe, diente als Huldigungssaal, für Festmähler, aber auch für Reiterturniere – eine für Pferde begehbare Treppe führt in den Burghof. *(Abb. 50)* Man muß ihn sich farbig bemalt denken. Das Gewölbe besteht aus einer Folge von sechsteiligen Schlingrippensternen, ein Gebilde von größter technischer Kühnheit. Die Wahl einer Rippengrundeinheit mit demselben Krümmungsradius hatte aber den Vorteil, daß sich das Werk zügig errichten ließ. Das Ergebnis ist ein Raum von hinreißender Rhythmik und Kunst. Die italienischen Formen für Türen und Fenster wurden über Ungarn vermittelt. Ried setzte damit neue Maßstäbe, nicht nur in Böhmen. Von diesem neuen Zentrum strahlten die Ideen nach allen Seiten aus, vor allem in die Länder der böhmischen Krone wie Schlesien. *(Abb. 51)*

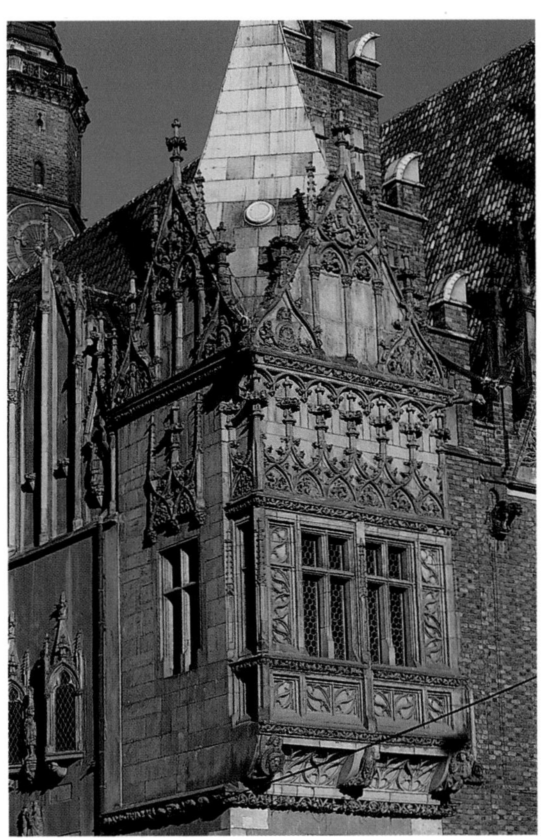

51. Breslau/Wrocław/ PL, Rathaus, *Mitte 14. Jh. bis zweites Viertel 16. Jh.*
Für die jüngeren Teile sind die Namen der Baumeister Hans Bertold, Briccius Gauszke und Paul Preusse überliefert. Die Ausführung lag in den Händen von Steinmetzen aus Kuttenberg/Kutná Hora/CZ. Das große Monogramm ›W‹ in den Friesen ist als Huldigung an König Wladislaw Jagiello zu verstehen, zu dessen böhmischem Königreich Schlesien damals gehörte.

Man hat hierzulande die Bedeutung der Jagiellonen auch für Deutschland aus nationalistischer Enge nicht wahrhaben wollen. Doch die Fakten sprechen für sich: Mehrere deutsche Fürsten waren mit Prinzessinnen dieser Dynastie verheiratet, so in Brandenburg, Sachsen und Niederbayern – das Volksfest der Landshuter Hochzeit erinnert noch heute an ein solches Ereignis. Die Fürsten in den Grenzländern zu Polen standen in engem Austausch mit den Höfen in Budapest, Krakau und Prag und übernahmen von dort teilweise die Hofkultur der Renaissance.

Danzig

Danzig profitierte sehr von der neuen Herrschaft, indem es zum Haupthafen des nun mächtigen polnischen Reiches wurde. Es baute Koggen von zuvor nicht gekannter Fassungskraft und verschiffte polnisches Getreide, baltisches Holz und andere Güter über die Meere. Im 16. und 17. Jahrhundert löste es Lübeck als Königin der Ostsee ab. Seine Ansprüche demonstrierte es mit einem Umbau der städtischen Marienkirche: Die hohe Backsteinbasilika in Lübecker Art wurde bei gleicher Scheitelhöhe zur Halle aufgestockt und um neue, riesenhafte Ostteile erweitert, so daß die drittgrößte Kirche des Mittelalters entstand. *(Abb. 52)* Die Gewölbe wurden in böhmisch-sächsischer Art als Zellengewölbe gestaltet. Der Turm, dessen Vollendung der Deutsche Orden verhindert hatte, wurde nach dem Muster der Brügger Liebfrauenkirche und unter ostentativer Aneignung von Motiven der Ordensarchitektur sehr hoch gezogen. Diese Mischung von Zitat und Überbietung macht deutlich, auf welche Weise sich Danzig nun als Hauptstadt verstanden wissen wollte. Maler und Bildhauer wurden aus Augsburg genauso wie aus Holland herbeigeholt. Mit Geld geizte man nicht: Das Hochaltarretabel wurde mit Dutzenden massiv gegossener Silberfiguren bestückt.

Ein Zeugnis des Danziger bürgerlichen Lebens ist der Artushof. In den großen Handelsstädten der Ostsee bildeten die Kaufleute bzw. Patrizier Gesellschaften, oft nach Generationen getrennt,

*52. **Danzig/Gdánsk/PL, Marienkirche,** innen, 1343–1502*

Die Binnenpfeiler stammen noch von der Basilika der Mitte des 14. Jahrhundert, die in ihren Einzelformen auch für den Umbau maßgeblich blieb. Der neue Ehrgeiz konzentrierte sich auf die Gewölbe, mit Netzrippen im Mittelschiff, mit Zellengewölben in den Seiten.

die zugleich religiöse Bruderschaft und ›Club‹ waren. Der Artushof verrät schon im Namen die Anlehnung an König Artus' Tafelrunde und steht im Gefolge damaliger Ritterromantik, die auch bei aufstrebenden Bürgern beliebt war. Der Raum ist auf Granitsäulen aus dem von den Bürgern zerstörten Danziger Deutschordensschloß errichtet und ahmt die großen Remter der Ordensritter nach. Er war mit geistlichen und weltlichen Bildern und Andenken überreich ausgestattet.

Das Bürgertum liebte die moralisch-belehrende Kunst. Neu ist, daß für diese Aufgabe nach

53. Tafel mit den Zehn Geboten (Ausschnitt), Mischtechnik auf Holz, 389 cm, Danzig, um 1470, Danzig/Gdánsk/PL, Marienkirche
Das Bild des Gebots ›Du sollst Vater und Mutter ehren‹ schildert links die adlig geprägten Tischsitten. Die Kinder bedienen die Eltern. Im rechten Bild zeigen Mutter und Tochter Danziger Kirchgangstracht. Das rechte Bild des Diebstahlgebots zeigt, daß man damals sein Hab und Gut in Truhen verstaute.

dem Vorbild der Altarbilder die kostbare Ölmalerei auf Holztafeln verwendet wurde, um das Format der belehrenden Tafeln ins Monumentale zu steigern. *(Abb. 53)* Antithetisch werden das falsche und das richtige Verhalten einander gegenübergestellt. Ungewöhnlich an der Danziger Tafel der Zehn Gebote ist der hohe künstlerische Rang, der die Orientierung an burgundischer Hofkunst der Jahre um 1460 bezeugt. Doch zeigt die Gegenüberstellung der Ehebrecher in Hoftracht mit der in Danziger Tracht durchgeführten Ehezeremonie, daß man nichts kritiklos übernahm, sondern seine eigene Werteskala formulierte. Die extravaganten Moden und die teuren Pelze, welche die Patrizierinnen tragen, bezeugen den Reichtum der Stadtherren.

Danziger Selbstbewußtsein spricht auch aus dem von Hans Holbein der Jüngere angefertigten Porträt des Danziger Kaufherrn Georg Gieße, das dieser als Werbe- und Verlöbnisbild für seine zukünftige Gemahlin in Auftrag gegeben hatte: Der aus Basel stammende Hofmaler des englischen Königs zeigt den Kaufmann in einem Format und einer Aufmachung, mit der sich der Besteller höchstens in Danzig sehen lassen konnte. *(Abb. 54)* Es präsentiert ihn in seinem getäfelten Kontor bei der Erledigung seiner kaufmännischen Post. Der 34jährige Handelsherr am Londoner Hansekontor, dem Stahlhof, war Sohn des Bürgermeisters. Sein älterer Bruder wurde Bischof von Kulm, dann von Frauenburg und als solcher Vorgesetzter von Kopernikus. Das Wappen war der Familie vom König von Polen verliehen worden. Ein orientalischer Teppich, eine Nürnberger (?) Dosenuhr, eine venezianische Glasvase mit symbolisch auf die guten Absichten des Antragstellers gemünzten Blumen, Siegelring und

54. Hans Holbein der Jüngere (1497–1543), Porträt des Danziger Kaufherrn Georg Gieße,
Mischtechnik auf Holz, 96 x 86 cm, London, 1532, Berlin, Gemäldegalerie SMPK
Der Dargestellte präsentiert sich in festlicher Tracht in seinem Kontor, umgeben von seinen Utensilien und Dingen von symbolischer Bedeutung, wie dem Nelkenstrauß in der venezianischen Glasvase, die sich auf die Funktion der Tafel als Verlöbnisbild beziehen.

*55. **Lucas Cranach der Ältere (1473–1553), Das sächsische Kurfürstenhaus der ernestinischen Linie als Heilige Sippe,** aus der Pfarrkirche in Torgau an der Elbe, Mischtechnik auf Holz, Mitte 120 x 99 cm, Wittenberg, 1509, Frankfurt/M., Städel*

Der Kurfürst von Sachsen besaß in Torgau ein großes Schloß. Die ganze Stadt bekam dadurch Residenzcharakter, weshalb auch die Ausstattung der Pfarrkirche ganz von den fürstlichen Plänen bestimmt war. Die Heilige Sippe war ein Thema, das theologisch die Unbefleckte Empfängnis Mariens und die Bedeutung der tugendhaften und reinen Sippschaft herausstrich, zugleich aber auch in allgemeinerem Sinne die Familie als solche, wobei sich die zunehmend einseitiger werdende Arbeitsteilung zwischen Mann und Frau schon in diesem Bild abzeichnet.

-stempel, eine Goldwaage, eine Kugel für die Garnspende geben Einblick in den Luxus reicher Geschäftsleute und zugleich in ihr Denken: Die Warnung vor der verrinnenden Zeit, die Aufforderung, Maß zu halten, und der lateinische Wahlspruch ›nulla sine moerore voluptas‹ (keine Lust ohne Trauer) reflektieren humanistische Tugendideale.

Sachsen

Eine führende Stellung in Deutschland errangen damals die sächsischen Höfe. Nach der Landesteilung 1485 wetteiferten die ernestinische Linie mit Hauptsitz in Wittenberg und die albertinische in Meißen lebhaft miteinander. Im kurfürstlichen Wittenberg überwog das Interesse an den Bildkünsten, *(Abb. 55)* in Meißen das an der Architektur. *(Abb. 56 u. 57)* Dort errichteten auf dem – eigentlich bischöflichen – Burgberg die Herzöge (noch gemeinsam) nach 1471 die Albrechtsburg, das bedeutendste Schloß der damaligen Zeit, das zugleich Regierungssitz, Gerichtssaal und Amtsstube war. Sein Entwerfer ist der aus Leipzig stammende Arnold von Westfalen. Er war kein Architekt im üblichen Sinne, sondern hatte, vielleicht als erster in Deutschland, das Amt eines fürstlichen Landbaumeisters inne, war also Hofarchitekt und Generalbauintendant in einem. Sein Stil ist durch eine originelle, fein differenzierte und facettenreiche Formsprache gekennzeichnet. Mittelpunkt des Schloßbaus, nicht aber Mitte auf der Hofseite ist der Treppenturm, der sog. Wendelstein, der sich auf jeder Etage mit Balkonen nach außen wendet. Das Motiv stammt aus der französischen Schloßbaukunst, denn Frankreich war Sachsens Bündnispartner

gegen Habsburg. Der Aufgang ist durch Reliefs mit Warnungen vor der Trunksucht verziert. Die Zentralisierung des Bauens bestimmte auch die Formensprache der zahlreichen Kirchenbauten des Landes, wie Freiberg, *(Abb. 5)* Annaberg, Schneeberg, und führte erstmals dazu, daß Sakralbaukunst profanen Mustern folgt. Die Vorhangbögen, Zellengewölbe, Pfeiler- und Profiltypen stammen nämlich von der Albrechtsburg. Zwar kann man dies motivgeschichtlich eine Nachblüte der gotischen Architektur nennen, von der künstlerischen Konzeption und Gesinnung her aber ist sie neuzeitlich.

In Wittenberg regierte Friedrich der Weise (1486–1525), der angesehenste Landesfürst seiner Epoche. 1519 trug ihm der Papst sogar die Kaiserwürde an. Als Förderer des Humanismus begründete er die Universität Wittenberg, an der Martin Luther als Professor für Bibelauslegung und Philipp Melanchthon als Professor für Griechisch lehrten. 1517 gingen von dort die Schockwellen der Reformation aus. Der Kurfürst war andererseits einer der größten Reliquiensammler; ein bebildertes Verzeichnis listete über 5.000 Stücke auf. Seine Bedeutung als Förderer der Künste ist nur noch zu rekonstruieren, weil der von Andreas Karlstadt ausgelöste Bildersturm 1521 viele Kunstwerke der Schloßkirche vernichtete. Wir wissen aber, daß er versuchte, die besten Künstler seiner Epoche an seinen Hof zu binden. Darunter waren Albrecht Dürer, der Venezianer Jacopo de' Barbari und Konrad Meit.

Friedrichs eigentlicher Hofmaler wurde 1504 Lucas Cranach. *(Abb. 55)* Der prägte zwar weitgehend das Erscheinungsbild der Kunst in Sachsen, doch entfernte sich sein Stil unter höfischem Einfluß von den altdeutschen Traditionen und wurde Hofstil im modernen Sinne. Bei seinem Studium ist nicht von den Künstlern allein auszugehen, so groß ihre Freiheit damals auch zu sein scheint. Das Altarbild der Pfarrkirche im kurfürstlichen Torgau stellt die Heilige Sippe dar, also Maria und ihre Familie mit ihrer Mutter Anna und deren Sippschaft, ein Bild, das die Unbefleckte Empfängnis Mariens thematisierte, aber auch die christliche Familie. Anna war damals eine sehr populäre Heilige. Die meisten Köpfe sind Identifikationsporträts der Herzogsfamilie und ihrer Hofräte, weshalb an vielen Orten Wappen

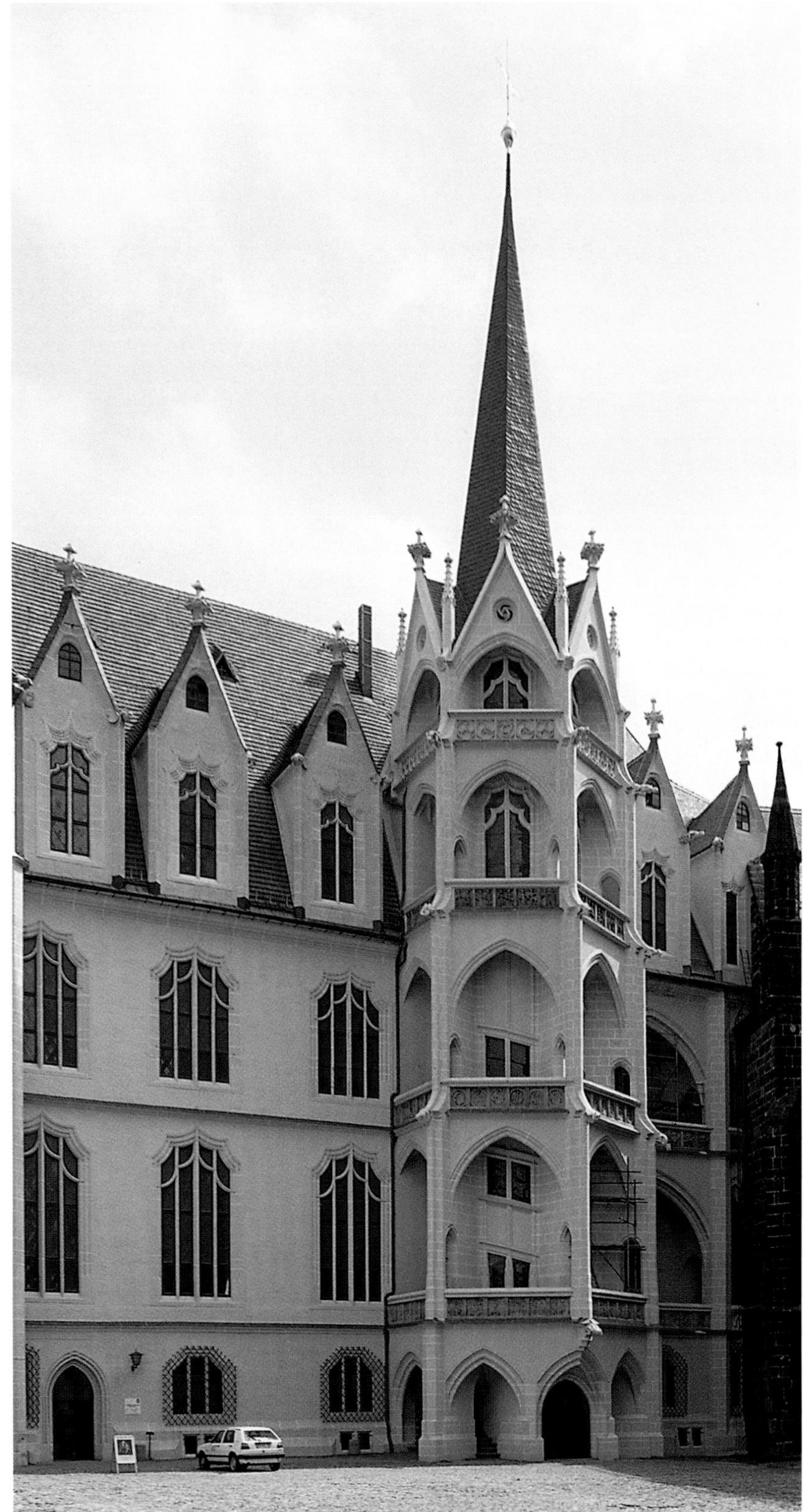

56. Meißen, Albrechtsburg, *Außenansicht vom Schloßhof, Arnold von Westfalen (nachweisbar 1470–1480), nach 1471*

Nach Teilung der sächsischen Lande wurden die Bauarbeiten unterbrochen und das Schloß nicht nach den ursprünglichen Plänen vollendet. Es wurde außerdem mehrfach umgebaut und restauriert, so daß nur die beiden unteren Etagen Arnolds Konzept entsprechen. Entgegen den Gepflogenheiten liegt der Hauptsaal im ersten Stock. Der Grundriß wird durch Vorgaben des Vorgängerbaus, der aus Fachwerk bestand, bestimmt, ist aber auch Ausdruck der Vielfalt der Funktionen.

*57. **Meißen, Albrechtsburg,** Festsaal innen, Arnold von Westfalen (nachweisbar 1470–1480), nach 1471*

Die Räumlichkeiten, die der ersten sächsischen Porzellanmanufaktur gedient hatten, wurden durchgreifend restauriert und haben deshalb im Detail nicht mehr ihre ursprüngliche Erscheinung. Der Baumeister spielt auf eine sehr originelle Weise mit den überkommenen gotischen Formen, etwa in der Sockelpartie mit ihrem virtuos gestalteten Spiralformen oder den Rippenansätzen.

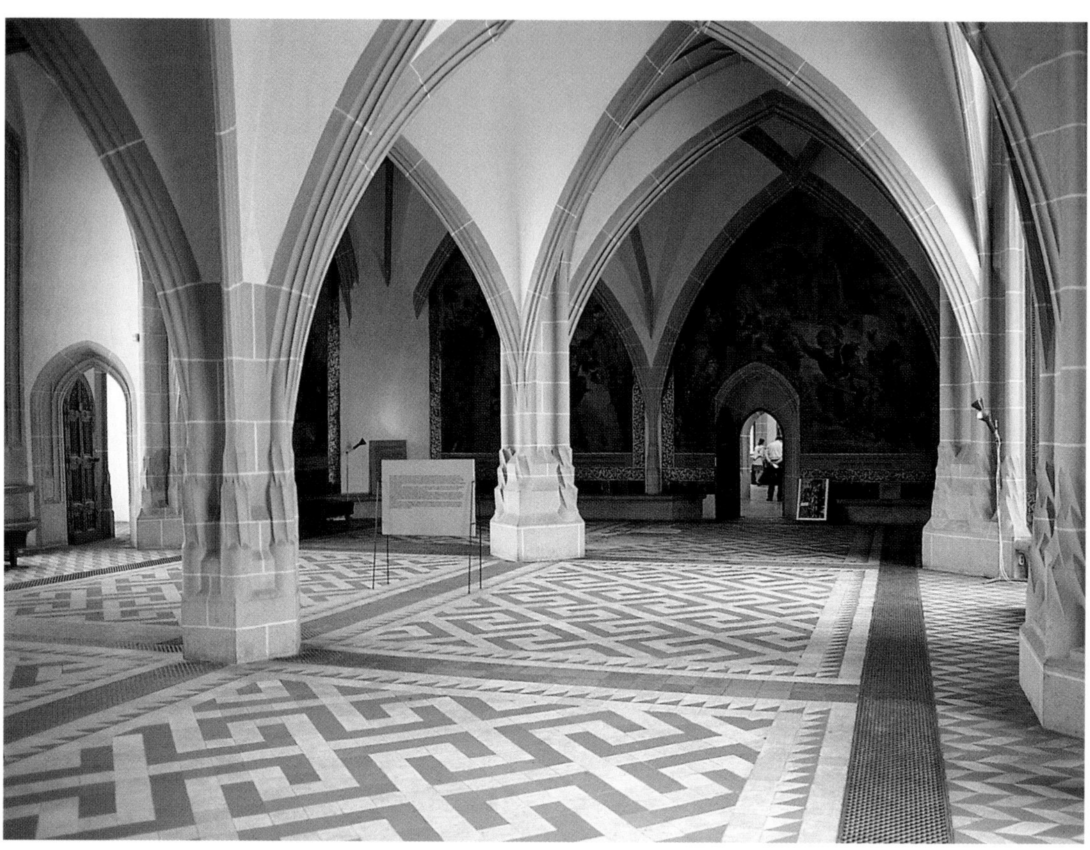

angebracht sind. Gemeint ist also mit diesem Bild auch die Verehrung der herrschenden Dynastie. Von deren Gesichtskreis und kultureller Orientierung ist die Kunst bestimmt: Die Frauen sind in verschiedene westliche Hoftrachten gekleidet. Die Architektur ist einerseits vereinfacht, prunkt aber andererseits mit kostbaren Materialien. Der Raum selbst ist rechts noch als Burgsaal aufgefaßt, in der Mitte als fürstlicher Festsaal mit Empore, links sogar als Loggia südlicher Art, mit Ausblick auf eine Burg im Hintergrund. In jeder der drei Tafeln ist eine lesende Person zu sehen, was den Bildungsanspruch herausstreicht. Die Form- und Farbgebung bezieht sich auf Meister des Kreises der Statthalterin Margarete von Österreich in den Niederlanden, so den Antwerpener Quinten Massys. In diesen Jahren entwickelte Cranach eine eigene Art der Stilisierung und mit ihr eine neue, weit über Sachsen hinaus einflußreiche, höfische Konvention. Ehe jedoch diese neuen künstlerischen Tendenzen untersucht werden, ist zuerst die künstlerische Revolution darzustellen, die sich in Deutschland um 1500 ereignete.

Albrecht Dürer

1491 kam der Nürnberger Malergeselle auf seiner Wanderschaft nach Colmar, um sein Vorbild Martin Schongauer kennenzulernen, der jedoch kurz zuvor verstorben war, so daß er nur dessen Brüder antraf. Dürer hielt sich dennoch einige Zeit am Oberrhein auf *(Abb. 81)* und ergänzte seine Lehrzeit noch, indem er als einer der ersten deutschen Künstler eine Studienfahrt nach Venedig unternahm. Sein Ziel war die Synthese aus dem Besten, was Europa zu bieten hatte. Seine Kunst ist aber zugleich Summe und Überwindung des Vorangegangenen.

Zurück in Nürnberg eröffnete Dürer 1495 eine eigene Werkstatt – und litt unter der Enge der Verhältnisse. So waren Gemälde z.B. wegen der hohen Kosten der Tafelmalerei Auftragsarbeit. Die Auftraggeber aber gingen meist von Althergebrachtem aus und wünschten – im Gegensatz zum Künstler selbst – nichts Neues, noch nie Dagewesenes in ihren Bildern. Hierin lag einer von vielen Gründen für Dürer, seine Energie auf die

58. Albrecht Dürer (1471–1528), Die Vier Apokalyptischen Reiter, *Holzschnitt, 39 x 28 cm, Nürnberg, 1498 oder kurz zuvor*

Das Bild illustriert die ersten Verse des sechsten Kapitel der Apokalypse: Die Reiter (von rechts: Pest, Krieg, Hungersnot und Tod) werden vom Himmel ausgeschickt, um ein Viertel der Menschheit zu erschlagen und der Hölle zu überantworten (links unten).

Graphik zu werfen. Sein Lehrer Wolgemut hatte zuvor mit engagierten Verlegern die ersten großen Illustrationsreihen für den Druck vollendet, so für Schedels Weltchronik. So konnte Dürer es wagen, nach ersten Einzelgraphiken gleich mit einem Zyklus aufzutreten, und das als eigener Verleger. Ohne die Hilfe von Frau und Mutter, die unter anderem auf der Frankfurter Messe Graphik für ihn verkauften, wäre das allerdings kaum gut gegangen. Die Holzschnittfolge zur Apokalypse des Johannes war ein Paukenschlag. *(Abb. 58)* Die besonders großen, bildmäßigen Blätter geben technisch eine Differenzierung der Binnenzeichnung und eine Fülle von Tonabstufungen, wie sie bis dahin nur im Kupferstich möglich schienen. Dürer besorgte solange selbst den Schnitt, bis es ihm gelang, Formschneider heranzuziehen, die seinen Ansprüchen genügten. Die bei Holzschnitten übliche Kolorierung von Hand war nun überflüssig. Das visionäre letzte Buch der Bibel hatte schon tausend Jahre lang Künstler und Auftraggeber beschäftigt, aber nie war der Einbruch des Jenseits ins Diesseits so packend und glaubwürdig geschildert worden. Dies konnte nur einem Künstler gelingen, der in der Aufnahme der Wirklichkeit genau war wie kaum einer vor ihm, dies aber für die Umsetzung seiner persönlichen Alpträume und Visionen einsetzte; einem Künstler, der die neue Qualität der Visionsdarstellung des Hugo van der Goes mit der Körperspannung und dem monumentalen Pathos des Andrea Mantegna verknüpfte und der auf unerhörte, moderne Weise von den Erlebnissen des ›Ich‹ ausging, ohne doch den Objektivitäts- und Wahrheitsanspruch aufzugeben.

Mit einem Schlag wurde Dürer berühmt. Er hatte den Nerv der Zeit getroffen. Auch die nächsten Graphikzyklen, das Marienleben und die Passion, wurden Erfolge, ihre Bilderfindungen setzten sich in den Köpfen der Künstler Europas fest. Ein Schwarm von Nachahmern hing sich an, Schüler strömten ihm zu. Aber anders als viele erfolgreiche deutsche Künstler vor ihm gründete er keine ›Firma‹, die sein Gold in kleine Münze umsetzte. Kennzeichnend für ihn ist der unbedingte Wille zu lernen, das Streben nach Vertiefung und Vervollkommnung. Dabei ließ er kein Gebiet aus und ging systematisch vor: Er machte Pläne zu einem Lehrbuch, der *Speis der Malerknaben*, erkundete alle Techniken der Malerei, Zeichnung und Druckgraphik und lotete ihre Möglichkeiten aus, immer im Blick auf die Forderungen des Gegenstandes, der Aufgabe, des Formates. Ferner schuf er auch Vorlagen für Goldschmiede oder kümmerte sich um Festungsbaukunst und die Tragfähigkeit von Dachwerken. Universalität war sein Ziel, wie bei den großen Italienern seiner Zeit.

Sein Naturstudium ist ein Höhepunkt der Kunstgeschichte und ein wichtiger Schritt in der wissenschaftlichen Aneignung von Wirklichkeit. *(Abb. 59)* Es war geprägt von der Überzeugung, daß die Natur – und folglich auch die Kunst – Gesetzen folge und daß der Künstler diese aufspüren müsse. Für das Malen von Historien empfahl er die Suche geeigneter Modelle: »[...] die Natur gibt die Wahrheit der Dinge. Darum sieh sie fleißig an [...] geh nicht nach deinem Gutdünken vor [...] Du würdest verführt. Denn wahrhaftig steckt die Kunst in der Natur. Wer sie raus kann reißen, der hat sie.« So erkundete er die Möglichkeiten regulärer Perspektivkonstruktion, betrieb systematische Farbstudien, vor allem bemühte er sich um die Idealproportionen, das heißt um die ›Schönheit an sich‹. *(Abb. 60)*

*59. **Albrecht Dürer (1471–1528), Flügel der Blauracke,** Aquarell und Deckfarben in Pinsel und Feder auf Pergament, 20 x 20 cm, Nürnberg, 1512, Wien, Graphische Sammlung Albertina*

Die an Präzision kaum zu überbietende Studie eines Flügels der hierzulande seltenen Blauracke oder Mandelkrähe ist zugleich ein Lehrstück über die Möglichkeiten der Farbe. Die Natur ist die Lehrmeisterin der Kunst.

Die Suche nach ›der Schönheit‹ ist ein der Kunst und den Kunstfreunden des 20. Jahrhunderts fremdes Ziel geworden, ja dieses Suchen hat sich von der Kunst getrennt. Aber Jahrhunderte lang gab es für Künstler, Kunstfreunde und -philosophen kein Problem, um das sie leidenschaftlicher rangen. Die Untersuchung des Schönen ist Teil der klassisch antiken Philosophie, aber erst in der Neuzeit wird sie unter dem Begriff ›Ästhetik‹ zu einer eigenen Disziplin. Sie widmet sich vor allem dem Kunst-Schönen, nicht dem ›schönen und guten Menschen‹ wie die Griechen. Ausgangspunkt wurde Platons Lehre, das absolut Schöne sei wie die Tugend durch Ordnung, Maß und Symmetrie gekennzeichnet. Daraus leitete man später ab, die Kunst habe die Aufgabe, das Schöne zu verwirklichen, durch Nachahmung schöner Gegenstände sowie durch Schaffung einer schönen Form, um die Betrachtenden zu bessern.

Von der komplizierten und wechselvollen Begriffsgeschichte sind hier nur zwei Punkte anzudeuten: Das Mittelalter hat eine von Platons Lehre abgeleitete Theologie des Schönen gelehrt, wobei die Verbindung von irdischer und göttlicher Schönheit betont wurde, und sowohl das Licht (und die Klarheit) wie die mathematische Ordnung wurden als Qualitäten der Schönheit benannt (besonders evident in der Gotik). Das 15. Jahrhundert hat, von Italien ausgehend, den Theorieanspruch der Künste erneuert: Die Schönheit offenbare sich vorzugsweise in der Kunst. Ihre Darstellung wird zum Hauptziel künstlerischer Tätigkeit. Das echte Kunstwerk galt mehr als die Natur, da es die Mängel der natürlichen

*60. **Albrecht Dürer (1471–1528), Der Sündenfall von Adam und Eva,** Kupferstich, 25 x 20 cm, Nürnberg, 1504*

Für seine im Sinne der humanistischen Thematik wie der Erschließung und Entfaltung der bildnerischen Mittel programmatischen Bilderfindungen wählte Dürer bevorzugt den Kupferstich, schon weil hier Entwurf und Ausführung vollständig in seiner Hand lagen.

Erscheinung behebe und ihnen Schönheit gebe, die aus dem Geist des Künstlers komme. Dieser müsse von der Nachahmung der Natur ausgehen, das Schönste auswählen und vergesetzlichen. Der an der Natur geschulte und geübte Geist sei aus seinem ›Ingenium‹ in der Lage, aus diesem Schatz neue Schönheiten zu schaffen.

Dürers 1504 publizierter Stich des Sündenfalls ist ein Manifest für Schönheit und Proportion. Er hat ihn mit größter Anspannung und Leidenschaft über Jahre vorbereitet, Italienisches und Antikes verarbeitet, außerdem unzählige Studien zur Geometrie und Erscheinung der Körper von Mann und Frau gezeichnet. Die Strenge der Gesetzmäßigkeit schließt künstlerische Glut nicht aus. Der Stichel ist auf kaum zu übertreffende Weise gehandhabt, um die Verschiedenartigkeit der Oberflächentexturen und Töne wiederzugeben. Die Tiere stehen (einer antiken Lehre folgend) für die vier Temperamente, in die sich die zuvor ausgeglichene menschliche Natur nach dem Sündenfall aufspaltete: *(Abb. 1)* Die Katze für das cholerische, der Hase für das sanguinische, der Hirsch für das melancholische und das Rind für das phlegmatische Temperament. Gemäß der theologischen Meinung, daß die Frau aus der Rippe des Mannes geschaffen, ihre Schönheit also eine abgeleitete sei, gilt Dürers Interesse mehr dem männlichen Körper. Die Darstellung faßt simultan mehrere Momente zusammen: die Verführung durch die Schlange, weitergegeben durch Eva, der Verlust der Unschuld, das schlechte Gewissen, Adams Vorwürfe an Eva. Auf dem in italienischer Art perspektivisch verkürzten Täfel-

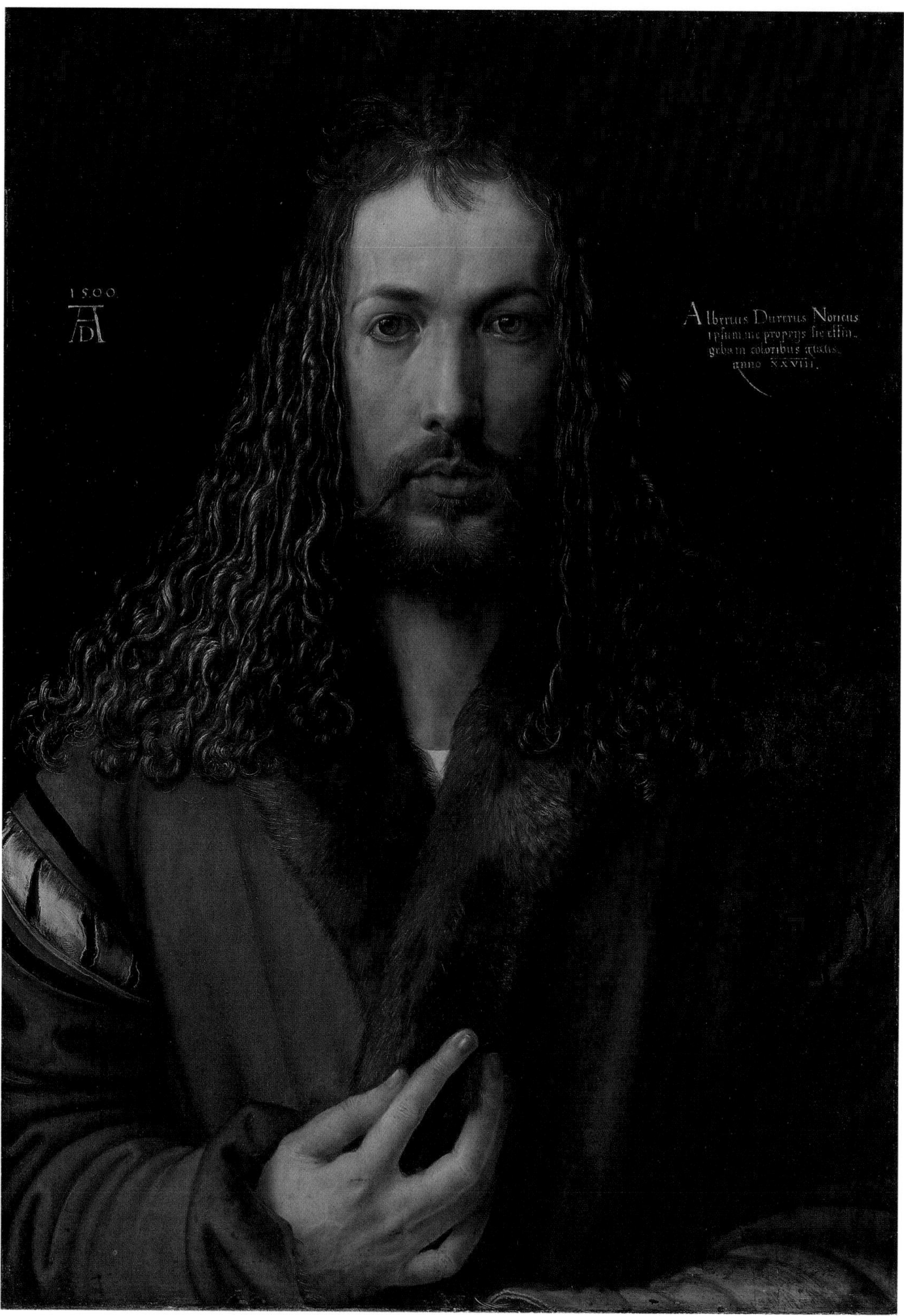

61. Albrecht Dürer (1471–1528), Selbstbildnis, *Mischtechnik auf Holz, 67 x 49 cm, Nürnberg, 1500, München, Alte Pinakothek*

Der Künstler ist in der Frontalität der Präsentation wie der Form des Antlitzes christusähnlich gestaltet, doch geben ihm die Locken und der Bartnach den Urteilen seiner Zeitgenossen auch einen dandyhaften Zug. In der Kombination zweier so weit divergierender Schönheitsideale wurde kein Problem gesehen.

chen mit der lateinischen Signatur des Künstlers ist auch ein Papagei abgebildet, Symbol der Nachahmung und zugleich Marienvogel (weil er angeblich so leicht ›Ave‹ sagen kann). Maria aber ist die Neue Eva. *(Abb. I/38)*

Man wird Dürer nur begreifen können, wenn man erkennt, daß er eine hohe Vorstellung von der Kunst als einer Gabe Gottes und zugleich einer (in Grenzen lehrbaren) Wissenschaft hatte. Sein Selbstbildnis aus dem Jahre 1500 ist eine Proklamation dieses Kunstideals. *(Abb. 61)* Die Christusähnlichkeit spricht die Überzeugung aus, daß das künstlerische Ingenium (Begabung, Geist) und die Ratio (Überlegung, Vernunft) in Verbindung mit der Virtus (Tüchtigkeit, Tugend) die Gottesähnlichkeit des Menschen ausmachen. Der Künstler ist zu einer besonderen Art der Christusnachfolge berufen. Die Betonung der Hand setzt sie als ›göttliche Hand‹ und Instrument der künstlerischen Virtus in ein Spannungsverhältnis zum ›göttlichen Auge‹, das den Betrachter, von wo er auch immer schaut, im Blick behält. Das Bild ist unter genauer Beachtung der Maßeinheiten (Moduln) konzipiert, vielleicht auch mit Hilfe von Proportionsschemata. Das Genie ist Zeichen göttlicher Autorität und gibt dem Individuum hero-

*62. **Albrecht Dürer (1471–1528), Melencolia I,** Kupferstich, 24 x 19 cm, Nürnberg, 1514*

Die Inschrift ›Melencolia I‹ besagt nicht, daß Dürer noch ein zweites Blatt dieses Themas in Planung hatte, sondern daß er von den beiden damals unterschiedenen Arten der Melancholie, der genialen und der krankhaften die erstere darstellen wollte. Die Melancholie ist das Temperament des Göttervaters Saturn, der auch als Gott der Zeit dargestellt wird. Das magische Zahlenquadrat soll die negativen saturnischen Einwirkungen hemmen.

ische Statur. Und doch ist dies Selbstbildnis Zeugnis seiner persönlichen, dandyhaften Eitelkeit.

Wir stehen vor einer eigenwilligen, aber zeitgemäßen Erneuerung der Antike, die Dürer ›Wiedererwachsung‹ nennt: »Die große Kunst der Malerei ist vor vielen hundert Jahren bei den mächtigen Königen in großer Achtbarkeit gewesen, denn sie machten die vortrefflichen Künstler reich, hielten sie würdig, denn sie achteten solche Sinnreichigkeit ein gleichförmig Geschöpf nach Gott. Denn ein guter Maler ist inwendig voller Figur, und wenn es möglich wäre, daß er ewig lebte, so hätt er aus den inneren Ideen, davon Plato schreibt, immer etwas Neues durch die Werke auszugießen.« Dürer kann als Autorität für die Vorstellung von Kunst als Erfüllung eines Regelkanons gelten, aber auch für die neuartige Genievorstellung, die in der unendlichen Fülle, mit der der Künstler stets Einzigartiges und nie Dagewesenes schafft, das Kennzeichen wahren Künstlertums erblickte – diese Anschauung hat sich später bevorzugt die Romantik zueigen gemacht. Dürer vollendet das Mittelalter, ergreift die Antike, läßt Modernes vorahnen – nicht zuletzt deshalb spricht man von seiner Leistung und denen seiner großen Zeitgenossen als einem Höhepunkt der Kunst in Deutschland.

Die Spannung, aus der der Künstler schafft, hat Dürer mehrfach thematisiert, am eindrucksvollsten in seinem Kupferstich mit der Allegorie der Melancholie: *(Abb. 62)* Die Melancholie ist das düsterste Temperament, aber auch das des Genies – so könnte man ihren Sinn umreißen. Die Personifikation kann fliegen, aber sie hockt brütend über der Lösung von Problemen, mit Buch und Zirkel, finster umherblickend, mit den

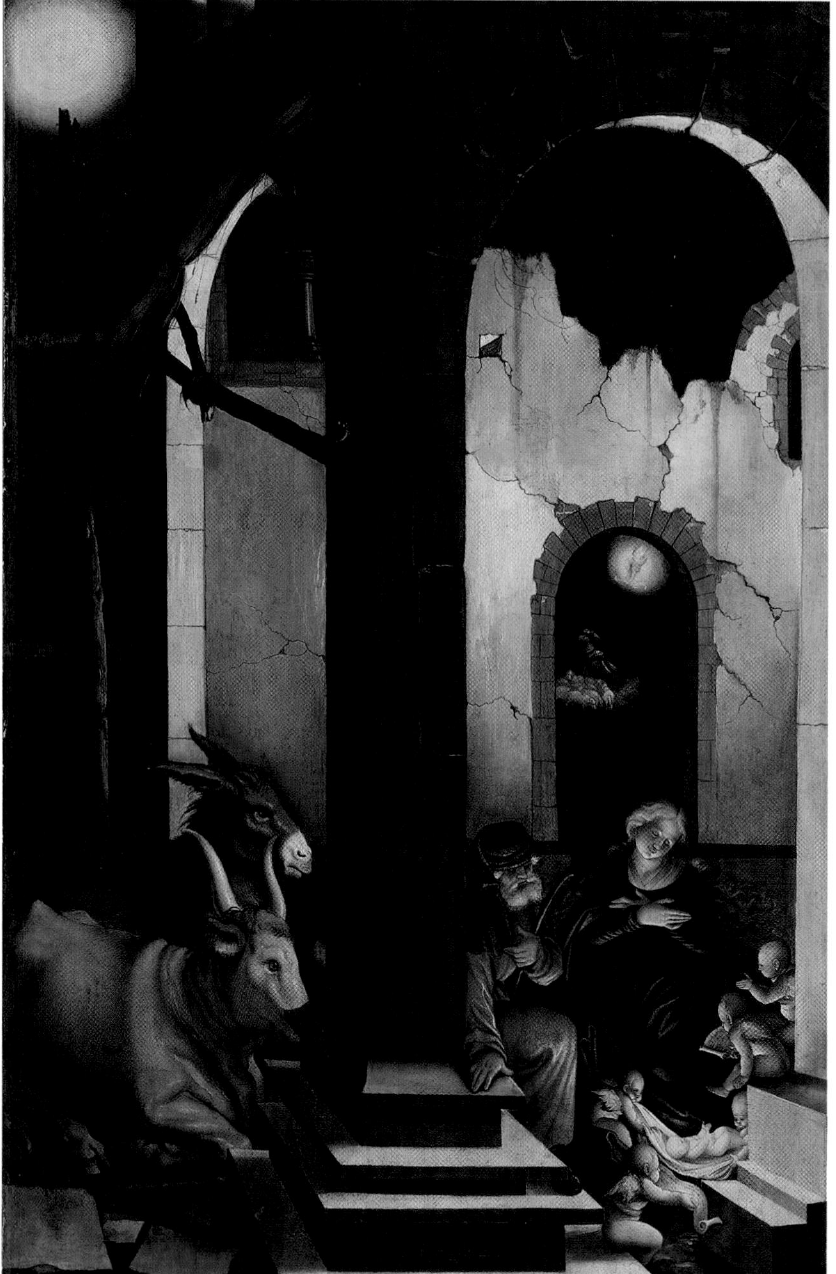

*63. **Hans Baldung genannt Grien (1484–1545), Geburt Christi,** Mischtechnik auf Holz, 106 x 71 cm, Straßburg/Strasbourg/F, 1520, München, Alte Pinakothek*

Die Tafel nimmt eine eigentümliche Zwischenposition ein zwischen den Aufgaben Altar- und Andachtsbild, ist eigentlich ein Drittes, nämlich eine künstlerische Reflektion über die Verlassenheit des Heiligen in der Welt.

Gedanken bei Vergänglichkeit (Sanduhr) und Tod (Glocke). Durch den tugendhaften und rationalen Gebrauch ihrer Gaben (der freien und mechanischen Künste) aber kann ihr die Lösung von ihren Banden und der Aufstieg zu Gott gelingen. Der Regenbogen thematisiert das Versprechen Gottes an Noah, die Menschheit werde vor dem Untergang bewahrt bleiben, der kleine Engel das Lernen. Ihr Denken umspannt den Kosmos, mit ihren Instrumenten schafft sie künstlerisch gestaltend die Welt nach. Ruhm (Lorbeerkranz), Geld (Beutel) und Macht winken dem Genie, das durch Welterkenntnis zur Selbsterkenntnis gelangt und dazu, daß der Ausgleich (Waage) der Spannung zwischen Endlichem und Unendlichem zu Weisheit führt. Der gedankliche Gehalt eines Buches ist in einem Bilde zusammengefaßt und versteht sich doch nicht als Illustration, sondern als Denkbild eigener Art, dessen offene Deutungslinien, je nach Person, Bedarf, Moment und Fähigkeit weiterzuführen sind.

Jedes Werk eröffnet neue Weiten, und jedes ist doch auch begrenzt. Derselbe Künstler schafft im selben Jahr den friedlich-beschaulichen Stich des Hieronymus im Gehäus, und er zeichnet in einer dramatischen Kohlestudie das Antlitz seiner alten Mutter. Dürers Oeuvre ist ein Kontinent für sich.

Hans Baldung genannt Grien

Dürer hatte bedeutende Schüler, mehrere mit Namen ›Hans‹. Der wichtigste und ihm liebste war Hans Baldung, der wegen seiner Vorliebe für Grün seinen Spitznamen erhielt, den er selbst fortan seinem Familiennamen anhängte. Er leitete Dürers Atelier während dessen Italienreise 1505–1507 und hielt auch noch Verbindung zu ihm, als er selbst in Straßburg eine eigene Werkstatt gegründet hatte. Er kam aus einer Gelehrtenfamilie. Auch das machte ihn zu einem Intellektuellen im modernen Sinn unter den Malern der Epoche.

Zwar waren auch für ihn die Bildaufgaben im wesentlichen noch dieselben wie für Dürer, doch setzte er sich bei den religiösen Themen rücksichtsloser über Konventionen hinweg. Von der Münchner Tafel der Geburt Christi wissen wir nicht, ob sie je als kirchliches Bild gedient hat. *(Abb. 63)* Sie stammt aus dem Besitz des Kardinals Albrecht von Brandenburg, Erzbischof von Magdeburg und Mainz. Baldung hat sich hier um eine korrekte Perspektivzeichnung bemüht. In der Form des Pfeilers und vor allem der Basen hat er italienische Architekturmotive eigenwillig umgedeutet. Die romanischen Bauformen der rückwärtigen Mauer wurden um 1500 gerne aufgegriffen, um zu verdeutlichen, daß ein Ereignis weit zurücklag, aber auch als Zeichen der Erneuerung einer ›altdeutschen‹ Antike. Baldung zeigt die Heilige Familie klein und an den Rand gedrängt in einer kahlen Ruine. Dem an damalige Sakralformeln gewöhnten Auge muß das Einnehmen der Bildmitte durch den großen Pfeiler zumindest ungewöhnlich erschienen sein. Die Lichtgestaltung verrät die Kenntnis der Isenheimer Tafeln von Meister Mathis genannt Grünewald. *(Abb. 66–68)* Die Strahlen, die vom Kind ausgehen, kämpfen gegen die Düsterkeit der nächtlichen

*64. **Hans Baldung gen. Grien (1484–1545), Der Sündenfall,** Holzschnitt, 25 x 10 cm, Straßburg/ Strasbourg/F, 1519*

Baldung hat das Thema des Sündenfalls so oft gestaltet wie kein anderer Künstler. Seine pessimistische Auffassung der menschlichen Natur war auf das Thema, wie es zu dem Verderben der Menschen gekommen ist und vor allem, was daraus entstand, fixiert. Offenbar sah er in der ›concupiscentia‹, der ›fleischlichen Begierde‹, den Schlüssel der menschlichen Sündhaftigkeit.

Szenerie an, doch bleibt alles eigentümlich fahl. Die Geburt Christi wurde schon zuvor gelegentlich als Nachtbild gemalt, doch erst Baldung gab ihr eine unheimliche Note. Er thematisiert die Leere der romanischen Palastruine mit ihren herumliegenden Steinen und bröckelnden Putzflächen und verzichtet auf erfreuliche Landschaftsausblicke. Auch die Tiere bringen keinen gemütlichen Zug in das Bild: Sie sind viel zu groß. Ihre starren, aufgerissenen Augen machen sie zu fremdartigen Wesen. Auf dem Balken über ihnen sitzt im Schatten des Pfeilers eine Eule mit nachtglühenden Augen, Sinnbild des Teufels, der das Licht scheut. Das düstere Grünblau des Grundes wirkt mit dem Ziegelrot und den Grautönen als Gegenfarbklang zu dem edelsteinhaften Blau und Rot des heiligen Paares. Das Gute, Lichte, Schöne ist unbehaust in dieser Welt.

Noch kühner ist Baldung in seiner Graphik. *(Abb. 64)* In Kenntnis der verschiedenen Arbeiten Dürers zu Adam und Eva *(Abb. 60)* thematisiert er den Gegenstand auf seine Weise. Für den Holzschnitt von 1519 wählt er ein schmales, hochrechteckiges Format, wie es bei Altarflügeln üblich war. Das Format versteht sich jedoch nicht als Sakralformel und auch nicht als Überhöhung der ursprünglichen Schönheit des Urelternpaares, sondern wird durch Evas Körper bestimmt. Adam präsentiert ihn dem Betrachter wie ein Zuhälter und ergreift zugleich Besitz von seiner Frau. Sein Blick auf den Betrachter hat etwas Lauerndes, die Geste seiner rechten Hand ist eher als Wegziehen der Schambedeckung zu verstehen, weniger als ein Zudecken. Eva ist kunstvoll frisiert, ihr Gesichtsausdruck wirkt gequält, als wisse sie nicht, ob sie abgestoßen ist oder einwilligen soll. Die Verschränkung der Beine des Paares ist in der Körpersprache der Epoche als Zeichen für körperliche Vereinigung zu verstehen. Moralisch gesprochen wird uns hier der Sündenfall als Ereignis ungezügelter Libido (Begierde) gezeigt. Diese wird als Folge des Sündenfalls verstanden und zwar als Strafe, vergleichbar der von Krankheit oder Tod. Das Urelternpaar wird hier also nicht als vorbildliches Paar gezeigt, sondern in seiner sexuellen Hörigkeit geradezu abstoßend. Der Blick auf den Betrachter und das Vorzeigen des Frauenleibes richtet den Zeigefinger zugleich auf den Voyeurismus, auf die sündige Augenlust des (männlichen) Betrachters. Baldung teilt nicht den optimistischen Blick Dürers auf die Menschheit. Vielleicht in Anlehnung an Luthers radikales Sündenbewußtsein definiert er die Erbsünde als Verhängnis, die Triebe als Teufelseingebung, als Angriff auf die Ratio. Offensichtlich wendet er in bisher nicht gekannter Weise ein eigenes Problem nach außen: Seine Gedanken kreisten um das Erotische, das er dämonisierte. Dem Bild fehlt die Schlange, obwohl die Äpfel in den Händen Evas das Essen der verbotenen Frucht vom Baum der Erkenntnis thematisieren. Baldungs Strich ist wenig sensibel; auf die Virtuosität der Zeichnung, auf die Formkultur und Schönheit von Dürers Kunst wird verzichtet. An der Darstellung sinnlicher Feinheiten des Leibes hatte Baldung wenig Interesse. Adam ist sogar weitgehend verschattet, was nicht wenig zum düsteren Eindruck dieser

*65. **Hans Baldung, gen. Grien (1484– 1545), Hexensabbat,** Farbholzschnitt von 2 Platten, 38 x 26 cm, Straßburg/ Strasbourg/F, 1510*

Baldung war als Mann fasziniert von den magischen Kräften, die man damals den Frauen zuschrieb. Doch sind seine Bilder von Hexen nicht allein denunziatorischen Charakters. Kunstvoll gestaltete graphische Blätter dieser Art waren schon wegen der aufwendigen Technik und wegen des Formats Liebhaberstücke für Kunstsammler und Humanisten.

Gestalt beiträgt. Bemerkenswert ist auch, daß der Künstler für Evas kontrapostische Stellung eine antike Venusstatue als Vorbild wählte. Damit bringt er seine kritische Distanz zur klassischen Kunst zum Ausdruck. Die Platte mit der Künstlersignatur, auf die Eva ihr linkes Bein gestellt hat, betont ihren unsicheren Stand, da sie sonst umfallen würde. Darin zeigt sich ein selbstironischer Zug.

Es ist Wunschdenken neuerer Geschichtsschreibung, die den Hexenwahn mit dem Mittelalter, die Renaissance und den Humanismus aber mit Aufklärung verbindet. Zwar läßt sich der Glaube an die Existenz von Hexen und Zauberern bis ins Alte Testament verfolgen, im Mittelalter aber spielte er nur eine geringe Rolle. Die Lösung der Menschen von mentalen und sozialen Bindungen durch die Auflösung alter Strukturen in der Umbruchszeit um 1500 aber weckte Ängste aller Art: Apokalyptische Weltuntergangsstimmung und Angst vor dem Teuflischen, die sich zur kollektiven Projektion des Hexenhaften auf die Frau steigerte. Baldung hat dies unter allen Künstlern der Epoche am extremsten ausgesprochen: Für ihn wird Eva zur Hexe, zum Urbild der verführerischen Frau, die spätere Jahrhunderte als ›femme fatale‹ verteufeln. *(Abb. VIII/10)* Zu Massenwahn und um sich greifender Hexenverfolgung wurde diese Angst im katholischen wie im evangelischen Deutschland jedoch erst im frühen 17. Jahrhundert, um dann seit den 1630er Jahren nicht zuletzt dank der mutigen Kritik des Jesuitendichters Friedrich von Spee nach und nach eingedämmt zu werden.

Baldung ist fasziniert von den Hexen und greift nicht vorschnell zu Mitteln dämonisierender Karikatur, wie etwa der Farbholzschnitt des Hexensabbat zeigt. *(Abb. 65)* Drei Hexen sitzen in einem durch Forken gebildeten magischen Dreieck. Aus dem Topf mit hebräischen Buchstaben entweicht Hagelschlag, dargestellt als dämonischer Dampf, der aus einem Sud von Kröten und anderen Ingredienzen ohne Feuer entsteht, dahinter der teuflische Bock. Die Knochen, bevorzugt von Kindern, dienen nach damaliger Auffassung der Zubereitung von Flugsalbe, die, mit Borstenpinseln aufgetragen, das Fliegen ermöglicht. Der Kristallspiegel bezieht sich auf Wahrsagerei. In der Luft fliegt eine junge Hexe mit gespreizten Beinen auf einem Bock, einen Topf voll Flugsalbe in der Forke. Es geht Baldung vor allem darum, die verschwörerische Frauengemeinschaft darzustellen, ihre Verbindung mit der Natur, dem Erdboden, dem Wald und den Tieren. Ihre Macht über die Menschen erscheint in erster Linie als erotische Kraft.

Mathis Gothardt-Neithardt genannt Grünewald

In diesem Maler meinten Viele seit dem ausgehenden 19. Jahrhundert den Außenseiter zu erkennen, der gegen alle stand, vornehmlich gegen den offiziellen Dürer. Er verkörperte den Altdeutschen gegen den Italianisten, den lange Verkannten und Einsamen, den Mystiker und Visionär, den ›Proto-Symbolisten‹, ›-Expressionisten‹ und ›-Surrealisten‹, den Maler des Farbenrausches. Die Forschung hat an diesem Bild viel korrigieren müssen. Zwar sind uns wesentliche Stationen des Lebens Grünewalds weiterhin unbekannt, vor allem die Anfänge des wohl in Würzburg geborenen. Aber er hatte in Seligenstadt am Main eine florierende Werkstatt, in der auch Bildschnitzereien hergestellt wurden und verstand einiges vom Bauwesen, speziell vom Wasserbau – ein zeittypischer ›uomo universale‹ also. Er stand als Hofkünstler des Erzbischofs Albrecht von Brandenburg in Mainz in Amt und Würden, was ihn nicht schreckte, sich gegen seinen Herrn aufzulehnen, sich der Reformation anzuschließen und nach Halle zu gehen, das zwar auch in den Herrschaftsbereich Albrechts gehörte, aber mehr Freiheiten hatte. Seine theoretischen Kenntnisse sind offenkundig, ebenso sein Studium der Kunst Dürers und der Oberitaliener.

Die Bilderfolge des Hochaltars für den Antoniterkonvent im elsässischen Isenheim gehört zum Eindruckvollsten, was das Zeitalter hervorgebracht hat, und ist dennoch im höchsten Maße befremdlich. *(Abb. 66–68)* Sie führt dem, der das Retabel zu beschreiben versucht, die Begrenzheit sprachlicher Möglichkeiten, ja das Unangemessene rational gefügter Worte vor Augen. Es fällt leichter, das Umfeld zu erklären, als die Bilder selbst. Die Antoniter sind ein von Frankreich ausgehender Krankenpflegeorden und auf die Bekämpfung des Antoniusfeuers spezialisiert, das durch den Verzehr von Mutterkorn entstand, dessen Pilzgift zu einem äußerst schmerzhaften Verfaulen der Glieder führt. Anscheinend setzten die Mönche zur Heilung und Linderung auch Bilder ein: Nach der Aufnahme ins Spital wurden die Kranken zuerst zum Altar gebracht, wo sie in der Hoffnung auf Heilung zuweilen eine Nacht vor der Tafel schliefen. Der Präzeptor des Klosters und Auftraggeber des Retabels, der Sizilianer Guido Guersi, ist als hl. Antonius in dem Begegnungsbild der Feiertagsseite dargestellt.

Das Retabel hat drei Wandlungen. In geschlossenem Zustand sehen wir die Kreuzigung zwischen den Krankenheiligen Antonius und Sebastian, einmal geöffnet Marienbilder und die Auferstehung, in der zweiten Wandlung, der Feiertagsseite, die Statuen des thronenden Antonius zwischen Augustinus und Hieronymus von der Hand des Nikolaus Hagenauer, außerdem zwei Gemälde der Antoniusgeschichte: das Zusammentreffen mit dem Einsiedler Paulus in der ägypti-

folgende Seiten:
66–68. Mathis Gothardt-Neidhardt genannt Grünewald (um 1475–1528), Hochaltarretabel des Antoniterkonvents Isenheim, *Mischtechnik auf Holz, H. 265–269 cm, Frankfurt (?), um 1513–1515, Colmar/F, Unterlinden-Museum*

schen Wüste und die Versuchung durch die Dämonen.

Die Bilder sind weniger Erzählungen als Deutungen der Heilsgeschichte: Die Kreuzigung wird schon durch die Figur Johannes des Täufers mit dem Opferlamm enthistorisiert. Meister Mathis gibt nicht der Vorliebe seiner Epoche für die Anfüllung der Szene mit tumultuösen, drastisch geschilderten Menschenmassen nach. Sein Thema ist die reale Einsamkeit Christi und ihre bildliche Umsetzung: Finsternis erfüllt das Land, kaum erahnen wir im grünschwarzen Hintergrund Berge und eine Art Totenfluß – die Landschaft spiegelt die Verlassenheit des toten Gottes am Kreuz. Der Gekreuzigte bietet ein Bild der Vernichtung: Das Lendentuch ist zerfetzt, die Knochen wirken

*66. **Die Kultbildstatue des hl. Antonius Eremita,** begleitet von den Kirchenvätern Augustinus und Hieronymus, dem Stifter Jean d'Orliac und zwei ihre Gaben darbringenden Bauern, dazu Christus und die 12 Apostel der Predella, sind etwa 1505 von dem Straßburger Bildschnitzer und Münsterbaumeister Nikolaus Hagenauer (um 1460–um 1538) geschaffen, ihr Rahmenwerk später verändert. Der linke Flügel zeigt den Besuch des Eremiten Paulus – mit den Zügen des Auftraggebers Guido Guersi – bei Antonius, die rechte die Versuchung des Antonius.*

wie auseinandergerissen, sein Leib ist wundenübersät, der Kopf vornüber gesunken, die Hände verkrallt – das Grün fortschreitender Verwesung hat sich des schönsten aller Körper bemächtigt. Und doch ist dieser Tote ein Herkules. Der Tod als seine Erlösungs-Tat beherrscht das Bild. Die anderen, viel kleineren Figuren beziehen sich kontrapunktisch-begleitend auf ihn: Magdalena zu seinen Füßen gekrümmt und wie hingegossen, Maria in fahlem Weiß und wie zu Eis erstarrt, Johannes Evangelist erregt und erschöpft zugleich, der Täufer eher wie ein bestimmt auftretender Kommentator mit übergroßer Zeigehand: Er steht für das Alte Testament, dessen letzter und größter Prophet er ist und der weiß, daß es vor dem Neuen weichen muß.

Doch ist damit das Geheimnis der Wirkung noch kaum benannt. Will man ihm nachspüren, muß man über Licht und Farbe nachdenken und wird dabei erkennen, daß sie untrennbar Form geworden sind. Beherrschend ist die dunkle, farblich gedeckte Trias von Schwarz, Grün und Braun. Von oben rechts leuchtet fahles Licht auf die Figuren, im Gewand Mariens scheint es geradezu grell auf. Dadurch wird sie zum zweiten Pol neben ihrem ›umnachteten‹ Sohn. Sie wankt, aber die wenigen, tektonisch festen Falten ihres Gewandblockes sagen uns: Sie wird nicht stürzen, nicht verzweifeln. Das dunkle Aufglühen und die Zerrissenheit des Mantels ihres Pflegesohns Johannes zeigt dessen liebevolle Anteilnahme, aber auch größere Unsicherheit.

Mathis ist kein Mann des Grabstichels oder der Feder: Er ist Maler. Den Pinsel bewegt er abwechslungsreich, mal eher umrundend, dann wieder eckig zeichnend, mal breiter, dann lasierend oder sogar in einer impressionistisch anmutenden alla-prima-Pinselschrift. Die Pinselführung

67. Marienbilder und Auferstehung
Die vorderen Schergen im Bild der Auferstehung zeigen historisierende Rüstungen, der im Mittelgrund gestürzte, stark verkürzte einen modernen italienischen Plattenpanzer. Rechts neben der Maria im Beschlossenen Garten die Rose ohne Dorn, im Hintergrund das Haus Gottes, aber auch die Verkündigung an die Hirten, wodurch dies auch zu einem Weihnachtsbild wird. Die zerrissenen Windeln des Christkindes weisen auf das zerrissene Lendentuch Christi am Kreuz.

wird zum Ausdrucksträger. Dabei ist alles sorgfältig mit Zeichnungen vorbereitet, von denen nur wenige erhalten sind, immerhin genug, um sich ein Bild von der Arbeitsweise zu machen. Es sind in der Regel Naturstudien monumentalen Formats in Kohle und Kreide. Aber sie zielen bereits auf eine Person des Bildes, deutlich zu erkennen in der Frauenstudie für Magdalena, *(Abb. 69)* obwohl nur die Ärmelform und die offenen Locken übernommen wurden, die ringenden Hände für die Maria der Kreuzigung verwendet werden, während Magdalenas Geste in diesem Bild heftiger ist und Verzweiflung ausspricht. Figur und Arme dieses Blattes sind in getrennten Ansätzen gezeichnet. Die Studie ist Teil des Werkprozesses, mit dem die Natur auf Ausdruck hin umgedeutet und übersteigert wird, eine absichtliche ›Verzeichnung‹.

Schmerzt das Licht inmitten der Düsterkeit der Kreuzigung, so leuchtet es wie die Sonne in der sternenklaren Nacht der Auferstehung. Der Leib Christi, vorher ganz zerstört, erscheint zur

68. Kreuzigung und Beweinung Christi
Über dem Zeigefinger des Täufers der Spruch: »Dieser muß wachsen, ich aber abnehmen.« Die Tafel zeigt viele Anzeichen für Sinnesänderungen des Künstlers (Pentimenti): Der Maler hat also bis zum Schluß experimentiert. Auf der Salbbüchse Magdalenas die Jahreszahl 1515. Auf den Flügeln der hl. Sebastian als Schutzheiliger gegen die Pest und der hl. Antonius als Helfer gegen das Antoniusfeuer. Antonius trägt die Züge des Stifters der Gemälde und Präzeptors des Konvents, Guido Guersi. Die Tafel der Kreuzigung ist aufklappbar.

Lichtgestalt verwandelt, seine Wunden erstrahlen wie geschliffene Rubine. Der vorher durchhängende, das Kreuzesholz zum Brechen belastende Körper ist mit überirdischer Kraft aufgefahren und hat den über das Grab gewälzten Felsblock wie ein Nichts hinweggesprengt. Gegen die grauen und braunen Erdfarben der übereinander geworfenen Grabwächter stehen die zwischen Weiß und Blau, Gelb und Rot changierenden Lichttöne des Mantels und des Grabtuches Christi. Der Maler hat hier einige besonders seltene Pigmente verwendet, um den Eindruck des Edelsteinartigen und Metallischen hervorzurufen. Dem entspricht die höchst künstlich gestaltete Gewandspirale mit ihren Plissierungen und auffliegenden Zipfeln.

Die Einmaligkeit und der Rang, die der Erfindung dieses Triumphbildes beizumessen sind, werden auch dann nicht eingeschränkt, wenn man sich klarmacht, daß im vorderen Schergen Erinnerungen an Bilder Holbeins der Ältere nachwirken und in den verkürzt dargestellten hinteren solche an italienische Kunststücke. Auch das Motiv des aus dem Grabe auffahrenden Christus ist italienischer Herkunft. Meister Mathis' Kunst geht von den süddeutschen Neuerungen des späten 15. Jahrhunderts aus. Aber er hätte sie kaum zu solcher Höhe weitergetrieben, wenn er sich nicht mit Dürer, den Italienern und anderen hätte messen müssen. Seine leidenschaftliche Malerei geht über alles Norm-Gemäße weit hinaus. Sie war nicht lehrbar. Man kann sich diesen Künstler auch nicht wirklich mit weltlichen Themen befaßt denken: sein Ernst zielt ausschließlich auf das Religiöse.

Innerhalb des Religiösen aber ist die Breite des Möglichen erstaunlich. Jedes Bild vertieft eine andere Seite. Die Marienlandschaft ist von warmem Leben erfüllt und zugleich eine majestätische Welt- und Himmelsszenerie, die alle älteren Formulierungen des Beschlossenen Gartens hinter sich läßt. *(Abb. III/69)* Und während Meister Mathis in Kreuzigung und Auferstehung mit wenigen Figuren und Bildmotiven auskam, ist das Bild der Versuchung des hl. Antonius ein Chaos, vollgestopft mit höllischen Wesen. Erst weit oben empfängt der Blick einen himmlischen Hoffnungsschimmer. Das Zettelchen am Baumstumpf rechts besagt: »Wo warst Du, guter Jesus, wo warst Du? Warum bist Du nicht dagewesen, um meine Wunden zu heilen?« Die Bilderfindung ist paduanisch, ihre Kenntnis dürfte der Präzeptor Guersi vermittelt haben. Das krötenartige Wesen links unten, das sich das Beutelbuch des Antonius geschnappt hat, trägt alle Zeichen vorgeschrittener Syphilis, der damals aus Amerika eingeschleppten, gefürchteten Seuche.

*69. **Mathis Gothardt-Neidhardt gen. Grünewald (um 1475–1528), Vorstudie für die Magdalena unter dem Kreuz des Isenheimer Antoniterhochaltarretabels,** Kreide und Kohle auf Papier, 40 x 30 cm, 1515 oder kurz zuvor, Winterthur/CH, Sammlung Reinhart*

Grünewalds malerisches Empfinden bevorzugte als Medium der Zeichnung die weichen Materialien, wie Kohle oder Kreide, die leicht und großflächig gehandhabt wurden. Er setzte beim Zeichnen dieses Blattes mehrfach neu an – vielleicht nach einiger Zeit der Unterbrechung.

Die Landschaftsmalerei der Dürerzeit

Die Maler des 15. Jahrhunderts hatten im Sinne der erwünschten Vergegenwärtigung des Heilsgeschehens sowie der antiken Forderung nach Naturnachahmung begonnen, die Örtlichkeiten der Historien auszugestalten. Das taten sie entweder als Architekturaufnahme oder indem sie Landschaft abbildeten oder gar beides verwendeten. *(Abb. 42)* Das Wissen um die Existenz von Landschaftsmalerei in der Antike war dabei eine nicht geringe Anregung. Gerade in Bildern für den privaten Gebrauch konnte der Anteil des Landschaftlichen und seine Wirkung im Bild einen über die Erfordernisse des Themas weit hinausgehenden Raum einnehmen. *(Abb. 11 u. Abb. III/69)* Zeitgenössische Anleitungen zu frommer Betrachtung leisteten dem Vorschub, indem sie die Betenden aufforderten, sich auch Ort und Zeit des jeweils betrachteten Heilsereignisses genau zu vergegenwärtigen. Die ältere, nur zeichenhafte Ortsangabe wurde durch eine wirklichkeitsnahe Darstellung ersetzt.

Landschaft wird zunehmend als Ausdrucksträger oder zur Thematisierung genutzt: Ein eindrucksvolles Panorama ihrer Aussagemöglichkeiten gibt die Malerei von Meister Mathis. Die Landschaft wird als Trägerin unterschiedlicher Emotionen jeweils höchst eigenartig formuliert: der Friede, den Sebastian ausstrahlt, veranlaßte den Maler, eine ideale, idyllische Landschaft zu malen, in der die klassisch-heroische Malerei des 17. Jahrhunderts vorweggenommen zu sein scheint. Hingegen greift der kahle Totenfluß hinter der Kreuzigung oder das Eisgebirge hinter der Grablegung den düstersten romantischen Landschaften vor. Sie sind aber nicht wie in der Romantik Ausdruck der Subjektivität des Einzelnen, sondern der auf das gemalte Ereignis gerichteten Gefühle. Es ist bezeichnend für den Rang dieses frühen Meisters der Landschaftsmalerei, daß er die Möglichkeiten dieser Gattung bereits so vollständig auszumessen vermochte.

Seit etwa 1450 finden sich in der süddeutschen Malerei Veduten, meist als Aquarelle. Den Schritt zum Landschaftsbild, das mehr ist als die Aufnahme einer bloßen Ansicht, das um seiner selbst willen gemalt ist, nicht nur für den Hintergrund eines Historienbildes, tat Dürer. *(Abb. 70)* Das Bild eines Waldweihers, den er bei Nürnberg gesehen haben wird, ist nicht ›abgerundet‹: Die Bäume links z.B. sind nicht vollständig gezeichnet. Die Ausführung ist in Teilen genau, teilweise aber nur angedeutet. Es finden sich keine Lebewesen, keine Spuren menschlicher Kultivierung. Dem Maler ging es um die Weite des Raums, die Spannung zwischen dem Licht und den Schatten des Waldes, zwischen den Farben des Weihers und denen des Himmels. Vieles wird suggeriert und doch in der Schwebe gelassen: ob ein abziehendes Gewitter dargestellt ist oder ein dramatischer Sonnenuntergang? Es ist möglich, aber nicht notwendig, von abgebrochenen Bäumen zu sprechen. Die Landschaftsmalerei erweist sich als mehrdeutig: als Abbild der Natur und Äußerung des Ich, als Bild ohne Thema und doch mit Bedeutungen, als eine neue Möglichkeit der Entfaltung von Subjektivität, Phantasie und künstlerischer Freiheit.

Einen eigenen Kunstkreis bildeten die Künstler im Bereich der Donaustädte Wien, Regensburg, Passau und Landshut. Sie wurden befruchtet von Lucas Cranach, ehe dieser 1504 nach Wittenberg ging. Er war es wohl, der in diesem Künstlerkreis die Landschaft zum Hauptthema gemacht hat. Seine *Ruhe auf der Flucht nach Ägypten (Abb. 71)* entfaltet vor uns eine Voralpenwelt, die sich durch Erdbeere und Himmelsschlüsselchen als eigenwillige Ausdeutung des

70. Albrecht Dürer (1471–1528), Waldweiher, Aquarell, 26 x 37 cm, Nürnberg, um 1500, London, British Museum
Das Bild dürfte kaum vor der Natur entstanden sein, verarbeitet aber Studien, die er an verschiedenen Orten gemacht hat. Man wollte die Natur genau erfassen, aber es galt als höhere Form von Künstlertum, über sie hinauszugelangen.

rechte Seite:
71. Lucas Cranach (1472–1553), Ruhe auf der Flucht nach Ägypten, Mischtechnik auf Holz, 71 x 53 cm, Wien (?), 1504, Berlin, Gemäldegalerie SMPK
Das Bild ist wohl noch während seiner Wanderjahre in Wien gemalt, doch haben wir keinen Anhaltspunkt, für welchen Auftraggeber. Cranach benutzt seinen Pinsel in einer sehr skizzenhaften Weise, was der Erscheinung von Ästen, Flechten, Rinde u.a. entgegenkommt.

Paradiesgärtleins zu erkennen gibt. Andere Pflanzen, wie Distel und Akelei, weisen auf die Passion. Die gelehrte Symbolik ist in dem idyllischen Familienausflugsbild eher Nebensache. Die große Fichte in der Mitte scheint die Heilige Familie zu beschirmen. Die aus Italiens Kunst übernommenen Putten bringen einen heiteren, die älteren Mädchen-Engel einen lieblichen Ton ins Bild. Maria und Josef sind ernster und beziehen den Betrachter mit ihrem Blick wie einen hohen und willkommenen Besucher ein.

Die Künstler dieser Region haben jeder auf neuen Wegen an der Entfaltung der Landschaftsmalerei gearbeitet. Konventionen für die neue Gattung gab es noch nicht. Viele Arbeiten, so Wolf Hubers Ansicht vom Mondsee, zeichnen sich durch eine staunenswerte Frische des Blicks und des Entwurfs aus. *(Abb. 72)* Wir sehen eine knappe Ortsaufnahme in einfachster Strichführung, dennoch ist das Blatt kunstreich durchkomponiert: Der Steg im Vordergrund ist bildgliederndes und rhythmisierendes Element, paraphrasiert von der Umrißmelodie des Gebirges, das diagonale Brett links unten sowie die beschnittenen Weiden hingegen vertiefen und weiten den Raum. Das Blatt ist Vedute und Kunstwerk zugleich.

72. Wolf Huber (um 1490–1553), Der Mondsee mit dem Schafberg im Salzkammergut (Ausschnitt), Feder auf Papier, 13 x 21 cm, 1510, Nürnberg, Germanisches Nationalmuseum
Huber stammt aus Feldkirch im Vorarlberg und war fürstbischöflich-passauischer Hofmaler, aber auch für Bausachen zuständig. Die Ansicht zeigt den Schafberg am Mondsee. Dieses Gebiet gehörte damals zum Fürstbistum Passau.

1504

rechte Seite:
74. Albrecht Altdorfer (um 1480–1538), Schlacht bei Issos, *Mischtechnik auf Holz, 158 x 120 cm, Regensburg, 1528–1529, München, Alte Pinakothek*

Die Alexanderschlacht ist ein Bild, in dem der Maler Landschaft zum Ort und zum Bild eines Epochenwechsels machte. Dargestellt ist die Schlacht zwischen dem Perserkönig Darius und dem makedonischen Herrscher Alexander dem Großen bei Issos im Südosten der Türkei im Jahre 333 v. Chr. Historischer Hintergrund für diesen Auftrag ist die mit der ersten Belagerung von Wien drohend gewordene türkische Invasion Mitteleuropas.

73. Albrecht Altdorfer (um 1480–1538), Fichte, *Wasser- und Deckfarben auf Papier, 20 x 14 cm, Regensburg, um 1522, Berlin, Kupferstichkabinett SMPK*

Es ist unklar, ob das Bild seinen schwarzen Rahmen bereits vom Maler erhalten hat. Jedenfalls unterstreicht er auf zulässige Weise, daß es sich um eine bildmäßig und autonom aufgefaßte Landschaft handelt.

Doch nur wenige Bilder sind vor der Natur selbst entstanden. Der Regensburger Albrecht Altdorfer hat Landschaftsmalerei als Möglichkeit zur Freisetzung seiner Phantasie verstanden. Im Aquarell einer Landschaft mit Fichte *(Abb. 73)* wird der Baum zum Naturdenkmal, zum Riesen: er überragt nicht nur den Horizont, sondern ist so groß, daß er trotz des Hochformates oben beschnitten werden mußte; der verschwindend kleine Holzfäller zu seinen Füßen steigert diesen Eindruck noch. Während sonst Bäume gern an den Rand gesetzt sind, um die Tiefenwirkung des Bildes zu steigern (Repoussoir-Motiv), steht er hier in der Mitte, wie ein Heiligenbild. Der Weg umkreist ihn, so wie das Auge um eine allseitig ausgeformte Skulptur herumgeführt wird. Damit die Betrachtenden auch ja ihre Aufmerksamkeit diesem Baum zuwenden, hat der Maler seine Signatur hoch am Stamm angebracht. Der Flechtenbewuchs zeigt sein Alter, gibt ihm etwas Wildes, Krausborstiges. Und doch handelt es sich nicht um ein Bild des tiefen Waldes, von dem in der damals so gern gelesenen *Germania* des Tacitus viel die Rede ist, denn der war in Wirklichkeit durch die damalige Art der Forstnutzung viel lichter als heute. Es ist eine Kulturlandschaft, allerdings keine intensiv genutzte: Am Baum hängt ein großes Vogelhaus, Gehöfte sind im Mittelgrund zu sehen. Der Maler umschreibt mit Pinsel und Feder seinen Gegenstand. Er wählt nicht streng aus wie Huber, er überhäuft ihn eher mit Form. Sein prüfendes Auge löst nicht Einzelheiten aus der Natur heraus, sondern nähert sich ihrer Fülle enthusiastisch.

Für die Konzeption des Bildes dürfte die aus der antiken Literatur stammende Vorstellung der ›Pastorale‹ oder ›Bukolik‹ (Hirtenidylle) eine Rolle gespielt haben. Da die Kunsttheorie im Vergleich zur Literaturtheorie schon immer unterentwickelt war, lehnten sich die Maler bei der Ausbildung ihrer Vorstellungen von den Bildgattungen gern an diejenigen der entsprechenden poetischen Gattung an.

Altdorfers ›Alexanderschlacht‹

Seine Landschaftsauffassung ist durchdrungen von einer bestimmten Sicht der ganzen Welt, nicht nur der Natur. Das Bild der Schlacht zwischen dem Perserkönig Darius und dem Makedonenherrscher Alexander dem Großen bei Issos im Jahre 333 v. Chr. gehört zu einem großen Zyklus, den *Historien berühmter Männer und Frauen*, die Herzog Wilhelm IV. von Bayern für seine Münchner Residenz von verschiedenen Malern hat anfertigen lassen. *(Abb. 74)* Altdorfer, der um dieses Auftrags willen das Bürgermeisteramt in Regensburg ausschlug, hat anscheinend freie Hand bei der Gestaltung des Themas gehabt, sich jedoch mit dem Historiker Aventinus besprochen.

Was wollte der Maler? Er hat nicht ein beliebiges Stück Natur dargestellt, sondern das östliche Mittelmeer, aus höchster Vogelperspektive von Norden gesehen: Die Insel Zypern, das Nildelta und das Rote Meer sind erkennbar, wenn man von unseren Normen topographischer Genauigkeit absieht; bei genauer Betrachtung sind auch der Turm zu Babel und die Stadt Jerusalem zu entdecken. Es handelt sich also um eine ›Welt-

ALEXANDER M.DARIVM VLT: SVPERAT
CÆSIS IN ACIE PERSAR: PEDIT: C M. EQVIT
VERO X M. INTERFECTIS. MATRE QVOQVE
CONIVGE, LIBERIS DARII REG. CVM M. HAVD
AMPLIVS EQVITIB: FVGA DILAPSI, CAPTIS.

75. Hans Daucher (um 1485–1538), Muttergottes mit Engeln, *Solnhofener Kalkstein und Marmor, 42 x 31 cm, Augsburg, 1520, Augsburg, Städtische Kunstsammlungen*

Das Relief ist anscheinend ein Hochzeitsgeschenk für die Schwester Kaiser Karls V. zu ihrer Vermählung mit dem König von Portugal. Die Architektur geht auf venezianische Vorbild zurück. Die Auffassung der Madonna ist noch der Tradition Gregor Erharts verpflichtet.

landschaft‹, eine Landschaft also, die in einem Bild das Ganze der Welt darstellen will. *(Abb. 31)* Der Horizont ist gekrümmt, entsprechend der durch Kolumbus' Entdeckung von Amerika bewiesenen Lehre von der Kugelgestalt der Erde. Die Landschaft als ›Weltbild‹ ist Ort eines welthistorischen Ereignisses, das unter der Herrschaft der Gestirne steht: Darius' Seite ist die der Nacht und des Mondes, Alexanders Seite wird überhöht von der durch die Wolken brechenden Sonne. Dahinter steht das im Buch Daniel formulierte Geschichtsbild von der Abfolge der vier Weltreiche: erst das babylonische, dann das persische, das in diesem Bild vom griechisch-mazedonischen abgelöst wird, und zuletzt das römische. *(Abb. 1/45)* Weltgeschichte und Naturgeschichte gehen ineins: Geschichte vollzieht sich mit Naturnotwendigkeit.

Es ging Altdorfer weniger um archäologische Rekonstruktion der Schlacht, als um Vergegenwärtigung des Ortes und Übertragung des Geschehens in die eigene Zeit. Bemerkenswert ist der Versuch, den Verlauf in der entscheidenden Phase getreu darzustellen, mit den einzelnen Truppenteilen (bei zeittypischer Überbetonung der Panzerreiterei) und Truppenbewegungen. Die orientalischen Hilfstruppen und andere türkische Motive machen jedoch darauf aufmerksam, daß diese Art der Vergegenwärtigung auch einen bedrohlichen Bezug hat: Im Jahr der Fertigstellung des Bildes 1529 waren die Türken so weit nach Westen vorgedrungen, daß sie Wien belagerten.

Um Ordnung in diese Heermassen zu bringen und dem überforderten Betrachter zu helfen, beschriftet der Maler die Fahnen. Sie sind die Feldzeichen und dienen als Signale, auf die das damalige Auge wie selbstverständlich zuerst blickte. Doch rechnet Altdorfer auch mit der Beachtung der Mittelachse durch die damaligen Betrachter. Dies hilft den vorwärts drängenden Alexander zu entdecken, der unserem Auge im Getümmel zu entschwinden scheint. Von ihm aus finden wir auch Darius. Das Bild ist im Verhältnis von Figuren und Format eine riesengroße Miniatur, ein außerordentlicher Versuch, mit Mitteln, die aus der religiösen Malerei kommen, ein weltliches Thema neuer Art zu bewältigen, ohne die Fülle der Wirklichkeit nur auf einen Ausschnitt zu reduzieren. Es ist eine Historien-Landschaft.

Die Anfänge des Italianismus

In Deutschland hatte die Auseinandersetzung mit italienischer Kunst Tradition, führte aber seit etwa 1520 zu einer so breiten Übernahme, daß man von einer neuen Qualität der Beziehung sprechen muß. Die neue Welle der Italienrezeption wurde ausgelöst durch die ostmitteleuropäischen Königreiche und die Kaufleute der ober-

76. Augsburg, Fugger-Begräbnis-Kapelle in der Karmelitenkirche St. Anna, 1506–1518 (?)

Die Kapelle wurde von den drei Brüdern Georg, Ulrich und Jakob Fugger 1506 an die dem Großkapital günstig gesonnenen Karmeliten gestiftet und nimmt die Westseite der Kirche ein. Die Weihe wurde 1518 vorgenommen. Die Skulpturen stammen zum Teil von Hans Daucher. Das Ausmaß von Dürers Anteil an dem Werk ist unsicher. Bemerkenswert die für ihre Zeit sehr große Orgel. Die Kapelle soll 23.000 Gulden gekostet haben.

77. Augsburg, Fuggerei, nach 1514

1523 wurden 52 Häuser der heute noch gemäß dem Willen des Stifters genutzten Sozialsiedlung fertiggestellt. Die Reihenhäuschen in Zeilenbauweise wurden gerade seit den zwanziger Jahren des 20. Jahrhunderts wieder vorbildlich.

deutschen Handelsstädte, allen voran Augsburg und Basel. Deshalb führte sie oft über Venedig und Mailand kaum hinaus. Die Künstler reisten seltener, als man anzunehmen geneigt ist.

Die Deutschen stießen in Venedig auf eine Architektur, die lange an den Motiven des Dogenpalastes aus den 1340er Jahren festhielt. Sie kam dem nordalpinen Auge verwandt vor und wurde deshalb gerne nachgeahmt. Als sich dann die an der Antike orientierte Formensprache der florentinischen Renaissance in Oberitalien durchsetzte, erschienen den deutschen Besuchern vor allem zwei Dinge bemerkens- und nachahmenswert: Einmal die Bevorzugung kostbarer und verschiedenfarbiger Steine, sodann die reiche Zierkunst, mit der man Pilasterspiegel, Friese und Kassettendecken anfüllte. Dem deutschen Geschmack, damals von einem ›horror vacui‹ (Angst vor der leeren Fläche) bestimmt, lag diese Kunst sehr. *(Abb. 75)*

Unter den Italienverehrern nehmen die Augsburger Fugger einen führenden Platz ein. Sie waren ja vor allem als Bankiers der Kurie und Großkaufleute in Italien zu Geld gekommen. Ihre Begräbnis-Kapelle in der Karmelitenkirche St. Anna in Augsburg ist der Gründungsbau der ›welschen Manier‹ in Deutschland. *(Abb. 76)* Altarbereich, Pfeiler und Fußböden sind mit Marmorinkrustationen verziert. Auffällig ist demgegenüber das an gotischen Traditionen festhaltende Schlingrippengewölbe. Man sah keinen Anlaß, die Errungenschaften der gotischen Wölbkunst aufzugeben, aber man gab doch der neuen Formenwelt und Gesinnung den Vorzug.

Genauso bemerkenswert ist die bald darauf gegründete Sozialsiedlung der ›Fuggerei‹, deren Vorbild venezianische Siedlungen für verarmte Adlige waren. *(Abb. 77)* Ein Anlaß für die Errichtung war die sich verschärfende Diskussion um die Berechtigung des Zinsnehmens, die sich auf die Person Jakob Fuggers und seine Einflußnahme auf die Kurie in diesem Sinne konzentrierte. Jedenfalls hatte Jakob allen Grund, sich mit dieser für Deutschland neuartigen Stiftung in ein besseres Licht zu rücken. Außerdem wollte er den Ausburger Herren, die der neureichen Familie die Aufnahme ins Patriziat verweigerten, soziales Engagement demonstrieren.

Das größte Interesse an der Baukunst der Renaissance hatten die Maler. Sie standen ihr unbefangener gegenüber als die deutschen Baumeister. Da man antike Malerei noch nicht kannte, war über die Darstellung antikisierender Architektur am ehesten Antikenstudium und -erneuerung zu demonstrieren. Deshalb haben sie ihr besonders viel Platz eingeräumt, haben sich als architektoni-

78. Albrecht Altdorfer (um 1480–1538), Susanna im Bade, *Mischtechnik auf Holz, 75 x 61 cm, Regensburg, 1526, München, Alte Pinakothek*

Dargestellt ist unten links, wie die keusche Susanna von den beiden geilen Alten beim Bade belauscht wird. Im Hof des Palastes sehen wir, wie die beiden die junge Frau beschuldigenden Alten von dem Prophetenknaben Daniel entlarvt und daraufhin gesteinigt werden. Auffällig ist die geradezu botanische Präzision in der Wiedergabe einzelner Pflanzen, z.B. der Königskerze rechts unten.

sche Erfinder betätigt und dabei den Führungsanspruch der Malerei, die oberste aller Künste zu sein, verkündet. In Italien arbeiteten Maler schon seit dem 13. Jahrhundert auch als Baumeister, und es macht durchaus Sinn, wenn manche Autoren den Entwurf der Fuggerschen Begräbniskapelle Dürer zuschreiben.

Nicht grundlos wandten sich Künstler wie Altdorfer und Huber, die für die Entfaltung der Landschaftsmalerei wichtig waren, auch der italienisanten Architekturmalerei zu. *(Abb. 78)* Die gemalten Bauten waren ebenfalls Produkt ihrer Phantasie. Sie konnten bei ihnen ihrer Freude an ungeheuren Räumen, an ornamentalen Mischformen, die kaum zu verwirklichen gewesen wären, freien Lauf lassen oder höchst kunstvolle, aber ebenso ›unhaltbare‹ Ruinen malen. Im Bild der *Susanna im Bade* ging es dem Maler weniger um die Erzählung der Geschichte, sondern um die Schilderung eines Gartens mit vielen Blumen, wie beispielsweise eine prachtvolle Königskerze vorne rechts, und vor allem um die Erfindung einer ›Luftschloß‹-architektur italienischer Art. Man erkennt seine Begeisterung für die prächtigen Materialien der oberitalienischen Baukunst, für die offenen Loggien und Laubengänge.

Dieser freie, phantastische Zug ist in der Rezeption der italienischen Bau- und Zierkunst bis ins 17. Jahrhundert hinein wirksam. Er war in den vermittelnden Vorlagen der italienischen Ornamentstiche, insbesondere der sogenannten Grotesken selbst angelegt. Eine eigene Note erhielt diese Kunst, wenn sie zur Dekoration von Fassaden verwendet wurde, wovon sich im Original nichts erhalten hat, deren Vorstudien uns aber ahnen lassen, wie surreal die Wirkungen der besten Arbeiten dieser Art gewesen sind. *(Abb. 79)*

Insgesamt hat die frühe Beschäftigung mit der italienischen Kunst kaum je zu Kopien im eigent-

79. ***Hans Holbein der Jüngere (1497–1543), Zeichnung für die Fassadenbemalung des Hauses zum Tanz in Basel,*** *Feder laviert, 1522–1524, Basel, Öffentliche Kunstsammlung, Kupferstichkabinett*

Holbein springt mit den Formen und vor allem den Fenster- und Türöffnungen des Hauses nach Belieben um und öffnet die Wände zu neuen surrealen Räumen. Er hält sich aber auch keineswegs an die Architekturregeln, die man damals in Italien, ausgehend von Vitruv, zu etablieren versuchte. Ein gemalter wilder Bauernreigen über der Arkadenzone macht die Funktion des Hauses deutlich.

lichen Sinne oder zu sklavischer Nachahmung geführt, sondern ein befruchtendes Ferment im Gärungsprozeß der damaligen Kunst gebildet.

Humanismus

Humanismus bezeichnet die von Italien ausgehende Bewegung zum vertieften Studium der alten Sprachen und zur Erneuerung der antiken Literatur. In Deutschland bemühte man sich seit der Zeit Kaiser Karls IV. um einen Anschluß an diese Bestrebungen. Die konziliare Bewegung und die benediktinische Klosterreform des frühen 15. Jahrhunderts wurden bereits von italienisch gebildeten Männern getragen. Auch das Bildungsinteresse in den Städten und an den Höfen hatte zugenommen, gewann aber erst in den letzten Jahrzehnten des 15. Jahrhunderts analog zur Bildenden Kunst und im Zusammenhang mit ihr eine neue Qualität: Dürers bester Freund Willibald Pirckheimer ist einer der wichtigen Humanisten seiner Zeit. *(Abb. 80)* Der Nürnberger Patrizier war Mitglied des Inneren Rats, zeitweise Heerführer und Diplomat sowie Herausgeber und Übersetzer von griechischen und lateinischen Texten. Das Porträt paraphrasiert den Historiker Livius in der Unterschrift: »Man lebt durch den Geist, der Rest ist des Todes«. Bei der Konzeption des Porträts hat Dürer mehrere Ideen umgesetzt: Gemäß der antiken Temperamentenlehre *(Abb. 1)* ist Pirckheimer dem Typus des Cholerikers zuzuzählen. Dürer scheute sich nicht, seinem Antlitz etwas Bulldoggenhaftes und in der Verstärkung des Brauenbeines auch etwas Herkulisches zu geben. Er gestaltete die Augen als Fenster der Seele, deshalb die sich in der Pupille spiegelnden Fensterkreuze. Das Bildnis ist aber in der Überzeichnung des

80. Albrecht Dürer (1471–1528), Willibald Pirckheimer,
Kupferstich, 18 x 12 cm, Nürnberg, 1524
Pirckheimer nutzte den Stich von seinem Freund Dürer als Exlibris und Autorenbild seiner Bücher.

81. Albrecht Dürer (1471–1528), Der Astrologie-Gläubige,
Illustration zum Narrenschiff des Sebastian Brant, Kap. 65, Holzschnitt, 17 x 11 cm, Basel, 1494
Das Bild polemisiert nicht nur gegen Horoskopie aus der Beobachtung der Gestirne, sondern auch gegen die antike römische Wahrsagekunst aus dem Vogelflug.

Doppelkinns zugleich auch mit einer Prise Spott auf die Sinnenlust des Freundes gewürzt. Es ist ein weltoffenes Bekenntnis zur Bedeutung des Individuums.

Die meisten Männer dieser neuen Intellektuellenschicht sind Theologen oder Juristen im Dienst der Kirche oder der Höfe, Literaten eigentlich nur im Nebenberuf. Ihre Dichtungen sind nicht das, was man aus Sicht des Neohumanismus um 1800 erwarten würde. Das erfolgreichste Buch war Sebastian Brants 1494 erschienenes *Narrenschiff*, an dessen Illustration der junge Dürer mitarbeitete. *(Abb. 81)* Der Dichter (1457–1521) war Professor beider Rechte an der Basler Universität, ehe er in Straßburg Syndikus (städtischer Rechtsberater) und ›Stadtschreiber‹ wurde. Das *Narrenschiff* ist eine Satire auf alle Stände und ihre moralischen Gebrechen. Es hat die Zeitgenossen gelehrt, ihre Probleme unter der Figur des Narren zu begreifen und zu verlachen. Das Werk begründete eine bis ins 17. Jahrhundert populäre Literaturgattung und den Typus der Bildsatire. Humanistisch sind die vielen Beispielfälle aus der Antike und der Rückgriff auf Muster der klassischen Rhetorik. Die Bilder aber folgen der populären Allegorik der mittelalterlichen kirchlichen Lehrbilder, beispielsweise die Schiffahrt als Metapher des Lebens, die vielen Personifikationen, der Rückgriff auf die Idee des Totentanzes usw. Erst die Figur des Fastnachtsnarren aber gab dem Ganzen Volkstümlichkeit und satirische Würze. Brant steht auf der Seite der christlichen Reform und Aufklärung. In der Satire gegen den Astrologie-Gläubigen gibt der Dreizeiler über dem Bild den Sinn in Kürze an: »Vil abergloub man yetz erdicht / Was kunfftig man an sternen sycht / Eyn yeder narr sich dar uff rycht« – »Die weltt die will betrogen syn«, heißt es im Text weiter. Das Bild zeigt einen Mann in Gelehrtentracht, der von einem Narren mit Schellenkappe zur Sterndeutung verführt wird. Der Fuchsschwanz am Gürtel offenbart den Narren als Betrüger. Brant polemisiert gegen die Zunahme des allerdings bereits seit Jahrhunderten verwurzelten Sternenglaubens. *(Abb. 32)* Diese skeptische Position wurde jedoch nur von wenigen geteilt.

Das Interesse der deutschen Humanisten am Bild war nicht groß. Seit dem 12. Jahrhundert finden sich immer wieder Intellektuelle, die das Bild als dem Wort nicht ebenbürtig empfanden und oft nicht einmal Titelbilder, geschweige denn Illustrationen zu ihren Werken zuließen. Sebastian Brants Interesse an der Bebilderung seines Werkes, wird nicht humanistisch, sondern unter Berufung auf Papst Gregors Theorie der Bilder als ›Literatur der Leseunkundigen‹ begründet. Der

82. Hans Holbein der Jüngere (1497–1543), Titelholzschnitt zur Gesamtausgabe der Werke des Erasmus von Rotterdam, *29 x 15 cm, Basel, vor 1535*

Der Holzschnitt wurde im späten 16. Jahrhundert von Veit Specklin nachgedruckt. Hermenpilaster, Fruchtgehänge, eine Frühform der Rollwerkkartusche in Architektur und Dekor des Bildes beruhen auf italienischen Motiven.

Erzhumanist Erasmus von Rotterdam (1466–1536) hingegen bemühte sich um die Schaffung eines neuen Typus humanistisch-gelehrter Bilder. Er ließ beispielsweise von Hans Holbein dem Jüngeren für die Gesamtausgabe seiner Werke ein Titelbild mit programmatischem Charakter entwerfen, eine Art Triumphpforte. *(Abb. 82)* Erasmus ist stehend in Gelehrtentracht hinter dem von ihm als Devise gewählten Gott Terminus dargestellt. Der Brauch, sich derartige persönliche Sinnbilder in Form eines Bilderrätsels zuzulegen, stammt aus der französischen Hofgesellschaft. Terminus war im alten Rom der Gott der Flurbegrenzungen. Hier wird er als Symbol des Todes verstanden und zugleich als das der Unbeugsamkeit. Der dazugehörige Wahlspruch (Motto) »cedo nulli« (ich weiche niemandem) läßt sich mehrdeutig auf beides beziehen. Die Steigerung der intellektuellen Ansprüche an die Bilder, welche die folgende Epoche bis etwa 1760 kennzeichnet, ist auf die Humanisten zurückzuführen. (vgl. Kap. 5)

Einige Gelehrten richteten sich nach italienischem Vorbild ein Kabinett ein, das sogenannte ›studiolo‹, das mit Bildern und Statuetten, Antiquitäten und anderen Sammlerstücken wie Medaillen in Nachahmung antiker Münzkunst, die zuweilen zu Medaillenpokalen umgearbeitet wurden, geschmückt war. Im privaten Bereich war eine Kleinkunst von neuheidnischer Thematik und Gesinnung möglich, von der allerdings durch die ikonoklastische Zensur religiös strengerer Generationen nur wenig geblieben ist. Eins dieser Beispiele ist die Gruppe mit Mars und Venus von der Hand des Konrad Meit. *(Abb. 83)* Er war Hofkünstler Friedrichs des Weisen von Sachsen und dann der Margaretes von Österreich, einer Tochter Maximilians I. Für die Komposition griff er auf einen oberitalienischen Kupferstich zurück, für die Körperbildung der Figuren auf Kleinbronzen derselben Region, die ihm in den Sammlungen der Fürstin zugänglich waren. Man hat später den handfest erotischen Zug der Gruppe dadurch entschärft, daß man die Figuren auseinanderrückte.

Ein wichtiger Beitrag der Humanisten ist die Förderung des Porträts. Eins hat die vielfältige Schar dieser Intellektuellen gemeinsam, den Individualismus, die Eitelkeit und Ruhmsucht sowie den Wunsch nach Verewigung. *(Abb. 80, 84 u. 85)* Man wußte, daß in der Antike den bedeutenden Männern Ehrenbildnisse errichtet worden waren. Große Inschrifttafeln in römischen Großbuchstaben mit gelehrten Sinnsprüchen füllen den Bildraum oder bildeten Postamente für die Büsten. Mit ihrem Bildniskult haben die Gelehrten das ganze Zeitalter angesteckt. Auch bürgerliche Familien begannen nun, nach adligem Vorbild Ahnengalerien anzulegen. Zum Verlöbnis- und Ehebild kommt nun auch das Kinderbild, welches das neue, tiefere Verständnis für Menschen bezeugt. Dies wird jedoch beeinträchtigt durch das geringe Verständnis für die Frau. Die Epoche hat Frauen kaum zur Geltung kommen lassen. Die frauenfeindlichen Themen und Bilder häufen sich. Für die Intellektuellen waren Frauen keine Gesprächspartnerinnen, nicht einmal Individuen im

83. Konrad Meit (um 1485–nach 1544), ***Mars und Venus,*** *Bronze, 34 cm, Mecheln/B, um 1515, Nürnberg, Germanisches Nationalmuseum*

Ein typisches Liebhaberstück für humanistische Kabinette. Das Material war ebenso antik wie das Thema, das in der Freizügigkeit seiner Auffassung jedoch nur im privaten Bereich denkbar blieb.

damals modernen Sinne, sondern Versucherinnen und/oder Lustobjekte.

Nach italienischen Mustern begann man, bei Bildnissen Formate und repräsentative Beigaben danach zu unterscheiden, ob sie öffentlich aufgehängt wurden oder privat. Man wußte Formen und Ausschnitte genau zu wählen und zur Aussage zu machen. Doch wurden Fürsten und Patrizier, Bischöfe und Gelehrte nicht primär durch Amtstracht und Beiwerk herausgestrichen wie im folgenden, Rangstufen peinlich beachtenden Zeitalter. Man betonte nicht nur die Freiheit, sondern ansatzweise auch die Gleichheit, jedoch eher im spätmittelalterlichen Sinne der Gleichheit aller vor dem Tode. Das Gefühl für Menschenwürde führte zu ersten verständnisvollen Bildern von Angehörigen der Unterschichten, dies gerade zu einem Zeitpunkt, als die Niederschlagung des Bauernaufstandes sie für Jahrhunderte zu Hauptverlierern der Geschichte machte.

84. Albrecht Dürer (1471–1428), ***Philipp Melanchthon,*** *Kupferstich, 17 x 13 cm, Nürnberg, 1526*

Philipp Melanchthon (1497–1560) war Professor für Griechisch an der Universität Wittenberg und Luthers wichtigster Mitstreiter. Er machte aus der Reformation eine breite humanistische Bildungsbewegung. Sein Schul- und Unterrichtssystem brachte ihm den Ehrentitel des ›Praeceptor Germaniae‹ (Lehrmeister Deutschlands). Dürer porträtierte ihn in Nürnberg, als er sich dort zur Gründung eines Gymnasiums aufhielt. Er steigerte das Porträt zum Typus adlerartigen Scharfsinns.

Die Anbahnung der Reformation

Die Humanisten mischten sich auch in die theologische Diskussion ein. Hier aber stießen sie nicht auf wohlwollende Zuhörer, sondern auf die Spätscholastiker, die hartnäckig an alten Lehrsätzen und Positionen festhielten. Der erste Streitpunkt war der Gebrauch der alten Sprachen: Die Kirche kannte und benutzte die Bibel nur in ihrer lateinischen Übersetzung, der vom Kirchenvater Hieronymus geschaffenen *Vulgata.* Sie war die verpflichtende Textgrundlage der Theologie. Die Erneuerung der Griechisch- und Hebräisch-Studien machte nun deutlich, daß diese Übersetzung an einigen Stellen den Sinn des Urtextes entstellt hatte. »Zurück zu den Quellen!« hieß der Schlachtruf, »Allein die Autorität der Kirche gilt!«, hallte es zurück. Auf die Forderung, die hebräischen Bücher (außer der Bibel) zu vernichten, antworteten die Humanisten mit heftiger Polemik: In den *Dunkelmännerbriefen* wurden die traditionellen Scholastiker wegen ihres barbarischen Lateins, ihrer Dummheit und ihrer Sitten lächerlich gemacht.

Erasmus von Rotterdam schuf vollendete Tatsachen, indem er 1516 den griechischen Urtext des Neuen Testamentes herausgab. Hinzukamen Editionen frühchristlicher Kirchenväter, die – im Vergleich – die Spätscholastik abwegig erscheinen ließen. Vollendet wurde sein Angriff durch eine *Theologische Methodenlehre,* in der er die Spitzfindigkeit und Willkürlichkeit der allegorisch-typologischen Bibelauslegung verwarf. Zu einem Bahnbrecher Martin Luthers wurde Erasmus auch darin, daß er die Umwandlung der Glaubenslehren in theologisches Wissen ablehnte: »Mir scheint es gefährlich, über das, was zur Sache des Glaubens gehört, mit menschlichen Gedankengängen so hektisch nachzuforschen [...] Es ist uns nicht gesagt worden: Durchforschet die Aristotelische Philosophie, vielleicht kann die Auferstehung mit ihrer Hilfe gelehrt werden, sondern: Durchforschet die Schriften.«

Dieser Streit wäre vielleicht nie über die theologischen Hörsäle hinausgedrungen, wenn nicht zusätzlicher Zündstoff bereit gelegen hätte, vor allem der um sich greifende antirömische Affekt. Die Zeit bietet ein widersprüchliches Bild: Auf der einen Seite sehen wir die Dynasten, aber auch die Gelehrten, die europäisch und unnational denken: Der Holländer Erasmus ist am engsten mit Colet in Frankreich und Morus in England befreundet, lebt in den verschiedensten Ländern, ehe er sich in Basel niederläßt. Aber schon um 1475, bei der Belagerung von Neuß durch Karl den Kühnen von Burgund, ist heftiges nationales Ressentiment in Deutschland zu verzeichnen, ähnlich bei der Bewerbung des französischen Königs Franz I. um den Kaiserthron 1519. Einige Humanisten verstärkten dies noch: Die im frühen 2. Jahrhundert von Tacitus geschriebene und kurz vor 1500 wiederentdeckte *Germania* suggerierte den Deutschen, eine bis in die Antike zurückreichende Nationalgeschichte zu besitzen, wenn auch eine ohne Staat. Und der von Tacitus zugespitzte Gegensatz zwischen dekadenten, geldgierigen Römern und edlen, rechtschaffenen Germanen bot sich zur Übertragung auf die Gegenwart geradezu an.

Papst und Kurie hatten nämlich einen ungeheuren Geldbedarf entwickelt. Ein ausgeklügeltes System von Gebühren für die Bestätigung oder In-Aussicht-Stellung geistlicher Pfründen, für die Gewährung von Sonderrechten, für Scheidungen usw. ließen einen Geldstrom nach Rom fließen. Heftige Kritik machte sich breit. Als dann seit 1514 der Neubau von St. Peter in Rom mit einem großen Ablaßhandel finanziert werden sollte und die Kirche den Dominikanerprediger Tetzel durch die Lande schickte, um Ablässe zur Befreiung von den Fegefeuerstrafen zu verkaufen, wehrte sich 1517 der Wittenberger Augustinermönch, Professor und Bergmannssohn Martin Luther mit seinen 95 Thesen gegen den Ablaß. *(Abb. 85)* Er löste eine Lawine aus. Schnell ging die Diskussion ins

85. Lucas Cranach der Ältere (1472–1553), Martin Luther als Augustinermönch,
Kupferstich, 17 x 12 cm, Wittenberg, 1520

Das Bild zeigt Luther mit der Bibel als kirchlichen Lehrer. Die Nische gibt ihm die Aura der Heiligenstatue. Er hat wie zum Aufnehmen himmlischer Botschaften den Kopf erhoben. Das populäre und oft kopierte Blatt hat das Bild des Reformators in der Öffentlichkeit geprägt.

Grundsätzliche: Die etablierte, hierarchische Kirche, die Autorität des Papstes, die Sakramentenlehre und andere Dogmen, der ganze äußere Apparat wurden in Frage gestellt, die ›reformatio‹ (Erneuerung) der urchristlichen Zustände gefordert.

Der Überzeugungskraft von Luthers hunderttausendfach gedruckten Schriften hielt die durch Korruption morsch gewordene Kirche nicht stand. Sie war dem Volk schon seit dem 13. Jahrhundert nicht fromm genug. Es war offen für die Idee, in ihr die ›Hure Babylon‹ der Apokalypse und im Papst den ›Antichrist‹ zu sehen. Da Luther deutsch publizierte und schnell eine deutsche Übersetzung des Neuen Testamentes veröffentlichte, wurden die gelehrten Dispute auf Straßen und Plätze gezogen und dort mit anderen Inhalten aufgeladen. Die Reformation ist der Haupt-Auslöser des Ritterkriegs und der Bauernkriege. Der religiöse Umsturz drohte zu einem Umsturz der Herrschaft zu werden. Aber Luther trat mit seiner mächtigen Stimme für die Obrigkeit ein. Die Reformation wurde nun zum Mittel der Fürsten, sich von der Mitsprache des Kaisers zu befreien und ihre Länder vom Reich loszulösen. Sie hat im Endergebnis das Land gespalten. Und sie hat es bis in unsere Zeit hinein zu einer lebensprägenden Tatsache werden lassen, ob man katholisch oder evangelisch erzogen wurde.

Reformation und Kunst

Schon vor dem Auftreten Luthers zog die kirchliche Kunst zunehmend Kritik auf sich. Man begann, sich an der uralten Praxis der Vergegenwärtigung von Personen und Ereignissen der Geschichte in zeitgenössischer Kleidung zu stoßen. Der Straßburger Prediger Geiler von Kaisersberg beklagt 1515: »Es gibt keinen Altar, wo nicht eine Hure draufsteht. Wenn [die Künstler] Sankt Barbara, Sankt Katharina malen, so malen sie Huren, mit tiefen Ausschnitten und Verbrämung, wie man jetzt geht. Was für eine Andacht soll ein junger Priester haben, der das Confiteor [Schuldbekenntnis] betet und sieht derart hübsche Figuren vor sich stehen.«

Die humanistische Kritik ging tiefer. Die Kirche war gewohnt, sich als vom Heiligen Geist geleitet zu sehen. Sie konnte nicht irren, also war alles gut. Diese positive Sicht auf die eigene Geschichte und folglich auch auf die Gegenwart wurde nun ins Gegenteil verkehrt: Ausgehend von dem kritischen Vergleich von Gegenwart und apostolischer Zeit wurde die Kirchengeschichte als Geschichte des Abfalls von der ursprünglichen Reinheit gedeutet. »Blättere das ganze Neue Testament durch, nirgends wirst du eine Vorschrift finden, die sich auf Zeremonien bezieht«, schreibt Erasmus und weiter: »[...] die Redeweise der Wahrheit ist einfach; nichts aber ist einfacher und wahrer als Christus [...]«, um dann gegen die verzwickte allegorische Auslegung zu wettern. »Die Welt ist mit menschlichen Einrichtungen beschwert [...] Sie ist mit der Tyrannei der Bettelmönche beschwert [...Ihnen] gilt der Papst mehr als Gott [...] Durch viele Dinge solcher Art verschwand nach und nach die Kraft der evangelischen Lehre [...] Die Hauptsache der Religion erstreckte sich auf die mehr als jüdischen Zeremonien.« Der bayerische Geschichtsschreiber Aventin (1477–1534) bezog auch Kirchenbauten und Bilder in seine Kritik mit ein: »Unsere Vorvorderen, die alten deutschen Christen, waren fromme, geistlich gesonnene Leute; sie meinten, wir selbst wären die rechten lebendigen Statuen, Gemälde und Kirchen Gottes, in denen Gott selbst [...] wohnt [...] Die Bischöfe waren nur Prediger, gingen zu Fuß herum, [...] hatten weder Land noch Leute, weder Märkte noch Dörfer, es gab keine Stifte, keine Dome, keine Chorherren, noch Klöster [...] wie das bekannte Sprichwort sagt: Die Alten haben finstere Kirchen und lichte Herzen gehabt, jetzt haben wir schöne, große, lichte, bemalte Kirchen, aber finstere Herzen. Es hatten die Alten gar kein Gepränge in ihrem Gottesdienst, keine Goldtafeln, köstlichen Paramente und Stäbe von Gold, Silber und Edelstein, darin man jetzt umherschwänzt und prangt wie beim Tanz [...]«. Wir wissen, daß dies ein in Teilen falsches Bild der Kunstgeschichte ist, aber Aventin beruft sich auf »[...] die alten Zeugnisse, die in unseren Buchkammern noch vorhanden sind [...] Es brummen nun die Mönche in den Kirchen in ihren großen Kappen, sie schreien wie die Esel, [...] dieweil die Armen, die vor der Kirche sitzen und liegen, leiden Hunger, Durst und Kälte [...]« Ein anderer Autor vereinfacht das noch drastischer: »Bilder sind zu nichts gut, darum sollen solche Kosten nicht mehr an Holz und Stein, sondern an den lebendigen und bedürftigen Bildern Gottes angelegt werden.«

Es gab so gut wie keine Stimmen, die zur Verteidigung der religiösen Kunst aufriefen. Zwar versuchte Luther, mäßigend einzuwirken, aber die Bewegung radikalisierte sich. Man wußte nur zu genau, wie oft mit Hilfe schöner Kunstwerke eine einträgliche Wallfahrt begründet worden war und Geschichten über weinende oder sprechende Marienbilder bezeugen, daß es dabei selten ohne Betrug abging. Ein Bildersturm entlud sich, in lutherischen Ländern nur begrenzt, um so gründlicher in zwinglianischen und calvinistischen. Ganze Landstriche am Oberrhein, in der Pfalz und in Anhalt wurden zu kunstfreien Zonen, oft hat man nicht einmal Meisterwerke gerettet. Andernorts wurde eher eine kontrollierte Bildent-

86. Christus wäscht Petrus die Füße, 87. Der Papst läßt sich vom Kaiser den Fuß küssen, *aus: Passional Christi und Antichristi, Lucas Cranach der Ältere (1472–1553), Holzschnitt, jeweils 12 x 10 cm, Wittenberg, 1521*

Die insgesamt 26 Bilder des Zyklus sind paarweise antithetisch konzipiert, wobei die Bewegungsrichtung meist umgedreht wird. Der Tugend Christi wird das päpstliche Handeln als lasterhaft gegenübergestellt, hier: Hochmut gegen Demut. Die Bilder sind zwar arm an schmückendem Beiwerk, doch wird das Wenige, was gezeigt wird, zur Unterstreichung des Gegensatzes benutzt, z.B. die Architektur. Unter jedem Bild steht ein erklärender Text. Die Serie erschien sowohl mit deutschen wie mit lateinischen Beitexten. Vorbild waren hussitische antithetische Bildzyklen. Das abgebildete Bildpaar zielt auch auf nationale Ressentiments der Deutschen gegen Rom.

fernung praktiziert. Die Künstler haben dies oft gutgeheißen, wie der Berner Maler Nikolaus Manuel Deutsch.

Von einem der ersten Bilderstürmer, Andreas Karlstadt, gibt es ein ergreifendes Zeugnis, in dem er erklärt, was ihn dabei bewegte: »Gott klag ich es – mein Herz ist von Jugend auf in Ehrerbietung und Hochachtung vor den Bildern erzogen worden [...] Es ist mir eine schadenbringende Furcht eingebläut worden, der ich mich gerne entledigen möchte, aber nicht kann. Ich stehe somit in solcher Furcht, daß ich nicht wage, die Ölgötzen zu verbrennen – ich hätte Sorge, dieser Teufelsnarr könnte mir etwas antun. Obwohl ich einerseits die Schrift habe und weiß, daß Bilder nichts vermögen [...], hält mich andererseits die Angst im Griff, so daß ich mich vor einem gemalten Teufel, vor einem Schatten, vor einem leichten Geräusch eines Blättleins fürchte und das fliehe, was ich eigentlich suchen sollte [...] Gott möge mir die Gnade geben, daß ich die Teufelsköpfe – die gewöhnlich in der Kirche Heilige genannt werden – nicht mehr fürchte als Stein und Holz. Und Gott gebe, daß ich Stein und Holz nicht dem Schein und Namen nach als Heilige verehre.«

Die Lutheraner haben sich durchaus der Bilder im Glaubenskampf und zur Lehre bedient. Sie haben massenhaft Porträts ihrer Anführer in Umlauf gebracht und sich dabei der Bildmotivik von Heiligenbildern bedient. *(Abb. 84 u. 85)* Der Holzschnitt wurde für Flugblätter mit Kampf- und Spottbildern benutzt. *(Abb. 86 u. 87)* Die Obrigkeit versuchte, ihre Verbreitung zu unterbinden, aber vergeblich. Von den Hussiten wurden einige Lehrbilder und Bilder zur Beherzigung für die Betrachter – von Andachtsbildern kann man nicht mehr sprechen – übernommen, wie *Lasset die Kindlein zu mir kommen* (über die Notwendigkeit, zu einem kindlich einfältigen Glauben zurückzukehren), *Christus und die Ehebrecherin* (die Vergebung der Sünden durch Gott ohne Vermittlung der Kirche) usw. Die schwer begreifliche Lehre von der Rechtfertigung durch den Glauben allein, ohne Hilfe der ›Guten Werke‹, wurde in einem Antithese-Bild unter die Leute gebracht. Die Bilder wurden zu Argumentationshilfen; das Programm bestimmte die Form, selbständiges, künstlerisch freies Gestalten war nicht gefragt.

Gerade in den ersten Jahren nach dem Thesenanschlag von 1517 gab es auch private, unautorisierte Reaktionen von Künstlern auf die Reformation. Hierzu zählt etwa das ›Schlachtfeld‹ von Urs Graf: *(Abb. 88)* In der Schweiz übten die Reformatoren Kritik am Sinn des Reislaufens, womit man die unter Schweizern weit verbreitete Verdingung als Söldner in fremden Diensten benannte. Der Streit wurde bisweilen mit solcher

88. ***Urs Graf (um 1485–1527), Schlachtenbild,*** *Federzeichnung, 21 x 32 cm, Basel (?), 1521, Basel, Kupferstichkabinett des Kunstmuseums*

Der Schweizer Maler und Graphiker hatte selbst eine Zeitlang als Söldner gedient und deshalb als einer der wenigen Künstler seiner Zeit eigene Kriegserfahrung. Das Blatt gehört zu den ersten Zeugnisse einer Absage an den Krieg überhaupt.

Erbitterung geführt, daß es zum Bürgerkrieg kam, in dessen Verlauf der Reformator Zwingli fiel. Das Blatt ist als eine über Zwingli hinausgehende, allgemeine Absage an den Krieg zu verstehen. Graf beschönigt nichts und zeigt das Ergebnis des Mordens. Er kannte sich aus, denn er hatte selbst als Söldner an Kriegszügen teilgenommen. Die zerfetzte Trommel als Träger der Signatur ist als Zeichen seiner Ablehnung zu lesen.

Die Gesellschaft befand sich in Gärung, in Deutschland mehr als andernorts. Das gilt schon für die Jahre vor 1517, wie die Isenheimer Altartafel zeigt. *(Abb. 66–68)* Mit dem Anbruch der Reformation steigerte sich dies noch, so etwa im Herrenberger Retabel des Jörg Ratgeb aus dem Jahre 1519. *(Abb. 89)* Die Radikalisierung des Künstlers zeichnet sich bereits ab, der als einer der Führer des Bauernkrieges 1526 gevierteilt wurde. Das Werk, das er im Auftrag der Brüder des Gemeinsamen Lebens, einer aus Holland stammenden kirchlichen Reformkongregation schuf, hat weniger kirchen- als herrschaftskritische Züge: In der Art, wie die Insignien der Staatsmacht, wie der habsburgische Doppeladler oder der Falke des Pilatus, ebenso aber die Verderbtheit des ihr hörigen Apparats der Schergen vorgeführt werden, signalisiert Ratgeb seine Feindschaft.

Einen ausgewogenen Versuch zu einer Reformations-Kunst machte Albrecht Dürer. Aber es sind, wohl aus Krankheitsgründen, nur einige wenige Werke dieser Tendenz entstanden. *(Abb. 1 u. 90)* Im Holzschnitt des Abendmahls von 1523

89. Jörg Ratgeb (um 1480–1526), Geißelung und Dornenkrönung Christi, *Altarretabelflügel aus Stift Herrenberg, Mischtechnik auf Holz, 262 x 143 cm, Stuttgart, 1519, Stuttgart, Staatsgalerie*

In der Expressivität der Handlung und der Karikierung der Schergen knüpft Ratgeb an ältere Vorbilder, wie den Meister der Worcester-Kreuztragung und Hans Hirtz an, (Abb. 9–11) versetzt das Ereignis jedoch in eine surreal-phantastische Renaissancearchitektur und gibt ihm etwas Imaginäres. Die Szene erscheint wie ein böser Traum.

nahm er sich Leonardo da Vincis großes Wandgemälde in Mailand zum Vorbild, das durch Graphiken weit bekannt war. Doch deutet er die Gruppen um und beruhigt das Geschehen. Er behält im Prinzip die Rhetorik der Darstellung bei, doch wird seine Bildpredigt leiser: Nicht die Äußerung der Erregung bei der Verratsankündigung in Gestik und Bewegung der Figuren ist sein Thema, sondern das Zeigen der Gefühle und Gedanken aller Beteiligten bei der Einsetzung des Sakraments und bei Jesu Abschiedsreden. Das Beiwerk, dem er früher viel Aufmerksamkeit gewidmet hatte, ist reduziert und einfach gestaltet: der Sakramentskelch, der Brotkorb, die Waschschüssel. Erasmus hatte das Urchristliche als das Einfache definiert, dem versucht Dürer zu entsprechen.

Die Reaktion der Altgläubigen

Der päpstliche Nuntius mußte 1530 eingestehen, daß gut neunzig Prozent der Deutschen zu Luther hielten. Die Gegnerschaft des Kaisers, einiger Fürsten und der meisten hohen Kleriker

90. Albrecht Dürer (1471–1528), Abendmahl Christi, *Holzschnitt, 21 x 30 cm, Nürnberg, 1523*

Das Bild bezieht sich auf das 13.–16. Kapitel des Johannes-Evangeliums. Jesus hat seinen Jüngern bereits die Füße gewaschen, wie die Schüssel vor der Gruppe zeigt, und der Verräter Judas hat den Raum verlassen. Jesus hält die Abschiedsrede, an seiner Brust der Lieblingsjünger Johannes, zur Linken Petrus. Die Art, wie der Weinbecher als eucharistischer Kelch gestaltet und wie seine Stellung durch die Komposition betont ist, läßt ihn als Argument für die Einführung des Laienkelches erkennen, den die Hussiten vergeblich gefordert hatten, den die Reformatoren aber gegen die katholische Kirche durchsetzten.

wahrhaben, daß deren Grundlagen in Frage gestellt waren. Sie sprach nicht aus, was die Leute auf dem Herzen hatten und verfügte über keine Mittel gegen die Flugschriften und -blätter oder gegen die geistlichen Lieder, die millionenfach verbreitet wurden. Das folgende Beispiel verdeutlicht, daß sie Vielen nur noch lächerlich erschien: 1524 war es dem Lutherfeind Herzog Georg des Reichen von Sachsen gelungen, den Meißener Bischof Benno (†1106) kanonisieren zu lassen. Er hoffte, mit dem neuen Kult den katholischen Glauben in seinem Landesteil wieder zu beleben. Das mißlang: Seine Stadt Annaberg war dem evangelisch-sächsischen Buchholz unmittelbar benachbart. Die Buchholzer parodierten unter gro-

*91. **Hans Brüggemann (um 1480–1540), Kaiser Karl V. als hl. Georg,** aus St. Marien in Husum, Holz, ursprünglich steinfarben gefaßt, bis zum Helm ca. 195 cm, Kopenhagen/DK, Nationalmuseum*

Hans Brüggemann aus Walsrode in Niedersachsen ist einer der großen niederdeutschen Bildschnitzer der Epoche, meist in höfischen Diensten tätig. Er verband die neuen Ideen und Praktiken der süddeutschen Schnitzer mit Traditionen und Themen des Hanseraums, zu denen auch die monumentalen Gruppen des Drachentöters Georg gehören. In Folge der Reformation verarmte er und starb im Armenhaus.

vermochten dagegen kaum etwas auszurichten. Die Gegenpropaganda war nirgends so kraftvoll, so einfach und so schlüssig. Ein Beispiel ist Hans Brüggemanns Statue Kaiser Karls V. als hl. Georg aus St. Marien in Husum. *(Abb. 91)* Georg war der Schutzheilige der Siechenhäuser und ein allseits beliebter Patron. Reitergruppen des Drachentöters dienten im Hanseraum seit Ausgang des 15. Jahrhunderts zunehmend der Darstellung politischer Ziele. Der Herzog von Schleswig und Holstein, Friedrich, der spätere Dänenkönig Frederik I., dürfte die Gruppe in Auftrag gegeben haben. Er verfocht eine antilutherische Linie. Das Porträt Kaiser Karls V. als Überwinder des Bösen dürfte einen konfessionellen Nebensinn haben, der aber so wenig evident war, daß man sich nicht genötigt sah, die Statue abzuräumen, als das Land wenig später lutherisch wurde.

Die katholische Kirche vermochte sich nicht auf die lutherischen Argumente einzustellen. Sie wiederholte ihre alten Lehren und wollte nicht

*92. **Hans Leinberger (um 1480–nach 1530), hl. Jakobus,** Holz mit Resten alter Fassung, 195 cm, Landshut, um 1525, München, Bayerisches Nationalmuseum*

Die als Kultbild für die Aufstellung auf einem Altar gedachte Statue zeigt den Apostel als Lehrer des Evangeliums.

*93. **Geithain, Stadtkirche St. Nikolai,** Blick durch das Langhaus*
Das im Herrschaftsbereich des katholischen Herzogs Georg des Reichen von Sachsen gelegene Städtchen leistete sich nach 1504 den Neubau eines aufwendigen Hallenlanghauses. Nach der Einführung der Reformation stockten die Arbeiten, und die geplanten Gewölbe wurden nie eingesetzt. Erst in den letzten Jahren des 16. Jahrhundert erhielt der Bau eine (beachtliche) bemalte Holzdecke und seine weitere Einrichtung, die ihn zu einem der in seiner Ausstattung besterhaltenen protestantischen Kirchenbauten macht.

ßem Zulauf die Annaberger Reliquienprozession: »Ein großer Haufen [...] machte sich einen Bischof und trug der Prozession Fahnen aus alten Fußlappen voran. Sie setzten dem Bischof ein Badhütlein auf [...] Sie trugen auch eine Misttrage, alte Tröge, einen Fischkessel, einen Traghimmel aus einem beschmutzten Tuch und einige Mistgabeln als Kerzen [...] So [...] erhoben sie Bischof Benno mit seltsamen, lächerlichen Possen zum Heiligen [...] Sie zogen auf den Markt. Ein Bischof ging daneben her, der hatte einen strohernen Mantel, einen Krummstab und eine Fischreuse als Bischofshut [...] Er zeigte auf einen Kinnbacken [von einer Kuh] und sprach: ›O liebe Andächtigen, seht, das ist der heilige Arschbacken des lieben Sankt Benno!‹ Jedermann vergoß Tränen. Es half alles nichts. Wer nur zusah, der lachte, daß er sich setzen mußte. Da verkündigte der Bischof Ablaß und ermahnte, man sollte opfern. Sie sangen: Lieber Sankt Benno, wohne uns bei. Danach nahmen sie eine Misttrage, setzten einen Papst darauf und [...] kamen unter Gesang zu einem Laufbrunnen. Da warfen sie den Papst mit seinem Stuhl und allem hinein [...]« Was zuvor ehrfürchtig verehrt wurde, war mit einem Mal nur noch zum Lachen.

Auch der Einsatz der Überredungskraft der Kunst war vergeblich. Was half es, eine Marienkrönung darzustellen, wenn die mystische Identität von Maria mit der Kirche nicht mehr geglaubt wurde? Was vermochte die Berufung auf die Kirchenväter und die kirchliche Tradition, wenn die Gültigkeit von Christi Satz, Petrus sei der Felsen der Kirche, angezweifelt wurde? Überhaupt: Was half es, mit Bildern zu operieren, wenn sie für überflüssig und schädlich gehalten wurden und das Wort mehr galt als das Bild?

Zudem unterliefen manche Künstler die ihnen gestellte Aufgabe. Ein Beispiel ist Hans Leinbergers Statue des hl. Jakobus: *(Abb. 92)* Es ist schon an sich ungewöhnlich, daß der Pilgerheilige als Autor und Lehrer durch das auffällig große Buch auf den Knien gekennzeichnet wird. Der niederbayerische Hofkünstler macht zudem die aufgeschlagenen Seiten des Neuen Testamentes zum Strahlungszentrum der bewegten Figur und ihrer flackernden Licht- und Schattenführung, die Fal-

94. Hans Holbein der Jüngere (1497–1543), Madonna des Baseler Bürgermeisters Meyer und seiner Familie, *Mischtechnik auf Holz, 147 x 102 cm, Basel, 1526 und nach 1528, Darmstadt, Schloßmuseum, Großherzogliche Sammlungen*

Das Gemälde scheint von seinem Format her ein Altarbild zu sein, ist aber ein Epitaph. Die Schutzmantelmadonna ist ein altes Andachtsbildthema, dessen katholischer Charakter in einer protestantisch gewordenen Umgebung betont wird, ebenso durch den Rosenkranz in den Händen der Tochter. Die Muttergottes erscheint als eine hohe Dame, die zur Familie gehört.

tenwirbel setzen die Linien der Buchseiten fort bzw. führen auf sie hin. In dieser Inszenierung der Heiligen Schrift ist ein kryptolutherischer Zug zu sehen.

Um 1530 stellte man die Bemühungen ein, mit Kunst etwas im Parteienkampf zu bewirken. Das Zeitalter der kirchlichen Kunst schien zu Ende. Einmal angefangene Bauten blieben liegen. *(Abb. 93)* Die vorher so zahlreichen Zuwendungen aus Sorge um das Seelenheil hörten auf, denn wenn die ›Guten Werke‹ nichts mehr galten, warum sollte man noch Altarretabel, Andachtsbilder und dergleichen stiften? Die meisten Künstler verloren Brot und Arbeit. Auch hochangesehene Meister, wie Hans Brüggemann, endeten im Armenhaus. Andere wanderten in katholisch gebliebene Gebiete, so etwa der beste Ulmer, Daniel Mauch, in die habsburgischen Niederlande. Der Baumeister der Kirche St. Moriz in Coburg, Konrad Krebs, ging zum Schloßbau in Torgau. Die Maler wechselten von religiösen Themen zu weltlichen wie dem Porträt oder zur Graphik. Aber da vorher mehr als drei Viertel aller Aufträge kirchlich waren, reichten die verbleibenden nur Wenigen zum Auskommen. Am stärksten betroffen waren die Bildhauer und Bildschnitzer; ihnen blieben als Aufgaben fast nur das Grabbild, die Medaille und die profane Kleinplastik. Obendrein verloren viele Künstler den Glauben an die Berechtigung und den Sinn von Kunst. Viele wurden Skeptiker, ja Zyniker. Die Bildenden Künstler haben in Deutschland nie wieder das Selbstbewußtsein, den sozialen Stand sowie das intellektuelle und öffentliche Ansehen erreicht, das sie zu Zeiten Dürers hatten.

In seiner Zwiespältigkeit spricht Holbeins Madonna des Bürgermeisters Meyer geradezu ein Schlußwort dieser Zeit. *(Abb. 94)* 1532 verließ der Maler Basel, weil er in der Stadt kein Auskommen mehr fand, weil ihn als Freund des Erasmus der religiöse Fanatismus anwiderte und er sich vom Dienst als englischer Hofmaler mehr erwartete. Der Aufraggeber des Bildes war politisch gestürzt worden und vertrat gegen die Mehrheit der Stadt eine katholische Position. Das Bild konnte folglich ausschließlich dem privaten Gebrauch dienen, obwohl es ein Format hat, das eher eine öffentliche Aufstellung erwarten läßt. Die Widersprüche der Zeit sind in ihm Gestalt geworden: Es ist kein im eigentlichen Sinne kirchliches Bild mehr. Die Distanz zwischen der Madonna und den Betern ist aufgehoben. Die Thematik ist eigenwillig, denn erst allmählich konnte die Forschung den nackten Knaben vorne im Arm des Bürgermeistersohns als hl. Johannes der Täufer identifizieren. Das etwas drängende, kindlich naive Beten Jakob Meyers wird zum eigentlichen Thema des Bildes. Das Christuskind sieht auffällig krank aus, so als hätte die Madonna gar nicht den Erlöser auf dem Arm. Merkwürdig ist auch, daß in einem Bild des ehemaligen Bürgermeisters der Stadt Basel, die sich 1501 der Schweizer Eidgenossenschaft angeschlossen hatte und im habsburgischen Kaiser ihren Gegner sehen mußte, Maria ausgerechnet die deutsche Kaiserkrone *(Abb. I/1)* trägt, um die die Habsburger damals einen großen Kult machten. Aber auch künstlerisch zeigt sich ein Riß: Die Madonna und die Nischenarchitektur folgen eher italienischen Mustern, die Porträts dagegen stehen in der altdeutschen Tradition. Das Bild ist meisterhaft gemalt, aber es wird gekennzeichnet durch das abrupte Ende einer künstlerischen und geistigen Epoche. Ein derartiges Ineinandergreifen von himmlischer und irdischer Wirklichkeit war fortan nicht mehr möglich. Diese fast schon im modernen Sinne individuelle Kunst konnte nicht mehr fortgesetzt werden, so hoch sie auch stand.

Kapitel 5

Die Fürstenkunst nach italienischem Vorbild

(1530 – 1650)

Von der Kirchen- zur Fürstenkunst

Konfessionskämpfe bestimmten die deutschen Verhältnisse nach 1517 und mündeten in den größten Religionskrieg unserer Geschichte. Die Kunst dieser Epoche aber ist mehrheitlich weltlich, in calvinistischen Ländern sogar ausschließlich. Wie ist dieses Paradox aufzulösen?

Aus dem Mittelalter hatte man einen reichhaltigen Nachlaß übernommen: In einer Stadt wie Erfurt gab es um 1500 etwa 80 größere Kirchen und Kapellen, was bedeutet, daß eine Kirche auf ungefähr hundert Einwohner kam. Jede war mit Bildern, Skulpturen und Gerät üppig ausgestattet – Folge der Stiftungen vieler Generationen aus Sorge um ihr Seelenheil. Selbst für eine um ein Mehrfaches größere Bevölkerung wären das zu viele Kirchen gewesen. Luthers Lehre, daß nur der Glaube allein, nicht die ›Guten Werke‹ zur Gnade Gottes verhelfen würden, brach den Stiftungswillen. Von da an entstanden während mehr als einem halben Jahrhundert so gut wie keine neuen Kirchen und außer Epitaphien kaum noch religiöse Bilder. Die Künstler konnten nur in weltlichen Diensten überleben. Als die lange Friedensperiode nach 1555 wieder die Baulust weckte, mußte sakrales Bauen gleichsam neu erfunden werden.

Die Konjunktur hatte seit der Mitte des 14. Jahrhunderts die Städte begünstigt. In den Jahren um 1520 kehrten sich die Verhältnisse um: Nun stiegen die Preise für die Grundnahrungsmittel, während die städtischen Löhne sanken – binnen einer Generation ging die Kaufkraft um mehr als die Hälfte zurück und verfiel danach noch weiter. Der Mittelstand der Handwerker und Künstler verarmte, die Zahl der Bettler nahm überhand. Dies allein hätte schon zu tiefgreifenden ökonomischen und sozialen Verwerfungen geführt.

Die städtische Wirtschaft und Gesellschaft wurde aber noch aus anderen Gründen umstrukturiert. *(Abb. 2)* Seit etwa 1500 setzte sich in Deutschland der Frühkapitalismus italienischer Prägung durch. Familien wie die Augsburger Fugger und Welser bereicherten sich durch neuartige Finanzaktionen und brachten mit ihrer Kapitalkraft selbst Fürsten in Abhängigkeit. Jakob Fugger, der Reichste unter den Reichen, hinterließ 1527 über 2,3 Millionen Gulden in bar – zum Vergleich: Dürer zahlte für sein Haus etwa 550 Gulden. Fugger wäre nach heutiger Kaufkraft also Multimilliardär gewesen. Nur er vermochte die riesigen Schmiergelder aufzubringen, die 1519 die Kurfürsten zur Wahl Karls V. bewegen konnten. Sein Lohn waren einträgliche Teilmonopole in Bergbau und Metallhandel. Die Welser richteten 1509 große Zuckerrohrplantagen auf den Kanarischen Inseln ein und waren seit 1528 für einige Jahre sogar Herren des südamerikanischen Landes Venezuela. Aber der Aufstieg dieser Firmen wurde von der Mitte des 16. Jahrhunderts an durch Staatsbankrotte gedämpft. Mit dem Dreißigjährigen Krieg ging ihre Wirtschaftsmacht endgültig dahin. Schon zuvor hatten sie nach dem Vorbild des venezianischen Patriziats begonnen, namhafte Summen in Landbesitz zu investieren und sich in die Rittergutswirtschaft zurückzuziehen, denn kaufmännische Tätigkeit galt bei deutschen Adligen nicht als standesgemäß. Das städtische

*1. **München, Residenz, Antiquarium von innen,** errichtet 1569–1573 unter Herzog Albrecht V. durch Wilhelm Egkl (vor 1520–1588), unter Mithilfe von Jacopo Strada (1507–1588), dekoriert unter Wilhelm V. 1586–1600 nach Plänen von Friedrich Sustris (um 1540–1599), Deckenmalereien von Peter de Witte, genannt Candid (um 1548–1628).*

Das Antiquarium der Münchner Residenz mit der Bibliothek im ersten Stock ist als separater Bau konzipiert worden, um Licht von beiden Seiten zu bekommen, aber auch aus Feuerschutzgründen. Es war zur Aufnahme der Antikensammlungen bestimmt, deren größter Teil aus dem Besitz der Fugger stammte, aber auch als Fest- und Gartensaal, weshalb der Bau mit der Grottenanlage verbunden ist. (Abb. 20) Anregungen zum Raumkonzept kamen von den Fuggern in Augsburg, für die Innenausstattung von dem kaiserlichen Antiquar Jacopo Strada, der auch einen Großteil der Antiken besorgte. Der Fußboden wurde unter Kurfürst Maximilian I. tiefergelegt, um dem Raum die gedrückte Proportion zu nehmen. Das Bildprogramm, Tugendallegorien in der Mitte und Ansichten von bayerischen Städten, gerahmt von Grotesken an den Seiten, zielt vor allem auf die Verherrlichung der Dynastie der Wittelsbacher.

Geschichte:
Karl V. (1519–1556), Mitregent Ferdinand I. (1531–1564) - 1545–1563 Konzil von Trient - 1555 Augsburger Religionsfrieden - Maximilian II. (1564–1576) - Rudolf II. (1576–1612) - Ferdinand II. (1619–1637) - 1618–1648 Dreißigjähriger Krieg

Von einem schweren geschefft/
Das LVI. Capitel.

2. Hans Weiditz (vor 1500–um 1536), ›Von einem schweren geschefft‹, Illustration zu Francesco Petrarca: Von der Artzney bayder Glück, des guten und widerwärtigen, Holzschnitt, Augsburg, 1520, gedruckt 1532

Die Welt, durch die die Gedanken des Kaufmanns sorgenvoll schweifen, ist als runde Scheibe dem Sitzenden wie dem Riesen Atlas aufgeladen. Die Architektur des Kontors ist in italienischen Formen gehalten. Das ins Deutsche übersetzte Trostbuch des italienischen Humanisten und Dichters Petrarca war eines der meistgelesenen Bücher der Epoche. Sein Illustrator Hans Weiditz stammte aus Straßburg und arbeitete zeitweise in Augsburg. In seinen Bildern gibt er viel von der damaligen Wirklichkeit wieder.

Patriziat feudalisierte sich also und orientierte sich wie der Adel an den Höfen.

Hauptgewinner waren die Territorialherren. Sie zogen auch die Wirtschaft an sich: Das Zeitalter des mittelalterlichen Freihandels ging zu Ende und der Merkantilismus begann, d.h. eine staatlich gelenkte Wirtschafts- und Handelspolitik. England drängte im späten 16. Jahrhundert die Hansekaufleute aus dem Land, ebenso wie Dänemark und Schweden. Die holländische Flotte vertrieb sie von den Meeren. Die deutschen Herrscher unterbanden die Mitgliedschaft ihrer Städte im Städtebund, von dem eigentlich nur Hamburg und Bremen vital blieben.

Doch nur selten dachten die Fürsten wirklich ökonomisch. Ihrer Wirtschaft fehlte noch die rationale Grundlegung, aber auch der Elan der niederländischen Zentren. Vielerorts stagnierte das Gewerbe – deshalb sind so viele Stadtbilder in ihrem Zustand des 16. Jahrhunderts erhalten. Allerdings gab es auch Ausnahmen: Die schleswig-holsteinischen Städte wuchsen auf Kosten von Lübeck, Danzig, Emden, Frankfurt oder Leipzig blühten auf, und Augsburg hielt sich lange. Und je nach Macht ihres Fürsten entfalteten sich die Residenzstädte: München oder Dresden kräftiger als Heidelberg, Celle oder Wolfenbüttel.

Das konfessionell und politisch zerstrittene Deutschland wurde auch kulturell zum Einflußgebiet fremder Mächte: Die spanischen Habsburger, die sich auch in Oberitalien und den südlichen Niederlanden festgesetzt hatten, dominierten die katholische Kirche und ihre österreichischen Vettern. König Philipp II., der Sohn Karls V., hatte das spanische Staatswesen so umgeformt, daß es in der Person des Herrschers gipfelte, der uneingeschränkte Gewalt beanspruchte: Man nannte im 19. Jahrhundert diese Herrschaftsform Absolutismus (von ›a legibus absolutus‹, befreit von Gesetzen) was in der Sache zwar eine Übertreibung ist, da sich auch ein damaliger Monarch zumindest theoretisch an die Gesetze und die ›Göttliche Ordnung‹ zu halten hatte. Dennoch kann man von einer neuen Qualität der Machtkonzentration in der Hand des Herrschers sprechen. Das Modell konnte sich zwar nicht überall gleich schnell oder in vollem Umfang durchsetzen, wurde jedoch zum Leitbild der Epoche. Spanische Hoftracht und Zeremoniell wurden im übrigen auch bei ihren Widersachern am sächsischen Kurfürstenhof nachgeahmt.

Auch kleine deutsche Machthaber suchten nun ihren Höfen durch die Ausstattung mit den traditionellen Hofämtern Marschall, Truchseß, Schenk und Kämmerer Glanz zu geben, installierten Hofmeister und Kammerdiener sowie ein Kabinett Geheimer Räte, meist Juristen bürgerlicher Herkunft, zuständig für Verwaltung und Finanzen. Die Anbindung des regionalen Adels an den Fürsten über den Hofdienst war Teil der Umstrukturierung des Systems.

Finanzielle Gründe hatten den deutschen Fürsten nahegelegt, sich der Reformation anzuschließen. Die Säkularisation der Klöster und ihres Grundbesitzes sowie das Einschmelzen der Kirchenschätze brachten große Einnahmen. Vor allem gewannen sie die volle Macht über die Landeskirche. Ein Einspruch des Kaisers wurde ausgeschlossen. Denn früh schon setzte man den Grundsatz durch: ›cuius regio, eius religio‹ (wie die Konfession des Landesherren, so die des Volkes). Unter landesväterlicher Aufsicht entstanden geistliche Konsistorien, die das Kirchen-, Wohlfahrts- und Schulwesen unter Kontrolle nahmen. Sie waren für die Durchsetzung der Fürstenmacht wesentlich. Gerade das Luthertum erwies sich als gehorsamer Diener der Obrigkeit, und die ohnehin wachsende Abhängigkeit der Menschen wurde in Gefügigkeit umgewandelt, die noch heute als Einschlag deutscher Mentalität zu verspüren

3. Celle, Schloßkapelle,
Innenansicht
Der Umbau der alten Burg wurde von dem Celler Ratsmaurermeister Frederic Soltesburg (nachweisbar 1533–1558) betrieben, unter Mithilfe von Michael Claren (nachweisbar 1525–1558), 1565–1580 erfolgte der Innenausbau der Kapelle, 1569–1576 ihre Ausmalung durch den Antwerpener Marten de Vos (1532–1603) und seine Mitarbeiter. Celle war die Hauptresidenz der welfischen Nebenlinie Braunschweig-Lüneburg. Die in der Bausubstanz spätgotische Kapelle ist weitgehend noch in ihrer ursprünglichen Ausstattung und Raumfassung erhalten, mit Ausnahme des im 19. Jahrhundert entfernten Blatt- und Rankenwerks im Gewölbe. Das Bildprogramm, insgesamt 76 gemalte Tafeln und 31 Reliefs, ist im Zusammenhang der innerevangelischen Kontroversen um die richtige Umgangsweise mit den Katholiken zu verstehen. Gegenüber der versöhnlichen Haltung von Philipp Melanchthon (Abb. IV/84) und seinen Anhängern nahm die Gegenpartei, zu der auch die Herzöge in Celle zählten, einen radikal ablehnenden Standpunkt ein.

ist. Die Tendenz zur Bildung von Landeskirchen zeigt sich aber auch in katholischen Territorien, wie Österreich oder Bayern. Der Staat besaß de facto überall die Macht über die Kirchen.

Der katholische Fürst repräsentierte in der Jesuiten- oder Hofkirche und hatte in seinem Schloß Kapellen nur für den eigenen Bedarf bzw. den seiner Hoffamilie. Der evangelische Fürst aber war Schirmherr seiner Landeskirche, letztlich ihr ›Bischof‹. Deshalb war seine Schloßkapelle in der Regel ein großer und wichtiger teilöffentlicher Raum, der durch die genaue Anordnung von Emporen und Gestühl zum Abbild, aber auch zum Korsett der ständischen Rangstufung wurde. *(Abb. 3)* Der Fürst thronte oberhalb der Kanzel in einer eigenen Betstube und war auch dadurch privilegiert, daß er sie durch Fenster zum Hauptraum hin verschließen konnte. Bei bestimmten Gelegenheiten jedoch nahm der Herrscher einen Platz im Altarraum ein. Die übrigen Personen saßen nach Geschlecht, Stand und Gruppe getrennt in jeweils nur ihnen bestimmten Logen oder Stühlen. Alle diese ›Zellen‹ oder Stühle erhielten eine besondere Bildausstattung. Bänke gab es für die Personen niederen Standes. Die Bilder auf dem Altar, bei der Kanzel sowie am Eingang vermittelten für die gesamte Gemeinde bestimmte Glaubensbotschaften.

4. ***Barthel Bruyn (1493–1555), Kurtisanenbild,*** *Öl auf Holz, 71 x 54 cm, Köln, um 1535, Nürnberg, Germanisches Nationalmuseum*

Die offizielle Institutionalisierung des Mätressenwesens geht von den italienischen Höfen aus. Der Bildtypus geht auf venezianische Vorbilder zurück. Die Identifikation der Dargestellten ist unsicher.

In Nachahmung der Schloßkapellen ist die evangelische Kirche mit der Zeit aufgeteilt und abgeschrankt worden, in einer sorgfältigen Unterscheidung von oben und unten, vorne und hinten, für Herren und Zünfte, Männer und Frauen, Erwachsene und Schüler, ohne daß sich jedoch eine überregional gültige Regel gebildet hätte. *(Abb. IV/93)* Immerhin forderte die Entfaltung derartiger Systeme die Schreiner und Maler zu besonderen architektonischen Gestaltungsbemühungen heraus – deshalb gehören Schloßkapellen wie in Schloß Celle oder Gottorp zu den bemerkenswertesten Ensembles des Jahrhunderts.

Künste und Wissenschaften dienten fast ausschließlich der Darstellung und Verherrlichung der Macht des Fürsten – sie wurden höfisch und weltlich. Bei Hofkünstlern wurde bis zum Großen Krieg mit seiner Verschärfung der konfessionellen Spaltung kaum auf die Konfessionszugehörigkeit geachtet. Der kunstsinnige, streng katholische Eichstätter Bischof Konrad von Gemmingen (1593–1612) ließ die Willibaldsburg von dem protestantischen Baumeister Elias Holl aus Augsburg errichten und ließ auch die seltenen Pflanzen seines Hofgartens von evangelischen Nürnberger Stechern reproduzieren (Hortus Eystettensis 1613 – die berühmteste botanische Bildersammlung der Epoche) usw. Die Erzeugnisse lutherischer Augsburger Kunstschreiner und Goldschmiede waren auch an den katholischen Höfen begehrt, aber ihre Verfertiger hatten andererseits auch keine Bedenken, sie mit den allerkatholischsten Themen zu schmücken.

Die Stellung des Fürsten war so unantastbar, er stand so weit außerhalb der für alle geltenden Regeln, daß kirchlich-moralische Vorschriften bei Hofe nur noch eingeschränkt galten: Trotz aller öffentlich demonstrierten Pietät war höfisches Verhalten nur noch dem Scheine nach christlich. Dies zeigt vor allem die allmähliche Institutionalisierung der fürstlichen Mätresse. *(Abb. 4)* Keine der Kirchen vermochte sich dagegen zu wehren. Der Widerspruch der Bürger blieb nicht aus, gewann aber erst im 18. Jahrhundert an Gewicht.

Die Stellung der Frau seit der Reformation

Die größten Verlierer waren die Frauen. Die Verschärfung der wirtschaftlichen Lage verdrängte sie fast vollständig aus dem Erwerbsleben. Selbst den Frauenklöstern und Beginenhäusern wurde jegliche Erwerbsarbeit untersagt und damit vielen die Lebensgrundlage entzogen. Doch auch aus anderen Gründen wurden damals zahlreiche Nonnenklöster und Stifte geschlossen und ihr Vermögen für andere Zwecke verwendet, in Würzburg etwa für die Finanzierung der Universität. Selbst hinter Klostermauern schätzte man die selbständig denkende und handelnde Frau nicht.

Die Durchsetzung des Römischen Rechtes und die lutherische Einschärfung der Paulinischen Theologie (»Der Mann ist des Weibes Haupt [...] Es steht den Weibern übel an, in der Kirche zu reden«) förderten die rechtliche Entmündigung der Frau gerade im protestantischen Bereich. Zwar behielten die lutherischen Länder für unversorgte höhere Töchter einige Damenstifte, zu den Gymnasien aber waren Mädchen nicht zugelassen, konnten also nicht Latein lernen, waren damit von höherer Bildung und akademischer Gesellschaft ausgeschlossen. Die Gründung eigener Schulen oder Privatunterricht wurden für unnötig gehalten, Gehorsam und Schweigsamkeit waren gefordert, und die Verwaltung des Haushalts, die Aufzucht der Kinder sowie häusliche Handarbeit wurden zur ausschließlichen Aufgabe – in großen Häusern allerdings gab das den Frauen immerhin mehr Einfluß als in der bürgerlichen Kleinfamilie des 19. Jahrhunderts.

Dies drückte sich auch in der Frauenkleidung aus, wo beispielsweise für einige Jahrzehnte die Mundbinde beliebt wurde, *(Abb. IV/94)* die Farbe Schwarz vorherrschte oder weibliche Körperformen der spanischen Tracht gemäß durch Schnürung eingeebnet wurden. Eine typische Erfindung der Zeit ist der als Frau geformte Brautbecher: *(Abb. 5)* Der Unterleib bildet den größeren Becher für den Mann; in den Armen hängt ein kleinerer, beweglicher Kelch für die Frau. Die Braut kann nur trinken, wenn sie sich zum Zeichen der Unterwerfung unter sein Joch tiefer beugt als ihr Bräutigam. Außerdem erlaubte das Trinken aus dem ›Rock‹ allerlei anzügliche Scherze, ganz im Sinne des ›grobianischen‹ Zeitgeschmacks.

5. Elias Zorer (1489–1559), Jungfrauenbecher
Berlin, Kunstgewerbemuseum SMPK
Die Brautbecher gehören zum Typus der Sturzbecher, die man in gefülltem Zustand nicht aufstellen konnte und die man deshalb in einem Zuge austrinken mußte. Er mußte vom Brautpaar gemeinsam geleert werden.

In einem scheinbaren Widerspruch dazu steht die Erotisierung des weiblichen Körpers und die Verherrlichung der geschlechtlichen Liebe. Sie wird zum Hauptthema der höfischen Kunst, welche die erotischen Wünsche zugleich anzusprechen und zu bemänteln hatte. Zur gegenständlichen Umsetzung bediente man sich bevorzugt der antiken Mythen, deren allegorisch-moralische Ausdeutung der Rechtfertigung des Nackten sowie seiner künstlerisch-raffinierten Gestaltung diente. Das Zeitalter gab auch erotischen Stoffen aus dem Mittelalter, die in der zuvor strenger tabuisierten Bildkunst kaum zur Darstellung gekommen waren, mehr Raum, so dem Jungbrunnen, der verbrauchte Menschen wieder jung, lebensfroh und liebesdurstig macht. *(Abb. 6)* Der kursächsische Hofmaler Lucas Cranach der Jüngere macht das Thema zu einer Gegenüberstellung von Alter und Jugend, von Verfall und Lebenslust, von Wüste und Gartenland, von Strauchwerk und Obstbäumen, von mittelalter-

*6. **Lucas Cranach der Jüngere (1515–1586), Der Jungbrunnen,** Mischtechnik auf Holz, 121 x 184 cm, Wittenberg, 1546, Berlin, Gemäldegalerie SMPK*

Das Bild stammt aus einem der Schlösser der Kurfüsten von Brandenburg, ohne daß jedoch die ursprüngliche Bestimmung bekannt wäre. Die Darstellung des alten erotischen Schwankthemas ist symbolisch überhöht als Antithese von Alter und Jugend, mittelalterlicher Burg und neuer Stadt, wüster und kultivierter Landschaft, andererseits aber ist die Tafel infolge einer pornographischen Rezeption an bestimmten Stellen abgegriffen.

licher Burg und neuzeitlicher Stadt, von einfacher und reicher Farbe. Die Anfahrt und Prüfung der alten Frauen wird mit einem Schuß derben Humors erzählt. Aber nur die Frauen werden verjüngt. Für die Männer reicht es, sich der jungen Frauen zu bedienen. In diesem Sinne wirkt auch das Bild, das für Männer gedacht ist und sie erotisch stimulieren soll – es sind nur nackte Mädchen, die durch ihren Blick aus dem Bild den Betrachter herausfordern, in den Dienst der Frau Venus zu treten – sie steht mit ihrem Sohn Amor auf der Säule inmitten des Beckens. Wie weit dies Bild von der Wirklichkeit entfernt ist, wird deutlich, wenn man erfährt, daß damals wegen der Syphilis alle Badehäuser geschlossen wurden.

Die Intellektualisierung der Kunst

Höhere Bildung wurde im 16. Jahrhundert für Adlige und Bürgerliche zur Pflicht. Die Zeit, die man in der Schule und auf der Universität verbrachte, wurde immer länger. Ob es nun Melanchthons evangelische oder ob es die jesuitischen Gymnasien waren, Stoff und Methoden waren ähnlich; die Gebildeten sprachen nach dem Muster Ciceros und anderer Klassiker Latein: Um für die achte Klasse des Straßburger Gymnasiums zugelassen zu werden, mußte man 21.000 lateinische Vokabeln beherrschen, während man heute schon stolz ist, 3.000 Worte einer lebenden Fremdsprache zu kennen. Das Hochdeutsch der Lutherbibel war zwar für den Zusammenhalt der Deutschen in Nord und Süd wichtig, aber im Schulunterricht und im literarischen Umgang der gebildeten Welt zählte nur Latein. Dagegen begann man in Italien, dem Herkunftsland des Humanismus, schon früh, italienischsprachige Traktate zur Architektur und den Bildenden Künsten herauszubringen. Italienisch wurde zur Sprache der kultivierten Welt Europas, am Wiener Hof war es bis zum 18. Jahrhundert sogar Hofsprache. Das Französische tritt im 17. Jahrhundert zunächst an seine Seite, danach an seine Stelle, um dann selbst seit dem späten 18. Jahrhundert mehr und mehr durch Englisch verdrängt zu werden.

Architekten und Künstler, die auf sich hielten, und dazu zählten auch viele Schreiner und Goldschmiede, lasen die neue italienische Kunstliteratur, denn der Rang einer Kunst bemaß sich an ihrem theoretischen Anspruch. Der Wettstreit der Künste und Künstler untereinander verlagerte sich zunehmend auf eine intellektuelle Ebene. Lesestoff boten die neugegründeten oder öffentlich zugänglich gemachten Hof- und Stadtbibliotheken. Ähnlich wie im Mittelalter lernte man einige Bücher fast auswendig: Den ersten Platz nahmen dabei zunächst noch die geistlichen Schriften ein – bei den Protestanten Bibel und Gesangbuch, bei den Katholiken eher das Brevier. Wer jedoch als gebildet zu gelten wünschte (und diesem Anspruch konnten sich gerade Hofleute nicht entziehen), mußte nun auch die römischen Klassiker wie Ovid, Vergil und Horaz sowie Rhetoriker wie Cicero kennen, außerdem aber auch Architekturtraktate und Emblembücher.

Biblia

Das ist/
Die gantze Heylige Schrifft/
Teutsch.
D. Mart. Luth.

Sampt einem Register/ vnd
schönen Figuren.

M.D. LXI.

·15· ·61·

7. Virgilius Solis (1514–1562), Titelblatt der Frankfurter Lutherbibel mit Hauptereignissen des Alten Testamentes in Rollwerk-Rahmen, *Nürnberg, 1561*

Dargestellt ist in einem ›Weltbild‹ die gesamte Schöpfungsgeschichte samt dem Sündenfall und der Vertreibung aus dem Paradies, links die Arche Noah, sodann Lot, der von seinen Töchtern verführt wird, rechts der Turmbau zu Babel samt seiner Bauhütte und darüber Moses mit den Gesetzestafeln am Berge Sinai. Im Bild unten sind die Personifikation des Ruhms mit Posaunen und darunter die Allegorien der Astronomie/Musik und der Liebe stellvertretend für die Wissenschaften und die Tugenden dargestellt. Vor ihnen ein Buch mit dem Monogramm des Künstlers. Die Rahmung ist ein Beispiel für Rollwerk. Solis ist mit über 2.000 Werken in allen graphischen Techniken einer der produktivsten Illustratoren seiner Zeit; er war auch als Vorlagenzeichner für andere Gewerbe tätig. Er ist erfindungsreich im Figürlichen wie im Dekorativen und doch zugleich ein Kompilator von Altem und Neuem, was sich damals nicht ausschließt. Seine vielen kleinen Figuren zeigen meist die exaltierte Bewegtheit des Florentiner Manierismus.

Das protestantische, bis zum Jahrhundertende kulturell maßgebliche Deutschland war wortorientiert, das Bild war nachgeordnet. Aber es verschwand nicht, im Gegenteil: Selbst der bildfeindliche Calvinismus verzichtete in weltlichen Bereichen nicht auf Bilder. Durch die eifrige Gelehrsamkeit dieser Epoche wurden zahlreiche Bildthemen hinzugewonnen, und die Miniaturisierung der Kunst führte zu überreichen Titelseiten mit großen Bildprogrammen, die sowohl belehrende als auch schmückende Funktion hatten. *(Abb. 7)* Darüberhinaus waren in diesem Zeitalter auch weiterhin die illustrierten Flugblätter mit ihren kurzgefaßten Traktätlein oder ihren Berichten von den Ereignissen der Welt beliebt. Gerade die Graphik profitierte von der Entfaltung der humanistischen Bildung – bevorzugt der Kupferstich. Dies zwang die Maler mehr noch als um 1500 dazu, sich als Stecher zu betätigen.

Graphiken wurde, da sie auch preiswerter waren als Gemälde, zu einem bevorzugten Sammlungsgegenstand. Dazu gehörten Porträts, die oft in Serien und Zyklen angefertigt und gern als Wandschmuck gebraucht wurden, Veduten, die häufig in topographischen Sammelwerken zusammengefaßt waren sowie Bilder zur Naturkunde. Die Hauptaufgabe der Künstler bestand aber nach wie vor in der sogenannten ›historia‹, also darin, biblische Geschichten oder antike Mythen bildlich umzusetzen, wobei nicht selten berühmte Gemälde reproduziert wurden. Der Bildungsanspruch manifestierte sich in langen lateinischen Inschriften, meist in Versform, aber auch in sinnbildlichen Elementen. Die Flugblätter religiösen und politischen Inhalts waren Gebrauchsware, wurden aber auch gesammelt.

Die zeittypischste Form des Sinnbilds ist das Emblem. Vorformen waren die Hieroglyphen sowie die Impresen (ital.) bzw. Devisen (frz.), d.h. die verschlüsselten Leitbilder und entsprechenden Sprüche (Motti) der italienischen und französischen Hofleute. Seine literarische Wurzel bilden antike Sprichwortsammlungen. Das Motto als Titelzeile eines Emblems deutet seine Tendenz an, erläuternde Versunterschriften kommentieren das Bild, die sogenannte ›Imago‹. Sie legen den verborgenen Sinn frei und ziehen die Lehre für den Betrachter. Das sehr knappe und durchdachte Emblem aus dem Buch des Magdeburgers Gabriel Rollenhagen (1583–1619) *(Abb. 8)* zitiert als Motto den Leitsatz des berühmten antiken Malers Apelles, der uns durch Plinius' *Naturgeschichte* (Bd. 35, 84) überliefert ist: ›Nulla dies sine linea‹, Kein Tag ohne eine Linie (zu zeichnen) mit der sprichwörtlich gewordenen Lehre: ›Übung macht den Meister‹. Das Bild zeigt eine Hand, die aus den Wolken kommt und mit der Feder eine gerade Linie zieht. Die Sonne bezeichnet den Tag, der steile Berg im Hintergrund den zu erklimmenden Gipfel der Tugend.

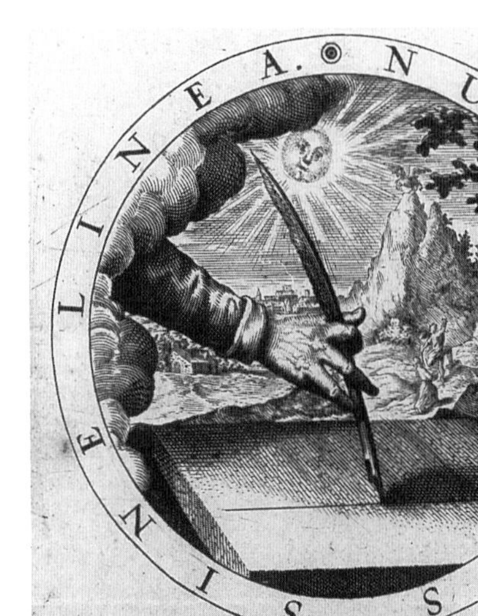

8. ›Nulla dies sine linea‹, Emblem aus: Gabriel Rollenhagen, Nucleus Emblematum selectissimorum, quae Itali vulgo Impresas vocant ... Centuria secunda, *Utrecht 1613, Nr. 24, gestochen von Crispin van de Passe (1564–1637) und seinen Söhnen*

Rollenhagen hatte den ersten Band 1611 in Köln herausgebracht, wo van de Passe damals lebte. Als dieser sich nach Utrecht zurückzog, erschien der zweite Band dort und zur besseren Vermarktung auch in einer niederländischen Version bzw. ergänzt durch französische Texte.

Das Emblem gefiel dem Bildungsprunk ebenso wie den moralisierenden Neigungen der Zeit. Wir finden es auf Bechern, Möbeln, in Glasfenstern, überall in den Räumen. Die Allegorik des staatlichen Zeremoniells, der Triumphzüge wie der Aufbahrung der Toten verwendete sie reichlich. Konversation und Literatur waren mit Anspielungen auf diese ›Sprichwortbilder‹ durchsetzt, und manche Kreuzgangs- oder Bibliotheksausmalung wird so zum emblematischen Kompendium der Heilsgeschichte oder der Wissenschaften. Da die Sinnsprüche in lateinischer Sprache abgefaßt waren, konnte man Embleme von Spanien bis Schweden, von England bis Sizilien verstehen. Dem heutigen Geschmack hingegen sind sie – schon wegen ihrer oft dunklen Ausdrucksweise und gedanklichen Befrachtung – eher fremd.

Der gelehrte Maler (pictor doctus) wurde zur Leitvorstellung. *(Abb. 9)* Die damalige Kunsttheorie richtete sich vor allem nach dem antiken Leitsatz: ›ut pictura poesis, ut poesis pictura‹ (Wie die Malerei soll die Dichtkunst sein, wie die Dichtkunst die Malerei). Er behielt bis zur Mitte des 18. Jahrhunderts Geltung, also bis zur Fundamentalkritik der Klassizisten. Von dem Dichter forderte er eine bildliche Ausdrucksweise und Kenntnis der Kunst, zumindest der Embleme und der Ikonologie, von dem Künstler dagegen, die Texte, deren Inhalt er malt, auch wirklich zu kennen,

9. Bartholomäus Spranger (1546–1611), ***Der Maler mit dem Bild seiner verstorbenen Gemahlin,*** *gestochen von Ägidius Sadeler dem Jüngere (1570–1629), 30 x 42 cm, Prag, 1600*

Der Künstler war Hofmaler von Kaiser Rudolf II. Seine Bilderfindung aus Anlaß des Todes seiner Frau erweist sich in den vielen Inschriften, vor allem aber in der ausgeklügelten Allegorik als ein Muster von Künstlergelehrsamkeit, aber auch von Theorielastigkeit.

vor allem die *Metamorphosen* des Ovid, das Lieblingsbuch der Epoche. Zum besseren Verständnis der Künstler, deren Lateinkenntnisse nicht ausreichend waren, um die Quelle zu verstehen, hatte man das Buch übersetzt und im Anhang einiger Kunsttraktate dargeboten. Verbunden damit war die Forderung nach theoretischer und literarisch-rhetorischer Bildung. Zwar dauerte es noch bis 1662, ehe Joachim von Sandrart in Nürnberg die erste Kunstakademie auf deutschem Boden gründete, aber ihr 1571 in Florenz gegründetes Vorbild begann schon bald auf Europa auszustrahlen, zumal durch ihre niederländischen Nachfolger wie Karel van Mander.

Die Architekturtheorie und -praxis der Säulenordnungen

Das Bauen als fürstliche Betätigung und die Neigung zu gelehrten Studien vermehrten sprunghaft die Zahl der Architekturtraktate. Sie nehmen den ersten Platz unter den kunsttheoretischen Schriften jeder fürstlichen Bibliothek ein, die meistens noch durch ein Kabinett ergänzt wurde, einem kleinen Schloßraum, der für die Sammlung von Stichen der vornehmsten Bauten Europas eingerichtet worden war. Noch heute ist der höfische Ursprung der Kupferstichsammlungen im Namen erkennbar. Die Grundlage jeder Kunstbibliothek bildeten die von Vitruv verfaßten *Zehn Bücher über die Architektur.* Dieses unter Kaiser Augustus erschienene Werk war schon im Mittelalter gut bekannt, aber man las es eher als Autorität für Festungswesen und Bautechnik. Erst die italienische Renaissance konzentrierte ihr Interesse auf Vitruvs verstreute und etwas dunkle Ausführungen über die Säulenordnungen. 1547 wurde eine deutsche Übersetzung von Rivius veröffentlicht, und Baumeister wie Sebastiano Serlio, später auch Vignola und Palladio, bemühten sich um eine Erklärung der vitruvschen Architekturtheorie, die sie mit Hilfe eigner Illustrationen benutzbar machten. *(Abb. 10 u. 11)* Die Lehre von den Säulenordnungen wurde zum Herzstück der Theorie und der Formensprache dieser Epoche, und über lange Zeit war ihr Einfluß nördlich der Alpen größer als die mediterranen Bauten

10. Sebastiano Serlio (1475–um 1554), Die Fünf Säulenarten mit zugehörigen Postamenten und Gebälkstücken, aus: Buch 4 der ›Regole generali di architettura sopra le cinque maniere degli edifici‹, Venedig 1537

Die fünf Grundtypen sind jeweils auf ihren Säulenstuhl (Postament) gestellt und mit je einem Gebälkstück bekrönt sowie mit Proportionshinweisen beschriftet. Der Architekturtraktat des Bologneser Architekten fand weitere Verbreitung als das Werk Vitruvs selbst.

11. Sebastiano Serlio (1475–um 1554), Aufriß des Colosseums in Rom, aus: Buch 3 der ›Regole generali di architettura sopra le cinque maniere degli edifici‹, Venedig 1540

Der Holzschnitt zeigt zwei Travéen (Gewölbefelder) des Colosseums mit dem so wichtigen Motiv der Verbindung von Arkade und Kolonnade sowie der Abfolge der Ordnungen (von unten) dorisch, jonisch und korinthisch. Die unteren drei Geschosse sind mit Halbsäulen versehen, das vierte, aufgesetzte mit Pilastern.

selbst. Baukunst erschien als etwas Erlernbares. Zahlreiche Nachahmer bemächtigten sich des Themas: Manche Traktate heißen einfach nur *Säulenbüchlein.* Die deutschen Schreinergesellen trugen zum Beispiel bei Festumzügen Stangen in Form der ›Fünf Säulen‹ mit sich und sagten Verse zu deren Erklärung auf. Deshalb ist es auch heute noch unerläßlich, sich mit ihnen vertraut zu machen, wenn man Baukunst der Zeit nach 1500 verstehen will.

Der vitruvschen Lehre zufolge wurden die Säulenordnungen nacheinander in Griechenland erfunden, nach damaligem Geschichtsverständnis also in der Urzeit der Menschheit. Die älteste Ordnung ist die dorische: Sie setzt die Formen von Holzbauten in Stein um, ist also die Urordnung aus dem heldischen Zeitalter, einfach und gedrungen und wurde in der späteren Deutung als männlich definiert. Die Jonier schufen eine ›weibliche‹ Abwandlung: sie bildeten die Säule schlanker, kannelierten (rillten, kehlten) sie in Nachahmung der reicher gefältelten Frauengewandung und bekrönten sie mit einem Volutenkapitell, das an eingerollte Locken erinnern sollte. Auch der Säulenfuß, die Basis, war zierlicher. Die korinthische Ordnung unterscheidet sich am deutlichsten durch ihr Kapitell, einer mit Akanthusblättern (Bärenklau) verzierten Korb- oder Kelchform, deren Deckplatte von Voluten (altdeutsch: Schnörkeln) gestützt wurde. In den Gebälkformen ist sie noch reicher und in ihren Proportionen noch schlanker – damit kommt sie der Vorstellung einer mädchenhaften Gestalt näher.

Die Säule wurde also anthropomorph verstanden, d.h. mit dem menschlichen Körperbau verglichen; dies bestärkte die Anschauung, Architektur sei eine Bildende Kunst. Genau besehen handelt es sich um Analogien; es ging also darum, Äquivalentien für Körpergliederung und -sprache in der Architektur zu schaffen. So hat die Säule das Tragen und Lasten durch ihre Gliederung bzw. durch die Schwellung (Entasis) auszudrücken.

Vitruv ordnete die Säulenordnungen den Tempeln unterschiedlicher Götter zu: die dorische für Mars und andere betont männliche Gottheiten, die jonische für mütterliche wie Juno und die korinthische für zierliche Göttinnen, wie Venus oder Flora. Obwohl diese Lehre in der antiken Baupraxis kaum gültig war und deshalb von den archäologisch gebildeten Klassizisten kritisiert wurde, war sie äußerst folgenreich, denn sie lieferte ein Denkmodell für Ausdrucks- und Bedeutungsgestaltung sowie für Rangabstufung in der Architektur.

Aus Vitruvs Angaben zogen die Kommentatoren unterschiedliche Schlüsse, und die antiken Bauten zeigten zahlreiche Abweichungen und andere Gestaltungsweisen. Nach Art der Scholastik versuchte man die Widersprüche zu harmonisieren. Aus dem Studium der Monumente leitete Serlio die Existenz zweier weiterer Ordnungen ab, der toskanischen, die derber ist als die dorische und deshalb unter ihr steht, sowie der kompositen, als kaiserliche Überhöhung und Bereicherung der korinthischen. Erweiterte man diese Folge noch um die unterhalb der Säulenordnung stehende Rustika, die gebuckelten oder roh behauenen Quader also, sowie außerdem um Karyatiden und Hermen (weibliche und männliche Tragefiguren), eröffneten sich erstaunlich vielfältige Gestaltungsmöglichkeiten. Man verglich sie mit der Fülle an Worten, die aus den wenigen Buchstaben des ABC zu kombinieren sind. Serlio selbst legte bereits viele Entwurfsvarianten etwa für Türen und Fenster vor, die den Prinzipien der Ordnungen entsprachen.

So wurde aus Vitruvs Lehre eine bis ins 19. Jahrhundert geltende architektonische Zeichensprache. Ihre Vokabeln waren international verständlich, gleichsam ein architektonisches Latein. Sie wurde weiterentwickelt und verfeinert, seit dem 17. Jahrhundert vor allem von französischen Theoretikern, und man nutzte sie zur Unterscheidung der Bauaufgaben und der Räume: Der Schloßbau erhielt prunkvollere Formen als der Marstall, das Äußere andere als das Innere, der Große Saal reichere als seine Vorräume usw. Die Ordnungen wurden also im Sinne der Stillagen oder ›modi‹ eingesetzt und Plastizität, Größenmaßstab sowie Menge und Art der Bauzier entsprechend abgewandelt.

Schon Vitruv hatte sich auf die Prinzipien der Rhetorik berufen, und mit Hilfe von ›Komposition‹, ›Anordnung‹ und ›Verteilung‹ konnte die Architektur nun auch als eine Art visueller Redekunst verstanden werden. Diese Idee entzückte die Humanisten, deren Anliegen es war, die Künste einander anzugleichen und ihnen einen theoretischen Rahmen zu geben. Nur Puristen bestanden auf der Unvergleichbarkeit von Architektur und Rhetorik, von Malerei und Dichtkunst. Bis zum 18. Jahrhundert blieben sie aber in der Minderzahl, weil das Zeitalter von der – im Grunde mittelalterlichen – Idee der inneren Einheit aller Erscheinungen der Welt überzeugt war.

Die Gestaltung gemäß der Fünf Säulenordnungen erstreckte sich auch auf Friese, Gesimse, Türen und Fenster, im Prinzip auf sämtliche Formen eines Bauwerks oder architektonischen Gebildes, etwa einen Altaraufbau oder ein Epitaph. Die Theorie wurde so zu einem ›principe générateur‹ der Baukunst, d.h. zu einem Rezept, Formen zu erfinden und zu gestalten. Genaue Maßverhältnisse (Proportionen) waren einzuhalten. Modul war die Säulendicke, die sich jeweils unterschiedlich zur Höhe verhielt. Traktate wie die von Vignola und Palladio machten sehr genaue Angaben über die Größe jeder Form. Die Proportionslehre war im übrigen ein wichtiges Moment in der Intellektualisierung des Architektenberufs. Schon Vitruv hatte die Schulung der Baukünstler in Geometrie und Arithemetik, sogar in Musik und Astronomie gefordert, und man war ihm darin bereits in der Gotik gern gefolgt. Im übrigen lebte auch die im Mittelalter gebräuchliche allegorische Ausdeutung der Bauglieder weiter; antike und mittelalterliche Lehren wurden bedenkenlos vermischt.

Schon die Antike hatte im übrigen bereits die Ordnungen miteinander kombiniert. Serlio gibt den Aufriß des Colosseums in Rom als Beispiel, einem Zirkusbau des ersten Jahrhunderts: *(Abb. 11)* Die Halbsäulen der Fassade zeigen unten die dorische, darüber die jonische und dann die korinthische Ordnung, abgeschlossen von einem vierten Pilastergeschoß. Dies Prinzip wurde unzählige Male zitiert und variiert. *(Abb. VI/80)* Gerade im ersten Jahrhundert der Anwendung dieser neo-antiken Architektursprache liebte man es, möglichst das gesamte Vokabular an den Fassaden auszubreiten und die Ordnungen miteinander zu verschränken, indem Zitate nach der einen im Geschoß der nächsten angebracht wurden.

12. ***Nürnberg, Pellerhaus,*** *Jakob Wolff der Ältere (1546–1612), 1602–1605*

Die Fassade mit einer gemäß dem niederen Rang des Bürgerhauses bis in den dritten Stock gezogenen Rustizierung, systematischem Gebrauch der drei Säulenordnungen (dorisch, jonisch, korinthisch) und Hermenbekrönung wurde nach 1944 nur teilweise wiederaufgebaut. Die Fassade des Innenhofes zeigt vermehrt gotische Architekturmotive. Das Pellerhaus war das anspruchsvollste Nürnberger Bürgerhaus der Epoche.

Die Lust am Ornament und den Ornamentbüchern

Die nordalpinen Baukünstler des 16. Jahrhunderts verstanden die Säulenordnungen als ›Zierrat‹ und die Baukunst als Kunst der Ausschmückung. Das ranghöchste Motiv der Bauzier war die Säule. Eine prinzipielle Unterscheidung architektonischer und ornamentaler Formen gab es nicht – auch das ein Zug, der diese Epoche ebenso wie die innere Nähe von Kleinkunst und Architektur mit dem Mittelalter verbindet. Ausgehend von der Kritik des Italieners Palladio an der wuchernden Ornamentik seiner Zeit erfolgte die Trennung von Architektur und Ornament erst im Klassizismus, bestimmt jedoch das Verständnis bis heute.

Das künstlerische Bemühen der Baumeister zielte weniger auf neue Raumwirkungen, als auf die Erfindung und Gestaltung des Bauschmucks, durch den der Rang der Bauaufgabe sowie die Würde (und Bildung) des Bauherren ausgedrückt wurden. Deshalb bemühte man sich um die Ausgestaltung der ins Auge fallenden Bauteile, außen vor allem der Portale und innen der Kamine.

Eine weitere aus dem Mittelalter überkommene Anschauung spiegelt die Tatsache, daß man den sozialen Rang eines Bauherrn am Grad der ornamentalen Ausschmückung des von ihm errichteten Gebäudes ablesen konnte. Die Zierkunst des nordeuropäischen Italianismus ist jedoch in mehr als einer Weise der Gotik verhaftet, etwa in der Vermischung der Motive, wie an den Fassaden des Pellerhauses in Nürnberg, oder der Bevorzugung gotikähnlicher Formen: *(Abb. 12)* Obelisken traten an die Stelle der Fialen, Balustraden an die der Maßwerkbrüstungen. Die steilen Giebel sind nur im Detail antikisch. Von gotischen Vorbildern kam man vor allem bei den Fenstern nicht frei, da die antike Baukunst hierfür kaum Muster bot. Bis ins 17. Jahrhundert sind Gotizismen häufig und keineswegs immer ein Zeichen von retrospektiver oder provinzieller Gesinnung. Dennoch hielt man mit dem Theoretiker Alberti die antike Baukunst für die naturnähere. Das zeigt sich etwa an der Rückkehr zum Rundbogen – ein Rückschritt im Hinblick auf Konstruktion und Statik, der aber damit begründet wurde, daß die Natur bevorzugt runde Formen bilde.

Bei Ausgrabungen in Rom war man auf verschüttete Räume mit phantasievollen Ornamentmalereien gestoßen, die man ›grottesche‹, Grottenzier, nannte. Besonders berühmt waren die Räume des Goldenen Hauses (›domus aurea‹) von Kaiser Nero. Viele Künstler pilgerten dorthin, um sie zu studieren und hinterließen oft genug ihre Namen auf den Wänden. Zu ihnen gehörte auch Bartholomäus Spranger. *(Abb. 9, 34 u. 35)* In ihrer lockeren, verspielten Aufteilung der Wände mit Baugliedern, Girlanden und Bändern, belebt mit phantastischen Mischwesen, Nymphen und Satyrn, Amoretten und Vögeln war diese Wandzier

*13. **Lorenz Stör (nachweisbar 1556–1621), Groteske Ruinenlandschaft,** Holzschnitt, 1556*

Der erst in Nürnberg, dann in Augsburg tätige Meister, dessen Vater Formschneider und dann auch Entwerfer gewesen war, hat seine Stiche in verschiedenen Editionen publiziert, deren älteste 1556 datiert ist.

dionysisch-erotisch, aber auch parodistisch oder dämonisch und wurde nun auch in ähnlichem Sinne eingesetzt: Sie bot unendliche Möglichkeiten des Form- und Gedankenspiels und war ein surreales Reich der Kunst zwischen Welt, Unterwelt und Himmel. Vitruv hatte diese zu seiner Zeit neu aufgekommene Kunst als modisch und als Regelverletzung verdammt. Das scherte die Kunstfreunde wenig. Sie fühlten sich durch die antiken Überreste (und den Dichter Horaz) legitimiert, der Phantasie freien Lauf zu lassen. Der Begriff des ›Grotesken‹ hat jedoch, vor allem in den letzten Jahrhunderten, einen engeren Sinn bekommen.

Gegen das Regelwerk der Säulenordnungen erschien diese Ornamentik als Reich der Freiheit; aber sie wurde in das Ordnungssystem integriert und erhielt einen Platz als weltliche Zier für private Nebenräume, für Gartensäle und überhaupt den Naturbereich, in dem die durch die Vernunft schwer zähmbaren Naturkräfte – und als eine solche verstand man gerade auch das Geschlechtliche – ihren eigenen Bereich hatten. Sie war sehr verbreitet, denn das Zeitalter liebte das Lusthaus mehr als die offizielle Residenz, das Innere der Schlösser mehr als das Äußere, die Kunstkammer mehr als den Großen Saal, und es vergnügte sich am Spiel mit Andeutungen. Letztlich ist das gesamte Ornament des Jahrhunderts in seiner Grundhaltung von den Grotesken bestimmt, sei es nun Rollwerk, Beschlagwerk oder Knorpelstil. Es ist auch müßig, nationale Unterscheidungen zu versuchen: der Austausch zwischen den Zentren war so lebhaft, daß wir Nürnberger Stiche in Paris imitiert finden und umgekehrt usw. Das vielleicht wichtigste Zentrum dieser graphischen Kunst in der zweiten Hälfte des 16. Jahrhunderts war Antwerpen, das ebenso wie Amsterdam viele Künstler ursprünglich deutscher Herkunft anzog, so auch Hans Vredeman de Vries (1527–1623).

Die Kunstschreiner, Goldschmiede und andere Luxuskünstler bildeten ihre Formen bevorzugt in dieser Ornament-Stillage. Sie waren teils selbst Entwerfer, jedenfalls aber die bevorzugten Adressaten der Ornamentstiche, wie folgender Buchtitel einer Holzschnittsammlung mit grotesken Ruinenlandschaften zeigt: »Geometria et Perspectiva. Hierin Etliche zerbrochne Gebew den Schreinern in eingelegter Arbeit dienstlich auch vil andern Liebhabern zu sonder gefallen geordnet und gestelt durch Lorentz Stöer Maller Bürger im Augspurg«. Die Intarsienschreinerei ist eine aus Italien übernommene Einlegetechnik mit farbigen Hölzern, Steinen und anderen Materialien, die besonders in Süddeutschland zu hoher Meisterschaft gebracht wurde. *(Abb. 14 a u. b)*

Künstlerische Phantasie versucht, immer Neues, anderes zu erfinden. Diese Epoche hat mehr als je eine andere der Phantasie gehuldigt und deshalb eine verschwenderische Fülle von Zierformen hervorgebracht. Gerade darin aber steht

14 a. u. b. **Meister mit der Hausmarke, Wrangelschrank,** *Ansicht bei geöffneten und geschlossenen Türen, verschiedene Hölzer, 70 x 100 cm, Augsburg, 1566, Münster, Westfälisches Landesmuseum*

Der Schrank ist eine Meisterleistung süddeutscher Holzintarsienkunst. Als Vorlage wurden vor allem Ornamentstiche von Lorenz Stör verwendet. In aufgetafeltem Zustand zeigen sich eine Folge von Reliefs mit Historien der römischen Kaisergeschichte zwischen Alabastersäulen, möglicherweise von Alexander Colin (um 1526–1612). Die Intarsienarbeiten zeigen verschiedenfarbige, teilweise gefärbte Hölzer. Schattierungen und Binnenzeichnungen schuf man mit erhitztem Sand oder glühend heißen Metallstreifen.

sie dem ornamentfeindlichen 20. Jahrhundert besonders fern. Selbst die Wissenschaft tut sich schwer mit der Ordnung des Materials: Roll- und Beschlagwerk, Arabeske und Maureske, Knorpel- und Ohrmuschelstil sind nur annähernde Ordnungsbegriffe für eine chaotisch anmutende Kunst, die gerade das nicht wollte, was man ihr meist unterstellt – den einheitlichen Stil. *(Abb. 15)*

15. Lucas Kilian (1579–1637): Newes Gradesca Büchlein, Titelblatt, *Kupferstich, 19 x 14 cm, 1607.*

Beispiel einer Schweifwerk-Groteske mit parodistischen Zügen. Kilian, Ahnherr einer bis ins 18. Jahrhundert aktiven Stechersippe, war 1601–1604 in Italien, vor allem in Venedig. Seine kleinen Vorlagen-Büchlein hatten ebenso großen Erfolg wie seine Porträts. Er brachte es bis zur Mitgliedschaft im Augsburger Stadtrat.

Die Dominanz der italienischen Maler in der Hofkunst

Tonangebend in der Hofkunst seit 1500 war Italien. Der neue deutsche Provinzialismus aber hinderte zunächst viele Künstler, dort zu lernen. Viele von ihnen hatten auch Mühe, sich auf die mythologischen Themen und das neue antikisierende Schönheitsideal einzustellen. Folglich gingen die wichtigsten Aufträge an italienische oder italienisch geschulte niederländische Wanderkünstler, die an manchen Höfen Mitteleuropas kleine Künstlerkolonien bildeten. Reicheres Kunstleben hielt sich nur in Städten mit spezialisierter Luxusindustrie, wie in Nürnberg, wo man Goldschmiedewerke, Instrumente oder Spielzeug (vor allem Puppenhäuser) fertigte, oder in Augsburg, wo eine arbeitsteilige Kunstschreinerei gegründet wurde. Die Residenzstädte waren meist noch zu klein und die Zahl der Aufträge zu gering, als daß sie an die Stelle der alten Kunstzentren hätten treten können.

Die italienische Kunst begünstigte die Maler, die auch in den anderen Künsten, so der Architektur, führend wurden. Die Mentalität der Hofleute verstärkte diese Tendenz noch, denn anders als der Bildhauer staubte sich der Maler nicht ein. Seine Lebensführung war der adligen am ähnlichsten. Der ›disegno‹, der nicht nur Zeichnung, sondern die durch Nachdenken gefundene Idee bedeutete, machte ihn zum eigentlichen Künstler-Erfinder, zum berufenen Theoretiker. Wie Friedrich Sustris, der seit 1579 am Münchner Hof als Kunstintendant tätig war, erhielten auch andere Maler häufig eine leitende Stellung. Das Bauen wurde ihnen ebenso unterstellt wie die Organisation von Hoffesten oder Prozessionen – sie waren ›Mädchen für alles‹. Manche kamen gar nicht mehr zum Malen: Von Pietro Ferrabosco, dem Leiter der habsburgischen Bauvorhaben, *(Abb. 17 u. 24)* wissen wir aus einem Beschwerdebrief, daß er fast nur noch damit beschäftigt war, Festungen anzulegen oder zu modernisieren: Durch die Aufnahme in den Hofadel war er zwar im Rang erhöht, aber kein freier Mann mehr.

Das Schloß als Bauaufgabe

Die Herkunft von der Burg sieht man den ersten Schlössern noch an. Der von Befestigungsgesichtspunkten bestimmte Bauplatz tat das Seine. *(Abb. 16)* Als Kurfürst August von Sachsen 1567 als kaiserlicher Oberfeldherr einen Sieg in einem örtlichen Krieg errungen hatte, errichtete er »zu einem ewigen gedechtnus des gemachten frides« Schloß Augustusburg als Denkmal der »im Reiche wiederhergestellten staatlichen Ordnung«. Die Vier-Flügel-Anlage bringt dies zum Ausdruck. Vorbild ist Vitruvs quadratischer Kastelltyp mit Ecktürmen. Bereits das 13. Jahrhundert hatte ihn

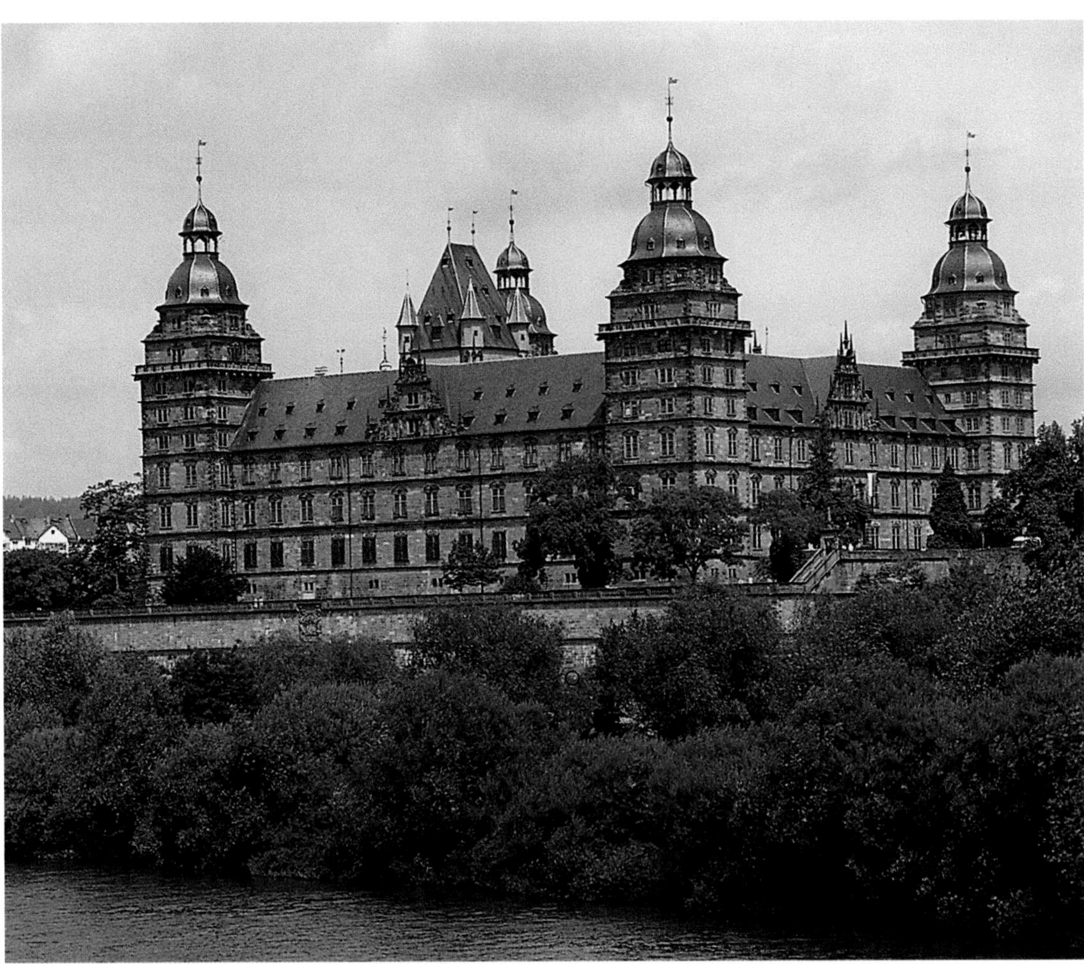

16. Aschaffenburg, Schloß Johannisburg, *Georg Riedinger (geboren um 1568), 1606–1616*

Die Residenz der Mainzer Erzbischöfe und Kurfürsten inmitten ihres großen, geschlossenen Territoriums in Mainfranken ersetzt eine mittelalterliche Burg, von der der Bergfried in den Neubau des Straßburger Baumeisters Riedinger integriert ist. Der Bau ist eine quadratische Vier-Flügel-Anlage mit Ecktürmen außen und Ecktreppentürmen innen mit einer für damalige Zeiten eher zurückhaltenden Zier.

etwa in den Deutschordensburgen *(Abb. III/20)* aufgegriffen. Italienische Fürsten erneuerten ihn seit der Mitte des 15. Jahrhunderts zeitgemäß, trutzig nach außen, mit zierlichen Arkaden übereinander im Innenhof. Die Habsburger und andere Fürsten übernahmen diesen Typus. Zwar ist fast alles in den Kernländern zerstört oder entstellend umgebaut, doch vermittelt das Schloß Bučovice/Butschowitz in Mähren, das der kaiserliche Feldherr Jan Šembera von Boskowitz durch den oben genannten Baumeister Ferrabosco und durch Pietro Gabri errichten ließ, noch eine Vorstellung von ihnen. *(Abb. 17)*

Außen erscheint das Schloß als geschlossener Kubus, die Ecktürme sind martialisches Zitat. Außenportale sind oft in der Art römischer Triumphbögen gestaltet, meist in toskanischer Ordnung, mit abweisend, ja bedrohlich wirkender Rustika. Die Türme, Gräben und festen Tore sind jedoch eher als Herrschaftszeichen zu verstehen: Gegen kleine Gruppen von Räubern boten sie vielleicht noch Schutz, einer echten Belagerung mit den damaligen militärischen Mitteln aber konnten sie nicht standhalten. Daß man anderes im Sinn hatte, zeigt auch die äußere Durchfensterung, ebenso die Tatsache, daß manche Schloßherren ihre Privatgemächer samt Kunstkammer und Bibliothek in einen Eckturm legten, der eigentlich primär militärischen Zwecken dienen sollte.

Architektonisch entfaltet sich das Schloß also mehr nach innen als nach außen. Die Arkadenhöfe folgen dem vitruvianischen Bautyp des Theaters. Ob in ihnen nun Schauspiele vorgeführt, ein Stechen geritten oder die Sau gehetzt wurde – sie waren Orte, die den Fürsten und seine Hofgesellschaft triumphal zur Erscheinung bringen sollten. In Dresden wurden mehrgeschossige, separat aufgemauerte Loggien für die Inszenierung des Fürsten und seiner nächsten Umgebung bei derartigen Festen und Zeremonien eingerichtet.

Freier in Typ und Gestaltung waren die ›Lusthäuser‹. Leider wurden gerade sie später oft als ›überflüssig‹ abgerissen, so das geistreiche Gebäude in Stuttgart, das 1844 einem Theater als ›moralischer Erziehungsanstalt des Volkes‹ zu weichen hatte, aber immerhin so berühmt war, daß man es recht genau dokumentierte. *(Abb. 18)* Der von Georg Beer entworfene und von Wendel Dietterlin sowie anderen Künstlern ausgemalte Bau hatte vier, rein dekorativ gemeinte, Ecktürme. Die große Empore mit Freitreppe war fürstliche Zuschauertribüne. Er war umgeben von Rennbahnen und Gärten unterschiedlicher Nutzung mit Brunnen, Pavillons und Skulpturen.

Das Prager Sommer- und Jagdschloß ›Stern‹ *(Abb. 19)* des Kaisersohnes und Erzherzogs Ferdinand (1529–1595), der 1547–1566 Statthalter in Böhmen war, fällt durch seinen sechszackigen Grundriß auf. Bei einer derartigen Bauaufgabe durften sich Phantasie und Erfindungsfrei-

18. Matthäus Merian (1593–1650), Ansicht des Lusthauses in Stuttgart: *(1) das in Resten noch vorhandene Alte Schloß, (5) das neue Lusthaus, (6) das alte, bescheidene Lusthaus, (7) der neue Rennplatz.*

*17. **Bučovice/Butschowitz/CZ, Schloßhof,***
Pietro Ferrabosco (um 1512–1589), Pietro Gabri u.a., 1567(?)–1584, Brunnen 1634

Schloß Butschowitz war von einem Festungsgeviert mit Wassergraben umgeben und bewahrt im Außenbau militärischen Charakter, was angesichts der Nähe zum türkischen Gebiet verständlich ist. Nur innen finden sich Bauzier wie Skulpturen in allen Zwickeln und an den Postamenten. Nach dem Muster der kaiserlich-römischen Zirkusanlage des Colosseums sind die Bauglieder geschoßweise gemäß den drei Säulenordnungen jonisch, korinthisch und komposit durchgebildet. Der Baumeister stammt aus Como und wurde 1556 in kaiserlichen Diensten geadelt. Unklar ist, inwieweit andere Künstler, wie z.B. Jakob Strada, (Abb. 1) an dem Bau mitwirkten. Der 1637 vollendete Brunnen stammt von Pietro Maderna, einem 1649 von Kaiser Ferdinand III. geadelten Tessiner Bildhauer.

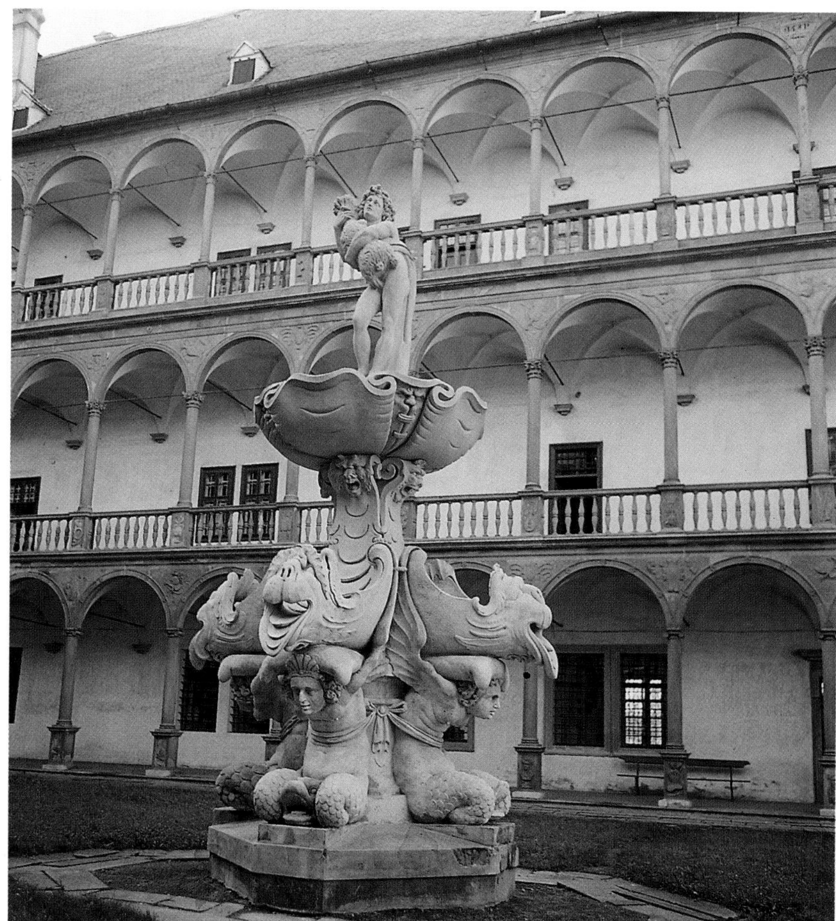

FVRSTLICHER LVSTGARTEN ZV STVETTGARTT

1 Fürstliche Schloss. 2 Newe baw. 3 Stifft kirch. 4 Cantzley. 5 Neuw Lust haus. 6 Alt Lust haus. 7 Newe renn plan. 8 Alt renn plan. 9 Schiess haus. 10 Hof mül. 11 Reiger haus. 12 bomeranken gart.

Mat. Merian fe.

*19. **Prag/CZ, Jagd- und Lustschloß Stern,** Mittelgewölbe, Stukkatur*
Der von Erzherzog Ferdinand für seine Gemahlin Philippine Welser errichtete Bau wurde von italienischen Stukkatoren mit einem Programm ausstaffiert, das das Thema des Planetenzyklus frei umspielt. In der Mitte das Bild des aus Troja fliehenden Äneas.

heit auch der sonst so regelgetreuen Architektur bemächtigen, und deshalb hat der Bau durchaus Nachahmer gefunden, so etwa auch – überraschenderweise – den preußischen Soldatenkönig. Der Erzherzog ist selbst der Entwerfer, was es erleichterte, sich über Konventionen hinwegzusetzen. Dazu paßt, daß das Lustschloß für seine heimlich angetraute, weil nicht standesgemäße, Gemahlin Philippine aus der Augsburger Patrizierfamilie der Welser gedacht war. Das Schloß lag in einem Tierpark und nahm die berühmten Kunstsammlungen Ferdinands auf, für die er später Schloß Ambras bei Innsbruck ausbaute.

Die Stukkaturen im Erdgeschoß gehören zu den besten Leistungen italienischer Meister nördlich der Alpen. Nicht nur die mythologischen Themen, auch die Technik selbst, geht auf die Wiederentdeckung der antiken römischen Innendekoration zurück, der ja auch die Ornament-Groteske verdankt wird. Zwar hatte man das ganze Mittelalter über mit dem Werkstoff Stuck gearbeitet, doch erst in der Renaissance begann man – zunächst im profanen Bereich – Decken und Wände mit stukkiertem ornamentalen Rahmenwerk zu überziehen und dieses mit figürlichem Schmuck und anderem Zierrat zu füllen. Dieser Brauch ging von Raffael und seiner Schule in Rom aus. Erst gegen Ende des Jahrhunderts ging man, wiederum in Rom, dazu über, auch Sakralbauten auszustuckieren. Ihren Höhepunkt erlebte die Lust am Stuck zwischen 1650 und 1750, als die Baukunst selbst unter ihren Bann geriet. *(Abb. VI/56)*

Zu jedem Schloß gehörten Gärten, deren Gestaltung man sich Riesensummen kosten ließ. Heute sind nur noch einzelne architektonische Bestandteile erhalten geblieben, vor allem Brunnen oder Kaskaden – schließlich war ja die reichliche Zufuhr von Wasser der denkbar höchste Alltags-Luxus der damaligen Gesellschaft. Viele Anlagen sind allerdings noch in Stichen sorgfältig dokumentiert, auch dies ein Zeichen gesteigerter Wertschätzung. Gegenüber der dem Himmel zugeordneten Geometrie des Schloßbaus, seiner ins Kosmologische ausgreifenden Zahlensymbolik und der rationalen Klarheit der Säulenordnungen war der Garten den irdischen Triebkräften und den Naturgottheiten eingeräumt: Hier regierten die Erdgöttin Ceres und deren Tochter Proserpina, die nur das Sommerhalbjahr auf der Erde zubrachte, die Quellnymphen und die als Kurtisane gedachte Frühlingsgöttin Flora, aber auch Venus und Bacchus, die Gottheiten der Liebe und des Rausches, mit ihrem Gefolge von Nymphen, Satyrn und Amoretten.

Der Garten- und Grottenbereich erhielt eine eigene architektonische Gestalt: *(Abb. 20)* Sie ist von der untersten, am wenigsten geformten Ordnung abgeleitet und verwendet gerne Rustika oder rustikaartige Motive in gedrungenen und schwellenden Formen. Ein Lieblingselement sind die muschelverkleideten, meist aus Tuffstein errichteten Grottenbauten, auf deren Errichtung und Ausstattung ein eigener Berufszweig, die Grottierer, spezialisiert waren. Die Muscheln sind zu dämonischen Masken zusammengesetzt, die auf die Bedrohlichkeit der Naturkräfte weisen. Aber sie sollen auch zeigen, daß alle architektonischen Grundformen aus der Natur stammen und durch die Kunst des Menschen veredelt werden müssen. So ist es durchaus sinnvoll, wenn die Grotte in München den Eingang zur Antikensammlung des Antiquariums bildet und von einer Nachbildung einer der elegantesten und kunstvollsten Statuen der Epoche, dem Merkur von Adriaen de Vries nach Giambologna bekrönt wird, zumal Merkur ja auch der Patron der Künste ist. Giambologna, eigentlich Jean de Boulogne, Hofkünstler bei den Medici in Florenz, war der damals wohl einflußreichste zeitgenössische Bildhauer, ein Virtuose der skulpturalen Form und Lehrer der meisten großen Plastiker der nächsten Generation. Der Merkur, seine berühmteste Statue, entstand 1564, eine eigenhändige Zweitfertigung war für Kaiser Maximilian II. bestimmt. *(Abb. 20 u. 22)*

Groteske Ziermotive bestimmen auch die Anlage der Wege, der Beete und Rabatten. Es gab für diese Aufgabe eigene ›Parterrezeichner‹, die sich bezeichnenderweise in derselben Zunft finden wie die Seidensticker. Besonders beliebt waren Irrgärten nach dem Muster des Labyrinths im Palast von Knossos auf Kreta, das der mythische Baumeister Dädalus entworfen hatte. Doch waren bestimmte Bereiche der Gärten als halbwilde Haine, andere als ganz verwilderte Zonen gegeben: die Neigung zu Rangstufungen ergriff alle Gebiete der Kunst. Jedes dieser Elemente war reich an symbolischen Bezügen. Die ›Verschnörkelung‹ der Gartengrundrisse ist also weniger als vergewaltigende Überformung der Natur zu verstehen, sondern als Darstellung ihrer geheimnisvollen Kräfte in der ihnen gemäßen Gestalt – dies erhellt zugleich die der Groteske innewohnenden Bedeutungen.

Der Garten vervollständigte das Bild des Fürsten als Herrscher und das des Hofes als kleiner Kosmos. Einige Gärtner, wie Emanuel Sweert am Hofe Kaiser Rudolfs II., waren weltberühmt. Genau wie die Kunstkammer im Schloß bildete der Garten eine Sammlung möglichst vieler, einheimischer und fremder Blumen, Bäume und anderer Pflanzen, die je nach ihrer Schönheit und Bedeutung einen mehr oder weniger bevorzugten Platz beim Schloß erhielten. Die Pflan-

20. München, Residenz, *Grottenhof, Friedrich Sustris (um 1540–1599) und andere, 1581–1586, Merkur von Adriaen de Vries (1545–1626) nach Giambologna (1529–1608), um 1590*

Die Grotte war ursprünglich von Gärten umgeben, in denen viele Bronzestatuen standen. Aus vielerlei Öffnungen sprühte Wasser und brachte die vielfarbigen Muscheln und Steine zum Glänzen. Sie wurde mehrfach verändert.

zen waren Gegenstand wissenschaftlichen Studiums und zugleich Zierrat des Herrschers. Auf diese Weise wurden neue Blumen, wie die Tulpe, neue Bäume, wie die Kastanie, ebenso aber die für die Ernährung Europas so wichtigen neuen Nutzpflanzen aus Amerika, wie Mais, Kartoffel oder Tomate, heimisch gemacht.

Das Hofzeremoniell und seine Folgen für das Schloßinnere und seine Ausstattung

Da die moderne Schloßbaukunst und das mit ihr zusammenhängende Zeremoniell etwas Neues, Importiertes waren, dauerte es lange, bis man Regeln für die Anordnung und Ausstattung der Räume fand. Außerdem mußten die für ein wärmeres Klima entworfenen Raumformen erst den Verhältnissen des Nordens angepaßt werden. So zeigt z.B. der Italienische Bau der Stadtresidenz in Landshut, den Herzog Ludwig X. 1536–1543 errichten ließ, eine offene Loggia nach südlichem Vorbild. Diesen Raumtypus gab man jedoch bald auf. Ähnlich erging es dem Arkadengang, einem anderen Lieblingsmotiv der Renaissancearchitektur: Die auf einer Bergspitze gelegene, zugige Augustusburg erhielt von vorneherein nur eine Rumpfarkade mit symbolischem Charakter. Viele Laufgänge wurden nachträglich verglast und in geschlossene Flure verwandelt. Lange schwankte man, in welchem Stockwerk die Haupträume unterzubringen wären. In Butschowitz schloß man sich italienischen Lusthäusern an und legte sie ins Erdgeschoß. In Landshut folgte man dem Typus des italienischen Stadtpalastes mit dem ›piano nobile‹ im ersten Stockwerk. Meist

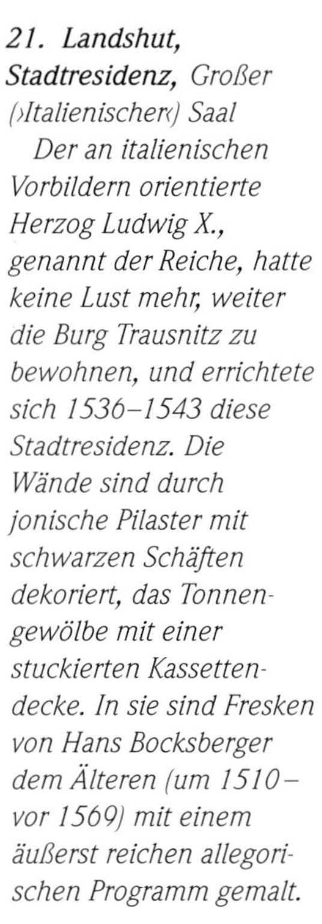

21. Landshut, Stadtresidenz, *Großer (›Italienischer‹) Saal*
Der an italienischen Vorbildern orientierte Herzog Ludwig X., genannt der Reiche, hatte keine Lust mehr, weiter die Burg Trausnitz zu bewohnen, und errichtete sich 1536–1543 diese Stadtresidenz. Die Wände sind durch jonische Pilaster mit schwarzen Schäften dekoriert, das Tonnengewölbe mit einer stuckierten Kassettendecke. In sie sind Fresken von Hans Bocksberger dem Älteren (um 1510 – vor 1569) mit einem äußerst reichen allegorischen Programm gemalt.

22. Bückeburg, Götterpforte im Goldenen Saal, *Holz, verkleidet und bemalt, Ebbert II. und Jonas Wulff, 1604–1606*

Ernst von Schaumburg-Holstein benutzte den Großen Saal auch als Theaterraum. Die Eingangspforte ließ er durch die Bildschnitzer Ebbert und Jonas Wulff überreich nach Ideen des Wendel Dietterlin (1551–1599) ausstatten, eine Hermesstatue nach Giambologna bildet die Bekrönung. Die beiden lebensgroßen Figuren stellen wohl Krieg (Mars) und Frieden (Venus) dar, in der Tür Bellona, die Schwester des Mars, in der Supraporte Juno und Ceres, stellvertretend für Luft und Erde. In dem Portal sind also die elementaren Kräfte dargestellt, die das Menschenleben bedingen; Merkur, der Gott des Intellekts und der Künste, aber auch des Handels, tritt als ihr Lenker auf. Sein Gesicht trägt die Züge des Fürsten.

aber behielt man die unbequeme traditionelle Plazierung der Haupträume im zweiten Geschoß bei.

Im Mittelalter war der Große Saal Herzstück des Schloßbaus. Er war der repräsentativste Raum, am reichsten ausgestattet, aber in der Regel noch recht niedrig. Ganz italienisch gehalten ist der stuckierte und freskierte Hauptsaal in Landshut mit seinem Tonnengewölbe. *(Abb. 21)* Relieftondi mit den Taten des Herkules, des mythischen Helden schlechthin, sind als Verherrlichung der Alleinherrschaft zu lesen. Im Fries wird Eintracht als Grundlage der Macht angemahnt, und die Kassetten der Decke enthalten Bilder vorbildlicher antiker Helden. Einer der eigenwilligsten Kunst-

23. ***München, Residenz,*** *Kaisertreppe, vollendet 1616, Stuck von Matthias Piechl und Caspar Marodt (erste Hälfte 17. Jh.)*

Zugang zum großen Kaisersaaltrakt, dem Hauptvorhaben unter Kurfürst Maximilian I. einer mächtigen Vier-Flügel-Anlage. Die Treppe führt zu den Haupträumen im ersten Stockwerk; entsprechend dem vorbereitenden, funktional untergeordneten Charakter ist für die gekuppelten Säulen und Pilaster die dorische Ordnung gewählt, während die Statuenrahmung reicher ist. Die Mitwirkung des Malers und Architekten Josef Heintz (1565–1609) in Teilen ist wahrscheinlich.

freunde der Epoche, Fürst Ernst von Schaumburg-Holstein, machte beim Umbau seiner Residenz in Bückeburg jedoch den Großen Saal zum Theaterraum. *(Abb. 22)*

Ziel war es, eine möglichst große Gestalt- und Programmvielfalt der Räume zu erreichen, aber allmählich ging man dazu über, die Übergänge vom Großen Saal zu den Vorräumen mit System abzustufen. Mit der Einführung des spanischen Hofzeremoniells wurde eine Aneinanderkettung möglichst vieler Räume Brauch, die sog. Enfilade. Die Türen, die man zur Erhöhung ihrer Repräsentativität als Flügeltüren gestaltete, legte man in eine Flucht, mit dem Ziel, den Besucher möglichst viele bewachte Türen und verschieden geschmückte Räume durchlaufen zu lassen, ehe er beeindruckt von der von Raum zu Raum wachsenden Pracht zum Herrscher gelangte, der ihm nun umso majestätischer erscheinen mußte. Einen Eindruck von dieser Art Inszenierung gibt uns die Münchner Residenz Kurfürst Maximilians I. Sie hat außerdem in der Kaisertreppe einen weiträumigen und bequemen Aufgang nach neuer italienischer Art. *(Abb. 23)* Man wurde sich bewußt, daß die Treppe nicht nur eine funktionelle Verbindung zwischen zwei Stockwerken ist, sondern Möglichkeiten zur prächtigen Inszenierung des Fürsten bietet, aber auch zu einer subtilen Handhabung des Zeremoniells: Ob man einen Gast oben oder unten empfing oder ihm auf der Treppe begegnete, bot subtile Abstufungen des

24. ***Butschowitz/Bučovice/CZ, Schloß,*** *Hasenzimmer, Malereien von Markus von Kraytzen, ca. 1584–1585*

Das Mittelbild im Hasenzimmer mit der Darstellung eines höfischen Festmahls macht sich über das Hofzeremoniell lustig. Die Gewölbe sind, wie bei Landschlössern üblich, mit grotesken Ornamenten bemalt. Die Künstler stammen aus dem Hofkreis Kaiser Maximilians I.

›Entgegenkommens‹. Nach innen verwirklicht der Residenzbau die kaiserlichen Ansprüche Maximilians, die dieser sich jedoch nicht getraute nach außen vorzutragen – deshalb sind die Fassaden schlicht und fast ausschließlich durch Wandmalerei geschmückt.

Eine funktionelle Festlegung und entsprechende Möblierung wurde, abgesehen von den Kunstkammern, erst relativ spät und eher für privat genutzte Räume Brauch. Wandvertäfelungen und ähnlich aufwendige Verkleidungen finden sich zunächst in Studierzimmern – das Wort ›Zimmer‹ erinnert noch an derartige Zimmermanns-Ausstattungen. Überhaupt hatten anfangs nur wenige Räume eine feste Einrichtung. Man blieb mobil und mußte es auch deshalb sein, weil die Schlösser zeitweise leer standen, dann aber wieder mit Gästen überfüllt waren. Deshalb waren die meist in Brüsseler Manufakturen bestellten Wandteppiche so beliebt, mit deren Hilfe man im Handumdrehen ein Schloß wohnlich machen oder thematisch je nach Anlaß und Funktion aus- und umgestalten konnte. In der Regel richtete man für den Fürsten und die Fürstin voneinander getrennte Räume ein, wobei man sie später gern sogar auf verschiedene Flügel verteilte und den Grad öffentlicher Zugänglichkeit der Zimmer regelte.

Die ländlichen Residenzen waren wie die Lusthäuser in der Ausgestaltung der Raumfolgen freier. Zwar enthielten auch sie immer einen offiziellen, repräsentativen Kernteil, beispielsweise einen Kaisersaal, doch dieser konnte durch ein das Hofleben parodierendes Hasenzimmer oder einen Raum mit Bildern der Liebschaften des Zeus, eingerahmt werden, die nur eingeschränkt in das offizielle Raumprogramm einer Residenz passen. *(Abb. 24)* Überhaupt hatte jeder Hof eine Zone der ›Narrenfreiheit‹, und sei es nur in der Person des Narren oder Hofzwergs, denen erlaubt war, den hohen Herren und Damen den Zerrspiegel vorzuhalten – auch dies ein mittelalterliches Erbe. In der Münchner Residenz hing ehedem neben der Galerie von Fürstenporträts eine Sammlung von Narrenbildnissen, und neben der Prunkvase konnte ein Scherzgefäß stehen.

Die fürstliche Kunstkammer und ihre Sammlungen

Ohne Kunst wäre die Inszenierung des Fürsten in seinem Schloß kaum möglich gewesen, weshalb sie sich gleichermaßen in calvinistischen wie katholischen Häusern findet. Die Porträts der Ahnengalerie oder die großen mythologisch-allegorischen Bildprogramme in den Staatsappartements, die Büsten *(Abb. 32)* und gemalten Bildnisse des Fürsten – sie alle dienten auf verschiedene Weise seiner Verherrlichung. In der Tradition des humanistischen Studierstübchens umgaben sich die Fürsten aber auch in ihren Privatgemächern mit Kostbarkeiten. Kapellen wurden bei katholischen Fürsten oft zur geistlichen Schatzkammer, Reliquien- und Juwelensammlung in einem. *(Abb. 25 u. 26)*

Doch hatte ›Kunst‹ im damaligen Residenzschloß einen besonderen Ort, die Kunstkammer, wo die Kunstwerke (artefacta) zusammen mit Karten, Werkzeugen und wissenschaftlichen Instrumenten (scientifica) sowie mit Natur-Denkmälern (mirabilia naturalia, Wunderdingen aus der »geheimen Werkstatt der Natur« oder »Kunstkammer Gottes«) einen symbolischen Kosmos bildeten. Die Kunstkammer ist die Vorform des heutigen Museums und doch in ihrer Zusammensetzung, Erscheinung und Absicht etwas Anderes. Sie diente der Betrachtung und dem Studium, doch der geheime Mittelpunkt der Sammlung war der Fürst selbst, denn so weltlich die Höfe auch geworden waren, es blieb das Bedürfnis, sie in Analogie zu den mittelalterlichen religiösen Weltsystemen kosmologisch zu überhöhen. Es ging in der Kunstkammer weniger um die Demonstration von Reichtum, sondern, ganz im Sinne der Bestrebungen des humanistischen ›studiolo‹, um die von Bildung und von Kunstsinn. Deshalb wurde für einen Machthaber die Einrichtung einer Kunstkammer zum Muß, selbst wenn er sich persönlich nur wenig für Kunst erwärmen konnte: Die Kunstkammer war ein notwendiges Attribut der Herrschaft und ein unentbehrliches Mittel der Repräsentation. Auf Repräsentation aber konnte das damalige Herrschaftssystem keinesfalls verzichten.

Erhalten hat sich keins dieser Ensembles. Was Erben oder Eroberer nicht plünderten, wurde im

18. Jahrhundert in spezialisierte Museen überführt und dabei voneinander getrennt. Wir müssen also auf alte Inventare und Reisebeschreibungen zurückgreifen, um uns einen Begriff von den Kostbarkeiten zu machen, die in einer Kunst- und Wunderkammer vereint waren: Im Dresdner Schloß bewahrte Kurfürst August (1553–1586) seine Sammlung im zweiten Obergeschoß der Residenz, nahe der Anatomie, in der man ausgestopfte Tiere sah, und der Bibliothek auf – direkt über seinen eigenen Räumen. Im ersten Saal sah man laut dem Inventar von 1640 Prunkmöbel, Goldschmiede- und Drechslerarbeiten, Instrumente und Werkzeuge, dazu einen Stammbaum. Auch im zweiten Saal gab es Werkzeuge und dazu Bildnisse, im dritten waren Tische, Schränke und Kabinettschränke aufgestellt, darauf Edelsteine und Schmucksachen, Kunstarbeiten aus Elfenbein, Perlmutt, Kristall usw. An den Wänden hingen Fürstenbildnisse und Landschaften. Im vierten Saal gab es vier lange Tafeln und vier Tische, besetzt mit Kunstkästchen, die ihrerseits mit kleineren Kunstarbeiten angefüllt waren, dazu ein Holzmodell des Schlosses und mehrere Gemälde. In Saal fünf waren viele Kunstbücher und wissenschaftliche Handschriften aufgestellt, außerdem mathematische und optische Instrumente, Orgeln und außerdem Landkarten und Zeichnungen. Saal sechs enthielt Spiegel, gestickte Bilder, Porzellangefäße, ein Einhorn, Porträts von europäischen Herrschern sowie 50 Bilder, meist mit ›heidnischen Historien‹. Im siebten Saal befanden sich Naturalien, Erzstufen, sächsische Steinarten, Kokosnüsse, ausgestopfte Tiere und ›indianische‹ Arbeiten, vermutlich Kunstwerke der Azteken und Inkas. An den Wänden hingen Tier- und Jagdbilder. Saal acht schließlich war großen und kleinen Plastiken aus verschiedenen Materialien gewidmet und zeigte außerdem Uhren sowie zwölf Bilder der ersten römischen Kaiser und Landschaften. Was uns heute eher als ein Durcheinander erscheint, war ein subtil geknüpftes Beziehungsnetz. Inschriften an den Wänden und Decken entfalteten den Sinnreichtum der Bezüge.

Schon wegen der völligen Zerstörung der Ensembles ist das Antiquarium neben dem Grotten-

26. Hans Schleich (?) (Meister 1582, †1616), vielleicht nach Entwurf von Friedrich Sustris (um 1540–1599), Statuettenreliquiar des hl. Georg, *Hauptreliquiar der Reichen Kapelle, Gold, Goldemail, Rubine, Smaragde, Achat, Chalzedon usw., 50 cm, 1586–1597, Sockel zwischen 1638 und 1641 umgearbeitet, München, Schatzkammer der Residenz*

Das Reliquiar wurde an Festtagen auf dem Altar der Reichen Kapelle ausgestellt. Die Auffassung und Kostümierung des Ritterheiligen ist retrospektiv und entspricht nicht der Kriegführung der Zeit. Auch der Drache entstammt eher einer spätgotischen Reitergruppe.

linke Seite:
25. München, Residenz, *Reiche Kapelle Kurfürst Maximilians I., 1607 geweiht*

Der Kurfürst betrachtete die Reliquienkapelle, die aufs Erlesenste ausgestattet ist, als sein Privatissimum. Der Bodenschmuck enthält u.a. Jaspis, Achat und Halbedelsteine, die Wände sind in Scagliolatechnik geschmückt. Das Altarretabel ist nach Augsburger Art als Verbindung von Silber und schwarzem Ebenholz gestaltet – bemerkenswert auch die kleine Prunkorgel der 1620er Jahre. Zur Kapelle gehört ein großer Heiltumsschatz von kostbaren Reliquiaren.

hof der Münchner Residenz von einzigartigem Wert. *(Abb. 1)* Es diente der Aufnahme der Antikensammlung, war jedoch kein archäologisches Museum im modernen Sinne, sondern eine historische Galerie der römischen Herrscher, zu verstehen als ideelle Genealogie der Wittelsbacher. Die Inkrustation der Wände mit farbigem Marmor und anderen ebenso kostbaren wie bedeutsamen Steinen betont ebenfalls den Anschluß an die römisch kaiserliche Tradition, *(Abb. 1/5)* eine architektonische Repräsentationsform, die von den Päpsten seit dem frühen 16. Jahrhundert erneuert worden war. Der Saal ist also in erster Linie der dynastischen Selbstdarstellung des Herrscherhauses gewidmet, was auch die Veduten aller bayerischen Städte in den Stichkappen erklärt. Die Deckenbilder Peter Candids verkünden Herrscherlob und Tugendprogramm. Die Groteskenzier der Gewölbekappen aber deuten ebenso wie die Musikantenempore und die beiden Etageren für die Aufstellung von Schaugeschirr an, daß es sich darüberhinaus auch um einen Garten- und Festraum handelt. Aus diesem Grunde wählte der Entwerfer Friedrich Sustris auch keine offizielle Säulenordnung für die Wandpfeiler, sondern schuf eine naturnahe Abwandlung der Volute als Widderhörner.

Jede Kunst- und Wunderkammer war je nach Art und Anschauung des sammelnden Fürsten unterschiedlich aufgebaut und bestückt. Und doch gibt es – gerade aus distanzierter Sicht – strukturelle Ähnlichkeiten.

Möbel, vor allem die sogenannten Kabinettschränke, gehörten zu den wichtigsten, und nicht – wie heute – zu den dekorativen Stücken dieser Raumgruppe. *(Abb. 27)* Sie waren eine Augsburger Spezialität; Hauptwerke waren teurer als die wertvollsten Bilder. Ihr Ansehen wird jedoch auch durch ihren Inhalt definiert, denn in ihnen wurden die größten Kostbarkeiten aufbewahrt. Dazu gehörten antike Gemmen, Kameen, Münzen und Medaillen ebenso wie Edelsteine und andere Raritäten. Münzen und Medaillen waren geschätzt, weil man gerade an ihnen die Kontinuität von der antiken zur eigenen Herrschaft aufzeigen konnte. Und um das Ansehen der Gemmen und Kameen zu begreifen, genügt es, Sandrarts Worte zu zitieren: »Es ist die Kunst, Edelgesteine und unter denselben das Crystall, welches wegen seiner hellen durchscheinenden Klarheit und der groß befindlichen Stücke zu allerhand Gefäßen das tauglichste Corpus ist, auszuarbeiten und zu schneiden, von den ältesten Zeiten her bekannt und in Achtung gewesen, und ist vor [für] den ersten Erfinder vermög heiliger Schrift unfehlbaren Zeugnus (2. Mose 35) Bezaleel, den Gott hierzu mit weisen Geist erfüllet, billich zu halten.« Bei einer so gesteigerten Auffassung der Materialien und ihrer Bedeutung hatte nach den Vorstellungen der Zeit auch die Form der Behältnisse selbst von höchster Kunst zu sein. Oft wurde die Beziehung auch umgedreht: Passend für diese Schränke wurde eine eigene kostbare Kleinkunst entworfen.

Manche ›Kabinettschränke‹ waren allseitig ausgearbeitet und bildeten den Mittelpunkt des Raumes, in dem sie sich befanden und auf den sich die übrigen Gegenstände bezogen. Ja, sie waren, wie der ›Kunstschrank‹ der Herzöge von Pommern, eine Kunstkammer im Kleinen. Die umfangreichen, gelehrten Bildprogramme greifen ins Kosmische aus, und ihre vollständige Aufschlüsselung würde leicht Bücher füllen. Man darf sie zu Recht als Enzyklopädien bezeichnen. ›Außen‹- und ›Innen‹-Architektur samt Zierrat, die Auswahl der Materialien und das Bildprogramm wurden sorgfältig geplant. An großen Schränken arbeiteten mehrere Künstler verschiedener Fachrichtungen oft jahrelang. Was gelegentlich etwas abfällig ›Schreinerarchitektur‹ genannt wird, erweist sich als eine eigene Art architektonischen Schaffens, die Formen der hohen Baukunst mit Elementen einer niederen, naturnäheren, zuweilen grotesken Stillage verschmilzt.

Der Münzschrank Erzherzog Ferdinands von Tirol ist eine Verbindung von Turm und Kastell und wird von einem zweigeschossigen Tempietto bekrönt, der den Neun Musen geweiht ist. *(Abb. 27)* Die Superposition der Ordnungen – es sind nur die feineren und höherrangigen: jonisch, korinthisch und komposit – wird ausschließlich durch Karyatiden und Hermen ausgedrückt: die Architektur wird also in höherem Maße als bei großen Bauten als Gebilde aus lebenden Wesen und Verhältnissen gedacht. Die Korbform des korinthischen Kapitells ist auffällig betont, eingedenk der Legende seiner Erfindung durch den Korinther Kallimachos, der durch einen von Bä-

27. Augsburger Meister, ***Münzschrank Erzherzogs Ferdinand II. von Tirol,*** *Ebenholz, vergoldete Bronzefigürchen, Edelsteine, Perlen, 86 cm, um 1570, Wien, Kunsthistorisches Museum*

Münzen und Medaillen galten zugleich als kostbare Kunstwerke und als Schatz, auf den man in Notzeiten zurückgreifen konnte. Vor allem aber dienten sie zur Belehrung über die Geschichte, also über die Mitglieder der Herrscherhäuser und die großen Männer, zu deren Ehre man Medaillen schlug. Entsprechend aufwendig in Form und Programm sind die Münzschränke.

renklaublättern (Akanthus) umrankten Korb auf dem Grab eines Mädchens inspiriert wurde. Doch ist die Logik der Baukunst keineswegs außer Kraft gesetzt: Die Stockwerke sind regelgemäß und subtil abgestuft, ebenso das Verhältnis der Seiten zur Mitte – das Schränkchen ist eine an Bauideen reiche und virtuos ausgeführte Kunstschreinerei.

Rudolf II. holte zur Förderung der Steinschneidekunst Ottavio Miseroni, einen der besten mailändischen Meister, und erhob ihn zusammen

mit seinen Brüdern in den Adelsstand. Er begründete so in Böhmen einen neuen Zweig der Kunstindustrie und führte auch die Glaskunst durch den Kristallschliff auf ein höheres Niveau. *(Abb. 28)* Wirtschaftliche Gesichtspunkte spielten bei der Förderung der Künste also eine nicht geringe Rolle. Doch darf man gerade bei Rudolf den ideellen Aspekt nicht vergessen: Der Kaiser wollte in den Edelsteinen »[...] die Größe und die unsagbare Macht Gottes, die in so winzigen Körperchen die Schönheit der ganzen Welt vereinigt und die Kräfte aller anderen Dinge eingeschlossen zu haben scheint, betrachten und einen gewissen Abglanz und Schimmer der Göttlichkeit immerdar vor Augen haben.«

Uhren, wissenschaftliche Instrumente und Werkzeuge der verschiedenen Handwerkszweige würden wir heute eher in einem Technikmuseum erwarten. Im damaligen Verständnis jedoch sind Kunst, Technik und Wissenschaft untrennbar miteinander verwoben. Eine derartige Abteilung konnte wie eine polytechnische Lehranstalt genutzt werden: so wurde etwa die berühmte Uhren- und Instrumentensammlung Rudolfs II. den Uhrmachern befreundeter Fürsten zugänglich gemacht und aus ihr Instrumente auch verliehen. Die Sammlung diente also der technischen und wissenschaftlichen Innovation – der Kaiser ließ seinen berühmten Uhrmacher Bürgi beispielsweise eine Planetenuhr anfertigen, die das noch bestrittene heliozentrische System des Kopernikus zeigte. *(Abb. 29)*

Daneben standen in der Kunstkammer die ›Wunderwerke der Natur‹: Erzausblühungen und Versteinerungen, vor allem aber Exotika, wie Rhinozeroshörner, Seychellennüsse und Nautilusmuscheln. *(Abb. 30 u. 31)* Magische Eigenschaften wurden ihnen zugeschrieben: Die groteske Maske, die Nikolaus Pfaff in ein Rhinozeroshorn schnitt, will die magischen Kräfte des Materials sichtbar machen. Natur wurde noch nicht rationalistisch verstanden, man trennte noch nicht Astronomie von Astrologie, Chemie von Alchemie. Sie war das tiefsinnige ›Buch‹ Gottes, voller Geheimnisse, die der Mensch zu entziffern sich bemühen soll: Je genauer die Kenntnis der Dinge, desto genauer die Kenntnis vom Schöpfer. Die Wissenschaft hatte das Wesen der Dinge zu erforschen, die Kunst hatte es darzustellen.

links oben:
*28. **Eisschale, Miseroni-Werkstatt,** Kristall, 12 cm, Mailand, Ende 16. Jh.*
Kaiser Rudolf II. berief aus Mailand den berühmten Kristallschleifer Ottavio Miseroni (1567–1624) und seine Familie nach Prag, wo sie die Glas- und Kristallschleifkunst zu hoher und lange noch andauernder Blüte führten. Die Kostbarkeit dieser Gefäße wird durch die goldene Einfassung noch unterstrichen. Man erachtete es geradezu als eine Pflicht der Künstler, den Materialien durch ihre Kunst ›den letzten Schliff‹ zu geben. Der Name der Schale geht auf ihre Körnung zurück, die Kristall wie gefrorenes Eis erscheinen läßt.

links unten:
*29. **Georg Roll (um 1546–1592) und Johann Reinhold (um 1550–1569), Mechanischer Himmelsglobus Rudolfs II.,** Silber, Bronze, Messing und Eisen, vergoldet, teilweise bemalt, 54 cm, Augsburg, 1583–1584, Wien, Kunsthistorisches Museum*
Wissenschaftliche Instrumente dieser Art wurden vor allem von Uhrmachern gefertigt, jedoch immer auch künstlerisch geschmückt. Der Erdglobus unten bewegt sich nicht. Der Himmelsglobus mit den Darstellungen der 49 Sternenbilder dreht sich, im vertikkalen Meridianring befestigt, einmal am Tag um sich selbst. Um ihn liegen ein Sonnen- und Mondring; auch sie sind beweglich. Das Uhrwerk sitzt innerhalb der Kugel und betreibt auch einen Tages- und Stundenanzeiger sowie einen Kalenderring.

rechts oben:
*30. **Anton Schweinberger (um 1550 – um 1603) als Hofgoldschmied, Nikolaus Pfaff (1556?–1612?) als Schnitzer, Seychellennuß als Kanne mit Neptunszenen,** Silber vergoldet, 38,5 cm, 1602, Wien, Kunsthistorisches Museum*
Das Werk stammt aus der Kunstkammer Rudolfs II. und ist ein Beispiel dafür, wie ein seltenes Fundstück von exotischen Gestaden künstlerisch geformt und programmatisch überhöht wird.

rechts unten:
*31. **Wenzel Jamnitzer (1508–1585), Nautiluskanne,** Silber vergoldet, 33 cm, um 1570, München, Schatzkammer der Residenz*
Wenzel Jamnitzer ist der führende Praktiker und Theoretiker unter den Nürnberger Goldschmieden der Jahrhundertmitte, ein Künstler von europäischem Ansehen. Naturabgüsse, wie die Erdschnecke des Fußes, und figürliche Erfindungen sind auf geistreiche Weise mit der Nautilusmuschel zur Form vereinigt. Die Farbe als Malereiemail an den Früchten und Tiefschnittemail an der Halterung der Muschel ist sehr dezent angebracht.

*32. **Adriaen de Vries (1545–1626), Porträtbüste Kaiser Rudolfs II. nach dem Vorbild einer Büste Karls V.**, Bronze, 112 cm, Prag, 1603, Wien, Kunsthistorisches Museum*

Die Bronze mit ihrer antiken und imperialen Tradition wurde als Material von Rudolf bevorzugt. Lehrmeister des Adriaen de Vries wie der meisten der damals an den Höfen Mitteleuropas tätigen Bronzebildner war Giambologna, der Hofbildhauer der Medici in Florenz. Ihr gemeinsames Vorbild war Michelangelo. Rudolf aber orientierte sich zudem an der Bronzebüste Kaiser Karls V. von der Hand des Leone Leoni.

Man war jedoch überzeugt, daß der Mensch als Gottes Ebenbild mit seiner vom Schöpfer verliehenen Wissenschaft und Kunst letztlich mehr vermöge als die Natur. Deshalb wurde auch das Erfinden aus der Phantasie heraus höher geachtet als die Naturnachahmung. Die Naturwunder erhielten erst ihre Vollendung, wenn sie mit höchster Kunst bearbeitet und eingefaßt wurden. Man forderte geradezu die artistische Überwindung der widerspenstigen Materie, die Verwandlung des Spröden ins Schmelzende, des Stumpfen ins Glänzende. Die Kannen und Gefäße, die man dabei schuf, waren eigentlich zu nichts nutze, manche ihrer Deckel ließen sich nicht einmal öffnen – es waren Darstellungen von Kannen, Kunst für die Kunstkammer, Gestalt gewordene Naturphilosophie.

Skulptur und Malerei unter Kaiser Rudolf II.

Die Kunstkammer Rudolfs II. auf der Prager Burg galt als unvergleichlich. Aber noch berühmter war seine Bildergalerie, die größte der damaligen Welt, heute verstreut oder gar vernichtet. Der Kaiser war ein leidenschaftlicher Sammler alter Bilder, für deren Erwerb er keine Kosten scheute, doch galt er Karel van Mander auch als »der größte Kunstfreund seiner Zeit«. Er hielt mehrere bedeutende Künstler nebeneinander in seinen Diensten, von denen die meisten aus den Niederlanden kamen. Sie hatten leichteren Zugang zu ihm als die höchsten Adligen oder Diplomaten und waren deshalb als Fürsprecher sehr gesucht. Rudolfs Galerie umfaßte zahlreiche Räume, die er jedoch nur ungern zeigte, sondern statt dessen fast ausschließlich für sich zur Anregung seiner Phantasie und als Ausblick in die Welt nutzte. Während er den Geschichtsschreibern im Hinblick auf Politik und Staatsaktionen als schwacher, unentschlossener Kaiser gilt, strahlt er den Kunstliebhabern als imperiale Sonne am Kunsthimmel seiner Zeit – ein Vorbild für viele, selbst für die protestantischen Fürsten des Reiches. Der Dichter Grillparzer urteilte vermittelnd: »Das Tragische war dann doch, daß er das Hereinbrechen der neuen Weltepoche bemerkt, die anderen aber nicht, und daß er fühlt, wie alles Handeln den Hereinbruch nur beschleunigt.«

Die Galerie ist der Entstehungsort des autonomen Kunstwerks, das vor allem dazu dient, betrachtet und bedacht zu werden. Dafür nahm man sich viel Zeit: Von dem oben erwähnten Bischof Konrad von Gemmingen berichtet Philipp Hainhofer, daß er ein kunstvoll illustriertes Buch mehrere Tage bei sich behielt, »ein stuckh nach dem andern wegen seiner Kunst und Invention recht zu meditirn und contemplirn.« Diese Einstellung geht ineins mit einer bestimmten Erscheinung der Werke: Sie sind einerseits mit gedanklichem Gehalt, Anspielungen auf Sinnbilder wie auf den Herrscher usw. aufgeladen, andererseits sind sie oft materiell kostbar, insbesondere aber aufs höchste künstlerisch durchgebildet: Sie wollen

›künstlich‹ sein, damals ein lobendes, heute ein tadelndes Wort – schwierige Verkürzungen und Stellungen werden absichtsvoll aufgesucht, um – wie Vasari forderte – »die Möglichkeiten der Kunst vorzuführen«. Diese Kunst behauptet ein hohes Selbstbewußtsein gegenüber der Natur, ebenso ein hohes kunsttheoretisches Reflektionsniveau, das häufig in den Bildern selbst thematisiert wird. *(Abb. 9)*

Rudolf verehrte an den Werken Dürers und anderer ›altteutscher‹ Meister, daß sie so ›kunstreich‹ und damit so schwierig und durchdacht, aber dennoch genau nach der Natur studiert waren. Der ›Überschuß an Form‹ ließ sie der eigenen Kunst nah erscheinen und doch auch als Alternative. Ihre schon durch ihr Alter bedingte Fremdheit gab ihnen einen gleichsam exotischen Reiz, der dem der Kunstkammerobjekte entsprach.

Die Bildnerei für Kunstkammern aber war vor allem Kleinskulptur. *(Abb. 33)* Über kleine Bronzekopien wurden antike und italienische Statuen für die Kunstsammlungen verfügbar. Die Statuette der ›schönhintrigen Venus‹ (Venus Kallipygos) stammt vermutlich von Hans Mont und versteht sich als archäologische Rekonstruktion und als erotisches Thema in mythologischer Verkleidung. Die Skulptur soll von allen Seiten betrachtet werden und dabei immer neue Reize und thematische Aspekte entfalten. Viele dieser Werke thematisieren den Voyeurismus, und sublimieren ihn. Deshalb war die Szene mit Diana beim Bade mit ihren Nymphen, von dem Jäger Aktäon überrascht, so beliebt: Aktäon brachte der Anblick des nackten Leibes der jungfräulichen Jagdgöttin den Tod, während der Betrachter ungestraft in der Schönheit der Mädchenkörper schwelgen konnte. Das Spiel mit Schein und Sein, die Verschlüsselung oder gar Ironisierung der Bild-Betrachter-Beziehung, die Vielschichtigkeit der Bedeutungen sind für diese Kunst wesentlich.

Rudolfs Leidenschaft galt der Malerei. Seine Kammermaler standen ihm am nächsten. Gängigstes Thema waren die Liebschaften des Jupiter, mit dem sich der Fürst nach damaligem Verständnis identifizieren durfte. Rudolf war zwar in Spanien streng katholisch erzogen worden und hielt die förmliche Hofetikette aufs Genaueste ein, aber er schätzte die sonst eher selten dargestellte Geschichte, in der sich der oberste Gott in ein bocksbeiniges Waldwesen verwandelte, um die Nymphe Antiope zu verführen. *(Abb. 34)* Bartholomäus Spranger konnte es wagen, ein Bild zu erdenken, das die Neigung des kaiserlichen Betrachters, sich in einen wilden Mann verwandelt zu sehen, zartfühlend darstellte und zugleich seinen Voyeurismus befriedigte. Dabei spielte der Maler auch auf eine vom Kaiser geschätzte Skulptur Giambolognas an sowie auf die Farbigkeit und den schimmernden Schmelz der Kunstkammerstücke.

Für das Selbstverständnis Sprangers war es jedoch bezeichnend, einem eigenen Bildnis erstmals in der Künstlergeschichte die Züge des tragischen Narren zu geben. *(Abb. 35)* Die Bildende

33. Hans Mont (?) (um 1545–nach 1585), Venus Kallipygos
(›die mit dem schönen Hintern‹), Bronze, 30 cm, Ende 16. Jh. Braunschweig, Herzog Anton Ulrich-Museum

Künstlerisch ist die Figur noch am Stil des Konrad Meit orientiert. Die Statuette ist nicht nur ein Beispiel für die Antikenrekonstruktion bzw. -kopie, eine der Aufgaben derartiger Kleinbronzen, sondern auch erotisches Liebhaberstück. Der Künstler hat die Statue der Sammlung Farnese in Rom als Vorbild genommen (heute: Neapel, Archäologisches Museum).

Kunst näherte sich dem Theater. Dem Kaiser wird es gefallen haben, daß Hans von Aachen, ein anderer seiner Hofmaler, sich selbst mit seiner Frau unter dem Bild von Bacchus und Ceres porträtiert hat. *(Abb. 36)* Rudolf ließ sich aber auch selbst von Arcimboldo in der grotesken Maskerade des Vertumnus präsentieren, der ein Gott der Gärten wie der Jahreszeiten ist, vor allem aber ein Meister der Verwandlung und ein Verführer. *(Abb. 37)* Man erging sich in Anspielungen, die letztlich nur einem inneren Kreis von Künstlern und anderen Hofleuten um den Kaiser herum verständlich waren.

Aber Rudolf brauchte nicht nur Bilder für das Spiel seiner Phantasie. Er holte sich mit ihnen auch Wirklichkeit ins Haus, zumindest Ausschnitte davon. Die berühmten Bauernbilder des Brüsseler Meisters Pieter Brueghel im Wiener Museum gehörten ihm. Hans Vredeman de Vries schuf für ihn viele Architekturbilder. Roelant Savery, auch er ein Niederländer, ließ der reiseunlustige Kaiser die wilde Natur Tirols studieren. Wenn Savery in anderen Bildern einen kleinen Zoo malt, so bezieht sich das auch auf Rudolfs naturkundliche Sammlungen und Bestrebungen.

Rudolfs Hofastronom Kepler formulierte die Grundlagen der Physikotheologie: Die Natur sei in allen ihren Erscheinungen ein einziges Gotteslob: Naturbetrachtung wird Andacht zum Göttlichen, Naturforschung ein religiöses Gebot. Dies motivierte gerade in protestantischen Ländern die Landschafts- und Stillebenmalerei, vor allem das Blumenstück (Kepler und Savery waren beide Protestanten). Aber der im Bild dargestellte mythische Sänger Orpheus ist auch Sinnbild der Macht und Beredsamkeit der Musik, außerdem der Überlegenheit der Kultur über die Natur, und er steht für die Wiedergewinnung des Paradieses durch die Kunst. Dies Werk bündelt in seiner Komplexität geradezu die künstlerischen und theoretischen Tendenzen am Kaiserhof.

Die Malerei übertraf in ihrer Vielfalt also alle anderen Kunstgattungen und erhielt auch deshalb den wichtigsten Platz: ›Galerie‹ wurde immer

linke Seite:
34. Bartholomäus Spranger (1546–1611), Jupiter verführt Antiope in der Gestalt eines Satyrn,
Öl auf Leinwand, 120 x 89 cm, um 1596, Wien, Kunsthistorisches Museum
Antiope war die Tochter eines Königs von Theben, die von Zeus in Gestalt eines Satyrn verführt wurde. Die Liebschaften des griechischen Göttervaters wurden allegorisch auf den regierenden Herrscher bezogen.

35. Bartholomäus Spranger (1546–1611), Selbstbildnis, *Öl auf Leinwand, 63 x 45 cm, um 1580/1585, Wien, Kunsthistorisches Museum*
Das Porträt ist vor allem durch seinen intensiven Ausdruck von Trauer und Zweifel bemerkenswert. Im Gegensatz zu anderen Selbstbildnissen (Abb. 9) hat der Maler gänzlich auf ornamentales und allegorisches Beiwerk verzichtet und sich selbst gleichsam entblößt.

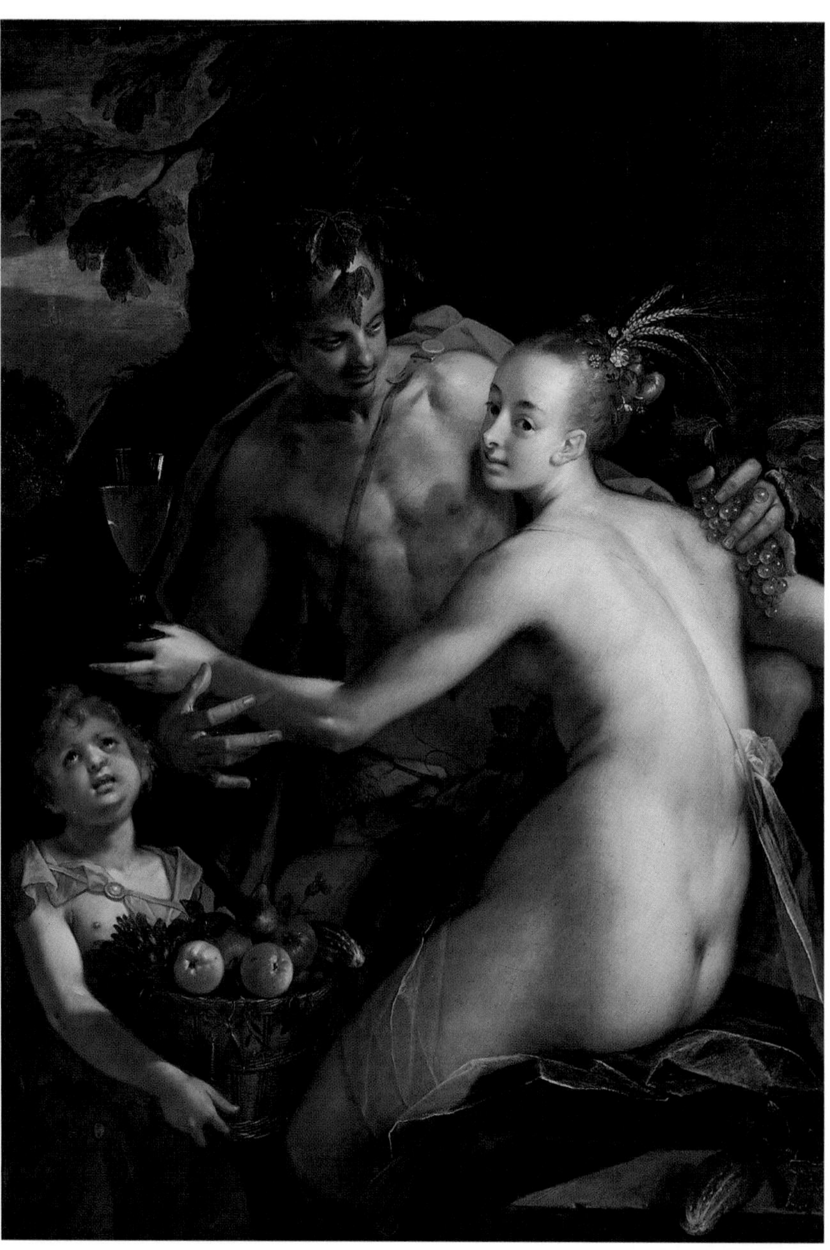

*36. Hans von Aachen (1551–1616), **Ohne Bacchus (Wein) und Ceres (Speisen) friert Venus,** Öl auf Leinwand, 163 x 113 cm, um 1600, Wien, Kunsthistorisches Museum*

Das Bild hält sich kaum an die thematischen Vorgaben, sondern ist eher ein Lobpreis auf die Sinnenlust im Allgemeinen, wobei der Künstler sich selbst und seine Frau beziehungsreich als Modelle genommen hat.

mehr zum Synonym für Bildergalerie. Rudolfs Stecher, wie Ägidius Sadeler, sorgten für die Verbreitung der Bilder des Kaisers. Von dem kaiserlichen Schatz an Zeichnungen und Graphiken können wir uns ein noch besseres Bild machen, da ein großer Teil in der Wiener Albertina erhalten ist. *(Abb. IV/59)* Daß ihn die in besonders hohem Maße private und ästhetisch subtile Kunst der Zeichnung besonders faszinierte, liegt auf der Hand.

Auch die Entfaltung der Vedute ist herrschaftlichen Interessen zu verdanken. Doch erst nach dem Tode Rudolfs schuf Matthäus Merian der

*37. Giuseppe Arcimboldo (1527–1593), **Rudolf II. als Vertumnus, Gott der Gärten und Jahreszeiten,** Öl auf Holz, 70,5 x 58 cm, Prag, um 1590, Schloß Skokloster/S*

Kaiser Rudolf folgte in diesem Bild seinem Vater Maximilian II., der sich von seinem aus Mailand stammenden Hofmaler Arcimboldo in vier Bildern unter der Gestalt der Vier Elemente darstellen ließ. Das Bildnis ist ein wichtiges Beispiel dafür, wie die Stillage der Groteske auch in höheren Bildgattungen rezipiert wurde.

Ältere (1593–1650) mit seiner Art von Überschaubild geradezu den Typus der sowohl getreuen wie künstlerischen Stadtansicht. *(Abb. 18)* Dabei half der Übergang zur Radierung, eine Technik, die leichter zu handhaben ist als der Kupferstich: Sie arbeitet mit beschichteten Kupferplatten. Der Radierer kratzt mit einer Nadel zeichnend die Beschichtung frei, legt dann die Platte in ein Säurebad, das die freiliegenden Linien verätzt und damit eintieft. Der Vorgang kann wiederholt, die Platte immer wieder aufgearbeitet werden. Das Verfahren stammt aus der Ätzgravur von Eisenrüstungen und wurde zuerst in Süddeutschland im frühen 16. Jahrhundert für Druckgraphik genutzt. Zuerst nahm man Eisenplatten, ein Material, das die Linien zu grob werden ließ. Erst die Benutzung von Kupferplatten und die Verbesserung der Technik durch den Lothringer Jacques Callot (1592–1635) verschafften der Radierung seit etwa 1600 ihre Stellung als führende graphische Technik. Nun betätigten sich auch die Maler wieder selbst als Graphiker, was sie seit der Mitte des 16. Jahrhunderts wegen der zunehmenden Arbeitsteilung aufgegeben hatten.

Totengedächtnis, Grabmäler und Mausoleen

Die Überhöhung der Person des Herrschers machte auch das Trauer- und Begräbnisritual aufwendiger. Kunde davon geben uns die zahlreichen ›Trauerrelationen‹ und Leichenpredigten, die oft Illustrationen enthalten. Der tote Herrscher wurde in Paradeuniform oder einer speziellen Totengewandung auf einem Katafalk ausgestellt, an dem Hof und Untertanen vorbeidefilierten. Gleichzeitig wurde in der Kirche, wo der Totengottesdienst gefeiert werden sollte, ein ›castrum doloris‹ (Trauerburg) errichtet, ein nur für diesen Zweck erdachtes und architektonisches Gestell für den Sarg, das nach der Trauerfeier wieder abgebrochen wurde und von Kerzenhaltern sowie Ständern für die Ausstellung der Insignien und Wappen umstellt war, ihrerseits bestückt mit Totenköpfen und anderen Elementen des Totenreiches, mit aufwendigen allegorischen, emblematischen und genealogischen Bildprogrammen. Die Schloßräume wurden schwarz ausgeschlagen, die Fassade behängt, die Straßen, durch die die Leichenprozession zog, mit Ehrenpforten, Trauerflor und -girlanden, Fackeln und anderem, dem Anlaß angemessenen Dekor ausstaffiert. Auch die Prozession selbst gestaltete man mit wachsendem Aufwand und regelte sie entsprechend einem genauen Hofzeremoniell, das vom Zeremonienmeister erdacht und überwacht wurde. Dies geschah nicht zuletzt deshalb, weil mit dem toten Herrscher auch sein lebender Nachfolger zu ehren und die Kontinuität der Herrschaft zu betonen war.

Bleibenden Charakter hatte nur das Grabdenkmal, das man oft schon zu Lebzeiten errichtete. In Deutschland war um 1500, in später Nachfolge italienischer Vorbilder, das Grabmal zum Denkmal umgewandelt worden. *(Abb. IV/46 u. IV/49)* Im Verlauf des 16. Jahrhunderts wurde das Fürstengrab erst mit Motiven der Altarbaukunst, später mit solchen der antiken Triumphalarchitek-

38. Josef Heintz (1565–1609), Beweinung Christi mit Engeln,
Entwurf für das Altarblatt der Augsburger Friedhofskirche St. Michael, Kreide u. Rötel, 41 x 26 cm, 1607, London, University College

Die Zeichnung wurde von Lucas Kilian gestochen. Das Motiv Mariens verarbeitet eine Erfindung Michelangelos, die weiche sinnliche Erscheinung wie auch die Handhabung der farbigen Kreiden geht auf die italienischen Maler Correggio und Barocci zurück.

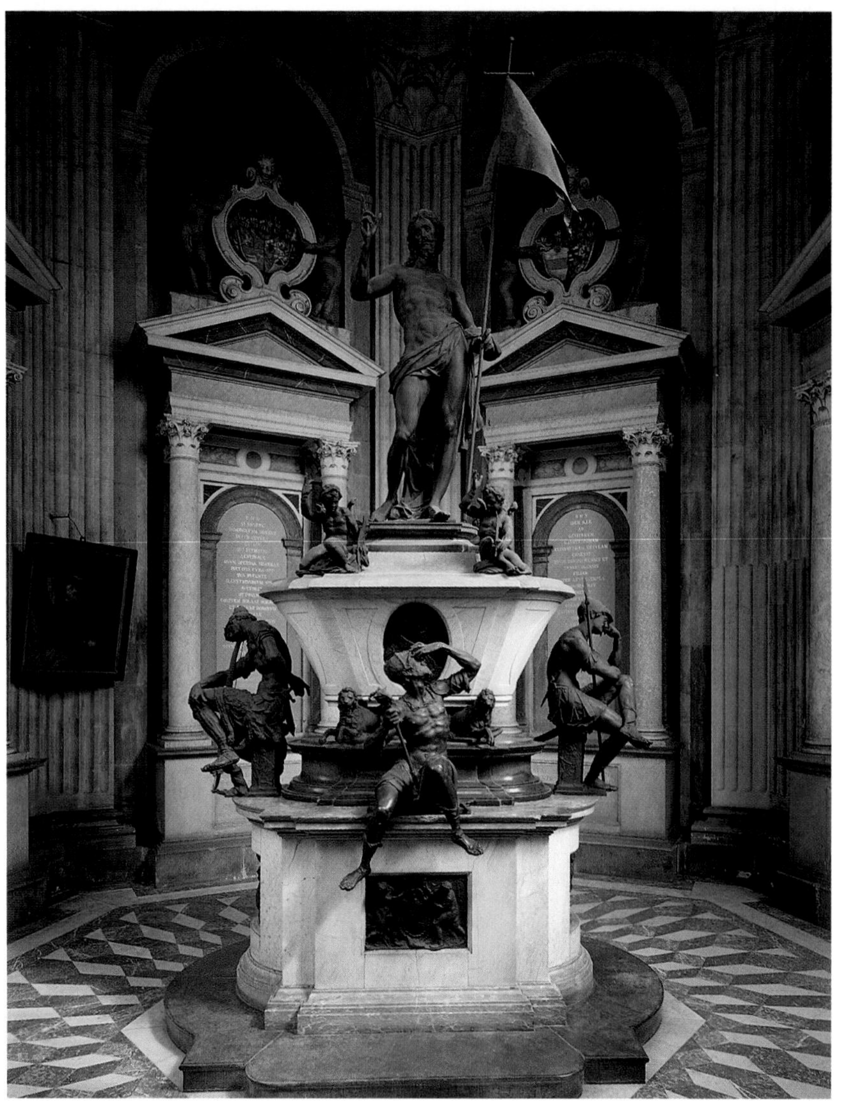

*39. **Stadthagen, Mausoleum des Fürsten Ernst von Schaumburg-Holstein,** Innenansicht, Giovanni Maria Nosseni (1544–1620) u.a., 1608–um 1625 Auferstandener Christus von Adriaen de Vries (1545–1626), 1618–1620*

Nosseni stammte aus Lugano und war seit 1575 Hofbaumeister am Kurfürstenhof in Dresden, für den er u.a. die Ostanlage der Stadtkirche von Freiberg zur Grablege ausbaute. Fürst Ernst suchte für sein Mausoleum Hofkünstler verschiedenster Herkunft zu gewinnen. Das Konzept aber dürfte er selbst entworfen haben.

tur überhöht. Der Gedanke an das Jenseits trat zurück und die Vergänglichkeit des Irdischen wurde eher allegorisch-symbolisch verschlüsselt. Bald aber empfand man diesen Triumphalismus als unpassend. Der Tote selbst wurde nun in Ewiger Anbetung oder liegend im Melancholiegestus gezeigt, während die Ehrung des Begrabenen durch den architektonischen Aufbau mit möglichst viel Zierrat, vor allem Säulen, übernommen wurde. Soweit möglich errichtete man eine Begräbniskapelle oder gar ein Mausoleum.

Das Mausoleum ist eine antike Bauidee, benannt nach König Mausolos (†352 v. Chr.), der einen großen Rundbau als Grabmonument für sich und seine Gemahlin Artemisia in Halykarnass in Kleinasien errichtete. Es galt als eines der Sieben Weltwunder. In Rom wurde dieser Brauch übernommen und, ebenfalls dort, in der Renaissance wieder erneuert. Damals griffen dies auch die Habsburger und in ihrem Gefolge die deutschen Fürsten auf. Ein schönes Beispiel ist das Mausoleum des kunstsinnigen Ernst von Schaumburg-Holstein. *(Abb. 39)* Er ließ für sich, seine Gemahlin und seine Eltern an die Kirche in Stadthagen ein siebeneckiges Mausoleum mit Kuppel und Kuppellaterne anbauen. Die ungewöhnliche Zahl bezieht sich auf das Haus aus sieben Säulen, das sich die Sapientia (Weisheit) in Anlehnung an die Sprüche Salomonis 9,1 errichtet hatte – ein Hinweis also auf die Weisheit Gottes und zugleich auf die des Fürsten Ernst, darüber hinaus aber auch auf die sieben Freien Künste, die der Fürst so glänzend beherrschte und durch seine Universitätsgründung in Rinteln so freigebig gefördert hatte.

Vier der Wandfelder sind mit Epitaphien gefüllt; gegenüber liegt die Tür, gerahmt von zwei Fenstern. Der Hofbildhauer Rudolfs II., Adriaen de Vries, schuf nach dem Vorbild von Michelangelos Statue in S. Maria sopra Minerva in Rom den auferstandenen Christus, dazu vier Grabwächter für das Heilige Grab in der Mitte, ein Bild zugleich der Auferstehungshoffnung und des Triumphes.

Adlige und Bürger folgten im Aufwand ihrer Grabmäler je nach Stand und Ansehen in angemessener Diskretion. Das Bedürfnis nach Selbstinszenierung wuchs, doch konnte man nur noch selten die Erlaubnis zur Errichtung eines Grabmals in der Kirche erlangen, allenfalls ein Epitaph (Gedächtnisbild) wurde zugelassen. Die zunehmend aufwendiger gestalteten Grablegen verwandelten die Friedhöfe deshalb allmählich in eine Ansammlung von Denkmälern und Repräsentationsbauten.

Städtisches Bauen in der Fürstenzeit

Die erhöhte Durchschlags- und Feuerkraft der Artillerie und die Verbesserungen der Belagerungstechnik zwängten die Städte in ein unförmiges Korsett von Schanz- und Wallanlagen, Bastionen und Vorwerken. Nur die wenigen Tore erlaubten architektonischen Schmuck, der Funktion gemäß meist in trutzig-derber Rustika. Diese Anlagen verschlangen unendlich viel Geld, das woanders fehlte. Ausgeführt wurden sie im 16. Jahrhundert von wandernden Ingenieuren, zuerst vor allem von Italienern, später von Holländern. Nur selten jedoch haben diese Anlagen einer Belagerung standgehalten.

Allein schon der finanzielle Druck hätte das städtische Bauwesen revolutionieren müssen. Aber auch unabhängig davon wurde der Zugriff straffer, und wo er nicht von den Fürsten kam, da von einem sich aristokratischer gebenden Rat. Im 16.

Jahrhundert wächst das Interesse der Fürsten an ihren Städten, was sich neben Veduten auch in Sammlungen von Stadtmodellen für die fürstliche Kunstkammer niederschlägt. *(Abb. 40)* Gegen Ende des Jahrhunderts setzen die ersten Versuche ein, Städte oder Stadtteile nach Idealentwürfen zu errichten: Freudenstadt, das seit 1599 durch den herzoglich württembergischen Baumeister Heinrich Schickhardt für protestantische Salzburger Emigranten erbaut wurde, gehört ebenso dazu wie die Neustadt von Wolfenbüttel, die von Paul Franke für Herzog Heinrich Julius I. von Braunschweig errichtet wurde. In beiden Fällen ist das Rasterschema der Straßen und eine symbolträchtige Platzgestaltung auffällig.

Bis um 1620 wurden viele Rathäuser neugebaut oder modernisiert, was aber nicht zu dem Fehlschluß verleiten sollte, dem man im 19. Jahrhundert unterlag, daß dies ein bürgerlich-demokratisches Zeitalter gewesen sei. Die meisten dieser Rathausbauten finden sich in Residenzstädten, wie überhaupt viele Neubauten in den Städten von Fürsten und Adel veranlaßt wurden. Aber auch in den Freien und Reichsstädten betont der Rathausneubau nun vor allem die Macht des ›Stadtregiments‹, wie man sich ausdrückte. Das Patriziat imitierte absolutistische Vorstellungen von Staatsmacht, sein Rathaus bedient sich der Zeichensprache des Schloßbaus.

Bezeichnend ist der Umbau des Bremer Rathauses. *(Abb. 41)* Die Stadt bekannte sich als einzige der Hansestädte zum Calvinismus. Sie profitierte von ihren Beziehungen nach Holland und der Konjunktur im Weserraum um 1600. Den Kernbau des Rathauses aus der Zeit um 1400 ließ man bestehen, ebenso das Bildprogramm mit dem

40. Jakob Sandtner, Stadtmodell von München, *1568–1574, um 1600 umgebaut, München, Bayerisches Nationalmuseum*

Sandtner war Drechsler in Straubing und fertigte für die Kunstkammer Herzog Albrechts V. in den Jahren 1568–1574 sehr genaue Modelle der großen bayerischen Residenzstädte.

41. Bremen, Rathaus, *Südfassade, Lüder von Bentheim (um 1550–1612/1613) u.a., 1608–1613*

Lüder von Bentheim war als westfälischer Steinhauer nach Holland gegangen. In dieser Zeit waren der Niederrhein und Westfalen – man könnte sogar sagen: das gesamte niederdeutsche Gebiet bis zum Baltikum – eine holländische Kunstprovinz. Als Ratsbaumeister in Bremen hat Lüder außerdem eine größere Zahl von stattlichen öffentlichen Bauten errichtet, in Typus und Zierrat sorgfältig abgestuft.

***42. Bremen, Rathaus,** Güldenkammer*

Die Obere Halle des Bremer Rathauses diente als Sitzungs- und Festsaal des Rates sowie als Gerichtsstätte. Die Güldenkammer auf der Südseite ist zweigeschossig. Sie entstand in den Jahren vor 1616–1630. An ihrer Ausführung waren viele Hände beteiligt.

Kaiser und den Sieben Kurfürsten, womit Legitimität, Tradition und der Charakter der Stadt als Freier Reichsstadt proklamiert wurden. Neu sind der vorgezogene Mittelgiebel und die vor die Fassade gelegte Arkade. Beides sind ›Herrschaftsmotive‹. Bildschmuck und Zierrat gestalten diesen Gedanken aus, vor allem im Großen Saal innen mit seiner ›Güldenkammer‹. Man schätzte reich geschnitzte Wandvertäfelungen und Kassettendecken, aber auch goldene Ledertapeten, die dem Ensemble den Namen gaben. *(Abb. 42)* Dem Prinzip der Rangstufung nach Stillagen folgend finden sich im zentralen Stadtbereich weitere städtische Bauten in einfacheren Formen.

In Süddeutschland entfernten sich Bauherren wie Architekten von den zuvor auch dort vorherrschenden, ornamentreichen niederländischen Bauformen und begannen, neuere italienische Architekturtheoretiker zu studieren, vor allem Vignola und Palladio. Handelsbeziehungen und kirchliche Verbindungen führten dazu, daß man Italien und seine Bauten genauer kennen und schätzen lernte und deshalb auch dafür sorgte, daß junge Künstler Studienfahrten in dieses Land machten. Die damals richtungweisende oberitalienische Baukunst, allen voran die des Palladio, war jedoch in der Verwendung von Symbolformen an Bauten, zu denen Obelisken, Masken, Hermen usw. zählen, zurückhaltend, ebenso wie im überreichen Gebrauch von Bauschmuck. Palladios Bauten waren im modernen Sinne architektonischer; man begann nun auch in Süddeutschland, die Architektur entsprechend neu zu gestalten.

Der Kunstsinn hatte in Süddeutschland ein anderes und ein breiteres Fundament als in Norddeutschland. Augsburg verstand sich als antike

***43. Augsburg, Herkulesbrunnen des Adriaen de Vries (1545–1626),** Bronze, 1596–1600, der Herkules 1597*

In städtebaulich beherrschender Lage in der Mitte der Maximiliansstraße, ehemals dahinter das Siegelhaus von Elias Holl. Dargestellt ist, wie Herkules die siebenköpfige Hydra bezwingt, als Bild des Sieges der Tugend über das Laster. Die Nymphen, Knaben, Tritonenbüsten etc. dienen als Wasserspender. Drei ehemals vergoldete Bronzereliefs verherrlichen die Geschichte und den Rang Augsburgs.

Gründung, und die Orientierung an der Antike hatte immer einen Zug von Lokalstolz: So nutzte der Augsburger Stadtrat die Verbesserung der Wasserversorgung in der Stadt für ein ehrgeiziges Brunnen- und Platzgestaltungsprogramm, das mit Rom konkurrieren sollte, und für das man die größten Bildner Süddeutschlands heranzog. *(Abb. 43)* Sorgfältig wurden die städtebaulichen Möglichkeiten für die Aufstellung der Brunnen studiert, denn man hatte von den Höfen nicht nur gelernt, welchen Ruhm große Kunstwerke einer Stadt zu bringen vermochten, sondern wußte auch, wieviel Geld Kunstaufträge den städtischen Meistern und damit der ganzen Stadt einbrachten. Im Grunde handelte es sich um ein ›Konjunkturprogramm‹, obwohl man den Begriff noch nicht kannte.

Der bedeutende Augsburger Stadtbaumeister Elias Holl stammte aus einer Baumeisterfamilie und war im Jahr 1600 von seinen Auftraggebern zu Studienzwecken nach Venedig geschickt worden. Beim Entwurf der städtischen Bauten mußte er sich viele Einsprüche von den gebildeten Herren gefallen lassen, die sich alternative Entwürfe besorgt hatten. Für die Zeughausfassade sollte er sich beispielsweise an einer Zeichnung von Joseph Heintz, Hofmaler unter Kaiser Rudolf II., orientieren, der sich auch als Architekt betätigte. *(Abb. 44)* Das hat die Qualität allerdings nicht beeinträchtigt, sondern – im Gegenteil – den Entwurf bereichert, da Heintz einen weiteren künstlerischen Horizont hatte: Die unter Rückgriff auf Erfindungen Michelangelos eigenwillig gestaltete dorische Ordnung sowie die Rustika betonen den Trutzcharakter. Die geschuppten Voluten und die absichtsvoll derben Triglyphen auf den Pilastern, die kräftigen Schlußsteine der Stürze und die gedrungenen Proportionen variieren den martialischen Ausdruck. Holl selbst liefert uns Zeugnis davon, daß gerade im Verständnis der Proportion eine wesentliche Verschiebung stattgefunden hat, indem er über die Schwierigkeiten mit seinen Bauleuten schreibt: »sie verstünden noch nicht die welsche [italienische] maß und austeilung, so nit nach den werckschuhen, sondern nach Moduli und Parto sein.« Der Werkschuh ist eine feste, arithmetisch gebrauchte Maßeinheit, Modul und Parto aber meint die Proportionierung der Teile nach dem Säulendurchmesser. *(Abb. 10)*

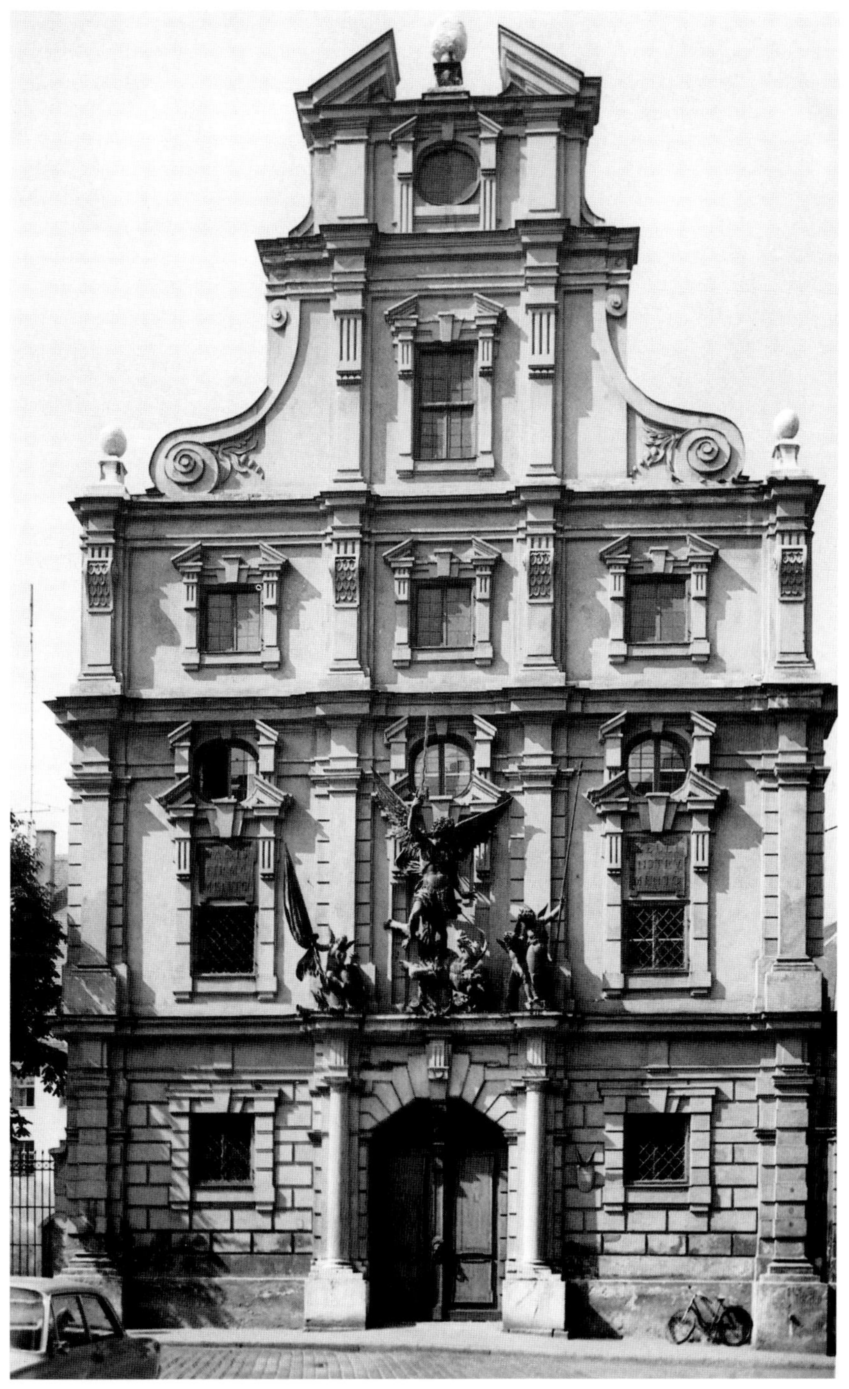

44. Augsburg, Zeughaus, Fassade, *Elias Holl nach Entwurf von Joseph Heintz dem Älteren (1565–1609), 1602–1607, Erzengel Michael von Hans Reichle (um 1570– 1642), vollendet 1606, gegossen von Wolfgang Neidhard*

Das Zeughaus ist ein Waffenarsenal (Abb. VI/6). Das Militärische der Bauaufgabe drückt sich in der Wahl der dorischen Säulenordnung sowie der Rustica, aber auch in der gewollten Härte der Einzelformen aus. Doch hat man bei der Errichtung dieses öffentlichen Baus an den Kosten nicht gespart, was sich u.a. an den Rotmarmorsäulen des Portals zeigt. Die Geschoße eines derartigen Baus sind meist nicht sehr hoch, um möglichst viel Stapelplatz zu gewinnen, was der Baumeister in seiner Fassade sehr geschickt verschleierte, indem er sie zu größeren Einheiten zusammenfaßte hat. Im bekrönenden, gesprengten Giebel der Pinienzapfen, das antikische Wahrzeichen der Stadt Augsburg.

Der Zeughausbau ist insgesamt anders komponiert als andere Bauten damals in Deutschland. Die Sockelzone war ursprünglich in eine Mauer eingebunden. Die anderthalb Geschosse darüber werden im Giebel paraphrasiert und der Aufriß

45. Christoph Dehne (nachweisbar 1608–1631), Kanzel, *Sandstein und Alabaster, Schalldeckel Holz, 1619, Tangermünde, St. Stephan*

Der polygonale Kanzelkorb aus Sandstein wird von einer ausdrucksvollen Mosesgestalt aus Alabaster getragen, wie es der vom Protestantismus erneuerte typologische Gedanke erforderte. Am Kanzelkorb Statuen von Christus und Aposteln zwischen biblischen Szenen. Der vielleicht spätere Schalldeckel ist mit phantastischer Knorpelwerkornamentik verziert, darüber die Figur des Auferstandenen mit vier Aposteln.

dadurch geschickt rhythmisiert – die Teile zugleich aufeinander als auch auf das Ganze bezogen. Die Detailzeichnung ist feinsinnig und reich an eigenen Baugedanken. Die Fassade ist ein Zeugnis für die Kunstblüte in Augsburg um 1600, dabei aber höfischen Vorbildern aus Prag und München verpflichtet: das Fenstermotiv des Hauptgeschosses stammt etwa vom Münchner Residenzbau. Mittelpunkt ist eine mächtige Bronzegruppe des den Teufel zermalmenden Erzengels Michael von der Hand des Giambologna-Schülers Hans Reichle. Diese Fassade scheint nach Skulpturenschmuck zu rufen, weil sie selbst so plastisch gestaltet ist.

Die protestantische Kirchenkunst

Das Luthertum nahm die älteren Kirchen in Gebrauch und änderte die Räume durch Einbau hölzerner Emporen und Gestühle um die Kanzel, was die Zimmermanns-, nicht die Baukunst förderte. Aber sein Hauptinteresse galt der Musik, nicht nur im geistlichen Bereich: Als epochemachendes Datum darf die Aufführung der ersten deutschen Oper, der ›Daphne‹ von Heinrich Schütz, 1627 in Schloß Torgau angesehen werden. Der Wunsch nach größeren, reicher gestalteten Orgeln machte den Orgelbauer zu einem wichtigen Beruf, wobei die Aufgabe der künstlerischen Umsetzung und der Einpassung der Orgel wiederum von Zimmerleuten übernommen wurde. Viele der protestantischen Architekten, wie Heinrich Schickhardt, kamen aus dem Zimmermannshandwerk. Den Bildhauern blieben als Aufgaben lediglich die Predigtkanzel *(Abb. 45)* und das Epitaph. In lutherisch-orthodoxen Territorien schuf man sogar neue Altaraufbauten, die sich in ihrer Struktur an die des späten 15. Jahrhunderts anlehnten. Eine eigene Bildaufgabe wurde das Pastorenporträt und in den Universitäten das Professorenbildnis. Es ging aus dem Porträt der Reformatoren hervor, die gleichsam als neue Heiligenbilder die lutherischen Kirchen schmückten: Bildnisse Luthers und Melanchthons gab und gibt es noch zu Tausenden.

Zu Kirchenneubauten kam es nur dort, wo sich Bedarf zeigte oder neu sich bildende Religionsgemeinschaften eigene Räume brauchten. Sie sind schlicht gestaltet, aber es wurden einige originelle Raumgrundrisse entwickelt. Der von Schickhardt im Auftrag des württembergischen Herzogs errichtete Winkelbau der calvinistischen Gemeinde in Freudenstadt, der leider 1945 weitgehend vernichtet wurde, gehört dazu: Grund für die eigenartige Anordnung ist wohl die Trennung der Geschlechter, die Empore sorgte für eine zusätzliche Unterscheidung nach Ständen. Auffällig ist, daß man einige ausgewählte Sakralwerke des Mittelalters, so ein Taufbecken, das Lesepult, *(Abb. II/23)* Kruzifixe usw. zur Ausstattung des Neubaus von ferne heranbrachte, als mangelte ihm gleichsam noch die historische Legitimität.

Der protestantische Kirchenbau der Epoche bietet einige beeindruckende Zeugnisse dafür, daß künstlerische Ausstrahlung nicht nur auf handwerklicher Perfektion und durchdachter Komposition beruht, sondern auch auf dem Ethos. Das zeigt eindrucksvoll die hölzerne Friedenskirche zur Heiligen Dreifaltigkeit im schlesi-

***46. Schweidnitz/Świdnica/Schlesien/PL, Friedenskirche,** Inneres, 1657–1658*
Architekt ist wahrscheinlich der aus Breslau berufene Valentin von Saebisch, ein Ingenieursbaumeister, die Ausführung lag beim Zimmermann Kaspar König. Die Habsburger konnten das neugewonnene Gebiet nicht mehr katholisieren, wohl aber zwangen sie die Evangelischen, sich auf das Äußerste zu beschränken, weshalb die Kirche von außen wie ein Wirtschaftsgebäude erscheint. Das geräumige Innere (3.000 Sitz- und 4.500 Stehplätze) bildet ein griechisches Kreuz mit verlängertem Ost- und Westarm. Die Kanzel stammt von 1729, der Altaraufbau von 1752. Die Wirkung des erstaunlich großen Raumes wird auch bestimmt durch die weitgehend indirekte Beleuchtung.

schen Schweidnitz: *(Abb. 46)* Nach dem Übergang des piastisch-protestantischen Herzogtums an die katholischen Habsburger mußten die Lutheraner die Stadtkirchen aufgeben. Ihre neue Kirche hatten sie binnen zwei Jahren zwischen 1657–1658 vor den Stadttoren unter der Auflage zu errichten, daß sie ganz aus Holz zu sein und weder Türme noch anderen äußeren Schmuck zu zeigen habe. Der Grundriß zeigt ein gelängtes griechisches Kreuz, der Aufriß eine Folge von übereinanderliegenden Emporen, die vielen Menschen Platz boten. Auffällig ist die Qualität des Akanthusornaments der Brüstungen, der Epitaphrahmen usw. Es ist Kennzeichen dieser Konfession, daß ihre bildlosen Kunstwerke überzeugender sind als die emblematischen Malereien: Das protestantische Empfinden bevorzugte die abstrakten Formen.

Anders war es nur dort, wo Fürsten für ihre neuen Residenzstädte mit höfischem Anspruch angemessene Neubauten wünschten, wie in Bückeburg oder Wolfenbüttel. Neuartig ist aber auch bei diesen Bauten eher die Bauzier außen und innen, nicht die Raumbildung oder die Wandgestaltung. Wie fast überall sonst in dieser Epoche ist die kleinteilige Form der Schreinerkunst maßgeblich. Im Räumlichen hielt man sich meist an spätgotische Raumkonzeptionen, wie die Halle mit Altarraum.

Die katholische Kirchenkunst – die Jesuiten

Die Führung in Kirchenbau und -ausstattung ging seit etwa 1570/1580 an den wiedererstarkenden Katholizismus über. Die Reform der katholischen Kirche begann in Spanien, das nicht zuletzt wegen der Entdeckung Amerikas zur ökonomischen und politischen Vormacht Europas aufgestiegen war: Bereits Königin Isabella die Katholische († 1504) hatte mit Macht die Erneuerung der Kirche befohlen und betrieben, und obwohl nicht alle Institutionen und Orden von ihrem Aufruf ergriffen wurden, so bildeten sich doch immerhin neue und aktive reformierte Zweige, etwa die Unbeschuhten Karmeliterinnen und Karmeliter.

Aus Spanien kamen auch die Gründer des Ordens der Gesellschaft Jesu (Societas Jesu, Jesuiten), der seinen Ursprung in einer studentischen Gebetsbruderschaft 1534 auf dem Montmartre bei Paris hatte. Ihr Gründer, Ignatius von Loyola, ein baskischer Offizier, setzte in seinem Orden militärische Disziplin und Kommandostruktur durch, bildete aber zugleich seine Leute zu ›Einzelkämpfern‹ aus. Die Jesuiten stellten sich in den unbedingten Dienst des Papstes. Sie fochten als Publizisten und stritten um die Auslegung der Bibeltexte und der Kirchengeschichte mit den neuen Methoden der Text- und Quellenkritik. Sie sorgten für bessere Ausbildung des Klerus, indem jede Diözese, meist unter ihrer Leitung, ein Priesterseminar erhielt. Außerdem übernahmen sie auch die meisten Universitäten in katholischen Ländern und gründeten neue, mit einer Zentrale in Rom, der Gregoriana. Überall richteten sie kostenlose Oberschulen ein, die auch von Nichtkatholiken besucht werden durften, und waren hervorragende Pädagogen und Gelehrte. An den katholischen Höfen wurden sie als Beichtväter und Berater unentbehrlich. Da ihnen durch ihre Ordensregel verboten war, hohe kirchliche Ämter anzunehmen, wirkten sie eher im Hintergrund, als Sekretäre, Berater, Diplomaten, was sie geheimnisvoll, verschwörerisch und gefährlich erscheinen ließ.

Unter ihrer Leitung wurde das von Kaiser Karl V. angeregte Konzil von Trient (1545–1563) zum Wendepunkt in der bis dahin nur stockend in Gang kommenden Erneuerungsbewegung der Kirche. Doch dauerte es meist noch mehr als eine Generation, bis die Reform griff. Der deutsche Zweig der Habsburger unterstützte die Gegenreformation nur vorsichtig: Sie benötigten für die Feldzüge gegen die Türken und andere Gegner die Hilfe der evangelischen Fürsten und Stände und mußten sie, auch in ihren Stammlanden, mit Toleranz in Glaubensdingen erkaufen. Ferdinand I. und seine Nachfolger mußten vor der Türkengefahr nach Prag ausweichen, einer Stadt mit damals nur wenigen Katholiken. Maximilian II. und sein Sohn Rudolf II. waren persönlich tolerant im Sinne des Erasmus oder wenig an Glaubensfragen interessiert. Erst der aus der steirischen Linie stammende Erzherzog Ferdinand, der 1619 Kaiser wurde, trieb die Gegenreformation mit Energie voran. Doch war es zunächst nur ein Reagieren: Seit Ende des 16. Jahrhunderts strebte der von Frankreich und den Niederlanden eindringende, aggressive Calvinismus die Beendigung der habsburgischen Herrschaft an. Seine Blockadepolitik auf den Reichstagen wurde von Rudolf II. zunächst dadurch entschärft, daß er ihn gewähren ließ, doch auf die Dauer wurde das Reich unregierbar. Der unvermeidbare Konflikt brach 1618 in Prag aus: Es kam zum sogenannte Prager Fenstersturz, als eine radikale Fraktion die kaiserlich katholischen Räte aus den Fenstern des Hradschin stürzte. Wenig später entschlossen sich die böhmischen Stände zur Wahl des Calvinisten Friedrich von der Pfalz zum König. Das konnte Ferdinand nicht gleichgültig lassen: der Dreißigjährige Krieg begann.

Die eigentlichen Antreiber und Anführer der Gegenreformation in Deutschland waren die Kurfürsten von Bayern, die seit 1583 auch den Erzbischofssitz in Köln jeweils mit einem Wittelsbacher Prinzen besetzten. Dazu traten einige mit ihnen verbündete Bischöfe, wie Julius Echter von Mespelbrunn in Würzburg oder die Bischöfe von Augsburg. Ihre intellektuelle und diplomatische Speerspitze waren die Jesuiten, deren Kirchenbauten Teil der Ordenspropaganda waren.

Obwohl der Orden straff organisiert war, sich die Ordensbrüder erfolgreich als Architekten betätigten und in Rom schon früh vorbildliche Kirchen errichtet worden waren, sind die ersten Jesuitenkirchen im Reichsgebiet nicht einheitlich: In den konfessionell umkämpften Gebieten, so entlang des Rheins und in Westfalen, sind sie in gotischen oder gar in neoromanischen Formen errichtet, um die Idee der kirchlichen Kontinuität darzustellen, während in München mit der Michaelskirche eine innovative, römische Baukunst angestrebt wurde, bei der sogar dem Protestanten Hainhofer »aines königlichen pallasts ansehn« gefiel und daß sie »all'italiana gebawet sei... mit

47. ***München, Jesuitenkirche St. Michael,*** *Innenansicht des Chors nach Osten, erster Bau 1582–1590, Entwurf: Friedrich Sustris (um 1540–1599), ausführender Architekt: Wolfgang Miller (1537– nach 1590), Um- und Erweiterungsbau durch Sustris 1590–1597. Altarretabel von Wendel Dietrich (um 1535 – um 1621) 1586, Gemälde von Christoph Schwarz (um 1545–1592) 1587–1588*

Die Bildwerke wurden nach Entwurf von Schwarz durch Andreas Weinhard (†1598) geschnitzt. Die Kirche ist der erste große, mit Stukkaturen ausgeschmückte Kirchenbau in Deutschland. Der Bautyp und die Einzelheiten wurden sehr häufig nachgeahmt.

schönen Altären«. *(Abb. 47)* ›Zweisprachigkeit‹ der Kunst ist in der ersten Phase der Gegenreformation sogar am selben Ort zu bemerken: So ist die Würzburger Universitätskirche innen mit der Abfolge der klassischen drei Säulenordnungen als geistliches, akademisches Theater gestaltet – ihre Westturmrose zeigt allerdings gotisches Maßwerk, während Bischof Julius Echter Kirchen für das Volk, zum Beispiel die Pfarrkirche in Iphofen, in gotisierenden Formen errichten ließ.

Die Jesuitenkirche St. Michael in München ist in Anspruch und Gestalt höchst komplex. Sie ist fürstliche Hofkirche; die Wahl des Erzengels als Patron ist darauf zurückzuführen, daß der Stifter, Herzog Wilhelm V., am Michaelstag geboren wurde und die Kirche als seine Grabeskirche bestimmt hatte. Der große Saal des Langhauses mit seinen Emporen ist Predigtraum und Volkskirche. Die Seitenkapellen waren frommen Bruderschaften zugedacht, die von den Patres gefördert und betreut wurden. Letztlich handelt es sich um einen modernisierten mittelalterlichen Raumtyp. Die Bemühungen der italienischen Renaissancebaumeister um Zentralraumlösungen wurden von den Jesuiten nicht weiterverfolgt und kamen erst in der folgenden Epoche wieder zur Geltung. Während der Hauptraum in strengem Weiß gehalten und nach neuestem, römischen Vorbild nur

mit Stuck verziert ist, zeigen die Kapellen Bilderpracht und Farbe: Asketismus und die Sinne überwältigende Kunstlust stehen nebeneinander. Die zweite Bauphase nach 1590 gab dem Raum einen kreuzförmigen Grundriß und deutete ihn zu einem auf den Hochaltar führenden ›Heiligen Weg‹ (via sacra) um; eine Triumphpforte eröffnete das Sanktuarium mit dem Hochaltar, das als ›theatrum sacrum‹ ausgestaltet wurde. Ihm zugeordnet waren Patronatslogen und Oratorien für höfische Beterinnen und Beter. Der große tonnenüberwölbte Einheitsraum ahmt die Maxentiusbasilika auf dem Forum Romanum nach, die man für den Friedenstempel des ersten christlichen Kaisers Konstantin des Großen hielt. Die Wölbkunst des Werkmeisters Wolfgang Miller erlaubte jedoch größere Lichtöffnungen als in den Räumen des römischen Vorbildes und weckt Erinnerungen an spätgotische Sakralräume, ebenso die polygonale Brechung des Sanktuariumsabschlusses sowie der steile Aufbau des Hochaltarretabels – es ist jedoch in seinen Einzelformen auf der Höhe der Möglichkeiten der Zeit. Insgesamt wurde der Raum mehr durch den Auftraggeber und seine Künstler unter der Leitung des Friedrich Sustris, als durch die Jesuiten bestimmt, deren Wunsch

linke Seite:
***48. Augsburg, Benediktinerabteikirche St. Ulrich und Afra,** Blick nach Osten mit der Kreuzigungsgruppe von Hans Reichle (um 1570–1642) und den Altären von Hans Degler (um 1565–1637)*

Die Abteikirche des Burkhard Engelberg (vor 1450–1512) war in den Reformationswirren unvollendet geblieben. Erst 1603 wurde der Chor mit Sterngewölben in spätgotischen Formen geschlossen. Hans Degler aus Weilheim vollendete 1604 das Choraltarretabel, 1607 die der beiden Seitenaltäre (Fassung von E. Greither) als figurenreiche Szenen (Geburt Christi, Pfingsten, Auferstehung usw.) in theatermäßiger Auffassung vor Triumphalarchitekturen, die den Typus des spätgotischen Schnitzaltarretabels (Abb. IV/43) zeitgemäß erneuern. Reichle schuf 1605 den vor allem in seinen Umrißformen ausdrucksvollen Kreuzaltar, dessen düstere Bronzefarbe als passender Ausdruck der Passion erscheint.

nach Strenge und Schlichtheit sich nur im Kollegiengebäude durchsetzen konnte.

Höchste Aufmerksamkeit wandte man der Ausgestaltung der Altäre zu. Als programmatisches Erstlingswerk darf Mielichs Hochaltarretabel spätgotischer Art in der Ingolstädter Münsterkirche gelten, die zugleich Hochschulkirche war. Das Bildprogramm ist kleinteilig und nur aus der Nähe zu erkennen, außerdem so gelehrt, daß es nur Gebildeten verständlich war. Es verfehlte also seinen propagandistischen Zweck. Der verbesserte Altartypus, wie wir ihn in St. Michael finden, integrierte das Tabernakel und steigerte so die sakrale Bedeutung der Altarzone insgesamt. Turmartiges Sakramentshaus und Retabel wurden eins. Vergoldung und dreifache Variation der korinthischen Säulenordnung geben dem Werk Pracht und Würde. Mittelpunkt dieses monumentalen Gebildes ist die Altartafel mit dem Engelssturz von der Hand des Christoph Schwarz, der dabei eine Erfindung Raffaels abwandelte. Das Wesentliche des Bildes war schon vom Eingang der langgestreckten Kirche aus zu erkennen, der dramatische Kampf zwischen den Mächten des Lichtes und denen der Finsternis. Er war allegorisch zu verstehen als Verheißung des Sieges der katholischen Kirche über die Ketzer, eine einfache Gedankenführung, fern aller gelehrten Überfrachtung, bemerkenswert genug bei dem gelehrtesten aller Orden.

In Augsburger Altaraufbauten dieser Epoche wandelte man das Motiv des römischen Triumphbogens auf vielfältige Weise ab und verband es unter Rückgriff auf die geschnitzten Retabel der Zeit um 1500 mit großen szenischen Gruppen, die den Altar in eine farbenprächtige Bühne verwandelten, bunter und theatralischer als das Hochaltarretabel in St. Michael, festlicher und wohl auch populärer – sie wurden nach dem Ende des großen Bürgerkrieges zum Vorbild für viele Barockaltäre. *(Abb. 48)*

Dieser Stoßrichtung waren dramatisch erzählte Bilder in Farben, die geradezu heftig werden

***49. Hans Krumper (1570–1634), Gießer B. Wenglein, Ziseleur der Goldschmied G. Mair, Maria als Patrona Bavariae,** Bronze, etwa 3 m, 1615, München, Residenz, Westseite*

Hans Krumper aus dem oberbayerischen Künstlerstädtchen Weilheim kam 1584 an den kurfürstlichen Hof und wurde als Landeskind systematisch in seiner Künstlerlaufbahn gefördert und u.a. nach Italien geschickt. Er erfüllte als Bildner und Architekt gleichermaßen die Erwartungen seines Herrn. Seine Marienfigur ist mächtiger und majestätischer als die Statuen der Generation zuvor, ein Gegenstück zur Kunst Petels.

konnten, genauso lieb wie monumental gestaltete Bildwerke, das eine mehr für das Innere, das andere für Fassaden und Plätze, aber auch für fürstliche Grablegen gedacht. Ein solches Bildwerk ist Hans Krumpers Statue Mariens als Patrona Bavariae an der Münchner Residenzfasssade vor der Schloßkirche. *(Abb. 49)* Vor der Fassade verläuft nur eine Straße, kein Platz. Dies erklärt die betont seitliche Wendung von Mutter und Kind. Maria, als Mutter, Jungfrau, Königin, Priesterin sowie als Immaculata dargestellt, setzt triumphierend ihren rechten Fuß auf die Mondsichel, so als würde sie einen Drachen zertreten. Der gesteigerte Kult der Gottesmutter ließ viele neuartige Lösungen entstehen, dabei auch ganz neue Bildaufgaben, wie die antiprotestantisch triumphalistisch gemeinten Mariensäulen.

Die Kunstblüte nach 1600 und ihr Ende im Großen Krieg

Für einige Jahrzehnte mochte es den Anschein haben, als sei eine Blütezeit der Künste wie um 1500 herbeigeführt worden, die durch konfessionelle Konkurrenz sogar noch gefördert wurde. In Prag, Augsburg, München, Frankfurt und anderen Kunstzentren siedelten sich auswärtige Künst-

50. Georg Petel (1602–1634), Ecce Homo, Lindenholz mit originaler Fassung, 180 cm, um 1630, Augsburg, Dom

Die Statue stand ursprünglich an einem Pfeiler der Dominikanerkirche und bildete vielleicht ein Pendant zu einer verlorenen Marienstatue. Ihr ursprünglicher Standort dürfte nicht sehr hoch gewesen sein, um ein wirkliches Gegenüber auch noch zu den betend Niedergeknieten zu bilden. Doch ist sie auch dafür gedacht, von den Seiten betrachtet zu werden. Sie wendet sich also an Betrachter unterschiedlicher Intention.

51. Georg Petel (1602–1634) und Gehilfe, Pokal mit Bacchanal, Elfenbein, 28 cm, um 1633, Augsburg, Städtische Kunstsammlungen

Derartige Pokale waren reine Schaustücke. Die Bevorzugung von Trinkgefäßen für eine derartige Entfaltung von Kunst geht mindestens bis ins 15. Jahrhundert zurück. (Abb. IV/26 u. 27) Keine Kunstkammer konnte prunkvoll gebildete Elfenbeine entbehren. Petel hat sich jedoch keineswegs damit zufriedengegeben, nur das ästhetische Vergnügen und die Lust am Exotischen zu befriedigen, sondern hat eine eindrucksvolle Bilderzählung geschaffen.

ler an und begannen, Schule zu machen. Die einheimischen Künstler bemühten sich, die hohen Maßstäbe der internationalen Hofkunst zu erreichen, erweiterten ihren Horizont und sahen sich in den Niederlanden oder öfter noch in Italien um. Doch der Große Krieg beendete diese kurze Blüte – was er zertreten hat, sei exemplarisch an einigen Schicksalen aufgezeigt.

Aus einer Kunstschreinerfamilie in Weilheim stammt der Bildschnitzer Georg Petel (1602–1634). *(Abb. 50 u. 51)* Er hatte Italien und Frankreich bereist, seine Prägung aber empfing er im Kreis des Antwerpener Malerfürsten Peter Paul Rubens. Anton van Dyck hat ihn dort einfühlsam porträtiert, als empfindsamen und inspirierten Denker. Zurück in Deutschland zog Petel die Ansiedlung in der Freien Reichsstadt Augsburg dem Hofdienst vor, denn er konnte mit der Unterstützung der Fugger und anderer Augsburger Kaufleute und Kunstagenten rechnen. Die durch die Belagerungsheere eingeschleppte Pest raffte ihn mit 12.000 anderen Bürgern, d.h. einem Drittel der Augsburger Bevölkerung, hinweg.

Seine Statue Christi als Ecce Homo ist in ihrer Erstfassung erhalten. Sie gibt der Figur Glanz, das Blau der Adern und die Rötung des geschundenen Leibes aber bestürzende Lebensnähe. Auch die natürliche Größe und Gestalt zeigen Christus in menschlichem Maß. Es ist kein allegorischer, zugleich toter und lebendiger Schmerzensmann – *(Abb. III/56)* diese mittelalterliche Bildprägung war seit dem Konzil von Trient verpönt und bereits vor 1500 hatte man begonnen, sie durch das Bild des von Pilatus dem Volk vorgeführten Christus zu ersetzen, wobei der römische Statthalter die denkwürdigen Worte ›Ecce Homo‹ (»Seht an, ein Mensch!« bzw. »Sehet diesen Menschen!«) sprach. Es lag nahe, mit Ernst die Menschlichkeit Christi zu thematisieren und wie er auf uns, die als Betrachter in unserer eigenen Zeit leben und doch an der Stelle des ihn verdammenden Volkes stehen, zutritt. Der Künstler schuf eine Statue, die von den alten Passions-Summenbildern lernt und sie doch überwindet: Die Geißel (ehemals in der Linken), die Ruten (ehemals in der Rechten), die Dornenkrone auf dem Haupt erinnern an die vorangegangene Geißelung und Dornenkrönung, das Lendentuch an die kommende Kreuzigung. Die Anspannung der Muskeln und der gekrümmte Rücken lassen Christus auch als Kreuzträger erscheinen. Er ist zugleich Herkules und Dulder, ein Mann von unzerstörter Schönheit (darin ist Petel der Kunst des Rubens verpflichtet). Seine Körperdrehung drückt die Weltenlast der Erlösung aus, die Christus zu ertragen hat, und ist nicht primär ästhetisches, skulpturales Gestaltungsprinzip in der Art des Giambologna, das den Betrachter um die Statue herumleiten soll. Die virtuos gestaltete Körperdrehung dient, wie Petels Kunst überhaupt, ausschließlich der Darstellung. Ausdruckssteigerung und vertieftes Naturstudium sind Merkmale einer neuen Kunstauffassung, in der die artistische Einseitigkeit der älteren Manier überwunden wird.

Ganz anders gestaltet Petel den Elfenbeinhumpen mit dem Bacchanal, von dem ein Wachsmodell erhalten ist. Bei der Umsetzung ließ er sich helfen. Derartige Kunstkammer- und Schaustücke waren schon wegen der Risse im Elfenbein nicht zum Trinken gedacht. Geradezu ironisch thematisiert der Künstler das Ausströmen von Flüssigkeiten: Der Silen quetscht den Traubensaft in den Mund eines Knaben und einer Pantherin, neben ihm ergießt sich ein Krug, und sein Begleiter speit den Wein wieder aus. Ein Putto über einem Delphin mit aufgerissenem Maul bekrönt den Pokal. Die Erfindung des trunkenen Silens hat Petel von Rubens übernommen, geht jedoch weit über die Kunstkammerkunst hinaus: Die überbordende Körperlichkeit kontrastiert mit der bedrohlichen Gestalt des Sensenmannes. Das ist nicht nur als eine an das Spätmittelalter erinnernde Warnung vor der Eitelkeit aller irdischen Genüsse zu lesen, sondern als Erschließung einer neuen Tiefendimension für eine im Hofdienst gefällig gewordene Kunst.

Eine Zeitlang profitierte Deutschland von der Einwanderung der vor der spanischen Kriegsfurie und der Inquisition fliehenden protestantischen, niederländischen Künstler. Frankfurt war damals die wichtigste Messestadt des Reiches, ein Ort freien Austausches der Waren und Finanztitel. Für die Künstler war es als Kunst- und Graphikmarkt sowie als Einkaufsstätte von Farben wichtig. Häufiger als andernorts vergaben die Bürger hier seit altersher Kunstaufträge an auswärtige Meister: Dürer, Grünewald, Baldung, Ratgeb, Holbein – die Liste derjenigen, die für Frankfurt gearbeitet haben, ist lang. Für die Antwerpener Künstler wurde die Stadt zum Hauptzufluchtsort. Sie widmeten sich bevorzugt der Landschaft und dem Stilleben, vor allem dem Blumenstück. Doch die mehrheitlich lutherische Stadtgemeinde war den Calvinisten mißgünstig, so daß die meisten in das gräfliche Hanau oder das kurpfälzische Frankenthal abwanderten. Das Klima zwischen den Nachbarn war vergiftet und führte seit 1612 zum Bürgerkrieg. Deshalb verließen die meisten Künstler bald auch die Kunstzentren der Umgebung.

Immerhin blieb Georg Flegel aus dem mährischen Olmütz/Olomouc in Frankfurt. Seine tiefsten Eindrücke hatte er von den niederländischen Malern der Frankenthaler Schule empfangen. Er ist der erste eigentliche Stillebenmaler Deutschlands. Diese antike Malereigattung war im 15. Jahrhundert nach den Berichten der Kunstschriftsteller und nach den Ausgrabungsfunden erneuert und entsprechend den intellektuellen und artistischen Ansprüchen eigenartig aufgeblüht. Es entspricht dem Denken der damaligen Zeit, daß Flegels *Stilleben mit Pfeife* nicht nur die Schönheit der Dinge, sondern eine Fülle von Bedeutungsassoziationen und kunsttheoretischen Reflektionen entfaltet. *(Abb. 52)* Es kann als Abbild der Vier Elemente verstanden werden: Erde (Erdbeere), Wasser (Wein), Feuer und Luft (glimmende Lunte), ebenso als Bild der Fünf Sinne, das Verglimmen der Lunte zudem als Sinnbild der Vergänglichkeit alles Irdischen. Zugleich versteht es sich als kunstreiche Komposition, von einer einfachen

52. Georg Flegel (1566–1638), Stilleben mit Pfeife, *Öl auf Holz, 22 x 17 cm, Frankfurt, um 1625–1630, Frankfurt/M., Historisches Museum*

Derartige gemalte Nischenbilder gab es schon in der Antike, in Pompeji sind noch einige davon erhalten. Bekannt waren sie vor allem durch die Beschreibungen des Philostrat. Das Weinglas ist ein ›Römer‹, wie sie damals sehr beliebt waren und vor allem im Spessart hergestellt wurden.

53. Adam Elsheimer (1578–1610), Ruhe auf der Flucht, Öl auf Kupfer, 38 x 24 cm, um 1598, Berlin, Gemäldegalerie SMPK

Das Bild verbindet das Motiv der Ruhe auf der Flucht nach Ägypten und das der Begegnung der Heiligen Familie mit dem kleinen Johannes dem Täufer, der sich in die Wüste (nach damaligem Verständnis also in unkultiviertes Land) zurückgezogen hatte. Der nächtliche Himmel öffnet sich, und ein Engelsreigen schwebt heran. Altdeutscher Herkunft ist das Motiv des ruhenden angelehnten Josef, eine Erfindung von Albrecht Altdorfer, die Auffassung des Walddunkels ist von dem Antwerpener Landschafter Gillis van Coninxloo übernommen, der zu jener Zeit im Frankfurter Raum lebte. Elsheimer fügt jedoch auch venezianische Elemente ein und verbindet das Ganze zu einem Bild von hoher Originalität und Wirkung.

Nische gerahmt, aber dadurch doch ›architektonisiert‹, mit Anspielungen auf die Überlegenheit der Malkunst über die anderen Künste. Bei allem Ehrgeiz hat Flegels Kunst jedoch etwas kleinmeisterlich Enges und folgte darin der in den Städten Deutschlands vorherrschenden Mentalität.

Der größte Künstlersohn der Stadt, Adam Elsheimer nahm früh die in Frankfurt so glänzend vertretene altdeutsche Kunst in sich auf, vor allem aber die Kunst der Niederländer, die in Frankfurt und Umgebung arbeiteten. *(Abb. 53 u. 54)* Doch bot ihm die Stadt nicht genügend Entfaltungsmöglichkeiten: Er zog über München und Venedig nach Rom, wo sich seine Malweise durch den eindringlichen Blick auf die italienische Kunst und Natur verwandelte.

54. Adam Elsheimer (1578–1610), Philemon und Baucis, Öl auf Kupfer, 16 x 22 cm, Rom, kurz vor 1610, Dresden, Staatliche Kunstsammlungen

Elsheimer hat die Geschichte der gastlichen Aufnahme der beiden Götter in eine italienische Bauernhütte verlegt, die er mit all ihrem Gerät und den Lebensmitteln genau erfaßt und doch auch verklärt, nicht zuletzt durch das geheimnisvolle Licht. Elsheimer hat das Behagen, das die müden Gäste empfinden, genauso subtil erfaßt wie das eifrige, warmherzige Bemühen der beiden Alten um ihre Gäste. Die von Hendrick Goudt, einem holländischen Elsheimer-Nachahmer in Rom, in Stichen verbreitete Bilderfindung hat Rembrandt u.a. zu einem Bild Christi in Emmaus angeregt.

Sein steiler, aber kurzer Aufstieg wird im Vergleich zweier Bilder deutlich. Die *Ruhe auf der Flucht (Abb. 53)* ist eine dunkel geheimnisvolle Waldlandschaft in der Art des Gillis van Coninxloo, eines Hauptmeisters der Frankenthaler Malerschule. Das Bild ist in Teilen naturnah, vor allem daran interessiert, das Geheimnisvolle des in das Waldesdunkel hereinbrechenden Lichtes darzustellen. Das Figürliche verschmilzt Altdeutsches und modern Venezianisches. Anders die Geschichte von *Philemon und Baucis*: *(Abb. 54)* Der Maler folgt textgetreu den *Metamorphosen* des Ovid (VIII, 610 ff.), verlegt die Geschichte aber ganz in den Innenraum: Den Göttern Jupiter und Merkur war bei einer Wanderung durch das reiche Phrygien überall die Aufnahme verweigert worden, nur bei einem armen alten Paar finden sie Unterschlupf. Wir sehen in deren bescheidene Behausung: die müden Gäste, Jupiter durch antikisches Profil, Hermes durch die Flügelhaube bezeichnet, haben sich am Tisch niedergelassen, durch ein Öllämpchen beleuchtet, das zugleich mit einer ironischen Note ein Bild mit der Geschichte von Jupiter, Merkur und Argus erhellt, ein Bild im Bilde und ein Bild als Fenster. Eine andere Lampe auf dem Boden bestrahlt die vorbereitete Mahlzeit:

*55. **Johann Liss (um 1597–um 1629), Die mystische Entrückung des Apostels Paulus in den Dritten Himmel,** Öl auf Leinwand, 80 x 58 cm, Venedig, 1628/29, Berlin, Gemäldegalerie SMPK*

Die Epoche wird gekennzeichnet durch das Wirken mehrerer großer Mystikerinnen und Mystiker, u.a. der hl. Teresa von Avila, die in ihren Schriften von ihren Visionen berichten. Die Darstellung von mystischen Erlebnissen, insbesondere Lichtvisionen, wurde ein Lieblingsthema der Malerei seit dem Ausgang des 16. Jh. Das farbenreiche Licht wird als eine göttliche Macht dargestellt, aber der Vorgang des Erblickens ganz real als Wegziehen eines Vorhangs durch einen Engel. Ebensowichtig war den Malern, die Himmlische Musik darzustellen, wie überhaupt zunehmend die Nähe von Malerei und Musik betont wird.

Kohl, Endivien, Rettiche, Fische, Eier, Speck, ein kunstvoll komponiertes Küchenstilleben. Der Alte trägt Oliven herein, während sie das Lager bereitet. Vor ihr sieht man die Gans, die sich der Schlachtung entzog, indem sie sich zu den Göttern flüchtete. Elsheimer hatte sich in Rom mit Caravaggios Kunst der Lichtführung auseinandergesetzt, und die stille Szene, die er uns hier zeigt, erhält ihre dramatischen Akzente ausschließlich durch die Art, mit der er den Raum und die Figuren ausleuchtet. Das Nachtbild ist nicht nur Kunststück, sondern nimmt auch Bedrohung vorweg: Eine Sintflut wird die ungastlichen Phrygier mit Ausnahme der beiden Alten verschlingen. Elsheimers Bilder waren – in der Tradition der Kunstkammerstücke – klein und auf Kupfertafeln gemalt. Aber der Gesinnung nach waren sie monumental und wurden von den großen Niederländern Rubens und Rembrandt gleichermaßen bewundert und studiert.

Der Dreißigjährige Krieg ist eine der größten Katastrophen der deutschen Geschichte. Er war in seinen ersten Jahren noch örtlich begrenzt, zog aber mit einer fatalen Geldentwertung und daraus resultierenden Verteuerung schnell das ganze Land in seinen Strudel. Folgenreich war die Wallensteinsche Methode, daß ›der Krieg den Krieg zu ernähren habe‹: Die Heere erhielten sich, indem sie in den durchzogenen Ländern Beute machten oder Zwangsabgaben von bedrohten Städten forderten. Soldaten, die nicht bezahlt worden waren und Bauern, die man von ihren Höfen vertrieben hatte, lauerten als Räuber den Kaufleuten und Reisenden auf oder zogen plündernd durch das Land. Handel, Verkehr und Produktion kamen weithin zum Erliegen. Wie das einst glänzende und bevölkerungsreiche Magdeburg, das sich von diesem Schlag nie mehr wirklich erholte, wurden viele der eroberten Städte zerstört und entvölkert. Pestepidemien rafften Millionen Menschen hinweg. Manche Landstriche verloren ihre gesamte Bevölkerung, in anderen waren es ›nur‹ zwei Drittel, andernorts noch weniger. Das Volk verarmte und verrohte, Astrologie und Aberglauben griffen um sich, der Hexenwahn wurde zur Massenhysterie. Die Zeugnisse der Zeit schildern Entsetzliches. Selbst Landstriche, die wie Nordwestdeutschland oder Österreich kaum vom Krieg berührt wurden, verkümmerten. Der Westfälische Frieden von 1648 besiegelte u.a. die Abtrennung Hollands und der Schweiz vom Deutschen Reich sowie die Besetzung weiter Küstenstreifen durch Schweden und Dänemark. Noch einmal waren riesige Summen zu bezahlen. Die Räuber plagten das Land noch auf Jahrzehnte, die Menschen waren der Arbeit entwöhnt und lange Zeit wie gelähmt. Die Handelsströme hatten sich verschoben, und der Anschluß an die übrigen Länder war nur schwer wiederzugewinnen. Eine schwere und andauernde Konjunkturkrise verhinderte den Aufchwung. Erst um 1670–1680 begann das Land vieder Tritt zu fassen.

Für die Künste waren die Folgen noch verheeender als die Reformation. Wer konnte, wanderte us: Karel Skreta ging nach Italien, Johann Heinich Roos nach Holland. Der holsteinische Maler an Liss wurde nach langen niederländischen Wanerjahren zum führenden Künstler Venedigs. *(Abb. 58)* Sandrart oder Schönfeld kehrten nach Ende es Krieges zurück, hatten aber lange mit Schwieigkeiten zu kämpfen. Viele Künstler gingen der Kunst verloren: Der von Sandrart gerühmte Maler akob Ernst von Hagelstern (1588–1653) verdinge sich als kaiserlicher Proviantmeister, der Wachsossierer Georg Pfründt (1603–1669) wurde ebenalls zum Offizier. Viele andere kamen in den Kriegswirren um, so der Bildhauer Christoph Dehe in Magdeburg. Heinrich Schickhardt wurde von soldaten gestochen‹. Petel und viele andere tarben an der Pest. Die Kunst verkümmerte und rstarrte. *(Abb. 56)*

»Wir sind doch numehr gantz / ja mehr als gantz vertorben.
Der frechen Völcker schar / die rasende Posaun /
Daß vom Blutt feiste Schwerd / die donnernde Carthaun /
Hat alles diß hinweg / was mancher sawr erworben /
Die alte Redligkeit und Tugend ist gestorben;
Die Kirchen sind vorheert / die Starcken umbgehawn /
Die Jungfrawn sind geschänd; und wo wir hin nur schawn /
Ist Fewr / Pest / Mord und Todt ...«
(Andreas Gryphius: »Trawrklage des verwüsteten Deutschlandes« 1637)

*56. **Wendel Dietterlin (1551–1599), Kartuschen der kompositen Säulenordnung als tragische Masken,** aus: ›Architectura‹, Holzschnitt, 38 x 24 cm, Straßburg/Strasbourg/F, 1598*

Das malerische Œuvre des großen Straßburger Künstlers ist vollständig vernichtet. Seine graphischen Entwürfe für Bauformen zeigen ihn als einen der großen Erfinder seiner Zeit, als Mann mit überbordender Phantasie, erfüllt von düsteren Vorahnungen. Die Serie von sechs Masken wirken nur auf den ersten Blick als Produkt künstlerischer Laune, sie enthüllen den tragischen Grundzug des Zeitalters.

Kapitel 6

Die Künste im Absolutismus – der nachgeholte Barock

(1650 – 1760)

Die politischen und kulturellen Veränderungen in Europa

Mit dem Westfälischen Frieden wurde 1648 ein Schlußstrich unter das 30jährige Morden gezogen. Aus diesem Anlaß begann der Bamberger Bischof Melchior Otto Voit von Salzburg die Neuausstattung des von den Schweden verwüsteten Domes. Er ließ die beiden Hochaltäre nach dem Vorbild des von Gian Lorenzo Bernini geschaffenen Tabernakels von St. Peter in Rom gestalten und mit monumentalen, vergoldeten Statuen verzieren. Es ist bezeichnend für die Gesinnung des Zeitalters, daß man Triumphalkunst mitten in das Elend hineinsetzte. Vielerorts wurde versucht, einen Neuanfang zu befehlen, aber die Kräfte reichten nicht, und die Schulden waren zu groß. Eine anhaltende Konjunkturkrise und zahlreiche Kriege erschwerten den Aufschwung. So kam es erst seit 1680/90 zu beständiger Bautätigkeit. Noch 1706 werden in Erfurt viele durch den Großen Krieg bedingte Baulücken gezählt. Bis etwa 1750 dauerte die Um- und Neubauwelle, die das Gesicht der Städte so veränderte, daß viele in ihrer Bausubstanz mittelalterliche Städte wie Prag oder Salzburg, Bamberg oder Würzburg barock erscheinen.

*1. **Wallfahrtskirche Vierzehnheiligen,** Innenansicht, Balthasar Neumann (1687–1753) unter Verwendung von Plänen und Bauteilen von Gottfried Heinrich Krohne (um 1700–1756), Bau vollendet von Johann Thomas Nißler (1713–1769), Stuck nach 1763 von Johann Michael II. Feichtmayr (um 1709–1772) u.a., darunter Johann Georg Üblher (1700–1763), Malereien 1764–1770 von Giuseppe Appiani (1706–1785), 1743–1772*

Die Wallfahrtskirche wurde an dem Ort errichtet, wo 1445 und 1446 einem Schäfer das Christkind und die Vierzehn Nothelfer erschienen waren. Dem Zisterzienserkloster Langheim gehörte die Wallfahrt. Ihm wurde beim Neubau der fürstbischöfliche Baumeister Balthasar Neumann vom Bamberger Bischof aufgezwungen. Im Streit mit dem Kloster und dessen Baumeister Krohne rang Neumann sich zu einer geometrisch sehr komplexen, beschwingten Raumlösung nach böhmischen Vorbildern durch, bei der das Langhaus mit seinen kurvierten Wänden den Gnadenaltar in die Mitte nahm. Die Ausstattung begann erst nach seinem Tode und folgt kaum seinen Wünschen. Der Gnadenaltar ist eine geistreiche Stuckatorenarbeit; die Figuren der hl. Nothelfer sind in Polierweiß (à la porcelaine) auf Voluten und Konsolen gesetzt.

Als sich die Menschen im Reich, das in über 250 Länder zersplittert war, wieder kulturell regen konnten, richteten sie ihren Blick allerdings nicht mehr selbstverständlich auf den Kaiser in Wien wie zuvor etwa auf Rudolf II. in Prag, denn die Gräben zwischen den Kriegsgegnern, selbst zwischen den alten Bündnispartnern, waren tief. Statt dessen begannen sie, Ausschau zu halten, fanden jedoch die Kultur und die Gesellschaft um sich herum völlig verändert vor. Spanien hatte seine Führungsrolle an Frankreich verloren. Dessen Aufstieg zur dominierenden Nation hatte unter König Heinrich IV. begonnen, war unter dem Regiment der Kardinäle Richelieu und Mazarin beschleunigt worden und erreichte seinen Zenith unter dem Sonnenkönig Ludwig XIV. (1661–1715). Frankreich vollendete das System der absolutistischen Machtkonzentration in den Händen des Königs und seiner Minister, gestützt auf Militär, Polizei und Bürokratie. Der moderne Staat zeigt sich hier schon umrißweise. Die Gesellschaft wurde zentralistisch durchrationalisiert, das Militär erhielt einheitliche Uniformen und wurde – im Gegensatz zu dem üblichen ›Sauhaufen‹ – exakt durchgegliedert, weshalb die Grundbegriffe des Militärwesens französisch sind. Dem entsprechen die schnurgerade gezogenen Chausseen mit ihrer Baumbepflanzung in präzisen Abständen. Das System des Merkantilismus schuf die ökonomische Grundlage: Man förderte das inländische Gewerbe, das teilweise sogar in staatlich gesteuerten Manufakturen monopolisiert wurde, und flankierte diese Maßnahme, indem der Export von Rohstoffen nach Möglichkeit gehemmt, der von Waren dagegen gesteigert wurde. Für den Import galt diese Regel andersherum. Neue Industrien und Handwerkszweige wurden angesiedelt. Aus Deutschland holte man etwa Mechaniker, Metallarbeiter und vor allem Kunstschreiner, weshalb deutsche Namen wie Boulle (Buhl), Riesener, Röntgen *(Abb. VII/16)* in der führenden Pariser

Geschichte:
Kaiser:
Leopold I. (1658–1705) · 1683 Zweite Türkenbelagerung Wiens · 1701–1714 Spanische Erbfolgekriege · Josef I. (1705–1711) · Karl VI. (1711–1740) · Maria Theresia (1740–1780)
Preußen:
Der Große Kurfürst Friedrich Wilhelm I. (1640–1688) · 1675 Sieg über die Schweden bei Fehrbellin · Friedrich III. (1688–1701 König, seitdem (bis 1713) als Friedrich I.) · Friedrich Wilhelm I., der Soldatenkönig (1713–1740) · Friedrich II., der Große (1740–1786) · 1756–1763 Siebenjähriger Krieg
Sachsen:
Kurfürst Friedrich August I. (1670–1697, König von Polen als August II. bis 1733)
Bayern:
Kurfürst Max II. Emanuel (1679–1726)

Ebenisterie (Kunstschreinerei) so häufig sind. Zentral gesteuerte Akademien, so auch eine für die Schönen Künste, sorgten für die theoretische Ordnung und die Umsetzung der höfischen Ziele in den Wissenschaften und Künsten, nachdem schon Heinrich IV. bedeutende Künstler durch Gewährung von Ateliers und Unterhalt im Louvre an das Königshaus gebunden hatte. Bezeichnend für den neuen systematischen Geist sind die großen Wörterbücher und Lexika, die monumentalen Geschichtswerke und Quelleneditionen. Dieses Zeitalter ist geprägt von dem Wunsch, alles im großen Maßstab zusammenzufassen und zu vereinheitlichen.

Der König umgab sich mit nie gekannter Pracht, Zeichen von ›grandeur et splendeur‹ (Größe und Glanz). Der französische Adel wurde zum Hofleben geradezu gezwungen, und die Teilnahme an der nicht abreißenden Kette prächtiger Feste, Revuen und Empfänge zwang ihm eine standesgemäße Prachtentfaltung auf, die zur Verschuldung führte und damit zu wachsender Abhängigkeit vom König. Das Bürgertum war traditionell der dritte Faktor in der französischen Machtbalance und darin den Bürgern deutscher Kleinstaaten an Bedeutung und Selbstbewußtsein weit überlegen. Doch versicherte sich der Herrscher durch seine Mischung von Gewerbeförderung und Gnadenerweisen seiner Unterstützung. Es blieb ihm lange ergeben. Allerdings zog sich der König fast völlig aus Paris zurück, um für sich und seinen Hof in Versailles eine riesenhafte Schloßanlage zu errichten. Sie löste den Escorial Philipps II. von Spanien als Vorbild der Residenzen Europas ab. Ebenso beispielhaft wirkten Ludwigs Lustschlösser, wie Marly oder das Trianon in Versailles.

So gut wie alle jungen Leute von Stand besuchten damals Ludwigs Hof auf ihrer Grand Tour, die Teil ihrer Ausbildung war. Die Dame und der Herr von Welt kleideten sich seit etwa 1640 nach französisch-höfischer Art, und die Perücke trat ihren Siegeszug an. *(Abb. 2)* Sie hielten sich an die dortigen Anstandsregeln, wozu auch erstmals die Benutzung einer Gabel beim Essen gehörte, und sie sprachen französisch. Sie bewunderten Pariser Möbel, Lyoner Seidenstoffe, Spitzen und Tapeten. Die französische Gouvernante gehörte bald ebenso zum festen Personal deutscher Höfe wie der Tanz- und Fechtlehrer aus Frankreich. Dieser von Diplomaten geförderte kulturelle Einfluß ging so weit, daß etwa Friedrich der Große besser Französisch sprach als Deutsch, und die *Mémoires de la margrave de Bayreuth* seiner Schwester Wilhelmine zählen sogar zu den Klassikern der französischen Literatur. Die kulturelle Vorherrschaft wurde kaum davon beeinträchtigt, daß die brutale Expansionspolitik Ludwigs XIV. allmählich alle Nachbarn zu einer Koalition gegen ihn zusammenschweißte. Auch das aufkommende deutsche Nationalgefühl äußerte sich allenfalls in Epigrammen, wie dem des Schlesiers Friedrich von Logau (1604–1655): »Diener tragen insgemein ihrer Herren Liverei / Folgt daraus, daß Frankreich Herr, aber Deutschland Diener sei?«

Einen Gegenpol fanden die protestantischen Länder in dem reichen Handelsstaat Holland, wo man sich ebensogut auf Monopolbildung verstand wie in Frankreich. Dies zeigt u.a. die weite Verbreitung seiner Delfter Kacheln und China-Porzellan-Imitationen. Holländische Gemälde finden sich in großer Zahl und Qualität in allen deutschen Sammlungen, auch in denen katholischer Länder. Selbst seine palladianisch geprägte Architektur wurde im Norden Deutschlands und Europas imitiert. *(Abb. 6)* Man schätzte besonders die Ingenieurskunst und die Wissenschaft, die aus Holland kamen und womit das Land viel dazu beitrug, daß man von einem Sieg des wissenschaftlichen Geistes im 17. Jahrhundert sprechen kann. Der Besuch der Universität von Leiden galt für deutsche Studenten lange geradezu als Pflicht.

Rom war Erbe der antiken und mittelalterlichen Kultur. Es war der Hauptort der künstlerischen Erneuerung um 1500, als deren Inbegriff Michelangelo und Raffael galten, und um 1600 galt es als Wiege dieses Wiederauflebens der Renaissance. Hier bündelten sich die künstlerischen Kräfte Italiens und Europas. Als künstlerisches Zentrum wurde es auch von Frankreich anerkannt, das in Rom eine Kunstakademie und Forschungsstätte einrichtete und dessen beste Maler, Poussin und Lorrain, dort arbeiteten. Die Lichtmalerei und der Verismus des Lombarden Caravaggio verbreiteten sich von Rom aus. Der Flame Rubens empfing dort ebenso wie der Spanier Velazquez prägende Eindrücke, und die lärmende Kolonie niederländischer und deutscher

Künstler, der ›bentveugels‹ oder ›bambocciantiꞏ‹, war die erste Bohème Europas. In keiner Stadt der Welt konnte man damals so freizügig leben.

Die Päpste verstanden sich als die Erben der römischen Kaiser – und als ihre Überwinder. Architektur und Kunst dienten ihnen dazu, den päpstlichen Anspruch auf die Weltherrschaft zum Ausdruck zu bringen. Ihr neuer Michelangelo sollte der Bildhauer Gian Lorenzo Bernini sein, ein ›uomo universale‹ – Maler, Architekt, Theaterdirektor, Gelehrter und doch auch mehr. Zunächst wurde vollendet, was man ein Jahrhundert zuvor in Angriff genommen hatte: der Ausbau des Kapitols und der titanische Neubau von St. Peter mit seiner Kuppel, das verlängerte Langhaus samt seiner Fassade und schließlich der Vorplatz mit den großen Kolonnaden. Die Kuppel wurde auch wegen ihrer Bedeutungsfülle zu einer Lieblingsform der Epoche. Michelangelos Architektursprache wurde zum Grundmuster der Zeit nach 1600: Wände und Fassaden wurden als plastische und rhythmische Gliederbildungen gestaltet und mittels Risaliten auch im Großen gestuft. Die aus der antiken Thermenarchitektur übernommene Große Ordnung, d.h. Pilaster- oder Säulengliederungen, die jeweils zwei Stockwerke übergreifen, wurde auf neue Weise monumentalisiert. Konstruktiv griff man auf Prinzipien der Gotik zurück, der man sich ja auch in Lichtführung und Raumgestaltung wieder näherte, wofür die beiden aus Oberitalien stammenden Architekten Borromini und Guarini stehen. Im Gegensatz zum späteren, strengen Klassizismus bevorzugte man anstelle der klassizistisch-stilreinen Muster der Antike die hellenistisch überbordenden, und das wachsende archäologische Wissen hemmte noch nicht die baukünstlerische Phantasie oder die Freiheit der Erfindung. Nach dem Vorbild Michelangelos durchbrach man die Vorschriften Vitruvs und seiner Interpreten (vgl. Kap. 5), wo man es als nötig empfand. Man behielt jedoch nicht nur das System der Säulenordnungen im Prinzip bei, sondern verfeinerte und systematisierte es noch, setzte es spannungsreicher ein. Von Rom geht die vollständige Gestaltung der Räume, ihrer Wände, Decken und Fußböden durch Steineinlegearbeiten, Stuck oder Malerei aus – auch dies ist als eigenwillige Renaissance spätantiker kaiserlicher Pracht zu verstehen.

2. Balthasar Permoser (1651–1732), Büste des Herzogs Anton Ulrich von Braunschweig, *Alabaster, 76 cm (mit Sockel), Dresden (?), um 1704–1706, Braunschweig, Herzog Anton Ulrich-Museum*

Der Herzog, einer der größten Kunstkenner und -sammler seiner Zeit sowie Begründer des nach ihm benannten Museums, ließ sich von Permoser noch in Italien ›à la française‹ darstellen. Der herrische Ausdruck, die energische Wendung des Kopfes, die wehende Allongeperücke, die Kleidung in der Art, in der beim französischen Theater römische Feldherren dargestellt wurden, und die Führung der Draperie um die Büste unten sind Porträts Ludwigs XIV. von Frankreich nachempfunden. Im Motiv geht die Büste aber auf das antike Imperatorenporträt des Caracalla zurück.

Viele fremde und einheimische Künstler kamen nach Rom, um die Bildenden Künste zu erneuern. Das Studium und die Wiedergabe der Natur bzw. ihrer Erscheinungen wurde wieder intensiviert, in Verbindung mit dem Studium der Antike und der großen italienischen Meister um 1500. Die Vorgängerkunst wurde im neuen Stil sozusagen ›aufgehoben‹, der sich aber gegenüber dem Alten als besser und überlegen verstand. Das Niveau, auf dem man sich der alten Kunst bediente, sie umschmolz und verarbeitete, ist so hoch, daß man nur bei genauer Kennerschaft weiß, worauf angespielt wird. Wie komplex die Vorlagenverarbeitung war, versteht man oft erst, nachdem man an den Zeichnungen den Entstehungsprozeß eines Kunstwerks nachvollzogen hat. Auf diese Weise konnte die Kunst großen Erfindungsreichtum zeigen und sich sehr vielseitig entfalten. Diese vorher nicht gekannte Pracht und die virtuose Beherrschung der künstlerischen Mittel wurde jedoch nicht um ihrer selbst willen vorgeführt, sondern im Dienst der Kirche. Die selbstbewußt denkenden Fürstbischöfe des Reiches, aber auch die Orden, übernahmen diesen Stil von den Päpsten in Rom.

Wir verdanken die Architektur und die Kunst dieser Epoche der gegenreformatorischen Kirche. Sie ist selbstbewußt und -sicher geworden und hat das Ängstliche, Beengte und Zensierende der ersten nachtridentinischen Phase überwunden. Der durch sie geprägte Stil trägt die kirchlichen Lehren und Anschauungen auf sinnlich eindringliche Weise und mit höchstem rhetorischem Einsatz vor, meist in der höchsten Stillage, pathetisch, kunstvoll und mit reich schmückendem Beiwerke. Dies ist das eigentliche Zeitalter der Rhetorik. Aber der Optimismus wirkt erzwungen, das Weltbild im modernen Sinne ideologisch und propagandistisch, denn der protestantische Zweifel und Widerspruch konnten nicht ausgeräumt werden.

Doch nicht nur die Kirche ist an der Ausformung und Aufrechterhaltung des Stils beteiligt, sondern auch der absolutistische Staat. Bis zur Französischen Revolution propagierte die damalige, sehr gelehrte und alles sammelnde Gesellschaft ein zwar facetten- und spannungsreiches, aber dennoch immer ein geschlossenes Weltbild: Die monarchische Gesellschaft galt als Spiegel des göttlichen Kosmos, Antike und Christentum waren in ihr zu einer Einheit verschmolzen. Ungereimtheiten im System sowie tiefere Einsichten, etwa der Naturwissenschaftler, vermochten bis weit hinein ins 18. Jahrhundert kaum, das Vertrauen in die Gottgegebenheit der Zustände zu erschüttern. Widerspruch formierte sich in den protestantischen Ländern, ihrer Wirtschaft, der Veränderung ihrer Staatsform und ihrer Wissenschaft: Hier ist die Wurzel der Moderne zu suchen. Der Umschwung vollzieht sich jedoch nur allmählich, hauptsächlich im Verlauf des 18. Jahrhunderts.

Man hat versucht, den romantischen Begriff des Gesamtkunstwerks (vgl. Kap. VII) auch auf diese Zeit zu übertragen. Die Gestaltung der Kirchen und Schlösser sollte eine möglichst große Geschlossenheit der Wirkung erzielen, und dafür mußten die einzelnen Künste eng ineinandergreifen. Doch kann man auf der einen Seite nicht von einem wirklichen Verlust der Einheitsvorstellung von Welt und Gesellschaft sprechen, was ja die Voraussetzung für die Utopie des Gesamtkunstwerks ist. Auch sind die künstlerischen Ensembles sind nicht so einheitlich, wie sie auf Anhieb erscheinen, jedenfalls nicht diejenigen ersten Ranges, denn das große Einzelkunstwerk war allenfalls dekorativ integrierbar. Anders ausgedrückt: Der Anschein eines Gesamtkunstwerks konnte nur dort entstehen, wo die individuelle Entfaltung der einzelnen Künstler unterdrückt wurde. Deshalb ist dies eine Epoche, in der die Dekorateure, vor allem die Stuckatoren (Hand in Hand mit den Malern) die zentrale Aufgabe erhielten, zusammenzukitten, was sonst auseinandergefallen wäre, und den Eindruck von Einheitlichkeit herzustellen, den man so sehr wünschte.

Rom war im 17. Jahrhundert nicht nur Zentrum der künstlerischen Ideenbildung, sondern auch der größte europäische Kunstmarkt. Seine Kunst wurde später abfällig Barock genannt, was ›gedrechselt‹ und ›schief‹ bedeutet. Dieser Begriff läßt sich nur eingeschränkt auf die Kunst der übrigen Länder Europas übertragen, denn er deckt dort jeweils nur Aspekte ab. Wenn man Barock nicht nur als Namen, sondern als Begriff verstehen will, so erscheint er geeignet als Benennung einer Kunstanschauung (und damit auch einer Weltsicht), die sich in Rom um 1600 im Gegensatz zu der des älteren Florentiner Manierismus herausbildete. *(Abb. V/56 u. V/57)* In Deutschland konnte man sich mit ihr ernstlich erst mit einer Verspätung von zwei Generationen beschäftigen und nahm sie in einer Verbindung mit neueren Tendenzen, so der Architektur des Francesco Borromini und der Deckenmalerei Andrea Pozzos, auf. *(Abb. 50)*

Der neue Stil im Heiligen Römischen Reich Deutscher Nation

Das Studium der Skulpturen Jörg Petels seit der Mitte des 17. Jahrhunderts ist ein eindrucksvolles Beispiel dafür, daß man in Deutschland nach dem Krieg versuchte, an die abgerissenen Fäden wieder anzuknüpfen. An einigen Orten war darüber hinaus so etwas wie familiäre Kontinuität gegeben; es sei nur an die Künstlerfamilien Merian und Zürn erinnert. *(Abb. 3)* Gerade an der Kunst Michael Zürns des Jüngeren kann man aber auch ablesen, daß die Schnitzkunst um 1500 zwar als Ausgangspunkt diente, das eigentliche Vorbild jedoch Bernini war. Zürn folgte dessen Spuren, wenn er das Gewand überaus lebendig zum Fliegen brachte, wobei er auch die Konkurrenz mit den Malern im Auge behielt, deren lebhafte und virtuose Pinselschrift nun in das ungefügige Material Holz umgesetzt wurde, um damit andererseits der Figur eine mächtigere Präsenz zu geben, als es die Maler vermochten. Daß man sich dabei der Mithilfe des Faßmalers versicherte, ist dann doch wieder ein Eingeständnis der Hilfsbedürftigkeit.

Der künstlerische (und gesellschaftliche) Wandel zwischen 1680 und 1710 geschah umfassend und schnell. Der Höfling und Zeremonialwissenschaftler Julius Bernhard von Rohr schreibt um 1710: »Binnen 50–60 Jahren haben sich [...] auf den Fürstlichen Schlössern, sowohl in Ansehung des Bauens als des Ausmeublierens gewaltige Veränderungen ereignet. Zu Eingang des abgewichenen Seculi, wußte man noch nicht so viel von den Vorgemächern, die hintereinander folgten, von den Gips-Decken, von den gebrochenen Türen, von den zierlichen Caminen, und von mancherley prächtigen Meublen, die man heutigentags in den Fürstlichen Zimmern erblickt.«

Bis etwa 1690 vertraute man in Süddeutschland Scharen von meist oberitalienischen Baumeistern, Stukkatoren und Freskanten die ersten Neu- und Umbauten an. Die Franzosen dominierten in West- und Norddeutschland, vor allem in der Malerei. Doch die deutschen Bauherren (und die sich über eine verstärkte Publizistik bildende Öffentlichkeit) waren eigenwillig. So erweist sich selbst das Ähnliche als anders gemeint. Die italienischen Künstler waren im übrigen einfühlsam und flexibel genug, der anderen Mentalität und den Wünschen ihrer Auftraggeber Ausdruck zu geben. Manche ihrer Werke, zumal die der im Lande selbst Geborenen wie die des Johann Santin Aichel (1667–1723) *(Abb. 4)* wären in Italien undenkbar.

Das Andersartige der Kunst in Mitteleuropa ist schwer zu greifen. Doch gibt es einige lehrrei-

3. Michael Zürn der Jüngere (1654–1699), Schmerzensmutter, *Lindenholz mit alter Fassung, 144 cm, Oberösterreich, um 1685, Wien, Österreichisches Barockmuseum im Belvedere*

Die Figur gehörte wohl ursprünglich zu einer freistehenden Kreuzigungsgruppe und ist mehransichtig. 1681 hatte der Schnitzer auf einer Italienfahrt die Kunst Berninis und anderer Meister des Barock studiert. Ausdruck und Bewegung der Glieder, die sehr genau erfaßt sind, werden durch die aufwehenden und um den Körper herumwirbelnden Gewandfalten aufs Höchste gesteigert.

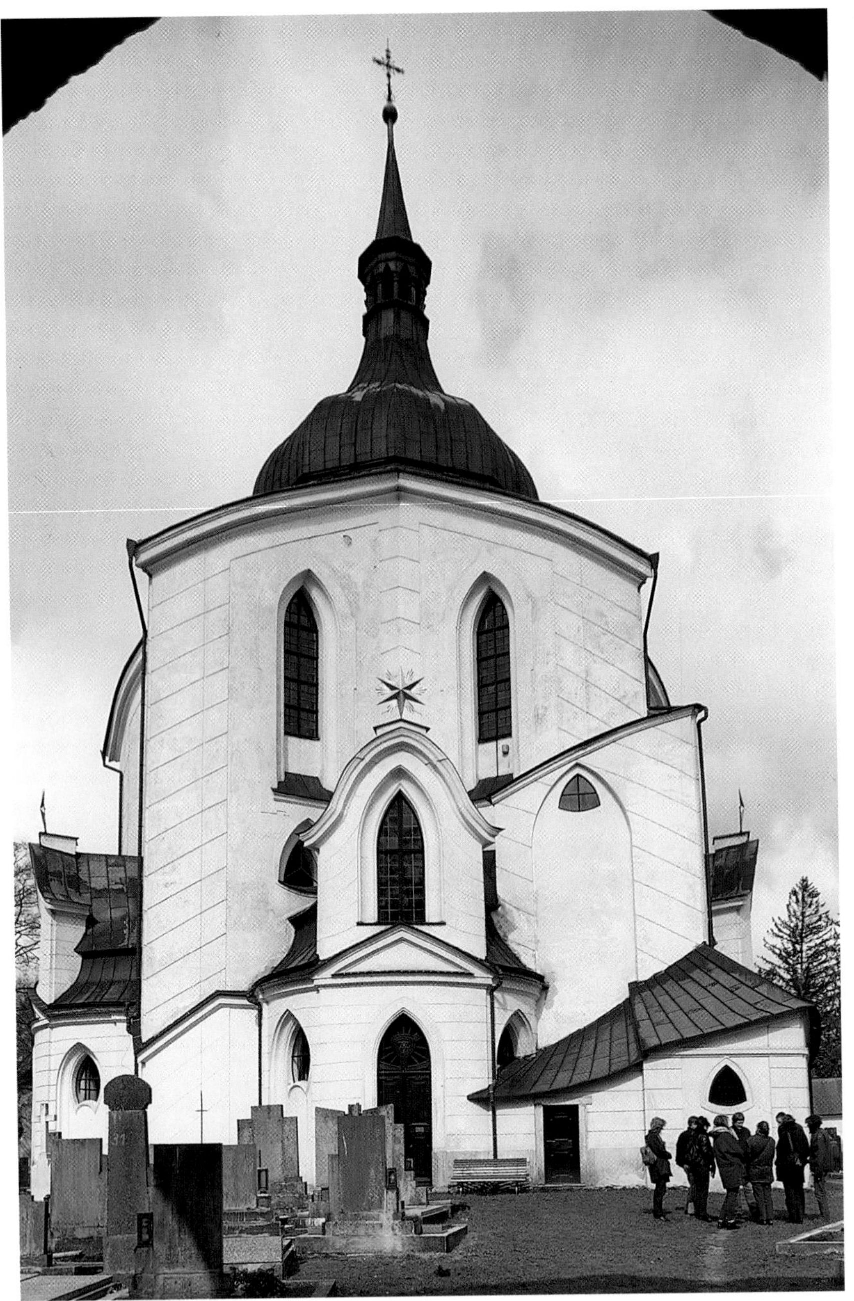

4. Johann Santin Aichel (1667–1723), Saar/Žd'ár nad Sázavou/CZ, Wallfahrtskirche St. Nepomuk auf dem Grünberg, 1719–1722

Der Baumeister, aus einer in dritter Generation in Böhmen ansässigen italienischen Familie, baute für die alten Orden des Landes in eigenwilligen, gotisierenden Formen, mit deren Hilfe sie nach der langen religiösen Krise zwischen Hus und dem Prager Fenstersturz an die Glanzzeit der Gotik anzuknüpfen hofften. Saar ist eine zisterziensische Wallfahrtskirche zu dem damals aufs Höchste verehrten Johann Nepomuk, dessen Hauptverdienst darin bestand, das Beichtgeheimnis nicht verraten zu haben – bei der Öffnung seines Grabes 1719 wurde seine Zunge unversehrt gefunden. Der Baumeister umspielt für die Nepomuk-Ikonographie bezeichnende Motive wie die Zunge, den Sternenkranz Nepomuks (fünf Sterne) und Mariens (zwölf Sterne) architektonisch und schafft eine ›architecture parlante‹, die mit geometrisch-architektonischen Mitteln auskommt, in Nachfolge von Guarino Guarini und Francesco Borromini.

che Texte: So betonen z.B. die Briefe der mit einem Bruder Ludwigs XIV. verheirateten Liselotte von der Pfalz die Gegensätze der Mentalität, so die Gefühlsinnigkeit der Deutschen, die größere Frömmigkeit, das wenig Diplomatische: »Von der teutschen Aufrichtigkeit halte ich mehr als von der magnificence«, heißt es u.a. 1692. Wenn man damals jemanden ›alt-teutsch‹ oder ›alt-fränkisch‹ nannte, so den 1766 verstorbenen Münchner Baumeister Johann Michael Fischer *(Abb. 59 u. 62)* in seiner Grabmalsinschrift, so hat das nicht den tadelnden Beigeschmack des Lächerlichen und Antiquierten wie im späten 18. Jahrhundert, sondern meinte eine Art von Redlichkeit, die man jedoch im Schwinden sah.

Diese ›Rückständigkeit‹ hilft zu verstehen, warum es in Mitteleuropa, im Gegensatz zu anderen Ländern, erneut zu einer so außerordentlichen Blüte der kirchlichen Bau- und Ausstattungskunst kam. Im übrigen gibt es viele Beispiele einer zuweilen merkwürdigen Rückbesinnung auf eigenes Älteres, so auf den grotesken Humor der Zeit um 1600, wie ihn etwa die Skulpturen der Bibliothek in Kloster Waldsassen zeigen. *(Abb. 5)* Die alten Vorlagen waren keineswegs vergessen.

Aber es gibt auch echten Provinzialismus und eine mit der Kleinstaaterei zusammenhängende Biederkeit, Devotheit, ja Philisterei, selbst in der Kunst. Die Zeugnisse künstlerischen Provinzialismus wirken jedoch nicht so befremdlich wie die Schnörkel und der hohle Pomp der damaligen Texte. Die offizielle Adresse des Wetzlarer Reichskammergerichtes z.B. lautete: »Denen Hoch- und Wohlgeborenen, Edlen, Festen und Wohlgelahrten, dann respektive Hochgeborenen, Hoch- und Wohledelgeborenen, respektive Ihro Kaiserlichen und Königlichen Katholischen Majestät verordneten Wirklichen Geheimen Räten, dann des löblich Kaiserlichen und Reichskammergerichts zu Wetzlar fachverordneten Kammer-Richter-Präsidenten und Beisitzern, unseren besonders Lieben Herren und Lieben Besondern, dann Hochgeehrtest auch respektive freundlich Vielgeliebten und Hochgeehrten Herren Vettern, dann Hoch- und Vielgeehrten wie auch weiteres respektive insonders Hochgeneigt und Hochgeehrtesten Herren.« Verglichen mit den französischen Prinzipien von ›Clarté‹ (Klarheit), ›économie‹ (Ökonomie der Mittel), ›Ordre‹ (Ordnung) ist dergleichen Schwulst.

Der neue Stil repräsentiert die Haltung und Bildung einer international orientierten Herren- und Fürstenschicht. Und er wurde erstaunlich populär. Doch spalteten die Unterschiede in Gesellschaft, Staat und Wirtschaft, dazu die Abkapselung der Konfessionen und die zunehmenden Abweichungen in Denken und Wissenschaft allmählich die Stilbildung, zunächst nur untergründig, dann jedoch immer deutlicher.

Obwohl das kaiserliche Wien die Kultur der Epoche tonangebend dominierte, läßt sich an den beiden arrivierten Königshäusern Brandenburg-Preußen und Sachsen-Polen am deutlichsten ablesen, was das Neue ausmacht und wie groß schon um 1700 die Abweichungen voneinander sind.

5. ***Waldsassen, Bibliothek des Zisterzienserklosters,*** *Schnitzereien von Karl Stilp (1668–nach 1717), Schreinerarbeiten von Andreas Witt, Stuck von Jacopo Appiani, Fresken von Karl Hofreiter, 1724*

Als Vorlage für die ornamentalen Teile diente vor allem das ›Neuw Grotteßken Buch‹ des Nürnberger Goldschmieds Christoph Jamnitzer (1563–1618) aus dem Jahre 1610, für die figuralen u.a. Kupferstiche nach Rubens. Dargestellt ist in den grotesken Atlanten der geistige Hochmut, dem die Zisterzienser die Demut als Grundhaltung der Wissenschaft entgegenstellten.

Das Kurfürstentum Brandenburg war als Spielball fremder Mächte durch den Großen Krieg besonders hart getroffen worden. Kurfürst Friedrich Wilhelm I. setzte unter diesen Verhältnissen die Einzelherrschaft durch, schuf ein starkes Heer und eine straffe Verwaltung und legte so die Grundlagen für den Aufstieg seines Landes. Dazu gehörte auch die Lösung Ostpreußens aus polnischer Lehenshoheit. Architektonisch waren weniger die im holländischen Stil gehaltenen Bauten folgenreich, mehr seine städtebaulichen Maßnahmen. *(Abb. 6)* Er schuf in Berlin mit der Anlage der Allee ›Unter den Linden‹ und seinen Stadterweiterungsplänen das Vorbild für den großzügigen Straßenzuschnitt und die Achsen mit ihren weiten Perspektiven, die die Stadt heute noch kennzeichnen. Der Kurfürst konzipierte den Grundbestand von Bauvorschriften, die dem Land ein so einheitliches Erscheinungsbild gaben. Es waren primär Brandschutzmaßnahmen in Verbindung mit der Einrichtung einer Feuerversicherung, eigentlich also Zwangsfürsorgemaßnahmen eines allmächtig das ganze Leben bestimmenden Staates. Getrieben von dem Wunsch nach Selbst-

6. ***Oranienburg, Waisenhaus,*** *Johann Gregor Memhard (um 1610–1678), um 1665–1670*

Die Institution ist eine Stiftung der Kurfürstin Louise Henriette von Oranien, Gemahlin des Großen Kurfürsten Friedrich Wilhelm I. von Brandenburg, aus der Dynastie der Statthalter von Holland. Wie zwei ihrer Schwestern in Anhalt-Dessau und Hessen-Kassel erbaute sie nach 1650 eine eigene Ortschaft samt Schloß, Oranienburg, und bewirtschaftete dort ihr Gut selbst. Sie war das viel bewunderte Vorbild ihres Enkels, des Soldatenkönigs. Die Architektur des in Holland geschulten kurfürstlichen Baumeisters besticht durch den Umgang mit dem Backstein und die herbe Rustizierung nach holländisch-palladianischer Art.

7. Johann Ludwig Biller (1656–1732) und Familienmitglieder, Silberschaubuffet aus dem Berliner Stadtschloß, *nach Entwurf von Andreas Schlüter (um 1660–1714), um 1695–1698, Berlin, Kunstgewerbemuseum SMPK*

Derartige Schaubuffets sind letztlich ein aus dem Mittelalter stammender Brauch, der von den Fürsten in den Residenzschlössern zu einer Inszenierung der eigenen finanziellen Macht benutzt wurde. Während man jedoch früher das Schaubuffet nur gelegentlich zeigte und dafür nur provisorische Gerüste erstellte, ging man bald zu hölzernen Anrichten, dann aber zu wandfesten Installationen über.

darstellung und getragen von künstlerischer Gestaltungskraft führte die absolutistische Herrschaft jedoch fast überall in Europa nicht allein im Schloßbau, sondern durch die Residenzstadt als ganze zu einer Blüte der Stadtbaukunst. Damals wurde auch schon die Gestaltung der Stadt-, Schloß- und Parklandschaft an der Havel um Potsdam begonnen. *(Abb. VII/66)* Sein Enkel, der Soldatenkönig Friedrich Wilhelm I., ist der eigentliche Fortsetzer dieser Stadtplanung.

Friedrich I., der Sohn Friedrich Wilhelms I., konnte im Jahr 1701 die Königswürde erringen, offiziell jedoch nur für Preußen, da dieses außerhalb der Grenzen des Hl. Römischen Reiches Deutscher Nation lag. Das Streben nach Rangerhöhung ist ein Zug der Zeit, der jedoch keineswegs nur die Eitelkeit der Potentaten spiegelt. Dieser Erfolg ist politisch auch nicht so bedeutungslos, wie uns heute erscheinen mag, denn es reichte nicht, Macht zu besitzen, sie mußte auch präsentabel sein. König Friedrich I. begann bereits ein ehrgeiziges Bauprogramm, bevor er die neue Würde errungen hatte. Fürstliches Bauen diente nicht nur der Repräsentation, sondern auch der Prätention von Machtansprüchen, und es gab den Rahmen ab für die Feste und das ausgeklügelte Zeremoniell, in dem sich der Fürst und sein

8. Berlin, ehemaliges Schloß, *Portalrisalit, Andreas Schlüter (um 1660–1714), um 1696–1704, 1950 gesprengt*

Absicht von Bauherr und Baumeister war die Schaffung einer königlich-repräsentativen Architektur nach Vorbildern in Rom und Paris. Deshalb mußte die Architektur dreigeschoßig sein und eine große, mehrere Geschoße übergreifende Säulenordnung samt prächtiger Abschlußattika haben. Für den figürlichen Schmuck wurden Bildhauer teilweise von weither gebeten, wie Permoser aus Dresden.

9a. u. 9b. ***Andreas Schlüter (um 1660–1714), Reiterdenkmal des Großen Kurfürsten Friedrich Wilhelm I.,*** *Guß: Johann Jacobi, Bronze, 290 cm, Sockel 270 cm, 1696–1704, Berlin, Schloß Charlottenburg*

Das Denkmal war für einen erkerartig vorspringenden Ort auf der Langen Brücke vor dem Berliner Schloß konzipiert, den Schlüter samt Gitter selbst gestaltet hat. Man sah den Kurfürsten hauptsächlich von links vorne oder von rechts vorne. Er ist in zeitgenössischer Feldherrentracht dargestellt, wobei er, von der einen Seite gesehen, stürmisch, von der anderen eher besänftigend und vorausschauend erscheint, teils Feldherr, teils Staatsmann. Der Originalsockel steht im Bode-Museum Berlin.

Hof der Welt präsentierten. Eins bedingte das andere.

Das alte Schloß genügte diesen Zwecken ebensowenig wie die Bauweise der holländischen Architekten seines Vaters. Eine ›königlichere‹ Architektur mußte her. Friedrich I. erwählte den Danziger Bildhauer Andreas Schlüter, der bis dahin in den Diensten des Königs von Polen gestanden hatte, um seine Pläne zu realisieren. Danzig gehörte zu den wenigen Städten in Mitteleuropa, die seit dem ausgehenden Mittelalter in durchgehender künstlerischer Blüte gestanden und auch im Großen Krieg kaum gelitten hatten. Friedrich schickte Schlüter auf Studienreise nach Italien und Frankreich und machte ihn dann zu einer Art Kunstintendanten, der sich um das gesamte königliche Bau- und Ausstattungswesen zu kümmern hatte: Er lieferte z.B. das Konzept für die Aufstellung des Prunkbuffets *(Abb. 7)* oder für die Ausstuckierung der Schloßsäle und schuf letztlich einen neuen ›Königsstil‹. So steil Schlüters Aufstieg war, so jäh sein Absturz: 1707 wurde er wegen Konstruktionsfehler am Schloßturm entlassen. Wie manch anderer Künstler hatte auch er sich an den ungewohnten Bedingungen, in kürzester Zeit eine große und vielfältige Menge an Arbeiten zu leisten, überhoben. Bezeichnend für die damalige Phase der Stilbildung ist, daß man – nach dem römischen Vorbild des Gian Lorenzo Bernini – einem Bildhauer die Oberaufsicht auch über die anderen Künste, vor allem über das Bauwesen, einräumte. Entsprechend wirkten Johann Bernhard Fischer von Erlach in Wien und Balthasar Permoser in Dresden, an denen man sich auch in Berlin orientierte – die Malerei stand zeitweilig in eher geringem Ansehen.

Der König wollte vor allem das alte Berliner Stadtschloß in ›ein königliches Aussehen‹ gebracht haben: das Wichtigste waren angemessene Fassaden, große, reich geschmückte Säle und repräsentative Treppenhäuser. *(Abb. VII/46)* Schlüters Um- und Anbauten sind ausdrucksvolle Gestaltungen architektonischer Massen. Er entwarf das Portal als kolossale Säulenreihe (Kolonnade), die als vorgezogener Baukörper (Risalit) der Fassade vorgeblendet wurde. Die mächtigen Säulen stehen paarweise auf einem hohen, rustizierten Postament, sind aber weitgespannt gekuppelt, nach einer Idee des Baumeisters Ludwigs XIV., Jules Hardouin-Mansart. Eingestellt sind kleinere Kolonnaden nach dem Vorbild von Michelangelos Kapitolspalast in Rom, und zwar in der Superposition der drei Ordnungen nach dem Colosseum. *(Abb. V/11)* Diese Zitate nach Pariser und römisch-imperialer Architektur sind als bewußte Formulierungen eines politischen Anspruchs zu verstehen.

Auf der Langen Brücke südlich vom Schloß, d.h. auf seiner Hauptseite, ließ der König durch Schlüter ein bronzenes Reiterdenkmal seines Vaters, des Großen Kurfürsten, errichten. *(Abb. 9a u. 9b)* Es ist das erste seiner Art im Deutschen Reich. Es hat wie das Schloß eine doppelte Wurzel: Urbild ist das antike Standbild des Kaisers Marc Aurel auf dem Kapitol in Rom, Vorbild im engeren Sinne die (während der Revolution zerstörte) Pariser Reiterstatue Ludwigs XIV. Im Gegensatz zu ihr ist das Berliner Werk nicht übermenschlich groß und ebensowenig durch den Sockel überhöht. Dennoch besteht kein Zweifel, daß es ein Monument der Fürstengewalt ist. Aber gerade daß nicht nur nach dem Muster des ›roi soleil‹ vorgegangen wurde, sondern die maßvolle Statue des philosophischsten der römischen Kaiser zum Maßstab diente, darf als Hinweis verstanden werden, daß es nicht nur um Apotheose (Vergöttlichung) des Herrschers ging. Der Fürst wird auch als gut und weise, als tugendhaft und gebildet dargestellt. Dies mag als Einfall des Künstlers gelten, wie es seiner Gestaltungskraft ja auch zuzuschreiben ist, daß der Kurfürst von der einen Seite eher als drängender Feldherr, von der andern als vorausschauender Landesvater erscheint. Doch ist daran zu erinnern, daß als wichtige Taten Friedrichs I., der ja in dieser Statue immer mitgemeint ist, die Gründung der Berliner Akademien der Wissenschaften und der Künste sowie die der Universität Halle zählen.

Dieser große Hofkünstler ist nicht nur als Erfüllungsgehilfe des Auftraggebers zu verstehen. Friedrich ließ ein großes Zeughaus *(Abb. 10)* als Demonstration der preußischen Heeresmacht nach Ideen des französischen Architekten François Blondel errichten, erlaubte aber Schlüter die Einmischung in die Ausgestaltung. Es flankierte das Schloß (zusammen mit der Schloßkirche) und war zugleich eine Eckbastion der Allee ›Unter den Linden‹. Der Bau greift den kastellartigen Vier-Flügel-Typ älterer Schloßanlagen auf und ist, seiner martialischen Funktion entsprechend, in den toskanischen und dorischen Säulenordnungen gestaltet, zugleich aber höchst repräsentativ.

10. Berlin, Zeughaus, *Fassade, Arnold Nering (1659–1695) und Jean de Bodt (1670–1745), vielleicht nach einem Entwurf von François Blondel (1617–1686), 1695–1706*

Das Zeughaus folgt dem vierflügeligen Kastelltyp, zitiert damit das Berliner Schloß, bleibt aber der martialischen Aufgabe gemäß einfacher und strenger. Dominant ist die dorische Ordnung. Gemäß den französischen Vorstellungen von ›convenance‹ ist der Bauschmuck zurückhaltend, ebenso aber die rhythmische Gliederung durch Risalite. Teile des Bauschmucks stammen von Andreas Schlüter und seiner Werkstatt.

Schlüter entwarf u.a. als Bogenschlußsteine der Innenhof-Fenster eine Folge von Masken sterbender Krieger. Es ist anrührend, an einem Ort, wo man Bilder des Heroentums erwarten würde, Gedenkbilder des Sterbens zu finden. *(Abb. 11)*

Daneben hat Schlüter zierliche Lusthäuser entworfen, wie die (zerstörte) Villa Kamecke, die man am passendsten als Rokokobauwerk bezeichnen würde. Das zeigt die große Spannweite dieses Stils. Wie bewußt er gewählt und gehandhabt wurde, wird letztlich auch daran deutlich, daß 1713 der Thronfolger, der Soldatenkönig Friedrich Wilhelm I., ihn mit einem Federstrich abschaffte, indem er den Hof auf das Notwendigste reduzierte, die meisten Hofkünstler mit vielen anderen Hofleuten entließ, das Zeremoniell aufgab und einen neuen, spartanischen Stil dekretierte.

Dresden und die Festkultur

Die Lage Sachsens war der Preußens äußerlich ähnlich. Friedrich August I. genannt der Starke hatte 1697 durch die Wahl zum Polenkönig (als August II.) den Königstitel für sein Kurfürstentum gewinnen können. Voraussetzung dafür war sein Übertritt zum Katholizismus. Er wollte mehr sein als nur Kurfürst und Reichsvikar, träumte von imperialer Größe und gab dem in einem umfassenden Bau- und Kunstprogramm Ausdruck. Die Ergebnisse in Sachsen aber sind ganz andere als in Preußen. Dies liegt nicht zuletzt am Bauherrn selbst, der schon als junger Prinz von Wolf Caspar von Klengel architektonisch geschult worden war. August besaß jedoch nicht nur gute künstlerische Kenntnisse, sondern entwickelte auch eigene gestalterische Ideen. Er wußte, große gleichgesonnene Künstler an sich zu ziehen, behielt aber die Fäden in der Hand. Was damals in Dresden entstand, wird ebensosehr ihm verdankt wie seinen Leuten.

Sein Hauptwerk – und das seines Hofbaumeisters Pöppelmann – ist der Zwinger in Dresden, der zum Bautyp der Lust- und Gartenhäuser gehört, ursprünglich weiß und gold bemalt war und blau angestrichene Kupferdächer hatte. *(Abb. 12–14)* Geplant wurde das Bauwerk als Orangerie, also als Haus zur Aufnahme der fürstlichen Orangenbäume im Winter. Das war eine Bauaufgabe viel höheren Ranges, als es uns erscheinen mag. In der damaligen Ikonographie wurde die Orange als Frucht der Sonne zum Symbol des Königs, der mit der allesbeherrschenden Sonne verglichen wurde. Obendrein ist der Orangenbaum immergrün und trägt Blüte und Frucht zugleich, was ebenfalls allegorisch auf die Qualitäten und Tugenden des Königs gedeutet wurde. Die Frucht stammt der antiken Sage nach aus dem Garten der Hesperiden, wo sich die Sonne (!) zur Ruhe bettete. Der Raub des goldenen Apfels aus dem Göttergarten, wo er von Nymphen bewacht wurde, war eine der schwersten Taten des Herkules – sie brachte ihm Unsterblichkeit. August der Starke pflegte sich wie alle Alleinherrscher mit diesem mythischen Tugendhelden zu identifizieren: Er war der ›Hercules Saxonicus‹. Die von Balthasar Permoser auf der Bekrönung des Wallpavillons geschaffene Statue des Herkules, der die Weltkugel stemmt, ist als Bild des Königs gemeint. Somit war die Orangerie also nicht allein der angemessene Aufbewahrungsraum für die Königsbäu-

11. Andreas Schlüter (um 1660–1714) und Gehilfen, Maske eines sterbenden Kriegers am Berliner Zeughaus, *Sandstein, überlebensgroß, seit 1696*

Der Bildhauer hat für die Masken Wachsbozzetti gemacht, die von anderen in Stein umgesetzt wurden. Die Köpfe sind eigentlich als Trophäen, die an Schilden aufgehängt wurden, gemeint, doch von Schlüter ins Allgemeiner-Menschliche gehoben.

12. Idealplan des Zwingers in Dresden
Matthäus Daniel Pöppelmann (1662–1736) und Balthasar Permoser (1651–1732), 1709–1728

In eine Bastei des Festungsringes um Dresden wurde ein Garten mit Gebäuden als Orangerie und Festplatz eingerichtet, zunächst nur aus vergänglichen Materialien und viel kleiner, dann aus Stein und als ›Palais Royal des Sciences‹. Die Architektur nutzt auf geistreiche Weise die Vorgabe verschiedener Terrainebenen aus, um verschiedene Nutzungsweisen (und Gesellschaftsschichten) zu unterscheiden: Im Unterbereich z.B. das Nymphäum (D, E), oben durchlichtete Pavillons.

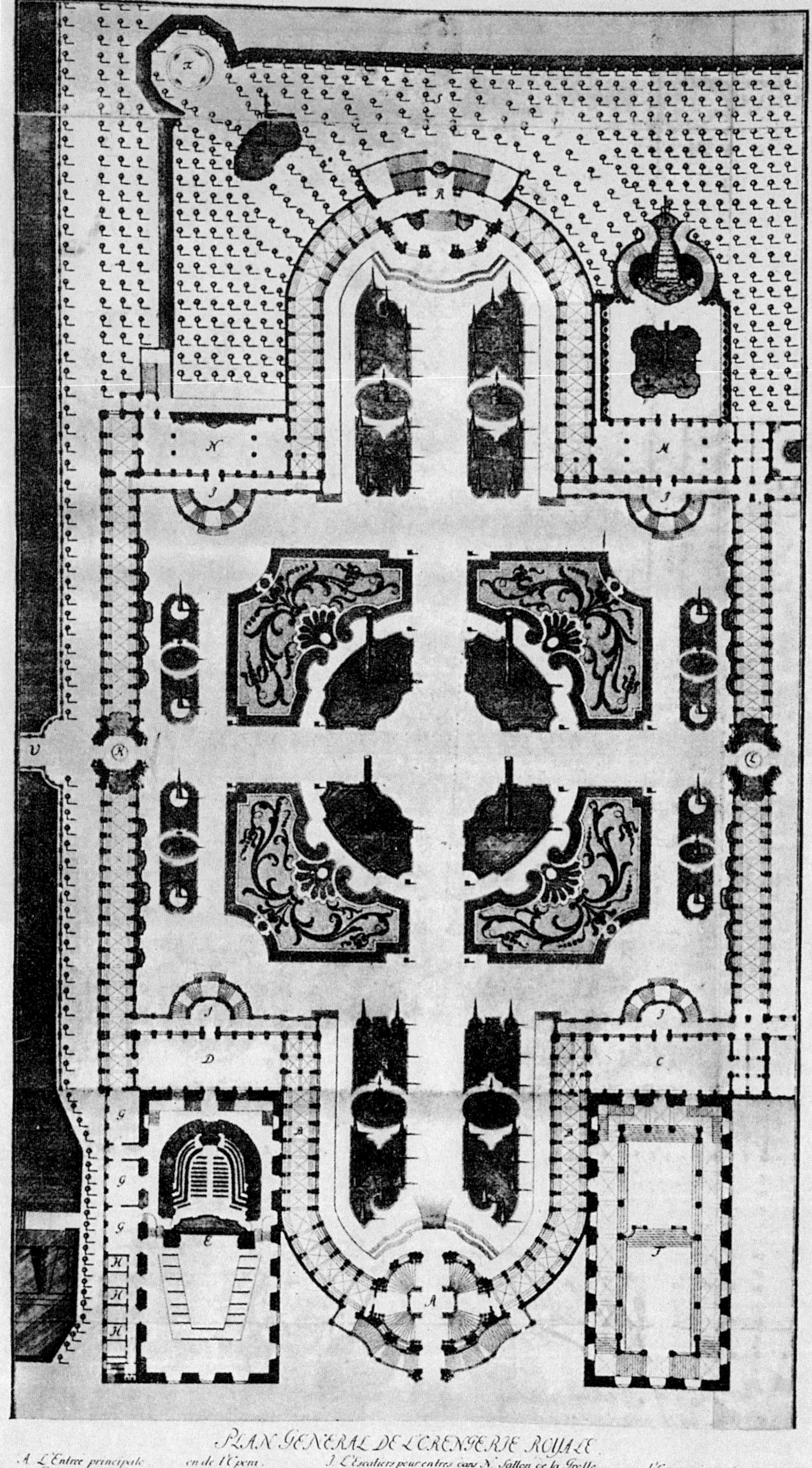

me, die der sächsische Herrscher im besonderen Maße liebte, sondern im Sommer Fest-, Ball- oder überhaupt königlicher Gartensaal, ein Lieblingsort der barocken Schloßarchitektur.

Ursprünglich war der Zwinger als Gartenarchitektur für einen großen Schloßneubau an der Elbe geplant, wurde jedoch aus finanziellen Gründen und weil der König andere Pläne hatte, nicht verwirklicht. Als aber der sächsische Kronprinz 1719 mit einer Kaisertochter verheiratet werden sollte, woraus sich August für sein Haus weitreichende Vorteile, ja insgeheim den Aufstieg zur Kaiserwürde erhoffte, wurden die zunächst provisorisch aus Holz errichteten Teile in Stein umgesetzt. Darüber hinaus erhielt die Baugruppe um den Wallpavillon in aller Eile ein Pendant zur Stadt hin. Die Flußseite hingegen schloß man nur provisorisch mit hölzernen Bauten. Der Zwinger ist eine steingewordene Fest-Architektur. Zwar berief man sich auf antike römische Festplätze, sogar aufs Colosseum *(Abb. V/11)*, und nannte ihn eine »römische Schauburg«, doch ist er in seiner Erscheinung etwas ganz anderes, denn dem König kam es auf Leichtigkeit und ›grâce‹ an: er wollte die Eleganz französischer ›maisons de plaisance‹ (Lusthäuser) mit dem Anspruch der Wiener und Prager Baukunst verbinden. Die originelle und geistreiche Festarchitektur der Lusthäuser lag ihm mehr als die regelgebundene, monumentale Residenzbauweise. Betonte man in Berlin das gravitätisch Schwere, so in Dresden das spielerisch Leichte.

Dieser Stil wird meist als Rokoko bezeichnet, ist jedoch zunächst nichts anderes als die Stillage der Garten- und Lusthäuser. Die städtischen Kreise in Paris bevorzugten ihn seit dem Ende des 17. Jahrhunderts als Ausdruck ihrer Opposition zum Hofstil Ludwigs XIV. Nach dessen Tode 1715 wurde er auch offiziell vom Regenten übernommen. In Dresden ist er von Anfang an vorherrschend, doch setzte man die Pariser Anregungen eigenständig um. Wie dort griff man auf die groteske Ornamentik, das Roll- und Bandelwerk und andere Erfindungen des 16. Jahrhunderts zurück, so den Hermenpilaster, entwickelte daraus aber etwas Neues, Eigenes. Wir hatten schon im vorigen Kapitel gesehen, daß Garten- und Grottenbauten als der Natur nahestehend am wenigsten an das Regelwesen der Säulenordnungen gebunden waren und mehr Gestaltungsfreiheit boten. Dies ist ein Grund für die scheinbare Regellosigkeit des Baus. Doch das täuscht. Es wird genauso geschoßweise unterschieden wie im offiziellen Schloßbau. Das von Satyrhermen getragene Untergeschoß des Wallpavillons ist die Zone der Naturkräfte, des erfrischenden Wassers, der fruchttragenden Erde,

13. Dresden, Zwinger, Wallpavillon und Flügelgalerien, *Gesamtansicht, Matthäus Pöppelmann (1662–1736) und Balthasar Permoser (1651–1732), 1709–1718*

Obwohl der Zwinger vom Rang der Bauaufgabe gesehen nur untergeordnet war, wurde er – entsprechend den Wünschen des Königs – aufs reichste dekoriert und mit Statuen und anderem Zierrat ausgestattet, für die der in Rom geschulte Bildhauer Permoser und seine später zum Teil berühmten Mitarbeiter, wie Paul Egell (Abb. 64) ihre höchste Kunstfertigkeit einsetzten.

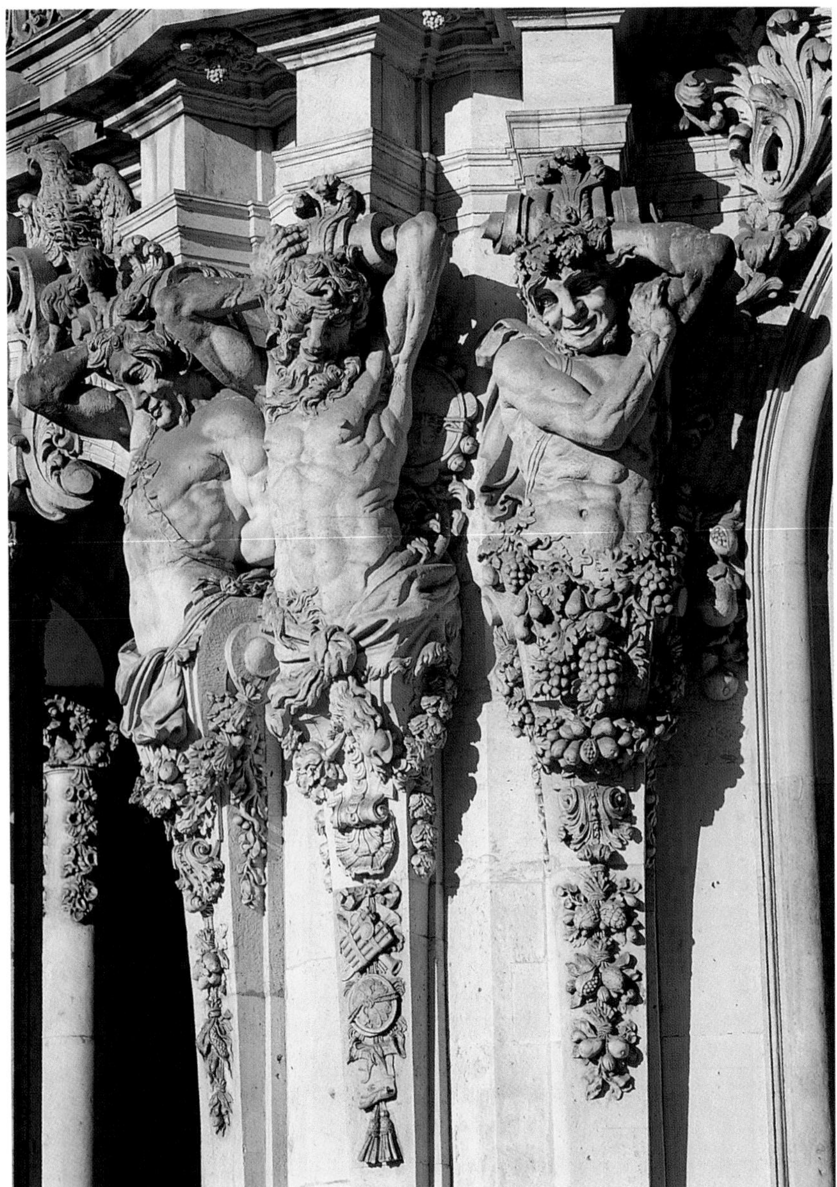

*14. **Dresden, Zwinger,** Wallpavillon, drei Satyrhermen des inneren Eingangs, Balthasar Permoser (1651–1732), Sandstein, überlebensgroß, 1716–1718*

Hermen gehören zur untersten, naturnächsten Ebene der Säulenordnungen. Wegen ihrer Herkunft als Standbilder des Fruchtbarkeitsgottes Priapus haben sie eine erotische Nebenbedeutung. Die Satyrn, bocksbeinige Waldwesen mit Zottelfell aus dem Gefolge des Bacchus/Dionysos, des Gottes heiliger Berauschtheit, sind zugleich Personifikationen der sexuellen Triebkraft. Permoser und seine Schüler haben ihnen eine erstaunliche Präsenz gegeben.

der Lust und des dionysischen Rausches. Alles an ihr ist vor- und zurückschwingend in quellenden Formen gestaltet. Darüber folgt der Bereich der olympischen Götter und des König-Herkules, klar, leicht, geordnet, mittenbetont, aber in der Attika überbordend, blumenbekränzt, mit pathetischem Zierrat. Denn dies ist eine Fest-Architektur: von der Empore nahmen der König und seine Hofgesellschaft an den Festen teil und wurden selbst zum Mittelpunkt der Inszenierung.

Feste und Theater im Barock

Was immer auch als Festkultur gelten kann, es findet seinen Höhepunkt, teilweise seinen Ursprung im Barock: Das Theater, insbesondere die Oper, *(Abb. 15)* dazu der Tanz und seine künstlerische Ausformung, das Ballett; sodann die öffentlichen Festprozessionen, die herrscherlichen Triumphzüge aus Anlaß von Krönungen, Taufen, Hochzeiten, Geburtstagen oder Leichenfeiern, welche oft zu großen, mehrtägigen Festspielen mit großem Abschlußfeuerwerk ausgebaut wurden. Es ist für uns schwer vorstellbar, mit wieviel finanziellem und personellem Aufwand die besten Architekten und Künstler diese Feste gestalteten. Triumphbögen, Ehrenpforten, Tribünen, künstliche Inseln, Wagen mit ganzen Szenen (wie heute noch in Karnevalsumzügen gebräuchlich) wurden aus Holz, Latten, Pappmaché, Leinwand geschaffen, vergoldet, bemalt und dann reichlich mit Statuengruppen, Trophäen, Draperien, Girlanden und anderem Dekor ausgestattet. Dazu kam die prächtige Illumination. Dann wundert weniger, warum diese Feste so sehr beachtet wurden: Die diplomatischen Berichte der damaligen Zeit ergehen sich in ausführlichen Schilderungen. Oft wurde ihr Andenken in Stichwerken verewigt, die doch nur einen Abglanz des allzu Vergänglichen bieten – am ehesten läßt die erhaltene Festmusik noch etwas vom Zauber derartiger Ereignisse ahnen.

Man sollte meinen, die höfischen Feste dienten nur dem Vergnügen. Dem widersprechen aber die zeitgenössischen Berichte. Am ehesten vergnügte sich noch das unbeteiligte Volk, die Mitglieder des Hofes waren als Schauspieler eingespannt. Deren oberster und wichtigster Akteur war der König. Ziel des Festes war die Demonstration von ›grandeur‹ und ›magnificence‹ (Größe und fürstlicher Großmut). In ihm stellte sich der König als Sonne im Kosmos der höfischen Gesellschaft dar. »Der gemeine Mann, welcher bloß an den äußerlichen Sinnen hangt, und die Vernunft wenig gebrauchet, kann sich nicht allezeit recht vorstellen, was die Majestät des Königs ist, aber durch die Dinge, so in die Augen fallen, und seine übrigen Sinne rühren, bekommt er einen klaren Begriff von seiner Majestät, Macht und Gewalt.«(von Rohr) Die im Zeremoniell genau geregelte Reihenfolge in der Prozession bzw. Sitzordnung auf der Tribüne machten dem Zuschauer die ständische Gliederung und die Rangstufen der Hofgesellschaft und damit des Staates sichtbar. Deshalb waren die großen Feste öffentlich. Sie erstreckten sich auf die Straßen und Plätze der Stadt und benutzten, wo es ging, Flüsse und Seen als Spiegel der Illumination und des Feuerwerks. Das wiederum hatte zur Folge, daß man sich im Vorgriff auf derartige Ereignisse bemühte, bestimmte Hauptwege und -plätze neu und angemessen zu gestalten, vermehrt auf die Flußufer-

15. Ludovico Burnacini (1636–1707), Festarchitektur im Wiener Burghof mit dem ›Tempel der Ewigkeit‹, 1666–1667, Stich von van den Steen

Anlaß für die Errichtung des ephemeren (d.h. nur für die Dauer des Ereignisses errichteten) Gebäudes war die Heirat Kaiser Leopolds I. mit Margarete von Spanien. Fest- und Theaterarchitektur greift in der Regel zu den Mitteln der höchsten Stillage und ist deshalb meist prächtiger als die gebaute Architektur. Dadurch hat sie jedoch die Lust an der Pracht auch in der für die Dauer gebauten Architektur gefördert.

bebauung achtete und vor den Schlössern Bassins anlegte. Einmal mehr wies hier Paris den Weg.

Eine Gesellschaft, die so sehr den schönen Schein liebte, mußte das Theater verehren, das in dieser Epoche zur komplexen, großen Kunstform werden konnte. Das Spiel mit den Wirklichkeitsebenen entsprach ebenso der düsteren Predigt »Alles ist nur Schein!« wie dem Wunsch nach der Illusion einer wenigstens zeitweisen Öffnung des Himmels. Diese Epoche hat – nach den Worten Richard Alewyns – »das Theater zum vollständigen Abbild und zum vollkommenen Sinnbild der Welt gemacht«. Die Bezauberung der Sinne sollte aber nicht zur Vernebelung des Verstandes führen, sondern schuf Übergänge zwischen Diesseits und Jenseits und förderte die Reflexion.

Eine zeittypische Erfindung ist die Kulisse. Sie konnte perspektivische Tiefe der Bühne suggerieren und mit einem Gemälde auf der Bühnenrückwand den Blick ins Unendliche weiten. Gern benutzte man Maschinerie, um Engel oder Götter, ja ganze Wägen durch die Luft fliegen zu lassen. Das dritte Element theatralischer Suggestion war die Beleuchtung, die ›Illumination‹, die eine vorher nie gekannte Aufwertung erfuhr. Auch auf die Dekoration der Bühnen legte man größten Wert. Der Rang einer Aufführung wurde vor allem nach Zahl und Aufwand der Bühnenbilder bemessen. Die Bildenden Künste hatten also einen viel höheren Anteil am Theater als heute. Diese Leitfunktion des Theaters hatte wiederum auch Rückwirkung auf die Künste selbst. Analoges gilt für die Wechselwirkung zwischen Theater und kirchlicher Inszenierung im katholischen Bereich: Dies gilt für die Inszenierung der Altarräume und Wallfahrtsmittelpunkte *(Abb. 1)* genauso wie für die damals so beliebten Miniaturisierung der Bühne als Weihnachtskrippen, die allerdings zumeist aus Neapel importiert wurden. Die Jesuiten spielten nicht ohne Grund bei der Entwicklung des Theaters eine ebenso führende Rolle wie in der Kirchenkunst, vor allem seit sie sich in den Jahrzehnten nach 1600 von ihrem ursprünglichen spartanischen Stil distanziert hatten und sich um den Einsatz aller Mittel sinnlicher Überwältigung bemühten. Und die römischen Oratorianer des hl. Philipp Neri schufen mit den Oratorien eine Art geistlicher Oper, die auch im protestantischen Bereich nachgeahmt wurde. So wundert es nicht, wenn z.B. bei der Hochaltaranlage des Stiftes Diessen am Ammersee wie in einer Oper die Altarbilder gewechselt werden können.

Permoser und Dinglinger

Ein großer Anteil an der Erfindung und Gestaltung des Zwingers ist dem in Rom, vor allem an Bernini geschulten Bildhauer Balthasar Permoser zuzuschreiben. Dieser selbstbewußte Bauernsohn aus Oberbayern war ein knorriges Original. August der Starke vermochte ihn aus Florenz abzuwerben, indem er ihn überzeugte, daß er in Sachsen mehr Freiheit haben werde als im Hofdienst der Medici. Gegen die damalige Norm trug er einen Vollbart und schrieb zu dessen Verteidigung sogar ein Buch, dessen Titel in voller (Bartes-)Länge mitzuteilen lohnt: »Der Ohne Ursach verworffene und dahero von Rechts wegen auf den Thron der Ehren wiederum erhabene (!) BARTH / Bey jetzigen ohnbärtigen Zeiten sonder [ohne] alle Furcht zu männigliches Wohl und Vergnügen ausgefertigt vor und von BALTHASAR PERMOSERN, Königl. Pohln. und Churf. Sächß. bestalten Hoff-Bildhauern. Samt Anhang eines schönen / lustig und ausführlichen Real-Discurs

16. ***Balthasar Permoser (1651–1732), Nymphe,*** *Sandstein, ca. 250 cm, 1711–1716, Dresden, Zwinger, Nymphäum*

Das Nymphenbad wurde als Grotten- und Brunnenanlage schon zwischen 1710 und 1712 errichtet, die Statuen folgten nach und nach. Der Bildhauer war bei ihrer Anfertigung über sechzig Jahre alt, wie ja überhaupt der größte Teil seines Schaffens in seinen späten Jahren erfolgte. Das Versteckspiel zwischen der jungen Frau und dem Putto ist seine Erfindung.

von den Bärthen / In welchem angezeiget wird: (1) Die Majestätische Würdigkeit des Barths. (2) Was für Mannier des Barths einen Mann ziere. (3) Was für Zierde / Ansehen und Nutzen der Barth bringe. (4) Ob man denselben soll abschneiden oder nicht. (5) Ob die Alten solches auch im Gebrauch gehabt. (6) Wer zu erst den Barth abschneiden lassen. (7) Ob den München und geistlichen Personen lange Bärthe zu ziehen / oder abzuschneiden gebühre. (8) Warum die Weibes-Bilder Bärthe bekommen etc. Auf Kosten guter Freunde zum Druck gebracht Durch M. BARBATIUM Schönbart, Franckfurth und Leipzig Anno 1714«.

Permosers Figuren, z.B. seine Satyrn, sind fülliger als die des 16. Jahrhunderts: Sie sind lebhaft empfundene, lebensbejahende Darstellungen des Rausches und der Lust – so genau Permoser Bernini und Michelangelo studiert hat, Rubens stand ihm näher. Diese Künstler waren Vorbilder im Naturstudium und beflügelten zugleich seine Erfindungskraft und Phantasie. Seine Nymphen sind sinnlich aufreizende Gestalten, ganz nach dem Geschmack seines erotomanen Auftraggebers. *(Abb. 16)* Doch liebte er noch mehr eine Lieblingsfigur des Zeitalters, den Putto oder Kinderengel, und gab ihm eine kecke, drollige Kindlichkeit. Das Vergnügen an den weltlichen Themen ist jedoch gepaart mit Ernst bei der Darstellung der religiösen Gegenstände. Das unterscheidet ihn von den meisten Zeitgenossen in Frankreich und Italien. Er beherrschte die Arbeit in Stein, Holz und Elfenbein gleichermaßen, das monumentale Format ebenso wie das Kunstkammerstück. *(Abb. 17)* Überhaupt wird man ihn in seiner Vielseitigkeit und Komplexität am ehesten in einer Reihe mit den großen Meistern der ersten

17. ***Balthasar Permoser (1651–1732) und Johann Melchior Dinglinger (1664–1731), Mohrenfürst, eine Smaragdstufe präsentierend,*** *Ebenholz, vergoldetes Silber, 63 cm, um 1724, Dresden, Grünes Gewölbe*

Dieser Smaragd aus Westindien war seit 1581 als Geschenk Kaiser Rudolfs II. in wettinischem Besitz. Die Statuette wurde für das ›Pretiosenkabinett‹ des Grünen Gewölbes gefertigt. Es ist bezeichnend, daß man das an sich schon äußerst wertvolle Edelsteingebilde nicht ohne künstlerische Inszenierung zeigen wollte.

18. Johann Melchior Dinglinger (1664–1731), Der Hofstaat zu Delhi am Geburtstage des Großmoguls Aureng-Zeb (Ausschnitt), Silber, Gold, Email, Edelsteine, Perlen etc., 142 cm breit, 1701–1708, Dresden, Grünes Gewölbe

Der Hofgoldschmied des Königs, der zum Ärger der lokalen Zunft von allen einschränkenden Regelungen befreit war, besaß großen technischen und wissenschaftlichen Ehrgeiz, entsprechend dem Anspruch seiner hohen Stellung. Zeitweise arbeitete er mit zwei Brüdern und vierzehn Gehilfen an dem Werk, das er selber unter Verwendung von Reiseberichten und Stichen entworfen hat und mit einer gelehrten Erläuterungsschrift begleitete. Dies ist zugleich Kunstkammerstück und Belehrung über den Orient, der damals immer größeres Interesse bei den Europäern fand, auch als Alternative zur eigenen Kultur und Gesellschaft.

Hälfte des 17. Jahrhunderts sehen müssen. Von ihm gingen wichtige Impulse auf die gesamte mitteleuropäische Plastik aus, auf Matthias Bernhard Braun in Prag wie auf Paul Egell in Mannheim und viele andere.

Die Kunstförderung August des Starken begann mit Aufträgen an seinen Hofjuwelier und -goldschmied Johann Melchior Dinglinger, der eine ähnliche Stellung einnahm wie Pöppelmann und Permoser. Das aufwendigste Werk ist ein Kabinettstück in Form einer architektonisch gestalteten Bühne, das den Hofstaat des indischen Großmoguls Aureng-Zeb zur Feier seines Geburtstages zeigt, Abbild eines prächtigen, absolutistisch geordneten Hofstaats im kleinen Format. *(Abb. 18)* Sieben Jahre arbeiteten Dinglinger, seine Brüder und Werkstattmitglieder daran, wobei über 5.500 Juwelen verarbeitet wurden. Auf einer mit Silber, in der Mitte mit Gold ausgeschlagenen Bühne sehen wir, erhoben auf seinem Thron, den Großmogul, der seit 1677 in Delhi regierte und von dessen Hofhaltung die Reisebücher Märchenhaftes berichteten. Davor auf verschiedenen Ebenen und Podesten die Würdenträger seines Reiches samt Gefolge, die ihm kostbare Geschenke überbringen, seltene Tiere, kostbare Pferde, ein Kaffeeservice, eine Uhr, kurz: Dinge, die sich auch ein westlicher Herrscher wünschen könnte. Einige dieser Geschenke, mehr noch die Götterbilder und Symbole sind zugleich als ein Kompendium des orientalischen, ägyptischen und griechisch-römischen Sternen- und Götterglaubens zu lesen

***19. Dresden-Pillnitz, Schloß,** 1720–1725, Mittelpavillon, Matthäus Daniel Pöppelmann (1662–1736)*

August der Starke ließ unter Einbeziehung eines älteren Schloßbaus durch seinen Baumeister ein Wasserpalais als ›indianisches Lustgebäude‹ errichten, das nach und nach ausgebaut wurde, in Anspielung auf das scheinbar lustvolle Leben der Chinesen. Vor allem die Dächer versuchen sich an chinesische Formen anzulehnen. Das Schloß war außen reich bemalt.

und dienten als sinnfälliges Lehrbuch der orientalischen Kultur. Die silbernen, vergoldeten, emaillierten und mit kostbarem Schmuck ausstaffierten Figürchen sind abwechslungsreich und wirklichkeitsnah gestaltet, erscheinen aber durch den farbigen Glanz des Emails und der anderen Kostbarkeiten wie verzaubert. Das von Dinglinger erdachte Werk fußt auf dem Studium vieler gelehrter Werke, auf Reiseberichten und vielerlei, auch älteren Vorlagenblättern. Der gebildete Künstler hat dazu einen ausführlichen Kommentar verfaßt, in dem er über sein Werk schreibt, es sei »zwar nicht allemal nach der Natur eines jeden Dings verfahren, jedoch alles sehr künstlich und inventiös vorgestellet worden, weil auch in andern Sachen die Natur oftmals der Kunst weichen und jener durch diese aufgeholfen wird« – ein künstlerisches Credo im Geiste der Epoche.

Das Werk war für das Privatkabinett August des Starken bestimmt. Es wurde zu einem Zeitpunkt aufgestellt, als seine Königsträume durch die Niederlage gegen Karl XII. von Schweden einen Dämpfer bekommen hatten und ehe er an die große Zwingeranlage denken konnte. Die Figuren sind beweglich: Man konnte mit ihnen Theater spielen und in der Phantasie in die märchenhaften Gefilde Indiens flüchten, das damals Europa mit Gold, edlen Steinen, Elfenbein, chinesischem Porzellan und anderen Luxusgütern versorgte. Der Fürst konnte in der Rolle des Aureng-

Zeb von einer Machtfülle und von Reichtümern träumen, die unerreichbar waren. Schöner Schein und Wirklichkeit sind jedoch schwer zu trennen: Dieses (Wunsch-)Bild seiner selbst ist voller Anspielungen auf seine Zeit, auf die von ihm angestrebte Ausdehnung des polnischen Reiches ans Schwarze Meer und die Bezwingung der Türken.

Der König beließ es nicht beim Spielzeug, sondern errichtete sich in den Jahren nach 1720 in Pillnitz an der Elbe ein ›indianisches‹ Schloß als eine Folge von Pavillons in einem weitläufigen Garten, das ursprünglich einer alten Wasserburg des 16. Jahrhunderts vorgelagert war. *(Abb. 19)* Hier fanden Kostümfeste in wechselnden Verkleidungen statt, mal türkisch, mal persisch oder chinesisch, und der Herrscher konnte an diesem Ort etwas von dem Zauber seiner Lieblingsstadt Venedig entfalten. Dafür ließ er sich Prunkgondeln anfertigen und von eigens herbeigerufenen venezianischen Gondolieri steuern. Ließ man noch ein, zwei Jahrhunderte zuvor bevorzugt die mittelalterliche Ritterwelt in romantischer Verklärung im Spiel oder Roman wiederaufleben, so wurde nun der Orient die Welt von Traum und geträumtem Abenteuer. Das war nicht nur Verkleidung. Es war nicht nur Flucht in künstliche Paradiese aus einem zu eng werdenden Zeremoniell und hat in Sachsen auch nichts mit kolonialer Expansion zu tun. Die China- und Orientmode ist Teil der Befreiungsbewegung, die man Aufklärung nennt: Durch den Vergleich mit den Verhältnissen anderer Kontinente erhoffte man sich eine Lockerung der gesellschaftlichen und mentalen Fesseln des antik geprägten Europa.

In diesen Jahren wurde die alte kurfürstliche Kunstkammer in einzelne Sammlungen aufgegliedert, u.a. wurden die Gemäldegalerie und ein Raritätenkabinett abgesondert. Damit folgte man der damaligen Kunsttheorie, die die drei Gattungen Architektur, Plastik und Malerei schärfer voneinander trennte und der Goldschmiedekunst wie der Kunstschreinerei einen eigenen, in der Theorie bereits nachgeordneten Platz zuwies, womit ihre Herabstufung zum Kunstgewerbe einsetzt. Solange die Zentrierung des Staates auf den Herrscher und seinen Hof unangefochten war, behielten jedoch die Schatzkünste ihr Ansehen. So errichtete August der Starke zur öffentlichen Präsentation und Erhöhung seines Glanzes eine Schatzkammer, die er in den feuer- und diebstahlsichersten Räumen des Residenzschlosses unterbrachte, das sogenannte Grüne Gewölbe. Sie unterschied sich jedoch von der alten Kunstkammer schon dadurch, daß die Werke nach primär ästhetischen, nicht nach belehrenden Gesichtspunkten auf- und ausgestellt waren. Dort war im letzten und wichtigsten dieser überaus kostbar mit Wandverkleidungen, Spiegeln und Podesten ausgestatteten Räume, dem Pretiosensaal, Dinglingers Kabinettstück als Mittelpunkt unter einem großen Baldachin ausgestellt. Der Hofgoldschmied war selbst an der Raumplanung maßgeblich beteiligt. Schon zwei Generationen später galt die Aufmerksamkeit der nach Dresden pilgernden Kunstfreunde nur noch der Sammlung von Gipsabgüssen nach der Antike und der Gemäldegalerie.

Meißener Porzellan als Hofkunst

Bei einem Treffen der Könige von Sachsen und Preußen 1730 sagte August der Starke zu seinem Gast: »Wenn Ew. Majestät einen Dukaten einnehmen, so legen Sie ihn in Ihren Schatz, ich aber gebe ihn aus, so kehrt er dreimal zu mir zurück.« Heute würde man von ›Investitionen zur Konjunkturförderung‹ sprechen, Augusts Ausgaben für Luxuswaren jedoch als Verschwendung brandmarken. Tatsächlich aber drosselte die Geldhortung des Soldatenkönigs die Konjunktur, Sachsens Luxusgüterproduktion aber förderte sie. Sachsens Wirtschaft folgte dem System des Merkantilismus, das unter Ludwig XIV. von dessen Minister Colbert erfunden worden war, krankte jedoch an der Einseitigkeit der Produktion und der zu geringen Streuung der Reichtümer. Immerhin, König August der Starke sorgte für die Wirtschaft. Im Laufe seiner Regierungszeit gründete er mehr Manufakturen als in den beiden vorangegangenen Jahrhunderten entstanden waren und ließ systematisch nach neuen Produkten und Waren suchen. Auch sorgte er für die Vermarktung auf den Messen seiner Stadt Leipzig und benutzte die Dresdner Feste im Sinne einer Mustermesse.

Größter Erfolg und Ruhmestitel dieser Bemühungen ist die Aufdeckung des bislang von

20. Kaffeekännchen und Teekännchen, Johann Friedrich Böttger (1682–1719), Böttgersteinzeug, Kaffeekännchen: 15,4 cm, Meißen, um 1712/15, Teekännchen: 8 cm, Meißen, um 1710, Dresden, Staatliche Kunstsammlungen (Porzellansammlung)

Das rotbraune Böttgersteinzeug war ein 1708 entdecktes Nebenprodukt auf der Suche nach dem Rezept zur Fabrikation von Porzellan. Es ist besonders hart und wurde deshalb nicht nur bemalt und poliert, sondern oft auch geschliffen. Bei den Formen lehnte man sich meist an chinesische Vorbilder an. Als es gelungen war, das weiße Porzellan problemlos herzustellen, kam das Steinzeug außer Gebrauch. Seit dem späten 19. Jahrhundert wurden jedoch vereinzelte Versuche in diesem Material unternommen, so u.a. von Ernst Barlach.

den Chinesen sorgfältig gehüteten Geheimnisses der Porzellanherstellung und seine Auswertung durch die neugegründete Manufaktur auf der Albrechtsburg in Meißen. *(Abb. IV/56 u. IV/5)* Der Ruf danach war immer größer geworden und konnte von den holländischen Importeuren kaum noch befriedigt werden: Die neuen heißen Modegetränke der Epoche, Tee, Kaffee und Schokolade, verlangten nach einem neuen Typ von Trinkgefäß, das beim Einfüllen der heißen Flüssigkeit nicht platzte, die Hitze aber auch nicht weitergab, so daß man es anfassen konnte. Diese Eigenschaften hatten nur das Steinzeug und mehr noch das viel feinere Porzellan, das zudem das Eindringen des Inhalts in die Wandungen verhinderte und keinen Geruch annahm. Porzellan ist außerdem ein besonders hartes, leicht zu reinigendes Material. Es gefiel dieser Epoche auch wegen seines feinen Glanzes, des transparenten Schimmers seiner Glasur und der an Subtilität nur vom Glas überbotenen Form. Ebenso kam es der Vorliebe für Email und Emailmalerei entgegen. Mit dem Porzellanimport aus Asien verdienten um 1700 vor allem die Holländer viel Geld.

Auf Betreiben des Königs, der nahezu unbegrenzte Mittel in das Unternehmen steckte, machten sich der Naturforscher Tschirnhaus und der Alchemist Böttger daran, das Produktionsgeheimnis zu lüften. Tschirnhaus erkannte, daß die für sich genommen schwer schmelzbaren Porzellanbestandteile Feldspat und Quarz in pulverisierter Form unter Beimischung der Tonerde Kaolin bei hohen Temperaturen zum Schmelzen gebracht werden konnten. Als er diese Erkenntnis umsetzte, gelang Böttger zunächst 1706/1707 die Herstellung eines feinen und harten roten Steinzeugs,

21. Johann Joachim Kändler (um 1706–1775), Täuberich und Taube, Porzellan, 23 bzw. 15 cm, Modell um 1745, Köln, Kunstgewerbemuseum

Kändler war Hofbildhauer Augusts des Starken, also ein Künstler hohen sozialen Ranges, der ab 1731 bevorzugt für die Meißener Porzellanmanufaktur arbeitete, was die hohe Bedeutung des Porzellans verdeutlicht. Seine Tierplastiken waren ursprünglich für die Ausstattung des Japanischen Palais in Dresden bestimmt, ihre Wirkung wurde gerne durch Spiegel erhöht.

22. Ansbach, Residenz, Spiegelkabinett aus der Suite der Markgräfin Friederike Luise, Entwerfer: Paul Amedé Biarelle (1704–1752), Schnitzereien von Johann Caspar Wetzlar, 1738–1744

Friederike war eine Schwester König Friedrichs des Großen von Preußen, die sich um die Ausgestaltung ihrer Einflußsphäre bemühte. Das Spiegelkabinett gehört zu ihrem Teil einer Doppelsuite für Fürst und Fürstin und wird von Räumen ganz anderer Ausstattung und Wirkung eingefaßt. Neun Spiegel weiten den kleinen Raum. Sie sind mit vergoldeten Schnitzereien verziert, die eine große Zahl von Konsolen bilden, auf denen Meißner und Berliner Porzellanfigürchen, Vasen etc. stehen, ein Schatz von frühen Porzellanen, obendrein in ursprünglicher und künstlerisch bedeutender Komposition. Biarelle ist ein aus Namur im Maasland stammender Bauzeichner italienischer Herkunft, der zunächst für den Architekten Leopoldo Retti arbeitete, dann aber selbständig tätig werden durfte. Ihm halfen Künstler aus dem Cuvilliés-Kreis.

das man Böttger-Steinzeug nennt, *(Abb. 20)* 1708 dann die des Porzellans. Es dauerte noch über ein Jahrzehnt, bis man die Produktion, Glasur und Bemalung so im Griff hatte, daß die Manufaktur Gewinn abwarf. Aber schon die ersten Erzeugnisse sind von großer künstlerischer Qualität. Unter der Oberaufsicht des Dresdner Hofgoldschmieds Johann Jakob Irminger (1635–1724) wurde die Präzision, Formknappheit und -feinheit damaliger Goldschmiedekunst auf das keramische Material übertragen. Weitere künstlerisch befruchtende Kräfte waren der vor allem auf Chinoiserien spezialisierte Maler Johann Höroldt (1696–1775) und der aus dem Dinglinger- und Permoserkreis stammende Modelleur Johann Joachim Kändler (1706–1775). *(Abb. 21)*

Das Porzellan ist höfischer Herkunft und war wegen seines hohen Preises zunächst nur für Fürsten erschwinglich. Es wurde zum meistbegehrten Sammlungsgegenstand, zum Hauptschmuck der Konsoltische an den Wänden und der Gueridons (Ziertische). In den Schlössern wurden ganze Kabinette nur dafür eingerichtet, das Porzellan symmetrisch und nach Größe und Farbe sortiert auf eigens gefertigten Konsolen und Gesimsen aufzustellen. Diese Räume wurden mit Spiegeln und

*23. **Tafelaufsatz aus dem Service für den Grafen Burchard Christoph von Münnich, Johann Joachim Kändler (um 1706–1775),** 33,7 x 43 cm, Meißen, 1738, Dresden, Staatliche Kunstsammlungen (Porzellansammlung)*

Viele Tafelaufsätze waren Sonderanfertigungen, oft als Geschenke des Herrschers an verdiente Mitglieder seines Hofes. Je nach Wunsch und Besteller wurden reiche allegorische Bildprogramme entworfen. Doch tritt die Aufgabe des ›Belehrens‹ hinter die des ›Erfreuens‹ offenkundig zurück: Die weibliche Personifikationen werden zum Anlaß der Entfaltung sinnlicher Reize, im Sinne der erotisierten Hofkultur des Königreiches Polen-Sachsen.

Kristalleuchtern ausgestattet, um den Glanz der Ausstellungsstücke noch zu steigern. Ein schönes Zimmer dieser Art mit originaler Ausstattung ist noch in der hohenzollernschen Residenz Ansbach erhalten. *(Abb. 22)* Nach einem wohldurchdachten System stattete August der Starke, der zeitweise die halbe Jahresproduktion der Meißener Manufaktur für sich beanspruchte, das Japanische Palais in Dresden in fast allen seinen Sälen mit Porzellan aus. Da Abwechslung erwünscht war, schuf man eigens dafür Porzellanservices mit einheitlich gelben, grünen oder rosa Hintergründen.

Die wichtigste Aufgabe des Porzellans jedoch war die Ausschmückung der fürstlichen Tafel, mehr noch als die reale Nutzung bei den Mahlzeiten. *(Abb. 23)* Gegen Ende des vorangegangenen Jahrhunderts hatten italienische Zuckerbäcker die Kunst der Konditorei zum Vergnügen ihrer höfischen Besteller so weit entwickelt, daß sie in Zuckerguß und anderen Materialien Parkanlagen mit Bosketten und Figuren, Türme und Brunnen auf die fürstliche Tafel brachten. So modellierten sie beispielsweise im Jahr 1705 für den Bayreuther Markgrafen die ganze neugegründete Stadt St. Georgen als Zuckerwerkminiatur. Sie standen der Wendigkeit ihrer Landsleute als Stukkatoren in nichts nach, nur daß ihre Werke vergänglicher waren. Nun übernahmen die Porzellanmodelleure immer mehr diese Aufgabe. Sie schufen, je nach Auftraggeber und mit genauester Beachtung der Stillage, vielteilige Services, die außerdem vom kleinen Beistellteller bis zur großen Prunkschüssel in sich genau gestuft waren. Dazu gesellten sie die Lieblingsvögel der fürstlichen Volieren, Rebhühner, Papageien, seltene Taubensorten oder exotische Tiere aus den Menagerien, als Mittelpunkte aber Figurinen oder Gruppen mit den Jahreszeiten, dazu Putten, Komödianten oder Liebespaare. *(Abb. 24)* In der Jahrhundertmitte hatte Porzellan die Goldschmiedekunst fast von der Tafel verdrängt. Man kann geradezu von einer Porzellanästhetik sprechen: *(Abb. 1)* Wände wurden in blau bemaltem Stuckmarmor nach Art der kobaltblauen Unterglasurmalerei von Porzellan gestaltet, und Gartenstatuen wurden schneeweiß bemalt.

Im übrigen brachte die Konkurrenz des Porzellans, der die anderen keramischen Techniken wie Steinzeug und Fayence nun ausgesetzt waren, diese eigentlich erst zu voller Entfaltung. Desto mehr forderte es das Verdikt der klassizistischen Puristen der nächsten Generation heraus. Nicht wenigen gelten noch heute Porzellanfigurinen, ebenso Vorlegeschälchen, die als Weinlaub, oder Gefäße, die als Früchte geformt sind, als Kitsch. Denn Kunst darf angeblich kein Vergnügen bereiten oder der Spiel- und Theaterlust dienen. Gerade das aber wollte das Porzellan – es ist die letzte prächtige Blüte der alten europäischen Gebrauchs- und Luxuskunst, die einem kunst- und prachtliebenden Fürsten und der damals so hoch entwickelten künstlerischen Kultur seines Landes verdankt wird.

Sachsens bürgerlicher Barock

Porzellan konnten sich bald auch die reicheren Bürger leisten. Überhaupt entzogen sich trotz des konfessionellen Gegensatzes zum Königshaus die führenden sächsischen Kreise nicht dem Einfluß des höfischen Geschmacks. Dies zeigt sich an den Häusern und Möbeln Leipzigs, dem bürgerlichen und intellektuellen Gegenpol des höfischen Dresden. Besondere Pflege ließen die protestantischen Bürger der Kirchenkunst angedeihen, die nicht mit der Förderung durch den katholischen König rechnen konnte. Mit Ausnahme des Soldatenkönigs, hatten auch die norddeutschen Fürsten in ihrem Elan für die Errichtung evangelischer Kirchen gegenüber der Zeit um 1600 stark nachgelassen. Andererseits ist nicht genügend geklärt, warum sich die Dresdner Bürger 1726–1736 zu einem so großen, neu- und einzigartigen Bau wie der Frauenkirche *(Abb. 25)* mitreißen ließen – vielleicht forderte der Widerstand höfischer Kreise geradezu ihren Widerspruch heraus. Die Finanzierung des Baus wurde schließlich durch eine Lotterie gesichert. Der Baumeister George Bähr kam nach protestantischer Tradition aus der Zimmermannskunst. Die glockenförmige Kuppel war so riskant konstruiert, daß man ihre ursprünglich geplante hohe Laterne aufgeben und sie nachträglich statisch sichern mußte. Die Formgebung ist im Einzelnen schlicht, sie mußte höfischen Kreisen als steif, ja veraltet erscheinen. Bähr konzentrierte sein Gestaltungsbemühen auch eher

24. Franz Anton Bustelli (nachweisbar 1754–1763), Figurine der Commedia dell'Arte, *Nymphenburger Porzellanmanufaktur, um 1760, Köln, Museum für angewandte Kunst*

Die Nymphenburger Porzellanmanufaktur wurde als höfisches Unternehmen in einem der Kavalierhäuser des Sommerschlosses Nymphenburg bei München 1747 gegründet. Bustelli war als Figurenbildner angestellt. Seine Kleinplastiken, in denen er, angeregt von Antoine Watteau und seinem Kreis, Schäfermotive, Genrehaftes, Sentimentales und vor allem auch die Typen der italienischen Commedia dell'Arte gestaltete, gehören zu den gelungensten Erfindungen der Porzellankunst.

25. Bernardo Bellotto genannt Canaletto (1720–1780), Der Neumarkt in Dresden vom Judenhofe aus, Öl auf Leinwand, 136 x 237 cm, 1749–1751, Dresden, Gemäldegalerie

Wie sein Onkel Canaletto, nach dem er sich nannte, war Bellotto ein routinierter Vedutenmaler im Dienste der Höfe Europas, insbesondere in Dresden und Warschau. Er benutzte dabei die Camera Obscura als Zeichenhilfe, ohne ihr pedantisch zu gehorchen, war dabei aber so genau, daß man seine Bilder beim Wiederaufbau der zerstörten Städte gut verwenden konnte. Er beobachtete die Menschen und ihr Tun genau und schuf lebendig gestaltete Bilder, die zumeist auch im Stich verbreitet wurden.

auf die hölzernen Emporen als auf die Bauglieder und Wände. Die Frauenkirche war als Innenraum wie als städtebauliche Dominante ein besonders wirkungsvoller Bau; der deutsche Protestantismus hat nichts ihr Gleichrangiges geschaffen. Selbst die 1732–1736 von Gottfried Silbermann gebaute Orgel machte einen großen Schritt über das gewohnte hohe Maß an klangkörperlicher und gestalterischer Qualität hinaus, und Sibermanns Neuerungen wie die Bereicherung der Ausdrucksmittel durch das Schwellen, Dämpfen und Zittern des Tones sowie die Mehrung der Stimmen machten sie vollends zur Königin der kirchlichen Musikinstrumente.

Der habsburgische Kaiserstil und Fischer von Erlach

Das Kaiserhaus war auch kulturell die bedeutendste Macht auf deutschem Boden. Es wahrte seine übernationale Perspektive und seinen europäischen Anspruch. Nirgendwo waren der Rombezug und die Nähe zu Italien so eng. Italienisch war Hofsprache, Hofgala allerdings blieb noch lange die spanische Tracht. Man kam aber nicht umhin, auch den großen Konkurrenten und Gegner Frankreich zu beachten, während man Holland, England und den protestantischen Norden weniger zur Kenntnis nahm. Leopold I. verstand sich jedoch nicht allein als Herrscher über seine Länder, sondern als römischer Kaiser und wurde trotz der tiefen Entfremdung der Konfessionsparteien als solcher auch von den anderen deutschen Fürsten und ihren Untertanen anerkannt. Als die Türken 1683 zum Generalangriff auf das Habsburgerreich rüsteten und Wien fast überrannten, nahm das ganze Reich inneren Anteil, und nicht wenige Reichstruppen waren an dem Entsatz der Hauptstadt und der anschließenden Rückeroberung Ungarns beteiligt. Im Anschluß daran setzte jedoch eine Abkapslung vom übrigen Reich ein, die auf die innere Festigung sowie die Südosterweiterung der habsburgischen Stammlande unter Leopolds Söhnen Joseph I. und Karl VI. zurückzuführen ist. Dem arbeiteten zwar Männer wie der Reichserzkanzler und Mainzer Erzbischof Lothar Franz von Schönborn und sein Neffe, der Reichsvizekanzler Friedrich Karl von Schönborn entgegen, *(Abb. 66)* doch gelang es ihnen nicht, diesen Prozeß umzuwenden, der schließlich 1866 nach der Niederlage gegen Preußen zur endgültigen Trennung Österreichs von Deutschland führte.

Österreich und das zunehmend unter seinen Einfluß geratende Erzbistum Salzburg hatten während der Kriegsjahrzehnte des 17. Jahrhunderts am ehesten Kontinuität bewahrt, vor allem im Kirchenbau, ohne jedoch sehr innovativ zu sein. Man bevorzugte eine etwas steife Pracht, die zumeist an der älteren römischen Architektur vor und um 1600 orientiert war, weniger an der heute fast ausschließlich beachteten der Generation von Bernini. Als eine Folge vieler, immer gleicher, monumentaler Fensterachsen war der unter Leopold ab 1660 errichtete neue Wiener Burgflügel konzipiert. Der Türkenkrieg ließ viel von dieser Baukunst zugrundegehen, so daß man diesen gewollt monumentalen und gleichförmigen Stil am besten am Prager Czernin-Palais oder der Bamberger Residenz studiert. *(Abb. 80)* Barocke Pracht ließ der Kaiser am ehesten in der Fest- und Theaterarchitektur entfalten, so durch den aus Venedig stammenden Theater-›Ingenieur‹ Ludovico

Burnacini. *(Abb. 15)* Im Vergleich zu Frankreich erscheint das österreichische Kaiserhaus auch darin altmodisch, daß es seine Frömmigkeit (pietas Austriaca) so betont und sich eher in großen Kirchenbauten repräsentiert, als die Wiener Hofburg angemessen zu inszenieren. *(Abb. 28 u. 29)*

Der mährische Fürst Karl Eusebius von Liechtenstein (1611–1684) hat uns in seinem »Werk über die Architektur«, das er zur Unterrichtung seines Sohnes verfaßt hat, ein kostbares und köstliches Zeugnis der Denkweise und Vorstellungswelt damaliger Potentaten des habsburgischen Hofes hinterlassen. Auf seiner Kavaliersreise 1629–1632 hatte er fast alle wichtigen Länder Europas gesehen und sich auch sonst eine umfassende literarische und architektonische Bildung angeeignet, die es ihm ermöglichte, selbst beim Entwurf der von ihm gestifteten Kirchen und Paläste tätig zu werden. Maßgeblich erschienen ihm Vignolas Traktat und die Bauten in Rom. »Das Geldt ist nur, schene Monumenta zu hinterlassen zu ebiger und unsterblicher Gedechtnuss«, lautet ein Teil seines Credo. »Es [...] seint die Structuren das allervornehmste, Schenste und Vollkommenste, so alle Sachen der Weldt ibertrifft [...] mehreres als alle Thaten [...] nichts ist auch Kestlicheres als ein vornehmes Gebeu, dan es im Wehrt alle rareste Edelgestein und Rarietäten ibertreffen thuet.« (Gerade der letzte Satz bringt einen im Vergleich zur Epoche Rudolfs II. neuen Zug.) Er fordert seinen Sohn auf, »niehmals und zu ebigen Zeiten kein Gebeude ohne Zierdt der Architectur zu führen errichten [...] sonst ist alles nichts nutz und kein vornehmes, sondern ein gemeines Werk.« – mit anderen Worten: Erst der Bauschmuck macht ein Gebäude zur Architektur, zum Kunstwerk. Der Fürst spricht sich dann dafür aus, ein Schloß mindestens dreigeschoßig zu bauen und reichlich Säulen zum Schmuck zu verwenden, in den verschiedenen Säulenordnungen, und zwar in der richtigen Abfolge und in möglichst langer Reihe. »Wan aldorten ein 60 oder mehrers Seilen nacheinander gleicher Distanz stehen werden, [...] alsdan wierst mit Verwundern dorten stehen und bestierzter verbleiben und vom Sechen nicht ersettigt werden konnen, sondern sagendt:

26. Wien, Hofbibliothek, *Äußeres, Johann Bernhard Fischer von Erlach (1656–1723) und Josef Emmanuel Fischer von Erlach (1693–1742), die Seitenflügel von Nikolaus Paccassi (1716–1790) um 1766 ergänzt*

Die abwechslungsreiche Dachlandschaft mit ihren prunkvollen, gebrochenen Mansard-Dachformen kulminiert in dem kuppelartigen Mittelpavillon. Diese Gestaltungsweise geht von französischen Vorbildern aus, bereichert sie aber.

Ach! Was Gewaltiges, Brachtiges, Kinstliches ist dieses Werk; nichts Vortrefflichers kan gesehen und erfunden werden, nichts was das menschliche Aug sehen kan, kan dises ibertreffen.« Mit genau derselben Leidenschaft spricht er sich auch für die Vier-Flügel-Anlage als Schloßtyp aus. *(Abb. V/16)*

Aber noch zu Lebzeiten Leopolds setzte sich ein Zug zu architektonischer ›Magnifizenz‹ nach französischer und modern-römischer Art durch, zu einer körperlich gegliederten und bewegten Bauauffassung und zum rhythmisch-plastischen Wandrelief. Er ist mit der Person des Grazer Bildhauer-Architekten Johann Bernhard Fischer von Erlach (1656–1723) verbunden, der nach einem längeren Aufenthalt im Umkreis des Bernini 1687 im befreiten Wien seinen Wohnsitz nahm. Dort waren aber mehr seine Dienste als Baumeister, weniger die als Bildhauer gefragt. Man wollte die stark beschädigte, ihrer Vorstädte verlustig gegangene und obendrein antiquiert erscheinende Stadt als Hauptstadt im modernen Stil rekonstruieren. Fischer stand dem Kaiserhaus nahe und war an der Ausbildung des Thronfolgers Joseph beteiligt. Die Kaiser aber bevorzugten es, neue Gebäude zu planen, etwa ein ›neues Versailles‹ in Schönbrunn, als sie zu realisieren. Doch hatten selbst diese Pläne Wirkung, da sie in sorgfältig ausgearbeiteten Stichen verbreitet wurden. Fischer gab 1721 ein Stichwerk unter dem Titel *Entwurff einer Historischen Architectur* heraus, das die Architekturgeschichte in seinen eigenen Bauten gipfeln ließ.

Der habsburgische Adel und der hohe Klerus waren zu reich und zu mächtig, um nach französischem Muster zum Hofstaat herabgedrückt werden zu können. Dennoch hatte man die alte Selbständigkeit verloren. Alles richtete sich nach Wien aus, und man baute im kaiserlichen Sinne, so daß man beim Hofadel und bei den kaisernahen Fürsten im Reich, vor allem bei den Fürstbischöfen, durchaus von einem Kaiserstil sprechen kann. So ist es auch kein Anachronismus, wenn im folgenden zunächst die kaiserlichen Bauten Fischers behandelt werden, obwohl sie seinem Spätwerk zuzurechnen sind. Von den großen Ausbauplänen der Wiener Hofburg wurden überhaupt nur die Bibliothek und die Stallungen von Fischer und seinem Sohn verwirklicht.

Die Wahl der jonischen Ordnung für die Bibliotheksfassade paßt nach Vitruv zur Göttin der Wissenschaften, Minerva. *(Abb. 26)* Doch besagt die bis ins Hauptgeschoß durchgehende Bänderung (als feinere Form der Rustika), außerdem die plastisch zurückhaltende Bildung der Risalite und der Attika, daß wir es mit einem Nutz- und Nebengebäude zu tun haben. Das geböschte Sockelgeschoß ist eine für den Schloßbau bis ins 18. Jahrhundert geläufige Reminiszenz aus der Festungsbaukunst, wie andernorts die Türme. Und die großen Fenstertüren sind mitsamt ihrer Verzierung auch als Reverenz an die moderne französische Baukunst zu lesen. Ihre repräsentative Erscheinung als Drei-Flügel-Bau erhielt die Bibliothek erst durch den Umbau Pacassis. Die Säulenordnungen vermitteln auf subtile Weise, daß die Bibliothek sowohl ein Bauwerk höchsten kaiserlichen Anspruchs, eines mit einem spezifischen Charakter, aber auch ein Nebengebäude ist.

Im Sinne des 18. Jahrhunderts erhebt sich das Innere über das Äußere. *(Abb. 27)* Innen signalisieren allein schon die Höhe des Hauptsaales sowie die Wahl der kolossalen Ordnung mit doppelten, gekuppelten Pilastern höchsten Ranganspruch. Die Mitte bildet eine große, überkuppelte Rotunde. Trotz der Vorliebe der Epoche für diese Raumform ist sie als Zitat des Pantheons in Rom zu lesen, d.h. als Ruhmeshalle Kaiser Karls VI.,

27. Wien, Hofbibliothek, *Inneres, Johann Bernhard Fischer von Erlach (1656–1723) und Josef Emmanuel Fischer von Erlach (1693–1742), Fresken von Daniel Gran (um 1691–1757), 1730, Skulptur Karls VI. von Paul und Peter Strudel, um 1700, Holzarbeiten wohl nach Entwurf von Claude Lefort du Plessy*

Die hölzernen, schön furnierten Bücherregale werden von Hermenpilastern getragen, die der untersten Stufe der Säulenordnungen zuzurechnen sind, also im Gegensatz zur imperialen korinthischen Ordnung der Stuckmarmorsäulen mit ihren bronzenen, vergoldeten Basen und ihren goldfarbenen Kapitellen stehen. Das Programm der Deckenmalerei, das sowohl der Verherrlichung des Kaisers, wie der des Hauses Habsburg und der Wissenschaften in der göttlichen Weltordnung dient, wurde von C. von Albrecht entworfen.

28. ***Wien, Pest-Votivkirche St. Karl Borromäus,*** *Äußeres, Johann Bernhard Fischer von Erlach (1656–1723) und Josef Emmanuel Fischer von Erlach (1693–1742), 1716–1739*

Die Kirche erscheint im Äußeren wie eine Umsetzung der triumphalen ephemeren Architekturen, wie sie bei Krönungen, Festeinzügen usw. errichtet wurde. Sie befindet sich außerhalb des alten Festungsringes, der ja noch bis 1857 weiterbestand, und ist vielleicht das städtebaulich auffälligste Monument der Stadt nach dem Stephansdom. Dem Anspruch nach ist es eine Synthese der ›Weltarchitektur‹ und verdeutlicht den kaiserlichen Anspruch.

dessen Statue im Zentrum steht. Der Raum ist zugleich ein Tempel der Wissenschaften, deren führende Vertreter von Daniel Gran im 1730 vollendeten Deckenfresko abgebildet sind. Die alte kosmische Sakralbauform wird auf eine eher weltliche Aufgabe angewandt, ohne daß man von einer echten Säkularisation sprechen könnte. Denn zur selben Zeit erlebt sie eine spektakuläre Neuinszenierung auch in der kirchlichen Baukunst, wie etwa in der vom selben Kaiser und selben Baumeister errichteten Karlskirche in Wien. *(Abb. 28 u. 29)* Schließlich galt ja das kaiserliche Amt immer noch als gottgegeben. Zwischen dem irdischen Staat und dem Reich Gottes wurden zahlreiche Analogien aufgewiesen. Und doch ist eine gewisse Zwiespältigkeit zu bemerken: Die Ausweitung des hochsakralen Baumotivs auf eine Bibliothek ist eine für das Zeitalter der beginnenden Aufklärung bezeichnende Tat, was nicht darüber hinweg täuschen sollte, daß die Habsburger Monarchie gegen alle damaligen Tendenzen unverrückbar an dem alten kirchlichen, cäsar- und geozentrischen Weltbild festhält.

Der habsburgische Kaiserstil hat eine klassische Komponente, die sich aus dem Anspruch auf Fortsetzung der römischen Kaiserreihe herleitet; dazu gehört auch die Verwendung von Rotmarmor-Stuck unter Hinweis auf den Porphyr und die Purpurfarbe, *(Abb. I/5)* aber auch den Rotmarmor der Maximilianzeit. *(Abb. IV/46)* Gern erging man sich auch in Anspielungen auf die kaiserlichen Traditionen der eigenen Familie: So lassen sich die Paare von Kolossalsäulen im Inneren der Bibliothek auf den mächtigsten aller habsburgischen Kaiser, Karl V., beziehen, der in seiner Devise die beiden Herkulessäulen der antiken Sage hat darstellen lassen. Damit wird einerseits das Weltumspannende seiner Herrschaft charakterisiert, gleichzeitig aber auch sein Herrschaftsanspruch über das unter französisch-bourbonische Regierung gekommene spanische Reich aufrechterhalten. Die Habsburger verstanden sich in Fortsetzung des mittelalterlichen Kaisertums als Beschützer der Kirche und als Partner der Päpste. Diese Tradition förderte das Aufgreifen römisch-barocker Formen. Die gelehrte Allegorik und die Fülle der dargestellten Bezüge haben Fischer zu einer höchst subtilen Verbindung von architektonischen Sprachformen herausgefordert.

Ein Vergleich der Wiener Karlskirche *(Abb. 28 u. 29)* mit der Salzburger Kollegienkirche *(Abb. 30 u. 31)* erweist sich als aufschlußreich. Der Wiener Bau entfaltet sich und seine Bedeutungsfülle besonders deutlich nach außen, da es Karl VI. um eine öffentlich wirksame Demonstration von Frömmigkeit ging: Er hat als Eingangshalle einen antikisierenden Tempelportikus als römisch-imperiale Form, und auch die flankierenden Triumphsäulen beziehen sich auf die Trajans- und Marc-Aurels-Säule in Rom. Sie versinnbildlichen zudem die seit dem 16. Jahrhundert das Papsttum repräsentierenden Heiligen Peter und Paul und standen zugleich für die habsburgische Devise der Doppelsäulen des Herkules ebenso wie für die beiden Eingangssäulen Jachin und Booz des Jerusalemer Tempels, den man sich damals als Gründungsbau der klassischen Architektursprache dachte. Die Kuppel der Karlskirche zitiert Michelangelos berühmte Schöpfung von St. Peter zu Rom. Der Zentralraum soll aber auch an Justinians Hagia Sophia in Istanbul, an das Pantheon sowie an die Pestvotivkirche des hl. Karl Borromäus in Mailand

linke Seite:
29. Wien, Pest-Votivkirche St. Karl Borromäus, *Inneres, Johann Bernhard Fischer von Erlach (1656–1723) und Josef Emmanuel Fischer von Erlach (1693–1742), 1716–1739*

Der Raum erscheint auf den ersten Blick einfach, da das Kuppeloval bis zum Boden heruntergezogen ist und so den Mittelraum bestimmt. Bei näherer Betrachtung erkennt man eine subtile Verflechtung von Zentral- und Längsraumgedanken, Anspielungen auf die Kreuzform und eine gewisse Fassadenwirkung der Altarzone. Die drei Säulenordnungen werden auf feine Weise zur Gestaltung der Komposition benutzt und in der Höhe unterschiedlich gestaffelt. Auch die Plastizität wird fein abgestuft und die Wand zentimetergenau reliefiert. Nur die unteren Marmorteile bestehen aus Naturstein, die oberen sind nach neuerer römischer Art aus Stuckmarmor.

30. Salzburg, Kollegienkirche St. Mariä Himmelfahrt, *Fassade, Johann Bernhard Fischer von Erlach (1656–1723), 1694–1707*

Der Vorplatz ist klein, Fischer integrierte also eine Vorhalle in den vorgewölbten Mittelteil, der die Binnenraumform spiegelt. Die Große Säulenordnung befindet sich unten, ohne eigenes Sockelgeschoß, während das Obergeschoß als vergrößerte Attika gestaltet ist. Die Ideen der Mittenzentrierung, der Bewegungsentfaltung und Auflockerung nach oben sowie der Rhythmisierung sind feinsinnig miteinander verschränkt. Auffällig ist die Betonung der Uhren in der Fasadenkomposition.

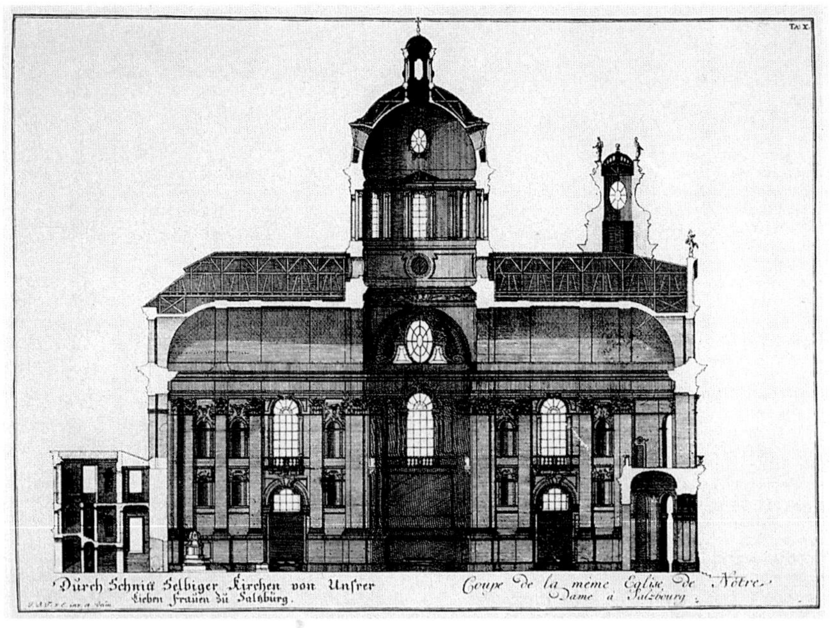

*31. **Salzburg, Kollegienkirche St. Mariä Himmelfahrt,** Längsschnitt durch das Innere, Johann Bernhard Fischer von Erlach (1656–1723), 1694–1707*

Wegen seiner steilen Proportionen ist der Raum photographisch nur unbefriedigend zu erfassen. Auch im Stich gestaltet sich die Raumdarstellung problematisch, jedoch ist es überhaupt schon bemerkenswert, daß man bemüht war, die eigenen architektonischen Leistungen in sorgfältig erarbeiteten graphischen Blättern von künstlerischem Eigenwert zu verbreiten und zugleich für die Nachwelt festzuhalten; der (Nach-)Ruhm (›fama‹) ist eine wesentliche Motivation für die Stifter (und Künstler) dieser Epoche.

erinnern. Der hier in seiner Bedeutungsfülle nur angedeutete Anspruch ist welt- und geschichtsumspannend, wobei man davon ausgehen darf, daß er von den Gebildeten damals verstanden wurde oder zumindest bei einigem Bemühen verstanden werden konnte, während uns dies heute nur bei einigem gelehrten Aufwand möglich ist.

So weit konnte der Bau der Kirche der Benediktineruniversität in Salzburg nicht ausgreifen. *(Abb. 30 u. 31)* Schon im Mittelalter war der Erzbischofssitz besonders romorientiert, und als 1614–1628 der Dom von italienischen Bauherren unter der Leitung des Santino Solari errichtet wurde, erfolgte dies nach römischem Muster mit einem betonten Kreuz-Grundriß, Mittelkuppel und Doppelturm-Fassade. Da der Erzbischof Johann Graf Thun (reg. 1687–1709) Stifter der Kollegienkirche war, lag eine – auch städtebauliche – Ausrichtung am Dom nahe, zugleich aber eine gewisse Zurückhaltung in der äußeren Erscheinung. Graf Thun stammte aus dem habsburgischen Hochadel, was die Berufung Fischers begünstigte, doch war eine allzu deutliche Anlehnung an Wiener Vorbilder mit Rücksicht auf die Selbständigkeit Salzburgs nicht geraten. Für die Studienkirche eines Ordens mit mehr als tausendjähriger Bautradition und hohem Bildungsstand war etwas Angemessenes zu suchen. Fischer blieb um eine gestalterische Lösung der komplexen Forderungen nicht verlegen: Der Bautypus lehnt sich an den des Domes an, paraphrasiert aber darüber hinaus die ursprünglichen, einfacheren Planungen für St. Peter in Rom aus der Zeit, bevor man das griechische in ein lateinisches Kreuz umwandelte. Die Kolossalordnung und die Art der Pilastergruppierung, die Tonnenwölbung und die von ihr getragene Mittelkuppel sowie die sich ausbauchende Mittelfront der Fassade oder die Turmbekrönungen beziehen sich frei auf Römisches. Das Raumsystem mit vier seitlichen Ovalkuppeln verweist auf die byzantinische Kreuzkuppelkirche, die christologische Kreuzform ist mit der mariologischen Rundform verschmolzen. Die Kuppel gibt dem Bau einen universalen und kosmologischen Anspruch, ist aber im Vergleich zur Wiener Kuppelrotunde bescheiden. Zwei Kolosssalsäulen sind an die Seiten des Altars gerückt und meinen hier

*32. **Johann F. Pereth, Erzbischof Graf Thun und seine Stiftungen,** Kupferstich, 1699*

Das Blatt verbindet in reicher allegorischer Inszenierung die Darstellung der geistlichen Stiftungen für das persönliche Seelenheil mit derjenigen der Fürsorge für das ihm anvertraute Gottesvolk und der der Wohlfahrt, des allgemeinen Nutzens sowie des persönlichen Ruhmes. Die dargestellten Bauten, das Priesterseminar, die Kollegienkirche, das Johannesspital, die Winterreitschule und die Pferdeschwemme sind allesamt von Fischer von Erlach entworfen oder unter seiner Mitwirkung entstanden.

*33. **Salzburg, Portal des Hofmarstalls,** Entwurf für die Portalarchitektur und die Skulpturen der Europa und Asia von Johann Bernhard Fischer von Erlach (1656–1723), 1693, vollendet 1694*
Beispiel der Fischerschen Entwurfsqualität auch bei einfacheren profanen Gebäuden. Die später gedrehte Pferdeschwemme vor dem Tor stammt ebenfalls vom Architekten. (Abb. 32)

wohl nur diejenigen des Salomonischen Tempels. Die Raumproportion entspricht eher der gotischer Kirchen, die Schlichtheit des Zierrats wiederum folgt den traditionellen Forderungen nach Strenge in Universitätskirchen. Fazit: Die Kollegienkirche ist eine gedankenreiche Synthese, eine ins Universale ausgreifende Architektur und dabei doch anders als die Wiener Karlskirche. Der Bau löste in der Öffentlichkeit zuerst einiges Befremden aus, wies dann aber den Bauherren und Architekten Süddeutschlands im Ordenskirchenbau den Weg zu neuen, eigenständigen Synthesen – so sind etwa die Klosterkirchen von Ottobeuren oder Neresheim ohne dies Vorbild nicht zu verstehen. *(Abb. 62 u. 79)*

Fischer fand in Erzbischof Thun einen Förderer, der ihm das gesamte Bauwesen der Stadt in die Hand gab. *(Abb. 32)* In dieser baufreudigen Epoche reichten zwei Jahrzehnte, das Stadtbild entscheidend zu prägen. Aus der Fülle des Bedeutsamen, von ihm Geschaffenen, seien nur noch zwei Kleinarchitekturen herausgegriffen, Beispiele für die besondere Fähigkeit dieser Epoche, Neues in Altes einzufügen: Das Portal des Hofmarstalls *(Abb. 33)* und die Hochaltaranlage der Franziskanerkirche. Da der Marstall als kubisch-strenges Bauwerk aus dem frühen 17. Jahrhundert zu schlicht für das Repräsentationsbedürfnis der neuen Zeit war, überarbeitete man ihn: Dem niedrigen Rang der Bauaufgabe gemäß entwarf Fischer das Portal als Hermenportal, der graphischen Schärfe der älteren Detailbildung entspricht seine Einzelform. Das Portal ist kein harter Eingriff, verleugnet aber auch nicht die eigene Architekturauffassung. Fischer staffelt die Glieder zurückhaltend; er setzt die Schwingungen der Grundriß-Formen – anders als in der Kollegienkirchfassade – fast ausschließlich aus konkaven Formen zusammen. Dezent ist die leichte Drehung der Anlage zu den vorwiegend von links kommenden Betrachtern, wie beispielsweise in der linken äußeren Herme.

Die Altaranlage in der spätgotischen Chorhalle der Pfarr- und Damenstiftskirche nach Plänen des Hanns Burghauser ersetzte ein hochbedeutsames, aber ruinös gewordenes Retabel des Michael Pacher, behielt aber nicht nur die verehrte Statue der thronenden Muttergottes bei, sondern bewahrte in dem hohen Auszug etwas von der steilen Proportion des Vorgängers. Die seitlich stehenden Ritterheiligen greifen das Motiv der ›Schreinwächter‹ auf. Fischer gestaltete es als Portalanlage, als Anspielung auf das Mariensymbol der ›Himmelspforte‹, zugleich als Triumphmotiv, was sich in das übergeordnete Thema der Mariensymbole der Lauretanischen Litanei fügt, die, wie das der Verherrlichung Mariens, ursprünglich im Schreininneren angebracht waren. Die Komposition ist nach innen wie nach außen gewendet. Es geht nicht nur ein Strahlenglanz von Maria aus, sondern der Aufbau ist zweischichtig derart komponiert, daß die Suggestion entsteht, von Gottvater im Auszug falle überirdisches Licht auf die Auserwählte. Zugleich wird eine körperlichere und räumlichere Welt unten und eine geistigere Erscheinungsweise im Auszug oben unterschieden.

Fischer wurde wie viele andere Hofachitekten und -künstler vom Kaiser geadelt. Es lag nahe, daß ihm die Hofleute in Wien viele Aufträge zukommen ließen, vor allem Stadtpaläste, an deren Fassaden und Portalen er seine kraftvolle Reliefbildung trotz der räumlichen Enge der Gassen gut zur Geltung bringen konnte. Aber der Künstler erlangte dort niemals ein Monopol wie in Salzburg. Gerade die mächtigsten Fürsten favorisierten jeweils eigene Baumeister, so den Akademieprofessor Domenico Martinelli, den Bolognesen Antonio Beduzzi, den ebenfalls zuvor in Rom tätigen Burgunder Jean-Baptiste Mathey und andere.

Prinz Eugen von Savoyen und sein Baumeister Lukas von Hildebrandt

Zum größten Konkurrenten Fischers wurde Lukas von Hildebrandt. Er war um einiges jünger, ebenfalls italienisch geschult und begann seine Laufbahn als Militäringenieur beim Prinzen Eugen. Dies war damals einer der erfolgreichsten Wege, zu großen Aufträgen auch in der Zivilarchitektur zu kommen – ein anderes Beispiel ist Balthasar Neumann. Prinz Eugen, ›der neue Alexander‹ und mächtigste Mann am Wiener Hof nach dem Kaiser, war Haupt eines Kreises architekturbegeisterter Adliger, zu denen auch Friedrich Karl von Schönborn zählte. Ihnen galten Kunst und Architektur nicht allein als Mittel zur Darstellung der Staatsidee (oder der Förderung des Glaubens), sondern als Liebhaber und Sammler waren sie mit Künstlern und künstlerischem Denken wohlvertraut. Eugen kannte die in Paris vor 1700 einsetzende Wende zu feinerem Geschmack, größerer Bequemlichkeit und zierlicheren Formen und schätzte sie vielleicht auch deshalb, weil sie in erklärtem Widerspruch zum offiziellen, pathetischen Hofstil Ludwigs XIV. stand, den er von

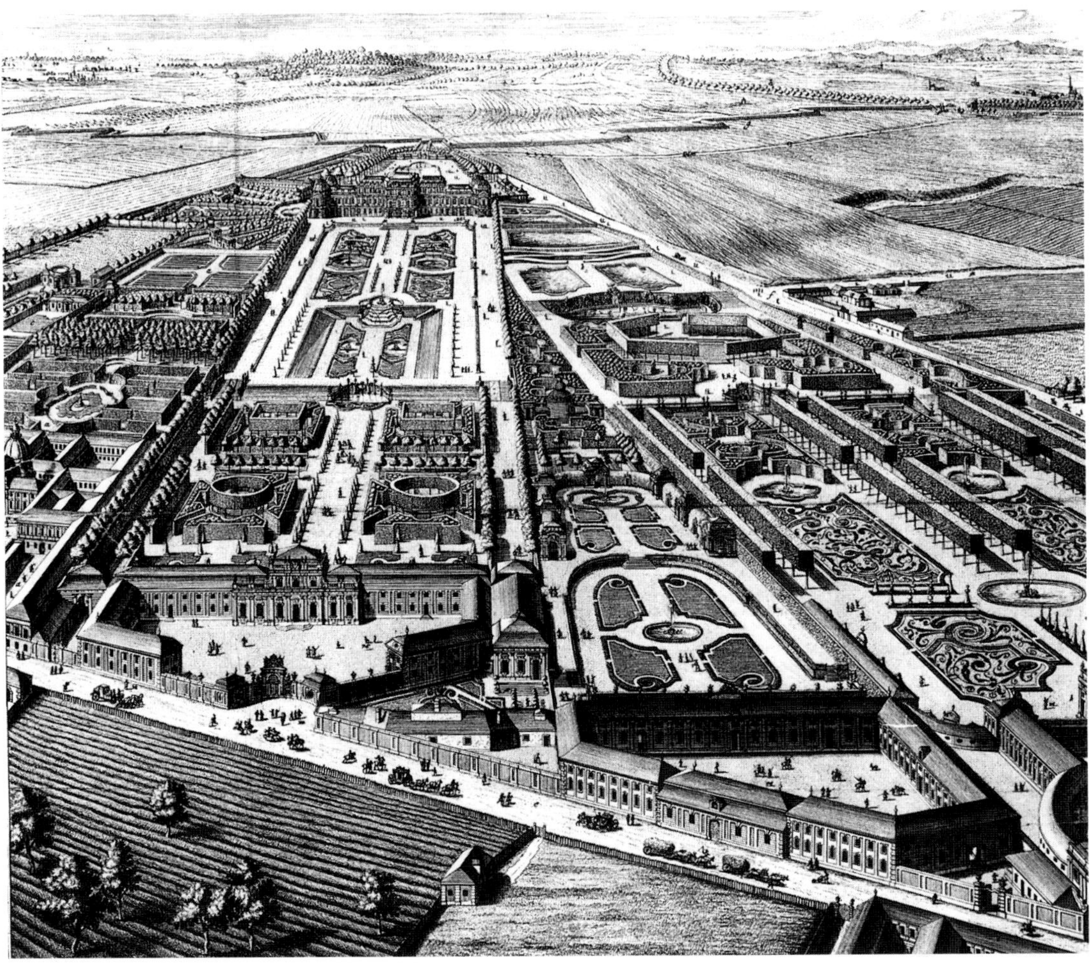

34. ***Wien, Belvedere des Prinzen Eugen von Savoyen,*** *Gesamtansicht, nach einem Stich von Salomon Kleiner (1703–1761), Lukas von Hildebrandt (1668–1745), 1714–1716*

Der Stich gibt einen Eindruck von der außergewöhnlichen Ausdehnung der Anlage, wie man sie in dieser Art eigentlich nur auf dem flachen Lande, nicht aber in der Hauptstadt erwarten würde. Links vorne der Hofeingang zum Unteren Belvedere, rechts Stallungen und Wirtschaftsbauten. Gerade im Vergleich zum Gartenpalais des mächtigen Fürsten Liechtenstein (rechts angeschnitten) werden der kaisernahe Rang und die Sonderstellung des Prinzen Eugen erkennbar. Die Kaiser konnten ihn schon darum gewähren lassen, da Eugen keine Nachkommen hatte und das Kaiserhaus als Erben einsetzte.

35. ***Wien, Unteres Belvedere des Prinzen Eugen von Savoyen,*** *Groteskensaal, nach einem Stich von Salomon Kleiner (1703–1761), Lukas von Hildebrandt (1668–1745), Malereien von Jonas Drentwett (um 1650– um 1720), 1714–1716*

In der Abfolge der Säle diente der Groteskensaal, der im Eckpavillon liegt, als Vorgemach zum Schlafzimmer des Prinzen und zum Gartensaal. Deshalb sind in ihm die vier Elemente und Jahreszeiten, die Verbindung von Natur und Kunst, und mit der ›Schmiede des Vulkan‹ und den ›Drei Grazien‹ die Rolle und Eigenart der beiden Geschlechter nach dem damaligen Verständnis dargestellt. Der Maler stammt aus einer berühmten Goldschmiedefamilie und war dadurch für die Aufgabe der Groteskenmalerei geradezu prädestiniert.

Jugend an als Erzfeind ansah. Seine Liebe gehörte den Lust- und Gartenschlössern und vor allem ihren Gärten. Eugens und Hildebrandts Erstlingswerk ist das Untere Belvedere in Wien. *(Abb. 35 u. 36)* Der Bestimmung nach ein Gartenpalais, deshalb aber noch kein privater Bau im heutigen Sinne, mußte es immer auch der Repräsentation dienen können. Bezeichnend ist, daß der Prinz zuerst den Garten anlegte (seit 1700), dann erst das Gartenpalais errichtete (1714–1716) und zuletzt das Obere Belvedere (1721–1723). *(Abb. 37)* Das Gartenpalais öffnete sich in allen Räumen zu den umliegenden Gärten, und zwar in höherem Maße, als dem später veränderten Bau anzusehen ist; einzelne Räume waren galerieartig offen, die Fenster durchweg als Fenstertüren gebildet. Von beinahe jedem Raum konnte man ins Freie treten. Rundherum gruppiert waren eine Orangerie, eine Voliere (für die seltenen Vögel), eine Menagerie (für die wilden Tiere), außerdem hölzerne Pavillons und Zelte. Und doch sind die Fassaden in ihrem Schmuck ganz zurückgenommen, bis in die Details, wie Fensterrahmen und -bedachungen. Das plastisch sich Wölbende und Vorspringende damaliger Risalite ist kaum spürbar, der mächtige Baublock wird ersetzt durch die lockere Fügung von ebenerdigen Baugruppen mit den reizvoll variierten Baukuben und Dachumrißlinien.

Der Groteskensaal *(Abb. 35)* steht in der Ahnenreihe der Garten- und Grottenräume mit Grotesken-Zierrat. Auch der Marmorsaal *(Abb. 36)* folgt einer Tradition des Innenhof- oder Gartensaals mit antiken und modernen Statuen in den Nischen. Der Purpur des Stuckmarmors sowie der weiße Marmor stellen Bezüge zur kaiserlichen Baukunst her, doch gibt die durchgehende Auszie-

36. ***Wien, Unteres Belvedere des Prinzen Eugen von Savoyen,*** *Marmorsaal, nach einem Stich von Salomon Kleiner (1703–1761), Lukas von Hildebrandt (1668–1745), Gartenfassade, 1721–1723*

Die ›galerie en marbre‹ war zur Aufnahme von drei antiken Statuen gedacht, die der Prinz 1713 geschenkt bekommen hatte und die durch den damals berühmten Domenico Parodi aus Genua um einige Bildwerke ergänzt wurden. Darauf spielt das Material Marmor und die weiße Farbe an. Die Statuen wiesen aber zugleich auf die Epoche der römischen Kaiser, worauf u.a. das Purpurrot des Stuck verweist. Die Verzierung bedient sich der modernen Pariser Bendelwerk-Ornamentik von Bérain. Spiegel an den Seitenwänden steigern die Wirkung des Raumes.

rung mit Bandelwerkstuck dem Saal eine bis dahin für Paläste undenkbare Stillage: nach den Normen des Vitruvianismus ist sie zu niedrig, da das Bandelwerk aus der Groteskornamentik kommt. Die Rückgriffe auf Vorbilder und Vorlagenblätter des späten 16. Jahrhunderts sind offensichtlich, und dies nicht nur bei ihren Erfindern, den Pariser Stechern um den Zeichner für Dekorationsentwürfe bei den Bâtiments du Roi, Jean Bérain (1637–1711). Auch wurde die neue Zierart für private Räume erfunden: sie ist betont unrepräsentativ, ja, sie ist primär ästhetisch zu verstehen und entzieht sich sowohl der Rhetorik als auch der Bedeutungsbefrachtung der offiziellen Architektursprache. Es ist schwer zu entscheiden, ob bei Prinz Eugen und Lukas von Hildebrandt, dem Leiter seiner künstlerischen Unternehmungen, Freude an dieser neuen Kunstform, der Genuß ihrer spielerischen Vielfalt und reizvollen, graziösen Komponierbarkeit ausschlaggebend waren oder ob nicht auch schon eine Abkehr vom Pomp der hohen Stillage der älteren Architektur bzw. von der Rhetorik und dem Zeremonialdenken damaliger Baukunst überhaupt zu erwägen ist. In diesem Kreis häufen sich damals die Klagen über ›Zeremonialpossen‹ und den ›Fürstenkäfig‹.

Der Belvedere-Garten

Das Obere Belvedere ist von seiner Erscheinung her zwar ein Lusthaus, von der Funktion her aber ein Schloß. *(Abb. 37)* Als solches diente es der Repräsentation, Festen und offiziellen Verhandlungen. Deshalb ist das gestalterische Konzept, die (offiziellere) Ehrenhofseite gegenüber der Gartenseite zurücktreten zu lassen, eigenwillig. Zwar erfolgte die Benennung als Belvedere (›Zur schönen Aussicht‹) erst nach dem Tod Eugens, doch trifft sie den Charakter dieses Baus: Er überblickt Wien und zuallererst den großen Garten. Von seiner italienischen Herkunft her ist ein Belvedere ein Gebäude, von dem aus man seinen Garten oder überhaupt die schöne Aussicht genießt. Jeder damalige Garten in italienischer Art benötigte einen erhobenen Blickpunkt, von dem aus man die Zeichnung der Bosketts und die geometrische Figuration sehen kann, sei es eine Galerie, eine Altane, einen Turm oder am besten ein Belvedere. Die Alleen, Terrassen, Abtreppungen und Kaskaden wiederum sind Vorbereitung und Sockel dieses Bauwerks, das von den eigentlichen Gemächern des Prinzen im Gartenpalais unten als Bekrönung des Gartens erscheint, dessen volle Breite es besetzt. Es ist außerdem Fest- und Sommerhausarchitektur; die Bekleidung der seitlichen Kuppeln können als Anspielungen auf Feldherrenzelte gelesen werden. Architektonische Erscheinung und offizielle Funktionen stehen also in einem gewissen Widerspruch zueinander. Bestimmend sind die ästhetischen Gesichtspunkte. Das aber ist typisch für ein Zeitalter, das den Begriff der Ästhetik erst geprägt und sich so ausführlich mit ihr auseinandergesetzt hat.

Der Garten des Belvedere war berühmter als das Schloß selbst. Er galt als Wunderwerk, vor allem wegen seiner verschwenderischen Wasserspiele, der Fontänen und Kaskaden. Sie bildeten die Mittelachse des Hauptgartens, der ebenfalls von Lukas von Hildebrandt geplant wurde. Der Prinz ließ sich den Unterhalt jährlich 15.000–16.000 Gulden kosten, und unter der Aufsicht eines Obergärtners arbeiteten ständig zehn bis zwölf Gärtnergesellen und zehn Tagewerker – zum Vergleich: Balthasar Neumann veranschlagte die Gesamtkosten für die Kirche in Kitzingen-Etwashausen *(Abb. 75)* mit 3.000 Gulden. In dieser Architektur kommt jedoch auch der Natur eine neue, größere Rolle zu. Der terrassenartig ansteigenden Grundanordnung mit ihren vielfältigen Perspektiven nach ist es ein italienischer, den Motiven nach eher ein französischer Garten, der sein Vorbild in der Anlage Le Nôtres für Versailles hat. Die Natur wird insgesamt als beherrscht vorgestellt, als wohlgeordnet, die Bäume und Pflanzen streng in geometrischer Form geschnitten und gesetzt. Über einen anderen Garten heißt es: »Obwohl der allmächtige und allweise Schöpfer diesen Weltenbau in der schönsten Perfektion dargestellt, so hat doch die Kunst, und zwar immer galanter und glücklicher, der Natur durch Anlegung prächtiger Gebäude und schöner Gärten einige Beihilfen gegeben.«

Ein derartiger Garten ist programmatisch mit Figuren und Bedeutungen so dicht besetzt und in

seinen Einzelmotiven so genau unterschieden, daß die Fülle der Aspekte unmöglich ausgebreitet werden kann: Er hat zwar nicht wie ältere italienische Gärten sogenannte ›wilde‹ Zonen, in der die Natur als ungezügelte Urkraft erfahrbar wird. Doch gibt es wohlberechnete Unterschiede zwischen den Teilen: Vor dem Unteren Belvedere finden sich Bosketts, die höher bewachsen und stärker verschattet waren und u.a. ein Labyrinth hatten: Dies war der ›Erdbereich‹, von dem man aufstieg in die von Sphinxen bewachte, olympische Schattenlosigkeit und wohlgeordnete Form der oberen Zierparterres. An der Grenze zwischen beiden Bereichen standen Statuen der Tugendvorbilder Herkules und Apollo. Der Gesinnung nach aber kommt insofern etwas Neues zum Vorschein, als nun der Garten selbst als der ideale Lebensort erscheint, den die Bauten lediglich umschließen: Der Garten ist nicht Vorplatz, sondern Mittelpunkt.

37. Wien, Oberes Belvedere des Prinzen Eugen von Savoyen, Lukas von Hildebrandt (1668-1745), *Gartenfassade, 1721–1723*

Das Gebäude hat einen hervortretenden dreigeschoßigen Mitteltrakt und variiert auffällig in seiner Dachlandschaft, wobei die Dachformen über die Fischers hinausgehen und zum Teil geschweift werden. Zwar lag Prinz Eugen und seinem Baumeister nichts an der von der älteren Generation so geschätzten Gleichförmigkeit, aber mit der Dreigeschoßigkeit wird dennoch Anschluß an die ältere Schloßtypologie gesucht. Allerdings war es überholt, diese Geschoßabfolge durch die drei Säulenordnungen zu schmücken – allenfalls Anspielungen darauf kamen in Frage. Hildebrandts Ehrgeiz ging dahin, eine ganz eigene Art der Dekoration für diesen Bau zu entwerfen.

Die bayerische Hofkunst

Stärker noch als an den Höfen August des Starken und Prinz Eugens ist das Neue, das von der Pariser Ausstattungskunst für Privatleute herzuleiten ist, in der bayerischen Hofkunst unter Max II. Emanuel, genannt der Blaue Kurfürst und Karl Albrecht (1726–1745, 1742–1745 Kaiser unter dem Namen Karl VII.) spürbar. Beide Fürsten waren maßlos ehrgeizig und wurden darin durch die Tatsache beflügelt, daß sie österreichisch erzogen und jeweils mit einer Habsburgerin verheiratet waren. Sie überanstrengten die Möglichkeiten ihres Landes und ließen es ausgelaugt zurück. Max Emanuel erwarb sich Ruhm in den Türkenkriegen, doch sein Ziel war die Erringung der Königs-, ja der Kaiserwürde. Das brachte ihn – wie später seinen Sohn – in Konflikt mit Wien und an die Seite Frankreichs.

Sein erster Schloßbau, Schloß Lustheim nördlich von München, errichtet von Enrico Zuccalli, ist ein etwas steif wirkendes Lusthaus und noch ganz italienischer Tradition verpflichtet. Sein nächstes, viel ehrgeizigeres Projekt, Schloß Schleißheim, verbindet Elemente von Versailles

*38. **München-Nymphenburg, Badenburg,** Inneres, Blick ins Bad, Joseph Effner (1687–1745), 1718–1721*

Der in Paris geschulte Hofbaumeister errichtete ein Lusthaus, das nur dem Baden gewidmet ist. Vielleicht war er von türkischen Bädern angeregt worden, die der Kurfürst auf seinen Kriesgzügen kennengelernt hatte. Das Deckengemälde wurde 1719 von Nicolas Bertin gemalt und zeigte Najaden und Nymphen, d.h. mythische Meerfrauen.

mit solchen von Schönbrunn. Zur gleichen Zeit erweiterte er das Sommerschlösschen seiner Mutter in Nymphenburg zu einem neuen Marly, dem berühmten Landschloß Ludwigs XIV. Türkische Kriegsgefangene und später seine Armee mußten kilometerlange Kanäle für die Lust-Bootsfahrten der höfischen Gesellschaft ausheben. Die Arbeiten wurden durch sein Exil nach der Niederlage von Höchstadt 1704 gegen die englisch-österreichischen Truppen unter Prinz Eugen unterbrochen. Als er 1715 zurückkehren konnte, hatten sich seine Ziele gewandelt. Durch die von ihm zur Ausbildung nach Paris geschickten Künstler, den Gärtnersohn Joseph Effner und den ehemaligen Hofzwerg François Cuvilliés, ließ er zunächst Teile seiner Residenzen im neuen französischen Geschmack einrichten, dann aber kleine Pavillonbauten in den Nymphenburger Park setzen, was seinen altersbedingt sich wandelnden Wünschen entsprach: Zuerst entstand die Pagodenburg als Teepavillon chinesischer Art nach einer Idee des Fürsten, eine Art »West-Östlicher Diwan« (W. Braunfels), in den sich Max Emanuel mit seinen Favoritinnen und Favoriten zurückziehen konnte und anschließend die Badenburg. *(Abb. 38)* In ihr konnte der Fürst seinen Gespielinnen beim Baden zusehen und zur Abwechslung die Damen seiner gemalten Schönheiten-Galerie betrachten. Zuletzt entstand die mit Grottenstuck und düsterer Vertäfelung sowie schwarz-weißen Stichen religiösen Inhalts ausgestattete Magdalenenklause als Ort der büßenden Betrachtung. Auch hier zeigt sich also der Rückzug aus der offiziellen Repräsentation zunächst ins Private, Angenehme, Bequeme und Schöne, dann ins Voyeuristische, was schließlich geistlich überpudert wird.

Cuvilliés Meisterwerk ist die von Karl Albrecht für seine jagdbegeisterte Gemahlin, die Kaisertochter Anna Amalia, im Nymphenburger Park errichtete Fasanerie Amalienburg. *(Abb. 39 u. 40)* Das Äußere zwängt nicht mehr das Innere ein, sondern der runde Mittelraum bestimmt in unterschiedlicher Ausprägung beide Fronten. Große Fenstertüren erleuchten die ebenerdig liegenden, bequem zugänglichen Räume. Die Symmetrie der Zimmerfolge gibt nur den Anschein, als hätten wir eine paarweise Enfilade, bei der Fürst und Fürstin auf jeder Seite einander entsprechende Zimmer bewohnen. In Wirklichkeit hat jeder Raum eine andere Funktion und Ausstattung. An dem Gebäude ist auffällig, daß es weniger um die hierarchische Rangfolge und Funktionsbindung der Ausstattung und der Materialien geht, sondern um ästhetische Abwechslung: Zwar entsprechen die Verkachelung der Küche und die blaugrau bemalte Bretterwand des Hundezimmers einer unteren Stillage, doch handelt es sich gleichwohl um kostbare Materialien und künstlerisch anspruchsvolle Gestaltungen; dann folgt ein Zimmer, das mit eingelassenen Bildern verkleidet ist,

*39. **München-Nymphenburg, Amalienburg,** Gartenseite außen, François Cuvilliés (1695–1768), 1734–1739*

Der einzige bildliche Schmuck ist eine Stuckfigur der Jagdgöttin Diana von Johann Baptist Zimmermann (1680–1758) über der Tür, als Anspielung auf die Fürstin und ihre Jagdleidenschaft. Durch die Fenstertüren französischer Art konnte man bequem und leicht von außen nach innen und umgekehrt gelangen. Das Schlößchen hatte keine Schranke mehr nach außen, Zeichen einer neuen Liberalität wie auch der Aufhebung von Distanz, die für das alte Zeremoniell bezeichnend war. Oben auf dem Mittelbau ist eine Aussichtsplattform, von der aus Anna Amalia auf die ihr zugetriebenen Fasanen und anderes Wild schießen konnte.

danach ein Raum mit Seidentapeten, schließlich die geschnitzte und vergoldete Vertäfelung mit je einem Spiegel und als Mittelpunkt der Spiegelsaal im Wechsel mit reich gestalteten und kostbaren Wandverkleidungen (Lambris) und Stukkierungen. Das Bildliche ist so marginal, unangestrengt, in die Verzierung eingeflochten und dadurch untergeordnet, daß man kaum von Programmen im alten Sinne sprechen kann, sondern vielmehr von Anspielungen auf die Jagden oder auf die Fürstin und ihre Liebe zu Karl Albrecht usw.

Architektur, Stukkierung, Schnitzwerk, Bemalung, Möblierung und die übrige Ausstattung entstammen einem Konzept und sind unter einer Leitung entstanden. Wenn man ein Gesamtkunstwerk in dieser Epoche benennen möchte, dann ein Gebilde wie die Amalienburg, allerdings schon im romantischen Sinne: Die Amalienburg ist eine Fluchtburg, ein ästhetisches Paradies, ein luxuriöser Traum und eine Utopie ewigwährenden, heiteren, sorglosen Lebens in Jugendfrische, inmitten einer gezähmten, schönen und fruchtbaren Natur, jenseits der Bedrängnisse und Erfahrungen der damaligen Wirklichkeit, ohne politische Prätentionen und zeremonielle Demonstrationen. Das 18. Jahrhundert hat den Traum eines luxuriösen Lebens am schönsten geträumt.

Die ältere Spiegeltechnologie hatte lediglich kleine Formate und damit nur den Blick in das eigene Antlitz erlaubt. *(Abb. IV/25)* Ludwig XIV. nutzte die durch eine verbesserte Technik ermöglichte Großflächigkeit der Spiegel und gab mit der Spiegelgalerie in Schloß Versailles seiner auf äußere Erscheinung bedachten Epoche eine unübertroffene Möglichkeit der Total-Spiegelung. Die Spiegel im Rundraum der Amalienburg beziehen sich zwar auf dieses Vorbild und haben doch schon einen anderen Sinn: Sie sind nicht symmetrisch oder gar einander gegenüber angeordnet. Sie weiten also nicht so sehr den Raum, sondern führen zu Brechungen des Lichts und wechselnden Reflexen. Und sie sind Teil der Farbe Silber, die zusammen mit dem Blau auf das weißblaue Rautenwappen der Wittelsbacher anspielt, wie in den Nachbarräumen das Gelb auf die Kaiserfarbe Amalias. Aber schon das Pastellartige des Grundtons und seine reichen Abstufungen besagen ebenso wie das vielerlei Silber, daß es weniger auf die Bedeutung als auf die Wirkung ankommt.

Die Holzvertäfelung als Verfahren zur Förderung von Wohnlichkeit und Wärme war um 1600 in Süddeutschland außer Mode gekommen, *(Abb. IV/24 u. V/44)* angeblich weil sie Ungeziefer zu leicht Unterschlupf bot, eher noch, weil sie dem

Geschmack nicht mehr entsprach. Beim Neubau der Willibaldsburg in Eichstätt heißt es: »Man wird [...] nichts täfern, sondern allein gesimbs darein richten, umb tapezereyen darein zu henckhen.« Im neuen Pariser Geschmack aber wurden die ›lambris‹ wieder sehr beliebt: Man verwendete sie insbesondere für den privaten Bereich, die boudoirs, cabinets, Näh- sowie Schlafzimmer. Man konnte sie auf verschiedene Weise bemalen oder auch nur beizen, ihre Füllungen und Rahmen schnitzen oder anderweitig gestalten. Selbst im Raumsystem der großen Schlösser des 18. Jahrhunderts wurden nun verschieden vertäfelte und mit jeweils unterschiedlichen Objekten (Porzellan, Elfenbeine, Graphiken, Kammergemälden, Spiegel usw.) garnierte Zimmer im Wechsel mit stukkierten, tapezierten oder mit Teppichen ausgekleideten eingerichtet. In Ansbach, Bayreuth oder Pommersfelden sind sie in dieser Form noch erhalten. *(Abb. 22 u. 70)* Ziel dieser Maßnahmen war möglichst große Vielfalt und reizvolle Abwechslung der Wirkungen.

Überhaupt wurde das 18. Jahrhundert die Epoche der Vollendung der Möbelkunst und Kunsttischlerei. Um und nach 1700 konzentrierten sich die Bemühungen und technischen Neuerungen wie die Boulle-Technik der Einlegearbeit mit Schildpatt, Silber und anderen Materialien noch auf die großen Parademöbel wie die fürstlichen Kabinettschränke oder Prunkbetten. Die bald erfolgende Wendung zum Privaten, Bequemen, Gefälligen und Abwechslungsreichen forderten den Erfindungsreichtum der Kunstschreiner heraus. Nie wurden so reich gemusterte Parketts geschaffen wie damals. Vor allem wurden damals viele Möbeltypen neu entwickelt: der Lehnstuhl oder Sessel, die Couch oder Chaiselongue, der Schreib- oder Nähtisch, der Gueridon zur Aufstellung von Kleinigkeiten wie Vasen oder Statuetten, der Eck- oder verglaste Aufsatzschrank – sie haben bis heute ihre Gültigkeit behalten, obwohl niemand auf die Idee käme, das 18. Jahrhundert ein Zeitalter des ›Funktionalismus‹ zu nennen. Trotz aller späteren Anschwärzungen von Barock und Rokoko – die Prägungen dieser Epoche haben ihr Ansehen nie ganz verloren. Die Ablösung der monumentalen durch die zierlich geschwungene Form erleichterte die Entwicklung wirklich bequemer Möbel. Hierzu gehörte notwendigerweise die verbesserte Polsterung, nicht nur der Sitzflächen, sondern auch der Rück- und Seitenlehnen, sowie die Bespannung mit Seiden- und Gobelinstoffen.

Möbel wurden nach dem Grad ihrer Repräsentativität, nach Ort und Funktion sowie nach Rang und Geschlecht des Bestellers bzw. der Bestellerin unterschieden. Man kann sie also nicht nur in ihrer Funktion, sondern auch in ihrer Form Geschlechtern, Gruppen und Ständen zuordnen, wie man etwa an den Typenvariationen der Sekretäre ablesen kann. In Paris kann man zuerst beobachten, wie Frauen der Gesellschaft beginnen, sich leidenschaftlich mit der Innenausstattung, Möblierung und dem Zimmerschmuck zu beschäftigen, überhaupt mit Fragen des ›Geschmacks‹, einem Wort, das damals erst seinen heute noch gebräuchlichen, weiteren Sinn bekommt. Dabei halfen die neu aufkommenden Journale und die billiger werdenden Stichwerke. In Mitteleuropa wird vor allem einigen Fürstinnen kleinerer Länder Wichtiges verdankt, so den Schwestern Friedrichs des Großen in Ansbach und Bayreuth. *(Abb. 22, 87 u. 88)*

Der Grundtendenz nach hat man die Möbelformen damals eher der Stillage des grotesken Zierrats zugewiesen; für die Möbel von Anspruch wurden zwar Paraphrasierungen der Säulen, Kartuschen, Giebel und anderer Architekturformen gewählt, aber mehrheitlich finden sich gebauchte und geschwungene Formen, obwohl sie aufwendiger herzustellen und weniger fest waren. Die Kartuschen wurden in Muschelwerk (Rocaille) aufgelöst. Diese Ornamentform ist aufgebaut aus dem, was man im 16. Jahrhundert Schnörkel nennt, Formen, die einander nur locker berühren, atektonisch sind, aber räumlich-plastisch ausgreifend, teils pflanzlich, teils an die Schaumkronen der Wellen erinnernd, auf denen wiederum Konsolen aufsitzen können, dies alles durchmischt mit Blattmasken und faunischen oder spielerisch eingesetzten gegenständlichen Elementen.

Andererseits hat man den Möbeln das ›Mobile‹ eher genommen, hat sie in feste Raumzusammenhänge gebracht, gruppiert und komponiert, oft im Kontext der wandfesten Ausstattung. Man hat sogar ganze Räume im Blick auf eine bestimmte Möblierung hin entworfen. Die folgenden Zeiten haben sich eher wieder gegen derartige Festlegungen und meist auch gegen Möblierungsprogramme ausgesprochen, obwohl z.B. im bürgerlichen Salon mit seiner Sitzecke oder ›Couchgarnitur‹ bis heute etwas davon geblieben ist. Bestimmte Lieblingsformen dieser Zeit, wie beispielsweise der unterhalb eines Spiegels aufgestellte, wandbündige und deshalb oft nur zweibeinige Konsoltisch sind wieder verschwunden. Damals hatte man sie benutzt, um die Porzellanvasen, Leuchter, Statuetten u.a. geschätzte Kleinkunst gut zur Geltung zu bringen. Cuvilliés hat beispielsweise viele Varianten gerade dieses Möbeltyps erfunden. Genau wie der Konsoltisch sind auch andere besonders raffinierte Zwischenformen dem vereinfachenden Nützlichkeitsdenken geopfert worden, so die ›Chaiselongue‹, auf der man halb sitzt, halb liegt oder die ›Causeuse‹, zwei miteinander verschmolzene, aber Rücken an Rücken angeordnete Sessel, die eine unverbindli-

linke Seite:
40. München-Nymphenburg, Amalienburg,
Spiegelsaal, François Cuvilliés (1695–1768), 1734–1739
Der runde Raum wird von einer Flachkuppel überwölbt, womit dem Motiv das traditionelle Pathos genommen ist. Er ist auch nicht hierarchisiert und erinnert insofern an den damals in England aufkommenden ›runden Tisch‹, an dem vor allem der Verzicht auf eine hierarchische Sitzordnung geschätzt wurde.

chere Form der Gemeinsamkeit und Konversation erlauben als die Bank.

In der Möbelkunst brillierten oft kleinere Höfe und Kunstzentren, die hier sonst kaum einmal erwähnt werden können, so Neuwied, Mainz oder Aachen. Denn im Fach der Kunstschreinerei konnte man ohne allzugroße Investitionen viele Handwerker zu Brot und Arbeit bringen und hatte zudem ein exportfähiges Produkt. Besonders erfolgreich war man in Franken, wo man es sogar zu Manufakturen in den Ausstattungskünsten brachte.

Die barocke Malerei

Auch in der Malerei war der Neuanfang nach dem Dreißigjährigen Krieg ohne ausländische Künstler nicht möglich. Noch im Jahre 1700 stellte der Franzose Villars fest, daß es am Wiener Hof und in der Stadt nicht einen einzigen Maler gebe, dem man in Paris das Malen von Aushängeschildern anvertrauen würde. Eine der Voraussetzungen für die Blüte von Malerei und Bildhauerei um 1600 war jedoch nicht wiederherzustellen: Es fehlen nach 1650 Förderer der Bildenden Künste vom Gewicht Kaiser Rudolfs II. oder Kurfürst Maximilians I., Männer also, die nicht nur Sammler, sondern auch Gönner waren und dabei so viele Künstler um sich scharten, daß Kunstschulen entstanden. Für den machtbewußten Fürsten damals standen Bauten und ihre Ausstattung im Mittelpunkt, die Malerei hingegen erhielt im Prozeß der Zusammenführung aller Künste für die gemeinsame Schloß- und Kirchenausstattung eher wieder dekorativen Charakter, wobei die gewünschten großen Bildermengen und bemalten Wandflächen sowie die Art der gewünschten Thematik auch der Qualität der Einzelerfindung Abbruch taten. Andererseits gehörte die Bildergalerie weiterhin zu den geläufigen Erfordernissen der Repräsentation und deshalb zur selbstverständlichen Ausstattung jedes Schlosses. Hier behielt wenigstens dem Prinzip nach die Malerei ihre Autonomie. Einzelne Kunstliebhaber brachten erstaunlich große Sammlungen zusammen, so Herzog Karl I. in Kassel, der dichtende Herzog Anton Ulrich in Braunschweig, *(Abb. 2)* der wittelsbachische Kurfürst Clemens August in Bonn oder Erzbischof Lothar Franz von Schönborn in Pommersfelden *(Abb. 66 u. 69)*. Aber der Ehrgeiz zielte fast nur auf ausländische Werke und meist eher auf die großen alten Meister als auf Zeitgenossen. Und die Hängung der Bilder folgte oft eher dekorativen Gesichtspunkten; man achtete auf Symmetrie, auf Rhythmus, schuf Pendants oder kleine Viererzyklen und wählte entsprechend auch die Themen wie die Jahres- und die Tageszeiten, die Elemente oder Kontinente, ließ Bilder für bestimmte Plätze malen wie die Supraporten (Bilder oberhalb von Türen), dazu Bilder oberhalb von Kaminen usw. Vor allem erhielt der reich geschnitzte, vergoldete Prunkrahmen eine nie gekannte Bedeutung, die in mancher Hinsicht der des Stucks in der Raumgestaltung vergleichbar ist – viele dieser Rahmen sind Kunstwerke für sich. *(Abb. 47 u. 64)*

In der Zwischenzeit hatten sich die Niederlande zum größten Produktionszentrum für Galeriebilder entwickelt. Dort war zwischen Maler und Auftraggeber weitgehend der Kunsthandel getreten. Dies förderte die Spezialisierung der Künstler nach ›Fächern‹ und ›Gattungen‹ sowie ihre Festlegung auf das einmal gewonnene Marktsegment. Es förderte aber auch eine Rhetorisierung der Malerei, also ihre theoretische Ausrichtung auf Regeln und Elemente der Rhetorik, z.B. die Abwechslung (›variatio‹) oder die Stillagen (›genera dicendi‹ oder ›modi‹), und mit ihr eine gewisse Kategorisierung der Aufgaben und Gattungen. So malte man etwa Porträts in den verschiedensten Abstufungen: repräsentativ-ganzfigurig, weniger anspruchsvoll als Kniestück oder Büste, aber auch bescheiden als Privatbild, außerdem als Einzelfigur, Ehepaar oder große Familie usw. Ähnliches gilt für die anderen Gattungen, für die Landschafts- und Marinemalerei, alle Arten von Genre und Stilleben, sogar für die Historienmalerei. Die Fachmaler erlangten einen hohen Grad an Perfektion, die aber immer auch davon bedroht war, zur Routine zu verkommen oder zumindest konventionell zu werden. Ihre Bilder wurden von den Sammlern begehrt, für die sie auch ein Tor zur großen weiten Welt waren. Die deutschen Künstler hatten dem lange kaum Gleichartiges entgegenzusetzen.

Obwohl sich jeder Fürst einen Hofmaler und vielfach auch einen Hofbildhauer hielt, war deren Aufgabe jedoch häufig darauf beschränkt, Porträts der Herrscher, ihrer Familie, ihres Hofes oder der Ahnen zu malen bzw. Denkmäler und dergleichen zu meißeln und an der Ausstattung der Schlösser mitzuwirken. Für solche Aufgaben aber waren Franzosen aufgrund ihrer gesellschaftlichen Vorkenntnisse und hofnäheren Ausbildung oft besser geeignet. Sie besetzten nicht wenige der Hofmalerposten: Antoine Pesne in Preußen, Louis Silvestre in Dresden, Georges Desmarées in Bonn und München usw. Manche Hofmaler hatten auch die Gemäldegalerie zu betreuen, die Bilder zu hängen, zu restaurieren und zu katalogisieren, manchmal auch für Ankäufe zu sorgen. Doch kaum einem gelang es, aus einer subalternen Position herauszukommen. Die deutsche höfische Produktion von Galeriebildern ist oft eklektisch, rückwärtsgewandt und erfindungsarm.

Die alten städtischen Kunstzentren waren noch mehr zurückgefallen. Die isolierten Künstler vermochten sich kaum aus dem immer enger werdenden Zunftwesen zu lösen. In Europa war damals eine wirkliche und dauerhafte Blüte der Künste nur dort möglich, wo im Spannungsfeld zwischen Hof und Stadt viele Künstler nebeneinander ihr Auskommen fanden: in den Kunsthauptstädten wie Rom, Antwerpen, Paris und in den Städten Hollands. Das zeigt sich auch an einem Maler wie Joachim von Sandrart, der 1674 die Nürnberger Akademie gründete. *(Abb. 41)* Als Teil seines akademischen Bildungsprogramms verfaßte er nach dem Muster des Florentiners Giorgio Vasari und des Flamen Karel van Mander die erste wichtige deutsche Künstler-Biographiensammlung der *Teutschen Academie der Edlen Bau-, Bild- und Mahlerey-Künste* (1675 und 1679). Zweck des Buches war es, die deutschen Künstler und Kunstfreunde nach der Nacht des Krieges zu ermutigen, sowie deren Selbstbewußtsein und theoretisches Niveau zu heben. Doch hat das Streben nach literarischer Bildung, das man in vielen deutschen Künstlerateliers bemerken kann, nicht von sich aus zu großer Kunst geführt. Die Maler nach 1700 warfen sich gerne auf beliebte kunst-

41. Joachim von Sandrart (1606–1688), Die mystische Vermählung der hl. Katharina mit den hl. Leopold und Wilhelm, *Öl auf Holz, 74 x 57 cm, 1647, Wien, Kunsthistorisches Museum*

Das Bild wurde für Erzherzog Leopold Wilhelm von Habsburg als ein künstlerisch anspruchsvolles Werk geschaffen, in dem sich der Maler vor allem an die Kunst des höfischen flämischen Rubensschülers Antonis van Dyck anschließt, aber auch an die klassische italienische Malerei des frühen 16. Jahrhunderts.

42. Solon und Krösus
43. Die Samniten vor Curius Dentatus, ***Johann Georg Platzer (1704–1761),*** *Öl auf Kupfer, 41 x 59 cm, um 1747, Dresden, Gemäldegalerie*

Platzer war ein Feinmaler holländischer Tradition, der Galeriebilder kleinen Formats, sogenannte Kabinettstücke malte, teils mit Genrethemen, teils mit Historien, gerne paarweise, um Vergleiche zu schaffen, in diesem Bildpaar zwischen dem prunkenden Reichtum des sprichwörtlich gewordenen lydischen Königs Krösus und der Unbestechlichkeit und freiwilligen Armut des römischen Konsuls. Alle seine Bilder versah er mit reichem Beiwerk und z.T. theatermäßiger architektonischer Staffage. Man kann das Bild als eine Demonstration der Stillagen und der Säulenordnungslehre lesen. Platzer war ein fleißiger Kompilator älterer und zeitgenössischer Kunst, von einer chamäleonhaften Verwandlungs- und Anpassungsfähigkeit.

*44. **Johann Kupetzky (1667–1740), Selbstporträt mit dem Porträt des Prinzen Eugen von Savoyen auf der Staffelei,** Öl auf Leinwand, 94 x 75 cm, Wien, 1709, Wien, Österreichisches Barockmuseum im Unteren Belvedere*

Der Maler spielt im Sinne des damaligen hohen Theoriebewußtseins der Künstler mit dem Wechsel zwischen den Bildebenen und zwischen Bild und Wirklichkeit. Zugleich weist das Porträt des allseits verehrten Prinzen Eugen von Savoyen auf der Staffelei wie die Goldkette um den Hals auf das hohe gesellschaftliche Ansehen des Künstlers (und das seiner Kunst).

theoretische, allegorische Themen wie vergleichende Bilderpaare, meist aber kamen amüsante Genrebilder dabei heraus. *(Abb. 42 u. 43)* Sandrart hatte auf Reisen durch Europa seine Kunst erlernt. Seine Arbeiten sind mal stärker an Van Dyck angelehnt, mal stärker an Tizian oder anderen, manchmal werden diese Einflüsse auch kombiniert. Bezeichnenderweise konnte der bekennende Calvinist ohne das Malen katholischer Altargemälde kein Auskommen finden, denen jedoch die fehlende innere Überzeugung des Künslers anzumerken ist. Überhaupt wirken damalige Historien, Mythologien und Allegorien oft genug wie akademische Pflichtübungen.

Für die Schaffung bedeutender Porträts fehlten den meisten Künstlern tiefere psychologische Reflexion, aber auch Weltläufigkeit und Erfahrung. Bildnismaler vom Range und persönlichen Zugriff Van Dycks oder Rembrandts gab es aber um und nach 1700 auch andernorts nur selten: denn die Wichtigkeit des höfischen Apparats und die Anpassung an Konventionen arbeiteten zumindest zeitweise einer Individualisierung der Sicht entgegen. Es ist bezeichnend, daß einer der bedeutendsten Porträtisten, der Böhme Johann Kupetzky, Mitglied einer protestantischen Sondergruppe war. *(Abb. 44)* Er erfaßte mit ungewöhnlicher Wärme und Eindringlichkeit sein Gegenüber und bemühte sich auch um eine jeweils neue Formulierung des Bildnisses. Schon während seiner Studienjahre in Italien war er erfolgreich. 1708 kam er auf Rat des Fürsten Adam von Liechtenstein nach Wien. Die Porträtkunst war ein ›Hoffach‹, und in der Kaiserstadt hätte er die besten Entfaltungsmöglichkeiten gefunden: Der Kaiser ließ sich von ihm malen, Prinz Eugen wurde sein Gönner. Allerdings verhinderte seine Bindung an die Böhmischen Brüder die Übernahme eines Hofamtes und dauerhafte Ansiedlung, weshalb er in das damals schon recht arme Nürnberg wechselte – typisch für die Zerrissenheit der Verhältnisse.

Geradezu eine protestantische Spezialität wurde das Malen von Stilleben. In ihnen setzte sich die Physikotheologie, d.h. die Aufspürung und Verehrung Gottes in seinen Werken, fort. Doch wird nicht mit weitausgreifendem Blick die Macht Gottes in der Weite und Fülle des Kosmos gesucht, sondern im wundersamen Bau des mikroskopisch Kleinen, ja Unbedeutenden, etwa

*45. **Maria Sibylla Merian (1647–1717), Anemonen und Wickler,** Aquarell und Deckfarben auf Pergament, 38 x 31 cm, 1695, Wien, Graphische Sammlung Albertina*

Es geht der Malerin nicht allein um die Wiedergabe der Blumen, sondern mehr noch um die Einbeziehung der Verwandlung von der Raupe zur Puppe und zur Imago des Wicklers. Durch ihre genauen Forschungen war sie zu einer Spezialistin für Insekten, insbesondere Schmetterlinge, geworden, die eine große, theologisch-symbolische Faszination auf die frommen, meist pietistischen Naturforscher(innen) ausübten.

der Metamorphose des Schmetterlings. Diese naturgetreue und andächtige Malweise wurde von vielen spezialisierten Malern und insbesondere auch von Malerinnen gepflegt, die auf diesem Feld (wie dem der ›Nadelmalerei‹) eins der wenigen damals möglichen Betätigungsfelder fanden. Die Hauptvertreterin dieser Richtung ist Maria Sibylla Merian, die jüngste Tochter des Vedutenstechers Matthäus Merian des Älteren. *(Abb. 45)* Letztlich findet sich diese Haltung andächtiger Naturtreue vom 15. bis zum 19. Jahrhundert ohne große innere Veränderung. Nur zeigen die Natur-Malerinnen und -Maler zwischen 1550 und 1750 besonderes naturforscherisches Ethos, Gelehrsamkeit und ernste Frömmigkeit. Meist hinderten jedoch enge materielle wie geistige Verhältnisse ihre persönliche Entfaltung und damit auch die ihrer Kunst. Dies ist die Malerei der ›Stillen im Lande‹, die kaum je aus dem Rahmen ihrer Häuslichkeit hinaustraten. Sie steht sowohl gegen den offiziellen Barock der Höfe wie gegen die Kunstfeindlichkeit der eigenen, meist calvinistischen Gesellschaft. Ihre Bilder fanden jedoch durchaus Eingang in die höfischen Sammlungen, als sogenannte Kabinettstücke, nahsichtige, eher der meditativen als der diskursiven Betrachtung dienende Bilder für kleine Räume.

*46. **Michael Willmann (1630–1706), Die Jakobsleiter,** Öl auf Leinwand, 89 x 108 cm, um 1686/1687, Berlin, Gemäldegalerie SMPK*

Das Bild ist Teil eines Zyklus von Landschaften mit geistlicher Staffage für das Refektorium des Zisterzienserklosters Leubus/Lubiasz in Schlesien, dessen Maler der aus Königsberg/Ostpreußen stammende Willmann war. Es ist bezeichnend für das Empfinden damaliger Mönche, daß sie nicht mehr in allen Räumen geistliche Themen von höchster Pathetik wünschten, sondern den besänftigenden Charakter der Landschaftsbilder für Räume der Rekreation vorzogen. Willmann wählt jedoch eine idealisierend-pathetische Landschaftsauffassung in Rembrandts Nachfolge für sein Bild.

Die Künstler in den bildfreudigeren katholischen Ländern hatten es leichter. Wie Michael Willmann aus Königsberg in Ostpreußen, der ein Amt als Hofmaler beim Großen Kurfürsten in Berlin ausschlug, um als Klostermaler der Zisterzienser im schlesischen Leubus/Lubiasz zu dienen, entschloß sich manch einer zum Konfessionswechsel. *(Abb. 46)* Gerne hat Willmann auch für böhmische Klöster gemalt. Eine zentrale Vermittlerrolle für die Nachbarländer spielte damals das gegenreformatorische Prag, das selbst ein wichtiges Zentrum der Malerei und Skulptur war.

Den Künsten durch die Gründung von Akademien aufzuhelfen, hatte nur dort Erfolg, wo diese in ein breites Kunstschaffen eingebettet waren und Verbindungen zur Praxis geknüpft werden konnten: Dies gilt für die städtische Akademie in Augsburg (seit 1710), mehr noch für die in Wien 1725 nach französischem Muster gegründete Bildungsstätte. Systematisierung und Theoretisierung der Kunstlehre dienten dann wirklich der Hebung der Ausbildung über das Niveau des Handwerks hinaus. Georg Raphael Donner, der ab 1732 in der Wiener Akademie die Bildhauereleven unterrichtete, war einer der größten Meister seines Faches. *(Abb. 47)* Daß er genaues Natur- wie Antikenstudium vermitteln konnte, lehren seine Werke, von denen einige auf den ersten Blick fast klassizistisch anmuten. Hier wirkten sich die vermehrten Ausgrabungsfunde antiker Skulpturen (im Gegensatz zu den immer noch sehr seltenen und außerdem weniger überzeugenden antiken Wandmalereien) aus. Für die Bildhauer wurde die Ausrichtung an Vorbildern der Antike fast schon zur Pflicht, insbesondere an den Akademien. Donners Lieblingsmaterial, das dunkle, matt glänzende Blei, hat eine Weichheit und einen Schimmer, die dem Geschmack des 18. Jahrhunderts entgegenkommen, nimmt aber im düsteren Grundton der Farbe die herbe Gesinnung des Klassizismus vorweg. Auch Donners Marmorarbeiten suchen subtile Licht- und Oberflächen-Effekte. Seine Wirkung reicht bis hin zu Ignaz Günther und Adam Oeser.

Die Lehre der Malerei an der Akademie wurde lange von der Wiener Malerzunft verhindert. Einer der ersten Professoren dort wurde Paul Troger, ein Freund Donners, der die Kunstschule von 1754–1757 leitete. *(Abb. 48, 51, 54)* Troger war kein Hofkünstler und Maler von Galeriebildern. Landschaft, Stilleben, Genre und Porträt überließ er den Fachmalern und konzentrierte sich statt dessen auf die nach damaligem Verständnis führende Aufgabe, die Historienmalerei. Aber weder er noch ein anderer der süddeutschen Meister seiner Zeit gewann die gesellschaftliche Stellung bzw. die innere Freiheit der großen Historienmaler des 17. Jahrhunderts. Vielmehr bot sich ihm nur der Dienst der Klöster und Kirchen, für die er ausdrucksstarke Altargemälde schuf, sich vornehmlich aber der damals führenden Aufgabe widmete: kirchliche Räume mit Fresken auszustatten, sie mittels Licht, Farbe und Raumdarstellung zu transzendieren, d.h. einer höheren Wirklichkeit zu öffnen. Troger war ein Meister der

47. Georg Raphael Donner (1693–1741), Christus und die Samariterin am Brunnen, *Marmor, 146 x 64 cm, Preßburg/Bratislava/Slowakei, 1739, Wien, Österreichisches Barockmuseum im Unteren Belvedere*

Donner hat das Werk mit einem im selben Museum erhaltenen Wachsbozzetto vorbereitet. Das Relief war mit einem Pendant, der ›Hagar in der Wüste‹, vom Wiener Magistrat 1738 für einen Wandbrunnen in der Sakristei von St. Stephan bestellt, dann aber der Kaiserlichen Schatzkammer überlassen worden.

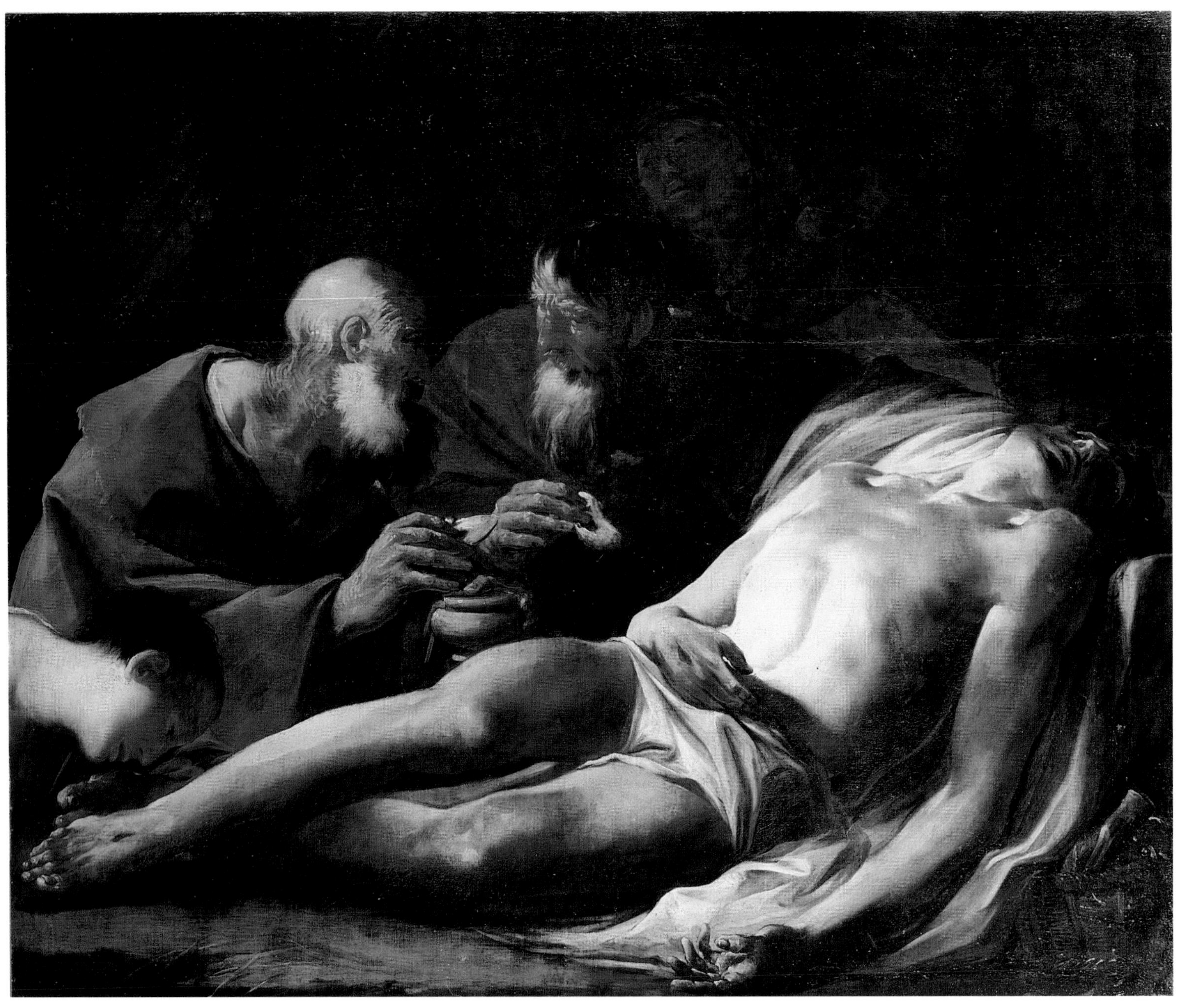

48. Paul Troger (1698–1762), Die Einbalsamierung des Leichnams Christi,
Öl auf Leinwand, 116 x 148 cm, um 1729, Innsbruck, Tiroler Landesmuseum Ferdinandeum

Troger ist in seinen Altar- und Andachtsbildern ein Meister des knappen Formats und der strengen Komposition. Es geht ihm weniger um die Erzählung des historischen Momentes der Einbalsamierung des Leichnams Christi durch Josef Arimathia und Nikodemus, sondern um die Darbietung des toten Heilands zur frommen Betrachtung. Das Bild betont den alten Gedanken der Verehrung der Hl. Fünf Wunden Christi, insbesondere durch die kühn ausgeschnittene Magdalena links. Die Farbpalette ist einfach, die Lichtführung konzentriert die Wirkung. Anregung für diesen Bildtypus fand er in der italienischen Malerei des 15.–17. Jahrhunderts.

Deckenmalerei, der schwierigsten, aber damals auch angesehensten Gattung.

Er war ein gelehriger Schüler vor allem der italienischen Meister des späten 17. Jahrhunderts. Es galt in dieser Zeit nicht als anrüchig, die Qualitäten der verschiedenen Meister und Schulen miteinander zu verschmelzen. Bemerkenswert ist vielmehr, daß in der Öl- und Freskomalerei jeweils andere Vorbilder zum Tragen kommen, als spräche er gleichsam verschiedene künstlerische Sprachen. Während Troger in seinen Wand- und Deckengemälden ein vielfiguriger Meister des Lichtes und der leuchtenden Farben ist, bevorzugt er in seinen Ölgemälden eigentümlich umdüsterte, nächtliche Szenerien mit harten Lichtkontrasten in der Nachfolge des Caravaggio. Es sind ausdrucksstarke Bilderfindungen mit wenigen, oft sehr einfach gedachten, einprägsamen Figuren. Troger begründete eine vielköpfige Schule von Malern, die im Rahmen der vorgegebenen Möglichkeiten Erstaunliches geleistet haben, aber über die regionalen Grenzen hinaus kaum bekannt sind und zu wenig gewürdigt werden. Unter seinen Schülern gehören Johann Jakob Zeiller *(Abb. 62)*, Martin Knoller *(Abb. 77)*, Johann Martin Schmidt, genannt Kremser Schmidt *(Abb. 49)* und Franz Anton Maulbertsch *(Abb. 53 u. VII/4)* zu den führenden Köpfen.

Die Malerei dieser Epoche hat gewisse gemeinsame Grundzüge: Ein Lieblingsthema ist die Erscheinung des Lichtes in allen seinen Spielarten in Verbindung mit der Farbe, vom inneren Licht der Vision zum Sonnenlicht, vom höchsten Glanz bis zu seinen Brechungen und Dämpfungen, als Glühen, Leuchten, Verdämmern bis zum Hell-Dunkel, wobei die irdischen Lichter von dem Gottes nicht zu trennen sind und absichtsvoll auch nicht getrennt werden, denn thematisches Zentrum und geistiger Mittelpunkt der Malerei der Zeit bleibt die Religion. Deshalb ist auch die Darstellung und damit die Weckung von Bewegung das Hauptziel der figuralen Komposition.

49. Martin Johann Schmidt genannt Kremser Schmidt (1718–1801), Die Flucht nach Ägypten (Ausschnitt), *Öl auf Kupfer, 35 x 29 cm, Krems, 1767, Seitenstetten/NÖ, Prälatur der Benediktinerabtei*

Alle bedeutenderen Klöster hatten eine Bildergalerie, und die Räume der Äbte wurden oft nach Art fürstlicher Kabinette mit kostbaren Kunstwerken ausgestattet. Das Täfelchen, schon durch seinen Malgrund als anspruchsvolles Werk ausgewiesen, bildet ein Pendant zu einem ›Traum Josephs‹. Martin Johann Schmidt hatte sich nach seiner Lehrzeit an der Wiener Akademie nach Krems zurückgezogen, wo er ein arbeitsames, bürgerlich-beschauliches Leben im Kreise seiner Familie führte. Mit der simultanen Darstellung der Flucht, der toten Kinder von Betlehem unten rechts und dem Götzensturz beim Eintritt in das Land der Pharaonen steht der Maler in einer langen Tradition, in der andeutenden poetischen Qualität der winterlichen Landschaft, des düsteren Himmels und des kahlen, flechtenbehangenen, in das Bild hineinragenden Baumes ist er hingegen ein Vorläufer der Romantik.

rechte Seite unten:
51. Paul Troger (1698–1762), Die Harmonie zwischen Glaube und Wissenschaften, *Architekturmalerei von Josef Krinner († 1770), Deckenfresko im Marmorsaal der Benediktinerabtei Seitenstetten/NÖ, 1735*
In der Mitte zwei Frauengestalten, die sich die Hände reichen, zur Rechten das Christentum mit dem Kreuz und neben ihr die weltliche Wissenschaft mit Spiegel und Schlange. Zwei Engel halten eine Tafel mit der Inschrift »Quam bene conveniunt« (Wie gut passen sie zusammen). Auf der Seite der Theologie die göttlichen und weltlichen Tugenden auf Wolken, daneben der Erzengel Michael, der die Laster in den Abgrund stürzt. Rechts neben der Hauptgruppe die Personifikationen der Wissenschaften und der Künste, wobei auffällt, daß auch Jura und Ökonomie berücksichtigt sind. Putti streuen Rosen nach unten. Mit Hilfe der verschiedenen Wolkenformen und -farben gibt Troger dem Bild Tiefe und Bewegung. Das Thema hat er später noch einmal für Stift Altenburg gemalt.

Ausgehend vom Studium vor allem hellenistischer antiker Skulpturen wie dem Laokoon in Rom, ihrer Umsetzung und Steigerung durch Michelangelo und seine Zeitgenossen, die Renaissance dieser Renaissance durch Bernini und die römischen und niederländischen Barockmaler, wurden der bewegte Körper und die Gestaltungsebene der Gewandung, ebenso aber auch Gestik und Mimik allumfassend studiert und in eine Bildsprache von großer Wirkung und Ausdruckskraft umgeschmolzen. Die Künstler bemühen sich um eine Synthese aller älteren künstlerischen Bemühungen, um eine Verbindung von Naturstudium mit theoretischer Bildung immer mit dem Ehrgeiz, das Ältere zu überbieten und jeweils etwas Neues zu erfinden. Das macht die Kunst dieser Epoche so komplex und so reich.

Die Deckenmalerei als Hauptaufgabe

Seit dem Mittelalter war es Aufgabe der Wandmalerei, Decken und Wände zu ›öffnen‹, den Blick auf Jenseitiges zu lenken, aber auch Lehrprogramme zu entfalten. Eine neue Qualität erhielt diese Malerei mit der Entdeckung der Zentralperspektive in Italien im 15. Jahrhundert und mit der Erneuerung der Naturnachahmung. Dabei ging es im Wettstreit mit den aus der Literatur bekannten Leistungen der antiken Maler auch um die gelungene Augentäuschung. Mit Correggios Domkuppelbemalung in Parma 1526–1530 war ein Grad der Vervollkommnung der Deckenmalerei erreicht, daß man sich in der Illusion wiegen konnte, der Raum sei zum Himmel offen und das Wunder der Himmelfahrt Christi sei Wirklichkeit. Zur wichtigsten Herausforderung der Maler wurde das Deckenbild erst im Rom des 17. Jahrhunderts. Als Höhepunkt ist das Deckengemälde der Jesuitenkirche S. Ignazio um 1689 von dem Ordensbruder Andrea Pozzo aus Trient anzusehen, von einem Austro-Italiener also, der in seinem Traktat *Perspectiva pictorum et architectorum* (zwei Teile, 1693 und 1702) auch die Theorie glänzend darstellte. Man wandte sich in Österreich also dieser Aufgabe zu, als sie in Rom bereits zu höchster Meisterschaft gelangt war, und man tat es, indem man Pozzo nach Wien holte. Von 1702 an bis zu seinem Tod 1709 stand er im Dienst Kaiser Leopolds und seines Hofes. *(Abb. 50)*

Doch war er keineswegs der erste und einzige, der diese Kunst in den Norden brachte, wo sie im 18. Jahrhundert zu einer späten, aber hohen Blüte gelangte, als sich gegen sie in den romanischen und insbesondere den protestantischen Ländern erste Kritik, ja Ablehnung regte. In Süddeutschland wurde sie so populär, daß kaum eine Dorfkirche ohne Deckengemälde (und ohne entsprechendes Altarbild) blieb und kaum eine Hausfassade ohne Wandschmuck, der als farbige Zier zugleich die zu teure Architektur ersetzte – erhalten hat er sich nur dort, wo weit ausladende Dächer den Regen abhielten, in Oberbayern und Tirol. Die ›Lüftlmalerei‹ hielt viele Künstler in Arbeit und Ansehen, und die Maler zogen hohes Selbstbewußtsein aus ihrer Kunst – sie empfanden sich als unentbehrlich und genossen ihre Behandlung als ›virtuosi‹.

Man meint oft, bereits alles gesagt zu haben, wenn man ihren ›Illusionismus‹ hervorhebt. In der Regel ist das eine zu moderne Sicht, die sich darauf beschränkt zu bestaunen, wie der gemalte Himmel die Gewölbe öffnet und sich der Raum ins Unendliche zu weiten scheint, und die die Virtuosität in der Gruppierung sowie in der Verkürzung bewundert. Die Zeitgenossen benutzen den Begriff der ›Täuschung‹ eher bei Trompe-l'œil-Gemälden, also jenen fotografisch genau erscheinenden Darstellungen von Stilleben, Scheinfenstern usw. Wie beim Theater können und sollen zwar von der Malerei Sinne und Herz ergriffen, nicht aber der Verstand getäuscht werden. Vielmehr soll das Nachdenken über ›Schein und Sein‹, Abbild und Wirklichkeit, Diesseits und Jenseits usw. in Gang gesetzt werden. Deckenmalerei ist eine Kunst der universalistischen Thematik. Allein schon die Mühe, die aufzuwenden ist, um das reichhaltige Programm und alle in ihm enthaltenen Aspekte zu entziffern, läßt Illusion nicht zustandekommen. Eine nähere Betrachtung der verschiedenen Deckenbilder zeigt denn auch, daß es sich keineswegs immer um gemalte Himmel handelt, sondern ebensooft um Paradiesgärten, Bilder der vier Kontinente, große Historienbilder und -zyklen, jedenfalls aber immer um Bilder mit

50. Andrea Pozzo SJ (1642–1709), Der ***Triumph des Herkules,*** *Deckenfresko im Marmorsaal des Gartenpalais Liechtenstein in Wien, 1704–1708*

Pozzo hat auch an der architektonischen Ausstattung des Palais mitgearbeitet. In der Mitte des Deckenbildes ist dargestellt, wie Herkules im Olymp willkommen geheißen wird, darunter die Taten des Heroen. Herkules war der Tugendheld schlechthin, der nicht den bequemen, gefälligen Weg der Lust und Muße, sondern den mühsamen, steinigen Weg der Arbeit gegangen ist. Er war aber auch der Inbegriff des Alleinherrschers, und die Liechtenstein verstanden sich als autonome Fürsten. Die Deckenarchitektur ist so geschickt angeordnet, daß sie dem eckigen Saal eine abgerundete Erscheinung gibt.

ausgreifendem thematischem Anspruch. Ziel ist jedoch nie allein die Belehrung über die Ausbreitung des Wissens, sondern immer auch die Bewegung der Betrachtenden, sondern vielmehr die Überredung, und wie die Rhetorik (und zum Teil in Anlehnung an deren Prinzipien) benutzt die Deckenmalerei gewisse Mittel, um die Betrachter zu gewinnen: Sie will die Herzen öffnen und sie anagogisch nach oben, zu Gott, führen.

Schon daß man meist verschiedene Standpunkte einnehmen bzw. darüber reflektieren muß, wie man das Gemälde am besten studiert, um es sich richtig zu erschließen, sollte vor schnellem Gebrauch des Begriffs ›Illusion‹ war-

52. Gottfried Eichler (1715–1771), Allegorie der Malerei, Kupferstich, aus Johann Georg Hertel: Des berühmten italienischen Ritters Caesaris Ripae, allerley Künste und Wissenschaften dienlicher Sinnbilder und Gedanken, Augsburg, 1732

Diese modernisierte Ausgabe eines wichtigen allegorischen Handbuches der italienischen Renaissance ist ein Zeugnis für das Bemühen damaliger Künstler Süddeutschlands, an das kunsttheoretische Niveau der älteren ausländischen Künstler anzuknüpfen. Zugleich versteht es sich aber auch als ein Musterbuch der Ornamentik und Architekturstaffage. Die Malerei trägt eine Mundbinde, weil sie eine ›stumme Poesie‹ ist; über ihr ein Selbstbildnis des Entwerfers, im Hintergrund ›Die Verbesserung eines Bildes des Protogenes durch Apelles‹. Das Blatt ist eine kurzgefaßte Theorie der Malerei

53. Franz Anton Maulbertsch (1724–1796), Selbstbildnis, Öl auf Leinwand, 119 x 93 cm, Wien, um 1767, Wien, Österreichisches Barockmuseum im Belvedere

Der wie viele Künstler damals aus dem Schwäbischen nach Wien zugewanderte Künstler und Trogerschüler hat sich als Zeichner dargestellt und verweist auf sein jugendliches Selbstbildnis als Bild im Bilde (und als Erinnerung an die Vergänglichkeit des Lebens). Im Blick auf die verschiedenen Kunst-Bilder in Hertels Iconologia (Abb. 52) spielt das Zeichnen auf die Devise des Apelles »nulla dies sine linea« an, der rötliche Feuerschein hinter seinem Kopf auf den Geist, die Kordeln und der Vorhang vor dem Gemälde auf den hohen Rang der Kunst. Die allegorischen ›scharfsinnigen Anspielungen‹ tragen zur Belebung der subtil durchgeformten, farbintensiven Selbstdarstellung bei.

nen. Die Fresken stufen die Wirklichkeitsebenen (und die Stillagen) genau. So gibt es z.B. in der Regel oberhalb der Arkaden eine Übergangszone zu den Gewölben, die meist stukkiert und häufig mit Einsatzbildern durchsetzt ist, deren untergeordneter Charakter gerne dadurch verdeutlicht wird, daß sie als Grisaillen gemalt sind, was keineswegs immer als Vortäuschung von Skulptur zu verstehen ist. Darauf folgt fast immer eine gemalte architektonische Übergangszone, die von Spezialisten, den sogenannten Quadraturmalern, ausgeführt wurde. Erst darüber öffnet sich der Himmel, der durch die Wolken in verschiedene Zonen gestuft ist. Oftmals werden einzelne Bildfelder ausgeschieden, überhaupt der Bildcharakter durch markante Rahmung betont. Man übersieht im übrigen leicht den zyklisch-erzählenden Charakter vieler Bildfolgen, ebenso die Verwendung von Seitenfeldern als Kommentarbilder. Langhaus, Querhaus und Sanktuarium dienen unterschiedlichen Zwecken und zeigen entsprechend verschiedene Programme. Ähnliches gilt von den Gewölben; nicht jedes dient der Glorifizierung wie die Kuppeln.

Kein künstlerisches Medium konnte so gut wie die Wandmalerei die damals dekretierte,

*54. **Paul Troger (1698–1762), Esel und Hund unter antiken Ruinen (Capriccio),** Radierung, 21 x 12 cm, Wien, Graphische Sammlung Albertina*
Italienische Künstler hatten den Bildtypus des Capriccio erfunden, bei dem es nur um ein Spiel mit Einfällen des Malers ging, kombinierbar mit Naturstudien, ohne besondere thematische Ansprüche. Die Gattung hatte eine wichtige Funktion im Übergang zum autonomen, modernen Bild. Troger kombiniert hier eine Vase nach Fischer von Erlach mit antiken Elementen, alle miteinander im Verfall begriffen. Dazu kommt ein nach der Natur beobachteter, etwas melancholisch erscheinender Esel. Es steht dem Betrachter frei, zwischen diesen Elementen Assoziationen zu knüpfen.

wenn auch gewiß nicht überall geteilte Grundüberzeugung der Harmonie der Wissenschaften mit der Theologie darstellen und – indem sie dies alles an die Decke brachte – sinnfällig die kosmische Einheit beider und ihren gemeinsamen göttlichen Ursprung behaupten. *(Abb. 50)* Dabei berief man sich auf so alte Autoritäten wie den scholastischen Kirchenlehrer Thomas von Aquin (1225–1274), dessen Doktrin der offizielle Lehrstoff aller katholischen Theologen war (und ist): »Wie die heilige Lehre auf dem Licht des Glaubens, so fußt die Philosophie auf dem natürlichen Lichte der Vernunft. Und deshalb ist es unmöglich, daß dasjenige, was zur Philosophie gehört, dem, was zum Glauben gehört, entgegen ist.« Zwar war damals bereits dieser Grundgedanke von kritischen Geistern in Frage gestellt worden. Aber die Ideen von der überirdischen Begründung alles Irdischen sowie der Wahrheit der Offenbarung galten noch. Auch war ja die kopernikanische Umwälzung des geozentrischen Weltsystems noch keineswegs Allgemeingut. Wer aber konnte sich leichter von der Naturwirklichkeit zur höheren, lichten Erscheinung des Überirdischen erheben als die Malerei? Wer leichter das Gottgegebene der fürstlichen Herrschaft suggerieren? Deshalb wurde Weltliches und Sakrales nicht getrennt, so ideologisch dies heute erscheint. Die theologisch-allegorische Deutung erlaubte, die Erscheinung des Phöbus-Apollo oder des Herkules ähnlich einer mystischen Vision als verklärendes Gedankenbild zu gestalten oder die Apotheose eines Fürsten mit denselben Mitteln wie die Aufnahme Mariens in den Himmel; schließlich war alles Teil des ›theatrum mundi‹.

Diese Schaubilder sind bei aller emotionalen Wirkung gedanklich befrachtet und dies nicht nur durch die gelehrten Konzeptentwerfer. Auch die Künstler kannten die ›Iconologia‹ des Cesare Ripa, *(Abb. 52)* die Emblembücher oder den ›Mundus symbolicus‹ von Piccinelli. Trogers Konkurrent Daniel Gran *(Abb. 27)* hat selbst Programme verfaßt und Trogers großer Schüler, Franz Anton Maulbertsch, *(Abb. 53)* Erklärungen eigener Deckenbilderfindungen drucken lassen. Die alten Beschreibungen behandeln deshalb eher Thema und geistigen Gehalt der Werke und begnügen sich mit allgemeinen Äußerungen über die künstlerische Qualität. Aber Deckengemälde haben fast immer in ihrer thematischen Auswahl und bildnerischen Gestaltung einen anagogischen (emporführenden) Zug, wobei das eine Werk mehr einer damaligen Festpredigt vergleichbar ist, das andere mehr einem triumphalen Schlußchor einer musikalischen Messe. Das Düstere, Mitleiderregende als Thema der Malerei war auf die Andachtsbilder und Altargemälde konzentriert. *(Abb. 48)* Bilder dieser Art durchdringen das so harmonisch orchestriert erscheinende Konzert der Künste mit einem schrillen Ton, ähnlich dem Pestkreuz von St. Maria im Kapitol in Köln als ›Störung‹ der Kölner Einheitsgotik. *(Abb. III/7)*

Die Verächter der Barockmalerei unterstellen ihr, sie sei oberflächlich. Nun hat zwar ein Maler wie Troger erstaunlich viel und auch schnell gemalt, aber bis zur Erringung dieser Virtuosität bedurfte es langer Lehr- und Anlaufjahre sowie gründlicher theoretischer und praktischer Studien. Erst mit seinem 30. Lebensjahr ist er als Freskant tätig geworden. Auch steckte er beträchtliche Summen in seine Stichsammlung, die über 10.000 Blatt umfaßte, und zeichnete sehr viel. Diese Zeit hat in der Tat das Motto »Kein Tag

ohne Zeichnung« (nulla dies sine linea) besonders ernst genommen. *(Abb. V/8)*. Gerade Zeichnungen, Graphiken und Nebenarbeiten dieser Maler zeigen, wozu sie fähig waren und daß ihr Horizont weit über ihren engeren Aufgaben- und Tätigkeitsbereich hinausreichte. *(Abb. 54)*

Die letzte Stufe vor dem Beginn der Arbeit war der in Öl skizzierte Bozzetto. Heute werden diese mit lockerem Pinsel geschaffenen Vorstudien besonders hoch geschätzt. Einige sind dadurch doppelt wertvoll, daß die nach ihnen ausgeführten Fresken zerstört sind wie die Johann Evangelist

Holzers in Münsterschwarzach. *(Abb. 55)* Der Entwurf läßt ahnen, was für eine eindringliche künstlerische Leistung die *Glorie des Benediktinerordens und seiner Heiligen* gewesen ist: Die Lichtwirkung der Kuppel und des Raumes war ebenso zu beachten wie der Standpunkt des Betrachters und die Stellung der Kuppel im Kirchenraum. Die sphärische Krümmung war planimetrisch zu bewältigen. Die hierarchische Stufung und der Aufstieg nach oben war darzustellen wie die Aufteilung nach Ständen, Rängen und Geschlechtern. Der abwechslungsreiche Umgang mit Licht und Farbe verrät nur indirekt, was Holzer bei Rembrandt, Rubens und den Italienern gelernt hat. Das Bild ist voller Einfälle und Gedanken, die lange Studien und Vorbereitungen voraussetzen. Aber den Idealen und Wünschen des Zeitalters folgend wirkt es leicht und voller Grazie. Wer als großer Künstler zu gelten wünschte, mußte Virtuose sein, d.h. formvollendet, schnell und mühelos im Bewältigen von Schwierigkeiten, und doch auch originell und tief in Gedanken und Erfindungen. Dennoch ist nicht zu übersehen, daß man bei einem ganz großen und anspruchsvollen Auftrag, wie der Ausmalung von Treppenhaus und Kaisersaal der Würzburger Residenz sich doch einen italienischen Meister holte, den Venezianer Giovanni Battista Tiepolo. *(Abb. 72 u. 73)*

Die südmitteleuropäische Klosterkunst

Mit dem späten 17. Jahrhundert setzte in Westeuropa die vielfältige Bewegung der Aufklärung ein. Sie führte allmählich zu Entkonfessionalisierung, Skeptizismus und schließlich zur Gleichgültigkeit gegen die Religion. Dies wirkte sich bald im Kirchenbau aus, der in manchen Ländern, selbst in Italien, fast zum Erliegen kam. Das nördliche Deutschland war mit einigen Köpfen führend an diesem Prozeß beteiligt, darunter auch Herrscher wie August der Starke und mehr noch Friedrich der Große. Auch in Süddeutschland verschloß man sich der Aufklärung keineswegs, nicht einmal in kirchlichen Kreisen. Doch blieb die Gesellschaft in der Regel kirchlich-fromm. Ja, zur selben Zeit breitete sich eine Erweckungsbewegung religiöser Verinnerlichung, der Pietismus, aus. Wenn man nicht die Intensivierung des Wallfahrens anführen möchte, gibt es nichts Gleichartiges im Katholizismus, wohl aber bemerken wir eine vom Volk getragene, bis über die Mitte des 18. Jahrhunderts anhaltende Begeisterung für die Errichtung und Ausstattung immer größerer und schönerer Kirchen sowie großen Ernst in der Wahl und der Darstellung religiöser Themen. Dies ist die letzte und die größte Welle des Kirchenbaus. Zu gleicher Zeit wuchs in beiden Konfessionen die Leidenschaft für geistliche (und weltliche) Musik, die bis ins 19. Jahrhundert andauerte und das schöpferischste Zeitalter der Musikgeschichte einleitete.

Hauptträger dieser Kunstbewegung sind die Klöster, von denen die Benediktiner als ältester Orden die Führung innehatten. Ihr Zusammenschluß zu Kongregationen mit einer gemeinsamen Universität in Salzburg *(Abb. 30 u. 31)* trug zur inneren und äußeren Erneuerung der alten Konvente bei. Die Vertiefung von Bildung und Frömmigkeit erhöhte die Anziehungskraft für einsatzfreudige und tüchtige junge Männer. Das Adelsprivileg war fast überall aufgegeben worden, deshalb strömten vor allem Bürgerssöhne in die Klöster. Sie wußten am besten zu wirtschaften und waren die strebsamsten Gelehrten. Die großen Äbte und Bauherren des 18. Jahrhunderts sind Söhne von städtischen Notabeln und Handwerkern. Sie konnten in einer Gesellschaft, die dem Dritten Stand so gut wie keine Rechte und Entfaltungsmöglichkeiten einräumte, über die Klosterlaufbahn Macht und Einfluß gewinnen. Man kann jedoch nicht von einem ausgesprochenen Gegensatz zu den Fürstenhöfen oder der hohen, immer adligen Geistlichkeit sprechen, wohl aber von einer zunehmenden Trennung der Gesellschaftsschichten.

Der allgemeine Aufschwung seit etwa 1690 und insbesondere die Expansion des Habsburgerreiches nach der Abwendung der Türkengefahr brachten andere Voraussetzungen für eine das ganze katholische Südmitteleuropa ergreifende Baubewegung, der sich so gut wie kein Kloster entzog. Sie führte zur Erneuerung auch fast aller Propstei-, Filial- und Dorfkirchen, wofür oft die größten Baumeister und Ausstattungskünstler herangezogen wurden.

linke Seite:
55. Johann Evangelist Holzer (1709–1740), Die Glorie des Benediktinerordens und seiner Heiligen, *Entwurf für die 1821–1827 zerstörte Fresko-Ausmalung der Kuppel der Benediktiner-Klosterkirche Münsterschwarzach am Main, Öl auf Leinwand, 89 x 110 cm, 1737, Augsburg, Deutsche Barockgalerie*

Die gedruckte Predigt zur Kirchweihe der Basilika erläutert das Thema und diente auch späteren Generationen als Leitfaden zum Verständnis. Die Gründer der beiden Zweige des Ordens, Benedikt und Scholastika, führen die Heiligen des Ordens zur Dreiergruppe von Gottvater, Christus und Maria. Dargestellt sind außerdem die Wohltäter des Ordens, so das hl. Kaiserpaar Heinrich II. und Kunigunde (Abb. 1/42). Der früh verstorbene, hochbegabte Künstler hat insbesondere die Kunst von Rubens und Rembrandt auf freie Weise verarbeitet. Seine Erfindung wurde vielfach variiert.

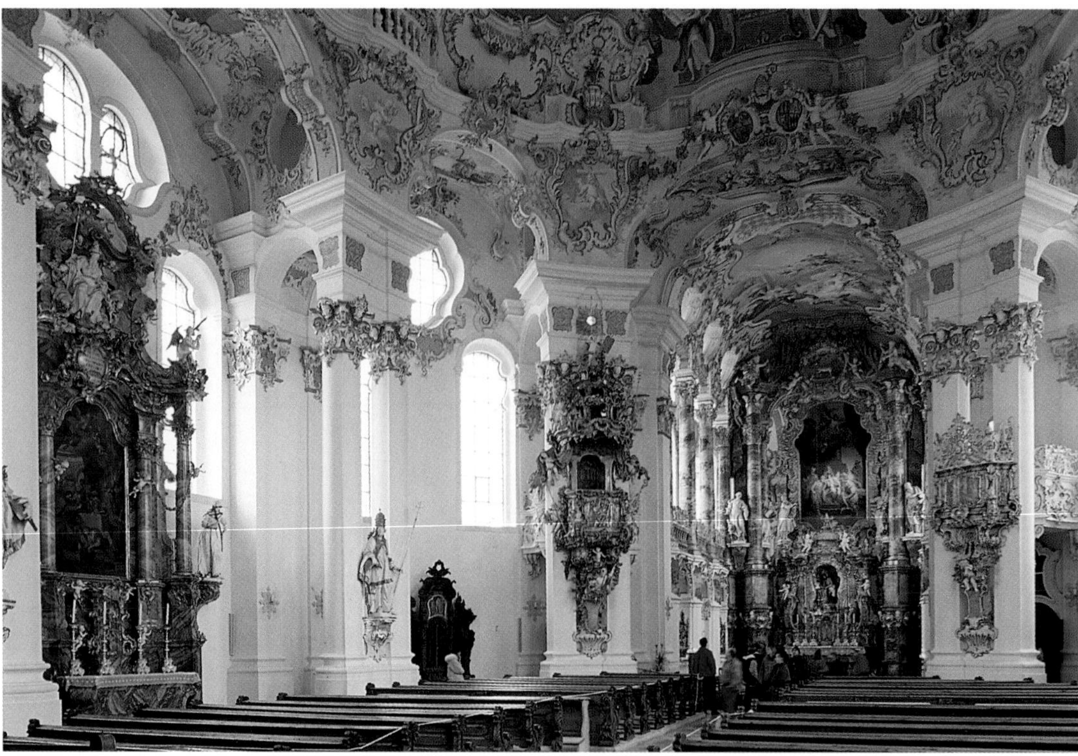

56. ***Wies bei Steingaden, Wallfahrtskirche zum Gegeißelten Heiland,*** *Inneres, Entwurf und Stuck Dominikus Zimmermann (1685–1766), 1743–1754, Fresken der Passionsinstrumente und des Jüngsten Gerichts von Johann Baptist Zimmermann (1680–1758), um 1748–um 1754, Ausstattung bis um 1765*

Die Wallfahrtskirche zum skulptierten Gnadenbild des gegeißelten Christus, einer Skulptur von eher volkstümlicher Qualität, entstand nach einem Tränenwunder 1738. Bauherr war das Prämonstratenserstift Steingaden. Zimmermann, der sich für diesen Kirchenbau und seine Ausstattung persönlich besonders engagierte, ist einer der bedeutenden Stuckatorenarchitekten Oberbayerns. Durch die Doppelung seiner Tätigkeit als Baumeister und Stuckator und das Zusammenwirken mit seinem Bruder entstand ein Bau von besonderer Geschlossenheit.

Die folgende Epoche hat dies als verschwenderisch abgetan. Der 1802 bei der Säkularisation (Enteignung der Kirche zugunsten des Staates) der Klöster Bayerns zuständige Freiherr von Aretin äußerte sich empört darüber, welche Schuldenlast sich das Prämonstratenserkloster Steingaden aufgebürdet habe, um die Wallfahrtskirche zum Heiland in der Wies, heute als Wieskirche berühmt, zu errichten. *(Abb. 56)* Es gab zwar bei derartigen Bauvorhaben wirtschaftliche Hintergedanken, weil Wallfahrten einträglich waren. Aber als man den Abriß des ›überflüssigen Baus‹ in Angriff nehmen wollte, regte sich heftiger Widerstand der ›Ausgebeuteten‹ – die bayerische Regierung hatte schließlich ein Einsehen. Die Prämonstratenser hatten den Neubau der Wallfahrtskirche als Teil

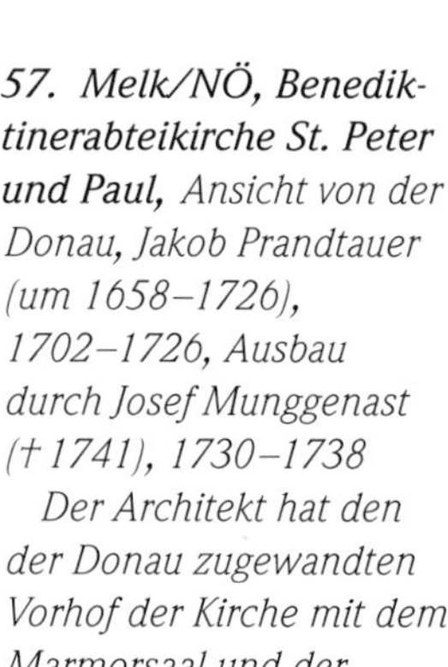

57. ***Melk/NÖ, Benediktinerabteikirche St. Peter und Paul,*** *Ansicht von der Donau, Jakob Prandtauer (um 1658–1726), 1702–1726, Ausbau durch Josef Munggenast (†1741), 1730–1738*

Der Architekt hat den der Donau zugewandten Vorhof der Kirche mit dem Marmorsaal und der Bibliothek seitlich flankiert. Die Anlage gehört vom Typus her der Schloßarchitektur an; man könnte von einer ›cour d'honneur‹ sprechen. Er hat die Gesamtanlage auf Fernwirkung, die Kirchenfassade eher für die Innenhofwirkung berechnet.

58. St. Gallen/CH, ***Benediktiner-Kloster,*** *Peter Thumb der Ältere (1681–1766) und der Jüngere, 1758–1759, Deckengemälde mit der Verherrlichung der Orthodoxie von Josef Wannenmacher (1722–1780), 1762–1763, die Stukkaturen und Holzarbeiten von verschiedenen Klosterbrüdern*

Die Bibliothek ist eine der zentralen Bau- und Ausstattungsaufgaben in den Klöstern dieser Zeit. Dahinter steht nicht nur der Optimismus hinsichtlich der Vereinbarkeit von Glauben und Wissen, Theologie und Wissenschaften, sondern auch gelehrter Ehrgeiz und die Tatsache, daß sich fast jedes Kloster eine höhere Schule zugelegt hatte. Manche Klöster kann man in der Blütezeit ihrer wissenschaftlichen Bestrebungen als kleine Universitäten bezeichnen; doch wurde immer großer Wert auf die architektonische und bildnerische Gestaltung der gelehrten Stätten gelegt, da man (zu Recht) von der auf den Geist wohltuenden Wirkung derartiger Räume überzeugt war.

ihrer Mission als Seelsorgeorden betrieben. Dafür hatten sie sich Dominikus Zimmermann als Baumeister augewählt, der zu den populären Stukkatoren-Architekten zu zählen ist. Ausgehend von der Kunst des Francesco Borromini hatte er ebenso wie die ihm verwandten Brüder Asam die Grenzen zwischen Architektur und Zierrat verschliffen und sämtliche Bauglieder der leichten Formbarkeit des Materials Stuck unterworfen. Um das architektonische Regelwerk kümmerten sich diese Künstler weniger. Ergebnis ist eine effektvolle, geschickt mit dem Licht umgehende Bauweise, die sich weniger an Adressaten mit tieferem architektonischen Verständnis richtet, sondern vor allem starke emotionale Wirkung anstrebt. Was der Architektur an Feinheit der Komposition fehlt, wird jedoch durch Erfindungskraft und Fülle im Zierrat wettgemacht. Diese Bauweise steht der Theaterdekoration sehr nah.

Wir kennen heute besser die Beweggründe für die klösterliche Baulust. Prägend war die mentale Struktur der Äbte: Aufgrund ihres Status im Heiligen Römischen Reich waren sie zuweilen kleine Reichsfürsten, wie in Ottobeuren, in jedem Fall in der damaligen Gesellschaft hohe Herren. Die durch ihre Herkunft geprägte Denkungsart ließ sie in ihrer persönlichen Lebensführung meist bescheiden und korrekt sein. Sie wußten zu wirtschaften, waren aber ehrgeizig und im Sinne der Zeit darauf bedacht, Rang, Anspruch und Geschichte ihres Stiftes nach außen darzustellen. So sehr die Ausstattung des Gotteshauses im Mittelpunkt stand, es mußte auch eine angemessene Fassade haben. *(Abb. 57)* Von ihrer staatlichen Stellung her waren die großen Abteien berechtigt, ihre Konventsgebäude Schloßbauten anzunähern. Aber an diesen ›Schlössern‹ hatte das Volk einen größeren Anteil als an denen des Adels.

Soweit die Klöster reichsunmittelbar waren (oder zu sein beanspruchten), errichteten sie als Hauptsaal einen ›Kaisersaal‹, der für den Empfang des Kaisers als passend gelten konnte und zugleich ihren politischen Ansprüchen Ausdruck gab. Somit lag es nahe, imperiale Formen und Motive zu zitieren. Dem mußten selbstverständlich auch das Treppenhaus und die anschließenden Räume entsprechen. Alles wurde aufs genaueste durchdacht und dann mittels Stuck und anderer Ausstattung abgestuft, bis hin zu karger Einfachheit in den Mönchszellen und Wirtschaftsräumen. Prächtig war jedoch immer die Abtswohnung, da auch sie im Prinzip der Repräsentation diente. Dritter Schwerpunkt der Raum- und Ausstattungskunst war die Bibliothek, *(Abb. 58)* der sich zuweilen noch eine Klostergalerie und andere Sammlungsräume anschlossen. Doch nicht nur dort bekamen die Kunstschreiner viel zu tun. Die Mönche wären nicht Männer des 18. Jahrhunderts gewesen, wenn sie nicht auch auf die Erneuerung ihres Chorgestühls in den bequemen Formen und der Pracht ihres Zeitalters hingearbeitet hätten. *(Abb. 59)* Sakristeien und Archivräume, zuweilen auch die Refektorien (Speisesäle) erhielten Vertäfelung, kunstvolle Schränke, Türen, Tische und andere Herrlichkeiten damaliger Schreinerkunst.

Manche Konvente hielten sich ihren eigenen Baumeister, dazu Maler, Stukkatoren und Kunst-

__59. Ottobeuren, Benediktiner-Klosterkirche St. Theodor und Alexander,__ Chorgestühl, Skulpturen von Joseph Christian (1706–1777), Schreinerarbeiten von Martin Hörmann (1688–1782), 1754–1766

Das äußerst prächtige Gestühl mit vergoldeten Holzreliefs in den Rückwänden ist repräsentativ und bequem zugleich. Dargestellt sind alttestamentliche Szenen und solche des hl. Benedikt. Auf dem Chorgestühl zwei Chororgeln zur Begleitung des Antiphonengesangs.

rechte Seite:

__60. Egid Quirin Asam (1692–1750) und Gehilfen, Altaranlage mit Darstellung der Aufnahme Mariens in den Himmel,__ Stuck, weiß gefaßt und teilvergoldet, 1723 vollendet, Rohr, Augustinerchorherrenkirche Mariä Himmelfahrt

Die Altarbühne ist ca. 3 m über das Kirchenbodenniveau angehoben. Auch kommt der Betrachter wegen des Chorgestühls nicht in die Nähe der Gruppe. Das Ganze ist nicht einfach Theaterszene, sondern bleibt Altar-›Bild‹. Die je drei Stuckmarmorsäulen zu Seiten der Szene verleugnen ihre Herkunft aus der Altarbautradition nicht, die Bildrahmung ist geblieben, nur daß sie von einer Art Ehrentuch ausgefüllt wird.
Auch sind die Figuren ja eigentlich weiß und nur teilvergoldet. Die Apostel, von der geheimnisvollen Entrückung Mariens in den Himmel überrascht, reagieren auf je unterschiedliche Weise, während Maria schon entzückt in den offenen Himmel sieht. Das Urbild dieser Komposition ist Tizians Bild in der Frarikirche in Venedig.

GLORIA PATRI
ET FILIO

61a. Wahlstatt/Legnickie Pole/Schlesien/PL, Benediktinerabtei- und Wallfahrtskirche Hl. Kreuz, Inneres, Kilian Ignaz Dientzenhofer (1690–1751), Wenzel Lorenz Rainer (1689-1743), 1727–1731, Fresko von Cosmas Damian Asam (1696–1739), 1733

Die hl. Hedwig stiftete an der ›Wahlstatt‹, wo 1241 ihr Sohn Heinrich in der Entscheidungsschlacht gegen die Mongolen gefallen war, ein dem Hl. Kreuz geweihtes Kloster. Die Benediktiner Böhmens erwarben den nach der Reformation in Verfall geratenen Ort und errichteten eine neue stattliche Anlage, die für den Austausch der gesellschaftlichen und künstlerischen Kräfte im südlichen Mitteleuropa bezeichnend ist. Schlesien war als einses der böhmischen Länder Teil des Habsburgerreichs. Deshalb erhielt Kilian Ignaz, der bedeutendste Baumeister des böhmischen Zweigs der Sippe der Dientzenhofer, den Bauauftrag. Er entwickelte den Hauptraum aus dem Sechseck. Die böhmischen Mönche standen aber auch in enger Beziehung zu den bayerischen und österreichischen Klöstern, weshalb der Auftrag zum Deckengemälde an Cosmas Damian Asam fiel. Hauptthema des Freskos ist die Auffindung des Hl. Kreuzes durch die hl. Helena. Es wird begleitet durch Personifikationen, habsburgische Kaiser, Szenen aus der Ordensgeschichte zum Teil in Grisaille.

61 b. Wahlstatt/Legnickie Pole/Schlesien/PL, Benediktinerabtei- und Wallfahrtskirche Hl. Kreuz, Fassade

Die weithin sichtbare Fassade ist nach römischen, teilweise auch österreichischen Vorbildern gestaltet. Die Turmhauben sind mit je einer Herzogskrone bekrönt.

schreiner, und sie gaben ihnen oft mehr Spielraum als die Höfe. Viele Künstler haben ihre Karriere durch die Klöster gemacht: Willmann wurde bereits genannt. *(Abb. 46)* Paul Troger hieß der ›Liebling der Prälaten‹; *(Abb. 48 u. 51)* die Münchner Brüder Asam waren Söhne des Tegernseer Klostermalers Hans Georg Asam und erhielten über den Konvent ihre ersten Impulse. Klosteraufträge waren ihre Lebensgrundlage, da sie vom Hof nicht berücksichtigt wurden. Die Ordensbeziehungen brachten sie in die Oberpfalz oder nach Wahlstatt in Schlesien. *(Abb. 60, 61a u. b)* Ähnlich könnte man den Münchner Baumeister Johann Michael Fischer posthum zum Ordensbaumeister der Benediktiner Bayerns und Schwabens ernennen. *(Abb. 62)* Die Dientzenhofer bauten bevorzugt für die Stifte Böhmens und Frankens, Johann Santin Aichel vor allem für die Zisterzienser Böhmens. *(Abb. 4)* Schließlich waren auch die Jesuiten mehr oder weniger gezwungen, in diesem Wettbewerb mitzuhalten; bei dem glänzenden Neubau der Nikolauskirche auf der Prager Kleinseite waren jedoch auch adlige Interessen im Spiel. Besonders die gegenreformatorischen Priesterorden der Theatiner oder Paulaner konnten nicht ohne ansprechende Bauten auskommen.

Zwar gibt es gewisse regionale Gruppen, in Niederösterreich, Böhmen, Oberbayern oder im Bodenseeraum; aber Klosterkunst ist selten provinziell: Man wußte Bescheid über die guten Künstler im ganzen Land, stand im Wettbewerb miteinander und pflegte sich doch auch auszutauschen. Das verhinderte Uniformität und bot große Chancen für die Künstler in den süddeutschen Städten, so die Augsburger Akademiemaler und Goldschmiede.

Kunst für Mönche ist thematisch anspruchsvoll. Diese waren oft hochgebildet und sahen sich selbst als die ersten Adressaten ihrer Werke. Schon von daher mußten sie zum alten humanistischen Lehrsatz ›Ut pictura poesis, ut poesis pictura‹ neigen und die in vielen gelehrten Anspielungen sich ergehenden Sinnbild-Traditionen hochhalten. *(Abb. 51)* Sie besaßen die ikonologischen Bücher wie die Architekturtraktate und waren wohlunterrichtete Auftraggeber. Es gibt viele von dilettierenden Patres errichtete Bauten. Im Grunde aber hatte man in der Regel zu hohe Ansprüche und auch Ehrfurcht vor wahrer Meisterschaft, um sich derartig zu überheben. Doch sind die Einwirkungen von seiten der Mönche beträchtlich: Ihr Traditionsbewußtsein etwa ließ sie eher als andere damals auch mittelalterliche Kunst schätzen. In der Klosterkunst wird der synthetisierende, alles bedeutsame ältere zusammenfassende Charakter des damaligen Kunstschaffens deshalb besonders deutlich: Die in der Gotik zur Meisterschaft gebrachte Turmbaukunst findet ein Echo erst in den Türmen der Ordenskirchen des 18. Jahrhunderts. *(Abb. 57)* Einige besonders verbreitete Raumtypen wie die Wandpfeilerhalle, zeigen den Anschluß an Mittelalterliches, ohne dies in der Einzelform zu verraten. Besonders folgenreich wurde der Wille der böhmischen Barockprälaten, nach den großen Zäsuren des Hussitis-

62. Ottobeuren, Benediktiner-Klosterkirche St. Theodor und Alexander, *Inneres, Johann Michael Fischer (um 1691–1766), 1737–1756, Stuck 1757–1764 von Johann Michael Feichtmayr (um 1709–1772), Kuppelfresken 1757 ff. von Johann Jakob Zeiller (1708–1783) und Gehilfen, Skulpturen von Joseph Christian (1706–1777)*

Die einfach erscheinende Kirche, deren Planung gleichwohl Jahrzehnte gedauert hat, nimmt wesentliche Bauideen von Fischer von Erlachs Kollegienkirche in Salzburg auf, (Abb. 31) steigert sie aber durch die Kuppeln. Die Höhe und Weite des Raumes gipfelt in der Mittelkuppel mit der Darstellung des Pfingstwunders und der Verehrung der Kirche durch die vier Kontinente von dem Trogerschüler Zeiller.

63. Ignaz Günther (1725–1775) nach Paul Egell (1691–1751), Johannes der Täufer in der Wüste, Bozzetto, Lindenholz, 17 cm, 1751, München, Bayerisches Nationalmuseum

Von einem akademischen Standpunkt könnte man die ›heroische Nacktheit‹ des Figürchens hervorheben, von der religiösen Bildtradition her fällt eher die Leidenschaftlichkeit und Ergriffenheit auf, die den ganzen Körper bis zum letzten Muskel erfaßt hat. Johannes der Täufer wird zum Visionär, zum Propheten des Kreuzes. Das sehr locker geführte Schnitzmesser löst die Oberfläche in eine Folge konkaver Formen auf. Günther hat persönlich auf der Rückseite vermerkt, daß er das Relief in Mannheim nach Egell kopiert hat – die Vorlage ist verloren.

mus und des Dreißigjährigen Krieges wieder an die Goldene Zeit des Mittelalters anzuknüpfen, *(Abb. 4)* repräsentiert durch die Bauten von Peter Parler und Benedikt Ried: *(Abb. III/44 und IV/50)* Dies war ein Auslöser für die Entfaltung der außerordentlichen Wölb- und Raumkunst, vor allem auch der Lichtgestaltung durch die Dientzenhofer und ihre Nachfolger. Davon hat dann wiederum die Schloßbaukunst profitiert, wie Balthasar Neumanns Würzburger Residenzräume zeigen.

Die Patres sind mit ihrem Erbe oft sachkundig und einfühlsam umgegangen, haben es aber auch umgestaltet. Gerade die Benediktinerklöster hatten aufgrund ganz anderer historischer Bedingungen auffällige Standorte, so auf unzugänglichen Bergnasen wie Melk *(Abb. 57)* oder Banz, oder leicht zu verteidigenden Uferplätzen wie Weltenburg. Das barocke Bauverständnis strebte nach einer Gestaltung des gesamten Umfeldes von Bauten, der Vorplätze, flankierenden Höfe, ja der umgebenden Landschaft. In diesem Sinne hat manches mittelalterliche Kloster seinen alten Ort auf ganz neue Weise präsentiert und dabei städtebaulich wie landschaftsplanerisch Erstaunliches geleistet. Die mit großer Mühe angelegten und gepflegten Klostergärten oder Weinberge rundeten diese Neuinszenierung des Alten auf feine Weise ab.

Auf Reisen im südmitteleuropäischen Raum kann man heute noch schön nachvollziehen, welche Bedeutung die Ordenshäuser für die Bildung und kulturelle Befruchtung des bäuerlichen Landes gehabt haben – und was mit der Säkularisation verlorenging. Im niederbayerischen Rohr haben die Augustinerchorherren, bei großem Einsatz in der ländlichen Seelsorge, aber auch in der Schulbildung, ihre alte romanische Basilika um- und neubauen lassen, dabei aber viel von der alten herben Schlichtheit bewahrt. Um so mehr Aufwand betrieben sie für die Altarzone: Hinter dem Chorgestühl, das wie der Orchestergraben im Theater erscheint, hat Egid Quirin Asam in überlebensgroßen Stuckfiguren die Aufnahme Mariens in den Himmel als eine immerwährende Schlußapotheose gestaltet. *(Abb. 60)* Die Anregung zu einer solchen theatermäßigen Inszenierung mit seitlicher Beleuchtung und goldgelben Fenstern als überstrahlendem Himmelslicht hatte sich der Künstler vor Berninis Kathedra Petri im Petersdom und ähnlichen Werken geholt. Aber er überbietet sein Vorbild im Grunde noch, indem er nicht nur einzelne Personen zusammenfaßt, sondern eine vielfigurige Historie ins Plastische umsetzt. Die Wirkung auf die Leute muß außerordentlich gewesen sein. Aber die Ordensleute haben damals auch mit großem Aufwand sämtliche ihnen unterstellten Dorfkirchen künstlerisch neu gestaltet. Und was die Himmelfahrtsgruppe im Großen, das bedeutete die Weihnachtskrippe neapolitanischer Art im Kleinen: es befriedigte das fromme Schaubedürfnis und wendete die Neugier ins Geistliche. Die Kirche wie die Kapelle wurden so zum Himmlischen Festsaal.

Ignaz Günther, der wie die Asam in München arbeitete, ist einer von vielen Künstlern, die, als aus den meisten hohen Herren schon längst aufgeklärte Skeptiker geworden waren, noch in der Jahrhundertmitte und darüber hinaus an ihren religiösen Überzeugungen und Vorlieben festhielten, welche ja auch die der Klöster und des Volkes waren. Doch während über die damaligen bayerischen Hofbildhauer Wilhelm und Karl de Groff und andere ihrer Art kaum mehr jemand ein Wort verliert, gilt Günther als einer der großen Meister seines Landes und Jahrhunderts. Er war aus der Sicht des Hofes unzeitgemäß; das ist nicht falsch, macht aber aus der Sicht der Kunstgeschichte einen Teil seiner Größe wie seiner Tragik aus. Mitten in einer offenkundigen Blütezeit der Kunst deutet sich die neue Epoche an, welche durch die Trennung des Künstlers von der Gesellschaft bestimmt wird. (vgl Kap. VII) Das zeigt gerade der Blick auf die kleinen, privaten Arbeiten: Der Bozzetto in Holz oder Ton, das skulpturale Gegenstück zur gemalten Skizze, hatte schon immer den Vorzug persönlicher Unmittelbarkeit für sich.

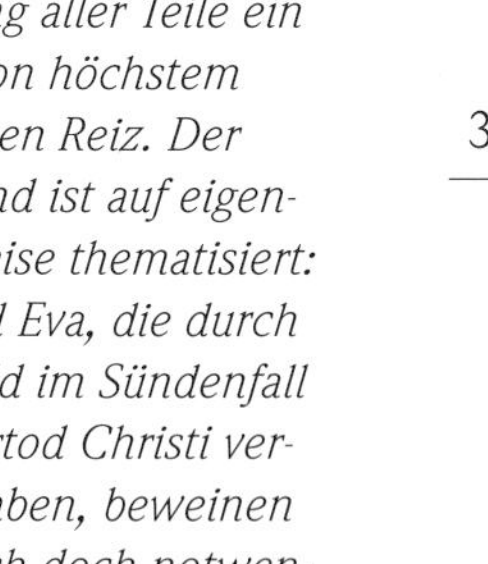

*64. **Paul Egell (1691–1751), Beweinung Christi,** Elfenbeinrelief im originalen Birnbaumholz-Rahmen, 26 x 17 cm, Mannheim, um 1730, Köln, Kunstgewerbe-museum*

Das Weiß des Elfenbein gibt im Zusammenklang mit dem ungefaßten Holzrahmen einen herben Farbklang, die Kostbarkeit des Materials in Verbindung mit der subtilen Ausführung aller Teile ein Gebilde von höchstem ästhetischen Reiz. Der Gegenstand ist auf eigenwillige Weise thematisiert: Adam und Eva, die durch ihre Schuld im Sündenfall den Opfertod Christi verursacht haben, beweinen den an sich doch notwendigen Tod. Das Kreuz ist an den ›Baum des Lebens‹ angelehnt, geradezu mit ihm vereinigt. Aus einer ›modernen‹ Sicht ist diese Historie anachronistisch: letztlich folgt sie mittelalterlichem, typologisch-figuralem Denken, das immer den Alten und den Neuen Adam ineins sieht und die Heilsereignisse immer im kosmologisch-heilsgeschichtlichen Kontext. (Abb. II/18) Der Rahmen zeigt in der unteren Kartusche einen Totenkopf mit Apfel, oben einen lächelnden Engel, seitlich symbolische Pflanzen

Bei Egell, Günther und einigen anderen aber bekommt man den Eindruck, daß sie manche Bozzetti eher für sich selbst gemacht haben als Entwürfe von Dingen, die sie gerne verwirklicht hätten, aber nicht konnten. Sie schlagen jedenfalls eine besondere, persönliche religiöse Note an; die Übertragbarkeit derartiger Erfindungen in ein monumentales Format und eine öffentliche Aufgabe ist kaum möglich. *(Abb. 63)*

Über sein Vorbild Egell *(Abb. 64)* ist Günther indirekt mit Permoser und letztlich Bernini verbunden *(Abb. 2, 16 u. 17)*, über seine Wiener Akademieausbildung mit Donner und der klassischen Tradition. Die Pietà, *(Abb. 65)* die Günther 1774 im Auftrag des Freiherrn von Rechberg für die Friedhofskapelle in Nenningen schuf, greift einen Bildtypus des 15. Jahrhunderts auf, bildet ihn aber im Blick auf die antike Achilles-Patroklus-Gruppe um, die Günther in Wien studiert hatte, und formt daraus etwas Neuartiges, Erschütterndes: Christus ist auch als Knieender gedacht, machtvoll in seiner Ohnmacht, ein Bild des Gottes, der Mensch geworden ist, um sich selbst zu opfern. Maria, deren Gewand aus lauter kleinen

65. Ignaz Günther (1725–1775), Pietà, *Lindenholz, gefaßt, 163 cm, 1774, Nenningen, Friedhofskapelle*

Die Betonung der Seitenwunde Christi und deren Nähe zum Herzen Mariä sind als Umsetzungen der frommen Andacht zum Herzen Jesu und Mariä zu verstehen. Christus liegt wie ein erschöpfter Herkules im Schoß der Mutter. Das Leiden hat seine körperliche Schönheit nicht zerstört. Die Fassung fällt durch ihre gebrochenen, melancholisch gestimmten Töne auf, das pastellene, fahle Rosa und das ins Graue gehende Blau.

konkaven Formen zusammengesetzt ist, die ihr etwas Fröstelndes geben, nimmt das Geschehen hin und nimmt sich selbst zurück, ist ganz Magd und stilles Vorbild der Betrachtenden und Betenden. Und doch verraten Details, wie der Gebrauch von antiken Sandalen und die Tendenz zur Einfachheit, etwa in der pyramidalen Umrißbildung, die Beschäftigung mit den modernen klassizistischen Kunstforderungen nach Orientierung an antiken Vorbildern und zu größerer Strenge. Günther erhebt sich weit über das zünftische Handwerk, aus dem er stammt, sein kunsthistorischer und künstlerischer Horizont ist erstaunlich. Seine Kunst ist zwar einer der Höhepunkte der Zeit, aber sie wird nicht weitergeführt – die Epoche nimmt mit ihr ein jähes Ende.

Kunst im Dienste der Familie Schönborn

Georg Dehio, ein eher nüchtern gestimmter Kunsthistoriker, ließ sich zu dem Superlativ hinreißen: »[...] die Familie Schönborn [hat] für die Baukunst mehr vollbracht als irgendein weltlicher Fürst der Zeit«. Es gibt kaum ein besseres Beispiel, um zu verdeutlichen, daß eine der wichtigsten Voraussetzungen für jede Blüte von Kunst Auftraggeber mit Kunstsinn sind. Lothar Franz *(Abb. 66)* hat es in seinem ›altteutschen‹ Humor so formuliert: »[...] wie köndten die künstler und andere handtwerksleuth, die doch Gott auf dieser welldt haben will, bestehen, wann er nicht zugleich narren werden ließe, die sie ernehren theten [...]«.

Da die aus dem Westerwald stammende Familie ursprünglich von geringem Adel war, mußte sie um den Aufstieg wie um den Erhalt ihrer Stellung kämpfen. Motor des Fortkommens war der Eintritt einiger Mitglieder in die geistliche Laufbahn. Diese Prälaten wiederum sorgten für das Wohlergehen der weltlichen Mitglieder, und diese dafür, daß sich die Familie fortpflanzte. Deshalb erhielten alle Schönbornsöhne dieselbe umfassende, recht harte Erziehung, die sie zugleich zu versierten Höflingen, gebildeten Juristen und gelehrten Theologen machen sollte. Schon in jungen Jahren wurden sie nach Frankreich, Holland und Italien geschickt und wurden so zu gebildeten, aufgeklärten Europäern. Die Position, die sie erreicht hatten, legte ihnen nahe, wie Fürsten und Könige zu bauen.

Die Kunst war ein Hauptmittel ihrer Selbstdarstellung. Aber die Familie war zu alt, um wie Neureiche ›zu dick aufzutragen‹. »Sie sind nicht von den gewöhnlichen Motiven fürstlicher Baukunst allein geleitet, wir gewahren bei ihnen eine echte, persönliche Teilnahme für die Kunst als solche.« (Dehio) Der »bauwurm(b)«, der »mahlereiwurm« und der »garten-, wasser- und orangeriewurm« hat alle Mitglieder befallen. Vor allem die Baukunst war ein Fach, zu dem sich alle Familienmitglieder berufen fühlten. Im beständigen Gedankenaustausch zwischen dem Onkel und seinen Neffen, den Brüdern untereinander oder mit Kennern wie Prinz Eugen von Savoyen wurden die Projekte hin und her gewendet und geistreiche neue Lösungen gesucht. Die ›zirkeley‹ im Freundeskreis war eine bevorzugte Betätigung in den Mußestunden.

Dies alles hätte nicht so weit geführt, hätten sie nicht Spürsinn für künstlerische Talente gehabt und diese zugleich gefördert wie gefordert. Dem zuweilen als ›schwarzes Schaf‹ gerügten Initiator des überaus ehrgeizigen Würzburger Schloßbaus, Bischof Johann Philipp Franz, kommt das Verdienst zu, einen der größten Architekten der Epoche, Balthasar Neumann, entdeckt und ›gemacht‹ zu haben. Er setzte gegen Widerspruch durch, daß der gelernte Glockengießer und Ingenieursleutnant aus dem böhmischen Eger/Cheb Leiter des Projektes wurde; der Onkel konnte sich jedoch schnell für ihn erwärmen. Offenbar hatte sich Neumann über die vielen, damals auch zunehmend in deutscher Sprache zugänglichen, Architekturtraktate umfassende Kenntnis der Theorie angeeignet. Zur Vertiefung seiner Kenntnisse schickte man ihn nach Paris und Wien. Das Vertrauen in den jungen Unbekannten wurde überreich belohnt.

Und noch eine dritte Qualität ist zu rühmen: Die Schönborns wußten zu wirtschaften. Die Giebel ihrer Schlösser zierte das Bild Merkurs, des Patrons der Kaufleute wie der Künste. Sie gründeten Manufakturen, besserten die Verwaltung ihrer Staaten, bauten die Verkehrswege aus, sorgten für die Wasserversorgung und die städtischen Bauordnungen, holten die Bettler von der Straße und steckten sie nach holländischem Muster in Arbeitshäuser, förderten nach Neumanns Entdeckung neuer Solquellen den Ausbau von Kissingen als Heilbad u.v.a. Zudem erweiterten sie die Universitäten und sorgten für die lange vernachlässigte Schulbildung von Mädchen, indem sie die Ursulinern in ihre Städte holten. Schloß Werneck war, wie man es damals eher in England gewohnt ist, zugleich Mustergut. Die Anpflanzung von Kastanien und neuen Obstbaumsorten wurde angeregt. Außerdem gehörten sie zu den ersten, die sich für die Dampfmaschine interessierten, wenn auch nur mit dem Hintergedanken, mehr Druck für die Fontänen in den Schloßgärten zu schaffen – das macht die Grenzen ihrer Modernität sichtbar. Immerhin ist zu vermerken, daß die Schönborns ihre Projekte zu Ende führen konn-

herbe Neubau von Stift Haug in Würzburg durch Antonio Petrini.

Sein Neffe Lothar Franz (1655–1729) wurde erst Bischof von Bamberg, anschließend Erzbischof von Mainz und Erzkanzler des Reiches. *(Abb. 66)* Es gelang ihm, das Vertrauen der habsburgischen Kaiser zu erringen. Er nutzte es, um sich von den Fesseln der Wahlkapitulation zu befreien, welche die Domkapitel ihren Kandidaten anlegten; und er nutzte es, seinen begabtesten Neffen Friedrich Karl (1674–1746) als Reichsvizekanzler am Wiener Hof unterzubringen. Die Abfolge seiner Bauten zeichnet den schnellen Wandel seines Geschmacks, aber auch das Anwachsen der Kennerschaft: Vom Erstlingsbau in Gaibach ist wenig geblieben. Die Bamberger Residenz, von 1695 bis 1707 durch den böhmisch geschulten Leonhard Dientzenhofer erbaut, *(Abb. 79)* ist in der Aufreihung immer gleicher Achsen eine Huldigung an den leopoldinischen Kaiserstil, in der Superposition der Säulenordnungen in der Art des Colosseum *(Abb. V/11)* eine an das päpstliche Rom, dem Bamberg als exemtes Bistum unterstellt war. Auch im Inneren dominiert römischer Akanthusstuck.

66. Christian Schilbach (†1742), Porträt des Grafen Lothar Franz von Schönborn, *Kurfürst von Mainz und Fürstbischof von Bamberg, Öl auf Kupfer, 81 x 61 cm, 1714, Köln, Wallraf-Richartz-Museum*

Der Maler hat den ›altfränkischen‹ Charakter des für die Kunstgeschichte Süddeutschlands so wichtigen Prälaten durch den zeremonialen Kostümapparat ›à la française‹ keineswegs zugedeckt. Eine Replik befindet sich in der Galerie Pommersfelden.

ten, und dies ohne nennenswerte zusätzliche Belastung ihrer Untertanen, wohingegen viele protestantische Fürsten zur Finanzierung ihres Luxus zu dem abscheulichen Mittel griffen, ihre Landeskinder als Söldner zu verkaufen. »Unter dem Krummstab ist gut leben« lautet ein Satz der Zeit.

Die künstlerische Betätigung dieser rheinfränkischen Grafenfamilie, deren Mitglieder zeitweise sieben Bistümer nebeneinander innehatten, zeichnet in der Abfolge ihrer Generationen den Geschmackswandel der deutschen Barockkunst erstaunlich genau. Der Begründer des Aufstiegs ist Johann Philipp (1606–1673), erfahrener Kriegsmann und als Diplomat einer der Väter des Westfälischen Friedens 1648. Als Bischof von Worms und Würzburg sowie Erzbischof von Mainz arbeitete er an der Wiederaufrichtung seiner Länder, insbesondere an der Besserung der Befestigungen. Erst spät konnte er auch Kirchen bauen – seine bedeutendste Stiftung ist der monumentale und

Schloß Pommersfelden

Den Durchbruch zu eigenständiger, großer Architektur brachte der Neubau des Landschlosses in Pommersfelden, *(Abb. 67–69)* das nur vier Jahre nach Vollendung der Bamberger Residenz in ganz anderem Geist entworfen wurde. 1710 war die braunschweigische Prinzessin Elisabeth Christine, zukünftige Gemahlin Kaiser Karls VI., in Bamberg durch Lothar Franz im katholischen Glauben unterwiesen worden. Der Kurfürst hatte außerdem erfolgreich die Wahl des Kaisers betrieben. Der Lohn war fürstlich: 1710 wurden die Schönborn in den Grafenstand erhoben. Ein Geschenk des Kaisers von 150.000 Talern erlaubte, den Schloßbau als Selbstdarstellung eines dem Kaiser verbundenen Reichsfürsten und doch als eigenwillig privaten Bau zu entwerfen.

Das Konzept stammt vom Bauherrn: »Ueber dem Pommersfelldischen riss bin allhier mit mei-

*67. **Pommersfelden, Schloß Weißenstein,** Johann Dientzenhofer (1665–1726) und andere, 1711–1719, Ansicht aus der Vogelperspektive, Stich von Salomon Kleiner (1703–1761), 1724*

Der Bau ersetzte eine älteres Wasserschloß, die Zufahrten von den Seiten sind topographisch bedingt. Der Drei-Flügel-Anlage um den Ehrenhof (cour d'honneur) wurde ein niedrigerer Marstall nach Plänen von Maximilian von Welsch (1671–1745) gegenübergestellt. Wirtschaftsgebäude und Kavaliershäuser kamen nach außen. Der Garten war von beträchtlicher Größe. Der Stich gibt eine Idealansicht, die in Wirklichkeit nicht möglich war.

nem Bamberger baumeister begriffen [Johann Dientzenhofer, Leonhards jüngerer Bruder, von Lothar Franz zuvor auf Studienreise nach Rom geschickt], undt will erweisen, daß man auch hier zu landt was hübsch machen kann [eine Spitze gegen Wien] [... ein Riß] nach meiner fantasie und gemächlichkeit, welcher hoffentlich nicht übel herauskommen wird. Ich reflectire auch auff zukünfftige weiber undt kinder undt mache also keine hoffhaltung mit vielen anticammeren und galerien, sondern ein recht schönes groses undt gemachliches cavalierhaus [...]« Lothar Franz war lernfähig und gesprächsbereit. Es gab viele Mitwirkende: Johann Dientzenhofer, der eigentliche Bauführer, schuf die Außenarchitektur und die Konstruktion. Der kurmainzische Baumeister Maximilian von Welsch, dessen Einwirkung vor allem im Marstall und im Garten spürbar wird, sowie der Mainzer Kavalierarchitekt Franz von Ritter zu Groenesteyn – er entwarf einige Nebengebäude. Am gewichtigsten waren die Stimmen des Neffen Friedrich Karl in Wien und seines Baumeisters Johann Lukas von Hildebrandt. *(Abb. 35–37)* Sie koordinierten und regularisierten die Ideen, verfeinerten die Details. Der Bauherr setzte sich mit seinen Wünschen aber immer wieder durch, etwa was die prominente Lage der ihm so wichtigen Bildergalerie *(Abb. 68)* betrifft, erst recht mit dem Treppenhaus, dem Herzstück und Ruhmesblatt des Schlosses. *(Abb. 69)* Er schreibt an den Neffen: »[...] so werde ich [...] gahr gern guethen rath annehmen [...] Meine stieg aber muess bleiben, als welche von meiner invention undt mein meisterstück ist.«

Schon seit dem ausgehenden 16. Jahrhundert hatte es ansehnliche Treppen, wie beispielsweise die Schlüters im Berliner Schloß gegeben. *(Abb. VII/46)* Mit dem Pommersfeldener Treppenhaus aber, dessen Wichtigkeit schon daran ersichtlich wird, daß es den ganzen Mittelrisalit des Schlosses einnimmt und ihn sogar im Verhältnis zum Ganzen zu groß werden läßt, setzt die Folge der Meisterwerke der Rauminszenierung ein, die den Hauptruhm der deutschen Schloßbaukunst des 18. Jahrhunderts ausmachen. Den neuen französischen Vorstellungen folgend ist auf Bequemlichkeit geachtet. Der erste Stock dient als piano nobile, nicht der zweite wie in der Bamberger Residenz. Der entscheidende Vorteil der neuen Treppenform ist, daß der Betrachter keine Kehrtwendung machen muß, sondern immer, aus jeweils sich ändernder Perspektive, den ganzen Raum vor Augen hat sowie sein Ziel, den Eingang zum Kaisersaal. Der Rang jeder Etage wird mittels

68. ***Pommersfelden, Schloß Weißenstein,*** *Galerie, Johann Dientzenhofer (1665–1726) und andere, 1715, Stich von Salomon Kleiner (1703–1761), 1724*

Bei dem abgebildeten Raum handelt es sich um den Hauptsaal, hinter dem noch kleinere Kabinette und andere Galerieräume liegen. Im Vergleich zu anderen Schlössern erhielt die Galerie einen auffällig zentralen Platz auf der Hofseite. Da sie dem Bauherrn besonders am Herzen lag, wurde sie besonders früh eingerichtet. Schon 1715 lag auch der gedruckte Galeriekatalog vor, verfaßt von dem Hofmaler und Galeriedirektor Bys. Es ist der erste seiner Art in Deutschland.

69. ***Pommersfelden, Schloß Weißenstein,*** *Innenansicht des Treppenhauses, Johann Dientzenhofer (1665–1726) und andere, 1711–1719*

Dem Betrachter vor Ort erschließt sich der Raum erst im Auf- und Abstieg. Andeutungsweise ist auch das große Deckengemälde von 1717–1718 mit der Apotheose des Hauses Schönborn von Johann Rudolf Bys (1662–1738) zu erkennen, das unter dem Motto steht: ›Wie die Sonne der Welt, also zieret die Tugend den Menschen‹; die Architekturmalerei stammt von Giovanni Francesco Marchini (nachweisbar 1702–1736).

vorhergehende Seite:
70. Pommersfelden, Schloß Weißenstein, *Spiegelkabinett, Ferdinand Plitzner (Holzarbeiten 1714–1718) und Daniel Schenk (Stuck 1713)*

Das Spiegelkabinett ist zugleich Porzellankabinett. Hauptstück der Ausstattung sind die Kunstschreinerarbeiten Plitzners, der auch die Pläne zeichnete: das Parkett, die Wandvertäfelung aus Nußbaum, die Konsoltische, die Türfüllungen, die grotesken Figurinen à la Callot usw. Die Spiegel sind nur klein, finden sich dafür aber in fast alle Flächen des Raumes eingelassen. Lothar Franz von Schönborn förderte seine Kunstschreiner sehr und war auf ihre Leistungen zu Recht sehr stolz. Selbst Prinz Eugen in Wien griff auf ihre Dienste zurück.

der Säulenordnungen charakterisiert: Das Parterre, das zum Grottensaal führt, ist toskanisch. Der erste Stock zeigt kannellierte, korinthische Säulen in der imperialen Würdeform der Kolonnade, jeweils zur Mitte durch Kupplung von Säulenpaaren gesteigert, und die zweite, Nutzzwecken vorbehaltene Etage, Hermenpilaster (sogenannte Termen), die ihrerseits Träger von Arkaden sind – ein ähnliches ›Springen‹ und Mischen der Ordnungen zeigt auch der Außenbau. Das Erhabene und Geheimnisvolle der Wirkung entsteht aus der Verbindung von Raumweite und Lichtführung. Durch die Galerien ist der Raum indirekt beleuchtet, in der Grottenzone ist er am dunkelsten, im ersten Stock am hellsten. Die Lichtführung im zweiten Stock zielt vor allem auf die Beleuchtung des Deckenfreskos mit der gemalten Apotheose des Hauses Schönborn. Die Galerien machen diesen Raum aber auch zu einem Theater, in dem der Besucher zugleich Schauspieler seiner Rolle und Betrachter ist – das machte diesen Raumtyp so zeitgemäß und sicherte der Erfindung des Lothar Franz Ruhm und Nachfolge. Anders als das zu ephemerer Effekthascherei neigende Theater jedoch ist dies eine differenzierte, aufs feinste durchdachte und gestaltete, deshalb in ihrer Wirkung auch nachhaltigere Raumkunst und -dekoration.

Neben diesen Räumen für die Repräsentation stehen die privateren. Sie sind bestimmt durch die Vorlieben des Kunstkenners und Sammlers Lothar Franz und seine Lust auf Abwechslung. Kein Raum ähnelt dem andern, jeder entfaltet eigene Reize: Eine Besonderheit ist das intime Spiegelkabinett mit den Holzarbeiten von Ferdinand Plitzner und den Stukkaturen von Daniel Schenk. *(Abb. 70)* Aus der pompösen Selbstinszenierung der Monarchie Ludwigs XIV. in der Spiegelgalerie von Versailles ist ein Spiel subtiler Brechungen und Facettierungen geworden, ein nahsichtiges Hauptwerk der Kunstschreinerei, die von den Schönborns im übrigen auch aus merkantilen Erwägungen gepflegt wurde, ohne daß je an den Übergang zur Massenproduktion gedacht worden wäre. Den damit fast automatisch einhergehenden Qualitätsverlust hätte man nie akzeptiert.

Die Würzburger Residenz

Sechs der sieben Neffen des Lothar Franz haben großartig gebaut. Das Hauptwerk dieser Generation ist das Würzburger Schloß. *(Abb. 71–73, 76)* Auch hier treffen wir wieder auf das gleiche Vorgehen wie in Pommersfelden: Projekte werden gemacht und wieder verworfen; Pläne werden verschickt, diesmal aber auch nach Paris – eine europäische Architekturdiskussion setzt ein: Neben Robert de Cotte und Germain Boffrand sind wieder Lukas von Hildebrandt und Lothar Franz ›Baudirigierungsgötter‹ Maximilian von Welsch und Johann Dientzenhofer dabei. Aber eins ist anders: das letzte Wort behält diesmal der Hausarchitekt und lokale Bauführer Balthasar Neumann. Es bleibt also keineswegs nur bei der Umsetzung von Ideen anderer Architekten. Nach Johann Philipps Tod tritt eine Unterbrechung ein. Dann gelangt Friedrich Karl auf den Würzburger Thron, ein noch besserer Kenner der Baukunst als Bruder und Onkel. Er favorisierte zunächst seinen Wiener Freund und Baumeister Hildebrandt und sah dann doch bald ein, worin Neumann überle-

71. Würzburg, Residenz, *Gartenfassade, Balthasar Neumann (1687–1753) und andere, im Wesentlichen 1735–1741*

Der Würzburger Schloßbau hat zwei gänzlich unterschiedlich gestaltete Fassaden, eine hochoffizielle nach französischer Art zur Stadt hin und eine die Gartenseite des Wiener Belvedere (Abb. 37) paraphrasierende zum Garten hin, so als handelte es sich um zwei verschiedene Schloßtypen zugleich, Residenzschloß und Lustbau. Neumann hat die kleinteilig dekorative Fassadenzier Hildebrandts vereinfacht und unter Beachtung der französischen Architekturtheoretiker körperlich kräftige Bauglieder in subtiler Paraphrasierung der Ideen der Säulenordnungen in eine geschlossene Komposition gebracht, die seiner Vorstellung von Architektur folgt. Unten ist sie schwer und stämmig in dorischer Ordnung, darüber – reich und prächtig – in kompositer Ordnung gehalten. Die Beziehung von den Seiten zur Mitte, vom Pavillon zu den benachbarten Teilen ist feinsinnig variiert und rhythmisiert.

72. ***Würzburg, Residenz,*** *Kaisersaal, Inneres, Balthasar Neumann (1687–1753), 1737–1742, Fresken von Giambattista Tiepolo (1696–1770) 1752, Stuck von Antonio Bossi (1699–1764)*

Der Kaisersaal ist eine Variante des traditionellen Großen Saales, über den jedes Schloß verfügt. Er findet sich vor allem bei reichsfreien Institutionen und ist theoretisch für den Empfang des Kaisers gedacht, den direkten Souverän des Fürstbischofs (oder Klosters etc.). Deshalb sind in den Bildern Themen gewählt, die sich auf den Bischof von Würzburg als Herzog von Franken und auf die Beziehung des Bistums zum Reich beziehen, hier die Vermählung Kaiser Friedrich Barbarossa durch den Bischof von Würzburg. Auch die nach imperialem römischem bzw. Wiener Vorbild mit Messing verkleideten Basen und die vergoldeten Kapitelle sowie der ins Violettrote gehende Stuckmarmor wurden aus diesem Grund gewählt. (Abb. 27) In der Architektur wie bei den Schmuckmotiven ist die höchste Stillage angestrebt. Der Raum folgt dem Vorbild des Oberen Belvedere, doch hat er durch die bessere Lichtführung eine schönere Wirkung.

gen war: Er war nicht nur der bessere Ingenieur, sondern auch erfindungsreicher in der Raumgestaltung oder Lichtführung. Seine Umformulierung des Hildebrandtschen Mittelpavillons der Gartenseite des Oberen Belvedere versteht sich auch als gebaute Rezension des Vorbilds. *(Abb. 37 u. 71)* Die Gliederungen der Fassade sind nicht aufgelegte Dekoration, sondern plastische Teile eines Baukörpers. Neumann ist genauer in der architektonischen Gestaltung, subtiler in der Paraphrasierung der Säulenordnungen, läßt Hildebrandt aber den Vortritt in Fragen der Dekoration.

Das große Bauvolumen ist geschickt gegliedert, u.a. durch große Vielfalt in der Form und Staffelung der Dächer. Die heute durch den Schilfsandstein grüngrauen Mauern waren ursprünglich farbig abgestuft: die Wandflächen mehrheitlich ockergelb, die Gliederungen silbergrau, die Attika weiß usw. Einen eigenen Akzent setzten die reichen schwarz-goldenen Schmiedeeisengitter des Hofschlossers Oegg. Dieser Schloßbau macht wiederum klar, daß der von der Bauzeit her zutreffende Stilbegriff des Rokoko als Epochenkennzeichnung nicht taugt, denn er gilt nur für bestimmte Aufgaben bzw. eine besondere Richtung des Ornaments. Zwar greifen die Einzelformen des ursprünglichen Zierrats im Innern bevorzugt dieses Ornament auf, die Gesamthaltung der Architektur aber ist eher klassisch: Bezeichnend ist, daß die Grottenzier, die der Pom-

mersfeldener Schloßbau ja noch zeigt, aufgegeben und gemäß der toskanischen Ordnung durch strenge Formen ersetzt wird: Nach dem Vorbild französischer Theoretiker löst sich die Architektur von der Zierkunst und in besonderem Maße von der Groteske. Sie wird allmählich zu einer rein aus sich selbst sprechenden Sprache.

Der ehrgeizigste Raum ist auch in Würzburg das Treppenhaus. *(Abb. 73)* Es ist so weiträumig konzipiert, daß Hildebrandt behauptete, es ließe sich nicht einwölben; er würde sich am Gewölbe aufhängen lassen, wenn es hielte. Neumann setzte seine Steinwölbung durch und erbot sich, im Treppenhaus eine Kanone abfeuern zu lassen. Wir müssen ihm für seine Kühnheit dankbar sein: Als 1945 der brennende Dachstuhl auf die Flachkuppel herabstürzte, hielt sie stand. Hätte Neumann nur eine Latten-Stuck-Konstruktion üblicher Art schaffen dürfen, Tiepolos berühmte Deckengemälde wären verloren gewesen. Dabei hatte sich der Baumeister die Mauern des Aufgangs noch stärker durchbrochen gedacht – sein Ziel war ›Durchsichtigkeit‹. Wie so oft konnten oder wollten die Nachfolger seinem Wagemut nicht folgen.

73. Giambattista Tiepolo (1696–1770) und Mitarbeiter, Der Kontinent Europa, *Gewölbemalerei, Würzburg, Residenz, Treppenhaus, 1752–1753,*

Die Ausstattung der Residenzräume konnte unter Friedrich Karl von Schönborn nicht vollendet werden; die Arbeiten wurden unterbrochen. Sein Nachfolger Carl Philipp von Greiffenklau holte in einem Akt großmütigen Mäzenatentums den berühmten Venezianer Tiepolo, der in den Sommermonaten 1750–1753 die großen Räume der Residenz ausmalte und im Winter jeweils Ölgemälde schuf. Das Programm des Treppengewölbes stellt die vier Kontinente dar, oben inmitten des Himmels den Lichtgott Apoll. Europa hat den Ehrenplatz an der Eingangswand zu den großen Sälen. Sie thront über der Weltkugel, verehrt von der Personifikation der Malerei. In ihr werden die Künste und der Geist verherrlicht, die auf diesem Kontinent, insbesondere unter der Schirmherrschaft des Würzburger Fürstbischofs, blühen, dessen Porträtmedaillon von der ›Fama‹ (Ruhm) gehalten wird. Die Art, wie die Putten sich in die Tücher um das Bild hineinwühlen und dabei den Betrachtenden ihr Hinterteil zeigen, ist allerdings recht despektierlich und läßt den Maler als Geistesverwandten von Voltaire erkennen. Auch das Porträt des Baumeisters und Artillerieobristen Neumann, der ganz unten auf einer Kanone sitzt und von einem Hund beschnuppert wird, schafft einen ironischen Kontrast zwischen Prachtuniform und Position.

74. Kitzingen-Etwashausen, Hl.-Kreuz-Kirche, Plan von 1740, Ausführung 1741–1745, Balthasar Neumann (1687–1753), Ausstattung aus dem späten 18. Jh., Würzburg, Universitäts-Bibliothek

Der Bau, an einer städtebaulich markanten Stelle errichtet, verbindet Kreuz- und Kuppelform in einer niedrigen Stillage. Er ist künstlerisch raffiniert, aber bescheiden und verdeutlicht, daß zur Zeit, als das Rokoko vorherrschte, keineswegs alle Kirchen überreich dekoriert wurden. Der toskanischen Säulenordnung innen entsprechen außen ebenso einfache Pilaster.

Balthasar Neumanns Kirchen

Neumann hat mit seinem Baubüro über 70 Kirchen errichtet oder erneuert. Sie nehmen einen gleich hohen Rang ein wie seine Schloßbauten und zeigen seine außerordentliche künstlerische Spannweite. Sie reicht von formstrengen, nüchternen Saalbauten zu raffinierten Synthesen geometrisch gekurvter Räume in der Nachfolge von Francesco Borromini, Guarino Guarini sowie Christoph und Kilian Ignaz Dientzenhofer. Neumanns Vorliebe galt wie die seines Bauherrn Friedrich Karl einer Architektur ohne viel Zierrat. Beispiele dafür sind die im engeren Sinne Schönbornschen Kirchen in Gaibach und in Kitzingen-Etwashausen: *(Abb. 74)* Der Ort hatte eine protestantisch-katholische Mischbevölkerung, die sich zuvor einen Kirchenraum teilte. Friedrich Karl ermöglichte die Trennung durch den Neubau einer Kirche für die Katholiken, die zugleich städtebauliche Dominante an der alten Mainbrücke werden sollte. Die Wahl des Patroziniums Heilig Kreuz erklärt sich aus der Kreuzverehrung der Schönborns. Der kreuzförmige Grundriß wird in der Mitte durchdrungen von dem universalistischen Baumotiv der Kuppel. Sie ist gestutzt, also nicht triumphal aufgefaßt und erhält kein eigenes Licht. Ihr Inneres wird von vier Paar toskanischen Säulen getragen. Die Wahl dieser niedrigsten aller Ordnungen und der äußerst sparsam verwendete Stuck sind Ausdruck der Selbsterniedrigung und Demut (humilitas) Christi in architektonischer Form, aber vielleicht auch Ausdruck der Rücksicht beim Bauen in protestantischer Umgebung. Auch der Altar wird nur unaufdringlich gesteigert durch ›salomonische‹ Doppelsäulen und die größere Helligkeit mittels verdeckter seitlicher Fenster.

Der Bischof und sein Baumeister wußten zu unterscheiden nach dem Grad der Öffentlichkeit und des repräsentativen Anspruchs: Die Kapelle des bischöflichen Landschlosses Werneck ist eine rein weiß gehaltene, von Materno Bossi stuckierte Zehn-Konchen-Rotunde mit gestreckten Hermenpilastern, ein subtiles Stück ›Kammermusik‹. *(Abb. 75)* Die fast gleichzeitig errichtete Würzburger Schloßkapelle greift zu einer viel höheren Stillage. Ihr Raumkonzept stammt von Neumann, das der Dekoration von Hildebrandt. *(Abb. 76)* Sie folgt dem uralten Typ der herrschaftlichen Doppelkapelle, *(Abb. I/5)* doch fällt – anders als etwa in der Schloßkapelle von Versailles – das fürstliche Stockwerk bescheidener aus als der öffentliche Raum: sie hat nur gestutzte Hermenpilaster statt großer korinthischer Säulen. Die Grundrißbildung ist zweistimmig: die Ovale der Gewölbe decken sich nicht mit denen der Unterzone, sind aber begründet als Überwölbungen für Hochaltar, Querhausaltäre und Orgel, also als Würdeformeln. Diese Architektur von genauer Geometrie und komplizierter Verschränkung setzt ein feinsinniges, analytisches Sehen voraus, und gewiß konnte auch damals nicht jeder Betrachter den Überlegungen folgen. Andererseits beeindruckten bereits die Pracht des Marmors und Stuckmarmors, das Gold und die Farben, überhaupt die Fülle am Zierrat.

Von den Großkirchen Neumanns *(Abb. 1)* sei vor allem die letzte, die Benediktinerabteikirche in Neresheim, besprochen. *(Abb. 77 u. 78)* Der Abt wollte ursprünglich eine Kopie der (1820 abgerissenen) Abteikirche Neumanns in Münsterschwarzach *(Abb. 55)* haben. Der Baumeister erklärte ihm jedoch, »[...] es muß aber just nicht eine Kirchen wie die andere herauß kommen [...]«. Gemeinsam erarbeiteten beide ein neues Konzept. Neresheim stand damals als Haupt der niederschwäbischen Benediktinerkongregation in Konkurrenz zu Ottobeuren, *(Abb. 62)* dem Hauptkloster von Oberschwaben, das seinen Kir-

75. Werneck, Schloßkapelle, *Innenansicht, 1733–1744, Balthasar Neumann (1687–1753), Stuck von Antonio Bossi (1699–1764), 1745 und 1750–1751, Seitenaltäre und Kanzel Ende 18. Jh. von Materno Bossi (1737–1802)*

In der Schloßkapelle seines Sommerschlosses und Mustergutes hat Fürstbischof Friedrich Karl von Schönborn eine Kapelle gemäß seinem privaten Geschmack schaffen lassen. Die Hermenpilaster waren eigentlich eher ein Motiv der profanen Baukunst. Der kleinteilige, subtile Stuck ist für den nahsichtigen Blick des Kenners gearbeitet. Entsprechend den Gepflogenheiten hat der Fürstbischof ein eigenes, wenn auch nur kleines Oratorium auf der Empore.

76. Würzburg, Residenz, *Hofkirche, Inneres, Balthasar Neumann (1687–1753), 1732–1734, Ausstattung nach Plänen von Lukas von Hildebrandt (1668–1745), 1735–1743*
Die südwestliche Lage im Block des Schlosses gibt dem Raum viel Licht, das in sorgfältiger Dosierung, Filterung und Brechung hilft, den Rhythmus der drei ineinandergreifenden Ovale zu akzentuieren bzw. die Hochaltarzone hervorzuheben. Gemäß alter Schloßkapellen-Tradition (Abb. I/5) ist der Raum zweigeschoßig, doch ist das dem Fürstbischof vorbehaltene obere Geschoß nicht als Hauptgeschoß ausgebildet. Die seitlichen Altarblätter stammen von Giambattista Tiepolo aus dem Jahr 1753.

chenbau kurz zuvor begonnen hatte, in Bezugnahme auf die Kollegienkirche in Salzburg. *(Abb. 30 u. 31)* Zentrum des Gebäudes ist die Kuppel, zugleich als kosmologische Grundform gemeint, deren Bedeutungen architektonisch und durch die bildliche Ausstattung entfaltet werden: in Neresheim ist es der Triumph der Dreifaltigkeit im Himmel, umgeben von allen Heiligen, gestützt auf die vier Evangelisten, der wichtigsten der symbolischen Vierheiten. Zugleich wird die Abfolge der Kuppelfresken, ausgehend vom Eingangsbild der Reinigung des Tempels, als Bild der Heiligen Messe in ihren Hauptstücken verstanden. Der Chor der Mönche mit dem Sanktuarium und das Langhaus mit der Orgel über dem Eingang gruppieren sich symmetrisch um diese Mitte, ebenso die Querhausarme mit ihren Hauptaltären, so daß eine Kreuzform entsteht. Es bedürfte einiger Seiten, das theologische Programm dieser Abteikirche sowie die Fülle der symbolischen Bezüge in

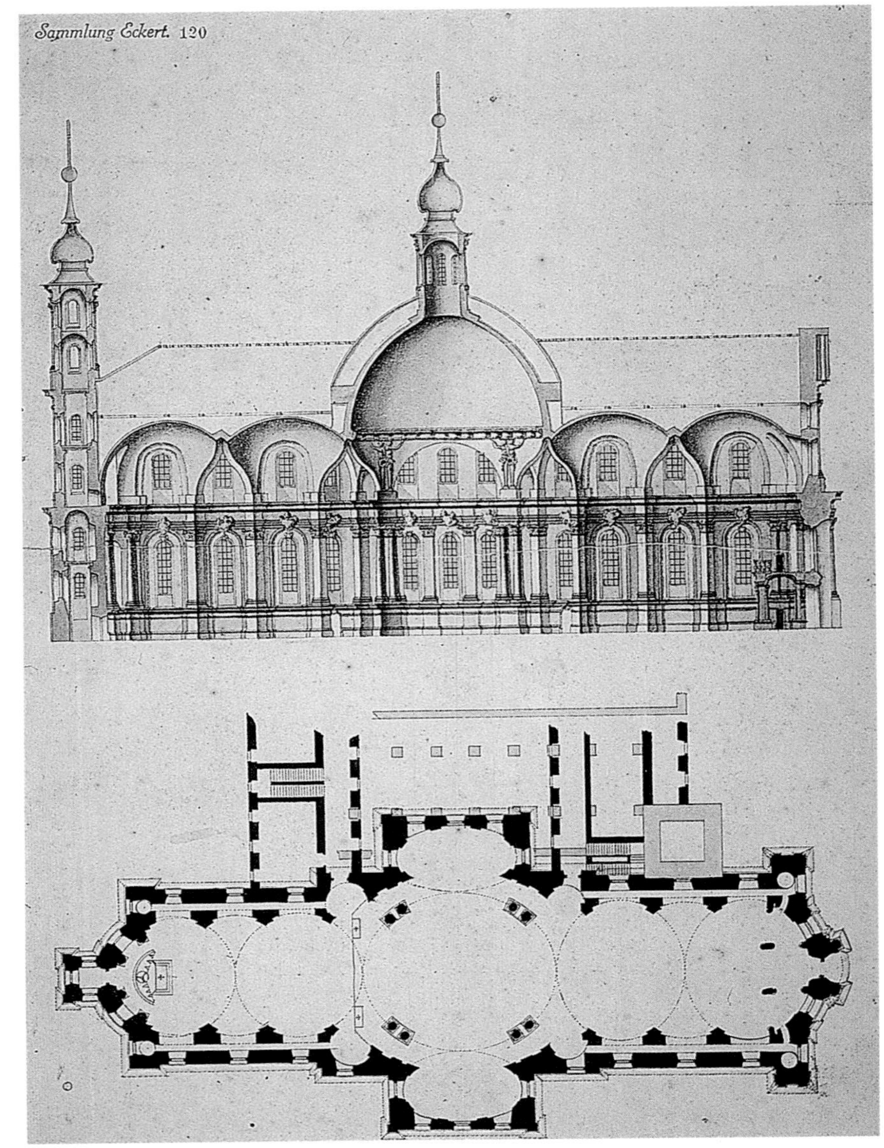

78. ***Balthasar Neumann (1687–1753), Plan mit Längsschnitt und Grundriß der Benediktiner-Klosterkirche Hl. Kreuz, St. Ulrich und Afra in Neresheim,*** *1747–1770, Würzburg, Universitäts-Bibliothek*

Der Plan ist ein schönes Beispiel für die herausragende graphische Qualität der von der französischen Zeichenweise geprägten Planzeichnung in Neumanns Architekturbüro und zugleich für die Fähigkeit zu räumlicher Darstellung, einer unerläßlichen Voraussetzung für diese Art der Architektur. Die Kuppelräume sind subtil variiert und rhythmisiert. Der Plan wurde nicht in dieser Fassung realisiert.

vorhergehende Seite:
77. ***Neresheim, Benediktiner-Klosterkirche Hl. Kreuz, St. Ulrich und Afra,*** *Innenansicht, Balthasar Neumann (1687–1753), 1747–1769, Fresken 1769–1775 durch Martin Knoller (1725–1804), Stuck 1776–1778 sowie Ausstattung 1778–1801 von Thomas Schaidhauf (1735–1807)*

Die zweischalige Mauerungs- und Raumschichtungsweise erlaubt eine Differenzierung der Lichtführung mit teils indirektem, teils direktem Licht, ist aber auch statisch günstiger. Die Folge der Räume wird als Wechsel von Einschnürung und Weitung empfunden, als mehrstimmiger Rhythmus, der einen doppelten Höhepunkt hat, die Kuppel und das Sanktuarium. Der Baumeister hat, ausgehend von dem Motiv der auf hohe Säulenstühle (Postamente) gestellten Säulen des Kuppelraumes die ganze Kirche gestelzt und sich dabei auf andere Weise als Fischer von Erlach (Abb. 31) der drei Hauptsäulenordnungen bedient. Der frühklassizistische Stuck im sogenannten Zopfstil entspricht der strengen Architekturform. Die Restaurierung neueren Datums hat den Kontrast zwischen der weißen Architektur unten und den farbigen Kuppeln zu stark werden lassen.

allen Verästelungen darzustellen. Deshalb sei es auf den Punkt gebracht: Kurz vor der großen Wende zur Moderne wird noch einmal die Summe aller Bedeutungsmöglichkeiten gezogen – und wird schon von der nächsten Generation in Bausch und Bogen verworfen.

So festlich und wirkungsvoll Johann Michael Fischers Bau des Hauptes der oberschwäbischen Kongregation Ottobeuren ist, *(Abb. 62)* Neumann demonstriert gerade gegenüber dieser Herausforderung die Höhe seines Könnens: Er gestaltet das Langhaus um ein Weniges breiter als den Chorbereich, diesen dafür um ein Weniges reicher. Nach böhmischem Muster verbindet er das System gleichmäßiger Travéen mit dem Rhythmus der Kuppelfolge, ohne daß es zu Störungen oder Brüchen kommt. Vier Paare freistehender Säulen geben dem Kuppelraum erst seine mächtige Würde. Leider macht sich gerade in ihm unangenehm bemerkbar, daß man sich nach dem Tode des Baumeisters nicht mehr getraute, ihn in Stein einzuwölben und deshalb auf die Laterne und Fenster verzichtete sowie die geplante Höhe reduzierte. Und doch ist diese Verbindung von Monumentalität und Feinheit ein großartiges Schlußwort zu 1500 Jahren europäischer Kirchenbaukunst.

Die Breitenwirkung

Immer wieder sorgte Friedrich Karl dafür, daß ›sein‹ Baumeister und dessen Geschmack zum Zuge kamen, im Falle der Wallfahrtskirche von Vierzehnheiligen *(Abb. 1)* mit unverhülltem Druck auf den Bauherrn, den Zisterzienserabt von Langheim. Den Bürgern und Bauern ging es nicht besser. Daß der Adel dem Fürsten folgte, davon konnte er ausgehen. Man könnte von einer ›Diktatur des guten Geschmacks‹ sprechen, die hier ausgeübt wurde.

Auf der einen Seite findet nun eine fast schon systematische Stadtplanung statt. Ganze Straßenzüge, Plätze, vor allem auch Brücken werden nach übergeordneten Gesichtspunkten geplant und verziert. Dabei ging es, wie bereits angedeutet, oft um die Gestaltung des ›Königswegs‹, der fürstlichen Prozessionsstraße und der angrenzen-

*79. **Bamberg, Fürstbischöfliche Residenz,** Eckpavillon, 1695–1702, Johann Leonhard Dientzenhofer (um 1655–1707)*

Der sogenannte Vierzehnheiligenpavillon ersetzt einen mittelalterlichen Turm, doch war es Tradition im fürstlichen Schloßbau, sich zur Demonstration der Herrschaftskontinuität und des Machtanspruchs bestimmter Motive der alten Burgarchitektur zu bedienen, so auch der Böschung des Sockels. Das geschweifte Dach ist weithin sichtbares Kennzeichen dieses Bauteiles.

*80. **Bamberg, Haus Königstraße/Ecke Seesbrücke,** um 1700*

Dort, wo von der großen Landstraße von Nürnberg nach Erfurt die Hauptachse abbiegt, die über das Rathaus zum Schloß führt, steht ein Bürgerhaus, das u.a. in seinem Dach den Vierzehnheiligenpavillon der Residenz zitiert und damit den Reisenden auf das vorbereitet, was ihn am Ende des Wegs erwartet.

den Plätze und Straßenräume. *(Abb. 79 u. 80)* Bauvorschriften wurden erlassen, und die »liederlichen« Holzhäuser können sich fast nur noch auf dem flachen Land halten. Dort erlebte allerdings der Fachwerkbau eine letzte Blüte, ausgerichtet an der Steinbaukunst und die Holzkonstruktion meist unter Putz versteckend. Aber die Schönborns setzten weniger auf Druck als auf das gute Beispiel, indem sie z.B. ihre Hofleute und -künstler aufforderten, selbst zu bauen. Sie gaben Steuernachlässe, verschenkten Baumaterialien – und trieben eine geschickte Personalpolitik. Diese fußte auf zwei Säulen: den Handwerkern und den Aufsehern. Die Baumeisterfamilie der Dientzenhofer hatte mit mitgliederstarken Steinmetzverbänden nach Prager Art die Beengtheit des zünftischen Steinmetzen- und Bauwesens durchbrochen, was die Durchführung der neuen Großbauten erst ermöglichte. Eine Folge davon war die Ausbildung einer sehr großen Zahl technisch wie künstlerisch geschulter Handwerker, die sich teilweise selbständig machten. Noch heute zeigt sich dies an dem ungewöhnlich hohen Rang der kleinbürgerlichen und Landbaukunst dieser Regionen sowie der hohen Qualität aller Steinmetzarbeiten.

Auf der anderen Seite verfügten die fürstbischöflichen Baumeister über ein hohes Maß an Kontroll- und Aufsichtsrechten. Da es sich meist um die besten Architekten ihres Landes handelte, konnte die Wirkung nur wohltuend sein. Neumann hatte eine große Zahl von Schülern und Mitarbeitern; mehrere seiner Poliere stiegen zu Baumeistern auf, manche Maurer zu Polieren. Dazu kam der Stab der Militärbaumeister wie Maximilian von Welsch und Johann Michael Küchel. Neumann war freigebig in der Weitergabe seiner Kenntnisse, entwarf ohne Entgelt Musterrisse für alle Arten von Häusern und beriet jeden, der sich beraten lassen wollte. Was das für das Stadtbild bedeutete, kann man nach den Zerstörungen von Würzburg, Koblenz und Bruchsal eigentlich nur noch in Bamberg und seinen Landstädtchen ablesen – man braucht nur das wenige Kilometer entfernte Erlangen dagegenzuhalten.

Ergebnis waren architektonisch hochstehende Bürgerhäuser, die doch individuell blieben und nicht einfach eins wie das andere aussehen. Dennoch fügen sie sich übergreifenden städtebaulichen Ideen ein, ohne daß es je zu einer Stadtbaudiktatur kam. Die Häuser zitieren und verändern die herrschaftlichen Bauformen: Freiheit des Bauens und guter Geschmack waren in einer seltenen Harmonie: »mögen künftige Zeiten erkennen, wie Franken damals so glücklich gewesen sei«, schrieb Neumann in seiner Festschrift zur Vollendung der Würzburger Schloßkapelle 1748. *(Abb. 76)*

Die Kunst des aufgeklärten Absolutismus in Preußen

Das 18. Jahrhundert ist die Epoche des Übergangs von der Alten Welt des Christlichen Abendlandes zur Moderne. Am Anfang dieses Kapitels stand das Preußen Friedrichs I. als Muster barocker höfischer Prachtentfaltung. Am Ende steht die durch Preußen verursachte historische Zäsur des Siebenjährigen Krieges 1756–1763. Doch setzt einerseits die Ablehnung und Ablösung des Alten gerade im protestantischen Bereich früher ein, andererseits führt erst die Französische Revolution von 1789 zum Bruch. Eine Fülle von auf verschiedenen Ebenen ablaufenden Prozessen verstärken und überkreuzen einander. Man könnte das, was man modernes Staatswesen, aufklärerisches Denken, Rationalismus, Materialismus, Industrielle Revolution oder Kapitalismus usw. nennt, in Teilen weiter zurückführen. Vorherrschend wurden sie erst im Verlauf des 18. Jahrhunderts.

Prägend wurde die protestantische religiöse Erneuerungsbewegung, die man pauschal als Pietismus bezeichnet. Sie entsprang der Reaktion auf den Dreißigjährigen Krieg, insbesondere auf die innere Trägheit der lutherischen Staatskirche und auf deren Versagen in allen praktischen Fragen – da die Welt als Sündenbabel galt, hatte sie sich mit ihr im Grunde zufriedengegeben. Ziel war die Reformation der Reformation, gefordert wurde eine erlebte und gelebte Frömmigkeit. Der ›Erweckung‹ sollte eine ›fruchtbringende‹ Lebensführung folgen. Von daher die andauernde Selbstbetrachtung (Introspektion), sodann die tägliche Übung, schließlich die Reformation der Kirche, mehr noch: der Welt. Die von dieser Bewegung errichteten Armen-, Waisen- und Arbeitshäuser sowie Schulen waren die ersten gemeinnützigen Unternehmungen, die aus den freien Privatbeiträgen einzelner gegründet wurden. »Zum ersten Male wurde durch sie dem Volke in das Bewußtsein gebracht, wie Großes aus dem Zusammenwirken vieler Kleinen geschaffen werden könne.« (Gustav Freytag) Die Bauten der Franckeschen Stiftung in Halle, dem Zentrum des sozial aktiven Pietismus, sind das bemerkenswerteste Denkmal dieser Bewegung. *(Abb. 82)* Ihr Hauptgebäude wurde im Jahr 1700 fertig. Friedrich I., zu dessen Reich Halle gehörte, räumte den Pietisten großen Einfluß ein, so auch auf die neugegründete Hallenser Universität. Zwar suchten sie den staatlichen Schutz, blieben aber unabhängig. An Bildender Kunst waren sie nicht eigentlich interessiert, indirekt war ihre Wirkung auf sie groß, denn sie bekämpften die repräsentative Lebensführung, worauf die schmucklose Kleidung, auch beim Adel, das Abschneiden der Edelmetallknöpfe und -tressen, die kleine statt der großen Perücke usw. zurückzuführen ist. Nützliche, gemeinnützige Tätigkeit wurden durch sie zur sozialen Norm, Arbeit und Adel schlossen einander nicht mehr aus. Auffällig ist die Nähe des Pietismus zu Forderungen der Aufklärer: Auch sie stellten das ›bien public‹ (Gemeinwohl) voran. Sie förderten die Bildung, richteten Buchhandlungen und Lesezirkel ein. Sie wirkten in die Breite, so daß letztlich auch das Aufkommen des ›Dritten Standes‹ im protestantischen Deutschland mit dem Pietismus zusammenhängt.

Daß Preußen in vielem der Kristallisationspunkt des Neuen wurde, hat die deutsche Geschichte und Kunstgeschichte fortan geprägt. Der Aufklärer Montesquieu hat den damaligen Typus der Monarchie im Vergleich mit der Republik so charakterisiert, »daß man in der Monarchie bei den Handlungen nicht nach dem Guten frage, sondern nach dem Schönen, nicht nach Gerechtigkeit, sondern nach Großheit, nicht nach dem Vernünftigen, sondern nach dem Außerordentlichen.« Genau dies trifft jedoch auf den ›Soldatenkönig‹ nicht mehr zu, ohne daß dieser je republikanische Anwandlungen gezeigt hätte. Seine Regierung realisierte den modernen Staatsgedanken, der eigentlich auch den Monarchen einschränkt. Seine calvinistische Erziehung hatte Friedrich Wilhelm I. eingeschärft, daß ein Fürst sich in harter Arbeit zu bewähren habe. Pietistische Frömmigkeit forderte den Dienst an der Gemeinschaft. Der Soldatenkönig vertraute pietistischen Geistlichen die gesamte Militärseelsorge an, gab ihnen Einfluß auf das Offizierskorps und die Schulen.

Doch veranlaßte ihn auch rationell denkende Staatsräson zur Absage an den höfischen Prunk: Der Hofstaat und alle Luxusausgaben wurden mit dem Regierungsantritt 1713 zusammengestrichen, der Oberzeremonienmeister und die Herolde wurden zum Teil unter abfälligen, schmähenden Bemerkungen entlassen, ebenso wie die meisten Hofkünstler und Baumeister, bis auf den einen Hofmaler Pesne, den man für Porträts brauchte: Der Schönheit und der Pracht wurden nun kein eigener Wert mehr zuerkannt, und es wurde nur soviel beibehalten, wie das Dekorum des Königs erforderte. Die Gehälter der verbliebenen Hofleute wurden gekürzt, das gratis verabreichte Pferdefutter wurde zusammengestrichen, so daß fast alle nun zu Fuß gingen; gerade das wurde (und wird) als besonders entehrend angesehen. Viele Schlösser wurden geschlossen, verkauft oder verpachtet, das Silbergeschirr eingesammelt, viele für überflüssig erachteten Kunstwerke verkauft, die Porzellansammlung etwa an August den Starken. Aus ›barocker‹ Sicht war Friedrich Wilhelm I. ein Bilderstürmer, ein Zerstörer der Kultur. Ohne Rücksicht auf die Form ging es ihm nur um das Wesen der Macht. Einen schrofferen Gegensatz zu seiner Epoche kann man sich kaum denken. Empört reagierten der Hofadel, die Bürger Berlins, das Ausland, eigentlich alle. Das Ende der barocken Hofkultur kam damit schon zu einem Zeitpunkt in Sicht, als der Bau der Karlskirche in Wien oder die Umsetzung des Zwingers in Dresden in Stein noch nicht einmal begonnen hatte!

Der König wählte den Soldatenrock als Robe – insgeheim war sein Vorbild dabei der Schwedenkönig Karl XII. (1682–1718). Er aß bürgerliche Gerichte, trank mit seinen Getreuen im Tabakskollegium Bier und schmauchte die Pfeife. Zwar errichtete er das größte und schlagkräftigste

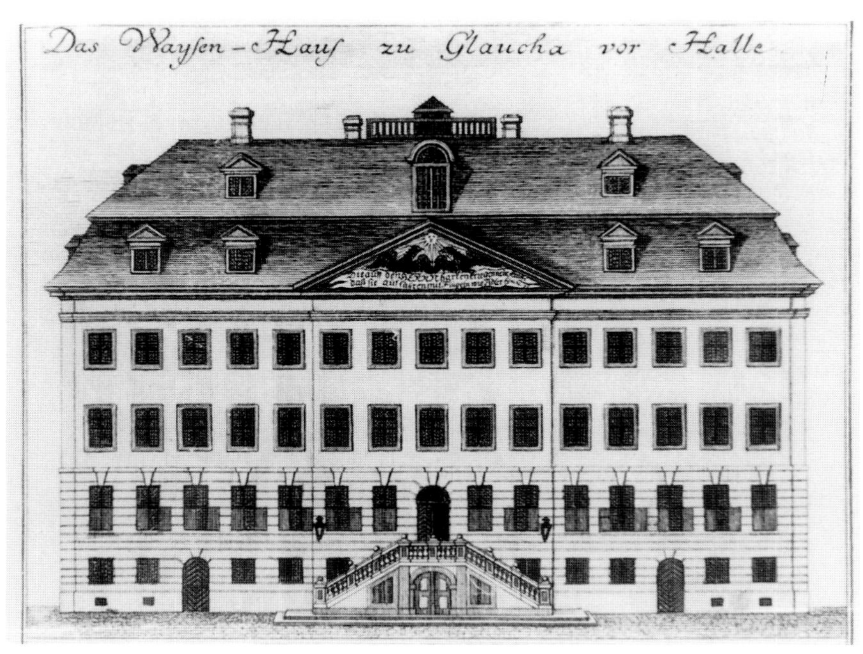

81. Ansicht der Franckeschen Stiftung in Halle, *Kupferstich von Gottfried August Gründler, 1749, 17 x 13 cm, Halle/Saale, Archiv der Franckeschen Stiftung*

Das 1700 vollendete Hauptgebäude ist nur das Zentrum einer Stadt in der Stadt, die nach rationalen Prinzipien in äußerst einfacher und schmuckloser Konstruktion errichtet wurde.

Heer seiner Zeit und militarisierte die preußische Gesellschaft, führte aber keinen einzigen Krieg. Als sparsamer, sorgender und sittenstrenger Hausvater wurde er zum Erzieher seines Volkes, aber sein Instrument war der Stock. Er war fürsorgend und brutal zugleich. Alles im Leben wurde nach militärischen Grundsätzen geregelt, und der Kommandoton drang überall durch. »Es war der Einbruch eines neuen, unbehaglich scharfen Prinzips in bequeme und laxe Verhältnisse« (Carl Hinrichs).

Prachtbauten waren dem Soldatenkönig ein Greuel. Und doch hat er sehr viel gebaut, zweckmäßig und auch schön. Die große Berliner Staatsmanufaktur zur Beschäftigung des Proletariats, das Lagerhaus, entstand unter der Einwirkung August Hermann Franckes, ebenso das Potsdamer Militärwaisenhaus. Der Fürst wurde selbst zum bürgerlich-puritanischen Unternehmer. Berlin verdankt

82. ***Potsdam, Holländisches Viertel,*** *Straßenzug, Pläne von Johann Boumann dem Älteren (1706–1776)*

Der Soldatenkönig wünschte, auch in Verehrung seiner holländischen Großmutter, (Abb. 6) einen Teil seiner neuen Stadt Potsdam nach holländischem Vorbild zu errichten. Der Architekt wurde aus Holland u.a. zu diesem Zweck berufen, blieb dann aber in preußischen Diensten. Mit Siedlungen dieser Art setzt sich in Deutschland der Reihenhausbau durch, für den es allerdings schon Vorläufer gab. (Abb. IV/77) Doch wurde auf einen gewissen rhythmischen Wechsel der unverputzten Backsteinbauten geachtet.

ihm eine gut organisierte Erweiterung und einige seiner bekanntesten Plätze, wenn auch im Zusammenhang mit der Errichtung einer Zollmauer um die Residenzstadt. Hierbei aber erweist er sich durchaus als Kind seiner Zeit: das Rondell, heute Mehringsplatz, versteht sich als Kopie der Piazza del Popolo in Rom, das Oktogon (heute Leipziger Platz) als Variation der Place Vendôme in Paris, und das Quarré, heute Pariser Platz, bezieht sich auf die Place Royale bzw. Place des Vosges, ebenfalls in Paris. Die Bebauung der Plätze überließ er Privatleuten und sorgte obendrein dafür, daß sie nüchtern wirkte – deshalb fiel sie späterer Repräsentationslust restlos zum Opfer. Als markante Blickpunkte stiftete er nach außen viele stattliche, innen schlichte protestantische Kirchen. Sein ›Meisterwerk‹ ist Potsdam, das in der Verlagerung der Residenz von der Hauptstadt weg in einen neugegründeten Ort auf dem Lande Ludwig XIV. folgt, aber dennoch ein Anti-Versailles ist. *(Abb. 83)* Regelmäßige Straßenzüge mit niedrigen, traufseitigen Häusern wurden errichtet, deren Erscheinung dadurch geprägt ist, daß das Obergeschoß Soldaten zu beherbergen hatte. Auch Älteres Holländisches spielt herein, so in der Anlage der vielen Kanäle. Das Ganze ist ein Zeugnis neuer Strenge der Gesinnung, aber keineswegs uniform.

Der Regierungsantritt seines vom Vater mit Mißtrauen betrachteten, ganz anders gearteten Kronprinzen Friedrich 1740 mochte in den Augen der Öffentlichkeit wie eine Wiedergutmachung erscheinen, als ein Sich-Wieder-Anschließen an Kultur und Bewußtsein der europäischen Mehrheit. So haben es Friedrich der Große und seine Schwester Wilhelmine, Markgräfin von Bayreuth, in ihren Memoiren und Geschichtswerken auch dargestellt. *(Abb. 84)* Sanssouci bezieht sich sowohl auf das Wiener Belvedere des Prinzen Eugen von Savoyen *(Abb. 37)* wie auf den Zwinger, *(Abb. 13)* dem Anschein nach also geradezu ein Verrat an den Prinzipien des Vaters. Friedrich der Große war ein Ästhet, der zumindest in seiner Jugend den Umgang mit Künstlern suchte. Die Wandgestaltung der Räume innen ist von einer geradezu musikalischen Sensibilität und von größter Raffinesse. Einen kongenialen Maler fand er nicht, aber er wurde gegen den Trend der Zeit zum eifrigsten Sammler der Bilder des zartesten aller französischen Künstler der Epoche, des Antoine Watteau.

Die Spaltung des Charakters ist bei Friedrich unübersehbar. Empfindsam und begabt, eigentlich eher ein Künstler, wurde er zum harten, selbstdis-

83. ***Potsdam, Schloß Sanssouci,*** *Ansicht vom Garten, Georg Wenzeslaus von Knobelsdorff (1699–1753), 1745–1747, Hermen von Friedrich Christian Glume dem Jüngeren (1714–1752), Venus und Merkur von Jean-Baptiste Pigalle*

Das Schloß, das nach Art der französischen Lusthäuser (maisons de plaisance) einen poetischen Namen erhielt (›sans souci‹, ohne Sorgen) thront auf einem Weinberg. Die dem Garten zugewandte Seite ist, in Umkehrung damaliger Gepflogenheiten, die Hauptansicht, die der Stadt bzw. Straße zugewandte Fassade die Nebenansicht. Die Hermen mit Bacchantinnen und Bacchanten spielen auf den Charakter als Weinbergschloß an. Der rechte runde seitliche Anbau war Lese- und Bibliothekszimmer des Königs und zitiert den Bibliotheksturm seines Kronprinzenschlosses Rheinsberg an.

84. ***Jean-Etienne Liotard (?) (1702–1789), Pastellporträt von Markgräfin Wilhelmine von Bayreuth,*** *um 1745, Bayreuth, Neues Schloß*

Das puderig-duftige Pastell war eine Lieblingstechnik der Malerei in der Mitte des Jahrhunderts. Spezialist(inn)en wie Rosalba Carriera, Alexander Roslin und Liotard zogen von Hof zu Hof, um die Herrschaften zu malen.

ziplinierten Arbeiter wie sein Vater – und wie er zum Despoten. Er suchte sich mit den fähigsten Köpfen zu umgeben – und verachtete im Grunde die Menschen. Seine Tätigkeit als Feldherr und Staatsmann brachten ihm zu Lebzeiten in Europa den Ehrentitel ›der Große‹ ein, aber er war ein unglücklicher Zyniker. Weil er nicht glaubte, daß eines seiner Landeskinder zum Künstler taugen könne, vernachlässigte er weitgehend die Ausbildung des Nachwuchses. Er war nicht bereit, den von ihm angestellten Künstlern zu folgen, denn er hatte einen Hang zur Besserwisserei. Einer der besten, Johann August Nahl, floh Hals über Kopf, Knobelsdorff resignierte, da der König sich über

linke Seite:
***85. Bayreuth, Markgräfliches Theater,** Architektur von Joseph Saint-Pierre (1709–1751), Innenausstattung von Giuseppe Galli-Bibiena (1696–1756), Innenansicht, 1745–1748*

Nach damaligem Brauch ist die Innenarchitektur aus Holz. Da dieses Material sehr feuergefährdet ist, sind fast alle dieser Bauwerke verloren oder durch feuersichere ersetzt. Das Parterre war ursprünglich für das Ballett gedacht. Die Mitte des ersten Ranges nimmt die prunkvoll inszenierte Fürstenloge ein.

***86. Bayreuth, Schloß Eremitage, Musikkabinett der Markgräfin Wilhelmine mit Freundschaftsporträts,** 1737, ergänzt um 1750, Porträts zumeist von Antoine Pesne (1683–1757), Stuck von Carlo Daldini Bossi*

Das 18. Jahrhundert pflegte einen Kult der Freundschaft, der von der englischen Betonung des ›sentiment‹ ausging und durch die Literatur vermittelt worden war. Er äußerte sich in den vielen Briefwechseln der Zeit, aber auch in Kabinetten mit Porträts, in diesem Falle ausschließlich der Freundinnen der Fürstin.

seine Vorschläge immer hinwegsetzte: So hatte er zu Recht gefordert, Sanssouci durch einen höheren Sockel besser von ferne sichtbar zu machen. *(Abb. 83)*

Entsprechend widersprüchlich ist die vom König geprägte Baukunst. In einer aufklärerischen Attitüde mied Friedrich die großen Residenzschlösser in Berlin und Potsdam und stilisierte sich statt dessen als ›Philosoph‹ und ›Eremit‹, der in seinem Weinbergschlößchen Sanssouci stoisch heiter lebte. Aber schon der überkuppelte, streng palladianische Marmorsaal und die großen Kolonnaden vor dem Eingang signalisieren repräsentativere Ansprüche. Nach seinen ganz Mitteleuropa aussaugenden Kriegen aber befahl er eine großspurig imperiale Baukunst, die mit dem kaiserlichen Wien, Versailles und St. Petersburg konkurrieren sollte und in ihrem hohlen Pomp den schwülstigen spätwilhelminischen Historismus vorwegnimmt. Den bescheidenen Potsdamer Häusern seines Vaters wurden Palladio-Fassaden nach schlechten Veduten sinnwidrig vorgeblendet, die königliche Bibliothek in Berlin nach einem Entwurf Fischer von Erlachs für die Wiener Hofburg funktions- und dekorumswidrig konzipiert. Für das Neue Palais wurde innen das von ihm privat bevorzugte Rokoko entgegen den Zeitströmungen als offizieller Staatsstil festgeschrieben – die dieser Dekorationsweise nicht gemäße Vergrößerung ins Monumentale führte zu innerer Leere. Es konnte nicht ausbleiben, daß vorwitzig vom König gegen den Rat seiner Architekten verordnete Bauteile noch im Rohbau wieder abgerissen werden mußten, weil auch Friedrich ihre Fehlerhaftigkeit nicht übersehen konnte.

Seine Schwestern haben alle gebaut sowie Kunst gefördert und gesammelt. *(Abb. 22)* Am bedeutsamsten war die ältere Lieblingsschwester Wilhelmine, *(Abb. 84)* die durch väterlichen Zwang mit dem Markgrafen von Bayreuth verheiratet worden war und die ihr Unglück schreibend, musizierend und bauend zu vergessen suchte. Ihre Vorhaben beweisen Feinheit des Geschmacks und viel Sinn für das Neue, das damals vor allem aus England kam. Das zeigt sich u.a. an dem von ihr konzipierten Felsengarten Sanspareil, einer eigenwilligen Thematisierung von natürlicher Wildheit, doch auch einer symbolischen Umsetzung von Fénélons Erziehungsroman *Telemach.* Das markgräfliche Theater in Bayreuth ist eher konventionelle italienische Bühnenkunst, wenn auch innen von den besten Theaterbaumeistern der Zeit, den Bibbiena, eingerichtet. *(Abb. 85)* Besonders geistreich und mit vielen eigenen Ideen gestaltet ist die innere Einrichtung ihrer Schlösser. Davon zeugen u.a. noch das Musik- bzw. Freundschaftszimmer der Eremitage, *(Abb. 86)* der eigenwillig groteske oder naturnahe Innendekor einiger Räume oder der vertäfelte Festsaal der Neuen Residenz: Immer ist mit bescheidenen Mitteln etwas Besonderes realisiert. Das Alte und das Neue finden sich bei dieser künstlerisch begabten und mit ihren Künstlern zartfühlend umgehenden Fürstin in einer kaum mehr benennbaren Gemengelage. Daß sie mit ihren Freundinnen zeitweise eine eigene, weibliche Gegenwelt zu bilden versuchte, darf jedoch nicht darüber hinwegtäuschen, daß mit den Fürstinnen des 18. Jahrhunderts die Möglichkeit zu weiblicher Selbstverwirklichung und relativer Freiheit zu Ende ging, die man im vorrevolutionären Europa den Frauen hohen Standes seit dem Mittelalter zubilligte. Die neue, bürgerliche Welt drängte auch sie in den Rollenkäfig als untergeordnete Ehefrauen und Mütter.

Kapitel 7

Die Freisetzung der Künste in der modernen Gesellschaft
(1760–1890)

Das Zeitalter der Moderne

Schon vor 1700 begann die Zersetzung der alten Ordnungsvorstellungen. Das 18. Jahrhundert nannte sich selbst das ›kritische‹ Zeitalter. Die anfangs punktuelle Kritik verstärkte sich mit der Zeit zu einer umfassenden Bewegung. Man kann nicht Jahr und Tag benennen, wann dies zur epochalen Wende führte, aber schon um die Jahrhundertmitte wird sie fast überall verspürt. Die Loslösung der amerikanischen Kolonien von England und die Ausrufung einer demokratischen Republik nach 1775 war ein Signal zum politischen Umbruch, doch ist erst die Französische Revolution 1789 für ganz Europa Eckdatum des Ausbruchs der allgemeinen Krise. Sie markiert das Ende des Alten Europa, den Beginn der Moderne. Und doch leben bis heute Reste des Alten weiter, und sei es nur in nostalgischer Erinnerung.

*1. **Caspar David Friedrich (1774–1840), Der Blick von den Kreidefelsen in Rügen,** Öl auf Leinwand, 90 x 70 cm, 1818, Winterthur, Museum Stiftung Oskar Reinhart*

Das neue Zeitalter suchte in der Natur weniger das Idyllische als das Erhabene. Es entdeckte Landschaften, die zuvor als wüst und häßlich übersehen wurden, so die schroffen Kreidefelsen Rügens. Sie waren von Interesse auch für die Geologie, im Zusammenhang der Frage nach Entstehung und Alter der Erde. Der Maler läßt den Abgrund tiefer erscheinen, als er in Wirklichkeit (und in seiner Studienzeichnung) ist, die Berge aber höher aufragen. Er schafft eine existentielle Spannung zwischen ›Unten‹ und ›Oben‹, dem irdischen Vorne und dem unendlich Weiten. Etwa in der Bildmitte befindet sich klein das Schiff als Symbol des Menschen auf seiner Fahrt durchs Leben. Das Bild entstand nach Friedrichs Hochzeitsreise. Die Charakterisierung und Zuordnung der Bäume sowie die Binnenrahmung in Form eines Kreises ist auf das Paar zu beziehen. Die drei Betrachtenden sind aber der Natur entfremdete Touristen. Sie stehen für drei verschiedene Weisen, die Natur zu erleben: die Besichtigung, das Erschrecken vor dem Abgrund und die nachsinnende philosophische Betrachtung.

Das Zeitalter, in dem wir leben, fing damals an. Strukturell ist in den letzten 250 Jahren bis heute zwar vieles sehr ähnlich, dennoch gibt es innerhalb des Zeitraums große Veränderungen, ja Brüche: Er wird durch Gegensätzlichkeit und Diskontinuität gekennzeichnet.

Die neuen Kunstrichtungen sind wie die politischen Ereignisse eher Ergebnis als Auslöser einer Bewegung, deren einzelne Kräfte so miteinander verflochten sind, daß man sie nur schwer trennen kann. Dabei war oft wichtig, was uns nebensächlich zu sein scheint: So hat z.B. die neue Wissenschaft der Geologie erheblich dazu beigetragen, die festgefügte Geschichtsvorstellung zu erschüttern, indem sie nachwies, daß die von beiden Konfessionen geteilte Lehrmeinung, die Erde sei im Jahre 3979 v. Chr. geschaffen worden, nicht stimmen kann. Das Studium der Gesteinsschichten und Versteinerungen lehrte nicht nur, daß die Erde viel älter sein muß, sondern sie zeigte auch, daß nicht, wie der mosaische Schöpfungsbericht angibt, alles auf einmal entstand, daß die Arten sich gewandelt haben, einige erst spät dazukamen und andere ausstarben. Es ist nur schwer nachzuvollziehen, was es für die Glaubensgewißheit bedeuten mußte, daß ein Hauptstück der biblischen Lehre als falsch hingestellt wurde – immerhin hing daran auch die Vorstellung vom Paradies, von der Erbsünde usw.

Im 17. Jahrhundert hatte sich die philosophische Schule des Rationalismus gebildet, der einzig die Vernunft (ratio) als Richtschnur des Denkens, Forschens und Handelns anerkannte. Zunächst hatte er die Grundlagen der Religion und der Gesellschaftsordnung nicht in Zweifel gezogen. Im 18. Jahrhundert wurde jedoch Schritt für Schritt das naturwissenschaftliche Weltbild revolutioniert, dabei u.a. die von der Kirche verdammte heliozentrische Lehre des Kopernikus für verbindlich erklärt und schließlich die Offenbarung, dann die Religion überhaupt in Zweifel gezogen; zuletzt gerieten auch die absolutistische Monarchie und ihr feudales Ständesystem in das Kreuzfeuer der Kritik.

Die bürgerlich geprägten Aufklärer waren radikal im Sinne des Wortes, d.h. sie setzten mit ihrer Kritik an der Wurzel an und verwarfen alles, was die barocke Gesellschaft, Religion und Kultur hervorgebracht hatten. Sie lebten im Bewußtsein,

Geschichte:
1789 Beginn der Französischen Revolution - Kaiser Napoleon I. von Frankreich (1796–1815) - 1802 Säkularisation - 1806 Ende des Heiligen Römischen Reiches, Gründung des Kaiserreiches Österreich - 1813–1815 Befreiungskriege, danach Restauration - 1830 ›Julirevolution‹ - 1848 ›Märzrevolution‹ - Österreich: Kaiser Franz Joseph I. (1848–1916) - Preußen: Kaiser Wilhelm I. (1871–1888) - Wilhelm II. (1888–1918) - Kanzler Otto von Bismarck (1862–1890) - 1870–1871 Deutsch-Französischer Krieg, Einigung der deutschen Staaten (außer Österreich) unter Führung Preußens

2a. u. 2b. ***Daniel Chodowiecki (1726–1801), Geschmack, aus der Stichfolge: Natürliche und affectierte Handlungen des Lebens,*** *Radierung, je 8 x 5 cm, 1778*

Das Blatt ist Teil einer Folge, die 1779 in dem von Lichtenberg herausgegebenen ›Göttinger Taschen-Calender‹ erschien und in der ›richtiges‹ und ›falsches‹ Verhalten miteinander konfrontiert werden, eine Schwarz-Weiß-Didaktik, die im Sinne der Aufklärung normbildend sein sollte: Übertriebene und zurückhaltende Bewegung, Mimik und Kleidung waren einander gegenübergestellt, aber auch freie und dressierte Natur.

die Wahrheit zu besitzen und den Fortschritt wie das Recht auf ihrer Seite zu haben; das machte sie intolerant. Zweifel oder eine Relativierung der eigenen Position kamen ihnen nicht in den Sinn. Das Denken wurde polarisiert, damit aber vereinfacht und letztlich verfälscht. Der Absolutheitsanspruch und der Zugriff auf das Ganze ohne jede Ausnahme begannen schnell, zum Totalitären zu verkommen. Das zeigte sich bereits an den fürstlichen Mustern des ›Aufgeklärten Absolutismus‹, Friedrich dem Großen und Kaiser Joseph II., erst recht an der Entartung der Französischen Revolution zum Schreckensregime der Tugend-Diktatur. Die Selbstsicherheit, mit der man damals ›richtig‹ von ›falsch‹ unterschied, *(Abb. 2a u. 2b)* trennt die Moderne von allen älteren Epochen: Auch die Renaissance wußte sich ins rechte Licht zu setzen und das zu überwindende Alte schwarz zu färben. Dabei ging es jedoch nie um eine moralische Verurteilung des Vorangegangenen, sondern immer um die eigene Profilierung als das Höherentwickelte.

England war seit seiner ›Glorious Revolution‹ im Jahr 1688 zur Führungsmacht in Europa geworden. Politisch basierte dies auf der Einführung der konstitutionellen Monarchie, d.h. auf der Einschränkung der Königsmacht durch Verfassung und Parlament, in dem Adel und Bürgertum Hand in Hand arbeiteten. Militärisch war der Ausbau seiner Seemacht und wirtschaftlich die Modernisierung, Kapitalisierung und Technisierung in allen Bereichen ausschlaggebend. Das führte in schnellen Schritten zur Industriellen Revolution, die bis 1850 die anderen Länder Europas erreichte und zum Ende des Jahrhunderts die Verhältnisse umwälzte: die Erfindung der Dampfmaschine, die zuerst nur für den Gebrauch im Bergbau verwendet, dann aber auch auf andere Bereiche übertragen wurde; die Erfindung weiterer Maschinerie, wie maschinell getriebene Mühlen und der mechanische Webstuhl; die Schaffung neuer Verkehrsstrukturen und -wege unter Einsatz von Eisen: die Kanäle, die erste Eisenbrücke in Coalbrookdale 1779, dann das Dampfschiff und schließlich die alles revolutionierende Eisenbahn.

Das neue (bürgerliche) Ethos

Mit der Technisierung ging die Durchsetzung der bürgerlichen ethischen Normen und der ihr entsprechenden Mode einher. Aber die Instanz war nicht mehr der Hof, sondern die ›Öffentlichkeit‹, intern in den Clubs und Vereinen, außenwirksam durch die Publizistik, d.h. die Tagespresse, die ›Magazine für die gebildeten Stände‹ sowie die schöne Literatur. Für die Künste wurden die neuen Institutionen der Ausstellung und der Kunstkritik bedeutsam.

Die bürgerlichen Normen wurden zu denen der Menschheit erklärt und deshalb Hauptthema auch der Kunst. An die Stelle der alten religiösen und mythologischen Historienmalerei traten die ›Tugendhistorien‹, bevorzugt Szenen aus der antiken Geschichte, die mustergültiges Verhalten zeigen. *(Abb. 3)* Aufgabe der Bilder war die moralisch-ästhetische Erziehung – man war überzeugt, daß beides ineinandergreifen würde. Für eine umfassende Didaktik im älteren Sinne erschien Kunst nicht mehr geeignet. Das übernahm von nun an das Wort, welches sich allenfalls der Illustration bediente. Kunst sollte hingegen auf die Gefühle und über die Gefühle wirken.

Anleihen bei älteren didaktischen Traditionen finden sich jedoch in der Karikatur, die von dem

Engländer Hogarth aus den Niederungen der Bildsatire und des physiognomischen Zerrspiegels zum künstlerisch angeseheneren Medium erhoben wurde. Auf seinen Spuren versuchten einzelne Künstler in Deutschland, etwas Analoges zu schaffen und die Malerei zum Medium der Kritik an der gesellschaftlichen Wirklichkeit zu machen. *(Abb. 4)*

In den deutschen Staaten gingen die Veränderungen eher von oben als von unten aus. Es waren die Fürsten selbst, die sich gegen Luxus wandten und statt dessen vorbildliche Sparsamkeit forderten. Schlichtheit und Natürlichkeit galten nun als einzig richtige Haltung. Das Rokoko, seine Zierlust, seine aufwendige Kleidung, sein Raffinement erschienen nun als Inbegriff der Korruption und Verschwendung des alten Systems. Doch zielte der Angriff nicht nur auf eine überholte Mode, er reichte weiter: Reich gegliederte und geschmückte, d.h. nach barockem Verständnis ›architektonische‹ Bauten und Kunstwerke galten nun an sich als Verschwendung, als überflüssig. Eine Verordnung der kurbayerischen Regierung für den Kirchenbau aus dem Jahre 1770 war nur ein erster Schritt: Damit »alle Übermaaß verhütet, und nicht eines jeglichen Pfarrers oder Beamten Eigendünkel, die willkürliche Anordnung des Baues überlassen, sondern vielmehr eine so viel möglich durchgängige Gleichförmigkeit in der Kirchenarchitectur [...] beobachtet werden möge; so werden wir durch erfahrne und verständige Baumeister verschiedene Muster von Grundrissen und Profils nach der Anzahl Pfarrkinder, und zugleich bey jedem einen Ueberschlag der sämmtlichen Bauköstein, so zuverläßig als es immer thunlich ist, verfassen lassen, dergestalt, daß

3. Angelika Kauffmann (1741–1807), Cornelia, die Mutter der Gracchen, zeigt ihre beiden Söhne als ihren wahren Schatz vor, *Öl auf Leinwand, 101 x 128 cm, 1785, Weimar, Kunstsammlungen*

Didaktisch antithetisch ist die der Gefallsucht und dem Luxus hingegebene Frau dem bürgerlichen Idealtyp der Frau gegenübergestellt, die ihre gut erzogenen Söhne als ihren eigentlichen Schmuck und Schatz vorweist. Damit wird die Kindererziehung als Hauptberuf der Frau gemäß dem neuen bürgerlichen Familienverständnis eingeschärft. Die Gracchen spielten in der Geschichte des republikanischen Rom eine rühmliche Rolle. Sie endeten als Märtyrer des Kampfes für die Befreiung der unteren Stände. Indirekt wird ihr heroischer Opfertod als mustergültig herausgestrichen. Gemäß diesem doppelten Sinn ist die Frau also dazu da, ihre Söhne als Opfer für das Vaterland aufzuziehen. Der ideologische Charakter des Themas springt in die Augen. Daß eine zu ihrer Zeit in Europa berühmte Malerin sich an der Einengung der Frauenrolle derart aktiv beteiligte, erscheint bestürzend.

*4. **Franz Anton Maulbertsch (1724–1796), Der Quacksalber,** Öl auf Holz, 53 x 56 cm, vor 1785, Augsburg, Städtische Kunstsammlungen (Barockgalerie)*

Der Maler hat das Bild auch in einer 1785 datierten Radierung publiziert, bei der die Vorbildlichkeit der Stiche Hogarth's noch augenscheinlicher ist. Der Narr in der Mitte gibt dem Ganzen einen Charakter von Volksbelustigung im Sinne des alten niederländischen Genrebildes, definiert aber das Geschehen auch als Betrug am Volk. Maulbertsch war an den aufklärerischen Vorhaben Kaiser Josephs II. engagiert beteiligt.

mit Beybehaltung einer reinen und regelmäßigen Architectur alle überflüßige Stukkador- und andere öfters ungereimte und lächerliche Zierrathen abgeschnitten, an denen Altären, Kanzeln und Bildnissen eine der Verehrung des Heiligthums angemessene edle Simplicität angebracht werde.« Im Ergebnis wurde durch diesen Prinzipien-Wechsel überhaupt weniger gebaut. Mehr noch: Der Schritt vom Verzicht zum Abschlagen der ›überflüssigen Zierate‹ und schließlich zur Vernichtung von Kirchen, Klöstern und Palästen war nur klein. Ehe das Jahrhundert abschloß, war er getan, war die Moderne als Epoche der größten und umfassendsten jemals geschehenen Zerstörung älterer Kunst heraufgezogen.

Die eingesparten Mittel sollten dem ›Volkswohl‹ zugutekommen. Letztlich aber bahnte sich eine Neubestimmung aller Werte an: Denn hinter der neuen Ethik stand die Forderung nach Gleichheit, nach Aufhebung der Ständehierarchie, des Zeremoniells, der Monopolisierung der Macht; es war mehr als nur eine Veränderung des Stils, es lief auf die Beseitigung des Systems hinaus. Goethe spricht dies 1810, nach den Erfahrungen der Revolution, in einem Stichwortdiktat aus: »Vorgang der Großen, zum Sanskulottismus [d.h. zu revolutionärem Radikalismus] führend. Friedrich [der Große] sondert sich vom Hofe. In seinem Schlafzimmer steht ein Prunkbette. Er schläft in einem Feldbette daneben. Verachtung der Pasquille [Spottgedichte], die er wieder anschlagen läßt. Joseph [II.] wirft die äußeren Formen weg. *(Abb. 12)* Auf der Reise, statt in Prachtbetten zu schlafen, bettet er sich nebenan auf der Erde, auf einer Matratze. Bestellt als Kurier auf einem Klepper die Pferde für den Kaiser. Maxime, der Regent sei nur der erste Staatsdiener. Die Königin von Frankreich [Marie Antoinette, Schwester Josephs, 1793 hingerichtete Gemahlin Ludwigs XVI.] entzieht sich der Etikette. Diese Sinnesart geht immer weiter, bis der König von Frankreich sich selbst für einen Mißbrauch hält.« Doch steht des Ministers Goethe schlichtes Weimarer Gartenhaus oder das kahle Arbeitszimmer in seinem Stadthaus selbst für Enthaltsamkeit von jeglichem Zierrat und ist darin ganz modern.

Der Verzicht auf die alten Formen ist also mehr als nur das Abwerfen von Ballast: Es stellt die Sakralität der Monarchie in Frage, überhaupt die alte religiös-politische Weltanschauung mit ihrer In-Eins-Setzung von Sonne und Fürst. Dem widerspricht nicht, daß sich die deutschen Monarchien noch lange halten konnten, sondern hat eher damit zu tun, daß die Fürsten und ihre Beamten sich die neuen Prinzipien zueigen machten, um Staat und Herrschaft zu stärken. Allein schon die Tatsache, daß sich der Monarch nun darum bemühen mußte, seine Herrschaft volkstümlich zu gestalten und sich Zustimmung zu verschaffen, ist Zeichen eines neuen Zeitalters.

Friedrich der Große ging während des Siebenjährigen Krieges dazu über, nur noch den einfachen preußisch-blauen Soldatenrock zu tragen. Die Offiziersuniform wurde die neue Fürstengala, soweit man nicht zum schwarzen calvinistischen Rock überging. Der wurde bei Adligen wie Bürgern zur Einheitskleidung, zur ›Uniform‹ im Wortsinne, Symbol der neuen Askese, die letztlich in der Männermode, unter Veränderungen im Einzelnen, bis heute fortdauert.

Der Lebensstil änderte sich grundlegend: Die meisten Feiertage wurden abgeschafft, die Bettler verjagt oder ins Arbeitshaus gesteckt, die Wallfahrten und andere volksfromme Bräuche unterbunden. Müßiggang, also das gewöhnliche Verhalten von Adel und hohem Klerus, galt nun als verächtlich. Statt dessen wurden Arbeitsethos und Bildungsstreben propagiert. Daß sich alle danach richteten, dafür sorgte der Obrigkeitsstaat – es wurde ungemütlich.

Naturgefühl und Englischer Garten – das Beispiel Wörlitz

In England hat auch die Empfindsamkeit, d.h. die neue innere Einstellung der damaligen Menschen, ihren Ursprung. Sie ist weniger außenorientiert, achtet mehr auf die eigenen subjektiven Empfindungen. Der Begriff wurde von Lessing 1768 eingeführt als Übersetzung der *Sentimental Journey* von Lawrence Sterne. Empfindsamkeit verbindet sich mit der Gefühlsinnigkeit des Pietismus. Sie gibt den Eindrücken und Erlebnissen durch seelische Anteilnahme eine besondere Bedeutsamkeit, war jedoch immer in Gefahr, in Gefühlsseligkeit bzw. Sentimentalität umzuschlagen – die wir bis heute häufig finden. Sie führte auch zu einer formal weichen, farblich gemilderten ästhetischen Auffassung und spiegelt sich z.B. in der Bevorzugung der gefühlsinnigen älteren Bologneser Malerei wie der von Guido Reni, statt der kraftvoll dynamischen Vorbilder aus Renaissance und Barock.

Im Mittelpunkt der Gefühlsaufwallungen der Empfindsamkeit stand die Natur, vor allem in Form des gestalteten Englischen Gartens. Entwickelt worden war er von einer kleinen Schicht liberaler Adliger, die in Opposition zum Hof eine natürlichere Gartenform als Ausdruck der Freiheit von Zwängen konzipierten, wobei sie sich auf die angeblich in Ostasien existierende größere Freiheit beriefen. Der Englische Garten war als ein privates Arkadien gedacht, und als Utopia. Kein rationalistisch-geometrisches System sollte der Landschaft auferlegt werden, denn die Natur kennt keine gerade Linie; vielmehr wollte man den Gegebenheiten des jeweiligen Landstriches folgen und sie allenfalls umformen. Der Garten sollte in die Umgebung übergehen und dabei nicht nur Zier-, sondern auch Nutzgarten sein.

Der Mensch trat der Natur nicht mehr als Herr und Meister gegenüber (vgl. Kap. VI), sondern empfand sie als Abglanz göttlicher Schönheit, aber auch als Übermächtiges, das in der damaligen Ästhetik als ›erhaben‹ (sublime) beschrieben wird: »Erhaben nennen wir das, was schlechthin groß ist, was über alle Vergleichung groß ist [...] Erhaben ist die Natur in denjenigen ihrer Erscheinungen, deren Anschauung die Idee ihrer Unendlichkeit bei sich führt.« (Kant) Das weckte das Interesse für die ursprünglichen wie die extremen Naturbereiche, denen man bis dahin ausgewichen war: wilde Urwälder, hochpathetisch zerklüftete Felsen, *(Abb. 1)* die Gletscherwelt der Hochalpen, *(Abb. 5)* das Feuer der Vulkane, die Wüste oder die tobenden Stürme des Nordmeers. Im Zusammenhang damit verlor die Landschaftsmalerei allmählich ihren geringen Platz in der Hierarchie der Gattungen.

Das englische Naturgefühl entwickelte eine Vorliebe für das ›picturesque‹, d.h. es bevorzugte Naturszenerien, die den von den Sammlern so geliebten Gemälden etwa des Claude Lorrain (1600–1682) oder Salvatore Rosa (1615–1673) ähnelten. Diese Gesellschaft von Romanlesern prägte auch den Begriff ›romantisch‹, d.h. besonders ›romanhaft‹.

Der Garten ist also vor allem Stimmungsträger: Ruinen erinnern an Reiseerlebnisse, an vergangene Epochen oder lassen im Gedenken an die Vergänglichkeit der Dinge erschauern. Denkmäler, Inschriften und kleine Bauten sollen Gefühle, Erinnerungen und Gedanken wecken. Der für diese Epoche so bezeichnende Denkmalkult be-

*5. **Caspar Wolff (1735–1783), Der Geltenschuß im Lauenental mit Schneebrücke,** Öl auf Leinwand, 82 x 54 cm, 1778, Winterthur, Museum Stiftung Oskar Reinhart*

Der Verzicht auf jede Staffage steigert die Wirkung der Ödnis und Fremdheit der hochalpinen Landschaft, die vor der Natur studiert und später zum Teil vor Ort korrigiert wurde.

ginnt in den Landschaftsgärten. Aber schon in der nächsten Generation versuchte z.B. Goethe in Weimar, die Natur für sich allein stärker zur Geltung kommen zu lassen. Er verminderte die Zahl der Gebäude und Gedenkstätten. Gerade die ›Gedenkorte‹ sind inzwischen in den meisten Gärten ausgelöscht.

Die Kunde von diesen Neuerungen war schon früh auf den Kontinent und auch nach Deutschland gelangt. Bei den ersten Nachahmungen spielte Kostenersparnis noch eine Rolle, denn der Englische Garten war in der Anlage und Pflege billiger als der barocke. Entscheidend war die Aufnahmebereitschaft für den ungezwungeneren englischen Gartenstil. Schon die von Watteau (1686–1721) gemalten Parks stehen den englischen Gärten näher als den französischen. Im übrigen bevorzugte bereits der Ornamentstil des Rokoko asymmetrische und spielerische Formen gegenüber den geraden und repräsentativen: Was äußerlich unähnlich erscheint, hat von der Haltung her manches gemeinsam.

Unter den frühen Englischen Gärten Deutschlands ist am berühmtesten der von Wörlitz an der Elbe. *(Abb. 6)* Sein Gründer ist Fürst Leopold III. Friedrich Franz von Anhalt-Dessau (1740–1817). Anhalt gehörte damals zu den Satellitenstaaten Preußens, es war von seiner Fläche her kleiner als das heutige Berlin und hatte kaum 30.000 Einwohner. Doch wandte sich der Fürst schroff von der Politik Friedrichs II. ab. Er wollte sein Fürstentum nach englischem Vorbild reformieren und brach 1763 mit seinem nur wenig älteren Architektenfreund Friedrich Wilhelm von Erdmannsdorff und dem Gärtner Eyserbeck zu einer Englandreise auf.

Manche deutsche Fürsten fühlten sich damals zu besonderen Leistungen angespornt: So machten wenig später die Herzogin Anna Amalie und ihr Sohn das wenig größere Weimar zu einer ›république des lettres‹, zum leuchtenden Vorbild der Erneuerung von Gesellschaft, Kultur und Kunst, weit wirkungsvoller, als es die geringe Finanzkraft eigentlich erlaubte. An diesen Orten bildete sich, beeinflußt von den egalitären Idealen der Freimaurerei, eine Gemeinschaft der Fürsten, Adligen und Bürgerlichen, welche die alte Vorstellung vom Fürstenhof durch die neue der ›bürgerlichen Gesellschaft‹ ersetzte. Sie baute auf das gute Beispiel und die Überzeugungskraft, nicht auf staatliche Bevormundung.

Dessau war für einige Jahrzehnte ein geistiges Zentrum Mitteleuropas. Fürst Leopold förderte im Sinne der allgemeinen ›Wohlfahrt‹ Ackerbau und Gewerbe, sorgte für die Emanzipation der Juden u.v.m. Eine chalkographische Gesellschaft sollte das Niveau der Druckgraphik heben. Der Fürst kannte viele Größen der Epoche, so Goethe, Winckelmann, Wieland, Lavater, Sterne und Rousseau. Er gründete in Dessau eine berühmte Schule nach den neuen pädagogischen Prinzipien vor allem Rousseaus, das Philanthropin. Kein Bau oder Denkmal wurde in dieser Zeit errichtet, kein Baum gepflanzt ohne Belehrung, ohne erzieherische Absicht, ohne den Willen zu dem, was die Epoche in ihrem Lieblingsbegriff ›Bildung‹ nennt. Das 18. Jahrhundert ist die Zeit der Entdeckung und Berücksichtigung kindlicher Eigenwertigkeit und damit der Pädagogik.

Der neue Garten integrierte ältere Anlagen und die Nutzflächen der umliegenden Elbauen.

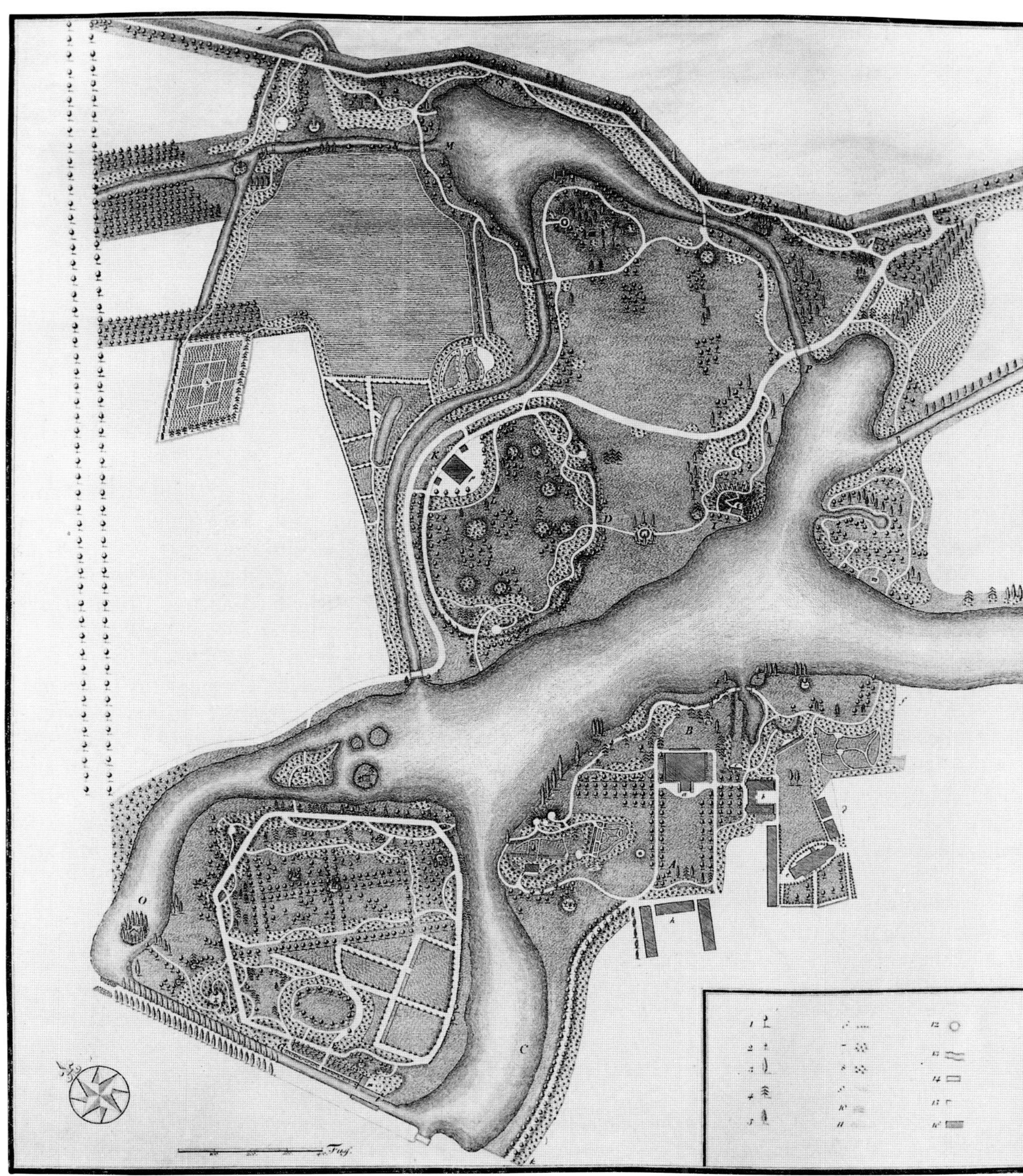

*6. **Plan der westlichen und mittleren Teile des Wörlitzer Parkes,** Stich von J. S. Propst nach J. C. Neumark, 1786*
Der Park ist unter Ausnutzung der Deiche, auf die einige der Gebäude gestellt wurden, in die Elbauen bei Dessau eingebettet, was ihnen eine gute Fernsicht gibt. Er umfaßt auch einige Teile, deren landwirtschaftliche Nutzung nicht in Frage kam, während andere in ein Mustergut übergehen.

Verschönerung und Wohlfahrt gingen Hand in Hand. Auch fielen die Schranken: Der Garten war nicht mehr ausgegrenzter Bereich des Hofes, sondern diente der Belehrung und Freude aller. Zum ersten Mal wird auch der Naturschutzgedanke ausgesprochen: »Wanderer achte Natur und Kunst und schone ihrer Werke« war auf einem Altar zu lesen.

Im Verlauf von vier Jahrzehnten wurden seit 1764 in die Landschaft einzelne gestaltete Gartenzonen eingefügt, ebenso Gedenkstätten und Kleinkopien des Vulkans Vesuv und anderer Sehenswürdigkeiten Italiens. Die Kontraste sind manchmal recht hart: So findet sich eine Kopie der ersten eisernen Brücke in Coalbrookdale, aber auch eine Hängebrücke in primitiver Konstruktion, als Eingang zu einer Art Robinson-Reich. Komplexe, die nur zu bildmäßiger Anschauung gedacht sind, wechseln mit solchen, die erwandert werden müssen: Unter ihnen z.B. ein Labyrinth, das mit seinen verworrenen Wegen in das Elysium überleitet, als Gleichnis des glücklich bewältigten Lebens. Bevor man in das Elysium gelangt, stößt man auf warnende Inschriften wie »Wähle Wanderer Deinen Weg mit Vernunft« und liest an einer Weggabelung in Anspielung auf das alte Gleichnis des *Herkules am Scheidewege* die Mahnung »Hier wird die Wahl schwer, aber entscheidend«. Wählt man den falschen Weg, gelangt man zu einer Venusstatue und findet dort die Aufforderung »Kehre bald wieder zurück«. Der Garten bietet ein moralisch belehrendes Programm, während Analoges in der barocken Gartenkunst noch ganz im Rahmen der kosmologischen Systematik steht. Neben der öffentlich bekundeten Moral hat das Gartenprogramm auch eine, allerdings verdeckte, erotische Komponente.

Der Fürst verehrte insbesondere Jean-Jacques Rousseau, der als Philosoph etwas in Vergessenheit geraten ist. Ihm zu Ehren ließ er eine Rousseau-Insel nach dem Vorbild seines Grabes im Park von Ermenonville bei Paris mitten in einen Teich setzen. Man liest auf dem Gedenkstein: »Dem Andenken J. J. Rousseau's, Bürger zu Genf

/ Der die Witzlinge zum gesunden Verstande / Die Wollüstigen zum wahren Genusse / Die irrende Kunst zur Einfalt der Natur / Die Zweifler zum Trost der Offenbarung / Mit männlicher Beredsamkeit zurückwies / Er starb den 2. Juli 1778.« Dieser einflußreichste Stichwortgeber der Epoche *(Abb. 10)* wetterte wie ein Bußprediger gegen Unfreiheit und Ungleichheit in der Gesellschaft seiner Zeit, überhaupt gegen die Zivilisation, wobei er auch Wissenschaft, Literatur und Künste einschloß. Er verwarf das ›Ancien Régime‹ (die Alte Ordnung) in Bausch und Bogen, seine Parole hieß: »Zurück zur Natur! Zurück zu den Anfängen!«. Rousseau hielt der durch die Zivilisation von der Natur entfremdeten und dadurch seiner Meinung nach verderbten Gesellschaft den ›edlen Wilden‹ als Modell entgegen – das hatten mit christlich-moralisierender Absicht zuvor schon die Jesuiten getan, aber erst jetzt entfaltete die Idee ihre volle Wirkung. Fürst Leopold Friedrich Franz ließ einen Pavillon in der Nähe der Insel zur Aufnahme einer Sammlung von Objekten der Südseeinsulaner erbauen, die er von dem Weltreisenden Georg Forster (1754–1794) erhalten hatte. Rousseau hatte immer wieder die Einsamkeit der wilden Natur als Ort des Nachdenkens aufgesucht; durch sein Vorbild galten Naturparks als Ort der inneren Erneuerung und als Quelle der Inspiration, was die Mode der Gründung neuer oder der Umwandlung alter Gärten nach englischem Muster erheblich verstärkte.

Deshalb verwundern die religiösen Elemente wie Altäre und Andachtsstätten nicht. Die Menschen damals empfanden die Natur als eine vielgestaltige und den ›schönen Geist‹ erbauende Offenbarung Gottes. Mit der Zersetzung des christlichen Glaubens nahm sie jedoch für viele den Platz Gottes ein. Andacht vor der Natur trat an die Stelle des kirchlichen Gottesdienstes. Man erwartete von der Begegnung mit ihr eine Läuterung des Menschen, die ihn aus seinem Egoismus erlösen und für das Schöne wie das Gute öffnen sollte. Bei einer solchen Überhöhung konnte sich die künstlerische Gartengestaltung oder die Landschaftsmalerei nur noch demutsvoll der Natur unterordnen.

Indem die Aufklärung jedoch den Naturbegriff mit dem Freiheitsgedanken verband, erschien der barocke Garten als Bild despotischer Willkür und Versklavung. Das Beschneiden der Bäume wurde durch Rousseau als Sinnbild falscher Erziehung gedeutet; sein Gegenbild war der frei sich entfaltende einsame Baum, der seitdem zum Lieblingsmotiv der Landschaftsmaler romantischer Einstellung wurde. *(Abb. 29)*

Andererseits zeigt die Umwandlung von Teilen des nahegelegenen Schloßgartens in Oranienbaum nach dem Muster der anglo-chinesischen Gartenkunst des William Chambers (1726–1796), daß der Fürst um der Abwechslung willen auch durchaus exotisch geprägte Gärten liebte, die in Verbindung mit dem alten Barockgarten einen in dieser Epoche geschätzten Kontrast und Reiz ergaben.

Johann Joachim Winckelmann

Angesichts des Übergewichts des Denkens und der Literatur über die Bildende Kunst wundert die Feststellung nicht, daß wir das epochal Neue in der Kunstgeschichte Deutschlands nicht zuerst in einem Kunstwerk oder bei einem Künstler finden, sondern in den Schriften des ersten Kunsthistorikers im modernen Sinne, Johann Joachim Winckelmann (1717–1768). 1755 erschien seine Erstlingsschrift, die *Gedanken über die Nachahmung der griechischen Werke in der Malerei und Bildhauerkunst* und 1764 das Hauptwerk *Geschichte der Kunst des Altertums:* Es war eins der einflußreichsten kunsthistorischen Bücher überhaupt, doch nur bis etwa 1800. Wie läßt sich seine Wirkung erklären?

Schon zuvor hatte in Frankreich der Comte de Caylus (1692–1765) die Vorstellung von der einen Antike angegriffen, indem er nachwies, daß es vier verschiedene Hauptkulturen gegeben hat, die der Ägypter, Griechen, Etrusker und Römer. Die Engländer bereisten als erste systematisch Griechenland und verbreiteten in Stichwerken die Kenntnis von der ursprünglichen, griechischen Baukunst. Man begriff nun, daß die bislang übersehenen Tempel von Pästum und Sizilien griechische Originale waren. Da man damals das Originelle und das Schöpferische ineins setzte, wurde die Baukunst Roms radikal abgewertet und erschien nun als geistlose Imitation. Die vitruvianische Lehre von den Säulenordnungen wurde als ungriechisch, als falsch und obendrein dogmatisch verurteilt. Das griechische Original wirkte kraft- und machtvoller, ausdrucks- und charakterstärker. Die griechische dorische Säule hatte – verglichen mit den späteren Abwandlungen – durch das Fehlen der Säulenbasis und anderer Bauzier einen ungeschlachten und primitiven Zug. Das aber galt den Zeitgenossen Rousseaus, die erstmals das Ursprüngliche als Wert an sich anerkannten und über alles stellten, als doppelter Vorzug.

Winckelmann, wie Rousseau von seiner Herkunft her Kleinbürger, ein Schusterssohn aus Stendal, studierte zunächst Theologie und Philologie, wandte sich dann aber ganz der Altertumswissenschaft zu. Er verdiente sein Brot u.a. als Hauslehrer, dann als Bibliothekar in Dresden und später in Rom bei Kardinal Albani. Griechenland, seine Sprache und Kultur, verklärte er als das verlorene Paradies. Einzig die griechische Kunst habe »Wahrheit« erlangt. Deshalb sollte nun ausschließlich sie Vorbild bei der Künstlerausbildung sein. »Die Ursache und der Grund von dem Vorzuge, welchen die Kunst unter den Griechen erlangt hat, ist teils dem Einflusse des Himmels, teils der Verfassung und Regierung und der dadurch gebildeten Denkungsart, wie nicht weniger der Achtung der Künstler und dem Gebrauche und der Anwendung der Kunst zuzuschreiben [...] In [...] Verfassung und Regierung [...] ist die Freiheit die vornehmste Ursache des Vorzugs der Kunst.« Altertumswissenschaft und Griechischunterricht erhielten so einen neuen, politischen Sinn. Sie dienten nicht antiquarischer Gelehrsamkeit, sondern boten in ›Hellas‹ ein ideales Gegenbild zur eigenen Zivilisation, die als unfrei und dekadent verdammt wurde. Sie wiesen den Weg zur Erneuerung, zur Freiheit, ja zur Revolution. Die Griechen als Volk der Freiheit wurden den von ihren Kaisern geknechteten Römern entgegengesetzt: Weil sie unfrei waren, sei auch ihre Kunst unschöpferisch gewesen. Winckelmann zog auch eine Parallele zur eigenen Zeit: Die Franzosen des Ancien Régime erschienen ihm als die neuen Römer, die Deutschen aber sollten die neuen Griechen werden. In suggestiver Sprache verkündete er die Antithesen: Homer gegen Vergil, Freiheit statt Knechtschaft, unbedingtes Künstlertum statt Hofkunst usw. Es ist heute jedoch offensichtlich, daß seine Argumentation kritischer Prüfung nicht standhält und sich letztlich als Wunschdenken erweist.

Seine oft nur beiläufig geäußerten Ideen sind damals mindestens so wichtig gewesen wie der eigentliche kunsthistorische Inhalt der Bücher Winckelmanns: der Haß auf »das freche Feuer« des Barock, das geforderte strenge Ethos, das Herbeisehnen einer neuen Einfachheit. Im Grunde war sein Geschichtswerk eine Kampfschrift zur Erneuerung der Kultur durch die Neo-Klassik. So europäisch und universal er sich gibt, eine nationalistische Triebfeder ist nicht zu übersehen. Und hinter dem Ideal der Klassizität steht unübersehbar die Vorliebe für die primitive Frühzeit. Gerade das macht ihn zu einem Wegbereiter der Moderne. Ebenso aber die Tatsache, daß nun ein Nicht-Künstler das Wort ergreift und daß die Macht des Wortes die des Bildes zu übertreffen beginnt. Am stärksten wirkten Winckelmanns Thesen auf die Schriftsteller, gerade die größten und einflußreichsten wie Lessing, Goethe und Schiller. Er gehört zu den Vätern der deutschen Kunstkritik, dessen Wirkung noch dadurch vergrößert wurde, daß seine Ideen diejenigen anderer Schriftsteller, die in eine ähnliche Richtung zielten, überlagerten und potenzierten. Hier ist vor allem Rousseau zu nennen. Es war Winckelmann, der Rousseaus Lobpreis der »edlen Einfalt« auf die frühe griechische Skulptur und Baukunst übertrug.

Klassizismus und Historismus

Der Klassizismus in Deutschland beginnt zunächst als Rezeption der französischen Ornamentstiche, des sogenannten Zopfstils, und mehr noch des englischen Neopalladianismus. Das 1769–1773 von Friedrich Wilhelm von Erdmannsdorff erbaute Schloß im Park von Wörlitz *(Abb. 7)* ist eine Kopie des Landsitzes Claremont, den Henry Holland 1763–1764 errichtet hatte. Antikisierende Motive wie der Vorsaal nach dem Muster des Pantheon in Rom oder Räume mit Ausstattungen nach Vorbildern des kurz zuvor unter den Aschenschichten des Vesuv entdeckten

*7. **Schloß Wörlitz bei Dessau,** Außenansicht, 1769–1773, Friedrich Wilhelm von Erdmannsdorff (1736–1800)*

Der Bau folgt dem Typ eines Landhauses. Ganz anders als ältere Schloßbauten hat es keinen repräsentativen Vorplatz, keine gerade darauf zuführenden Alleen oder andere Elemente der alten Repräsentationsarchitektur. Verglichen mit der Baukunst Palladios findet sich sehr viel kleinteiliger Zierrat, der für die erste Phase des Klassizismus bezeichnend ist.

Pompeji wechseln jedoch u.a. mit Chinoiserien, die ihre Beliebtheit nicht eingebüßt hatten. Überhaupt sind gerade in der Innenausstattung viele Mischformen mit Motiven der älteren Zeit festzustellen. So finden wir dort auch die neuen englischen Chippendale-Möbel oder das industriell hergestellte Steingut der Wedgwood-Manufaktur, das mit seinen strengen Formen, dem klassizistischen Dekor und seinen Farben Grauschwarz, Blaßblau und Marmorweiß eine schlichte und billige Alternative zum Rokoko-Porzellan bot.

Die antiken Bauformen galten schon der Renaissance als ewiggültig und naturgemäß. Aber das führte weder zum Ausschluß der mittelalterlichen Bautypen, Motive und Stilformen, noch zur Dogmatisierung. Zu fest war im Bewußtsein verankert, daß das Christentum das Heidentum überwunden und die Kirche den Tempel ersetzt hatte. Die Antike wurde im übrigen nicht wirklich als vergangen empfunden, sondern als gegenwärtig. Sie war verfügbar, aber mit den Errungenschaften der christlichen Zeit in Einklang zu

*8. **Wörlitz bei Dessau, Gotisches Haus,** Außenansicht, 1773 und später, nach Plänen von Friedrich Wilhelm von Erdmannsdorff (1736–1800)*

Auch das Gotische Haus ist mitten auf die grüne Wiese gesetzt. Es wird zu einem Teil der Landschaft, obwohl die nachgeahmten Architekturformen städtischen und im übrigen auch sakralen Ursprungs sind.

bringen. Winckelmann hatte jedoch mit seiner Kunstgeschichte der Epochen-Stilbegriffe die Anschauung durchgesetzt, daß Stile etwas Abgeschlossenes, d.h. jeweils endgültig Vergangenes waren. Er betonte den Einschnitt zwischen Mittelalter und Antike, forderte seinerseits aber den Bruch mit der Kunst (und den gesellschaftlichen Verhältnissen) des Barock. Der Gedanke, daß jede Epoche etwas Eigenes und in sich Abgeschlossen sei, ist Grundlage der historischen Denkweise, die wir Historismus nennen.

Die antike Architektur wurde von den Klassizisten jedoch nicht in ihren anthropomorphen, religiösen und symbolischen Bedeutungen rezipiert, sondern als Idee und ästhetische Bildungsmacht: »Die Tempel blieben dem Auge heilig, als die Götter längst zum Gelächter dienten [...] Die Menschheit hat ihre Würde verloren, aber die Kunst hat sie gerettet und aufbewahrt in bedeutenden Steinen; die Wahrheit lebt in der Täuschung fort, und aus dem Nachbild wird das Urbild wieder hergestellt.« (Schiller) Neu gegenüber der älteren Auffassung ist die Betonung ihres ethischen und bildenden Werts, doch dieser inzwischen etwas hohl tönende Anspruch hat der Antike in der Schulbildung bis heute eine Sonderstellung verschafft, unser Bild von ihr aber auch einseitig werden lassen: Während die Kleriker des 12. Jahrhunderts Ovids *Ars amatoria* als Stilübung lasen, kam sie nun auf den Index der verbotenen Bücher.

Zunächst bevorzugte man die Bauweise des oberitalienischen Architekten Palladio (1508–1580) und seiner Nachahmer. Sie erschien dem aufgeklärten Jahrhundert auch wegen ihrer Rationalität als die für ein Bauwerk der Gegenwart passendste. Doch kam nicht nur bei Rousseau, sondern zuvor schon in England eine Kritik am Rationalismus à la mode auf: Der Vernunft wurde das Gefühl entgegengesetzt, dem Hellen und Klaren das Dunkle, Geheimnisvolle und Mystische, der Norm das Individuelle. Statt der vernünftelnden Diskurse wollte man Märchen und Sagen. All das fand man eher in der Epoche der Gotik, die als englischer Nationalstil neu bewertet wurde. Historisches und nationales Empfinden hatten zu dieser Interpretation geführt. Zuerst finden wir die Neo-Gotik in den ›Gedenk-Bauten‹ der Landschaftsgärten, denn auch sie konnte sich auf die Losung »Zurück zur Natur! Zurück zu den Anfängen!« berufen und darauf verweisen, daß ihre Formensprache von den Baumformen abgeleitet wurde. Noch war man weit davon entfernt, die beiden Stile gegeneinander auszuspielen: Das Klassische galt als der »wahre Geschmack«, die Gotik eher als »verehrungswürdige Barbarei«. Entscheidend war, daß sie zu zwei nebeneinander verfügbaren Ausdrucksweisen unterschiedlicher Gesinnungen wurden.

Als solche wurden sie in Wörlitz nebeneinander rezipiert. Der Fürst hatte sein Schloß zuerst sogar in gotischen Formen erbauen wollen, ließ sich aber von Erdmannsdorff davon abbringen. Dennoch entstand fast gleichzeitig mit dem Hauptbau das sogenannte Gotische Haus, *(Abb. 8)* in dem der Gärtner wohnte und das der Aufnahme der Kunstsammlungen diente, in das sich der Fürst aber auch zeitweilig zurückzog. Neben der englischen Gotik diente die venezianische als Vorbild, in Nachahmung des Venedigkults damaliger Reisender. Daß man eine Kirchenfassade kopierte, ist bezeichnend für die Ablösung der Form von der Funktion und ihren Einsatz als ›Stimmungsträger‹: die ›Form an sich‹ ist poetisch gehaltvoll, sie ist nicht darstellend oder Bedeutungsträger im alten Sinne. Es geht bei der ›Gartengotik‹ nicht um Objektivität, sondern um Weckung von Erinnerungen, Gedanken und Gefühlen, also eine subjektive Ästhetik. Die alten Formen mußten nicht stilecht sein, sondern sind eher einem Bühnenbild oder der Szenerie eines Romans vergleichbar. Daß ihre ästhetischen Werte aber als emotionale und ethische Werte verstanden werden, macht sie prinzipiell dem Klassizismus ähnlich.

Die damalige Neogotik ist also nicht mit der Absicht zur Erneuerung der alten Kirchlichkeit verbunden wie die des frühen 19. Jahrhunderts. Ihre Grundeinstellung ist ›romantisch‹: Das Gotische Haus ist Erinnerungsstätte an das Fürstenhaus, aber auch Huldigung an ›altteutsche‹ Rechtschaffenheit und zugleich Aufforderung, die alten moralischen Werte zu erhalten und zu erneuern. Die Einbettung in die Natur soll das Naturwüchsige des gotischen Stils – aber auch der Herrschaft – herausstreichen.

Der Hymnus an Erwin von Steinbach, den Goethe 1773 angesichts der Straßburger Münsterfassade *(Abb. III/23)* verfaßte, bezeugt jedoch,

9a. Leipzig, Nikolaikirche, *Inneres, Umbau 1784–1797 durch Johann Friedrich Carl Dauthe (1749–1816)*
9b. Adam F. Oeser (1717–1792), Geburt Christi, *Öl auf Leinwand, 485 x 160 cm, 1785*
Die in den Jahren 1513–1515 errichtete Stadtpfarrkirche wurde in einen Palmenhain verwandelt, die bunte spätmittelalterliche Fassung wurde durch Weiß- und Grautöne ersetzt. Nur die eingelassenen Gemälde Oesers und das Hochaltarbild schaffen Farbtupfer. Der in Wien an der Akademie bei Donner und anderen geschulte Oeser steht am Übergang zwischen Barock und Moderne. Er hatte die alte Maltradition in sich aufgenommen, war andererseits ein Freund und Förderer von Winkelmann. Als Leipziger Akademiedirektor seit 1759 war er auch Zeichenlehrer Goethes.

daß man das künstlerisch Große der gotischen Baukunst zu ahnen und zu entdecken begann. Wichtig wurde Goethes Auffassung, daß ein Bauwerk innere Einheit haben müsse, er nennt es ›Charakter‹, der nur »aus inniger, einiger, eigner, selbständiger Empfindung« des Künstlers kommen kann. Er setzt das Schaffen des Genies den Regeln der »weichen Lehre neuerer Schönheiteley« entgegen. Wie dies auch die klassizistische Baukunst veränderte, kann man am Unterschied des von ihm inspirierten Römischen Hauses im Weimarer Park zum Dessauer Schloß ablesen.

Früh kommt es auch zur Vermischung der verschiedenen Stile, so beim Umbau der spätgotischen Leipziger Nikolaikirche durch den Stadtbaumeister Johann Friedrich Carl Dauthe. *(Abb. 9a)* Die gotischen Bündelpfeiler wurden zu kannelierten Säulen umgearbeitet, wobei die Zungenblatt-Kapitelle in den Palmenwedeln ein ägyptisierendes Motiv zeigen. Die Netzgewölbe wurden in kleinteilige Kassettendecken verwandelt, behalten aber ihre gotische Struktur. Letztlich ist der Bau eine klassizistisch reformierte Gotik mit ägyptischem Einschlag. Der Anschauung der Gotik als ›Natur‹-Architektur folgend wird die Kirche zu einem Palmenhain. Der Gebrauch von Stuck und bemalter Holzvertäfelung ist, ebenso Oesers Ölgemälde von 1785, noch der Rokoko-Kunst verpflichtet.

Den eigentlichen Bruch mit der Architektur des Ancien Régime bringt also die Durchsetzung der Auffassung von Architektur als Ausdrucks-, Stimmungs- und Ideenträger, die sich durchgesetzt hat. Prinzipiell waren von Anfang an mehrere Neo-Stile nebeneinander verfügbar. Der Klassizismus erhebt zwar den Anspruch auf künstlerische Führung, ja auf Ausschließlichkeit und ist theoretisch unerbittlich in der Verdammung der anderen Stile. Aber gegen die Freiheit der subjektiven Phantasie konnte er sich nicht durchsetzen: Die Stimmungswerte der Gotik, des Ägyptischen oder Orientalischen konnte er durch nichts Gleichwertiges ersetzen. Der ›Historismus‹, meist als Erscheinung der Baukunst der zweiten Hälfte des 19. Jahrhunderts definiert, existierte also seit dem Beginn der Moderne und ist einer ihrer Wesenszüge. Der Wunsch nach architektonischem Ausdruck war durch die verfügbaren alten Stile so weit abgedeckt, daß ein Bedürfnis nach der Ausbildung eines neuen nicht entstand. Historische Formen und Typen wurden passend für bestimmte Aufgaben, oft geradezu in Analogie zu den rhetorischen Stillagen, verwendet.

Üblicherweise wird die Kunstgeschichte der Moderne als eine Abfolge von Klassizismus, Romantik, Realismus oder von Impressionismus, Expressionismus usw. dargestellt, doch wurde in den vorangegangenen Kapiteln immer wieder darauf hingewiesen, daß die Vorstellung von einheitlichen Kunstepochen, die sich unter einem Stilbegriff zusammenfassen lassen, illusorisch ist. Andererseits zeigt ein Vergleich, daß Zeiten größerer Verähnlichung, wie etwa um 1300 oder um 1700, mit solchen der Vielfalt, ja der Normen-Auflösung wechseln, wie etwa um 1200 oder 1500. Die Moderne ist jedoch in besonderem Maße dadurch gekennzeichnet, daß Kunstströmungen nicht mehr langfristig oder ausschließlich bestimmend wirken, mehr noch: Keine Kunstströmung kann nun noch den Anspruch erheben, alle Aspekte eines Zeitalters auszusprechen. Schon das Suffix ›-ismus‹ in Begriffen wie Klassizismus oder Realismus weist darauf hin, daß sie die Nachahmung der Klassik bzw. der Realität sowie die Verpflichtung auf ihre Ideale dogmatisch handhaben. Überspitzt könnte man sagen: Hinter Gotik oder Renaissance steht eine umfassende, von der Gesellschaft mehrheitlich anerkannte Weltanschauung, hinter Klassizismus, Romantik usw. aber verbergen sich nur Mehrheitsmeinungen: nie von allen geteilt, oft sogar – gerade im 20. Jahrhundert – nur von Künstlergruppen und Kunstfreunden, haben sie gleichsam Parteicharakter. Sie mögen wie eine Mode zeitweise dominieren und intolerant die anderen Richtungen zu verdrängen versuchen, lassen sich aber in einer zunehmend pluralistischen Gesellschaft nicht ohne Zwang durchsetzen.

Es hat in den letzten 250 Jahren keinen Zeitabschnitt gegeben, in dem nicht sowohl die Gesinnung des Klassizismus wie auch die der Romantik u.a. zu finden sind. Jeder der Neostile kehrt in anderen Formen und mit veränderten Inhalten immer wieder und wird dies, solange die Moderne gilt, wohl auch weiter tun. Das widerspricht zwar den gängigen Leitfäden, doch hat zum Beispiel die verfeinerte Analyse der letzten Jahrzehnte gerade bei neueren Kunsttendenzen wie Abstraktion, Konstruktivismus oder Surrealismus, die man lange für etwas nur dem 20. Jahrhundert Eigenes hielt, neo-romantische Wesenszüge usw. nachgewiesen.

Fazit: Jede Benutzung von Namen künstlerischer Richtungen zur Epochenbenennung in der Moderne ist hinfällig! Zu fragen ist lediglich, ob die klassizistische oder die romantische Gesinnung, der Konstruktivismus oder der Surrealismus, in der Kunst jeweils vorherrschen oder nur Randerscheinung sind. Und zu untersuchen ist jeweils auch, wie die zeiteigenen Mischungen ausfallen.

Die epochale Wende in den Bildenden Künsten

Die Wirkung von Winckelmann, Rousseau und anderen Schriftstellern fußt auf einer kulturellen Errungenschaft: der schnellen Zunahme der Lesefähigkeit, der Vervielfachung der Bücher, Zeitschriften und Zeitungen, dem Entstehen einer ›Öffentlichkeit‹ im modernen Sinne. Die Kultur wurde besonders in den protestantischen Teilen Deutschlands literarisch bestimmt. Dort war das Wort eher frei, während man im katholischen Bereich ängstlich darauf bedacht war, die Mehrheit des Volkes von Gedrucktem abzuschirmen: Noch 1794 wurden Schiller und Goethe in Passau als verbotene Lektüre konfisziert: Mit der Moderne übernahm das protestantische Deutschland die Führung.

1766 publizierte der Schriftsteller und Kritiker Gotthold Ephraim Lessing seine Schrift *Laokoon oder über die Grenzen der Malerei und Poesie. Kritisches Fragment.* In ihm verwarf er die für Kunst und Literatur seit dem 15. Jahrhundert bestimmende Forderung der Verähnlichung von Dichtung und Malerei (›ut pictura poesis, ut poesis pictura‹) (vgl. Kap. V.) und betonte statt dessen ihre Unterschiede, die sich zeitlich gegen die sich räumlich entfaltende Kunst abheben. Damit löste er die Kunst im Prinzip von den literarischen Themen, Allegorien und Symbolen. Da die alte Weltanschauung damals als ganze unter den Schlägen der Aufklärer zerfiel, kamen die alte

*10. Januarius Zick (1732–1797), **Rousseau bedenkt in der Natureinsamkeit die Preisaufgabe der Akademie von Dijon,** Öl auf Kupfer, 46 x 38 cm, um 1770, Schaffhausen/CH, Allerheiligenmuseum*
Die Szenerie folgt noch dem alten pastoralen Landschaftstypus, doch signalisiert das Tannendickicht Waldeinsamkeit, und der einzelne Baum wird zur Metapher für den naturverbundenen Denker, der sich gegen die Konventionen der Gesellschaft wandte.

Symbolik und Ikonographie, schließlich die literarisch vorgegebene Themenwelt überhaupt, mehrheitlich außer Gebrauch, und zwar sowohl die christliche wie die antik geprägte – daran vermochte auch der offizielle Klassizismus nichts zu ändern. Die noch kurz zuvor üppig blühende Emblematik und Allegorik fanden ein schnelles Ende, *(Abb. VI/46)* ebenso die beschreibende Poesie. Daß der Dichter nicht malen solle, gehört seitdem mit Friedrich Theodor Vischer »zum ABC der Ästhetik«, aber ebenso, daß die Kunst sich besser nicht in das Gefolge der Literatur begibt.

An die Stelle der alten Themen treten die Bildbedürfnisse des Publikums, in der Hoch-Kunst aber mehr oder weniger individuelle Inhalte, die der breiten Öffentlichkeit meist fremd sind. Das wiederum macht Kunst zunehmend kommentarbedürftig. Meist formulierten die Künstler oder ihnen nahe stehende Kritiker entsprechende, der Erklärung und Rechtfertigung des zuvor Gemachten dienende Theorien. Da die Inhalte überhaupt im Verlauf der Moderne immer weniger Gewicht behalten, hört Kunst mehrheitlich auf, ›darstellend‹ zu sein. Immer ausschließlicher arbeiten die Künstler an der ›Form‹, der primär Geist und Sinn zugesprochen wird – dies ist eine Wurzel aller abstrakten, konstruktivistischen oder expressionistischen Tendenzen.

Rousseau gab seinen Gefühlsausbrüchen in einer die Herzen ergreifenden literarischen Weise Ausdruck. Ihre Darstellung galt nun als würdiger Gegenstand der neuen Kunst. *(Abb. 10)* Eines Tages im Sommer 1749, so schildert er selbst, unternahm er eine Wanderung nach Vincennes zu seinem inhaftierten Freund Diderot, als er beim Blättern im ›Mercure de France‹ auf die Preisaufgabe der Akademie von Dijon stößt: Ob das Aufblühen der Wissenschaften und Künste zur Läuterung der Sitten beigetragen hat. »Mein Kopf war von einer rauschartigen Betäubung erfaßt. Heftiges Herzklopfen bedrängt mich und will mir die Brust sprengen, da ich im Gehen nicht mehr atmen kann, lasse ich mich unter einem Baum hinsinken, und dort verbringe ich eine halbe Stunde in derartiger Erregung, daß ich den ganzen Vorderteil meiner Weste von Tränen durchnäßt finde [...]« Das wurde Anlaß zu seiner großen Streitschrift gegen die Zivilisation. Zicks achtbares Bild ist ohne den Text nicht zu verstehen. Vor allem kann es weder die Intensität der inneren, sich nicht in Gesten aussprechenden Empfindung erreichen, noch den zentralen Gedanken der Zivilisationskritik vermitteln – hier wird von der Kunst zu viel verlangt. Und es zeigt weder in den Bildmotiven, noch in der Form etwas grundlegend Neues.

Dresden war zu Winckelmanns Zeit ein geeigneter Nährboden für neue Ideen, aber auf Revolution war man nicht aus. König August III. hatte aus den Antikensammlungen mit ihren Originalen und Gipsabgüssen sowie der Gemäldega-

11. Gottfried Knöffler (1715–1779), Kreuzigungsgruppe, *Holz, monochrom grau gefaßt, 1755 datiert und signiert, Dresden, Hofkirche*

Die Gruppe wurde von einer Friedhofskapelle in die Hofkirche überführt, ist aber unbekannter Herkunft. Die steingraue Farbe dürfte weniger durch eine Bestimmung als Friedhofsgruppe zu erklären sein, sondern eher durch die klassizistische Forderung, die Wirkung des Steins nicht durch Farbe zu verderben, der ›Sinnlichkeit‹ und deshalb ethische Minderwertigkeit nachgesagt wurde. Der Hofbildhauer Knöffler war zugleich Akademieprofessor.

lerie eine ›Ecole Publique‹ gemacht. Der dem Hof nahestehende Maler und Bildhauer Adam Friedrich Oeser, Schüler von Donner *(Abb. VI/47)* und Direktor der Leipziger Akademie, förderte die Erneuerung der Kunst aus klassischem Geist und unterstützte Winckelmann. Aber er war doch das, was man nur wenig später verächtlich einen ›akademischen‹ Künstler nannte. *(Abb. 9b)* Führender Kopf war der Maler Anton Raphael Mengs. Seine Kunst verband den Schmelz des Correggio mit dem Sentiment bolognesischer Maler des 17. Jahrhunderts und mit der Form Raffaels zu einer neuen Synthese, klassizistischer in der Theorie als in der Erscheinung – damit entsprach er jedoch der Empfindsamkeit. Zwar kritisierte er das Rokoko, behielt aber, wohl auch im Hinblick auf seine Auftraggeberschaft, viel von seiner Technik, etwa das Pastell, und seiner Auffassung bei. Das ist bei Künstlern dieser Generation durchaus die Regel, hat sie aber einer späteren, strenger, ja puristisch

12. Franz Anton Zauner (1746–1822), Reiterdenkmal Kaiser Josephs II., Bronze auf Granitsockel, 1795–1806, Wien, Platz vor der Hofbibliothek

Josef II. war den Idealen der Aufklärung ergeben, doch waren seine rigiden Maßnahmen im Volk oft unpopulär. Das Denkmal, nach dem Muster der römischen Statue des Marc Aurel, des Philosophen auf dem Kaiserthron, konzipiert, zeigt Josef in römischer Feldherrentracht. Das ruhige Gangmotiv darf als Absage an die Haltung des Einherstürmens oder des Aufbäumens gelten, welche im Absolutismus die Macht des Fürsten suggerierten. (Abb. VI/9a u. b) Das Piedestal ist in den einfachsten Formen der tradtionellen Dorica gehalten und besteht aus Granit; seine Dauerhaftigkeit sollte die Festigkeit der durch die Französischen Revolution auch in Österreich ins Wanken geratene Monarchie ausdrücken.

denkenden Kunstkritik und Geschichtsschreibung verdächtig gemacht. Unser Bild der Kunstgeschichte wird immer noch von dem Rigorismus der Avantgarden des 20. Jahrhunderts bestimmt.

Der klassizistischen Theorie am nächsten steht die 1755 fertiggestellte, monochrom grau bemalte Kreuzigungsgruppe von Gottfried Knöffler, die sich heute in der Dresdner Hofkirche befindet. *(Abb. 11)* J. J. Winckelmann stellte die Skulptur über alle anderen Gattungen, da er in ihr den Ursprung der Bildenden Künste sah. Wichtige Zeitgenossen, wie Johann Gottfried Herder schlossen sich dieser Meinung an. Folglich wurde gerade von der Erneuerung der Bildhauerkunst Besonderes erwartet. Die Gruppe versucht in den Gewändern von Maria und Johannes und ihrem Faltenwurf archäologisch genau zu sein. Sie nähert sich der klassischen Statuarik wie nie zuvor ein auf deutschem Boden geschaffenes Werk. Doch zeigt sich im Kruzifix, daß die Auffassung Giambolognas und anderer Bildhauer der Zeit um 1600 noch weiterwirkt. Letztlich ist auch das Deklamatorische der Gesten weit mehr der barocken Rhetorik als der gepriesenen griechischen »edlen Einfalt und stillen Größe« verpflichtet. Im strengeren Sinne klassizistisch sind erst die Bildhauer der nächsten Generation wie Franz Anton Zauner in Wien und Johann Heinrich Dannecker in Stuttgart. Aber je enger man sich an die Antike anzuschließen versuchte, desto mehr wurde die Skulptur epigonal. Ein Rang wie der von Ignaz Günthers Pietà in Nenningen *(Abb.*

VI/65) wurde nur dort erreicht, wo man auch genaues Naturstudium betrieb, am ehesten im Porträt. *(Abb. 12 u. 13)*

Der Gesinnungswandel wurde von vielen katholischen Prälaten mitgetragen, besonders unter dem Einfluß Maria Theresias und ihres Sohnes Joseph II. Da z.B. Bischöfe ihre Herrschaft nicht erbten, sondern gewählt wurden, lassen sich von Fürst zu Fürst die Veränderungsschritte besonders gut ablesen: In Würzburg und Bamberg z.B. regierte 1755–1779 der Schönbornneffe Adam Friedrich von Seinsheim: Er war ein Förderer von Gewerbe und Handel, die Armenpflege und das Wohlergehen des Volkes lagen ihm am Herzen. In seinem persönlichen Habitus schätzte er das Inkognito und reduzierte das Zeremoniell, und bei der Ausstattung seiner Residenzräume bevorzugte er den französischen klassizistischen Zierstil, den man wegen der Vorliebe für Girlanden ›Zopfstil‹ nennt. Die meist nur kleinen Räume ließ er weiß streichen. Große Kirchenbauten wurden nicht mehr in Angriff genommen. Doch sein Gartenreich in Seehof und Veitshöchheim schmückte er mit zierlichen Pavillons, vielerlei Brunnen und Fontänen sowie einer Schar von Statuen. Ihr heiterer, oft frecher Ausdruck nimmt schon die Spottlust von *Figaros Hochzeit* vorweg, die Mythologie wird parodistisch in Zweifel gezogen. *(Abb. 14)*

Sein Nachfolger war Franz Ludwig von Erthal (1779–1795), ebenfalls aus einer den Schönborn verbundenen Familie. Als Regent verzehrte er sich in der Erfüllung seiner Pflichten. Die Verschärfung von Bescheidenheit und Strenge zum Rigorismus wird u.a. daran deutlich, daß er die von seinem Vorgänger aufgestellten Gartenstatuen, deren Pflege er für zu kostspielig hielt, in Schuppen räumen ließ. Die Kosten für die Hofhaltung wurden aufs Äußerste eingeschränkt, die berittene Garde abgeschafft. Dafür entstand in Bamberg ein großes Allgemeines Krankenhaus. Franz Ludwig führte außerdem die Schulpflicht ein, und die städtischen Straßen erhielten ständige nächtliche Beleuchtung. Diese obrigkeitliche Fürsorge hatte jedoch auch eine Kehrseite: So verordnete der Fürst, daß alle Neubauten in Würzburg nach einem einzigen, von der Baukommission entworfenen Modell ausgeführt und gleichmäßig hell angestrichen werden sollten. Dieser Uniformisierung entsprachen die gesteigerte polizeiliche Überwachung und die Zensur aller Presseerzeugnisse.

Doch bestimmten bis zum Ende des Jahrhunderts nicht überall ausschließlich die Gesichtspunkte von Reduktion und Sparsamkeit das Kunstleben. Die vielen Mischlösungen machen diese Zeit zu einer künstlerisch vielfältigen Epoche. Der Habsburger Hofhistoriograph Abt Martin II. Gerbert von St. Blasien ließ für sein Benediktinerstift

13. Johann Heinrich Dannecker (1758–1841), Büste von Friedrich Schiller, *Gips, 80 cm, 1794, Weimar, Kunstsammlungen*

Der Stuttgarter Dannecker, der zuerst in Paris geschult wurde, ab 1785 aber in Rom in Beziehung zu dem internationalen Hauptmeister klassizistischer Bildhauerei, Antonio Canova, trat, monumentalisierte und idealisierte seinen Freund, dessen Erscheinung und Gesichtszüge eher die für einen Stubenhocker typische Verwahrlosung zeigten, wie wir aus bildlichen und literarischen Zeugnissen wissen. Dannecker machte einen Geistesheroen aus ihm und entsprach damit nicht nur dem Pathos des Dichters, sondern formte auch das Wunschbild des Publikums.

14. Ferdinand Tietz, Merkur, *aus dem Park von Veitshöchheim, Sandstein, 180 cm, um 1765/1766, Würzburg, Mainfränkisches Museum*

Daß Merkur auch der Gott der Wissenschaften ist, mag man angesichts des tanzlustigen Gecken kaum glauben. Es wird erkennbar, daß Tietz die antike Mythologie nicht mehr ernst nimmt.

*15. **St. Blasien, Benediktiner-Abteikirche St. Blasius,** Inneres, Pierre Michel d'Ixnard (1723–1795), 1768–1783*
Abt Gerbert, der einige kritische Texte gegen die Überzahl der Feiertage und den Verfall der Kultformen geschrieben hatte, versuchte mit diesem Bau dem katholischen Kultus in reformerischer Absicht Würde und Einfachheit wiederzugeben.

im Südschwarzwald durch den elsässischen Baumeister Pierre Michel d'Ixnard eine große Kuppelkirche in Anspielung an das Pantheon in Rom und gemäß dem klassizistischen Ideal der ›simplicité‹ bauen und versuchte, damit der Kritik an der barocken Baukunst entgegenzukommen, ohne doch auf den traditionellen hohen Anspruch des Kirchenbaus zu verzichten. Die Kuppel wurde dann aber doch mit einer barocken Glorie ausgemalt. *(Abb. 15)* Die nicht weit davon tätigen Zisterzienser von Salem überformten ihr gotisches Münster in strengem Grau und knüpften damit an frühe, asketischere Zeiten an. Grabmäler und Altarretabel aus Alabaster verstärkten die Kühle der Ausstrahlung.

Als Refugium vor der sich damals neu bildenden ›Öffentlichkeit‹ entstand im Bürgerhaus eine persönliche, häusliche Sphäre von neuartiger ›Privatheit‹. *(Abb. 43)* In ihr galten zwar auch die neuen ethisch-ästhetischen Werte, und in gewissem Maße stand auch dieser Bereich unter Kontrolle, und sei es nur durch die Mitglieder der eigenen Familie und Schicht. Aber der Privatmann wollte es doch auch bequem und nach eigenem Geschmack haben. Und so florierten die Möbelbaukunst alter Art und alles, was der Annehmlichkeit der bürgerlichen Wohnung diente, fast noch mehr als zuvor. Typisch sind die jüngeren Erzeugnisse der Firma Roentgen in Neuwied: Repräsentative Staatsmöbel fehlen. *(Abb. 16)* Vergoldung

*16. **David Roentgen (1743–1807), Sekretär,** 142,5 x 84,5 x 37,5 cm, Neuwied, 1770–1778, Köln, Museum für Angewandte Kunst*

David Roentgen übernahm von seinem Vater Abraham eine florierende Werkstatt in Neuwied, von wo aus er die Höfe und Liebhaber Europas mit Möbeln belieferte. Die Maserung der Wurzelhölzer wird zur Belebung der Oberflächen geschickt ausgenutzt. In den Hauptfeldern Intarsien (Einlegearbeiten) mit Chinoiserien.

kommt so gut wie nicht mehr vor. Der Zierrat wird reduziert, aber das Schwingende, Bewegliche der Rokokoformen bleibt, es wird nur in eine schlichtere Eleganz übersetzt. Der praktische Nutzen wird verbessert. Roentgen-Möbel wurden überall in Europa geschätzt und nachgeahmt. Letztlich wurde der bürgerliche Privatbereich zum Zufluchtsort der alten ›feudalen‹ Zierkunst.

Neue Bauaufgaben und die Radikalisierung des Klassizismus

Der Staat wurde zum ausschließlichen Auftraggeber für große Bauten. Aber das Bauvolumen erreichte nie mehr das der höfischen Zeiten. Noch mehr ging der Ausstattungsaufwand zurück. Alles mußte nun den Prüfstein des ›öffentlichen Nutzens‹ und des ›guten Geschmacks‹ passieren. Was vor der ›öffentlichen Meinung‹ nicht bestehen konnte, hatte keine Existenzberechtigung. Das Nützlichkeitsdenken hielt seinen Einzug.

Repräsentation lebte jedoch unter veränderten Bedingungen weiter, als Selbstdarstellung des Staates bzw. der Nation, nicht des Herrschers. Doch war man zumeist sorgfältig darauf bedacht, Verschwendung zu vermeiden sowie die Befolgung klassischer Vorbilder zu demonstrieren: So kopierte das Brandenburger Tor in Berlin *(Abb. 17)* nicht wie bei solchen Bauwerken üblich die Triumphbögen römischer Imperatoren, sondern stellte sich als Paraphrase der Propyläen des Parthenon in Athen dar und unterstrich damit den Anspruch Berlins, Zentrum erneuerter klassischer Bildung zu sein. Der weiße Anstrich imitierte die Farbe griechischen Marmors, signalisierte aber auch Sparsamkeit. Der eigenwillige Umgang mit den Motiven der dorischen Ordnung im Gebälk des Tores zeigt, daß der Baumeister Gotthard Langhans noch aus der Barockbaukunst kommt und sich erst unter dem Einfluß des Dessauer Baumeisters Friedrich Wilhelm von Erdmannsdorff klassischen und neopalladianischen Vorbildern zugewandt hatte.

Das Tor wird von der Quadriga des Johann Gottfried Schadow bekrönt, dem Gründungswerk klassizistischer Skulptur in Berlin. Auch hier ist die Skulptur immer einen Schritt näher am antiken Vorbild als die anderen Gattungen. Aber ein Klassizist im dogmatischen Sinne war Schadow nicht. 1791 entzündete sich ein Streit, welches Kostüm man für das Denkmal Friedrichs des Großen zu wählen habe: Die Befürworter des römischen Kostüms, das ja z.B. für das Denkmal Josephs II. in Wien gewählt wurde, *(Abb. 12)* behaupteten, daß nur so das »Gefühl des Erhabenen hervorzubringen« sei, während mit Friedrichs Soldatenrock »der verdorbene Geschmack« der überwundenen Kunstepoche »perpetuiert« würde. Am Ende siegte Schadows Auffassung und damit der in Berlin vorherrschende Wirklichkeitssinn, der den König so präsentiert haben wollte, wie man ihn kannte. Aber seine Friedrichsstatue von 1793 wurde in Stettin aufgestellt, während das eigentliche Denkmal in Berlin erst in der nächsten Generation errichtet wurde. *(Abb. 54)*

17. ***Berlin, Brandenburger Tor,*** *1788–1791, Carl Gotthard Langhans (1732–1808), Quadriga mit der Siegesgöttin von Johann Gottfried Schadow (1764–1850), 1794, in Kupfer getrieben von Fr. Jury*

Das nach dem Vorbild der Propyläen in Athen geschaffene Gebäude war ursprünglich weiß gefasst. Das Eiserne Kreuz im Lorbeerkranz der Siegesgöttin wurde nach 1815 eingefügt, nach 1945 entfernt und 1990 wiederum eingefügt.

Langhans' besterhaltener Bau ist die Tierarzneischule. *(Abb. 18)* Das Äußere folgt palladianischen Villenbauten, der Anatomiesaal wandelt einmal mehr das Vorbild des römischen Pantheon ab. Der Zierrat fällt dadurch auf, daß das Motiv der Ochsenschädel (Bukranien) in den Schlußsteinen, ein Motiv der dorischen Ordnung, im Sinne einer ›sprechenden‹ Architektur die Bestimmung des Gebäudes verraten. Eigenartig ist die Vermischung mit gotischen Elementen, wie sie Langhans mehrfach praktizierte. Die Größe und Form des Gebäudes verdeutlicht, welchen Rang die Bauten für die Bildung einnehmen, ja, daß sie die eigentlich führende Aufgabe der Zeit sind. Damals wurden in Berlin auch einige ehemalige Prinzenpaläste für den Gebrauch der Wissenschaften und Künste umgewidmet. Und für den Neubau der königlichen Bibliothek griff man Wiener Schloßpläne auf.

In Dresden wurden ebenfalls Schloßräume für die nun auch öffentlich zugängliche Bildergalerie umgewidmet, allerdings nur Stallungen. Zunehmend wurden für die Sammlungen Museumsgebäude errichtet; der älteste Großbau ist das Museum Fridericianum in Kassel, das im Auftrag des Landgrafen Friedrich I. 1769–1776 von Simon Louis du Ry erbaut wurde. Wie in Falle der Bildergalerie Friedrichs des Großen in Sanssouci hatte die Trennung von öffentlichem und privatem Bereich in den Schlössern die Kunstschätze meist dem Privatbereich zugeschlagen. Dies wurde als ›schreiendes Unrecht‹ empfunden und zwang die Fürsten mehr oder weniger, für ihren Kunstbesitz eine neue, öffentlichere Form der Präsentation zu suchen.

Mit der Zeit traten auch die Theater und Opernhäuser aus dem Schatten der Schlösser. Seitdem Lessing das Theater zur ›moralischen Anstalt‹ erhoben hatte, konnte es auch einen wichtigeren Platz im Stadtbild beanspruchen als zuvor. Es kam an Plätze, die zuvor nur Kirche und Schloß innehatten, oft ganz handgreiflich: Für die Errichtung des Münchner Opernhauses mußte die alte Franziskanerkirche weichen, dem Stuttgarter Theaterneubau fiel das berühmte herzogliche Lusthaus *(Abb. V/18)* zum Opfer. Das Theater war intellektuelles Forum und moralisches Tribunal.

Gegen Ende des 18. Jahrhunderts fanden die von den radikalen französischen Baumeistern einer jüngeren Generation entwickelten Formen, die man als ›Revolutionsarchitektur‹ bezeichnet, in Deutschland Verbreitung. Sie wurden häufig über Rom vermittelt. Auffällig ist die Absage an die kleinteilige Ornamentik des Frühklassizismus. Die Baukunst wird puristisch. Nur die tektonischen Formen zählen. Einzig und allein um deren Gestaltung bemüht sich der Baumeister. Wo sich

Auszierung nicht vermeiden läßt, wie im Inneren, überläßt er sie dem Innendekorateur. Hier zeichnet sich nicht nur die Trennung zwischen ›Kunst‹ und ›Kunstgewerbe‹ ab, sondern auch die Ornamentfeindlichkeit des 20. Jahrhunderts.

Der düstere, bedrohliche Charakter dieser gewollt ungeschlachten Architektur fand eine passende Aufgabe dort, wo sich der Staat als Zwangsanstalt zeigt: in den Kasernen, Gefängnissen und Zuchthäusern. Das Würzburger Frauenzuchthaus des Peter Speeth ist nur dem Anschein nach klassisch. *(Abb. 19)* Es wirkt eher wie das Zyklopenmauerwerk urzeitlicher Architektur, deren heute berühmtesten Beispiele wie Mykene damals noch unbekannt waren. Den Ursprung dieser Architekturphantasie müssen wir eher in den düsteren Radierungen der Carceri und anderen Inventionen des römischen Graphiker-Architekten Giambattista Piranesi (1720–1778) suchen. Wer gegen die ›ewigen Gesetze der Moral‹ verstieß, dem verhieß diese Fassade nichts Gutes. Sie ist eine Gestalt gewordene Drohgebärde und nicht ohne Grund

18. Berlin, Alte Anatomie der Tierärztlichen Hochschule, *Hörsaal, Inneres, Carl Gotthard Langhans (1732–1808), 1790*

Die tierärztliche Hochschule bemühte sich vor allem um das Studium und die Pflege von Pferden. Vorbild für die Gründung der Fachhochschule waren französische Institutionen. Nach Art alter Anatomiehörsäle befindet sich der Seziertisch in der Mitte, während die Bänke für die Zuschauer kreisförmig herumgelegt sind und wie eine Arena ansteigen. Bezeichnend für den frühen, englisch geprägten Historismus ist die Verbindung des Kuppelraums nach dem Vorbild des Pantheon in Rom mit neo-palladianischen Motiven, vor allem außen, und neogotischen in den Balustraden und der Kuppelausmalung.

19. Würzburg, Frauenzuchthaus, *Peter Speeth (1772–1831), 1809–1812*
Das Gebäude war ursprünglich als Kaserne der Leibgarde des Herzogs von Toskana konzipiert. Die Proportionen der Rustica sind in eigenartiger Weise verzogen, die dorische Säulenreihe ist sehr gestaucht.

eins der wichtigsten Vorbilder für spätere totalitäre Architektur. *(Abb. VIII/25)*

Eine der bevorzugten Bauaufgaben dieser jüngeren, radikalen und sich genialisch-titanisch gebenden Generation von Baumeistern war das Monument. In den von Göttern und Heiligen entleerten Himmel wurden nun die Geistesgrößen gesetzt. Der Heroen- und Geniekult nahm viele Züge religiösen Kultes an – allerdings kam es nicht wie in Paris zur Umwandlung der Kirche Ste.-Geneviève in ein Pantheon der großen Männer. Auch blieben fast alle Entwürfe für riesenhafte Mausoleen auf dem Papier. Aber bezeichnend ist doch, daß nun eine unter der Fahne der Freiheit und der Volksherrschaft angetretene Bewegung sich in eine diktatorische, totalitäre verwandelte: Der Schritt vom Totenkult zum massenhaften Menschenopfer auf dem ›Altar des Vaterlandes‹ war nicht groß.

Doch wird man den damaligen Regierungen nicht absprechen können, daß sie das Bauen für die allgemeine Wohlfahrt zur Hauptsache machten. Sehr viel Geld wurde für Straßenbeleuchtung, Pflasterung und – später auch – für Kanalisierung ausgegeben. Vorschriften sollten das äußere Erscheinungsbild der Städte verbessern, die Baupolizei ihre Einhaltung überwachen.

Die bürgerliche Baukunst nahm mit dem wachsenden Gewicht dieses Standes an Umfang sehr zu. Bezeichnenderweise erhielt sie nun oft einen repräsentativen Zug, wie man u.a. an schönen Beispielen der Hansestadt Lübeck ablesen kann. *(Abb. 20)* Sie bediente sich, insbesondere im Inneren, zunehmend des Formenapparates der Schlösser, ja sie legte sich zuweilen den Zierrat zu, den die hohen Herrschaften abzulegen peinlich genau bestrebt waren. Für die Fabriken, Nutzbauten oder die Unterbringung der Unterklassen bediente man sich jedoch einer einfachen Bauweise, zunächst noch oft im traditionellen Fachwerk, dann immer mehr in Backstein und anderen Industriematerialien.

Eine neue, bürgerlich bestimmte Bauaufgabe war der Gasthof, der sich dem Muster alter Adelshöfe annähert und von diesen auch den Namen Hof oder Hotel übernimmt. Und das wachsende Natur- und Gesundheitsbewußtsein ließ noch vor der Jahrhundertwende nach englischem Muster die ersten Seebadeorte entstehen, wie zum Beispiel zuerst seit 1793 Heiligendamm bei Doberan in Mecklenburg.

20. Lübeck, Behn-Haus, *Fassade, Christian Lillie (1760–1827), 1779–1783*
Der dänische Klassizismus ist im ehemals dänischen Schleswig-Holstein, z.B. in Hamburg-Altona, aber auch in der Freien Hansestadt Lübeck bestimmend gewesen. Er verband französische mit englischen Vorbildern zu einer sowohl einfachen wie genauen Form. Das Haus steht am Platz zweier mittelalterlicher Giebelhäuser, die 1776 vereinigt worden waren. Im Inneren ist der alte lübische Dielenhaustypus beibehalten.

Umwälzungen in der Lage der Künstler

Diese Epoche leitete eine radikale Umstrukturierung der Lebensverhältnisse der europäischen Künstler ein. Im Zuge der Reform und Liberalisierung der Wirtschaft nach englischem Muster wurden die Zünfte aufgelöst und ihre Einschränkungen abgeschafft. Die Kunst-Handwerker wurden zu freien Künstlern, was viele lange schon hatten sein wollen. Sie verloren so jedoch die soziale Geborgenheit und technische Solidität des Handwerks. Die neugegründeten Akademien konnten dies nur teilweise abfedern, und sie bildeten als eher intellektuelle Lehranstalten technisch oft ungenügend aus.

Zugleich gingen bestimmten Berufsgruppen, wie den Bildschnitzern, Stukkatoren, Vergoldern und anderen Spezialisten für luxuriöse Ausstat-

21. Asmus Jakob Carstens (1754–1798), Die Nacht mit ihren Kindern Schlaf und Tod, *Kreidezeichnung, 75 x 99 cm, Rom, 1795, Weimar, Kunstsammlungen*

Entgegen der im Klassizismus dominanten Feindschaft gegenüber der Allegorie wählte sich Carstens das Mittel der Personifikation zur Umsetzung seines Themas. Er rechtfertigte dies im Blick auf Michelangelos Skulpturen in der Medici-Kapelle von S. Lorenzo in Florenz und auf andere Werke des Künstlers. Auch die Monumentalisierung der leiblichen Erscheinung ist michelangelesk.

tung, unter dem Diktat von Sparsamkeit und Geschmackswandel fast alle Aufträge verloren. Auch in der Malerei brachen große Aufgabenbereiche weg. Dazu gehörte die Deckenmalerei und überhaupt alles, was der Schaffung von Illusion für verdächtigt gehalten wurde oder als ›unnatürlich‹ bzw. unschicklich galt, so z. B. die erotisierenden mythologischen Themen oder das amüsante Genre. Vor allem aber betraf dies den größten Teil der dekorativen Malerei, etwa die in den alten Schloßräumen üblichen Supraporten.

Nach westlichem Vorbild richteten die Akademien, manchmal sogar in Verbindung mit den Museen, einen neuen Typus der Präsentation und Vermarktung von Kunst ein: die Ausstellung. Bei allen diesen neuen Formen der Kunstpflege war jedoch der Staat bestimmend, und das wiederum wurde zunehmend, zuerst von den Künstlern selbst, als Beschneidung und Gängelung empfunden und gerade von den besten unter ihnen auch bekämpft. Die hohe Beamtenschaft dieser Epoche war bürgerlich und aufklärerisch. In ihrer Selbstsicherheit und Rechthaberei verboten sie oft einfach das Alte und zwangen das Neue auf. Das Studium antiker Gipse wurde genauso zur Doktrin wie die neue Ethik. Zur Beförderung der neuen Thematik und Stilbildung wurden Preisaufgaben gestellt. Der Erfolg war, wie das Weimarer Beispiel zeigt, gering. Die Bildenden Künstler ließen sich nur schwer am Gängelband der literarischen Theorien führen, denn unter dem Schein der Freiheit entfaltete sich nur eine neue Unfreiheit.

Es entstand eine paradoxe Lage: Dem theoretischen Anspruch nach wurde ›Die Kunst‹ für autonom und frei erklärt, tatsächlich aber erhielt sie in staatlichen Diensten nie wirkliche Freiheit.

Und dort, wo sie nicht dem Staat diente, trat ›der Markt‹ als unerbittlicher Herrscher auf. Ihre offizielle Wertschätzung stieg geradezu ins Unermeßliche, doch verlor Kunst im gesellschaftlichen Leben gleichzeitig für immer die zentrale Stellung, die sie zuvor für Hof und Kirche nach außen wie nach innen gehabt hatte. Die Starrolle einzelner Künstler darf nicht darüber hinwegtäuschen, daß die Künstlerschaft als Gruppe verarmte. Der Schritt von der selbsterwählten Absonderung als unbürgerliche Bohème zur verelendeten Randgruppe ist klein.

Letztlich wurde die Lebensgrundlage der Kunst in Zweifel gezogen: In der zweiten Auflage der *Encyclopédie* von Diderot und d'Alembert 1778–1779, der Bibel der Aufklärer, beginnt der Artikel über Malerei: »Ceux qui ont gouverné les peuples dans tous les temps, ont toujours fait usage des peintures et des statues, pour leur mieux inspirer les sentimens qu'ils vouloient leur donner, soit en religion, soit en politique.« (Diejenigen, die zu allen Zeiten die Völker regiert haben, haben immer die Gemälde und Statuen benutzt, um ihnen besser die Gefühle einzuflößen, die sie ihnen geben wollten, sowohl in der Religion wie in der Politik.) Damit geriet Kunst pauschal unter das Verdikt, Ideologie zu sein, und die Künstler, die weiterhin religiöse und weltliche Historienbilder schufen, mußten in größte Verlegenheit geraten. In Wirklichkeit findet sich jedoch erst in der Moderne eine Kunst ideologischer Einseitigkeit. Man behauptete zwar immer, der Wahrheit zu dienen, doch verlor Kunst mit dem Zerfall des Weltbildes ebenfalls ihren universalen Charakter und diente vorzugsweise ihrer Trägergruppe, und zwar durchaus auch zur Eroberung und Festigung der Macht.

Innigstes Ziel der Künstler wurde es, ›Original-Genie‹ zu werden. Dies erforderte völlige Freiheit, auch von jeder Brotarbeit und Verpflichtung. Ein bezeichnendes Beispiel bietet Asmus Jakob Carstens: Er hatte nach seiner Ausbildung an der Kopenhagener Akademie in Berlin Förderung gefunden, die u.a. in einem Romstipendium bestand. Dort nahm er sich Michelangelo, das Urbild des einsamen, ins Titanische stilisierten Genies, das den Auftraggebern trotzte, zum Vorbild. *(Abb. 21)* Voller Verachtung schaute er auf die gefällige, bürgerliche Kunst der Aufklärer zurück, so etwa auf die des Berliner Akademiepräsidenten Chodowiecki. *(Abb. 2)* Sein Radikalismus ging sogar so weit, daß er die Farbe für nicht kunstwürdig erklärte und nur gezeichnete Kartons von Ideenbildern produzierte. Als der preußische Minister von Heinitz ihn an seine Pflichten erinnerte, erhielt er eine patzige Antwort, in der zu lesen steht: »Übrigens muß ich Euer Exzellenz sagen, daß ich nicht der Berliner Akademie, sondern der Menschheit angehöre; und nie ist es mir in den Sinn gekommen, auch habe ich nie versprochen, mich für eine Pension, die man mir auf einige Jahre zur Ausbildung meines Talents schenkte, auf Zeitlebens zum Leibeigenen einer Akademie zu verdingen. Ich kann mich nur hier, unter den besten Kunstwerken, die in der Welt sind, ausbilden, und werde nach meinen Kräften fortfahren, mich mit meinen Arbeiten vor der Welt zu rechtfertigen. Lasse ich doch alle dortigen Vorteile fahren, und ziehe ihnen die Armut, eine ungewisse Zukunft [...] vor, um meine Pflicht und meinen Beruf zur Kunst zu erfüllen. Mir sind meine Fähigkeiten von Gott anvertraut [...]« Und Friedrich Schlegel stellte 1799 die Frage: »Worauf bin ich stolz und darf ich stolz sein als Künstler?«, um sie radikal antibürgerlich zu beantworten: »Auf den Entschluß, der mich auf ewig von allem Gemeinen absonderte und isolierte; auf das Werk, was alle Absicht göttlich überschreitet und dessen Absicht keiner zu Ende lernen wird [...]«.

Das bürgerliche Porträt

Die Bildnismaler schienen in der allgemeinen Kunstkrise zunächst am besten wegzukommen. Das späte 18. Jahrhundert mußte als Epoche der individuellen Freiheit geradezu eine Blütezeit des Porträts werden, d.h. des ›bürgerlichen‹, nicht des Standesporträts. Der ›Apparat‹ älterer Arbeiten, die Draperien, Hintergrundsarchitekturen, gegenständlichen Beigaben usw., wurde reduziert. Man konzentrierte sich auf die Person, vor allem auf das Antlitz, weniger auf die Gewandung oder die Abzeichen. Die antike Lehre von der Physiognomik kam in Mode wie nie zuvor: Man glaubte,

22. Anton Graff (1736–1813), Selbstporträt mit seiner Familie,
Öl auf Leinwand, 194 x 132 cm, 1785/1786, Winterthur, Museum Stiftung Oskar Reinhart

Auf der Staffelei steht ein Porträt im Profil seines Schwiegervaters, des Kunsttheoretikers Sulzer. Frau Graff unterrichtet eine Tochter im Lesen, die beiden Knaben im Vordergrund beschäftigen sich mit Kupferstichen. Thema des Bildes ist also der Einklang der Familie und die Erziehung der Kinder im Geiste der Grundsätze des verehrten Großvaters.

Seele, Charakter und moralischen Zustand aus den Gesichtszügen oder der Schädelform ablesen zu können. Das wurde bald als Irrweg erkannt. *(Abb. 13)*

An die Stelle der alten Rhetorik und Bedeutungsbefrachtung der Gebärden trat eine empfindsame und zurückhaltende Bildsprache. Bald wurde es eins der schwierigsten Probleme der Bildnismaler, was man mit den Händen anzufangen habe. Schließlich ließ man sie ganz weg. *(Abb. 104)*

Der leichte Pinselstrich der älteren Malweise wurde mehrheitlich beibehalten und steigerte in Verbindung mit dezenter Farbigkeit die Lebendigkeit und den Ausdruck der Werke. Die Empfindsamkeit führte zu eindrucksvollen, neuartigem Gestaltungen im Familien-, Kinder- und Freundschaftsporträt. *(Abb. 22)* Das Dichter- und Schauspielerbildnis nach englischen Vorbildern vergrößerte den Aufgabenbereich. Die Zahl der Meister ist so groß, daß es nicht möglich ist, ihnen hier gerecht zu werden. Von den Ausgelassenen seien jedoch genannt: Johann Heinrich Tischbein der Ältere, tätig vor allem in Kassel, sodann sein Neffe Friedrich August Tischbein, der an vielen Orten die höhere Gesellschaft malte, Johann Georg Ziesenis in Hannover (1716–1777) oder Johann Georg Edlinger in München (1741–1819), ebenso Meister des kleinen Formats niederländischer Tradition, wie der in Kopenhagen tätige Albrecht Christian Jensen (1792–1870).

Der wohl bedeutendste Bildnismaler ist der aus Winterthur in der Schweiz stammende Anton Graff, der zuletzt als Akademieprofessor in Dresden tätig war. Schweizer Herkunft stand damals geradezu für einen offenen, egalitären, d.h. nicht höfisch-devoten Blick auf die Menschen. Andererseits förderte die damalige Ästhetik des Ideal-Schönen die Schönfärberei, wie wir aus den enttäuschten Kommentaren Lessings oder Herders über ihre von Graff gemalten Porträts wissen. So wichtig dieser Epoche das Bildnis des Individuums war, in der akademischen Hierarchie blieb es eine der niedersten Gattungen. Und das Geniewesen lehnte letztlich alle dienende und naturmimetische Kunst ab.

Die originellsten Lösungen stammen jedoch oft von den Nicht-Fachmalern. Ein schönes Beispiel ist das Bildnis, das der Historienmaler Gottlieb Schick von der Frau des Bildhauers Dannecker gemalt hat. *(Abb. 23)* Die ganzfigurige Auffassung der Person, die das traditionelle bürgerliche Porträt hinter sich läßt, und die klare, flächige Farbigkeit zeigen den Einfluß des französischen Historienmalers Jacques Louis David. Die Hauptfarben sind die der republikanischen Trikolore. Das Sitzmotiv ist antiken Reliefs nachempfunden. Frau Dannecker wird durch ihre Erhebung über den Bildhorizont monumentalisiert. Die in Anlehnung an die Antike geschaffene Frau-

enmode ›à la grecque‹ galt als besonders natürlich, was von Schick durch die Einbindung in die Landschaft noch gesteigert wird. Die Abgebildete strahlt Heiterkeit und Souveränität aus. Sie ist als schön gemäß dem damaligen Ideal dargestellt und scheint doch nicht verfälscht zu sein.

Wie ein Künstler von Anspruch die Aufgabe des Porträts aufzuwerten und ihr die Würde des Historienbildes zu geben versuchte, zeigt das Beispiel von Johann Heinrich Wilhelm Tischbein. Von Goethe gefördert, richtete er sich seit 1783 in Rom ein. Er schuf dort eins der ersten Historiengemälde der neuen Art: *Konradin und Friedrich der Schöne von Österreich erfahren beim Schachspiel ihr Todesurteil*, lernte dort aber auch Jacques Louis Davids epochemachenden *Schwur der Horatier* kennen. Tischbein schuf 1786/1787 das Porträt Goethes in der vulkanischen Landschaft der Campagna bei Tusculum, dem Landsitz des Cicero. *(Abb. 24)* Der Dichter, der damals bei ihm wohnte, ist als Reisender dargestellt. Den Mantel trägt er jedoch nach antiker Art über die Schulter geworfen. Ein Vetter Tischbeins, Ludwig Strack, schildert in einem Brief vom 1787 die Absichten des Malers. Es ist ein Zeugnis dafür, wie diese literarisch gebildete Epoche ein derartiges Bildnis zum Historiengemälde überhöhte: »Man sieht nemlich den Dichter [...] auf einem umgestürzten und in Trümmer gegangenen Obelisk ruhen [...] Daneben liegt ein verstümmeltes Basrelief, woraus man aber noch die beßte Zeit der griechischen Kunst wahrnimmt, und das die Erkennung der Iphigenia und ihres Bruders Orestes mit Pilades vorstellet; ein Gegenstand, den unser Dichter seit mehreren Jahren bemüht war in ein Schauspiel zu bringen, und ihm endlich auf der Stube des Künstlers seine letzte Politur gab. Eine gebrochene Säule, deßen Kapitell vom jonischen und korinthischen zusammengesetzt ist, zeiget, daß es ein eigenes Werk der Römer unter den Kaisern ist. Hin in die Ferne sieht man die Campagna di Roma mit den vielen an der Strada appia zerstreuten Grabmälern [...] Weiter hin sieht man das durch den Weisen der Römer den Tullius Cicero, und den Epikurischen Helden Lucullus so berühmte Tusculum; über diesem erhebet sich der durch einen Vulkan formirte Berg Albano, an deßen Fuß die beyden Seen Albano und Nemi liegen, gleichfalls entstanden aus eingefallenen Kratern ehemaliger Vesuve. Über diese Revolutionen der Natur und der menschlichen Dinge staunet das Auge des philosophischen Dichters hin, und der schauervolle Gedanke der Vergänglichkeit scheinet auf seinem Gesichte zu schweben. Der Künstler hat sich bemüht, die Ähnlichkeit und die karakteristischen Züge seines Urbildes so viel [wie] möglich zu treffen. Seine Absicht war, nicht so viel das Mahlerische und die Farbe eines Titians und Van Dycks, als die Bestimmtheit und die feinen und eignen Lineamente im Ausdruck, das wir so sehr in den Portraits eines Raphaels und Holbeins bewundern, nachzuahmen.« Der letzte Satz läßt den Malstil als Absage an die Malkultur der großen Barockmeister und ihrer venezianischen Vorbilder erkennen.

Die meisten unter den damals erstmals wieder in größerer Zahl auftretenden Künstlerinnen arbeiteten bevorzugt im Porträtfach, so die aus der Schweiz stammende, dann in England und schließlich in Rom tätige Malerin Angelika Kauffmann. *(Abb. 3)* Die Aufklärung hatte erste Denkanstöße zur Emanzipation der Frau gegeben und einzelnen Frauen auch Gelegenheit zur Entfaltung eröffnet, wenn auch meist nur im Rahmen der Künstlerfamilien. Wirklichen Zugang zur beruflichen und akademischen Ausbildung erhielten sie aber nicht. Als mit der Zerschlagung der Zünfte und der alten Sozialstrukturen die Künstlerdynastien erloschen und außerdem die Blütenträume der Aufklärung und der Revolution unter dem

23. Gottlieb Schick (1776–1812), Bildnis der Heinrike Rapp, Frau des Bildhauers Dannecker, *Öl auf Leinwand, 119 x 100 cm, 1802, Berlin, Nationalgalerie SMPK*

Der Bildhauer Dannecker (Abb. 13) war Schicks Lehrer in Stuttgart, bevor dieser 1798–1802 zu Jacques Louis David nach Paris und später nach Rom zog. Seine Frau stammt aus einer kunstliebenden Stuttgarter Kaufmannsfamilie und war eine Jugendfreundin des Malers. Das Bild ist als Versuch anzusehen, Schillers und anderer Klassizisten hohe Auffassung von der Würde des Menschen, in diesem Falle besonders der Frau, bildlich umzusetzen.

24. Johann Heinrich Wilhelm Tischbein (1751–1829), Johann Wolfgang Goethe in der römischen Campagna, *Öl auf Leinwand, 164 x 206 cm, 1786/1787, Frankfurt/M., Städelsches Kunstinstitut*

Der Porträttypus des auf den Boden gelagerten Mannes ist englischer Herkunft und als Ausdruck der Naturverbundenheit wie melancholischen Nachdenkens verstehen. Goethe wird hier als von der römischen Klassik wie von der Natur inspirierter Dichter der Iphigenie charakterisiert. Das große Format unterstreicht den Anspruch des Porträts auf Gleichrangigkeit mit der Historie.

Frost der Restauration zerfielen, wurde ihre Zahl wieder verschwindend gering, bis sie sich gegen Ende des 19. Jahrhunderts einen Platz in den Institutionen erkämpfen konnten.

Landschaftsmalerei und Revolution

Nur die Landschaftsmalerei erfuhr eine Veränderung ihrer Stellung im System der akademischen Gattungen. Trotz der Begeisterung für die Natur, für Rousseau und die Englischen Gärten dauerte es jedoch bis zur Zeit der Französischen Revolution, ehe man in Deutschland von Landschaften im modernen Sinne sprechen kann. Die meisten der bis dahin geschaffenen Landschaftsgemälde sind Veduten – das Goethesche Wort ›Ansichten‹ hat sich leider nicht durchgesetzt –, d.h. es sind getreue Aufnahmen von Örtlichkeiten, ganz dem Nützlichkeitsdenken des Rationalismus verhaftet. Daneben wurde die antike Idylle wiederbelebt, so durch den Züricher Ratsherrn, Maler und Dichter Salomon Geßner (1730–1788). Auch der damals gefeierte Landschafter Jakob Philipp Hackert (1737–1807) löste sich nicht von der traditionellen Sehweise. Erst als die englischen Touristen auf der Suche nach dem Erhabenen die Schweizer Berge und Gletscher entdeckten und nach Bildern dieser Naturmonumente verlangten, eröffnete sich Vedutisten wie Caspar Wolff eine neue Sicht auf die eigene Heimat. *(Abb. 5)*

Josef Anton Koch ist der eigentliche Begründer der neueren deutschen Landschaftsmalerei. 1791 unternahm der revolutionär gestimmte Schüler der Stuttgarter Karlsschule, die zuvor u.a. Friedrich Schiller besucht hatte, eine Ferienreise in die Schweiz, wo er den Rheinfall bei Schaffhausen besucht und zeichnet. *(Abb. 25)* Als literarisch gebildeter Mann schildert er seine Eindrükke und Empfindungen: »Nun kam ich bei dem gerade am Fall stehenden Geländer an. Hier sah ich den schönsten Teil des mit donnernder Kraft herabstürzenden Stroms, welcher in milchweiß schäumenden donnernden Wogen über chaotisch übereinander geworfene schwarz gezackte Felsmassen und Trümmer mit donnerndem Gebrüll und unermeßlicher Kraft wütend darniederstürzt. Hier sieht man nichts als Staub, Sturm, Wind, entsetzlich dreinschmetternde Kraft. Hier kochen, brausen, krachen und peitschen sich auseinander die wütend über trotzende Felsen herabgeschleuderten Wellen, welche schnell dem grausen Abgrund zueilen [...] Das erhabene Schauspiel bewegte meine [...] Seele aufs äußerste, gleich dem wilden Strom wallte mein Blut, pochte mein Herz. Es schien, als riefe mir der Gott des Rheins vom zackigten Fels zu: Steh auf, handle, sei tätig mit standhafter Kraft, stemme dich gewaltig gegen Despotismus, reiß auseinander die schimpflichen Bande, welche dich fesseln, sei unerschütterlich wie der Fels, den ich bekämpfe, in der Verteidigung der Freiheit der Menschheit.« Es ist uns fremd, was Menschen damals an Empfindungen und Gedanken in die Landschaft hineintrugen. Koch war ein begabter und damals bereits gut geschulter Zeichner, aber seine Zeichnung fällt gegenüber dem Text ab; sie ist formelhaft und vermag kaum, die erlebte Gewalt darzustellen, erst recht nicht die Bedeutung, die Koch seinem

Gegenstand eigentlich geben will – doch ist das Auseinanderklaffen von Wollen und Können und das Überwiegen des literarisch-philosophischen Konzepts im höchsten Maße modern. Andererseits machte Koch danach schnelle Fortschritte, wie seine erste Aquarellstudie zum Bild des Schmadribachfalls von 1793/1794 zeigt, deren kompositionelle Wirkung bis zum berühmten Bild er durchaus noch zu steigern wußte. *(Abb. 26)* Zwar bleibt er auch bei dieser Komposition noch in Vielem den älteren Formeln für Bäume, Wolken, Wellen usw. verhaftet, doch ist das Auftürmen der Gebirgsmassen nach oben und ihre Staffelung nach hinten in eine unerreichbare Ferne von neuartiger Gewalt der Wirkung.

Friedrich Schiller hat in seinem Text *Über Matthissons Gedichte* von 1794 das Neuartige der Möglichkeiten von Landschaftsmalerei erfaßt: »Daß die Griechen [...] der Landschaftmalerei nicht viel nachgefragt haben, ist etwas Bekanntes, und die Rigoristen in der Kunst stehen ja noch heutigen Tages an, ob sie den Landschaftmaler überhaupt nur als echten Künstler gelten lassen sollen [...] Es ist nämlich etwas ganz anders, ob man die unbeseelte Natur bloß als Lokal einer Handlung in eine Schilderung mit aufnimmt [...], oder ob man es gerade umkehrt, wie der Landschaftmaler, die unbeseelte Natur für sich selbst zur Heldin der Schilderung [...] macht [...] Zwar sind Empfindungen, ihrem Inhalte nach, keiner Darstellung fähig; aber ihrer Form nach sind sie es allerdings, und es existiert wirklich eine allgemein beliebte und wirksame Kunst, die kein anderes Objekt hat als eben diese Form der Empfindungen. Diese Kunst ist die Musik, und insofern also die Landschaftmalerei [...] musikalisch wirkt, ist sie Darstellung des Empfindungsvermögens, mithin Nachahmung menschlicher Natur [...] Dringt nun der Tonsetzer und der Landschaftmaler in das Geheimnis jener Gesetze ein, welche über die in-

25. Josef Anton Koch (1768–1839), Der Rheinfall von Schaffhausen bei der Galerie unter dem Schloß Lauffen, *Federzeichnung laviert, 19 x 24 cm, 1791, Stuttgart, Staatsgalerie, Graphische Sammlung*

Den Wasserfall hat Koch als ein Sinnbild der entfesselten Naturgewalt und als Aufruf zum Kampf für die Freiheit verstanden. Das Erlebnis wühlte ihn auf und führte zur Projektion seiner Wünsche und Hoffnungen in die Landschaft.

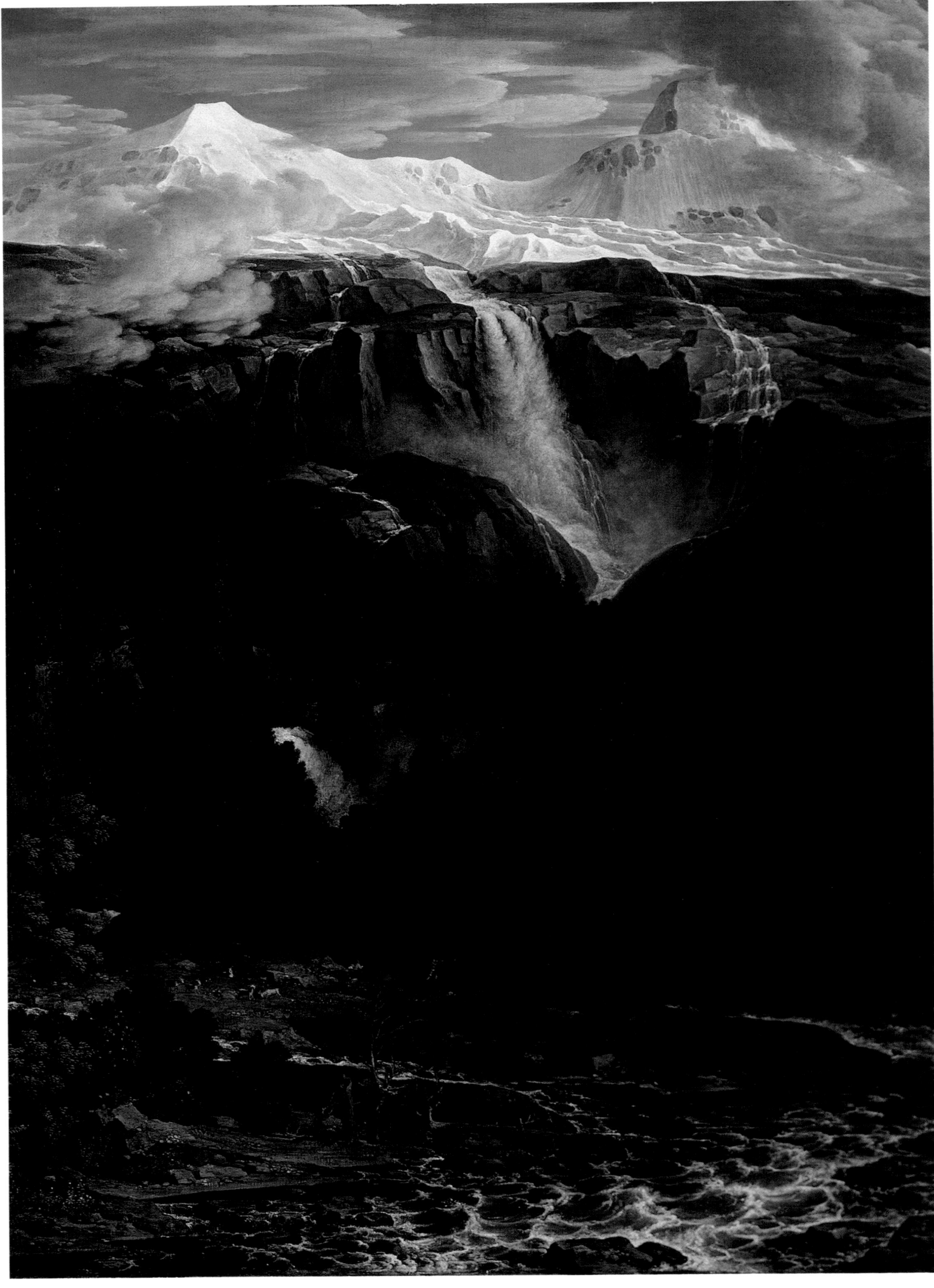

nern Bewegungen des menschlichen Herzens walten, und studiert er die Analogie, welche zwischen diesen Gemütsbewegungen und gewissen äußern Erscheinungen stattfindet, so wird er aus einem Bildner gemeiner Natur zum wahrhaften Seelenmaler [...] Aber die landschaftliche Natur kann auch [...] noch dadurch in den Kreis der Menschheit gezogen werden, daß man sie zum Ausdruck von Ideen macht [...] Die Tonsetzer und der Landschaftmaler bewirken dieses bloß durch die Form ihrer Darstellung und stimmen bloß das Gemüt zu einer gewissen Empfindungsart und zur Aufnahme gewisser Ideen; aber einen Inhalt dazu zu finden, überlassen sie der Einbildungskraft des Zuhörers und Betrachters.«

Das Zeitalter der subjektiven Ästhetik hat sich bekanntlich künstlerisch am eindrucksvollsten in Musik und Dichtung geäußert. Ihre Entsprechung in der Bildenden Kunst konnte am ehesten die Landschaft sein. Die Natur wurde zum Projektionsfeld des Ich, aber im Zeitalter der Zensur auch ein Ort, wohin man mit den eigenen Ideen ausweichen konnte. Gerade im Zeitalter der Französischen Revolution wurde die Landschaftsmalerei deshalb nicht in Frankreich, wohl aber in Deutschland zum Ventil.

Die Wirkungen der Französischen Revolution auf die deutschen Zeitgenossen

Die Generation der um 1770 Geborenen ist von den aufklärerischen und weltbürgerlichen Idealen Goethes, Kants und anderer Größen geprägt worden; sie war gerüstet und gewillt, eine bessere Zukunft herbeizuführen. Aber das sie alle prägende Erlebnis wurde die Französische Revolution von 1789, der Sturz des Absolutistismus, das Blutbad der Jakobiner und schließlich der Aufstieg Napoleons. Das Römische Reich wurde zerschlagen, der Kirchenbesitz säkularisiert, Hunderte von Kleinstaaten aufgelöst und vor allem die darniederliegenden alten Monarchien zu gründlicher Erneuerung gezwungen. Eine bleibende Erfahrung schließlich wurde die gemeinsame Erhebung gegen Napoleon in den Freiheitskriegen 1813–1815 und danach das Scheitern der daran geknüpften Hoffnungen auf die Einigung Deutschlands. Es war ein Zeitalter der Krise, aber auch – nach damaligem Empfinden – des Heroischen. Das offizielle Ende des Heiligen Römischen Reiches Deutscher Nation 1806 war allenfalls deshalb wichtig, weil es nun kein die deutschen Staaten umfassendes Band mehr gab. Das wiederum war ein Auslöser für die nationale Bewegung, die schließlich 1870 zur Einigung unter der Lenkung Preußens führte.

Es sind jedoch nicht allein die politischen Ereignisse, die diese Altersschicht ähnlich reagieren ließ, sondern gleichermaßen das Scheitern der Selbstgewißheit der Aufklärung und ihres Rationalismus. Der Anspruch, über die Wahrheit zu verfügen, wurde unglaubwürdig. Ihre Lehre erschien als Ideologie – ein Begriff der damals geprägt wurde –, ihre Moral als Heuchelei, ihr Recht als Unrecht. Daß es berechtigt ist, gerade damals den Generationscharakter bestimmter Ideen und Verhaltensweisen zu betonen, erkennt man auch an dem Ärger und der Ablehnung der ›Väter‹: dem ›Alten‹ in Weimar entging nicht die Begabung der jüngeren Maler und Schriftsteller, aber ihm paßte die ganze Linie nicht.

Das Erlebnis der Zerschlagung des Alten Europa, aber auch des Scheiterns der Aufklärung ist Grunderfahrung und Auslöser der Romantik als intellektueller Bewegung, die ja als Gesinnung und Stimmung etwas Älteres ist. Doch waren die Reaktionen sehr unterschiedlich, ja gegensätzlich. Die Maler reagierten anders als die Bildhauer und die Architekten. Jeder formulierte eine eigene Theorie. Obendrein fielen oft Theorie und Praxis auseinander. Der Riß zieht sich zuweilen durch die Person selbst: So fällt es etwa schwer, den Maler Schinkel und den Architekten als einunddenselben Künstler zu verstehen. Die Klassizisten bildeten noch eine relativ geschlossene Bewegung, in der Generation der Romantik sonderten sich gerade die bedeutendsten Köpfe ab und endeten oft als vereinsamte Individuen. Gerade deshalb kam es nun auch zu forcierten Gruppenbildungen, etwa zur religiösen Bruderschaft der Nazarener.

linke Seite:
26. Josef Anton Koch (1768–1839), Der Schmadribachfall,
Öl auf Leinwand, 123 x 94 cm, 1805–1811, Leipzig, Museum der bildenden Künste

Der Maler türmt die Berge im Bild so hoch auf, daß kaum noch ein Stück Himmel sichtbar bleibt. Das Bergmassiv bildet ein mächtiges, durch die Frontalität noch gesteigertes Gegenüber, ein Naturelement von urwüchsiger Kraft, das seine Wassermassen auf die Erde sendet. Ebenso kann man versuchen, das Bild von unten nach oben zu lesen. Dann verweist der verwinkelte Weg darauf, wie klein der Mensch ist im Angesicht der Natur. Dennoch ist der untere Wiesenbereich letztlich als Idylle aufgefaßt.

27. Philipp Otto Runge (1777–1810), Der Morgen, *aus dem Zyklus ›Die Zeiten‹, Kupferstich und Radierung, 72 x 48 cm, 1807, nach der Vorzeichnung von 1803, Hamburg, Kunsthalle*

Aus dem Nebel wächst eine Lilie empor, deren Blüten sich teils senken, teils aufstreben, besetzt mit Kindern, die Musik machen, sich in die Augen sehen usw. Über ihnen der Morgenstern, die Venus. Von dem Blatt gibt es auch eine farbige Fassung.

Natur und Landschaft in der Romantik: Philipp Otto Runge und Caspar David Friedrich

Philipp Otto Runge, der wie Friedrich aus dem damals schwedischen Vorpommern stammt, waren nur wenige Schaffensjahre vergönnt. Am Anfang seiner Laufbahn stehen klassizistische malerische Versuche, wie die Teilnahme an mehreren Weimarer Preisaufgaben. Doch erkannte er, daß dies nicht weiterführte: »Wir sind keine Griechen mehr, können das Ganze schon nicht mehr so fühlen, wenn wir ihre vollendeten Kunstwerke sehen, viel weniger selbst solche hervorbringen [...]« Angeregt von den ersten romantischen Theoretikern und Schriftstellern, wie Friedrich Schlegel und Ludwig Tieck, suchte er nach einer neuen, kindlich-naiven, sowohl naturnahen wie gedankentiefen Kunst. »Es drängt sich alles zur Landschaft, sucht etwas bestimmtes in dieser Unbestimmtheit und weiß nicht, wie es anzufangen [...]« Der programmatische Anspruch ist außerordentlich, eigentlich unerfüllbar. *(Abb. 27)* Doch blieben seine Werke auch deshalb oft unvollendet, weil sie eher Idee waren als Bild. Runge leistete Außerordentliches in der theoretischen Begründung des neuen Kunstwollens, vor allem in der Farbenlehre. Er war eine Doppelbegabung: Sein plattdeutsch geschriebenes Kunstmärchen *Von den Fischer und syner Fru* hat die Zeiten- und Richtungswechsel überdauert. Aber seine Sicht der Natur war viel tiefer, als daß die Landschafterei ihre Darstellung je hätte erreichen können. Es war eine bildliche Naturphilosophie. Runge versuchte, mit seinen Bildern Dinge zu sagen, die zuvor allenfalls der Historien- und allegorischen Figurenmalerei zugedacht worden wären. Das war ganz im Sinne der Romantiker, die die von Lessing und anderen herbeigeführte Trennung der Künste und Gattungen aufzuheben ersehnten. Deshalb bedarf es zum Verständnis des Bildes langer Erklärungen. Für die Zeichnung des *Morgen* von 1803 hat sie der Künstler teilweise selbst gegeben. Doch wird deutlich, daß der Verlust der alten Ikonographie nicht wettzumachen war; die an die Stelle der alten Themen tretenden neuen thematisch-bildnerischen Vorstellungen waren eigentlich nur ihrem Schöpfer verständlich. Die Kommentarbedürftigkeit ist jedoch ein Grundzug der Moderne überhaupt.

Runges allegorisch gemeinte Bildform der Arabeske (nach der heute – wie damals – gültigen Terminologie eher als Groteske zu benennen) geht auf Ideen Friedrich Schlegels zurück, wonach diese keineswegs nur Ornament, sondern romantisches Strukturprinzip schlechthin sei. Da das Werk des Künstlers nur aus Fragmenten bestehe, den Stoff nur umkreisen, gar nur ironisch angehen könne, sei die Arabeske die dafür angemessene, offene Form. Sie verbinde das Niedrigste dem Höchsten und sei eine Äußerungsart der Phantasie, künstlerisch organisiertes Bild des poetischen Wildwuchses, zugleich Hieroglyphe und ein Werk der Laune. Dies ist der einfachen Anschauung der Rungeschen Bilder und Bildrahmen nicht zu entnehmen, ja man darf feststellen, daß diese Theorie nicht ohne konfuse Züge ist. Deshalb wurde die Arabeske später ihres ursprünglich intendierten Tiefsinns entkleidet und zum

Zierrahmen von Illustrationen vereinfacht. *(Abb. 69)*

Auch Caspar David Friedrich versuchte, die Landschaft als eine neue Sinnbildkunst zu gestalten. *(Abb. 1, 28 u. 29)* Dabei knüpfte er jedoch nicht an die vorklassizistische Kunst an, sondern lehnte die gesamte alte Kunstlehre ab und suchte einen Neuanfang. Er schreibt: »Jedem offenbart sich die Natur anders; darum darf auch keiner dem andern seine Lehren und Regeln als untrügliches Gesetz aufbürden. Keiner ist Maßstab für alle, jeder nur Maßstab für sich [...] Nur Gottes Gesetze gelten für alle.« Kunst hat »eigenthümlich« zu sein, darf nicht an andere Bilder erinnern, weshalb er die Nazarener scharf kritisierte. Er lehnte alle Kompositionskonventionen ab wie die Unterscheidung der Bildgründe in Vorder-, Mittel- und Hintergrund, ebenso die innerbildliche Rahmung, die Motive und Formeln der Idyllik, die ›Belebung‹ durch Staffage, die Suche nach ›Naturschönheit‹. Man darf also aus der romantischen Gegnerschaft gegen die Lehrergeneration nicht auf einen Willen zur Restauration des Uralten schließen. Eher ist es umgekehrt: Während die Vätergeneration das Vorangegangene theoretisch zwar ablehnte, sich tatsächlich aber nur langsam davon löste, wurde der Bruch um 1800 irreparabel: Der Maler Friedrich ist letztlich weiter entfernt von jeder älteren Kunst als irgendein Künstler vor ihm. Die innere Loslösung der modernen Kunst von der alten ist ein durchgehender Zug der Zeit, trotz der Neo-Stile in der Architektur und teilweise auch in den Bildenden Künsten.

Friedrichs Inspirationsquelle ist die Natur, also die Wirklichkeit. Oft schon in den frühesten Morgenstunden, bei Wind, Kälte und Wetter, zog er aus, um auf langen Wanderungen Natur zu erleben und zu zeichnen. Die Ausarbeitung der Bilder erfolgte im Atelier, das völlig kahl war und keinen Ausblick bot. So erklärt sich auch, daß

28. Caspar David Friedrich (1774–1840), Hünengrab im Schnee, *Öl auf Leinwand, 62 x 60 cm, um 1807, Dresden, Staatliche Kunstsammlungen, Gemäldegalerie*

Friedrich ist der eigentliche Entdecker der Winterlandschaft, die vor allem als Zeit des Todes und der Nächtlichkeit verstanden wird. Das Hünengrab und die entlaubten Eichen stehen in einem unmittelbar einleuchtenden Bezug dazu. Die Bäume heroisieren das germanische Heldengrab und sind selbst heroisiert. Aus dem historischen Kontext, der Eroberung Deutschlands durch Napoleon, ist dies Bild wohl auch als Darstellung der Hoffnung zu verstehen, es möchten neue Helden der altdeutschen Art kommen.

vorhergehende Doppelseite:
29. Caspar David Friedrich (1774–1840), Der Mönch am Meer,
Öl auf Leinwand, 110 x 172 cm, 1809–1810, Berlin, Staatliche Schlösser und Gärten

Der Dichter Heinrich von Kleist hat in seinem Text ›Empfindungen vor Friedrichs Seelandschaft‹ u.a. geschrieben: ›[...] das, was ich in dem Bilde selbst finden sollte, fand ich erst zwischen mir und dem Bilde, nämlich einen Anspruch, den mein Herz an das Bild machte, und einen Abbruch, den mir das Bild tat; und so ward ich selbst der Kapuziner, das Bild ward die Düne, das aber, wo hinaus ich mit Sehnsucht blicken sollte, die See, fehlte ganz. Nichts kann trauriger und unbehaglicher sein, als diese Stellung in der Welt: der einzige Lebensfunke im weiten Reiche des Todes, der einsame Mittelpunkt im einsamen Kreis. Das Bild liegt, mit seinen zwei oder drei geheimnisvollen Gegenständen, wie die Apokalpyse da, als ob es [...] Nachtgedanken hätte, und da es, in seiner Einförmigkeit und Uferlosigkeit, nichts, als den Rahm, zum Vordergrund hat, so ist es, wenn man es betrachtet, als ob einem die Augenlider weggeschnitten wären.

seine Malweise zugleich mikroskopisch kleinteilig und distanziert verschleiernd ist. Die Bilder wurden Projektionen von dem, was der Künstler »in sich sieht«, mit Carus' Worten: »Darstellungen einer gewissen Stimmung des Gemüthslebens durch die Nachbildung einer entsprechenden Stimmung des Naturlebens.« Bilder dieser Art erlauben den Betrachtenden, sie ebenso subjektiv wahrzunehmen und eigene Empfindungen einzubringen. Friedrich weigerte sich, das zu malen, wozu er sich nicht innerlich gedrängt fühlte: Er lehnte Auftragskunst ab. Gerade das immer wieder erneuerte Naturstudium hat jedoch bewirkt, daß er einer Schwäche moderner Phantasie-Kunst nie erlag, nämlich der häufigen Wiederholung des einmal Erlebten. Obwohl der Gegenstandsbereich schmal war, da er bestimmte Orte und atmosphärische Stimmungen, Tages- und Jahreszeiten bevorzugte, so ist doch seine Bilderwelt von großer Vielfalt. *(Abb. 28)*

Die Natur wird bei Friedrich auf das Elementare reduziert. Darin ist er zuweilen sehr radikal, wie etwa in dem schlagartig berühmt gewordenen, 1810 in Berlin ausgestellten und vom Königshaus auf Wunsch des Kronprinzen, des späteren Friedrich Wilhelm IV., gekauften Bild *Der Mönch am Meer. (Abb. 29)* Ein Stück einer Sanddüne mit Strandhafer, ohne Gestalt und ohne Begrenzung, darin wie verloren ein kleiner, sinnender Mönch oder Einsiedler, in dem sich der Maler ebenso wie der Betrachter sehen mag, dahinter düstere, weite Meeres- und Himmelsflächen, ohne belebende Schiffe (ursprünglich waren sie vorgesehen und wurden dann weggelassen), Wellen oder Wolken. Die Thematik ist eher angedeutet als ausgeführt – die Unschärfe ist Absicht und steht im Widerspruch zur normativen Ästhetik des Klassizismus. Zentraler Träger der Aussage ist die genau beobachtete und doch symbolisch aufgeladene Farbe. Doch arbeitete Friedrich außerdem mit starken innerbildlichen Spannungen, Dehnungen und Kontrasten, immer in der Absicht, eine das Bild weitende und die Wirklichkeit transzendierende Wirkung zu erreichen. Das Meditieren des Mönches weckt in den Betrachtenden Gedanken über das Unendliche des Alls im Vergleich zum Nichts des Menschen, Nachtgedanken über Tod und Ewigkeit. Friedrich war ein tiefreligiöser Mann, aber er verweigerte sich der Darstellung des Mensch gewordenen Gottes in Christus, erst recht Gottes im Himmel nach barocker Art. Das Bild führt in die Nähe der mystischen Erfahrung der Selbstverlorenheit in der tiefen Nacht der Einsamkeit am Kreuz. *(Abb. IV/68)* Erlösungshoffnungen werden nicht geweckt. Goethe, in seiner Abneigung gegen die »Neu-deutsche religios-patriotische Kunst«, hat klar formuliert, daß ein derartiges Sich-Hingeben an mystische Erfahrung über die Kunst hinausführt – nur wird man heute, nach zwei Jahrhunderten mystisch intendierter Malerei, nicht mehr so leicht daraus ein Werturteil ableiten.

Friedrich hat durchaus gegenständlich Erfaßbares in seine Bilder gebracht, doch ist es deshalb

linke Seite:
30. Johann Christian Clausen Dahl (1788–1857), Wolkenstudie – Gewitterwolken über dem Schloßturm von Dresden, *Öl auf Papier auf Pappe, 21 x 22 cm, um 1825, Berlin, Nationalgalerie SMPK*

In England wurden zuerst Wetter und Wolken systematisch studiert und von den Malern gemalt. Fußend auf Anregungen von Goethe und Carus griffen der norwegische Friedrich-Schüler Dahl und andere Maler dieses Kreises das Thema auf, faßten es aber zugleich nach französischer Art ganz spontan und skizzenhaft auf.

keineswegs leichter zu entschlüsseln. Der Dichter Ludwig Tieck, der sein Werden aus der Nähe verfolgt hatte, schreibt: »Friedrich strebt [...], ein bestimmtes Gefühl, eine wirkliche Anschauung, und in dieser festgestellte Gedanken und Begriffe zu erzeugen [...] So sucht er also in Licht und Schatten belebte und erstorbene Natur, Schnee und Wasser, und ebenso in der Staffage Allegorie und Symbolik einzuführen, ja gewissermaßen die Landschaft, die uns immer als ein so unbestimmter Vorwurf, als Traum und Willkür erschien, über Geschichte und Legende durch eine bestimmte Deutlichkeit in der Phantasie zu erheben. Dies Streben ist neu, und es ist zu verwundern, wie viel er mehr wie einmal mit wenigen Mitteln erreicht hat.« Friedrich hat sich zu einigen seiner Bilder geäußert und dabei große allegorische Systeme entfaltet, ohne doch selbst die Bedeutung als ganze angeben zu können. Landschaft wird zum religiösen, aber auch zum national-patriotischen Projektionsfeld, entzieht sich aber der eindeutigen Lesbarkeit.

Seine Wirkung auf die Zeitgenossen war groß, obwohl er ein Einzelgänger war und sich oft unverstanden fühlte. Besonders in Dresden spielte er eine überragende Rolle: Seine Schüler und Nachfolger haben auf jeweils eigene Weise von ihm gelernt, ohne epigonal zu werden. Der Arzt Carl Gustav Carus drang mit seinen geologischen und naturwissenschaftlichen Forschungen zu einem neuen Typus der Landschaft vor, den Erdlebenbildern. Der norwegische Landschafter Johann Christian Clausen Dahl notierte in einer skizzierenden Handschrift aufs Genaueste die schnell sich verändernden Wolkenformationen und atmosphärische Stimmungen. *(Abb. 30)* Und der Leiter der Malabteilung in der Meißener Porzellanmanufaktur, Georg Friedrich Kersting, schuf u.a. Bilder von Lesenden und Denkenden, in denen sich die Konzentration der Dargestellten in der Formstruktur des Bildes ausdrückt. *(Abb. 31)* Das Radikale, die subjektive Thematik und die einseitige Erhabenheit der Kunst Friedrichs führten jedoch dazu, daß sie seit der Mitte des 19. Jahrhunderts verdrängt und dann vergessen wurde, um nach ihrer Wiederentdeckung in der Jahrhundertausstellung 1907 zu unbestrittenem, sogar internationalem Ruhm aufzusteigen.

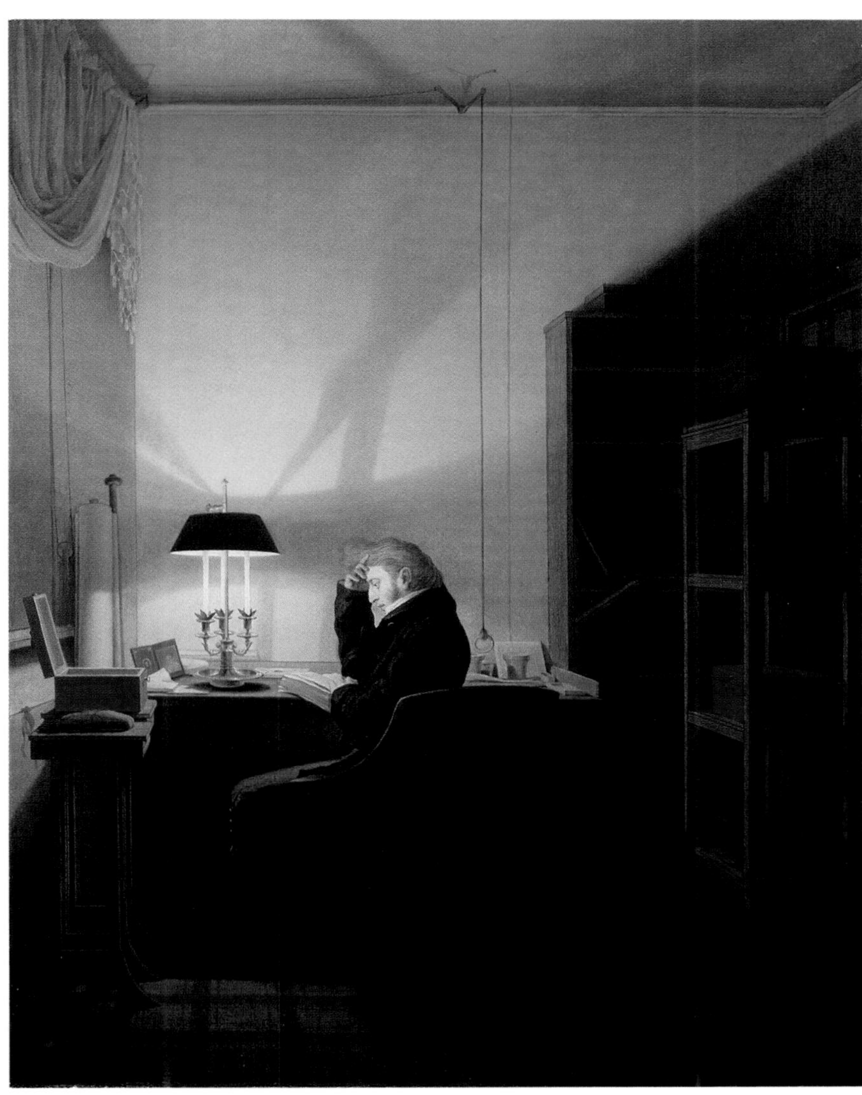

31. Georg Friedrich Kersting (1785–1847), Lesender bei Lampenlicht, *Öl auf Leinwand, 48 x 37 cm, 1814, Winterthur, Museum Stiftung Oskar Reinhart*

Die Strenge der Form, die Betonung der Leere, das eigenartige Licht sind Projektionen einer inneren Konzentration und Geistigkeit, die Friedrich nahesteht. Das Bild thematisiert den bürgerlichen Rückzug in das Private, von dem aus sich aber eine Welt von großer Weite öffnet, in die der Leser durch seine Lektüre geführt wird.

Die Nazarener

Schon Tischbein hatte auf die Pinselschrift und Farbkunst Tizians und Van Dycks verzichtet und statt dessen auf die ältere Flächen- und Linienkunst Raffaels und Holbeins zurückgegriffen. *(Abb. 24)* 1796, nur zehn Jahre danach, schrieb der jung verstorbene Wilhelm Heinrich Wackenroder (1773–1798) die *Herzensergießungen eines kunstliebenden Klosterbruders:* In ihnen wird die Nachahmung Raffaels, den man vor allem als Schöpfer der Sixtinischen Madonna in Dresden verehrte, zugleich mit der des ›Altteutschen‹ Albrecht Dürer zum Kunstmanifest. Die Empfindsamkeit des 18. Jahrhunderts wird weitergeführt, aber gegen Aufklärung und klassizistische Kunstdoktrin gewendet: »Kunst ist die Blume menschlicher Empfindung [...]« Die mittelalterliche Baukunst sei der antiken, die altdeutsche Malerei der italienischen gleichzustellen. Wackenroder greift jedoch das ›Akademische System‹ als ganzes an. Zitiert seien Goethes klare, aber unfreundliche Worte: »[Kunst-]Kritik wird als eine Gottlosigkeit angesehen, und die Regeln als leere Tändelei; Kunst [...] lerne sich nicht, und werde nicht gelehrt [...]« Der Angriff reicht jedoch noch weiter und zielt auf die protestantisch-aufklärerische, literarische Kultur überhaupt: »Die Sprache der Worte ist eine große Gabe des Himmels [...] Nur das Unsichtbare, das über uns schwebt, ziehen Worte nicht in unser Gemüt hinab [...] Ich kenne aber zwei wunderbare Sprachen, durch welche der Schöpfer dem Menschen vergönnt hat, die himmlischen Dinge in ganzer Macht [...] zu fassen und zu begreifen [...] sie bewegen auf einmal, auf eine wunderbare Weise, unser ganzes Wesen [...] Ich meine: die Natur und die Kunst.« Indem Wackenroder den alten Gedanken aufgreift, daß Bilder tiefer wirken als Worte, und indem er die Natur als »[...] das gründlichste und deutlichste Erklärungsbuch über [Gottes] Wesen und seine Eigenschaften« einbezieht, gibt er ein neues Ziel: »[...] daß wo Kunst und Religion sich vereinigen, aus ihren zusammenfließenden Strömen der schönste Lebensstrom sich ergießt [...] Bildersäle werden betrachtet als Jahrmärkte, [womit er sich gegen damalige Ausstellungen wendet...] und es sollten Tempel sein [...] Ich vergleiche den Genuß der edleren Kunstwerke dem Gebet [...] Es ist mir ein heiliger Feiertag, an welchem ich mit Ernst und mit vorbereitetem Gemüt an die Betrachtung edler Kunstwerke gehe [...] Die Kunst ist über dem Menschen: wir können die herrlichen Werke ihrer Geweiheten nur bewundern und verehren, und, zur Auflösung und Reinigung aller unsrer Gefühle, unser ganzes Gemüt vor ihnen auftun.« Bezeichnenderweise ist das kein Plädoyer für eine neue Kirchenkunst, sondern für Museumskunst. Vor allem fordert er eine neue Einstellung und Lebensweise: Das Vorbild »Dürers, um dessentwillen es mir lieb ist, daß ich ein Deutscher bin«, wird zum Lebensmuster in seiner Religiosität und vormodernen Handwerklichkeit. »Ein solches stilles, abhängiges Leben führen, da man in keiner Stunde vergißt, daß man nichts anderes ist als ein Arbeiter Gottes, dies heißt den sichersten Weg zur Glückseligkeit gehen.«

Diese extreme Position wurde durchaus nicht von allen Romantikern geteilt, erst recht war sie fast allen älteren Zeitgenossen zuwider. Doch wurde sie zum Glaubensbekenntnis vieler junger Künstler, weil sie den mit den Verhältnissen Hadernden, den Verzweifelnden und Vereinzelten zugleich Heilung und Gemeinschaft verhieß. So rückwärtsgewandt sie erscheint, im Grunde ist diese Bewegung modern, weil sie alles auf die – letztlich subjektive und individuelle – Empfindung setzt und die Kunst zur Religion macht. 1808 schloß sich, Wackenroders Lehren in die Tat umsetzend, eine Gruppe Wiener Akademiestudenten, des doktrinären Unterrichts leid, zu einer Künstlerbruderschaft und Lebensgemeinschaft zusammen. 1810 gingen sie nach Rom, wo sie sich im Kloster San Isidoro niederließen und wegen ihrer Tracht den Spitznamen Nazarener, d.h. Jesusjünger, erhielten. Fast alle waren Norddeutsche. Die meisten von ihnen konvertierten zum Katholizismus.

Ihr erster Anführer war Franz Pforr *(Abb. 32)* aus der Künstlerfamilie Tischbein, deren Malkultur er verwarf. Seine Historienbilder erinnern an populäre Bilderbögen, sind absichtsvoll primitiv und künstlich naiv. Die Linienschärfe altdeutscher vordürerscher Holzschnittkunst in Verbindung mit präraffaelischer Komposition sollten eine breitere Verständlichkeit bewirken. Auf die technischen Errungenschaften der Neuzeit und ihre Vervollkommnung der bildnerischen Mittel wird verzichtet. Die nazarenische Bewegung stellte in ihren Anfängen, wie vor ihnen die bald vergessenen Barbus in Paris, die handwerkliche Ausführung als minder wichtig hin, forderte vielmehr zuerst die wahre Idee und das Ethos: In letzter Konsequenz macht also das Konzept, nicht die Darstellung selbst, den Kunst-Charakter aus. Die traditionellen Qualitätsmaßstäbe geraten ins Wanken, da sie von den Künstlern selbst in Frage gestellt werden. Das stellt folgerichtig den Künstler über das Kunstwerk. Der Geniekult überlagert die Beschäftigung mit den Bildern. Das ist selbst aus der Sicht des ausgehenden 20. Jahrhunderts höchst modern.

Nach Pforrs frühem Tod 1812 verschob sich die Ausrichtung, vor allem unter dem Einfluß von Peter Cornelius. Doch darf man sich die Nazarener nicht zu einseitig vorstellen. Ihr frommer Wortführer Overbeck schaffte sich in Rom zunächst eine kleine Bibliothek römischer und griechischer Klassiker an: »Das Lesen der besten Dichter bereichert die Phantasie; die philosophischen Bücher hellen den Geist auf und führen zugleich auf das Erhabene, Überirdische; und ich meine, daß ein vollkommener Künstler gar nicht ohne Philosophie gedacht werden kann, so wenig wie ohne Poesie.« Aber »ist der Geist Gottes

32. Franz Pforr (1788–1812), Der Einzug Rudolfs von Habsburg in Basel im Jahre 1273, *Öl auf Leinwand, 91 x 110 cm, 1808–1810, Frankfurt/M., Städelsches Kunstinstitut (Leihgabe des Historischen Museums)*

Schon unmittelbar nach der Auflösung des Heiligen Römischen Reiches versuchten die Kaiser von Österreich, sich als seine eigentlichen Erben zu inszenieren. Eine besondere Rolle erhielt der erste Habsburger auf dem Thron, Rudolf I. von Habsburg, dessen Leutseligkeit und Frömmigkeit betont wurde. Das absichtlich naive Bild ist voll von Zitaten nach altdeutscher Kunst.

nicht mit der Kunst, so helfen alle anderen Mittel nichts.« (Cornelius). Das nicht eben geringe Ziel war das einer Erneuerung der nationalen Kunst in Deutschland. Cornelius schreibt 1814: »Ich halte für das kräftigste [...] Mittel, der deutschen Kunst ein Fundament zu einer neuen, dem großen Zeitalter und dem Geist der Nation angemessenen Richtung zu geben [...] die Wiedereinführung der Freskomalerei, wie sie zu Zeiten des großen Giotto bis auf den göttlichen Raffael in Italien war.«

Mangels Aufträgen konzentrierte man sich zuerst auf private religiöse Bilder. Bezeichnenderweise ließ man die grausame Passionsseite und die drastisch-realistischen Elemente der älteren christlichen Bilderwelt beiseite – die Bilder bekommen einen idealen, gelegentlich süßlichen Zug, Erbe des sentimentalen 18. Jahrhunderts. Der erste Auftrag, in dem sie sich öffentlich bewähren konnten, erhielten sie vom preußischen Generalkonsul Bartholdy. *(Abb. 33)* Der patriotische König Ludwig I. von Bayern, der als Kronprinz lange in Rom im Kreise dieser Künstler weilte, wurde ihr Gönner. Andere Herrscher machten es ihm nach: die Nazarener erhielten Aufträge und Posten. Dennoch war ihnen kein langfristiger Erfolg beschieden. Diese Kunst konnte keine neue Gemeinschaft des Volkes stiften, denn das 19. Jahrhundert war konfessionell gespalten, der alte Ständestaat zerfiel, und nicht ohne Grund wird damals der Begriff des Klassenkampfes geprägt. Sie wurde auch nur selten populär, obwohl man Modelle aus dem einfachen Volk nahm und sich um verständliche Erzählung bemühte. Immerhin hat der Nibelungenzyklus des Julius Schnorr von Carolsfeld in der Münchner Residenz, einer der wenigen noch erhaltenen großen Zyklen, dramatische Qualitäten. *(Abb. 62)* Eindrucksvolle Bild-

33. Peter Cornelius (1783–1867), Joseph deutet Pharaos Traum, *Wandgemälde aus der Casa Bartholdy (Palazzo Zuccari) in Rom, 246 x 331 cm, 1816, Berlin, Nationalgalerie SMPK*

Jakob Salomon Bartholdy gab den Nazarenern Cornelius, Schadow, Overbeck, Veit und Catel ihren ersten großen Auftrag. Mit Rücksicht auf ihren jüdischen Auftraggeber wurden alttestamentarische Themen gewählt. Die Technik der Wandmalerei mußten die Künstler hierfür erst noch lernen. Die Figuren, insbesondere der Joseph, verraten das Studium der Fresken Raffaels in den Stanzen des Vatikan.

prägungen finden sich auch unter seinen ehemals sehr beliebten Bibelillustrationen. Die Nazarener wurden selber akademisch und erfuhren ihrerseits die Ablehnung durch die nächstjüngere Generation, etwa durch Adolph Menzel. *(Abb. 80)* Doch kann man diesen Malern den guten Willen und ernstes Bemühen nicht bestreiten. Ein Gemälde, wie Overbecks *Italia und Germania (Abb. 34)* wirkt als Versuch der Erneuerung älterer allegorischer Kunst zunächst befremdlich, hat aber durchaus eigenen Reiz, wenn man es als Bild zweier Freundinnen nimmt und auch die feinsinnig differenzierte Landschaft beachtet.

Man muß innerhalb der Gruppe genau unterscheiden. Die Kunst Wilhelm Schadows, der zum Begründer der Düsseldorfer Malerschule wurde, ist farbiger und realitätsnäher als etwa die des Peter Cornelius. Insgesamt aber leidet die nazarenische Historienmalerei darunter, daß sie in der linearen Stilisierung – darin dem Klassizismus trotz aller Gegnerschaft verwandt – das Hauptmittel geistiger und sittlicher Bildung sah, und daß sie die dynamischer malende, wirklichkeitsgesättigte und sinnlichere französische Historienmalerei ablehnte. Sie ist eine theorielastige Kunst und deshalb im ersten Entwurf oft überzeugender als in der Ausführung. Nicht ohne Grund wurden einige Nazarener, wie Johann David Passavant oder Ernst Förster, Kunsthistoriker. Selbstzweifel nagten an vielen Künstlern, die meisten waren in einer gefährdeten ökonomischen, psychischen und gesundheitlichen Lage – die Tuberkulose raffte die meisten schon in jungen Jahren dahin. Das spiegelt sich vor allem in Selbstbildnissen, die wie die Zeichnungen wegen ihres Ethos zu den eindrucksvollsten Dokumenten der Zeit gehören. *(Abb. 35 u. 36)*

Rom war zeitweise bis zum späten 19. Jahrhundert, trotz des Wechsels der Kunstrichtungen, eines der wichtigsten Zentren deutscher Kunst. Mengs und Winckelmann waren die ersten Deutschen der neuen Denkweise, die sich 1754 bzw.

34. ***Friedrich Overbeck (1789–1869), Italia und Germania,*** *Öl auf Leinwand, 94 x 104 cm, 1811, überarbeitet 1828, München, Bayerische Staatsgemäldesammlungen, Neue Pinakothek*

Der Stil der beiden Personifikationen ist den Bildern des jungen Raffael abgeschaut, die Landschaft eher Hans Holbein dem Jüngeren. Die Personifikationen sind als Versuch der Wiederbelebung der älteren Bildsprachlichkeit gemeint. Das Thema erwächst aus dem damals sich bildenden Nationalbewußtsein, aber es handelt sich dabei um ein Freundschaftsbild, gleichzeitig aber auch um ein Zeugnis für die Ausbildung von nationalen Klischees.

35. ***Wilhelm Schadow (1789–1862), Freundschaftsbild mit Bildnissen seiner selbst, Berthel Thorvaldsens (1770–1844) und seines Bruders Ridolfo (1786–1822),*** *Öl auf Leinwand, 89 x 114 cm, Rom, um 1815, Berlin, Nationalgalerie SMPK*

Die Szene, die in Ridolfos Werkstatt spielt, thematisiert neben der Freundschaft der beiden Brüder und ihrer gemeinsamen Bewunderung für den großen dänischen Bildhauer auch das Bündnis von Malerei und Bildhauerei; das Ganze hat den Charakter eines künstlerischen Rütlischwurs.

36. Victor Emil Janssen (1807–1845), Selbstbildnis, Öl auf Leinwand, 57 x 32 cm, 1829, Hamburg, Kunsthalle

Der prekäre Gesundheitszustand ist unübersehbar. Das Bild schließt sich in seiner schonungslosen Selbstbefragung an altdeutsche Vorbilder an, die jedoch noch nicht das Verhältnis von Kunst und Leben auf eine so existentielle Weise miteinander verknüpft hatten.

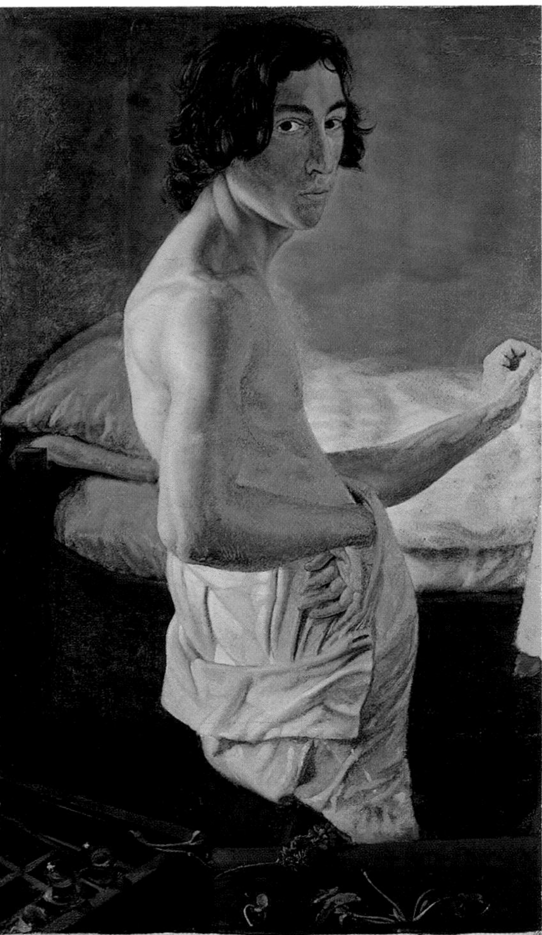

rechte Seite:
***38. Franz Theobald Horny (1798–1824), Ansicht von Olevano,** Zeichnung (Blei, Feder, laviert), 53 x 43 cm, um 1820, Berlin, Kupferstichkabinett SMPK*

Die Ansicht auf das Bergstädtchen ist von einem benachbarten, mit Olivenbäumen besetzten Hügel gezeichnet. Der Maler konzentriert sich auf die Zeichnung des weit Entfernten, ohne die Wege, auf denen man dorthin gelangen könnte, darzustellen – gleichsam ein irdisches Jerusalem, dessen Zugang versperrt ist. Starke Spannungen entstehen zwischen den unteren Teilen in Aufsicht und den oberen in Untersicht. Das Strenge, Kubische der Bauweise wird von dem Künstler noch übersteigert: die Stadt hat etwas Kristallines, Reines – die Ansicht wird zur Vision.

1755 in Rom niederließen. Gegen Ende des Jahrhunderts ist Rom internationaler Umschlagplatz der neo-klassischen Strömungen in der Malerei und Skulptur, aber auch – zu wenig beachtet – in der Baukunst. Um 1820 lebten und arbeiteten etwa ein Zehntel der namhaften deutschen Maler dort. Das hat keineswegs nur ideelle Gründe, wie wir einem Brief von Franz Horny entnehmen können: »Viele Reisende räsonnieren zwar sehr, daß so viele, und die vorzüglichsten deutschen Künstler, in Rom leben und nicht, wie sie sagen, im Vaterlande. Das ist aber eben der Teufel, weil sie im Vaterlande nicht leben können als freie Künstler, und wie das fünfte Rad am Wagen sind, wenn sie nicht von der Herrschaft besoldet werden [...] Rom, besonders im Winter, ist der Zusammenfluß von Reisenden aus ganz Europa, so daß man im Durchschnitt an die 15.000 Fremde in Rom zählt; wer reist, hat Geld; fast jeder nach seinen Kräften wünscht, ein Andenken an Italien fortzunehmen, und besonders Landschaften [...] und da haben die Leute eine Bestimmung, und das will was heißen. Sie leben als lustige Handwerker [...] und sind nicht unnütze Leute, wie bei uns.«

Deutsche Maler aus den damals sich gegeneinander abkapselnden Ländern fanden in Rom zueinander: Hamburger und Bayern, Berliner und Sachsen, Katholiken und Protestanten entdeckten das ihnen Gemeinsame. So wurde paradoxerweise die Römische Schule zur ersten wirklich nationalen Kunstbewegung Deutschlands. Auch lebten die verschiedenen Kunstrichtungen recht friedlich miteinander. Der alte Josef Anton Koch war der Protektor der Landschaftsmaler. Er entdeckte mit

***37. Julius Schnorr von Carolsfeld (1795–1873), Halbfigur eines Mädchens mit erhobenem Arm,** Feder und Pinsel über Bleistiftzeichnung, 30 x 26 cm, Rom, 1820, Nürnberg, Germanisches Nationalmuseum*

Schnorr ist ein genauer Beobachter und selbst vor dem Objekt ein formstrenger Gestalter. In Nachahmung der altdeutschen Zeichenkunst werden die präzisen, die Linie betonenden Mittel wie Metallstifte und Feder bevorzugt. Das Bild ist eine Vorstudie zu dem Gemälde ›Die drei Marien am Grabe‹.

ihnen die kahlen Berglandschaften Latiums: Dort habe die Natur »einen Urcharakter, wie man ihn beim Lesen der Bibel oder des Homer sich denken kann.« Seinen Zöglingen, wie Franz Horny *(Abb. 38)* oder Heinrich Reinhold, wurde sie eher zum Echo ihrer inneren Entfremdung, ihrer Orts- und Heimatlosigkeit und Projektionsfläche ihrer Stimmungen – die genau gezeichneten Landschaften sind zugleich Schritte der Distanzierung von der Wirklichkeit. In den kubisch gefügten, strengen Formen der Bergstädtchen wie Olevano entdeckten sie geometrische Strukturen, die ihnen Gelegenheit zum Ausdruck ihrer inneren Spannungen wie ihrer künstlerischen und religiösen Ideale boten, geradezu im Vorgriff des Kubismus und der surrealen Sachlichkeit der ›pittura metafisica‹. Es entstanden Zeichnungen und meist sehr kleine Bilder von ungewöhnlich suggestiver Wirkung.

Die künstlerische Vielfalt und Qualität in der deutsch-römischen Kunst dieser Zeit ist erstaunlich, ihre auch internationale Wirkung erheblich.

Die nach 1800 geborenen Maler dieser Richtung milderten die radikale, herbe Note ins Gemütliche, Kleinbürgerliche, im Sinne des biedermeierlichen Zeitgeschmacks. Wo etwas von der inneren Spannung blieb, gelangen durchaus achtbare Werke, wie dem Hamburger Friedrich Wasmann, der sich in Meran wohler fühlte als in der kunstfeindlichen Hansestadt. *(Abb. 39)*

So wie das jüngere Wiener Biedermeier in seiner Inneneinrichtung und Mode Motive und Formen des Rokoko aufgreift, so nähern sich Ludwig Adrian Richter und Moritz Schwind, die beide lange Jahre in Rom zugebracht hatten, wieder der Idylle an, erweitern aber ihren Themenkreis um die Märchen, Sagen und die Geschichte des deutschen Volkes. Leicht hatten sie es trotzdem nicht. Sie bekämpften in sich jene »kranke Schwermuth« und die »gereizten Empfindungen«, die sie in Friedrichs Bildern verkörpert sahen. Auch Richter war bewußt, »daß die Kunst nur der beseelte Widerschein der Natur aus dem Spiegel der Seele sei«, aber ihre Natur war die »heitere Gottesnatur«, welche die Seelen der Menschen erfüllen solle. Am Ende aber wandte sich Richter von Italien ab. »Volksthümlich« soll die Landschaftsmalerei sein: »Was nutzt ihr das Fremde«? Der Begriff »Heimath«, undenkbar bei Friedrich und Runge, wird bedeutsam, wenn auch noch in einer spätnazarenischen Einfärbung: »Als die beiden Pole aller gesunden Kunst kann man die irdische und die himmlische Heimath bezeichnen. In die erste-

39. Friedrich Wasmann (1805–1886), Frühschnee in Meran,
Öl auf Papier, 23 x 28 cm, um 1831, Hamburg, Kunsthalle

Der Hamburger Wasmann schloß sich in Rom den Nazarenern an und ließ sich nach vergeblichen Versuchen, in seiner Heimatstadt Fuß zu fassen, in Meran nieder. Unter dem Einfluß der französischen Ölskizze schuf er eine Reihe frisch aufgefaßter Bilder. Auch als Porträtist hat er Bemerkenswertes geleistet.

40. Ludwig Adrian Richter (1803–1884), ***Das Märchen vom Wettlauf zwischen Hase und Igel,*** *Illustration aus Ludwig Bechsteins Märchenbuch, Leipzig 1853, Holzschnitt nach einer Zeichnung des Malers*

Richter hatte es schwer, seine Familie zu ernähren; er schlug sich nach seinen römischen Jahren zuerst als Maler der Meißener Porzellanmanufaktur durch, entdeckte dann aber in der Illustration volkstümlicher Märchenbücher und Dichtungen ein ihm gemäßes Feld.

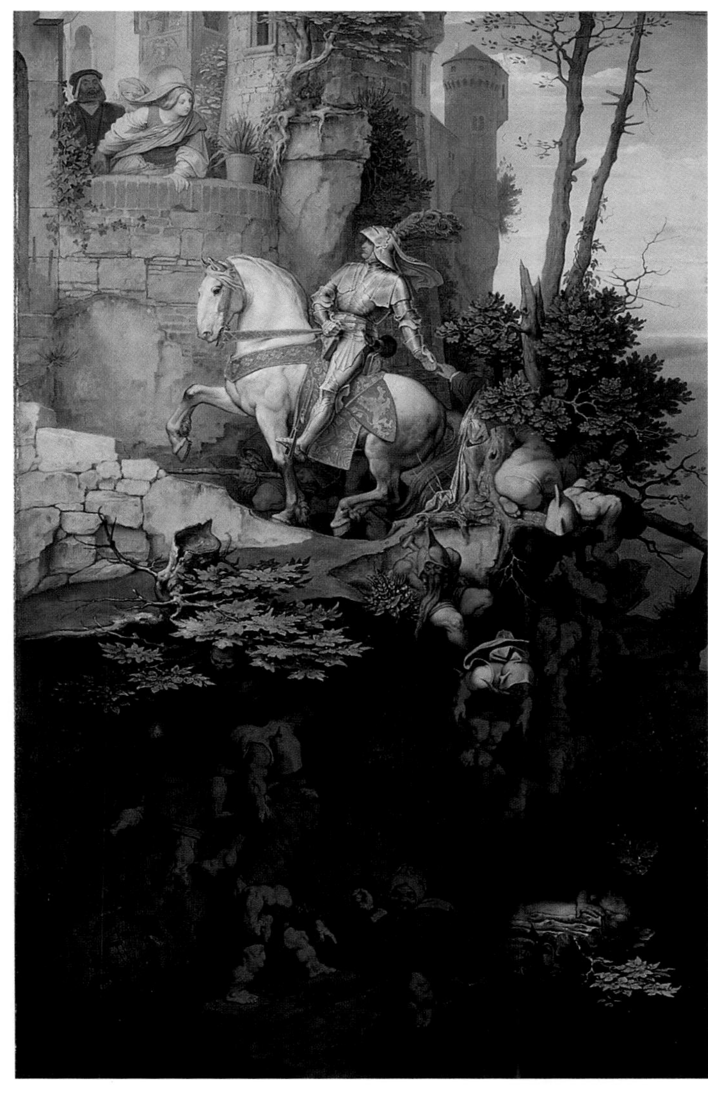

re steckt sie ihre Wurzeln, nach der anderen erhebt sie sich.« *(Abb. 40 u. 41)* Richter sang das Loblied der Kleinfamilie, und Schwind schuf eine Menschenwelt, in der man – mit seinen Worten – »seine Feinde niederhaut, für seine Freunde ins Feuer geht und einer verehrten Frau die Füße küsst.« Auch eine derartige Kunst hatte eine Zukunft, wenn auch eher im Film. Überhaupt wird man Meister wie sie als Bahnbrecher einer wahrhaft populären Kunst von großer Breitenwirkung ansehen dürfen. In einer Kunstgeschichte, die dieser Art von Kunst ebensogroßes Gewicht einräumen würde wie der vorwärtstreibenden, theoretisch anspruchsvollen, würden Schwind und Richter jeder ein eigenes Kapitel verdienen.

Berlin als neues Kunstzentrum

Preußen erhielt 1798 in Friedrich Wilhelm III. einen Monarchen, der sehr bemüht war, das Erbe zu bewahren, indem er zeitgemäße Reformen anstrebte, wenn auch zunächst nur im Schneckentempo. Da er erkannte, daß er selbst nicht mehr eine Rolle wie Friedrich der Große spielen konnte, überließ er, als sein Land von der Krise überrollt wurde, das Handeln seinen Ministern und hohen Beamten. Daß hierbei einige der bedeutendsten Männer des Zeitalters zum Zuge kamen, der Freiherr von Stein, Wilhelm von Humboldt, die Generäle Scharnhorst und Gneisenau, Männer, die oft gar nicht aus Preußen kamen, wird teilweise der Königin Luise aus dem Hause Mecklenburg-Strelitz verdankt, die, sehr jung, 1810 verstarb. Sie hatte auch in künstlerischen Dingen Einfluß und förderte den Bildhauer Rauch, ihren Kammerdiener, ebenso Schinkel.

Die Heirat selbst war Teil eines Programms, die Monarchie vom schlechten Ruf der Mätressenwirtschaft Friedrich Wilhelms II. zu befreien. Das Land brauchte eine respektable Herrscherfamilie angesichts der Auslöschung des französischen Königshauses sowie des erstarkten bürgerlichen Familiensinns. Schon vor der Heirat wurde ein programmatischer Bildkult inszeniert. Johann Gottfried Schadow stellte die Kronprinzessin der Öffentlichkeit in einer Marmorgruppe vor, die sie zusammen mit ihrer Schwester zeigt, die ebenfalls mit einem Preußenprinzen verheiratet war. *(Abb. 42)* Die Komposition ist einem antiken Standbild nachempfunden, die Schwestern sind als Freundinnen dargestellt. Verkleinerte Kopien in Biskuitporzellan waren zahlreich verbreitet, da die Königin schnell populär wurde.

41. Moritz von Schwind (1804–1871), Der Ritt Kunos von Falkenstein, *Öl auf Leinwand, 152 x 94 cm, 1843–1844, Leipzig, Museum der bildenden Künste*

Schwind paraphrasiert eine alte Sage. Dem Ritter, der um die Hand eines Burgfräuleins anhielt, wurde von deren Vater die Bedingung gestellt, in einer Nacht einen Weg auf die Burg zu bahnen und zu Pferde seine Aufwartung zu machen. Hilfe erhielt er von den Zwergen, denen er dafür versprechen mußte, ein Bergwerk bei ihrer Höhle stillzulegen. Der Maler kontrastiert Licht und Dunkel; der Komik der Zwerge steht das Pathos der Menschen gegenüber: Der Künstler wird zum Märchenerzähler.

42. Johann Gottfried Schadow (1764–1850), Standbild der Kronprinzessin Luise und der Prinzessin Friederike von Preußen, *Marmor, 172 cm, 1795/1797, Berlin, Nationalgalerie SMPK*

Schadow nahm sich eine Statuengruppe aus der Zeit des Kaisers Augustus als Vorbild, die eine Kompilation zweier verschiedener griechischer Antiken ist. Der Bildhauer zeigt die beiden Schwestern als Freundinnen, gekleidet à la grecque. Die feine Sinnlichkeit weist den Bildhauer als einen Künstler aus, dessen Kunst im Rokoko wurzelte.

Luise übertraf die in sie gesetzten Erwartungen und wurde eine gewinnende Familien- und Landesmutter. »Der Königin Beispiel wird unendlich viel wirken. Die glücklichen Ehen werden immer häufiger, die Häuslichkeit wird immer mehr Mode werden,« schrieb der Dichter Novalis. Das Schloß des Kronprinzenpaares in Paretz ist in Zuschnitt und Ausstattung auffällig bescheiden, das gemäßigt klassizistische bzw. gotisierende Mobiliar biedermeierlich zu nennen, *(Abb. 43)* obwohl man sich in der Kunstgeschichte des ›Gänsemarsches der Stile‹ fälschlich angewöhnt hat, das Biedermeier erst ins zweite Viertel des 19. Jahrhunderts zu setzen. Die neue ›bürgerliche‹ Gesinnung und ihre Lebensformen wurden in Preußen von oben eingeführt, und zwar schon vor 1800: »Alle überflüssigen Formen der Etikette und des Zeremoniells sind aus dem Kreise des Königspaares verbannt und durch eine bezaubernde Leichtigkeit der Umgangsformen remplaciert«, berichtete der schwedische Gesandte 1804. Das Königshaus lernte, auf die öffentliche Meinung zu achten.

Damals setzte mit der Rückbesinnung auf die Geschichte und das Erbe ein Nationalbewußtsein neuer Art ein – auch dies eines der konstituierenden, wenn auch unerfreulicheren Elemente der Moderne. Seine offiziell betriebene Stärkung sollte Kräfte gegen die Bedrohung von Westen mobilisieren. Doch war es keineswegs nur von oben gesteuert. Der alte Adel des Heiligen Römischen Reiches war nämlich eher europäisch, zumindest interterritorial gesonnen. Es war vielmehr die neue bürgerliche Gesellschaft, die zunehmend national dachte, auch aus ökonomischen Gründen. Entscheidender Auslöser aber war, daß sich der Kosmopolitismus der französischen Revolutionäre als Verschleierung des alten französischen Imperialismus entpuppte. Der von vielen Völkern begeistert begrüßte Napoleon enttäuschte mit diktatorischen Allüren, schweren Kontributionen und demütigenden Einschränkungen der Souveränität seine Verehrer in den ihm verbündeten und erst recht in den von ihm unterworfenen Staaten. Die Stimmung schlug schnell um, die romantische Generation war publizistisch und malend leidenschaftlich daran beteiligt.

Der neue Nationalismus war zunächst nicht deutsch, sondern preußisch, bayerisch oder badisch. Die zunehmende Eigenstaatlichkeit der Länder hatte bereits im Verlauf des 18. Jahrhunderts die Abkapselung gefördert und ›deutsch‹ zu einem kulturellen und sprachlichen Begriff schrumpfen lassen. Doch weitete sich binnen zweier Jahrzehnte das territoriale Nationalbewußtsein zu einem gesamtdeutschen, oft gegen die Widerstände der jeweiligen Landesfürsten. Zwar hatten die Maßnahmen Napoleons die Zahl der Staaten auf gut 30 reduziert, aber die deutsche Kleinstaaterei und die Mentalität des Partikularismus fanden keinen inneren Halt, weil viele Grenzen ahistorisch gezogen waren, vor allem aber weil die Erfahrung der Befreiungskriege und der Gemeinsamkeit von Literatur und Kultur das Zusammengehörigkeitsgefühl stärkten. Eisenbahn und Zollverein taten dann das Ihre.

Die preußische Rückbesinnung begann mit Plänen für ein Denkmal Friedrichs des Großen, die jedoch nie zur Ausführung gelangten. Friedrich Gilly, der jung verstorbene Sohn des Baumeisters von Paretz und Erdmannsdorff-Schülers David Gilly, steuerte einen visionären Tempelbau im Sinne der Französischen Revolutionsarchitektur bei, der den jungen Schinkel dazu bewog, sich der Architektur zuzuwenden. Gilly begeisterte sich aber auch für die von Friedrich dem Großen zum Proviantmagazin degradierte und durch Umbauten wie Abrisse halb zerstörte Marienburg in Ostpreußen. *(Abb. III/21)* In einer Folge genauer und doch das erschauernd Erhabene des Bauwerks betonenden Zeichnungen wollte er den Sinn für dieses Denkmal (und seine Pflege) wecken, in dem er ein charaktervolles Monument alter preußischer Größe erblickte. Der Beginn der Denkmalpflege wie der Baugeschichte als Wissenschaft stehen also unter dem Vorzeichen preußisch-nationaler Erweckung. Das Gefühl des erfahrenen und des drohenden Verlustes förderte das Bewußtsein der Notwendigkeit, die alten Bauten als Denkmäler zu erhalten – die Wahl desselben Begriffs wie bei den statuarischen Denkmälern ist bezeichnend.

Die Niederlagen bei Jena und Auerstedt 1806 gegen die französischen Volksheere zeigten, wie hinfällig die friderizianische Armee, ja das ganze Preußen des Ancien Régime war. Die meist zwangsrekrutierten Berufssoldaten hatten dem französischen Schwung und Siegeswillen nichts entgegenzusetzen. Die Aufstellung eines eigenen, auf der Allgemeinen Wehrpflicht beruhenden Volksheeres mußte jedoch mit einer gesellschaftlichen und geistigen Umwälzung einhergehen. Der Heeresreformator Gneisenau betonte, daß »nur der dreifache Primat der Waffen, der Konstitution, der Wissenschaften uns aufrecht zwischen den mächtigen Nachbarn erhalten kann.« Eine Gruppe hochgebildeter und -motivierter Männer bemühte sich, das Land binnen weniger Jahre in seinen Strukturen und seinem Geist vollständig zu erneuern. So kam es zur Gründung der neuen Universitäten Berlin und Bonn nach den Vorstellungen Wilhelm von Humboldts, der Einrichtung technischer Schulen nach den Ideen Peter Beuths und Friedrich Schinkels, der Neuordnung der Städte und ihrer Wirtschaft, der Förderung technischer Innovationen, aber auch der Literatur, des Theaters, der Künste und insbesondere der Musik, die ja seit dem frühen 18. Jahrhundert beständig an

43. Paretz bei Ketzin/ Potsdam, Schloß von Kronprinz Friedrich Wilhelm III. und seiner Frau Luise, *Inneres, David Gilly (1748–1808), 1796–1800*

Das Gebäude ist im Inneren wie im Äußeren ohne ›königliche‹ Züge, die Möblierung verbindet in historistischer Weise klassische und gotische Stilformen, ist insgesamt aber wie die gesamte Ausstattung äußerst schlicht.

44. Gransee, Denkmal der Königin Luise, *Gußeisen auf Feldsteinsockel, Karl Friedrich Schinkel (1781–1841), 1810–1811*

Aufgestellt auf Betreiben der Bürgerschaft von Gransee an der Stelle, an der in der Nacht des 25. Juli 1810 der Sarg der Königin ruhte. Die Materialien sollten sowohl ›vaterländisch‹ sein wie auf die Notzeiten hinweisen.

gesellschaftlicher Wertschätzung und Rang zugenommen hatte. Das friderizianische Potsdam sank zur Garnisonsstadt ab, wurde zum grünen Villenvorort der Hauptstadt Berlin, in dem Hof, Militär, Beamte, Bürger und Intellektuelle in einer eigentümlichen Mischung von Wirklichkeitssinn, Sensibilität und Kreativität das neue Preußen schufen. Zwar gelang es nicht, eine Verfassung durchzusetzen, doch waren sich die meist als höhere Beamte tätigen Reformer gewiß, »daß die Freiheit ungleich mehr auf der Verwaltung als auf der Verfassung beruhe.« Dies alles wirkte sich befruchtend auf die Künste und Wissenschaften aus, die zur höchsten je in Preußen erreichten Blüte gelangten – auch die sozialrevolutionäre Philosophie von Karl Marx und Friedrich Engels nahm von Berlin, genauer vom Seminar Friedrich Hegels an der Universität, ihren Ausgang.

Doch entstand alles unter erschwerten Bedingungen. Das Land durchlebte eine Periode der Verarmung, die durch die Kriegskontributionen Napoleons verursacht war, die Unterbrechung des Handels, eine ungewöhnliche Kälteperiode, zu schnelles Bevölkerungswachstum und eine langdauernde Konjunkturkrise, so daß viele Früchte erst in den 1830er Jahren reiften, als die mentalen Voraussetzungen durch die Restauration eigentlich wieder eingeengt waren.

Symbolisches Material der Epoche ist das Eisen. Es war das Material der neuen Industrie – das eiserne Zeitalter sollte ein goldenes werden. Die von Napoleon konfiszierten Bronzekanonen wurden durch eiserne ersetzt. Das erste Denkmal für die Königin Luise 1811 bestand aus diesem Metall. *(Abb. 44)* Eiserne Grabkreuze und -stelen wurden populär, ebenso Ringe und Schmuck, zum

45. Karl Friedrich Schinkel (1781–1841), Mittelalterliche Stadt am Fluß, *Öl auf Leinwand, 94 x 140 cm, 1815, Berlin, Nationalgalerie SMPK*

Der Maler verarbeitet Elemente ganz unterschiedlicher Herkunft: Die Lage des auf einer Bergnase gelegenen Doms erinnert an den Limburger Dom, die Fassade verbindet Elemente der Dome von Köln, Reims und Straßburg, die Durchsichtigkeit der Turmspitze ist dem Freiburger Münsterturm nachempfunden. Die Kathedrale ist Sinnbild der Nation, ihre bauliche Vollendung Ausdruck der Hoffnung auf nationale Einigung. Die Stadt zeigt u.a. Kölner, süddeutsche und Prager Motive, die auf die Einigung der verschiedenen deutschen Staaten weisen sollen. Das abziehende Regenwetter und der Regenbogen mag bildlich auf das Ende der napoleonischen Besatzung bezogen werden, der feierliche Einzug auf die Rückkehr des preußischen Königs.

46. Eduard Gärtner (1801–1877), Das Treppenhaus im Berliner Schloß, *Öl auf Leinwand, 59 x 48 cm, 1828, Berlin, Staatliche Schlösser und Gärten*

Das Schlütersche Haupttreppenhaus wurde von Gärtner als Raumerfindung trotz der damals allgemeinen Verachtung für den Barock bewundert, aber nicht einfach in alter Vedutenart ›abgemalt‹, sondern in eine strenge Bildkomposition von großer tiefenräumlicher Spannung gebracht. Der Maler thematisiert die Wirkung des direkten wie des indirekten Lichtes und gibt dem Bild dadurch eine magische Wirkung, außerdem aber in der Mutter mit ihrem Kind vorne einen geheimnisvollen Zug.

Tausch für das Gold, mit dem die Freiheitskriege finanziert wurden. Vor allem ersetzte man die alten goldenen, juwelenbesetzten Ordenssterne, die sowieso nur Offiziere von Adel erhalten durften, durch das von Friedrich Wilhelm III. entworfene, von Schinkel verbesserte Eiserne Kreuz, das jedem Soldaten gleich welchen Standes verliehen werden konnte. Nichts konnte die Umwandlung des adlig geführten Berufsheeres in ein modernes Volksheer sinnfälliger machen.

Betroffen von der Verarmung war vor allem die Baukunst. Doch vermochte sich der Baumeister Schinkel als Maler sowie als Entwerfer von Möbeln über Wasser zu halten. Wir haben von seiner Hand eine Anzahl aufschlußreicher Bilder, die mehr sind als nur Gelegenheitsgemälde: Auffällig oft sind große, von Licht überstrahlte Kathedralen ihr Thema, meist hoch über die Stadt erhoben. Es sind Visionen, zugleich aber Wunschträume von einer neuen Gemeinschaftlichkeit in Erneuerung der vermeintlich heileren Welt des Mittelalters. *(Abb. 45)* Damals war man noch der Überzeugung, der gotische Baustil und die Kathedrale, als deren Inbegriff die Dome in Köln und Straßburg galten, seien eine deutsche Schöpfung. *(Abb. III/1 u. III/23)*

47. Johann Erdmann Hummel (1769–1852), Eckladen an der Schloßfreiheit, *1828, ehem. Berlin, Nationalgalerie (zerstört)*

Rein sachlich gesehen dokumentiert das Bild die Erscheinung eines vornehmen Modeladens beim Schloß und damit zugleich die durch verbesserte Gläser möglichen großen Schaufenster mit ihren Messinghalterungen, ein Stück der vollständig untergegangenen kommerziell-populären Baukultur. Hummel thematisiert mit den Licht- und Gegenstandsreflexen im Glas, aber auch in den Pfützen das trügerische Verhältnis von Objekt und Spiegelung, von Abbild und Wirklichkeit, von Bild und Betrachter, von Schein und Sein und überhöht das noch durch die mysteriöse Polarität der weißen und der schwarzen Frau. Es entsteht eine E.T.A. Hoffmann würdige Suggestivität.

Neben Theaterdekorationen, wie zum Beispiel für Mozarts *Zauberflöte*, malte Schinkel jedoch auch Panoramen, eine moderne Bildform aus London bzw. Paris: Ein provisorisch errichteter Rundbau wurde auf der Innenwand mit einem Rundumgemälde bemalt, das man von einer Mittelplattform aus gegen Eintritt besichtigen konnte. Stadtlandschaften, Schlachtfelder, große historische Ereignisse waren beliebt. Bemerkenswert ist auch, daß in einer Zeit des zunehmend elitären Sich-Absonderns der Künstler eine populäre Aufgabe gern erfüllt hatte. Erhalten hat sich keines der Werke, doch wurde der Typus von dem Architekturmaler Eduard Gärtner in die Stadtvedute Berlins übernommen, die er vom Dach der Friedrichwerderschen Kirche aus zeichnete, einem Backsteinbau Schinkels in anglogotischen Formen.

Man war damals stolz auf die Architektur Berlins und verherrlichte sie in unzähligen Bildern – seit den Zeiten Wilhelms II. jedoch bemüht man sich in keiner Stadt so eifrig wie in Berlin, das architektonische Erbe gründlich zu zerstören. Die Blüte der Architekturmalerei Berlins wird Schinkels Anregungen verdankt. So vedutenhaft, ja pedantisch die Bilder zuweilen erscheinen, wenn man sich in sie vertieft, entdeckt man schöne Licht- und Raumwirkungen, genaue Personen- und Standesstudien oder geradezu mysteriöse Züge wie in Gärtners Bild der Schlüterschen Schloßtreppe. *(Abb. 46)* Und wenn der Professor für Optik an der Berliner Bauakademie, Erdmann Hummel, Bilder malt, so handelt es sich nicht nur um präzise perspektivische und optische Studien, vielmehr entfalten sie zauberhafte, zuweilen surreale Wirkungen. *(Abb. 47)*

Genaues Naturstudium mit künstlerischer Intensität zu verbinden, ist zum Merkmal der damaligen Berliner Malerschule geworden. Das Romantische ist nur Einschlag, darum aber nicht

rechte Seite unten:
49. Franz Krüger (1797–1857), Die Parade auf dem Opernplatz 1822,
Öl auf Leinwand, 249 x 374 cm, 1824–1829, Berlin, Nationalgalerie SMPK

Der König und sein Gast, der Zar von Rußland, sind kaum hervorgehoben und gehen ganz in dem militärischen Zeremoniell auf, welches das alte barocke prozessionelle Repräsentationsmodell der ›entrée solennelle‹ ersetzt hat. Noch wichtiger als das Militär war dem Maler die große Gruppe der Zuschauer vor Schinkels 1816–1818 errichteter Neuer Wache. Hier finden sich genaue Porträts der neuen Berliner ›Aristokratie‹, d.h. der besten Künstler, Gelehrten, hohen Beamten, kurz – so gut wie aller Persönlichkeiten von Rang und Namen: Schinkel, Stüler, Schadow, Rauch, Varnhagen von Ense, Achim von Arnim, Alexander von Humboldt usw.
Das Bild macht sichtbar, wer die eigentliche Mitte der Berliner Politik und Gesellschaft in diesen Jahren war. Zugleich ist es ein Zeugnis einer fotografischen Malerei knapp vor dem Zeitpunkt der Erfindung der Fotografie.

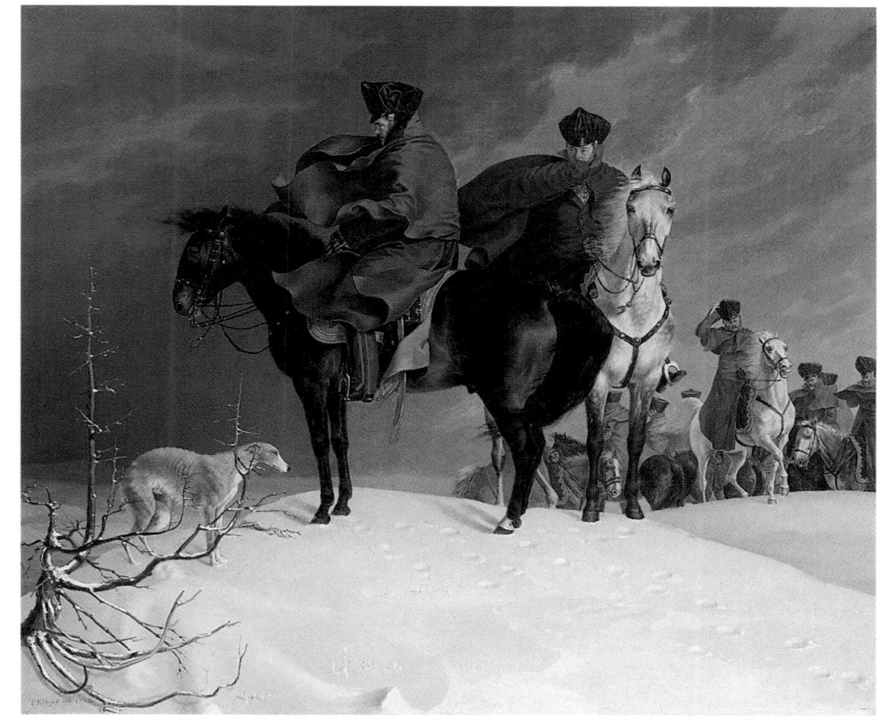

48. **Franz Krüger (1797–1857), Preußischer Reitervorposten im Schnee,** *Öl auf Leinwand, 55 x 62 cm, 1821, Winterthur, Museum Stiftung Oskar Reinhart*

Berlin übte im frühen 19. Jahrhundert eine große Sogwirkung aus. Wie die meisten bedeutenden Berliner Maler seiner Generation kam Krüger von auswärts, aus Dessau und betonte vielleicht deshalb das Preußische besonders.

etwa unwirksam. Ihr figuraler Meister ist Franz Krüger. Sein 1821 gemaltes Bild eines preußischen Kavallerievorpostens *(Abb. 48)* enthält sich der später so beliebt gewordenen banalen Mittel der Glorifizierung: Das Format ist klein, die Strichführung sachlich glatt, ohne Pathos, die Palette fahlgrau. Reiter, Pferde und Hund leiden gleichermaßen in der klirrenden Kälte. Der Himmel verheißt Bedrohung, ein zugewehter Leichnam zeichnet sich vor ihnen im Schnee ab; aber fröstelnd halten sie aus. Erst auf den zweiten Blick wird deutlich, wie denkmalhaft sie über den Horizont erhoben sind. Und selbst wo der Künstler wie im Bild der *Parade Unter den Linden im Jahre 1822* den Hof und sämtliche führenden Köpfe der Berliner Gesellschaft malt, erscheinen über 300 freie, denkende Individuen: Der König ist

50. Franz Krüger (1797–1857), Der Ausritt des Prinzen Wilhelm in Begleitung des Künstlers,
Öl auf Leinwand, 31 x 24 cm, 1836, Berlin, Nationalgalerie SMPK

Der spätere Kaiser Wilhelm I. ist bürgerlich englisch gekleidet. Er wird dezent hervorgehoben durch seine Drehung zum begleitenden Hund. Der Maler hat größte Mühe auf die genaue Wiedergabe der Pferde, vor allem von Wilhelms Apfelschimmel, verwandt.

nur der erste dieser Bürger. *(Abb. 49)* Ähnliche Selbstbescheidung zeigen auch die anderen Darstellungen fürstlicher Personen, wie der Ausritt des Prinzen Wilhelm. *(Abb. 50)*

Karl Friedrich Schinkel als Baumeister

König Friedrich Wilhelm III. ließ für sich durch seinen obersten Baubeamten Schinkel nur wenig bauen: Dem Pavillon für seine zweite Gemahlin im Garten des Charlottenburger Schlosses sieht man seine königliche Bestimmung nicht einmal an. Der König wünschte ihn als Replik einer Villa in Neapel, in der er sich gerne aufgehalten hatte. Die für das 19. Jahrhundert so kennzeichnende Villenkultur beginnt mit derartigen königlichen Bauten. Palais entstanden jedoch in der Berliner Innenstadt für die vielen preußischen Prinzen, die im Potsdamer Raum darüber hinaus noch Villen mit schönen Englischen Gärten besaßen, die meisten von Peter Lenné gestaltet. Doch in keinem Bau wird ein Anspruch der Art formuliert, wie ihn der bayerische König Ludwig I. in seiner Münchner Residenz zum Ausdruck brachte. *(Abb. 66)* Die beiden Könige hatten ein gegensätzliches Selbstverständnis. In Preußen hatte Schinkel das Bauwesen fest in der Hand, und sein königlicher Bauherr bremste allenfalls seine Baulust. Die Stellung Leo von Klenzes *(Abb. 73)* in München gleicht hingegen eher der früherer Hofarchitekten, die sich den Wünschen des Auftraggebers zu fügen hatten und oft nicht mehr waren als ein ausführendes Organ. Preußens Baukunst dieser Zeit ist unhöfisch, sie ist Staatsbaukunst: Der König und sein Hof fügten sich in das größere Ganze des Staates ein. Deshalb konnte Schinkel alle preußischen Bauten nach seinen Vorstellungen in ein genau abgestuftes Verhältnis von Baumotiven, Proportion, Stil und Material bringen.

Dies zeigt sich exemplarisch am Bau des Alten Museums, mit dem die Umwandlung der Schloßinsel in die Museumsinsel einsetzt. *(Abb. 51 u. 52)* Der Bauplatz war beherrscht durch das Königsschloß, flankiert durch Dom und Zeughaus. *(Abb. VI/8)* Armee und Kirche als Stütze der Königsherrschaft wurden nun programmatisch ergänzt durch ein Haus der künstlerischen Bildung. Die Fassade bildete eine Säulenhalle nach dem Muster der Athener Stoa Poikile, in deren Wandelgängen die philosophische Schule der Stoiker ihre Gedanken entwickelt und verbreitet hatte. Ähnlich war dieser Raum in Berlin gedacht: Büsten und Standbilder großer Männer sollten den in ihr Wandelnden zur Meditation aufgestellt werden. Die Wahl ionischer Säulen entsprach der alten vitruvianischen Zuordnung zu Minerva, der Göttin der Wissenschaften und Künste. Die Fassade war in ihrer geringeren Höhe gegenüber denen der anderen Institutionen zurückgestuft, konnte aber wegen der Monumentalität der Säulenreihe standhalten. Mittelpunkt des Inneren, das man über ein Treppenhaus erreichte, in dem sich die Baukunst selbst inszenierte, war ein Kuppelraum, ein Pantheon der Künste – ein Zeugnis der neuen Kunst-Religion. In diesem Zentralraum standen die antiken Standbilder, die den Besuchern als verpflichtendes künstlerisches Leitbild aller Zeiten vorgestellt wurden. Rundherum waren Kabinette für Gemälde, Graphik und Medaillen angeordnet. Schinkels Zeichnungen und Strichätzungen zeigen – wie der Bau selbst – seine Vorliebe für strenge Lineatur. Architektur wird zu einer Kunst der Abstraktion und der begrifflichen Schärfe.

51. ***Berlin, Altes Museum,*** *Fassade zum Lustgarten, 1824–1828, Karl Friedrich Schinkel (1781–1841)*
Die Museumsgründung stand unter dem Leitgedanken der Vorbildlichkeit der Antike, was in der Giebelinschrift ausgedrückt wird. Doch erscheinen die lange Reihe uniformer Säulen und der strenge Habitus der Außenarchitektur ebenso als Spiegel der preußischen, militärisch bestimmten Reformgesinnung. Ein Gemäldezyklus im Treppenhaus von der Hand Schinkels schilderte den Weg der Kultur. Die Proportionen der einzelnen Teile sind mit Hilfe eines Moduls, das im Quaderwerk des Sockels angegeben ist, bestimmt. Im Nationalsozialismus wurde der Lustgarten vor dem Museum zerstört und als Aufmarschplatz gepflastert.

Dies war keine Zeit, in der man sich Marmor nach griechischer oder kaiserlich-römischer Art leisten konnte oder wollte. Stuckmarmor und andere Imitate hingegen wurden als ›unehrlich‹ verurteilt. Wenn Materialien aus der Ferne herangeholt werden mußten, so überlegte man sich das genau, schon wegen der Kosten. Deshalb war das bevorzugte Material in Preußen immer schon der einfache, verputzte Backstein, innen aber die Papiertapete, wenn man es nicht nur beim Anstrich beließ. So ist es also schon etwas Besonderes, wenn für Teile der Fassaden der Neuen Wache oder des Alten Museums schlesischer Sandstein verwendet wurde.

52. ***Berlin, Altes Museum,*** *Ansicht der Rotunde innen, 1824–1828, Karl Friedrich Schinkel (1781–1841)*
Die Innenarchitektur ist bewußt zierlich gehalten und kleinteiliger proportioniert als Außen, da Schinkel nicht nur beides sorgfältig unterschied, sondern auch berücksichtigte, daß die Architektur aus unterschiedlicher Distanz wahrgenommen wird.

Doch ist nicht alles an der damaligen Materialwahl aus Sparsamkeit zu erklären: Denn das gern verwendete Eisen war noch sehr teuer – jedenfalls hätte man fast immer eine billigere Lösung aus anderem Material finden können. Aber der englische Vorsprung mußte aufgeholt und die eigene rheinisch-westfälische wie oberschlesische Hüttenindustrie gefördert werden. Schinkel und seine Schüler setzten das Eisen als erste im Bereich der anspruchsvollen Architektur ein, was die reichen Londoner und Pariser Nachbarn vermieden. Es kam vor allem dort zur Anwendung, wo Konstruktionen von besonderer Leichtigkeit und Durchsichtigkeit zu schaffen waren, etwa bei Treppenhäusern; leider sind fast alle diese Schöpfungen zerstört, wie ja überhaupt der Berliner Teil von Schinkels Œuvre fast restlos vernichtet ist. Charakter und Rang der Berliner Bauschule werden auch dadurch definiert, daß bei großen staatlichen Bauvorhaben exemplarisch neue Konstruktionsverfahren und Materialien eingeführt und damit die heimischen Industriebetriebe gefördert wurden.

Am folgenreichsten wurde die Wiedereinführung des Sichtbacksteins. Zwar hatte man ihn im Hanseraum vereinzelt über das 16. Jahrhundert hinaus beibehalten, auch in Preußen, zuletzt unter dem Soldatenkönig *(Abb. VI/82)*. Aber unter Friedrich dem Großen war man durchweg zum verputzten Backstein übergegangen. 1817 besuchte Schinkel die Ruine des Zisterzienserklosters Chorin *(Abb. III/18)*, die ihm ihre Erhaltung verdankt. Er rühmt die »Klostergebäude, welche in vieler Hinsicht als Werk deutscher Baukunst merkwürdig sind und besonders in Rücksicht auf Konstruktion mit gebrannten Steinen unserer Zeit als Muster dienen können.« In seinem Neubau der Lehr-Eskadron-Kaserne in Berlin

53. Eduard Gärtner (1801–1877), Die Bauakademie von Karl Friedrich Schinkel, *Öl auf Leinwand, 63 x 82 cm, 1868, Berlin, Nationalgalerie SMPK*

Der 1956 abgerissene Bau entstand in den Jahren 1832–1835 als programmatische Architektur, und zwar mit der Absicht, einen neuen Typus für eine Bauschule zu schaffen, und in der Form sowie dem Material Backstein einen neuen Stil der ›Industrie‹ zu suchen. Die Einbauten für Ladenlokale sind von vornherein geplant; aus ihren Einnahmen waren die Unkosten der Schule zum Teil zu decken. In den Türen und Reliefs unter den Fenstern wird ein reiches kunstdidaktisches Bildprogramm entfaltet. Das Gebäude war von vorneherein auch zur Aufnahme der Modell- und Kunstsammlung der Bauakademie gedacht.

konnte er noch im selben Jahr einen ersten großen praktischen Versuch machen. Er begrüßt »die Gelegenheit, ein längst gewünschtes Vorhaben zur Ausführung zu bringen [...] statt des gewöhnlichen Kalkabputzes, der nach wenigen Jahren besonders an den Ecken in unserem Klima leicht abfällt und dann ein ärmliches, fast widerliches Ansehen hat, würde das ganze Äußere des Gebäudes in einem akkuraten Mauerwerk mit Rathenauer Steinen vekleidet werden. Die Fugen würden [...] mit frischem Kalk sauber ausgestrichen und in der Mitte jeder Fuge mit einer eisernen Spitze nach dem Lineal ein vertiefter Strich gezogen, der das ganze Werk noch mehr reguliert [...] Es wäre sehr zu wünschen, daß der Staat bei einem großen Gebäude den Anfang mit einer Methode machte, wodurch das Maurergewerk selbst nur gewinnen kann, indem ihm hier die höchste Akkuratesse angemutet wird, dagegen der Putz von Kalk die schlechteste Arbeit wie die beste bedeckt und schon deshalb zur Vernachlässigung Gelegenheit gibt.« Materialehrlichkeit und Förderung des Arbeitsethos wie der ›Akkuratesse‹, werden hier zu Zielen der Baukunst erhoben – die Ästhetik geht ineins mit der Ethik. Bis es zum Bau der Bauschule kam, hatte er sich auch Fabrikanten einer noch besseren Backsteinqualität herangezogen.

Die zu Schinkels Zeit bescheiden Bauschule genannte Bauakademie *(Abb. 53)* war 1798, also bereits vor der Niederlage, nach Pariser Muster zur Schulung des Nachwuchses an Architekten und Ingenieuren gegründet worden. Durch Zusammenlegung mit der Bergakademie und der Gewerbeschule wurde später aus ihr die Technische Hochschule in Berlin-Charlottenburg. 1832–1835 errichtete Schinkel den kastellartigen Neubau in Sichtweite des Schlosses, und doch im Anspruch zurückgenommen, ohne jede Hauptfassade: Es sollte ein Bau der Industrie sein und deshalb in Typus wie Stil neu. Die innovative Konstruktion besteht aus einem Pfeilerskelett, das durch Segmentbögen und eiserne Zuganker verspannt ist und dann ausgefacht wurde. Die Architektursprache verschmilzt eigenwillig Formen verschiedener Herkunft. Es ist jedoch keineswegs Zufall, daß der Bau sowohl in der Kastellform wie im Material den Deutschordensburgen Ostpreußens ähnelt. *(Abb. III/20)* Denn er war als

54. Christian Daniel Rauch (1777–1857), Denkmal Friedrich des Großen, *Bronze auf Granit, Gesamthöhe 13,50 m, 1836–1851, Berlin, Unter den Linden*

Der große König hatte sich Denkmäler zu Lebzeiten verbeten. Nach seinem Tode setzte ein Streit darüber ein, wie ein solches Denkmal auszusehen habe. Die politischen Krisen trugen das Ihre zur Verzögerung bei der Umsetzung bei. Das Bild des Königs spiegelt dessen innere Gelassenheit und Souveränität. Der Versuch jedoch, das Ganze der friderizianischen Zeit in den verkleinerten Reitern an der Ecke sowie den Reliefs zum Ausdruck zu bringen, ist allzusehr von der offiziellen Ideologie und ihren historischen Wunschbildern geprägt.

Zeichen und Verwirklichung eines Teilstücks der Erneuerung und Neubegründung Preußens aus dem Geist der Militärreform gedacht. Der neue ›Industriestil‹ ist zugleich Militärstil. Das Gebäude prägte letztlich das gesamte preußische Staatsbauwesen in den unteren Aufgabenbereichen, und zwar bis zum Ende des 19. Jahrhunderts. Durch die Streifen- und Musterbildung mit verschiedenfarbigen bzw. glasierten Steinen wurde er auch im Detail gestalterische Anregung für die Architekten der nächsten Generation wie Stüler und Persius.

Schinkel gestaltete weite Bereiche der Berliner Innenstadt um, wirkte aber auch als Lehrer und als Oberbaurat in seiner streng zentralisierten Behörde so durchgreifend, daß letztlich die gesamte preußische Baukunst zwischen Aachen und Königsberg, Erfurt und Breslau jahrzehntelang von ihm beherrscht und geprägt wurde. Seine Schulwirkung wurde erst unter Wilhelm II. eingeschränkt, letztlich aber nicht aufgehoben, da auch die Moderne nach 1900 sich wieder auf ihn berief. Rechnet man noch seine unermüdliche Tätigkeit als Theoretiker, als Schöpfer von

55. Karl Blechen (1798–1840), Gotische Kirchenruine, *Aquarell, 37 x 26 cm, 1834, Berlin, Kupferstichkabinett SMPK*

Blechen steht im Motivischen in der Nachfolge von Caspar David Friedrich, löste sich aber von dem Vorbild in der lockeren Handhabung des Aquarellpinsels, was die Aussage des Bildes insgesamt veränderte. Die Gotik steht hier für nationale und patriotische Haltung und gegen den für reaktionär gehaltenen Staatsklassizismus der Restauration.

Mustervorlagen für Möbel und Kunsthandwerk sowie als Denkmalpfleger hinzu, so darf man ihn als den einflußreichsten Architekten des 19. Jahrhunderts in Mitteleuropa bezeichnen. Zugleich war er auch Bildender Künstler. Die Verbindung von Sachlichkeit und Idealismus, technischer Gediegenheit und hochfliegender Poesie finden sich ähnlich auch in der Bildhauerkunst seines

Freundes Christian Daniel Rauch. Dessen Hauptwerk ist das Denkmal Friedrichs des Großen Unter den Linden. *(Abb. 54)*

Doch war Schinkel empfänglich und weitsichtig genug, auch ganz anders geartete Künstler wie etwa Karl Blechen *(Abb. 55–57)* zu fördern oder den Rang des Münchners Carl Rottmann zu erkennen. *(Abb. 64)* Blechen ist einer der für die Romantik – aber auch für die Moderne insgesamt – so typischen zerrissenen Charaktere, eine tragische Gestalt auch deshalb, weil so wenige Zeitgenossen seinen Wert erkannten. In einer Ausstellungskritik etwa heißt es: »[Blechens] Nachmittag auf Capri, der vor lauter Sonnenhelle undeutlich, bei aller Simplizität der Massen zerbröckelt, bei aller Eintönigkeit schreiend ist, – alles Wirkung der Nachmittagssonne, die vorn auf öden, stumpfen Kalkfelsen ihre Lichter aneinander blendet, hinten Meerwasser zieht: – dies ist kein seelenvolles Angesicht der Natur und will es nicht sein; sondern seine Züge verhalten sich zu diesem, wie die eines Hirnverbrannten zum gesunden Menschengesicht.« Man muß allerdings zugeben, daß dieser kritische Blick etwas Wesentliches erfaßt hat. Blechen starb wie viele Große dieses Jahrhunderts in geistiger Umnachtung. Aber das bedeutet keineswegs irgendeine Einschränkung seiner Kunst, sondern zeigt ihn als Spiegel und Opfer der inneren und äußeren Zerrissenheit des Zeitalters.

Seine Kunst ist von einer erstaunlichen inhaltlichen wie formalen Spannweite. Natur und Welt haben für ihn keine Einheit mehr. Dies zeigt insbesondere sein *Blick auf Häuser und Gärten in einem Berliner Vorort: (Abb. 56)* »Die moderne Lust an der durch den subjektiven Standpunkt bedingten Zufälligkeit solcher Überschneidungen setzt eine in keiner älteren Zeit möglich gewesene Skepsis der Natur gegenüber voraus. Nur einer Natur, die nicht mehr Leben und Zusammenhang ist, wird man ein so verletzendes Hineinschneiden antun können [...] Das Objektive, die Welt [...], hat kein Recht mehr gegenüber dem Subjektiven.« (Beenken) Sein Bild des düster qualmenden Walzwerkes in Eberswalde ist die früheste Ansicht der neuen Industriewelt, die Europa damals verwandelte, aber doch auch ein Bild der Verdüsterung und des Zweifels. Manche seiner Landschaften wirken wie aufgerissen oder von der Sonne ver-

56. Karl Blechen (1798–1840), Blick auf Häuser und Gärten in einem Berliner Vorort, *Öl auf Pappe, 29 x 26 cm, um 1835, Berlin, Nationalgalerie SMPK*

Diese frische, spontan gemalte Farbskizze in der Art der französischen Maler dieser Zeit gibt eine Momentaufnahme wieder und ist zugleich ein Einblick in die Kleinteiligkeit und Idyllik von Teilen der Stadt, die später von der großstädtischen Bauwelle überrollt wurden. Doch ist das Motiv des Fensterblicks als Moment der Entfremdung auch ein zentrales Thema der romantischen Malerei und Literatur.

brannt, Projektionen seines zerrissenen Gemütes. Auf der anderen Seite schaffen seine Bilder des Palmenhauses auf der Pfaueninsel bei Berlin eine reine Kunst-Natur, ein traumhaftes Stück Elysium aus 1001 Nacht. *(Abb. 57)*

Daß man ihn zu Hause nicht recht verstand, hat auch damit zu tun, daß er sich in Italien auf die neue französische Malerei, ihre Motivik, Technik und Sehweise eingelassen hatte. Trotz des politischen und kulturellen Umsturzes hatte die Kunstübung in Paris eine gewisse institutionelle und methodische Kontinuität gewahrt, wozu nicht wenig der Louvre als immer wieder besuchter Studienort beitrug. Man behielt nicht nur die Malkultur der Renaissance und des Barock beständig vor Augen, sondern jeder Maler hatte nach festem akademischem Brauch in Vorbereitung des auszuführenden Werks auch eine Skizze in alla-

57. Karl Blechen (1798–1840), Das Innere des Palmenhauses auf der Pfaueninsel, *Öl auf Papier auf Leinwand, 64 x 56 cm, 1832, Berlin, Nationalgalerie SMPK*

Das Palmenhaus war eine bedeutende Gußeisenkonstruktion Schinkels von 1830, die jedoch bei einem Brand 1880 zerstört wurde. Der Orient stand, im Gefolge von Goethes ›West-Östlichem Divan‹, für eine paradiesisch-heitere erotische Welt, weshalb man gerne Teepavillons und Bäder in orientalischen Formen errichtete. Die Staffage und die Farbigkeit steigern die sinnlich-aufreizende Wirkung noch.

prima-Malerei anzufertigen, sich also in schneller Pinselarbeit zu üben. Das führte zu einem anderen Umgang mit der Farbe, aber auch zu spontaner Umsetzung der eigenen Empfindungen vor der Natur oder im Atelier. Blechen, den Johann Gottfried Schadow einen »genialen Skizzierer« nannte, mußte sich in diesem Medium wohl fühlen. Doch waren die Zentren geographisch und mental noch zu weit voneinander getrennt, als daß man in Berlin die neue, europäische Qualität von Blechens Kunst hätte würdigen können.

Kunst in Karlsruhe und München bis etwa 1830

Säkularisation der geistlichen und Aufhebung fast aller kleinen Herrschaften Mitteleuropas führten einerseits zu großer kultureller Verarmung, wie man an den katholischen Landgebieten sehen kann, denen die Klöster als Kulturträger und Lehrstätten fehlten. Doch entstanden nun

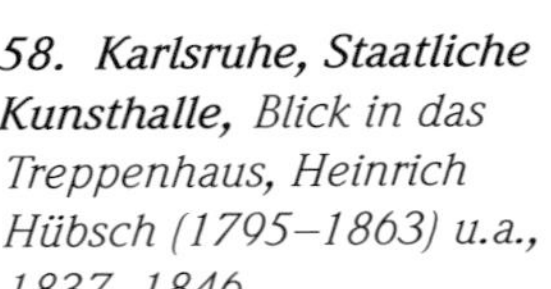

58. Karlsruhe, Staatliche Kunsthalle, *Blick in das Treppenhaus, Heinrich Hübsch (1795–1863) u.a., 1837–1846*

Der Bau darf als einer der besten und besterhaltenen Museumsbauten des 19. Jahrhunderts gelten. Im Inneren ist die leichte Konstruktion des Treppenhauses und der flachen Gewölbe hervorzuheben; auch die Raumfassung ist heute noch großteils erhalten. Da man sogar in der Bilderhängung auf das ursprüngliche Konzept Rücksicht genommen hat, kann man heute in Karlsruhe wie kaum irgendwo sonst in Mitteleuropa ein Museum des 19. Jahrhunderts erleben. An der Stirnwand ein Wandgemälde von Moritz von Schwind (1804–1871), ›Die Einweihung des Straßburger Münsters‹, 1841–1843

andererseits einige neue mittelgroße Staaten und mit ihnen auch neue Kunstzentren. In Konkurrenz zum nahegelegenen Heidelberg und anderen Städten längs des Rheins gelangte Karlsruhe, die Hauptstadt des aus konfessionell unterschiedlichen und einander eher fremden Ländern zusammengesetzten Großherzogtums Baden, in diesem Jahrhundert zu einer durchgängigen und langanhaltenden Blüte. Anfangs war das fremde Vorbild vorherrschend, wie man etwa an den Bauten Weinbrenners ablesen kann. Sein Nachfolger als Leiter des badischen Bauwesens, Heinrich Hübsch, aber fand zu einer eigenen und weit über Baden hinaus anregenden Linie.

Die Begegnung mit den Nazarenern in Rom führte ihn dazu, mit der klassizistischen Baukunst zu brechen. In seiner 1828 den Teilnehmern am Dürerfest in Nürnberg gewidmeten Schrift *In welchem Style sollen wir bauen?* kritisierte er, daß die von den Griechen abgeleitete Bauweise den klimatischen Gegebenheiten Nordeuropas nicht entspricht, daß sie nicht dauerhaft und zu teuer in der Herstellung sei, daß etwa der gerade Architrav konstruktiv dem Bogen unterlegen sei, ja letztlich meist als zugeputzter Bogen konstruiert wurde, weshalb er den Klassizismus einen »Nothbehülf-Styl und Lügen-Styl« nennt. Es sei unsinnig, den technischen Kenntniszugewinn des mittelalterlichen Gewölbebaus zu ignorieren. Neogotiker aber wollte er nicht werden: Ihn störte die Unzahl an Verzierungen, die zu weit getriebene Durchbrochenheit, das Abgeschlossene dieses Stils. Begeistert hatten ihn hingegen die frühchristlichen Basiliken Roms, die romanische Abtei Maria Laach oder toskanische Kirchen des 14. Jahrhunderts. Gotik und Romanik standen für ihn einander gegenüber wie ein nachraffaelitisches und ein vorraffaelitisches Bild – nur in letzterem fand sich die »rührende Schlichtheit«. Auf ihrer Basis habe man nach einem neuen zeitgemäßen

59. ***Karlsruhe, Orangerie beim Schloß,*** *Heinrich Hübsch (1795–1863), 1853–56, Aquarell von Johann Caspar Obach (1807–1865), nach 1857, Karlsruhe, Staatliche Kunsthalle*

Der Tambour ist eine leichte Stahl-Glas-Konstruktion. In die schon durch die Verwendung verschiedenfarbiger Hau- und Backsteine farbig gestaltete Fassade setzte er weitere Akzente, indem er glasierte Keramik einließ.

Stil zu suchen. So wurde er der Schöpfer des sogenannten Rundbogenstils, der sowohl zweckmäßig wie entwicklungsfähig war. Er selbst schuf sparsame, abwechslungsreiche und farblich reizvolle Bauten in großer Zahl, wie die Orangerie und die Kunsthalle in Karlsruhe und wurde zu einem der großen Vorbilder des Bauwesens bis zum Jahrhundertende. *(Abb. 58 u. 59)* Dabei bemühte er sich wie die besten Baumeister seiner Zeit, Schinkel in Berlin oder Moller in Darmstadt, um leichte und elegante Konstruktion, vor allem in den Gewölben und Treppenhäusern.

Den größten Aufschwung unter den Hauptstädten der Mittelländer erfuhr München, das bald Wien, Berlin und erst recht Dresden Konkurrenz machen konnte. König Ludwig I. hatte sich schon als Kronprinz das Ziel gesetzt: »Ich will aus München eine Stadt machen, die Teutschland so

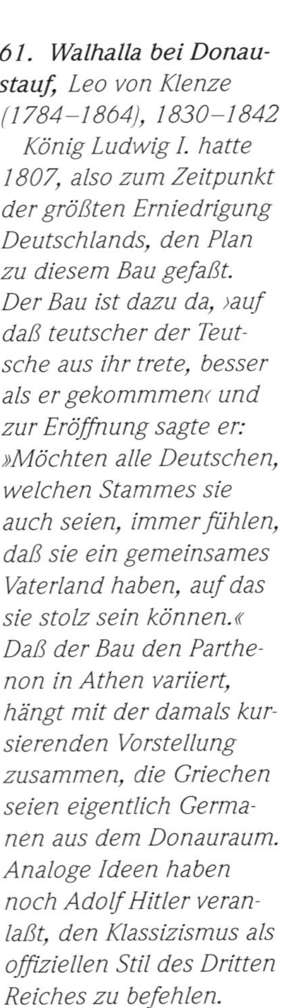

61. Walhalla bei Donaustauf, *Leo von Klenze (1784–1864), 1830–1842*
König Ludwig I. hatte 1807, also zum Zeitpunkt der größten Erniedrigung Deutschlands, den Plan zu diesem Bau gefaßt. Der Bau ist dazu da, ›auf daß teutscher der Teutsche aus ihr trete, besser als er gekommmen‹ und zur Eröffnung sagte er: »Möchten alle Deutschen, welchen Stammes sie auch seien, immer fühlen, daß sie ein gemeinsames Vaterland haben, auf das sie stolz sein können.« Daß der Bau den Parthenon in Athen variiert, hängt mit der damals kursierenden Vorstellung zusammen, die Griechen seien eigentlich Germanen aus dem Donauraum. Analoge Ideen haben noch Adolf Hitler veranlaßt, den Klassizismus als offiziellen Stil des Dritten Reiches zu befehlen.

zur Ehre gereichen soll, daß keiner Teutschland kennt, der nicht München gesehen hat.« Dies ging allerdings auf Kosten aller anderen Städte des neuen Königreichs, wie Augsburg, Nürnberg, Würzburg, Regensburg, Landshut, Bamberg oder Bayreuth – sie wurden alle provinziell. Bayern war durch Napoleon ums Doppelte vergrößert und unter Montgelas einer radikalen Reform nach französischem Muster unterworfen worden, die es noch heute zu dem am stärksten zentralistisch regierten Bundesland macht. Die 1777 auf den Thron gelangte pfälzisch-wittelsbachische Nebenlinie hob München, das nach der Mitte des 18. Jahrhunderts in einen Dornröschenschlaf gefallen war, allmählich zu neuer Blüte. Durch die Einverleibung der Düsseldorfer und Mannheimer Kunstsammlungen erhielt die Stadt eine Gemäldegalerie europäischen Ranges. Man zog auch einzelne Künstler aus der Pfalz nach München, so die Familie Kobell. Deren Blick von außen nahm nun erstmals das eigenartig Bayerische wahr, das zuvor in der eigenen Kunst nie bildwürdig gewesen war. *(Abb. 60)*

Das Pariser Vorbild ist nicht zu übersehen – es zeigt sich im neuen Münchner Prachtboulevard der Ludwigs- und später der Maximiliansstraße, ebenso in dem großzügigen Bauprogramm fürstlicher und öffentlicher Bauten. Später blickte man eher nach Berlin – und umgekehrt, nicht nur wegen der dynastischen Versippung. Wechselwirkungen zwischen beiden Hauptstädten sind bis zum frühen 20. Jahrhundert festzustellen, bevor München abfiel und Berlin zur alles aufsaugenden und beherrschenden Metropole wurde.

Der bayerische König Ludwig I. (1786–1868) war von seinem Selbstbewußtsein her Autokrat. Da ihm eine absolutistische Politik durch die Verfassung verwehrt war, warf er sich, durch eigene künstlerische Neigungen bestärkt, auf die Künste. Als Kronprinz hatte er gegen die napoleonfreundliche Einstellung seines Vaters rebelliert: Schon 1807, nach dem Zusammenbruch des Römischen Reiches und der deutschen Staaten, faßte er den Entschluß, »dem teutschen Ruhme ein Denkmal

60. Wilhelm von Kobell (1766–1853), Berittener Jäger am Tegernsee, *Öl auf Holz, 23 x 18 cm, 1825, Düsseldorf, Kunstmuseum*

Von Licht hell umflutet erscheinen vor der kaum bebauten Landschaft des Tegernsees zwei Mädchen in Volkstracht in einem milden Sozialkontrast zum Reiter. Das Interesse für Trachten, es handelt sich um die Miesbach-Schlierseer Sonntags-Kirchgangstracht, die im Alltag nie getragen wurde, ist Teil der romantischen Schwärmerei für das ›Volk‹. Diese Tracht ist eine Umwandlung der etwa 80 Jahre älteren adligen Rokokokleidung.

62. Julius Schnorr von Carolsfeld (1795–1873), Der Tod Siegfrieds, *Nibelungenzyklus, Wandgemälde, 475 x 529 cm, 1845, München, Residenz, Königsbau*

Schnorr hatte schon 1829–1832 an den Entwürfen zum Zyklus der Nibelungensage gearbeitet, dem altdeutschen Sagenstoff schlechthin. In dem Bild ist die Dynamik und Dramatik im Sinne der klassischen Historienmalerei auffällig. Diese Bilder wurden sehr populär und wirkten sich vor allem auch auf die Theatermalerei aus.

rechte Seite:
64. Carl Rottmann (1797–1850), Schlachtfeld bei Marathon, *Öl auf Leinwand, 91 x 91 cm, 1849, Berlin, Nationalgalerie SMPK*

Grundlage für die Griechenlandbilder ist der Philhellenismus, d.h. die öffentliche Bewegung in Europa, die Griechen bei ihrer Befreiung von der türkischen Herrschaft zu unterstützen. Der erste griechische König kam aus dem Hause Wittelsbach. Dies ermöglichte dem Maler, die historischen Stätten Griechenlands zu bereisen. In der Entscheidungsschlacht von Marathon hatten 490 v. Chr. die Athener die persischen Invasoren geschlagen. Der Maler weitet den Geschichtsort ins Kosmische aus. Doch anders als Altdorfer (Abb. IV/74) wird das Schicksalshafte nicht durch die Konstellation der Gestirne und dergleichen, sondern durch das Gewölk zum Ausdruck gebracht; es geht weniger um konkrete Bedeutung, sondern um Stimmungen. Die Leere und Wüstheit gibt der Landschaft jedoch, über den Anlaß hinausgehend, etwas Extremes, ja Trostloses.

zu stiften«: die dann später von ihm ausgeführte Walhalla. *(Abb. 61)* Seine politische Position war bayerisch-territorial, seine Position in Kultur und Wissenschaft deutsch-national. Er umgab sich gern mit Künstlern und vermochte, Cornelius, Schnorr und einige andere nach München zu ziehen, als er 1825 König geworden war. *(Abb. 62)* Allerdings wird sein Galeriedirektor Dillis heute als Maler höher geschätzt als die damals so gefeierten Historienmaler. *(Abb. 63)* Ludwigs mit Recht bevorzugter Landschafter war jedoch Carl Rottmann, der den Typus der Historienlandschaft entwarf, die in manchem an die Versuche einer Heroisierung gegebener Naturverhältnisse durch den Engländer John Constable erinnert, aber in der Betonung der Vergänglichkeit eine eindringliche Note brachte. *(Abb. 64)* Sogar bürgerliche Genremalerei fand das Wohlwollen des Königs. Sein Mäzenatentum war so umfassend, daß es ihm fast im Alleingang gelang, eine eigentümliche Münchner Malerschule zu begründen, die sich dann seit den 1840er Jahren entfaltete.

Maximilian I. Joseph, sein Vater, hatte ihm schon als Kronprinz ein künstlerisches Betätigungsfeld eröffnet. Das Konzept der Glyptothek von 1816, eines Gebäudes zur Aufnahme seiner bedeutenden Sammlung antiker Skulpturen, stammt weitgehend von ihm. *(Abb. 65)* Er berief zur Ausführung Leo von Klenze aus Hannover nach München, machte ihm aber vielerlei Vorschriften. Der Neubau machte Epoche: Ohne ihn

63. Johann Georg von Dillis (1759–1841), Blick von der Villa Malta auf St. Peter in Rom, *Öl auf Papier auf Leinwand, 25 x 43 cm, 1818, München, Bayerische Staatsgemäldesammlungen, Schack-Galerie*

Wohl in Anlehnung an die lockere Pinseltechnik der französischen Maler gelangte Dillis in Rom zu einer duftigen, atmosphärischen Lichtmalerei, die jedoch bei den Zeitgenossen kaum Anklang fand. Die Ansicht wurde aufgenommen von der Villa Malta, ein Künstlerhaus, in dem Ludwig I. von Bayern gerne abstieg.

wäre Schinkels Altes Museum in Berlin wohl kaum entstanden. *(Abb. 51 u. 52)* Den Neubau der Residenz mußte Klenze nach dem Vorbild Florentiner Renaissance-Paläste bauen, da der König aus München ein neues Florenz machen wollte. *(Abb. 66)* Ludwigs Prachtliebe erinnert in manchem an den barocken Absolutismus. Die Marmorverkleidung der Glyptothekräume, der Befreiungshalle bei Kelheim oder der Walhalla bei Donaustauf wären damals in dem Zweckmäßigkeit und Schlichtheit hoch haltenden Preußen undenkbar. *(Abb. 61)*

Das Handeln des Königs wird durch Nervosität, ja Sprunghaftigkeit und durch das Schmieden immer neuer Pläne und Projekte gekennzeichnet. Andererseits ist dies aus seiner Absicht zu verstehen, aus München die künstlerische Hauptstadt Deutschlands zu machen: Deshalb verarbeitete Eduard von Gärtner in einigen seiner Nutzbauten an der Ludwigstraße sowohl den Rundbogenstil von Heinrich Hübsch *(Abb. 59)* wie die Backsteinbaukunst Schinkels. *(Abb. 53)* Schon die Zeitgenossen konnten sich in der Bewertung nicht einigen: Christian Bunsen, der preußische Gesandte in Rom und einer der Wortführer der dortigen Künstlerschaft, schrieb: »Wohl also war es ein wahrhaft deutscher, königlicher und künstlerischer Gedanke, daß König Ludwig,

65. München, Glyptothek, *alte Innenansicht des Äginetensaales, 1816–1830, Leo von Klenze (1784–1864)*
Das Museum war ausschließlich den antiken und modernen Skulpturen der Sammlung Ludwigs I. gewidmet und nicht auf Zuwachs angelegt. Die überaus reiche Innenausstattung in Anlehnung an die römische Kaiserzeit sowie an das 16. Jahrhundert erläuterte didaktisch die ausgestellten Werke und ihre Themen.

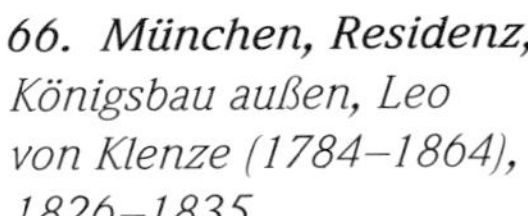

66. München, Residenz, *Königsbau außen, Leo von Klenze (1784–1864), 1826–1835*
Der König setzte gegen seinen Baumeister durch, daß der Florentiner Palazzo Pitti zum Vorbild für die Fassade gewählt wurden. Nur dem Schein nach bildet das Tor den Hauptzugang, die königlichen Säle wurden besser von einer Seitenstraße erreicht. In der Platzmitte das von Christian Daniel Rauch geschaffene Denkmal für König Maximilian I. Joseph, 1835.

mit Verschmähung alles Halben und Gemischten, vier Musterbauten aufführen ließ: die Bonifaziusbasilike, als Beispiel der ältesten Basilike; die Allerheiligenkapelle, als Ausdruck des byzantinisch-italienischen Styles; die Ludwigskirche, als Darstellung des romanischen Pfeilerbaues; endlich die Aukirche als gothischen Bau.« Und er rühmt ihn, »jedem dieser vier Bauten [...] durch die erste Malerschule der Zeit, ihren eigentlichen Charakter, auch in der Ausschmückung, gegeben zu haben [...]« Gottfried Semper, radikaler Vertreter einer jüngeren Generation, hingegen spottet schon 1834: »Der Kunstjünger durchläuft die Welt, stopft sein Herbarium voll mit wohl aufgeklebten Durchzeichnungen aller Art und geht getrost nach Hause, in der frohen Erwartung, dass die Bestellung einer Walhalla à la Parthenon, *(Abb. 61)* einer Basilike à la Monreale, eines Boudoir à la Pompeji, eines Palastes à la Pitti, *(Abb. 66)* einer Byzantinischen Kirche oder gar eines Bazars in türkischem Geschmacke nicht lange ausbleiben könne [...] [Dem Ölpapier zum Kopieren] verdanken wir's, dass unsere Hauptstädte als wahre Extraits de mille fleurs, als Quintessenzen aller Länder und Jahrhunderte emporblühen, so dass wir, in angenehmer Täuschung, am Ende selber vergessen, welchem Jahrhunderte wir angehören.«

Romantisches Bauen im Zwiespalt

Preußens König Friedrich Wilhelm IV., der ›Romantiker auf dem Thron‹ (reg. 1840–1857, †1861), war fasziniert von seinem bayerischen Schwager Ludwig I. Schon als Kronprinz entfaltete er große Baulust, entwarf selbst, und konnte, da in den 1840er Jahren auch die finanziellen Engpässe des Landes überwunden waren, in großem Stile an die Errichtung von Bauwerken gehen. Er lieferte sogar eigene Entwürfe für Krankenhaus- und Kasernenbauten. Im Gegensatz zu seinem Vater, der sich als oberster Beamter dem Staatswesen einordnete, hatte er etwas Selbstherrliches, Neo-Barockes, was der Wirklichkeit seines Landes weniger denn je entsprach und deshalb ohne Verlogenheit nicht auskam Mit ihm setzt – nach Münchner Vorbild – das Kulissenhafte und Unwahrhaftige in der Architektur in Preußen ein. Vor ihm wäre es niemandem in Berlin eingefallen, die Nationalgalerie in eine Tempelform einzuzwängen und auf ein hohes Podest zu setzen, was zu vielerlei funktionalen Unstimmigkeiten führte. Sein Ziel war es, die Museumsinsel auch ohne Berg zu einer neuen Akropolis zu machen. Man spottete in Berlin darüber, daß er als erster König wieder Sanssouci bewohnte, denn die Stiefel des Alten Fritz, die er sich so gerne angezogen hätte, waren ihm zu groß. Seine Neubaupläne in Sanssouci gingen ins Gigantische. Schon die einzig errichtete Orangerie – nach italienischem Vorbild – sprengte die Proportionen.

Andernorts rekonstruierte und erweiterte Friedrich Wilhelm IV. große Ritterburgen wie Stolzenfels am Rhein, so daß er in seiner Phantasie in jeweils anderen Zeiten und Rollen leben konnte. Er pervertierte die Schinkelsche Denkmalpflege-

67. ***Sakrow bei Berlin, Heilandskirche an der Havel,*** *Friedrich Wilhelm IV. und Ludwig Persius (1803–1845), 1841–1843*
Die Kirche ist im Typus frühchristlicher Basiliken gehalten, mit dem der König durch ein Buch seines römischen Gesandten Bunsen vertraut gemacht worden war. Die Mauern sind nur durch Backsteinstreifen verziert, die Galerie an der Außenseite deutet an, daß es sich eigentlich um einen Aussichtsplatz handelt.

idee des Konservierens bzw. des (problematischeren) Reinigens von späteren Zutaten und machte den Schritt zur Rekonstruktion bzw. – wie man es damals nannte – zur Vollendung des Alten. 1842 wurde von ihm feierlich der Grundstein zum Weiterbau des Kölner Doms gelegt. *(Abb. III/2)* Es war ein politischer Akt: Die verfeindeten Konfessionen sollten im gemeinsamen Bauen an diesem Nationaldenkmal versöhnt, die deutschen Länder symbolisch zusammengeführt werden – Denkmalpflege wurde zur Ersatzhandlung. Aber die Gegensätze der Gesellschaft waren so weit aufgebrochen, daß keine derartige Maßnahme etwas bewirken konnte, im Gegenteil: Das Vorhaben wurde Ziel des Spottes und der Polemik, die Kirchen konnten sich damit nicht befreunden, und so blieb nur das Mittel der Lotterie, um nicht alle Baulast dem Staat aufzubürden.

Das neugotische Bauen wurde jedoch für dieses Vorhaben verwissenschaftlicht und praktikabel gemacht. Nicht ohne Berührung mit neueren französischen Bemühungen um das Verständnis und die rationelle Handhabung der gotischen Bauweise erkannte man deren konstruktive Zweckmäßigkeit. Während Hübsch die Gotik noch als unökonomisch ablehnte, behauptete 1859 einer der führenden Neogotiker, Gottlob Ungewitter, »[...] daß wenn die romanische Kunst zu den grossartigen Kathedralenbauten des 13. Jahrhunderts nicht ausreichend war, sie den vielgestaltigen Aufgaben der Gegenwart noch weit minder genügen wird, dass aber keine Aufgabe erdacht werden kann, zu deren Lösung aus dem Princip der gothischen Constructionen die Mittel sich nicht entwickeln ließen.« Die Neogotik wurde der Hauptstil für den Kirchenbau, für Rathäuser, Postämter und andere Staatsbauten – eine industrialisierte Baukunst der Romantik. Einige Architekturschulen, wie die in Hannover, waren geradezu auf Neogotik spezialisiert. Aus ihr entstand der moderne Funktionalismus, und in verwandelter Form findet sie sich auch im 20. Jahrhundert.

Hochbedeutend ist Friedrich Wilhelms ausgreifende Umgestaltung der Havellandschaft um Potsdam zu einem großen romantischen Park. Schräg gegenüber der Pfaueninsel, die sein Großvater Friedrich Wilhelm II. in einen Englischen Garten verwandelt hatte, setzte er in Sakrow eine Kirche nach dem Vorbild römischer, frühchristlicher Basiliken ans Ufer, eine Kirche ohne Gemeinde und Funktion, die ausschließlich als Stimmungselement und Aussichtsplatz diente. *(Abb. 67)* Der schlichte frühchristliche Baustil wurde in Preußen sehr geschätzt, denn er galt als überkonfessionell akzeptabel und als kostengünstig. Auf die andere Seite der Havel setzte der König auf einen hohen Hügel die Kirche von Nikolskoe im selben Stil, bereichert um einige Motive der russischen Baukunst; mit ihr erhielt die neu geknüpfte dynastische Beziehung zum Zarenreich ein Denkmal.

Die bürgerliche Neo-Renaissance

Um die Jahrhundertmitte begann das Bauwesen jedoch, sich den Einwirkungsmöglichkeiten der Könige zu entziehen. Die Einwohnerzahl Berlins etwa verdoppelte sich alle zwanzig Jahre. Besonders die Bevölkerung der Industriestädte nahm mit zuvor unbekannter Beschleunigung zu. Die bürgerliche Wirtschaft entwuchs der Notwendigkeit staatlicher Förderung. Das liberale Bürgertum, das die Ideale von Freiheit, Gleichheit und nationaler Einigung nicht aufgegeben hatte, stellte sich ökonomisch, politisch und kulturell ›auf die eigenen Beine‹ und begann, sich als Bauherr zu formieren. Der Klassizismus paßte ihm als Staatsstil so wenig wie die von König aufgezwungene Neo-Gotik, deren Bindung an die Kirchen störte. Hingegen erschien die Epoche der Renaissance wegen ihres Humanismus, ihrer weltlich-antiken Gesinnung, aber erst recht wegen ihrer gefeierten Kunstwerke als vorbildlich. Mit der Renaissance verbanden sich auch die Vorstellungen von Individualismus, Subjektivität und Freiheit. Ihre Künstler, wie Michelangelo oder Tizian, hatten sich gegen ihre Auftraggeber durchzusetzen gewußt. Den kunsthistorischen Leitfaden zum Verständnis dieser Epoche boten die Werke Jakob Burckhardts, vor allem die berühmte *Kulturgeschichte der Renaissance*. Neo-Renaissance wurde zur bürgerlichen Lebenshaltung, zum Baustil der Wirtschaftstempel wie der Börsen, besonders aber zu dem der höheren Kulturaufgaben wie Museen, Theater, Hochschulen und vor allem der bürgerlichen Wohn- und Festkultur, der Villen, Hotels, Gasthäuser usw. – viele derartige Gebäude sind heute noch überall in Mitteleuropa zu finden.

In Deutschland verbindet man den Beginn dieses Neo-Stils berechtigterweise mit den Dresdner Bauten der 1840er Jahre von Gottfried Semper aus Hamburg, obwohl Ansätze zu diesem Stil lange vorher zu bemerken sind. *(Abb. 66)* Semper hatte nach einem Studium der Philosophie und Mathematik bei dem aus Köln stammenden Baumeister Hittorf (1792–1867) in Paris studiert und dessen Ideen zur Farbigkeit der antiken – und folglich auch der neuen – Architektur aufgegriffen, worüber sich viele Klassizisten ärgerten. Eine Empfehlung Schinkels ebnete ihm den Weg nach Dresden, wo er schnell zu großen Aufträgen kam. 1838–1841 entstand die Dresdner Oper, welche 1869 abbrannte und von ihm nach einem abgewandelten und bereicherten Plan 1870–1879 erneuert wurde. *(Abb. 68)* Ihre städtebauliche Plazierung ist sehr glücklich. Die Fassade zum Platz und Schloß hin fällt durch den Verzicht auf die herkömmlichen absolutistischen Hoheitsformeln auf. Die Gesamtform entsteht dadurch, daß sich der amphitheatralische Zuschauerraum nach außen abzeichnet. In der Geschoßteilung wird das römische Kolosseum zitiert. Auf seiner Italienreise kam Semper zu der Erkenntnis, daß die römisch-kaiserzeitliche Baukunst kosmopolitischer sei als die griechische und deshalb für die eigene Zeit besser geeignet. Daß der Operneubau nach 1869 fürstlicher ausfiel, hat mit dem in der Zwischenzeit gewachsenen Anspruch des Bürgertums – wie der ganzen europäischen Gesellschaft – zu tun, ist aber bei Semper selbst auch schon angelegt. Eine Abgrenzung seiner Neo-Renaissance zum Neo-Barock ist nicht möglich: Mit der Zeit wurde der Vorbildkreis von der Architektur des italienischen 16. Jahrhunderts auf die des 17. ausgeweitet. Dies zeigt sich auch beim Vergleich der Dresdner Gemäldegalerie von 1846 mit der des Wiener Kunsthistorischen Museums von 1872. *(Abb. 95)* Semper war der Überzeugung, daß die neue Zeit, erst recht in ihren neuen Bauaufgaben, frei über die historischen Stile verfügen solle. Damit wird er, der als junger

68. Dresden, Opernhaus, *Äußeres, von Gottfried Semper (1803–1879), 1869–1879*

Als Syntheseleistung aus Musik, Theater, Ballett und Ausstattungskunst darf die Oper als die dem 19. Jahrhundert gemäße, übergeordnete Kunstform gelten. Entsprechend wichtig und aufwendig wurden die Opernhäuser konzipiert und ausgestaltet. Sempers Bau war im Inneren wie im Äußeren typenprägend. Der 1838–1841 errichtete erste Bau wurde nach dem Brand von 1869 in leicht veränderter Lage und Form erneuert, aber viel reicher ausgestattet.

Mann den Stilpluralismus Ludwigs I. verspottet hatte, zum Anreger für das, was man später verächtlich den ›Stilmischmasch‹ nannte.

Damals stieg also das Theatergebäude zur selbständigen Bauaufgabe ersten Ranges auf, unabhängig vom Schloßbau, wenn auch oft noch in seiner unmittelbaren Nachbarschaft. Doch demonstriert schon das Äußere der schloßnahen Theaterbauten in Dresden oder München, daß dem Theater bzw. der Oper als Bildungsinstitution allgemeineren Anspruchs der höhere Rang zugebilligt wird – die Pracht der Ausstattung verdeutlicht dies noch. Es kennzeichnet die Baukunst seit der Jahrhundertmitte, daß der Schmucklust keinerlei Zügel mehr angelegt wurden. Die reiche Verzierung der Renaissance- und Barockvorbilder gab dafür eine – wenn auch nur äußerliche – Begründung: Man wollte im 19. Jahrhundert den neu erworbenen Reichtum zeigen. Im Unterschied zu den älteren Epochen unterschied man aber kaum noch nach Aufgaben und Stillagen. Möglichst alles sollte reich und üppig erscheinen, was auch das Wiederaufleben der öffentlichen barocken Festkultur erklärt. Bezeichnend ist, daß diese Epoche keine nennenswerte Architekturtheorie hervorgebracht hat – es ging ihr nicht ums Differenzieren und um Genauigkeit, sondern um bunte Fülle. Überhaupt hört das Ringen um Standpunkte und Lehren in Deutschland fast auf. Alles erscheint möglich, alles tolerierbar. Der Preis dafür war unscharfes Denken und eine in weiten Bereichen nur mittelmäßige Kunst.

Semper war befreundet mit Richard Wagner. Mit ihm stand er 1848 in Dresden auf den Barrikaden, und beide gingen gemeinsam ins Exil. Wagner schrieb 1849 seinen Aufsatz *Das Kunstwerk der Zukunft*, in dem er die Theorie des Musikdramas als ›Gesamtkunstwerk‹ entwickelte, die als utopisches Konzept immer wieder in der Moderne aufgegriffen wird. In ihm verbinden sich nicht nur Dichtkunst, Tonkunst und Tanzkunst zu einer höheren Einheit, sondern auch die Bildenden Künste erhalten ihren Platz: »Die Architektur kann keine höhere Absicht haben, als einer Genossenschaft künstlerisch sich selbst durch sich selbst darstellender Menschen die räumliche Umgebung zu schaffen, die dem menschlichen Kunstwerke zu seiner Kundgebung notwendig ist. Im gewöhnlichen Nutzgebäude hat der Baukünstler nur dem niedrigsten Zweck zu entsprechen. Im Luxusgebäude hat er einem unnötigen und unnatürlichen Bedürfnisse zu entsprechen.« Nur beim Theaterbau »hat der Baumeister einzig als Künstler und nach den Rücksichtnahmen auf das Kunstwerk zu verfahren.« Er gestaltet den Raum der Empfangenden und den Raum der Szene, die dem Zuschauer »der Weltraum dünkt«. Der Landschaftsmaler hat die Architektur der Szene zur »vollen künstlerischen Wahrheit zu ergänzen, sie mit den frischen Farben der Natur, mit dem warmen Licht des Äthers zu schmücken [...] Dieses Werk ist des Malers weit würdiger als das, was ihn bisher in den engen Rahmen des Bildstücks einzwängte, – was er an der einsamen Zimmerwand des Egoisten aufhängte oder zu beziehungsloser, unzusammenhängender und entstellender Übereinanderschichtung in einen Bilderspeicher dahingab [...] Was [...] er nur andeuten, der Täuschung nur annähern konnte, wird er hier [d.h. auf der Bühne] durch künstlerische Verwendung aller ihm zu Gebote stehenden Mittel der Optik, der künstlerischen Lichtbenutzung zu vollendet täuschender Anschauung bringen [...]« Diese Sätze enthalten auch eine Revision der aufklärerischen Fundamentalkritik an der Barockmalerei, die nun für ein paar Jahrzehnte ihre Wiederauferstehung feiert.

Industrialisierung im Bauen seit den 1830er Jahren

England konnte seinen technisch-industriellen Vorsprung während der von Napoleon verordneten Kontinentalsperre noch ausbauen und die Industrialisierung seitdem noch beschleunigen. Um 1830 trat sie in eine entscheidende Phase, deren Träger und Symbol die Eisenbahn ist. Der Zollverein 1833 und der deutsche Eisenbahnbau seit 1835 verliehen dem wirtschaftlichen Umwandlungs- wie dem politischen Vereinigungsprozeß eine derartige Eigendynamik und Wucht, daß ihm nichts standhalten konnte. Zentrum der Industrialisierung war das preußische Rheinland, *(Abb. 69)* einer ihrer wichtigsten Anreger die Ingenieurs- und Unternehmermetropole Berlin mit ihren

69. Sayn, Eisengußhütte, 1828–1830, Innenansicht,

Die Sayner Hütte war eine Gründung des Fürstbischofs von Trier, die mit der Neuordnung der Rheinlande 1815 an Preußen fiel und von ihm zur bedeutendsten staatlichen Eisengußhütte des Landes ausgebaut wurde. Der Neubau der Gießhalle stammt wohl von dem technischen Leiter der Hütte, Carl L. Althans, in Zusammenarbeit mit der Berliner Oberbaudeputation, so mit dem dort tätigen Ingenieursarchitekten Johann Albert Eytelwein. Schon im späten 18. Jahrhundert hat man in Preußen die Formen der Gotik für Eisenhütten bevorzugt.

Erfinder-Unternehmern wie Borsig und Siemens. *(Abb. 70)* Gefragt waren nun in großer Menge reine Ingenieursbauten: Brücken, weitgespannte Bahnhofshallen, Fabrikbauten, Gaswerke und -speicher. Voraussetzung war u.a. die Entwicklung des Walzstahls. An technischen wie konstruktiven Neuerungen hatte es schon zuvor in Deutschland nicht gefehlt, nun gelang auch die industrielle Umsetzung – Ähnliches geschah auch im Hinblick auf die vielen chemischen und anderen naturwissenschaftlichen Entdeckungen. Der Aufstieg zur Industriemacht setzte ein – Ende des 19. Jahrhunderts war er soweit vorangeschritten, daß man meinte, die Weltherrschaft erringen zu können.

Schinkel hatte immer die Bedeutung der Konstruktion betont und nach Erneuerung der Baukunst aus der Technik gestrebt. Sein bester Schüler, Friedrich August Stüler, ist dieser Linie gefolgt: Das von ihm errichtete Neue Museum in Berlin realisierte (mit Borsigs Hilfe) erstmals wichtige technische Neuerungen, so die Tonne über eisernen Bindern. *(Abb. 70)* Borsig stellte die Kuppel der Potsdamer Nikolaikirche auf bewegliche Rollen. Da die Ausbildung der Architekten und Ingenieure an der Berliner Bauakademie lange vereint blieb, trat auch das Schaffen der beiden Zweige nicht so weit auseinander: Der bedeutendste Ingenieur der jüngeren Generation, der Professor für Baukonstruktion und Brückenbau an der Bauakademie, Johann Joachim Schwedler, errichtete zusammen mit Stüler die Kuppel für die Synagoge an der Oranienburger Straße in Berlin. *(Abb. 71)*

Doch ist der industrielle Symbolbau dieser Zeit der 1851 von Joseph Paxton errichtete Crystal Palace der ersten Weltausstellung der Industrie in London. Karl Marx schrieb über dieses

Ereignis: »Diese Ausstellung ist ein schlagender Beweis von der konzentrierten Gewalt, womit die moderne Große Industrie überall die nationalen Schranken niederschlägt und die lokalen Besonderheiten in der Produktion, den gesamten Verhältnissen, dem Charakter jedes einzelnen Volkes mehr und mehr verwischt [...] Die Bourgeoisie errichtet durch diese Ausstellung im modernen Rom ihr Pantheon, worin sie ihre Götter, die sie sich selbst gemacht hat, mit stolzer Selbstzufriedenheit ausstellt.« 1852 entstand in München ein Gegenstück, der Glaspalast von August von Voit. *(Abb. 72)* Beide fielen Brandunglücken zum Opfer, sind aber durch viele Bilder, Pläne und Dokumente noch gut präsent.

Mit dem Kristallpalast bricht die schon lange schwelende Krise der traditionellen Architektur auf. Alle von Architekten eingereichten Entwürfe waren verworfen worden – der Auftrag ging an den Spezialisten für Gewächshäuser aus Eisen und Glas (auch Voit war Ingenieur für Gartenbauten). Denn nur er konnte versprechen, das Gebäude in der geringen verbliebenen Zeit von 17 Monaten zu vollenden. Möglich war dies durch die Normierung und industrielle Fertigung aller Teile; auf der Baustelle wurde nur noch montiert. Die Wirkung des Glaspalastes war für damalige Augen schockierend, denn er war rundum hell, ein Raum ohne Schatten, ohne plastische Gliederung. Man vermißte das Dauerhafte, das man sich nur in Mauern, Pfeilern und Gewölben ausgedrückt denken konnte. Hier zeichnet sich also nicht nur die Trennung zwischen Ingenieurs- und Architektenbaukunst ab, sondern auch die insgeheime Überlegen-

70. Berlin, Neues Museum, *Niobidensaal, Friedrich August Stüler (1800–1865), Ingenieursarbeit von August Borsig (1804–1854), 1841–1849, Ausstattungsarbeiten bis 1865*

Das Museum war von seinem vor allem im Inneren entfalteten Programm her ein Ort, der den Gang der Kulturgeschichte darstellte, weshalb nicht nur Originale ausgestellt wurden, sondern auch Kopien und Abgüsse. Die Ausmalung erläuterte und ergänzte die ausgestellten Objekte. Die Konstruktion des Saales mit ihren Eisenträgern und leichten Tonnengewölben wird sichtbar gelassen bzw. nur umgestaltet.

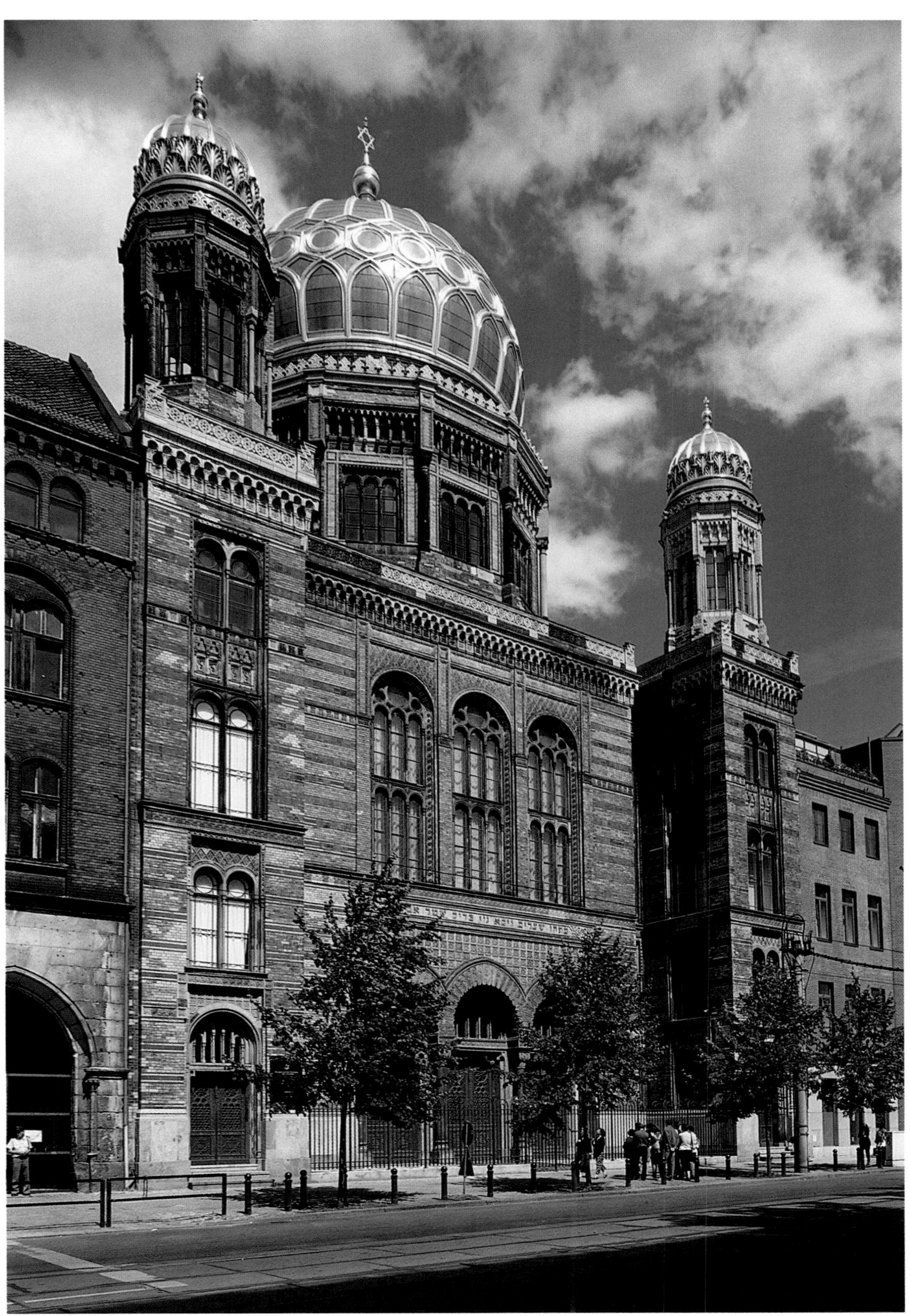

71. Berlin, Neue Synagoge in der Oranienburger Straße, *1859–1866, Kuppel, Entwurf von Friedrich August Stüler (1800–1865), Konstruktion von Johann Wilhelm Schwedler (1823–1893)*

Der Bau wurde nach Plänen von Eduard Knoblauch (1801–1865) im Jahre 1859 angefangen. In der Verwendung orientalischer Stilformen ist ein Versuch der Juden zu sehen, ihre Ursprünge sichtbar zu machen, was man später unter dem Druck des Antisemitismus eher vermied.

heit der Konstruktion über die Komposition, auch wenn dies von Architekten und Architekturhistorikern gern übersehen wurde und wird. Gerade die weiträumigen Bauten dieser und der folgenden Zeit sind in ihren Treppenhäusern, Lichthöfen, weiten Eingängen substantiell Eisenarchitektur, negieren dies jedoch meist nach außen. Dieser Widerspruch kennzeichnet vor allem die Baukunst im letzten Jahrhundertdrittel.

Der von der Markthalle und dem Gewächshaus abgeleitete Kristallpalast war das Leitmodell der Bahnhöfe. Mit der Zunahme des Bahnverkehrs wurde es notwendig, die Ankunfts- und Abfahrtsplätze zu überdachen. Bald reichte die Spannweite der Holzüberdachung nicht mehr. Auch die Eisenkonstruktionen mußte man meist nach wenigen Jahrzehnten durch größere ersetzen. Der Bahnhof verband die Hallen über den Gleisen mit den Kopfbauten der Empfangssäle, die Ingenieurs- mit der Repräsentationsarchitektur – ein Symbol der Zwiegesichtigkeit des Zeitalters. *(Abb. 98)* Stadtpläne der Jahrhundertmitte zeigen

***72. Eugen Napoleon Neureuther (1806–1882), Bild zum zehnjährigen Jubiläum der Maschinenfabrik Cramer-Klett,** Öl auf Leinwand, 1858, Nürnberg, Germanisches Nationalmuseum, Dauerleihgabe der MAN AG*

Künstlerisch ist das Bild der romantischen Tradition, vor allem des Moritz von Schwind, verpflichtet. (Abb. 41) Unten in der Mitte wird die Erzeugung von Dampfkraft gezeigt, in den benachbarten Kellergewölben stehen die Dampfmaschinen. Auf den Stufen, die von zwei Personifikationen bekrönt werden, sitzen die Ingenieure und Feinmechaniker mit ihren Plänen und Produkten. Hinter ihnen öffnen sich dem Blick Gießerei und Walzwerk sowie die Montagehallen für Eisenbahnwaggons. In der Etage darüber sind Schmiedewerkstätten und Fertigungshallen zu sehen. Im oberen Teil des Bildes erhält man einen weiten Ausblick auf das Werksgelände mit allerlei allegorischem und symbolischem Beiwerk. In der oberen Rahmenleiste werden einige der von der Firma durchgeführten Bauten gezeigt, so der Glaspalast von August von Voit, der Wintergarten in der Münchner Residenz und verschiedene Brücken. Ein Vergleich zu dem etwa 15 Jahre jüngeren Bild des Eisenwalzwerks von Menzel erweist sich als lehrreich im Hinblick auf die Auffassung der Industrie durch den Maler. (Abb. 85)

die Bahnhöfe noch außerhalb der Altstädte, doch wuchsen um sie herum mit dem schnellen Wachstum der Städte bald neue, eigene Innenstadtbereiche. In Verlängerung der Bahnhofsachse wurden breite Zubringerstraßen konzipiert, die Schlagadern der Großstädte neuen Typs. Um sie herum gruppierten sich die großen Hotels, die Einkaufszentren und später die Warenhäuser.

Die Weltausstellung 1851 brachte auch den Triumph der Fotografie als neues Bildmedium. *(Abb. 73)* Andererseits wurde auf ihr deutlich, daß das Kunstgewerbe durch die maschinelle Produktion in eine Krise geraten war. Die Handwerker hatten den Massenbedarf nicht mehr decken können und waren in der Epoche des ›Pauperismus‹ (Verelendung weiter Kreise der Bevölkerung) auch zu teuer. Das arbeitsteilig gefertigte Industriestück war dem handgefertigten Einzelwerk jedoch künstlerisch unterlegen. Auch neigte man dazu, billige Ersatzmaterialien zu verwenden und durch Überladung mit Zierrat aufzutrumpfen. Es entwickelte sich darüber eine öffentliche Dis-

*73. **Franz Hanfstaengl (1804–1877), Foto des Baumeisters Leo von Klenze,** 1853*

Der ehemalige Maler und spätere Hoffotograf Hanfstaengl war der bedeutendste Bildnisfotograf der Mitte des 19. Jahrhunderts in Deutschland. Seine Arbeiten hatten schulbildende Wirkung.

kussion, die in London zur Gründung des ersten Kunstgewerbemuseums zur Sammlung von Mustervorbildern führte, dem schon bald andere Gründungen in München, Nürnberg, Berlin und anderenorts folgten, denen häufig eine Kunstschule angeschlossen war. Diese Bewegung hatte ihren Höhepunkt jedoch erst gegen Jahrhundertende im sogenannten Jugendstil.

Die Bildenden Künste im Zeitalter des Kunstmarkts

Schon seit dem späten 18. Jahrhundert wurde die Kunst des Faksimiles vorangetrieben und dadurch in Verbindung mit den neuen graphischen Techniken der Lithographie, des Stahl- und des Holzstichs eine immer größere Anzahl von Reproduktionen alter und moderner Gemälde zugänglich. Der für alle verfügbare historische Bildersaal wurde immer größer. Die folgenden Jahrzehnte brachten Kostensenkungen im Druckwesen, außerdem die Reproduktion von Bildern inmitten von Texten. Spezialisierte Kunst- und Architekturzeitschriften entstanden, vor allem aber die Illustrierte. Viele Porträtisten und Miniaturisten wechselten zur Fotografie. Die Trennung von Kunst für den Massenbedarf und ›Hochkunst‹ für die ›Elite‹ zeichnete sich ab.

Die Rahmenbedingungen für Kunst verschoben sich. Die Zahl und Größe der Kunstausstellungen nahm zu. Die als prächtiges, aber wirklichkeitsnahes Theater inszenierte belgische Historienmalerei etwa feierte 1842 auf einer Wanderausstellung durch deutsche Städte triumphale Erfolge und die aus diesem Anlaß geführten publizistischen Fehden markieren letztlich das Ende der Vorherrschaft romantisierender Malerei in Deutschland. Viele Gemälde wurden nun vor allem im Hinblick auf ihre Ausstellungswirkung geschaffen, da sie sich dort neben vielen anderen Bildern zu behaupten hatten: 1844 wurden auf der von weit über 100.000 Menschen besuchten Berliner Akademieausstellung 1870 Arbeiten gezeigt. Kunst wurde zunehmend Gegenstand einer um sich greifenden, literarisch geprägten Kunstkritik, der man in den Zeitungen und Zeitschriften viel mehr Platz einräumte als heute. Zunehmend traten auch Kunsthändler auf, zudem Kunstverleger, die durch illustrierte Gedichtbände, Märchenbücher, Reiseberichte usw., ebenso aber durch die Edition von anspruchsvollen Einzelgraphiken neue Märkte erschlossen. *(Abb. 40)*

Der Kunstmarkt bestimmte zunehmend die Kunstproduktion. Seine erste, verkappte Form waren die Kunstvereine, weniger vom Publikum angeregt, als aus dem Bedürfnis der Künstler nach Käufern für ihre Arbeiten. 1792 hatte sich in Nürnberg der erste Verein konstituiert, noch mit stark patriotischem Einschlag. In den 1820er Jahren setzte eine Welle von Neugründungen ein, die bis 1870 anhielt. Die Kunstvereine schlossen

rechte Seite:
*74. **Rudolf von Alt (1812–1905), Ansicht des Ateliers von Hans Makart in der Gußhausstraße in Wien,** Aquarell, 1885, Wien, Historisches Museum der Stadt Wien*

Makart soll 117.000 Gulden in die Ausstattung seines Ateliers gesteckt haben, das seinerzeit eine der größten Sehenswürdigkeiten in Wien war. Eine Stunde am Tag konnte man die Räume besuchen. Das große Bild stellt den ›Frühling‹ von 1884 dar. Die Art der Innenausstattung nannte man den ›Makart-Stil‹.

*75. **Hans Makart (1840–1884), Der Einzug Kaiser Karls V. in Antwerpen Anno 1520,** Öl auf Leinwand, 1878, Hamburg, Kunsthalle*

Das Bild war für die Weltausstellung in Paris 1878 konzipiert, wo es einen eigenen Pavillon erhielt. Ein zeitgenössischer Spötter schlug vor, das Bild ›Die nackten Mädchen beim Einzug Karls V. in Antwerpen‹ zu nennen. Da die Züge der Frauen, die Makart Modell gestanden hatten, kaum verändert waren, wurde das Bild eine gesellschaftliche ›Sensation‹. Man benötigte Polizei, um den Besucherandrang einzudämmen. 38.000 zahlende Zuschauer brachten eine Einnahme von 13.000 Gulden. Für 75.000 Gulden wurde das Bild dann nach Hamburg verkauft. Links unter der Girlande Albrecht Dürer, der Zeuge des Einzugs war. (Abb. IV/61)

sich bald über die Grenzen der Staaten hinweg zusammen. Die Zahl der Mitglieder wuchs erstaunlich: In Karlsruhe waren es 1.068 im Jahre 1843 – bei etwa 25.000 Einwohnern. Die Vereine dienten in ihrer Frühzeit dem Bürgertum auch dazu, sich zu formieren und seine Interessen zum Ausdruck zu bringen, aber nach und nach verwandelten sie sich in Institutionen der Geselligeit, die einen ihrer Hauptzwecke darin sahen, Künstlerfeste zu veranstalten. Die herrschenden Kreise hielten es für opportun, sich an dieser neuen Form der Öffentlichkeit zu beteiligen.

Kunstvereine wirkten im übrigen nicht immer in gleicher Weise auf das Kunstleben. Meist

wurden auf der jährlichen Ausstellung Bilder angekauft und unter den Mitgliedern verlost. Das begünstigte eine gefällige Malweise: Die den Betrachter herausfordernde Kunst der ersten romantischen Malergeneration erschien nun unpassend. Skulpturen waren kaum gefragt. Andererseits halfen die Vereine vielen Künstlern aus wirtschaftlicher Not, erschlossen neue Käuferkreise und weckten den Sinn für zeitgenössische Kunst. Wie ein aktiver Kunstverein zu einer bedeutenden öffentlichen Galerie führen konnte, zeigt das Leipziger Museum der Bildenden Künste.

Die Künstler wurden auf vorher nicht gekannte Weise in das gesellschaftliche Leben hineingezogen. Schon früh hatten einige ihre Ateliers für Ausstellungen eigener Werke genutzt, so etwa Caspar David Friedrich. Der neue erfolgreiche Typ machte das Atelier zum Salon und zum Treffpunkt der höheren Gesellschaft, baute es z.T. unter hohem Kostenaufwand aus und inszenierte sich und seine Malerei in diesem Rahmen, dessen Vorbild die damalige Bühne war – die Rückwirkung auf Form und Thematik der Bilder ist etwa bei Makart deutlich zu spüren: Seine historischen Themen sind nur Vorwand für jeweils neu arrangierte Kostümfeste. *(Abb. 74)* Sie führen eine schöne, reiche, sorgenfreie Welt vor, so recht geeignet zum Träumen. Der Maler ist zugleich Regisseur, Kostümbildner und Schauspieler, und selbst die Maltechnik wird zur Show. *(Abb. 75)* Das neureiche Großbürgertum gefiel sich darin, nach alter fürstlicher Art Künstler zur Überhöhung der eigenen langweiligen Welt auszuhalten, und es war bereit, ihnen eine Sonderrolle zuzugestehen: Als Gegengabe erhielten sie eine Kunst des Sinnenrausches. In Bayern behielt man sogar die Praxis der alten Hofkultur bei, angesehene Meister in den Adelsstand zu erheben. Einige Maler schwangen sich nach historischen Vorbildern wie Tizian oder Rubens zu ›Künstlerfürsten‹ auf, mit pompöser Villa samt Atelier, so Wilhelm von Kaulbach, Franz von Lenbach und Franz von Stuck. Die sozialen Risse mitten durch die Künstlerschaft wurden tiefer.

Die Düsseldorfer Malerschule und die neue Geschichtsmalerei

Der Nazarener Wilhelm Schadow, Sohn des berühmten Berliner Bildhauers, *(Abb. 34 u. 42)* wurde 1826 Direktor der Düsseldorfer Akademie, die damals im Königreich Preußen den zweiten Rang einnahm. Ihn qualifizierte aus Berliner Sicht seine Königstreue, aus rheinischer sein Katholizismus. Im Gegensatz zu seinem Vorgänger Cornelius bevorzugte er die Ölmalerei. Seine bedeutenden Leistungen als Porträtist empfahlen ihn dem bürgerlichen Publikum. Er schätzte das Arbeiten mit der Farbe und förderte in höherem Maße das Naturstudium, auch nach dem lebenden Akt – die Ausbildung sollte das Malen, weniger das Zeichnen in den Mittelpunkt rücken. Eine Reihe bedeutender Schüler folgten ihm von Berlin nach Düsseldorf, so Karl Friedrich Lessing, der Großneffe des Dichters. *(Abb. 76)* 1829 gründete Schadow den erfolgreichen Kunstverein für die Rheinlande und Westfalen.

In der Akademie führte er statt des alten Reglements den neuen Ausbildungstypus der Meisterklasse ein. Doch nahm die Kunstschule eine andere Richtung als er es wünschte. Das liberale, nach Westen offene Geistesklima im Rheinland und das Heranwachsen einer freier denkenden jungen Generation gaben der Kunst neue Impulse. Ein Marinemaler wie Andreas Achenbach wäre damals andernorts kaum möglich gewesen. *(Abb. 77)* Er befreite sich von der deutschen akademi-

76. Karl Friedrich Lessing (1808–1880), Jan Hus vor dem Scheiterhaufen in Konstanz,
Öl auf Leinwand, 360 x 553 cm, 1844/1850, Berlin, Nationalgalerie SMPK

Gottergeben kniet der tschechische Reformator, den das Konzil unter Bruch gegebener Versprechen als Ketzer zum Tode verurteilt hatte. Ihm setzt einer der Inquisitoren die Ketzerkrone auf. Effektvoll – und in Anlehnung an die Theaterdramaturgie – werden die finsteren Kleriker, die arrogante weltliche Macht und das gläubige Volk miteinander konfrontiert. Hus wird hier als Märtyrer der Reformation gezeigt, mit einer Spitze gegen den Katholizismus.

schen Festlegung, indem er die wirklichkeitsnahe Sicht der holländischen Maler des 17. Jahrhunderts mit dem Sinn für die Dramatik des Meeres bei dem französischen Marinemaler Joseph Vernet (1714–1789) und dem Katastrophenpathos des vor allem in England tätigen Philipp Jakob Loutherbourg (1740–1812) verknüpfte. Seine Bilder haben etwas Düster-Trübes und Dramatisches – ein völlig neuer Ton in der deutschen Kunst. Er hatte damit so viel Erfolg, daß sich dieser Aufrührer gegen den Akademiebetrieb als freier Künstler halten konnte. Erkauft wurde dies jedoch mit dem Gleichbleiben seiner Motive und der Routine ihrer Darbietung: Der marktabhängige Künstler vermag sich nur schwer von dem zu lösen, womit er Erfolg hat, und sich zu wandeln und zu entfalten.

Schadows Schüler Lessing betrieb zusammen mit seinem Altersgenossen Rethel die zeitgemäße Erneuerung der Geschichtsmalerei. Die biblischen Themen traten zurück, ebenso die der höheren Poesie. Nicht die Divina Commedia des Dante, sondern die historischen Romane von Walter Scott wurden zum Thema. Was als geringer Unterschied erscheint, bezeichnet im Grunde einen Bruch mit der nazarenischen Kunstdoktrin. Das hängt nicht zuletzt damit zusammen, daß sich die ehemaligen Außenseiter in den Dienst staatlich-reaktionärer Tendenzen hatten stellen lassen. Angriffe auf ihre Kunst meinen deshalb auch das

77. ***Andreas Achenbach (1815–1910), Landung im rettenden Hafen bei Sturm,*** *Öl auf Leinwand, 96 x 140 cm, 1856, Krefeld, Privatsammlung*

Achenbach modernisiert das Erbe der anglo-französischen Marinemalerei um 1800 und verbindet das Wirklichkeitsstudium meisterhaft mit dramatischen Elementen und romantischen Stimmungen.

hinter ihnen stehende ›System‹. Doch war es leichter, Kritik zu üben, als Neues an die Stelle des Alten zu setzen. Dies zeigt sich an Friedrich Theodor Vischers Angriff auf Overbecks *Triumph der Religion in den Künsten:* »[...] Das Prinzip der Reformation, in der Kirche selbst nur unvollständig aufgestellt, von der Wissenschaft, von der Weltbildung durchgeführt, hat den Olymp des Mittelalters ein für allemal ausgeleert [...] Nein, eure Madonnen sind nicht Madonnen der alten Kirche; [...] sie sind in einer Pension, einer Töchterschule aufgewachsen [...] einen Zimmermann hätten sie schwerlich geheiratet; vielmehr ein Ideal von einem sittlichen, höchst musterhaften jungen Mann, angestellt etwa beim Kirchen- und Schulwesen [...] Aber wie frevle ich! Das Bild ist doch so schön! Und ich habe doch recht; eine Madonna ist für uns eine Unmöglichkeit. Die alten Maler, ja die konnten es [...], wir neueren aber, [...] wir Kinder einer Zeit, wo es Fräcke und Kravatten gibt, haben die entgegengesetzte Stimmung in allen Nerven und Adern, und jede Mühe ist vergeblich, uns auf dem Wege der Überzeugung, der Dogmatik in jene zurückzuversetzen. Dahin kommt man nicht mit Dampfkraft, es ist aus und vorbei [...] Unsere höchste Aufgabe ist jetzt das [...] profan-historische Gemälde nebst seiner Voraussetzung, dem edleren Genrebild.«

Lessing und seine Freunde wählten ›vaterländische‹ Stoffe, nach dem Aufruhr von 1830 bevorzugt Ereignisse mit protestantischem Akzent, als eines der frühesten die *Hussitenpredigt*. Dies war als Spitze gegen den nazarenischen Direktor der Akademie zu verstehen. Die protestantisch-kämpferischen Bilder hatten in verschlüsselter Form aber auch eine soziale und gesellschaftliche Botschaft. Es wurde sofort bemerkt, daß hier nicht dynastische Zeremonienbilder in der Art der Münchner Schule gemalt wurden, sondern daß das Volk auftrat. *(Abb. 76)* Lessing malte real sich ereignende Geschichte, nicht nur die – oft genug nur allegorisierte – Bedeutung von Geschichte. Und der Verzicht auf Stilisierung wurde antiaristokratisch verstanden, ebenso ›Realismus‹ und Farbigkeit. Es ist schwer nachzuvollziehen, daß die Einzelausstellungen dieser Bilder ein Ereignis waren, das Besucherscharen anzog und anhaltende Pressefehden auslöste – allenfalls wäre heute die Vorstellung eines neuen großen Films vergleichbar. Noch befriedigte also die damalige Kunst den Bilderhunger, das Bedürfnis nach erzählten Geschichten, nach Sensation und Unterhaltung.

Wilhelm Kaulbach *(Abb. 78)* entsprach unter den Düsseldorfern den Forderungen Vischers nach einem realistischen Klassizismus am ehesten. Er dramatisierte seine Historien stärker und hob obendrein einzelne Figuren zu symbolischer Bedeutung, d.h. er machte sie zu sichtbaren Zeichen, zum Inbegriff von Gedanken. Seine Historienmalerei ist geschichtsphilosophisch fundiert, er versucht, die leitenden Ideen eines Zeitalters und Volkes darzustellen. »Eine Kollektion von Inbegrif-

78. ***Wilhelm von Kaulbach (1805–1874), Die Eroberung Jerusalems durch Titus,*** *Öl auf Leinwand, 585 x 705 cm, 1846, München, Neue Pinakothek*

Das Ölbild ist eine Vorstufe des Wandgemäldes im 1847–1865 entstandenen Zyklus der Ereignisse der Weltgeschichte, das bis 1945 das Treppenhaus des Neuen Museums in Berlin schmückte. (Abb. 70) Man erkennt u.a. im Glutschein den hereinreitenden römischen Feldherrn, links vorne den ›Ewigen Juden‹, rechts vorne die auswandernde Christenfamilie. Das zunächst sehr gefeierte Bild verlor schnell an Ansehen.

fen kann [jedoch] kein lebendiges Bild, sondern nur eine Konstruktion ergeben. Wenn diese Kollektion dann noch das Fazit einer Epoche auf den Begriff bringen soll, dann ist die Kunst ganz offensichtlich überfordert.« (Werner Busch) Nach dem Ende der verbindlichen Geschichtsauffassung ist im Grunde genommen jedoch jedes Historienbild eine mehr oder weniger private Stellungnahme. Doch bleibt ein großer Unterschied, ob sie aus persönlicher Reflexion und Erforschung des Themas erfolgt wie bei Menzel, oder ob sich ein Maler nur der Auffassung der herrschenden Kreise andient: Dann nämlich ist die Überlebensfähigkeit seiner Bilder mit jeder Veränderung des Geschichtsbewußtseins, erst recht mit jedem Systemwechsel, gefährdet. Kaulbachs ehemals so gefeierte Werke sind heute nur schwer zu ertragen, schon weil er sich etwa im *Untergang Jeru-*

79. Karl Hübner (1814–1879), Schlesische Weber, *Öl auf Leinwand, 78 x 105 cm, 1844, Düsseldorf, Kunstmuseum*

Die Weber auf den schlesischen Dörfern waren dem Preisdruck der maschinell gefertigten englischen Waren nicht gewachsen. Ihre Not wurde durch die ›Verleger‹ bzw. Zwischenhändler ausgebeutet. Das Bild zeigt: links mit hart abweisender Gebärde den ›Chef‹, der das Tuch zurückweist, weil sein schöner, gelangweilt dreinblickender Gehilfe einen kleinen Fehler entdeckt zu haben meint. Der Webervater reagiert mit entsetzt zurückweisender Gebärde, er hält mit der anderen die wie die Madonna unter dem Kreuz ohnmächtig niedersinkende Mutter – ein altes Pietà-Motiv; zwischen den beiden Gruppen ein giftig dreinblickender Lakai, der mit Spinnenfingern Ware hyperkritisch mit der Lupe prüft, rechts davon ein salbungsvoller Diener, der einen Hungerlohn auszahlt, auf den das alte Weberpaar betroffen und ergeben herabblickt; rechts vorne eine andere Familie in banger Erwartung, dahinter zwei junge Weber, die zornentbrannt mit ihren zurückgewiesenen Waren im Mantelsack abziehen. Das Bild wurde vor den großen Aufständen von Mai 1844 gemalt und in Berlin ausgestellt, wo es große Anteilnahme weckte.

salems zum Sprachrohr des aufkommenden Antisemitismus macht.

In einer niederen Stillage brillierte die Düsseldorfer Malerschule durch ihre anglo-französisch beeinflußten Genrebilder. Genremalerei hatte ihren Ursprung in der moralisierend-belehrenden Kunst des 15. Jahrhunderts, etwa bei der Darstellung des Gleichnisses vom Verlorenen Sohn, wo mit warnend erhobenem Zeigefinger das verschwenderische Lotterleben angeprangert, aber eben doch auch voller Neugier und Lust am Thema ausgemalt wird. Sie war also immer beides, Spott, Satire und Belehrung einerseits, Unterhaltung und wohliges Sich-Ergötzen andererseits. Seit dem späten 18. Jahrhundert verwischen die Grenzen zwischen Genre und Historie, Porträt und den anderen Gattungen. Durch den Engländer Hogarth kam das Element der Karikatur dazu. Was zuvor akademisch ausgegrenzt war, geriet in einer Zeit wachsender sozialer Probleme und Spannungen und unter dem veränderten kunsttheoretischen Ideal des ›Realismus‹ zur Waffe im Meinungskampf: Man wählte die sozialen Themen nicht mehr, um zu unterhalten, sondern um unhaltbare Verhältnisse bloßzustellen, die Verantwortlichen anzuklagen und das Volk zum Handeln zu bewegen. Die Ausstellungen von Bildern dieser Art wurden zu politischen Tagesereignissen. In den Jahren vor 1848, als die innere politische Spannung wie ein heftiges Fieber stieg, geriet Hübners realistische Darstellung der Proletarisierung des damaligen Handwerks in seinem Bild *Die Schlesischen Weber* zur wirksamen sozialen Anklage: Die Ausstellung des Bildes führte vor allem in Berlin zu lebhaften Reaktionen öffentlicher Anteilnahme. *(Abb. 79)* Und in Hasenclevers *Arbeiter vor dem Magistrat* wird zum ersten Mal das politische Wollen der Arbeiterschaft bildwürdig – dabei wird die Angst der bürgerlichen Stadträte vor dieser neuen Macht spürbar. Nach der gescheiterten Revolution von 1848 zogen sich dieselben Maler jedoch in die ›gemütliche Ecke‹ zurück und wurden unpolitisch.

Zur Problematik des ›Realismus‹

Die Doktrin des Klassizismus wie der Romantik hatte die reine Naturnachahmung (Mimesis) als künstlerisch minderwertig eingestuft. Es war ein Vorwurf, wenn Goethe schrieb: »In Berlin scheint [...] der Naturalismus mit der Wirklichkeits- und Nützlichkeitsforderung zu Hause zu sein und der prosaische Zeitgeist sich am meisten zu offenbaren.« Deshalb galt eine der Naturtreue verpflichtete Kunst nicht viel. Doch die neue Generation um 1830 geriet fast zwangsweise in Konflikt mit ihren (klassizistischen und nazarenischen) Lehrern. Sie erlebte eine Umwälzung der Verhältnisse. Das zeitweilig von der Restauration nach 1815 wieder zurückgedrängte Bürgertum trat mit Macht auf und verlangte nach einer anderen, einer eigenen Kunst. Da sich aber sowohl die Klassizisten als auch die Romantiker teils aristokratisch, teils intellektuell elitär verhielten, mußte das, was beide ablehnten, an Geltung gewinnen. Frankreich war der Unruheherd, von dem aus 1830 und dann wieder 1848 die politischen Erschütterung ausging. So wundert es nicht, daß sich dort auch der Realismus – als Stil und als Begriff – entwickelte. Die in Theorie und Praxis uralte Verpflichtung zum Studium der Wirklichkeit erhielt eine neue, politisch radikale Note. Adolph Menzel sah schon 1836 den Wandel: »Der wirklich geistvolle und gediegene Materialismus der jetzigen Franzosen [...] werden hier eine Revolution hervorbringen [...] Daher halte ich die Neigung unserer Kunst nach dieser Seite nicht mehr für einen Abweg, sondern für ein folgerechtes Ergebnis des sich erneuernden Zeitgeistes [...]«

Was allgemein ›Realismus‹ genannt wird, ist also nichts in sich Zusammenhängendes und überzeitlich Gleichbleibendes. Analog der Romantik unterscheiden sich gerade die großen Realisten voneinander – und bleiben sich auch nicht gleich. Jeder kommt aus einem eigenen Bezugsfeld, jeder hat unterschiedliche Voraussetzungen und Abneigungen, jeder hat eine andere Wirklichkeitssicht und Kunstauffassung und schließlich auch eine eigene Geschichte. Deshalb ist ›Realismus‹ als Globalbegriff besonders problematisch. Er benennt eher, wogegen jemand ist, als wofür. Es gibt in Deutschland keine realistische Doktrin in dem Sinne, wie es etwa eine klassizistische oder eine nazarenische gegeben hat. Der Wiener Ferdinand Waldmüller, *(Abb. 87)* der ähnlich wie Menzel gegen die Lehre der Akademie revoltierte, nennt sich einen Naturalisten und meint auch in der Tat nicht dasselbe wie sein Berliner Mitstreiter – keiner der beiden Standpunkte läßt sich verallgemeinern. Die politische Bedeutung, die der Begriff ›réalisme‹ bei Gustave Courbet (1819–1877) hat, findet sich bei seinen deutschen Nachahmern wie Victor Müller nicht. Und doch ist der Begriff, wie angedeutet, nicht nur ein Name.

Was als Absage an Ideologie und als Forderung nach Freiheit in der Kunst begann und wie ein Schock wirkte, wurde bald idyllisch-behaglich, mittelmäßig oder gab sich neuromantisch. Das Außenseitertum endete bald in Massenware. Der Sinn dafür, was den Kunstwert eines Bildes ausmacht, wurde durch die neue Richtung kaum gefördert. Im Blick auf das Was, den Gegenstand des Bildes, ging das Wie, welches viel schwieriger zu begreifen ist, verloren. Die großen Realisten – Menzel, Waldmüller, Leibl – haben darunter gelitten, daß man das, was sie wollten, nicht wirklich verstand. Bis heute legt der Begriff des Realismus falsche oder zu kurz greifende Deutungen nahe.

Hegel brachte 1835 in seiner Ästhetik auf den Punkt, worum es letztlich geht: »Das Gebundensein an einen besonderen Gehalt und eine für diesen Stoff passende Darstellung ist für den heutigen Künstler etwas Vergangenes und die Kunst dadurch ein freies Instrument geworden, das er nach Maßgabe seiner subjektiven Geschicklichkeit in bezug auf jeden Inhalt, welcher Art er auch sei, gleichmäßig handhaben kann [...] In diesem Hinausgehen jedoch der Kunst über sich selber ist sie ebensosehr ein Zurückgehn auf den Menschen in sich selbst, ein Hinabsteigen in seine eigene Brust, wodurch die Kunst alle feste Beschränkung auf einen bestimmten Kreis des Inhalts und der Auffassung von sich abstreift und zu ihrem neuen Heiligen den Humanus macht: die Tiefen und die Höhen des menschlichen Gemüts als solchen, das allgemein Menschliche in seinen Freuden und Leiden, seinen Bestrebungen, Taten und Schicksalen. Hiermit erhält der Künstler seinen Inhalt an ihm selber und ist der wirklich sich selbst bestimmende, die Unendlichkeit seiner Gefühle und Situationen betrachtende, ersinnende und ausdrückende Menschengeist, dem nichts mehr fremd ist, was in der Menschenbrust lebendig werden kann.« Dieser Satz gilt jedoch gleichermaßen für Friedrich wie für Menzel, für Böcklin wie für Leibl.

Es gibt keine architektonische Entsprechung zum Realismus. Generations- und gesinnungsmäßig entspricht ihm am ehesten die Neo-Renaissance. Aber wie geht das damit zusammen, daß Menzel in Deutschland der erste ist, der das bis dahin so verhaßte Rokoko bewundert und dies in seinen Bildern und Zeichnungen so deutlich ausspricht? *(Abb. 83)* Die Trennung zwischen Architektur und Malerei verschärft sich und wird auch im 20. Jahrhundert nicht wirklich aufgehoben.

Adolph Menzel

Menzel begann in mehrfacher Hinsicht gehemmt: Nach dem frühen Tod des Vaters mußte er schon als 16jähriger eine große Familie als Lithograph und Gebrauchsgraphiker ernähren. Nur kurz konnte er die Akademie besuchen, mochte sich mit dem Studienbetrieb aber nicht anfreunden und ist im Grunde Autodidakt. *(Abb. 80)* Seine Zwergengröße und Verkrüppelung

*80. **Adolph Menzel (1815–1905), Der Kunstschüler zeichnet in der Akademie einen Gipsabguß des Laokoonkopfes,** Blatt 5 aus dem Zyklus »Künstlers Erdenwallen«, Feder-Lithographie, 29 x 43 cm, 1834*

Die Szene bildet mit einer anderen (Selbstkampf) ein Blatt. Der Schüler ist ein Selbstbildnis. In seiner Arbeiterkleidung und seiner eher nazarenischen Haartracht sticht er von den bürgerlich-schnöseligen Mitschülern ab. Die Vignette darunter mit einer Schnecke, die an einem Perückenständer hochklettert, ironisiert das Verzopfte und Umständliche des akademischen Lehrbetriebs.

machte ihn sozial zum Außenseiter. Er schloß sich keiner Künstlergruppe an, lebte als fleißiger, sparsamer Bürger bei seiner Familie und wahrte die Unabhängigkeit, auch als er mit Ehrungen überhäuft wurde. Sein Blick blieb unbestechlich und kritisch.

Auf der einen Seite ist er der Erbe des Berliner Wirklichkeitsstudiums, wie es Chodowiecki, Schadow, Krüger und Gärtner betrieben hatten: Er distanzierte sich von den idealistischen Kunstbestrebungen Deutschlands, war aber offen für Constable und französische unakademische Richtungen. Sie bestärkten ihn darin, dem eigenen Auge und Geist zu vertrauen, sich täglich zeichnend mit der Wirklichkeit auseinanderzusetzen. Die dabei errungene Meisterschaft und der Umfang seines Œuvres werden in Deutschland von niemandem übertroffen. Er las viel, aber es kommen so gut wie keine literarischen Themen in seinen Bildern vor. Er kannte sich gut aus in Kunstgeschichte und -theorie, aber Reflexe davon sind schwer nachzuweisen. Andererseits ist er ein glänzender Illustrator, der – eng am Text – doch nur das zeichnet, was die Bilder sagen können.

Realistische Kunst gilt leicht als inhaltsleer. Ihr Gehalt wird jedoch nicht mehr nur über den dargestellten Gegenstand und seine Bedeutungen vermittelt, sondern mehr noch über die innere Begründung der Themenwahl, die Auffassung, den Strich, die Farbe usw.: Der gewählte Wirklichkeitsausschnitt selbst muß als an sich bedeutsamer und zu reflektierender begriffen werden. Bemerkenswerterweise sind viele Zeichnungen Menzels aus der Erinnerung geschaffen; sie sind, mehr noch seine Bilder, Konstruktionen von Wirklichkeit, oft aus vielen Eindrücken komponiert. Menzel hat also in seinen Werken nicht nur Wirklichkeit reflektiert, sondern ergriffen, sich damit indirekt aber immer über sich selbst geäußert. Er schafft sich seine Welt, aber er geht oft auch auf Distanz, verheimlicht die private Relevanz des Gemalten und führt obendrein die Öffentlichkeit durch seine Äußerungen in die Irre, falls er die ihm persönlich wichtigen Bilder überhaupt ihren Augen preisgibt.

Diese ›privaten‹ Bilder sind oft von eigenartiger Gebrochenheit und bleiben letztlich Rätsel, so die *Atelierwand. (Abb. 81)* Im Gegensatz zu den meisten Künstlern pflegte Menzel kaum jemandem Zutritt in seine Werkstatt zu gewähren und öffnete sich überhaupt nach seinem 30. Lebensjahr niemandem mehr ganz. Der Künstler hat behauptet, das Bild sei nur eine Lichtstudie als Vorübung für das *Eisenwalzwerk. (Abb. 85)* Demnach wäre das Motiv ganz zufällig und bedeu-

*81. **Adolph Menzel (1815–1905), Atelierwand,** Öl auf Leinwand, 111 x 79 cm, 1872, Hamburg, Kunsthalle*

Die Dichterköpfe stehen für literarische Vorbilder des Künstlers, aber auch für die Distanz zu ihnen, gotische und barocke Skulpturen für die vorbildlichen Stilepochen der Kunstgeschichte, und doch auch für ihre Fremdheit. Der Maler arbeitet in der Nacht – neben das Naturstudium tritt die Imagination. Das Licht gibt den Gipsen gespensterhafte Lebendigkeit, besonders dem hell aufleuchtenden Venustorso nach Praxiteles. Menzel hat daneben den Kopf seines verstorbenen Freundes, des Kunstkritikers Friedrich Eggers gesetzt, sich selbst aber in einer karikierenden Untersicht über den Torso, als Totenmaske zu Lebzeiten. Alles verbleibt in Andeutungen, dem Publikum kaum zugänglich: Die Schrägsicht ist als Ausweichen vor sich selbst und den eigenen Gefühlen zu verstehen.

82. Adolph Menzel (1815–1905), Blick aus einem Fenster des Berliner Schlosses, Öl auf Leinwand, 53 x 37 cm, 1863, München, Bayerische Staatsgemäldesammlungen, Neue Pinakothek

Gezeigt ist der Blick aus dem Garde-du-Corpssaal der Nordseite des ehemaligen Berliner Schlosses, in dem Menzel drei Jahre an dem Krönungsbild Wilhelms I. malte, auf den Lustgarten. Der Gegenstand erscheint sowohl in den rahmenden Dingen des Vordergrundes wie in dem, was der Betrachter draußen erblickt, bedeutungslos, bei näherer Betrachtung jedoch als subtile Chiffrierung von Menzels Lage und Empfinden.

tungslos – in einem flüchtigen Seitenblick festgehalten. Es erweist sich bei näherer Betrachtung aber als Werk, das die Problematik der Kunst und des künstlerischen Schaffens im 19. Jahrhundert thematisiert, und es offenbart eine hohe persönliche Bedeutung. Wir sehen unten Werkzeuge wie Schere und Proportionszirkel, daneben Totenmasken großer Dichter wie Dante, Schiller und – weniger auffällig – Goethe. Kaum je wurde einer dieser Gipsabgüsse in einem seiner Bilder verwendet. Sie waren Studienobjekte wie in der Akademie, aber zugleich Teil des Sammelsuriums einer Rumpelkammer, etwas Totes im Gegensatz zur lebendigen Natur, aber doch durch den Pinselstrich belebt. Die Köpfe erscheinen als Zeugenreihe einer sowohl verehrten, als auch abgelehnten und abgelegten Welt. Der Maler bekennt sich so zur Wirklichkeit, nicht zu den literarischen Themen.

Wer Menzels Werk studiert, wird bemerken, daß der Blick quer zu den Gegenständen eine Distanznahme ausdrückt, oft aber gerade darin die eigene Faszination sichtbar macht. Es ist die Sehweise des heimlichen Beobachters, der selbst nicht bemerkt werden und doch hinter die Dinge schauen will. Menzel war es nicht vergönnt, sich zu verheiraten, er zog sich vom engen Umgang mit Frauen zurück und hat auch nie Akt gemalt – das macht die Hervorhebung und zugleich das gespensterhaft Lebendige und Sinnliche des Venustorso auffällig. Die erotische Faszination wird jedoch durch den Schnitt quer durch den Unterleib und den somit sich ergebenden Einblick in die hohle Gipsform gebrochen und doch in dem Sich-Abwenden des benachbarten, gequält wirkenden Männertorsos andeutungsweise wieder auf den zur Einsamkeit gezwungenen Maler bezogen. Über dem Torso hat Menzel sich selbst in einem verzerrten, kaum erkennbaren Selbstporträt dargestellt, neben Venus eine Totenmaske seines Freundes Friedrich Eggers. Er malte Dinge, die ihn in seinen Träumen verfolgten. Das Bild ist eine die Tiefen der eigenen Empfindungen auslotende Projektion, eine Leinwand voller Nachtgedanken, wie es ein Romantiker kaum gebrochener hätte erdenken können, eine große Konfession und ein Bekenntnis zum Fragmentarischen wie zur Nicht-Sagbarkeit zugleich. Menzel hat das Werk so gut wie nie gezeigt und erst Jahrzehnte nach seiner Entstehung, nur auf gutes Zureden des von ihm geschätzten Alfred Lichtwark, verkauft. Auch dann hat er nicht verraten, was er im Einzelnen dargestellt und mehr noch, was er sich dabei gedacht hat.

Menzel folgt nicht der Rhetorik der klassischen Komposition, aber er bezieht sich doch immer wieder auf sie. Der *Blick aus dem Fenster* entstand, als er im Berliner Schloß drei Jahre am Krönungsbild Wilhelms I. malte; er hat damals sehr gelitten. *(Abb. 82)* Der den schwärzlichen, als drückend empfundenen Balkon darüber tragende Atlant von Andreas Schlüter ist im verlorenen Profil (halb von hinten) gezeigt, aber doch viel deutlicher als das, was sich vorne in greifbarer Nähe befindet, deutlicher auch als das Ferne, das in romantischen Bildern oft so gestochen scharf erscheint. Der Blick wird also auf den schwer belasteten Träger gelenkt, der oben in der rechten Ecke eingequetscht ist: azentrisch ist er das Zentrum, das an den Rand Gedrängte wird Hauptsache. Eine Identifikation des Künstlers mit dem Lastenträger deutet sich an, ohne das dies jedoch durch irgendwelche Hinweise bestätigt werden würde. Im eigentlichen Mittelbereich des Bildes wird dem sehnsüchtigen Blick kein Fernziel geboten, kein strahlend blauer Himmel, nicht die doch sicher erfreulichen Bäume des Lustgartens, sondern eine graubraungrüne Wand von diffuser Vegetation und Wolken, im Grunde ein form- und gehaltloses Nichts. Bei genauer Betrachtung aber zeigt sich, daß sich in der Mitte doch etwas befindet, daß es insgeheim doch eine Mittelachse gibt: dort sitzt ein kleiner Vogel auf dem Geländer. Wiederum deutet sich eine persönliche Chiffrierung des Motivs an, ohne jedoch gesichert zu sein. Man könnte das Bild eine Menzelsche Version von Friedrichs *Mönch am Meer* nennen, nur daß nicht die Weite, sondern das Eingeengte, nicht die Verdüsterung, sondern eher die Bedrückung thematisiert werden. *(Abb. 29)* Hier spricht sich ebenfalls die Ästhetik des Subjektivismus aus. Ein Unterschied liegt jedoch darin, daß die gezeigten gegenständlichen Elemente keine hohe Bedeutungstradition haben wie der Mönch oder das weite Meer, sondern nur Teile der alltäglichen Umgebung sind, die eine Suggestion auf den Künstler entfaltet haben, bei denen sich auch der Betrachter etwas denken kann, sich dies aber nicht aufdrängt. Das kann zur Folge haben, daß ihn das Bild gleichgültig läßt.

›Realismus‹ schließt streng genommen die Darstellung vergangener und nicht selbst gesehener Geschichte und somit auch die Historienmalerei traditioneller Art von vorneherein als Aufgabe aus. Denn diese verlangte nicht nur Wirklichkeitssinn, sondern Phantasie und Erfindungskraft. Die Geschichte Friedrichs des Großen ist jedoch einer der großen Themenkreise des Malers, der sich eben nicht in einen Schemabegriff pressen läßt. Menzel hatte sich schon in seiner Breslauer Schulzeit an der Geschichte des Alten Fritz begeistert. Als Maler trat er an sie heran wie ein historischer Wissenschaftler: Alle alten Bildzeugnisse zu sammeln, die Orte der Ereignisse genau zu studieren, die Geschichtsquellen möglichst vollständig zu lesen, dies alles zur möglichst getreuen Vergegenwärtigung des Geschehens – aber seine Bilder sind alles andere als pedantische antiquarische Studien. Bei manchen möchte man von Reportagen sprechen, obwohl es das in der damaligen Presse noch nicht gab. Vieles wird in seinen Illustrationen nur angedeutet, der Leser/Betrachter muß sich manches selber denken, muß die Bilder ergänzen. Schon die Spezialisierung ist ungewöhnlich – Menzel versucht gar nicht erst, wie Kaulbach ›den Geist der Geschichte‹ zu malen und verleugnet nicht sein subjektives Interesse – vielleicht ist gerade deshalb seine Geschichtsmalerei nicht so veraltet wie die seiner Konkurrenten.

Sein Hauptwerk sind die Illustrationen zu Franz Kuglers *Geschichte Friedrichs des Großen* 1840, die ein Gegenstück zu Horace Vernets *Napoleonbuch* sein wollte. Zur Umsetzung seiner skizzenhaften Illustrationsweise mußte er sich eigene Holzstichkünstler heranziehen und hat dadurch einen Beitrag zur Niveauanhebung der Gebrauchsgraphik geleistet. *(Abb. 83)* Der Breslauer Protestant Menzel sah in Friedrich den Befreier Schlesiens vom habsburgisch-katholischen Joch, der liberale Bürger den aufgeklärten, bürgernahen Fürsten, den Kunstfreund und Musiker, den Schriftsteller und Philosophen. Er stellte sein Friedrichbild dem Möchtegern-Friedrich, Romantiker und Reaktionär Friedrich Wilhelm IV. entgegen. Aber Menzel vermied es, den König in der Art der Münchner Dynastenhuldigung zu überhöhen und zeigte kritisch auch Schwächen und Fehler. Er bemühte sich um Wirklichkeitstreue, was die Erhebung Friedrichs zum Helden jedoch nur subtiler faßte.

Menzel verweigerte sich dem allzu Glatten, Gefälligen. Er mißtraute der ›Harmonie‹ ebenso wie dem Pathos. Andererseits meinte er es sich nicht leisten zu können, seinem Publikum kompromißlos gegenüberzutreten. Er kam aus der Welt der Auftragskunst und hat dies nie geleugnet. Aber selbst wenn dabei einige zwiespältige

83. Adolph Menzel (1815–1905), Die Tafelrunde in Sanssouci, *aus dem Illustrationszyklus zu Franz Kugler »Das Leben Friedrichs des Großen«, Holzstich, 14 x 10 cm, 1851,*

Der Künstler schildert uns die Szene im Marmorsaal von Sanssouci wie ein zufällig durch die Tür hereinschauender Zeuge, als hätte er gleichsam die Position eines der Diener. Thematisiert wird nicht allein das anregende Gespräch der geselligen Runde, sondern auch das Erstrahlen des Lichtes im Dunkel, als Metapher für das Erhellende des friderizianischen Geistes sowie die sommernächtliche Atmosphäre.

84. Adolph Menzel (1815–1905), Leichen von Gefallenen der Schlacht von Königgrätz, *Bleistift und Aquarell, 19 x 27 cm, 1866, Berlin, Kupferstichkabinett SMPK*

Die Toten und ihr Lagerungsort sind nicht aus einer ›normalen‹ Sicht gezeichnet: Der Karren oben zeigt einen tiefen Augenpunkt, die linke Figur aber deutlich in Aufsicht. Dieser Blick aus ›kurzer Augendistanz‹ drängt die Leichen dem Betrachter geradezu auf und läßt sie fast als gebogen erscheinen, was die Intensität ihrer Wirkung aufs Höchste steigert.

Werke entstanden, hat er sich nie einfangen lassen. Seit 1866, zu einem Zeitpunkt also, als man die Differenz seines Friedrichsbildes zu dem offiziellen Bild des Preußenkönigs der 1840er Jahre gar nicht mehr sah und Menzel mit friderizianischen Historien viel Geld hätte verdienen können, beendete er schlagartig das Malen von Geschichtsbildern, ließ sein großes Werk *Die Ansprache Friedrichs vor der Schlacht von Leuthen* unvollendet und kratzte es zum Teil sogar aus. Zuvor war er nämlich nach Königgrätz gefahren, um erstmals ein Schlachtfeld zu sehen. *(Abb. 84)* Obwohl er zu spät kam, hat ihn das Grauen des Soldatentodes so ergriffen, daß ihm von Stund an die Heroisierung von Geschichtsereignissen unmöglich wurde. Die Ritterüstungen des Schloßsaales, in dem er damals malte, und die er zuvor nie gezeichnet hatte, erschienen ihm nun als wiedererweckte Tote, als bedrohliche Gespenster.

Er wandte sich daraufhin gegenwärtigeren Themen zu. Abschließender Höhepunkt seiner Malerkarriere ist das *Eisenwalzwerk.* Sein großes Format war eher bei Historiengemälden und repräsentativen Porträts üblich, bei einem Thema, das man dem Genre zuzählte, eine Regelverletzung. *(Abb. 85)* Menzel hatte aber tatsächlich die alten mythologischen Historienbilder im Sinn: Der Titel *Moderne Zyklopen* spielt auf das Thema der Schmiede des Gottes Vulkan im Ätna an, wo er mit den riesigen Zyklopen die Rüstung des Äneas schmiedete. Menzels Arbeiter haben etwas Riesenhaftes, sie lassen tatsächlich die Erinnerung an Zyklopen aufkommen. Er hatte hohe Achtung vor der Arbeit, schon weil er sich selbst als Arbeiter in dem Sinne verstand, wie die französischen Avantgardekünstler seit Courbet diesen Begriff gebrauchten. *(Abb. 86)* Aber es wäre ihm nicht in den Sinn gekommen, pathetische ›Arbeiterdenkmäler‹ zu schaffen. Menzel bevorzugte sonst die ruhige Schilderung der Dinge und Menschen, hier aber bemühte er sich in der Tradition der großen Historienmalerei um die Thematisierung der Anspannung vor dem Zugreifen, der verschiedenen Handlungsmomente und des Bewegungsrhythmus der Gruppe. Er zeigt verschiedene Phasen, wie der aus der Walze kommende glühende Stahl erwartet, gepackt, gezogen wird. Seine Komposition könnte mit den musikalischen Termini des ›Crescendo‹ und ›Decrescendo‹ gut beschrieben werden: Die Aktion ist in der Mittelgruppe der vorderen Reihe am stärksten; sie nimmt nach hinten von Reihe zu Reihe ab. Triptychonartig wird die Mittelgruppe begleitet links von Arbei-

folgende Doppelseite:
85. Adolph Menzel (1815–1905), Eisenwalzwerk, *Öl auf Leinwand, 158 x 254 cm, 1872–1875, Berlin, Nationalgalerie SMPK*

Gezeigt ist eine Walzstraße zur Herstellung von Schienen in Königshütte in Oberschlesien. Mehrere Walzen sind hintereinander angeordnet. Der am Anfang noch weißglühende Stahlblock wird im Hin-und-Her-Ziehen durch die Walze immer länger und profilierter, bis er die Endform erhalten hat. Diese Veränderung ist schon bei der zweiten Walze zu erkennen, wo der Block nur noch rotglühend ist, aber sehr viel länger. Im Gang links hinten steht prüfenden Blickes ein Ingenieur mit Bowler, rechts hinter der Walzanlage eine Gruppe Besucher. Peinigender Rauch und glühende Hitze sind spürbar, ebenso die Anspannung im Umgang mit dem glühend heißen Material. Menzel hat weit über hundert Vorzeichnungen für das Bild angefertigt, von der technisch genauen Maschinenzeichnung bis zur Studie von Ausdruck, Bewegung und Lichtreflexen, das Ganze dann aber malerisch zusammengeschmolzen.

Adolph Menzel.
Berlin 1875

86.* *Adolph Menzel (1815–1905), Studie nach Arbeitern im Eisenwalzwerk Königshütte in Oberschlesien, *Kreide auf Papier, 20 x 13 cm, Privatbesitz*

Das Blatt stammt aus dem Besitz von Edgar Degas, der Menzel sehr geschätzt hat. Der Kopf wurde für den grell angeleuchteten, zupackenden Arbeiter in der zweiten Reihe verwendet, dabei aber erheblich verändert.

tern, die mühsam einen Stahlblock auf einem Karren heranziehen oder sich waschen, rechts von pausierenden Männern, die sich erfrischen. Nicht ohne die Erinnerung an die große Malerei des Barock ist der Umgang mit dem Licht zu verstehen, seine verschiedenen Erscheinungsweisen, Quellen und Abstufungen. Es ist Menzel in diesem Bild gelungen, viel mitzuteilen und doch zugleich ein in sich geschlossenes und reiches Gemälde entstehen zu lassen.

Ferdinand Waldmüller und Carl Spitzweg

Der Maler Ferdinand Waldmüller in Wien gehörte derselben Generation wie Franz Krüger in Berlin an, er kommt also aus der biedermeierlich gestimmten gewissenhaften Naturtreue und Sorgfalt. Seine Arbeitsfelder sind das Porträt und das leicht ins Sentimentale gehende Genre. Doch nahm seine Kunst unter den konservativen, ideologischen Verhältnissen an der Wiener Akademie in der Verfechtung des ›Naturalismus‹ eine agressive Note an: Er polemisierte gegen die künstlerische Stagnation und Unfreiheit, forderte einen anderen Studiengang und verlangte zuletzt, die Hochschule, an der er selber lehrte, zu schließen und das Geld lieber für Kunstankäufe zu verwenden. Dies drängte ihn in eine Außenseiterrolle, er wurde zwangspensioniert und zog sich nunmehr ganz auf seine Kunst zurück. In seinen Arbeiten wendet sich Waldmüller ausschließlich der kindlichen und ländlichen Welt zu, die er genau beobachtete und intensiv, ja geradezu

87.* *Ferdinand Waldmüller (1793–1865), Das Ende der Schulstunde, *Öl auf Holz, 74 x 64 cm, 1841, Berlin, Nationalgalerie SMPK*

Das Genrebild ist zwar reich an genauen Beobachtungen, aber etwas theatralisch, auch im Aufbau, und, wie man u.a. an den Mädchen sehen kann, in hohem Maße idealisiert. Einem konventionellen und steifen städtischen Publikum wird die Lebendigkeit und Frische der ländlich-kindlichen Welt als Gegenwelt präsentiert, und das in gleißendem Licht.

scharf ausleuchtete. Seine Bilder drücken in einer utopisch-idyllischen, an Rousseau erinnernden Weise Sehnsucht nach der Einfachheit des Landlebens und nach der Ursprünglichkeit der Kindheit aus. *(Abb. 87)*

Carl Spitzweg in München ließ sich gar nicht erst auf Kämpfe ein, sondern bevorzugte eine Haltung distanzierten Spotts oder leichter Ironie. *(Abb. 88)* Ursprünglich Apotheker wandte er sich der Malerei erst mit 25 Jahren zu; ein Eigenbrötler sein Leben lang, wurde er erst in seinen letzten Jahren auch kommerziell erfolgreich, was zur Repetition seiner alten Erfindungen und zur Stagnation führte. Er ist nicht so offen aggressiv wie die Düsseldorfer Genremaler, sondern verabreicht sein Gift behutsam: Der *Bücherwurm* ironisiert die Auffassung, als könne man über das Lesen die Welt erkennen, gar die jenseitige. Der angegraute, gekrümmte, etwas zurückgeblieben wirkende Leser steht vor dem Regal mit den Folianten zur Metaphysik. Das Stehen hoch auf der Leiter über dem Sternenhimmelglobus parodiert die ›Höhe‹, die er anstrebt, das Einklemmen des Buches zwischen den Beinen und das lange Schnupftuch verdeutlichen das Unangemessene, den Kontrast zwischen Anspruch und Wirklichkeit. Die altertümliche Möblierung und Tracht sowie die barocke Decke mit Stuck und Wandgemälden zeigen ihn als ein Fossil der vergangenen Zeit, und doch schlägt das Bild in der liebevollen Schilderung dieser Dinge und des sie streifenden Lichtes um ins Idyll, dessen Verlust in der harten, gegenwärtigen Welt im Grunde bedauert wird.

Spitzweg war ein für die Wirkungen der Farbe und freien Pinselschrift sehr aufgeschlossener Maler. 1851 fuhr er mit seinem Freund, dem Landschaftsmaler Eduard Schleich dem Älteren, nach Paris und Barbizon, um die neue französi-

88. Carl Spitzweg (1808–1885), Der Bücherwurm,
Öl auf Leinwand, 50 x 27 cm, um 1850, Nürnberg, Germanisches Nationalmuseum
Der die Welt in den Metaphysikbüchern ergründende altmodische und vergreiste Mann könnte sich noch mehr Bücher einzuklemmen versuchen, wird aber sein Ziel nicht erreichen. Spitzweg nimmt aber auch die sich in dieser Zeit machtvoll formierende Wissenschaft als ganze skeptisch aufs Korn.

*89. **Carl Spitzweg (1808–1885), Der Maler im Garten,** Öl auf Karton, 22 x 34 cm, um 1860, Winterthur, Museum Stiftung Oskar Reinhart*

Das Bild zeigt das romantische Motiv der Rückenfigur und wurde entgegen der deutschen Gewohnheit im Freien gemalt. Der Maler schaut nicht sehnsüchtig in die Weite, sondern gibt sich mit dem Nahen, dem Licht zufrieden. Dargestellt ist wahrscheinlich sein Freund Schleich.

sche Malerei zu studieren. Die Wirkung ist unmittelbar spürbar, so etwa in dem Bild *Der Maler im Garten:* Die Rückenfigur ist ein berühmtes romantisches Motiv, aber das Garteneck, auf das der Maler blickt, ist so unromantisch wie nur möglich als ein Konzert aus hell-dunklen Grün-Gelb-Tönen instrumentiert. *(Abb. 89)*

Die Reaktion auf den Kunstbetrieb: elitäre und hermetische Kunst

Auf Betreiben Schleichs wurde 1863 im Münchner Glaspalast die Erste Internationale Kunstausstellung gezeigt. Ihr Hauptzweck war, den Verkauf zu fördern, was auch gelang: Insbesondere nach Amerika wurden im Laufe der Jahre Tausende von Gemälden exportiert. Eine massenhafte Produktion setzte ein. In diesen Jahren beginnt die eigentliche Rolle Münchens als deutsche Kunststadt des 19. Jahrhunderts – der König spielte dabei kaum noch eine Rolle.

Die Verbürgerlichung, Kommerzialisierung und Verflachung der Kunst stieß auf erbitterten Widerstand einzelner Künstler und Kunstfreunde der jungen Generation. Sie reagierten mit einer Rückkehr zum klassischen Ideal von Kunst und Künstlertum, allerdings in einer romantisch-diffusen Einfärbung. Da sie keine Gruppe bildeten, aber eine ähnliche Stoßrichtung hatten, werden sie zu Recht unter dem Sammelbegriff ›Deutschrömer‹ erfaßt. Ein letztes Mal spielte Italien nun im deutschen Kunstleben eine wesentliche Rolle, diesmal aber nicht allein Rom, sondern auch Florenz. Daß man zuvor die Kunstlehre des Idealismus als dogmatisch in Frage gestellt hatte, faßte man nun als Irrtum auf, und die gesamte nachidealistische Kunst als Irrweg. Demonstrativ wurden insbesondere die früheren Anschauungen vom religiösen Charakter der Kunst und vom Künstler als gottbegnadetem Genie in ihrem Geltungsanspruch erneuert. Das gibt ihrem Denken und ihrer Kunst etwas Wirklichkeitsfremdes, Abgehobenes, letztlich Ideologisches. Daß diese Künstler sich von den Marktzwängen nicht lösen konnten, sondern auf Erfolg bei dem von ihnen so verachteten Publikum angewiesen waren bzw. auf eine Akademieprofessur oder eine ähnliche Pfründe, gibt ihnen etwas Tragisches.

Anselm Feuerbach beklagt in seinem *Vermächtnis* (1874–1878) seine Lage: »Meine Geburt [...] ist als ein vielfaches Unglück zu betrachten. Erstens, daß ich überhaupt geboren wurde. Zweitens, daß ich als wahrhaftige Künstlerseele in Deutschland das Licht der Welt erblickte. Drittens daß gerade mein Vater ein deutscher Professor sein mußte. Und viertens, daß [...] mir so zu sagen die Classicität mit der Muttermilch eingetränkt wurde, eine Classicität, auf menschlich Wahres & Großes gerichtet, die dann auch mein ganzes Leben zu einem hoffnungslosen Kampfe gegen Brutalität, Engherzigkeit & Schwatzseeligkeit gestaltete.« Wie ein Don Quixotte kämpft er gegen den Zeitgeist: »Ein ärmlicher, schwächlicher Geist geht durch die Welt, die Leute sind einer starken Empfindung nicht mehr gewachsen [...] Ich passe freilich in keine conventionellen Schubladen [...] Die großen, oft sich wiederholenden Ausstellungen sind krankhafte Beruhigungsanstalten, in welchen die Quantität den Mangel an Qualität bemänteln soll [...] Man denkt nicht daran, daß [...] gerade das Schönste in der Kunst für sich allein betrachtet werden will & muß [...] Ich sehe kein Mittel, das eisenbahnselige Publikum in seine Schranken zu weisen [...]«

Feuerbach hatte Wesentliches dem Pariser Salonmaler Thomas Couture (1815–1879) zu verdanken, der auch Lehrer von Edouard Manet war. Doch meinte er, nur in Rom leben zu können, war aber auch unter den Künstlern dort isoliert und fast ohne Freunde, jedenfalls ohne sozialen Halt. Überzeugend sind eigentlich nur die Bilder, die das eine Thema der unbestimmten Sehnsucht paraphrasieren, ob es sich nun um *Iphigenie* oder *Medea* oder ein Frauenporträt handelt. *(Abb. 90)* Das Bild der Medea erinnert an antike Friese. Es ist aus heterogenen Elementen zusammengesetzt: Für die eindrucksvolle Felsküste dienten ihm Studien des Meeres bei Anzio als Vorlage; die Argonauten erneuern das ältere italienische Fischergenre, wie wir es etwa von Bleichen kennen; die Medea ist jedoch eher als Porträt seines damaligen römischen Modells zu benennen. Daß die Kritik ihm vorwarf, man erkenne gar nicht, daß es sich um die über dämonische Kräfte verfügende Medea handele, ist so falsch nicht. Die in den dunklen Mantel eingehüllte Amme hat einen düstereren Ausdruck als Medea selbst. Die Zerrissenheit zeigt sich in gewissen Passagen als Mißlingen, zum Beispiel in der unlebendigen Brandung an der Küste, in der Gestalt des älteren Jungen oder in der Trockenheit und Leere mancher Gewandteile – Medeas Unterkörper wirkt wie ein drapiertes Gerüst. Eine Erneuerung der Kunst der Alten Meister der ›grande peinture‹ von Raffael und Tizian bis Rubens konnte so nicht gelingen. Vieles blieb uneingelöster Anspruch eines Künstlers, der voller Stolz und Eitelkeit war und nicht frei von Anmaßung, wie sein Verhalten gegenüber seinen Mäzenen, beispielsweise gegenüber dem Grafen Schack, zeigt.

Der Schweizer Arnold Böcklin flüchtete sich ebenfalls aus dem Norden, wo er sich unverstanden fühlte, nach Italien, stand dem Realismus innerlich aber näher. In einigen Werken seiner ersten Meisterschaft gelang es ihm, einen Natureindruck so zu verdichten, daß die in das Bild gesetzte Gestalt aus der antiken Mythologie glaubwürdige Züge bekam: In seinem Bild *Der Hirtengott Pan im Schilf* hält er den bocksbeinigen Gesellen jedoch klugerweise im Dämmerlicht und lenkt das Auge der Betrachtenden auf das Spiel der Sonnenflecken im Dickicht. *(Abb. 91)* Seine mythologischen Bilder widmen sich außer dem Hirtengott Pan gern auch anderen grotesken Mischwesen wie den Kentauren, Meeresgöttern, Drachen, mit einer Neigung zur Effekthascherei. Letztlich sind die meisten seiner Göttergestalten

90. Anselm Feuerbach (1829–1880), Medea,
Öl auf Leinwand, 197 x 395 cm, Rom, 1870, München, Bayerische Gemäldesammlungen, Neue Pinakothek

Das Bild ist eine Schenkung König Ludwigs II. Gegenstück war ›Das Urteil des Paris‹, was jedoch inhaltlich kaum Sinn macht. Dargestellt der Aufbruch Medeas, die sich von ihrem Mann Jason verraten fühlt; daß sie plant, ihre beiden Kinder zu ermorden, wird nicht thematisiert, sondern nur die allgemeinen Gefühle von Sehnsucht, Weltschmerz und Trauer.

genauso unglaubwürdig wie seine christlichen Sujets. Neben den Erfindungen seiner Phantasie stehen Figuren, die eher Porträts von Personen des späten 19. Jahrhunderts zu sein scheinen; dies ist nur schwer miteinander zu vermitteln. Der Zusammenprall von Wirklichem und Phantastischem wurde jedoch im Vorfeld des Umbruchs zur Moderne des 20. Jahrhunderts von vielen als Alternative zu den Plattheiten der offiziellen Kunst begrüßt. Auf andere Weise problematisch sind Böcklins ›Stimmungs‹-Bilder, so die populäre *Toteninsel. (Abb. 92)* Denn oft sind die Idole und Träumereien einer Generation für die nächste nur noch kitschig oder lächerlich. Als emotional aufgeladene Fiktion, bei der – neo-romantisch in der Gesinnung – nur der Inhalt gilt, die Genauigkeit des Naturstudiums bzw. des Denkens und des Gestaltens der Romantiker jedoch fehlt, ist dies Bild dennoch wichtig gewesen: Böcklin ist ein Bahnbrecher der Symbolisten und Surrealisten wie Max Klinger, Giorgio de Chirico, Max Ernst oder Salvador Dalì.

Noch stärker isoliert war Hans von Marées: In ihm offenbart sich die Problematik des nach Höherem strebenden Künstlers in einer bürgerlich-materialistischen Welt in besonderer Schärfe. Als junger Maler war er von seinem Lehrer Carl Steffeck, einem achtbaren Schüler Franz Krügers, aus dem Atelier geworfen worden. Er stilisierte sich als verkanntes Genie, fand jedoch in Konrad Fiedler einen Mäzen, der ihn unterstützte. Sein Bemühen ist zu ehren, sein Streben zielte auf das Höchste. Darin war er unerbittlich gegen sich selbst wie gegen andere. Sein Wollen ist höher zu schätzen als sein Können. Im Grunde ist er eine späte Gestaltwerdung des gescheiterten Malers Frenhoffer in Honoré de Balzacs Erzählung *Das unbekannte Meisterwerk.* Handwerkliche Fertigkeit verachtete er, meinte aber gleichwohl, daß »sich der Geist eines Apelles auf ihn niedergesenkt« habe. Der über die Höhe seines Kunstideals begründete Anspruch ist maßlos. Letztlich aber bleibt seine Malerei wie sein Denken verworren, da sie die Grundwidersprüche nicht auflösen können: elitäres Aristokratentum, klassischer Bil-

91. Arnold Böcklin (1827–1901), Pan im Schilf,
Öl auf Leinwand, 200 x 153 cm, 1859, München Bayerische Staatsgemäldesammlungen, Neue Pinakothek

Der Hirtengott Pan verfolgte die Nymphe Syrinx. Auf ihre Hilferufe hin wurde sie von ihrem Vater, einem Flußgott, in Schilfrohr verwandelt: Aus ihm schnitzte Pan seine Hirtenflöte, um auf diese Weise mit der Geliebten für immer eins zu sein. Als eigentliches Thema des Bildes könnte man jedoch ›lauschige Gemütlichkeit in der Mittagshitze‹ angeben; das bürgerliche Idyll gibt sich monumental und antikisierend.

92. Arnold Böcklin (1827–1901), Die Toteninsel, Öl auf Leinwand, 111 x 155 cm, 1880, Basel, Kunstmuseum

Das vom Maler, auch aus kommerziellen Gründen, in sechs Fassungen gemalte Bild stellt eine Gräberinsel im Meer dar, die es in dieser Art nie gab. Der Sache nach verläßt das Boot die Insel, doch zeigen der bekränzte Sarg und die verhüllte Gestalt eher an, daß es sich ihr nähert. Es macht jedoch keinen Sinn, in der Analyse von Form oder Gehalt genau werden zu wollen, denn das Bild will nichts darstellen, sondern nur eine starke Wirkung erzielen. Böcklin nannte es ›ein Bild zum Träumen‹. Das Bild hat in der Tat Eingang gefunden in die Galerie der populärsten Bilder der deutschen Kunst.

dungsanspruch und eine ins Religiöse gesteigerte Kunstphilosophie ergeben eine Mischung, aber keine Einheit. Kunstkritiker zur Zeit der Avantgarden um 1910 ernannten ihn zum heroischen Vorläufer. Person und Werk sollten dazu herhalten, einen ›deutschen Sonderweg‹ zu rechtfertigen. Noch heute wird er von Leuten mißbraucht, die sich gern den hohepriesterlichen Mantel überwerfen und weihevoll Prophetisch-Dunkles über ›Das Wesen des Kunstwerks‹ verlauten lassen.

Wilhelm Busch und der Beginn einer populären Kunst

Die Geschichte der Moderne wird geprägt von der gequälten Frage, was Kunst sei bzw. ob dieses oder jenes Werk noch Kunst sei. Dies ist auch Ergebnis der Zerrüttung des alten, scheinbar so fest gefügten Kunstbegriffs, ebenso seiner Überbeanspruchung. Es ist bezeichnend, daß gerade zu einem Zeitpunkt, als die engagierte Kunst elitär und außenseiterhaft wird, neben diese ›hohe‹ Kunst eine in vielfache Dienste gespannte ›niedere‹ tritt, als Illustration, Karikatur, Fotografie, Film usw. Im Gegensatz zur früheren Gebrauchskunst folgt sie nicht den Normen und Vorstellungen der Hochkunst, sondern entwickelt, oft in eigenen Techniken, ihre Art der Bildsprache. Sie vor allem bedient die vielfältigen Bildbedürfnisse der Gesellschaft. Ihr wird gewöhnlich von den Vertretern der Hoch-Kunst jeder Kunstcharakter abgesprochen. Wenn nur das ›Kunst‹ sein kann, was sich autonom gibt oder ausschließlich von bestimmten theoretischen Ansprüchen bzw. formalen Qualitäten her definiert wird, trifft das zu. Doch wäre dann fast die gesamte Architektur und ein großer Teil der Bildproduktion des vorrevolutionären Europa auszuschließen. Es wäre sogar im 19. Jahrhundert höchst ungerecht, mit Kriterien damaliger Kunstkritik wie ›Originalität der Form‹ oder ›Stimmung‹ etwa an die zeitgleiche Architektur heranzutreten. Der Kunstbegriff muß folglich so weit wie in der Architektur gehandhabt werden, wo man seit Walter Gropius selbst einem Getreidesilo oder einem anderen reinen Ingenieurbau nicht mehr von vorneherein den Kunstcharakter absprechen würde. Ähnlich wäre bei jeder Bildergeschichte oder jedem Film vor allem nach dem Wie zu fragen, und das heißt auch danach, ob das Werk im Rahmen seines Mediums gelungen ist. Dann jedoch wird man den führenden Leistungen der populären Künste nur bestätigen können, daß sie ›kunstvoll‹ sind.

Der erste glänzende Vertreter einer populären Kunst in Deutschland ist der Maler-Dichter Wilhelm Busch. In Deutschland kamen die neuen Medien viel später zum Zuge als in England oder Frankreich, oder besser: als in London und Paris, denn die Karikatur, die populäre Graphik, das Panorama, das Foto usw. sind Großstadtkinder. Die materielle Voraussetzung für Busch ist die durch ständige Verbesserung und Verbilligung des Drucks ermöglichte neue Buch- und Zeitschriftenkultur. Man brauchte Illustratoren, aber auch, weil die Karikatur angesichts der allgegenwärtigen Zensur nicht erlaubt war, zum Ersatz den ›Witzblatt‹-Zeichner. Busch ist in der Münchner Bohème groß geworden, mit ihren Künstlerfesten, ihren humorvollen, spöttischen Einladungs- und Speisekarten, Dekorationen und Masken. Was zuerst Gelegenheitsarbeiten waren, entwickelte sich zu einem neuen Beruf, zu einer neuen Kunst. Verglichen mit seinem langjährigen Freund, dem

Aber schon mit viel Vergnügen
Sehen sie die Brezeln liegen.

Knacks!! – Da bricht der Stuhl entzwei.

Schwapp!! – Da liegen sie im Brei.

Ganz von Kuchenteig umhüllt
Stehn sie da als Jammerbild.

Gleich erscheint der Meister Bäcker
Und bemerkt die Zuckerlecker.

Eins, zwei, drei! – Eh' man's gedacht,
Sind zwei Brote draus gemacht.

Münchner Künstlerfürsten und beflissenen Gesellschaftsporträtisten Franz von Lenbach, wird man heute sagen dürfen, daß Busch zwar nur ein enges Feld beackert, in diesem aber der bedeutendere Künstler ist. Letztlich ist künstlerische Qualität immer auch eine Frage der Ehrlichkeit und des inneren Engagements. Lenbach frisierte liebedienerisch Fotos zu gemalten Porträts nach den Wünschen seiner Auftraggeber um und gab dafür die künstlerischen Errungenschaften seiner Jugendzeit preis. Auch Busch wollte populär sein, doch gibt es in seinem Werk nichts, das er gegen seine Überzeugung geschaffen hätte. Sein Schaffen als Kunst anzuerkennen, ist dennoch erst seit dem Siegeszug der Pop-Künste und der damit einhergehenden Auflösung des Kunstbegriffs der ›Klassischen Moderne‹ in der zweiten Hälfte des 20. Jahrhunderts möglich.

Busch war eine Doppelbegabung. Seine Zeichnungen und Gemälde beweisen, daß er handwerklich gut ausgebildet und ein großer Könner war. Seine Bildgeschichten fanden jedoch erst spät Beachtung, und genauso lange dauerte es auch, bis seine Verse ernsthaft als Lyrik anerkannt wurden. Den Kunstbetrieb wie den Anspruch damaliger Kunst sah er mit Skepsis, wie seine Bildgeschichte vom *Maler Klecksel* belegt. Deshalb setzte er sich in sein niedersächsisches Heimatdorf ab und betrachtete von dort wie Diogenes aus der Tonne die Welt und ihren Lauf. Seine Arbeit für die *Fliegenden Blätter* führte erst zu kleinen Vers-Bild-Kombinationen, dann zur längeren Bildgeschichte. Epochemachend war *Max und Moritz. Eine Bubengeschichte in sieben Streichen*, erstmals erschienen 1865 und seitdem so oft aufgelegt und so viel gelesen, daß vieles davon Sprichwortcharakter angenommen hat. *(Abb. 93)* Was wir heute Comic Strip nennen, geht letztlich auf Busch zurück, der durch die großen deutschen Kolonien in Chicago und andernorts nach Amerika importiert wurde; schon die Namen früher amerikanischer Comics, wie *Katzenjammer Kids,* belegen dies. Es ist bezeichnend, daß Busch in Deutschland ohne eigentliche Nachfolge blieb, was auch darauf zurückzuführen ist, daß der Typus von Humorblatt, für den er arbeitete, sein Erscheinen einstellen mußte und an seine Stelle anspruchsvollere Zeitschriften mit avantgardistischen Einzelkarikaturen traten wie die beiden in München entwickelten *Simplizissimus* und *Jugend. (Abb. VIII/3)*

Was aber ist an *Max und Moritz* nun eigentlich anders? Das erste, was ins Auge fällt, ist die enge Verbindung von Bild und Schrift; doch handelt es sich nicht um Illustrationen im herkömmlichen Sinne. Der Text ist zwar noch nicht als Sprechblase montiert wie bei späteren Comics, aber er ist ohne das Bild nicht zu denken. Die Verse sind einfach, griffig, schlagkräftig, wie die Bilder selbst. Diese aber entfernen sich weit von dem, was als das komplexe Konzept ›Bild‹ in der Neuzeit entworfen wurde. Sie haben keinen Rahmen und sind auch sonst ohne Schmuck. Alle mühsam erarbeiteten Vorstellungen von Raum und Perspektive, von Körperlichkeit und Naturwahrheit, von Komposition und Schönheit werden negiert. Ihre Darstellungsweise stammt teilweise aus der Karikatur, wo es schon früh auch Bildantithesen und -folgen gab. Aber: Sie sind als Bildgeschichten etwas Neues, in sich ganz Geschlossenes und Überzeugendes, die Menschen sind typisiert, die Szenerie zeichenhaft verkürzt, alle Vorgänge jedoch wirken sehr dynamisch. Wie sich beispielsweise die Mehlkiste dehnt, als die beiden Schlingel in sie hineinfallen, ist gegen die Naturrichtigkeit gedacht, macht die Szene aber überzeugend lebendig. Daß im nächsten Bild ein Teigtrog an ihrer Stelle steht, zeigt, daß diese Bildfolgen eine eigene Erzähllogik haben. Die Bewegung der beiden Missetäter erinnert an Kasperlepuppen. Das Scherenschnitthafte der Figuren, mal schwarz vor weißem Grund, mal weiß vor schwarzem, ist dem berühmten älteren *Struwwelpeter* von Heinrich Hoffmann abgeschaut – die Anlehnung an das damals noch neuartige Kinderbuch ist offensichtlich. Die vom Kuchenteig umhüllten Jungs greifen auf die alte, vor allem im 16. Jahrhundert reich ausgebildete, aufs ›Untergründige‹ zielende Groteske zurück. Buschs Kunst will auf neue Weise kindlich sein, will zurück zu den Anfängen des Bildnerischen, und dies nicht nur dem theoretischen Anspruch nach wie im 18. Jahrhundert, denn sie wird wirklich von allen verstanden. Im Gegensatz zur Kunst der Moderne ist sie konsequent darstellend, d.h. die Form ist immer Umsetzung von Gehalt. Dabei muß man im Auge behalten, daß die geringe Qualität der Holzschneider wenig von der Zeichenkunst

linke Seite:
93. Wilhelm Busch (1832–1908), Max und Moritz, *eine Seite aus dem sechsten Streich, Holzschnitt, 1863–1865*

Buschs übriggelassen hat; der Verlust an formaler Detailqualität war ihm jedoch unwichtig. Auch ist erstaunlich, was auf sublimierte Weise alles hinter der ersten, leicht faßlichen Sinnschicht der Geschichten steckt: Busch muß zwar, wie es sich bei einem Werk der Populär-Kunst gehört, moralisch schwarz-weiß malen, er muß die Lümmel also anschwärzen und ihrer ›gerechten Strafe‹ zuführen, doch im Grunde zeigt er viel Sympathie mit ihnen, steckt selbst in den Knaben, hat Lust auf Streiche, ist grausam – insgeheim wünscht er die Zerstörung der bürgerlichen Kleinstadtwelt. Dieser untergründige Anarchismus befriedigt ersatzweise die dunklen Triebe seiner Leser und ist ein Schlüssel des pädagogischen (und kommerziellen) Erfolgs.

Architektur in Wien und Berlin

Was man Gründerzeitarchitektur nennt, ist nicht erst seit der Reichsgründung 1871 entstanden, sondern setzt schon früher ein, in Wien eher und breiter als in Berlin. Doch war oben auf ähnliche Züge in der älteren Baukunst Ludwigs I. von Bayern und Friedrich Wilhelms IV. von Preußen sowie der Neo-Renaissance Semperscher Prägung hingewiesen worden. Die Industrialisierung, auch des Bauens, das Anwachsen der Bevölkerung wie des Reichtums, der Aufstieg des Bürgertums wurden ebenfalls bereits als Faktoren der Veränderung benannt.

Das habsburgische Kaiserreich war in der Restaurationszeit 1815–1848 unter Fürst Metternich stärker zurückgefallen als die anderen deutschen Länder. Die Krise 1848 war deshalb besonders heftig. Mit dem Herrschaftsantritt von Kaiser Franz Josef I. setzte sich die Überzeugung durch, daß das Reich sich verändern, sich wenigstens teilweise modernisieren müsse, um bestehen zu können. Im Rahmen dieses Programms wurde 1853 der Beschluß gefaßt, Wien zu entfestigen und das Gelände des aufgelassenen Festungsrings in einer großzügigen Stadtplanung zu erschließen und zu integrieren. *(Abb. 94)* Selten wurde binnen weniger Jahre so viel und so großzügig gebaut. Baumeister aus verschiedenen Orten wurden herangezogen, so Theophil Hansen aus Dänemark. Die Ergebnisse sind künstlerisch selten innovativ. Ziel war eine Baukunst imperialen Maßstabs: Die neu-

__94. Wien, Burgtheater,__ Fassade zum Ring, Gottfried Semper (1803–1879) und Karl von Hasenauer (1833–1894), 1874–1888

Das Theater ist schon wegen seiner Lage am weiten und geräumigen Ring auf Breitenwirkung hin konzipiert. Man hat diese städtebaulich motivierte Konzeption durch die Unterbringung je eines repräsentativen Treppenhauses an den Seiten mit Sinn gefüllt. Vorbild für die Architektur im Einzelnen sind vor allem römische Barockfassaden.

*95. **Wien, Kunsthistorisches Museum,** Treppenhaus innen, Gottfried Semper (1803–1879) und Karl von Hasenauer (1833–1894), 1872–1891*

Die Auffassung des Treppenhauses ist von Schloßbauten des 18. Jahrhunderts übernommen, der Prunk der Materialien und Ausstattung entspricht jedoch eher damaligen Opern und Theatern, steht aber auch in einer Tradition von der Spätantike zum Barock in Rom. Die ursprünglich für Napoleon gedachte Theseusgruppe stammt von Antonio Canova (1757–1822), 1804–1819. Die Malereien stammen u.a. von Michael Munkáczy (1844–1900), der das neobarocke Deckengemälde geschaffen hat, in den Zwickeln von Hans Makart (1840–1884) und Gustav Klimt (1862–1918). Dargestellt ist die Apotheose der Kunst im Spiegel ihrer Geschichte.

96. Friedrich Hitzig (1811–1881), Die ehemalige Berliner Börse, *1859–1863, Stich des Inneren*

Der Bau ist das Ergebnis des ersten öffentlich ausgeschriebenen Wettbewerbs in Preußen und Errungenschaft der Liberalisierung nach 1848. Der Baumeister stammt aus einer assimilierten jüdischen Familie, was ihm nach seiner Ausbildung an der Berliner Bauschule zwar den Eintritt in den Staatsdienst verbaute, ihn aber schnell zum erfolgreichsten Privatarchitekten machte und ihm schließlich große staatliche Aufträge und Ehrenämter einbrachte. Bemerkenswert war die große stählerne Deckenkonstruktion.

gotischen Bauten wie die Votivkirche oder das Rathaus sind ebenso riesenhaft wie die Universität in Formen der Neu-Renaissance. Nicht mehr das Schloß allein ist monumental – wie im Absolutismus –, sondern alle öffentlichen Bauten werden nun so groß und prächtig wie Schlösser errichtet.

Im Grunde lag es nahe, für derart monumentale Ansprüche auf den Barock zurückzugreifen, obwohl er als Baustil zu diesem Zeitpunkt noch eher verpönt war. Was hätte sich in Wien angesichts der großartigen Bauwerke Fischers, *(Abb. VI/26 u. VI/28)* Hildebrandts und anderer eher angeboten? Es bedurfte dennoch der Autorität von Gottfried Semper, um diesen Schritt zu vollziehen. Man besaß sogar noch einige nie ausgeführte Fischersche Umbaupläne für die Hofburg; nach ihnen vollendete man das Michaelertor. Die in diesem Stil errichteten Neubauten sind jedoch nicht in gleicher Weise überzeugend: das Burgtheater und die großen Museen fanden viel Bewunderung unter den Zeitgenossen, *(Abb. 95)*

98. Frankfurt/M., Hauptbahnhof, *Gleishalle, 1881–1888, Hermann Eggert (1844–1920)*

Die weit gespannte Eisenkonstruktion gehörte zu den ersten, die die Erfindung der Drei-Gelenk-Konstruktion von Johann Wilhelm Schwedler (1823–1893) umsetzen. Im Gegensatz dazu steht die prunkvolle, neobarocke Empfangshalle.

während die neue Hofburg zum Heldenplatz abgelehnt wurde – der Kaiser selbst soll sich, wenn er vorbeifuhr, ostentativ abgewendet haben und übergab sie schließlich musealen Zwecken.

In Preußen waren zwar schon vor 1870 die ersten Versuche gemacht worden, die Neo-Renaissance Semperscher Art zu importieren, so etwa in dem seit 1859 errichteten Börsenbau von Friedrich Hitzig. *(Abb. 96)* Auch standen mit den französischen Reparationen 1871 große Summen zur Verfügung. Aber Wilhelm I. war ein anspruchsloser Fürst, den Idealen seiner Jugend in der Zeit der Befreiungskriege verpflichtet und jeder Repräsentation abhold. Sein persönliches Motto »Mehr sein als scheinen« charakterisiert die meisten Bauten der Berliner Schule noch der 1870er Jahre.

97. Berlin, Rotes Rathaus, *Äußeres, Herrmann Friedrich Waesemann (1813–1879), 1859–1870.*

Die historische Motivwahl für das Bauwerk ist bemerkenswert frei von nationalistischen Akzenten: Der Turm variiert ein Vorbild der Kathedrale von Laon in Nordfrankreich, der Rathaustyp folgt mittelalterlichen flämischen Mustern, einige Einzelelemente des Rundbogenstils sind italienischer Herkunft.

Doch überzeugte man sich allmählich in den höheren Beamten- und Regierungskreisen, daß das Deutsche Reich nicht mehr weiter so bauen könne, wie es Preußen vor 1870 getan hatte, daß also ein Stil gefragt sei, der auch das größere Ganze des Reiches und die Gemeinsamkeit der deutschen Länder ausdrücken könne. So wurden also der Backstein- und Rundbogenstil Schinkel-Stülerscher Tradition zurückgedrängt und findet sich nur noch in untergeordneten Bauaufgaben und als Berliner Lokalstil. *(Abb. 97)* Er wurde ersetzt durch Neo-Renaissance und Neo-Barock. Ein Nationalstil konnte diese Mischung jedoch kaum werden. Er hatte jedoch im Kronprinzen Friedrich, dem 99-Tage-Kaiser von 1888, der für die Kultur zuständig war, einen Fürsprecher und durch ihn als Vertreter der liberalen Richtung auch eine gewisse politische Komponente. Als das Reich in Straßburg, der Hauptstadt des Frankreich abgeforderten Elsaß, zu bauen begann, wählte es für die Universität, den Kaiserpalast und andere staatliche Repräsentationsbauten diesen Stil. Dabei fallen Anleihen bei der Wiener Hofarchitektur auf. Bezeichnend ist, daß die Anführer der neuen imperialen Unternehmungen wie der Museumsdirektor Wilhelm von Bode, privat den Stil der Neo-

*99. **Reinhold Begas (1831–1911), Neptunsbrunnen,** Berlin, Alexanderplatz, Bronze, 1886–1891*
Der Brunnen war ursprünglich vor dem Stadtschloß aufgestellt. Begas, ein Schüler von Rauch, hatte dessen Stil zugunsten des Neo-Barock aufgegeben. Der bernineske Schwung der Tritonen geht etwas ins Leere, da ja die Muschelschale, auf der Neptun sitzt, auf einem Felsen ruht. Auch die vielen naturalistisch getreu gegebenen Tiere stehen in einem gewissen inneren Widerspruch. Die hingelagerten Personifikationen der vier großen Ströme Preußens zitieren Georg Raphael Donners Brunnen für den Mehlmarkt in Wien. An formaler Prägekraft ist Begas seinem Wiener Pendant Tilgner unterlegen.

Renaissance, dienstlich aber den mächtigeren Neo-Barock bevorzugten. Nur im niedersächsischen Bereich Preußens tritt die Neo-Renaissance, im Sinne einer neuen Regionalisierung als Weser-Renaissance definiert, auch in großen öffentlichen Bauten in Erscheinung.

Mit Wilhelm II. (reg. 1888–1918) nahm dann das Bauen die Züge von Prätention und Überladung, aber auch von Großartigkeit an, die man heute wilhelminisch nennt. Zeugnisse dafür finden sich fast überall im ehemaligen Kaiserreich.

*100. **Leipzig, Reichsgericht, Äußeres,** Ludwig Hoffmann (1852–1932) und Peter Dybwad (1859–1921), 1888–1895, zeitgenössischer Holzstich*
Mit dem Gewinn des Wettbewerbs zu diesem Bau war die Karriere von Ludwig Hoffmann, einem engen Freund von Alfred Messel, gesichert. Gegenüber den vorangegangenen Bauten im Deutschen Reich brachte er den Durchbruch zum kolossalen Maßstab. Stilistisch ist er dem Klassizismus und der Renaissance näher als dem Barock. Vorbildlich in der Größenordnung und dem einschüchternden Auftreten der Baumasse war vor allem der Brüsseler Justizpalast.

Bemerkenswert kühn sind die technischen Bauten, vor allem die Bahnhöfe. *(Abb. 98)* Man verstand es, auch größte Bauaufgaben organisatorisch gut zu bewältigen, und entgegen der späteren Verunglimpfung durch die Vertreter des Neuen Bauens sind die wilhelminischen Bauten meist auf bemerkenswerte Weise funktional. Man sollte nicht meinen, daß der Kaiser seinen Stil der Öffentlichkeit aufgezwungen habe. Wilhelm wollte populär sein, er wollte der Mehrheit seines Volkes gefallen. Seine Bauten versuchen das zu verkörpern, was der Menge gefiel. Sie sind nicht elitär, sondern zielen auf Beeindruckung der Massen durch ihre eigene Masse. Was damals in den anderen Ländern an Gebäuden errichtet wurde, sieht im Prinzip nicht so viel anders aus und könnte mit denselben Argumenten kritisiert werden.

Als Bauherr war der Kaiser nicht ohne Sachverstand, griff gelegentlich in die Entwürfe ein und das keineswegs immer zu ihrem Schaden. In den Staatskirchen und Burgen bevorzugte er den ›staufischen‹ Stil, die reicheren Formen der rheinischen Architektur zwischen 1150 und 1250, ergänzt durch trutzige Motive des Burgenbaus. In den Innenräumen der Schlösser gab er sich gern friderizianisch-elegant, in den Außenfassaden eher neo-barock. Für die von ihm so geliebten Schiffe aber akzeptierte er durchaus den neuen sachlichen Stil, der sich seit der Jahrhundertwende meist nach englischem Vorbild verbreitete. Es war eine Kunst des Effekts, in der Stadtbaukunst neoabsolutistisch mit großen Alleen, Plätzen, Blickpunkten. Dazu gehörten dann entsprechende Brunnen, Denkmäler, (teilweise neubarocke) Parkanlagen. *(Abb. 99)*

Wenn man einen Architekten benennen möchte, der dem Wollen Wilhelm II. am besten entspricht, so ist es weniger der Hofbaumeister Ernst von Ihne, den er von seinem Vater übernahm, sondern der Berliner Stadtbaumeister Ludwig Hoffmann, der die Angebote Wilhelms, in seine Dienste zu treten, ausschlug, um diesen Posten einzunehmen, der es ihm ermöglichte, das quantitativ umfangreichste Oeuvre aller Baumeister des Jahrhunderts zu errichten. *(Abb. 100)* Er verfügte über eine breite historische Bildung, die er auf zahlreichen Reisen erweiterte, und vermochte sich in allen ›Stilsprachen‹ auszudrücken und dabei alle ideologisch wünschbaren Kombinationen zu verwirklichen, so wenn er im Berliner Stadthaus die friderizianischen Türme der Kirchen am Gendarmenmarkt mit dem Massevolumen des Berliner Stadtschlosses verband und das Ganze mit einer auf Zurücknahme des Anspruches zielenden Renaissance-Rustica verzierte. Im Ganzen strebt er durch ein Aufeinandertürmen von Massen eine Überwältigung der Betrachtenden an, doch ist oft auch das Detail in der Wirkung eher gewalttätig und unstimmig. Und als sich Hoffmann unter dem Einfluß seines Freundes Alfred Messel und führender Baumeister der jüngeren Generation wie Peter Behrens, um 1906 einem nach Strenge und Einfachheit strebenden Neo-Klassizismus in Anlehnung an Schinkel und andere ältere preußische Baumeister zuwandte, folgte ihm Wilhelm, als er merkte, daß die neue Richtung populär wurde.

König Ludwig II. von Bayern und das ›Malerische‹

Die als Eklektizismus verdammte Stilvielfalt wurde schon früh beklagt. Bereits vor Wilhelm II. hatte sie bei dem bayerischen König Ludwig II. (reg. 1864–1886) fast exzessiv Formen angenommen. Gegen den Willen seiner Regierung, die er haßte, baute er ein Königsschloß nach dem anderen, zum Teil von Bismarck finanziert, der ihm so die Zustimmung zur Vereinigung Bayerns mit dem Deutschen Reich versüßte. Jedes dieser Schlösser ist ein Fluchtversuch eigener Art aus der Wirklichkeit und diente letztlich nur ihm allein, denn er hielt keinen Hof und wollte keine Gäste, außer etwa den Schauspieler Kainz, der vor ihm zu deklamieren hatte. Jedes ist auf eine andere Königs-Rolle zugeschnitten: Herrenchiemsee ist ein neo-absolutistisches Neu-Versailles, Linderhof ein sinnlich-luxuriöses Neo-Rokoko nach Art des Trianon in Versailles und ähnlicher ›maisons de plaisance‹, Neuschwanstein eine trutzige neo-feudale Ritterburg. *(Abb. 101)*

Ludwig schreibt 1871 an Richard Wagner, den er verehrte und sehr förderte: »Ich will mich der verdammten Höllendämmerung, die mich beständig in ihren qualmenden Dunstkreis reißen

folgende Seite:
101. Neuschwanstein, Schloß, *Außenansicht, Christian Jank (1833–1889) und andere, 1868–1892*

Die Entwurfsfolge des Theatermalers Jank verwandelte die zunächst als neue Raubritterburg ›Falkenstein‹ in ein Theaterschloß mit Erinnerungen an Richard Wagners Opern ›Lohengrin‹ und ›Tannhäuser‹, deswegen wurde u.a. die Wartburg als Ort des Sängerkrieges zitiert. (Abb. II/30) Die neo-byzantinische Kapelle folgt der Allerheiligenkapelle in München. Auch die Ausstattung bezieht sich hauptsächlich auf Wagner-Motive.

will, entziehen, um selig zu sein in der Götterdämmerung der erhabenen Berges-Einsamkeit, fern von dem ›Tage‹ […]! Fern der profanen Alltagswelt, der heillosen Politik, die mit ihren Polypenarmen mich umschlingen will und jede Poesie so gern gänzlich ersticken möchte.« In diesen Schlössern fand Wagners Idee des Gesamtkunstwerks seine adäquate Umsetzung. Sie sind ins Dauerhafte gewendete Opernbühnenbilder, eine künstliche Traumwelt. *(Abb. 102)* Moderne Bühnentechnik wurde eingesetzt, um die richtige Beleuchtung zu finden und sie je nach Stimmung des Königs wechseln zu lassen. Der Bürgerschreck unter den damaligen französischen Dichtern, Paul Verlaine, hat Ludwig nach seinem mythenumwobenen Tode im Starnberger See ein Gedicht gewidmet, in dem er ihn »le seul vrai roi de ce siècle« nennt und einen von der mörderischen Wissenschaft des Jahrhunderts geopferten Märtyrer. Ohne Zweifel steht Ludwig den antibürgerlichen Künstlern seiner Generation wie Anselm Feuerbach nahe, ja er darf selbst als einer von ihnen bezeichnet werden.

Wagners Kunst- und Ideenwelt fand jedoch auch Nachfolger anderer Art. So griff der Wiener Architekt Camillo Sitte 1875 mit einer Streitschrift zugunsten Wagners in die öffentlichen Fehden um den Komponisten ein. 1889 aber publi-

zierte er sein bahnbrechendes Buch *Der Städtebau nach seinen künstlerischen Grundsätzen*, das nicht nur in der Subtilität seiner Analysen historischer Platzanlagen vorbildlich war, sondern von dem auch eine neue, ›malerische‹ Architekturauffassung mitbestimmt wurde, die bis in die Terminologie hinein von Wagners Idee des ›Gesamtkunstwerks‹ beeinflußt ist. Doch spielen auch die Schriften des englischen Kunsttheoretikers John Ruskin und der englische Landhausstil als Vorbilder eine gewisse Rolle. Die besten Baukünstler dieser Zeit entwickelten einen geschärften Sinn einerseits für Plätze, für die Zusammenhänge der Bauwerke und Bildwerke, für das Ensemble, die lebendige Wirkung des Ganzen, andererseits für individuelle Qualitäten von Städten und Stadtteilen. Der Bildhauer Adolf von Hildebrand verstand es, seine Brunnen und Denkmäler in einer zeitgemäßen Erneuerung barocker Urbanistik zu gestalten und war nicht nur in diesem Punkt dem neobarocken Berliner Reinhold Begas überlegen. Damals entwickelte man in verschiedenen deutschen Städten, besonders eindrücklich in München unter Gabriel von Seidl (1848–1913) und Theodor Fischer (1862–1938), eine an den irregulär erscheinenden Ornamenten, malerischen Baugruppen und Asymmetrien der deutschen Renaissance sowie an gewissen lokalen Qualitäten orientierte neu-alte Stadtbaukunst, mit deren Hilfe man den schnell wachsenden Städten etwas von ihrem Charakter zu bewahren und die Brüche zwischen den alten und den neuen Bezirken zu mildern verstand. In Berlin versuchte ein sensibler Baumeister, Ludwig Hoffmanns Studienfreund Alfred Messel (1853–1909), sich als Reformator des Mietshauses zu betätigen und damit das Unwirtliche und Schablonenhafte der Berliner Mietskaserne zu überwinden; die schönsten Seiten ihrer Wirkung entfalten diese neuen Bauten jedoch in den bewußt großzügig angelegten Innenhöfen. Für Messel ist bezeichnend, daß er als Stilidiome einerseits die malerische deutsche Spätgotik und andererseits den herben Frühklassizismus oder Zopfstil bevorzugt – in letzterem fand er breite Nachfolge vor allem nach 1900. Dabei ging es ihm jedoch nie um Stilreinheit im Sinne der älteren Neo-Stile, sondern um die Gewinnung charakteristischer Wirkungen und um einen der Bauaufgabe und dem Bauherrn angemessenen Ausdruck.

Die ›malerische‹ Richtung in der Architektur des späten 19. Jahrhunderts hatte naturgemäß kein Primärinteresse an Stilreinheit und ebensowenig an stilistischer Geschlossenheit des einzel-

102. Breling, Heinrich (1849–1914), Die Hundinghütte bei Linderhof, *Aquarell, 34 x 55 cm, 1882, Herrenchiemsee, Ludwig II-Museum, Inv. 300*

Die zerstörte Hundinghütte wurde 1876 von Georg Dollmann (1830–1895) auf Weisung König Ludwigs II. nach dem Bühnenbild des Hoftheatermalers Christian Jank (1833–1889) zum ersten Aufzug von Richard Wagners ›Walküre‹ gebaut. Auch das Aquarell ist eine Bestellung des Königs. Auf das Bärenfellager der Hütte zog sich Ludwig gerne zu einsamer Lektüre zurück.

nen Bauwerks. Nicht ohne Grund stammen aus derselben Zeit und derselben Gesinnung wichtige Impulse zu einer Erneuerung der Denkmalpflege-Theorie. Man entwickelte Sinn für den Alterswert eines Gebäudes an sich, mehr Duldsamkeit für die im Laufe der Jahrhunderte eingebrachten verschiedenen Ingredienzen. Es wurde gefordert, mit allen purifizierenden sowie den selbstsicher rekonstruierenden und ergänzenden Maßnahmen aufzuhören und den alten Bauten gegenüber bescheidener, also vor allem konservierend aufzutreten. Und aus ähnlichen Gründen hob erst die Generation der in den 1860er Jahren geborenen Kunsthistoriker ihr Fach zu seiner vollen methodischen und gegenständlichen Breite.

Die Malerei nach 1870 – Wilhelm Leibl

Das Selbstbewußtsein und überhaupt die Mentalität des neureichen deutschen Bürgertums ist der sensiblen Pflanze Kunst nicht günstig gewesen. In Wien waren die Verhältnisse nicht besser. *(Abb. 75 u. 95)* Das Theatralische, Pathetische war der Grundton. Es wurde Masse verlangt und Kasse gemacht. In Paris war insofern die Lage anders, als sich immer wieder einzelne aus dem Bürgertum, aber auch vom Lande kommende Künstler – meist generationsweise – zu Gruppen zusammenschlossen und im Verbund mit einigen Kritikern, Literaten und Kunstliebhabern der Kunst neue Wege bahnten, ohne daß es je zu einer so vollständigen Absage an das Erbe der Kunst gekommen wäre wie bei den Avantgardisten in Deutschland. Paris war die Hauptstadt der Kunst, war überhaupt die Hauptstadt des 19. Jahrhunderts. Der Weg dorthin war aber gerade nach dem deutsch-französischen Krieg 1870–1871 und den daraus folgenden Spannungen nicht leicht: Menzel zum Beispiel stellte gegen den ausdrücklichen Willen Bismarcks in Paris aus, doch konnte auch er die Barrieren zwischen den beiden Kulturen nicht überwinden.

Nur wenige haben deshalb den Weg nach Westen gefunden, so etwa – noch vor 1870 – der Kölner Wilhelm Leibl oder der nur wenig jüngere Berliner Bankierssohn Max Liebermann. Wie unterschiedlich beide auf ihren Aufenthalt dort reagierten, zeigt die Tatsache, daß Wilhelm Leibl in diesem Buch noch der Kunst des 19. Jahrhundert zugerechnet wird, während Max Liebermann zu den Künstlern des 20. Jahrhunderts gehört, ohne daß dies als Werturteil gemeint ist. In der großstädtischen medialen Wirklichkeit der französischen Metropole war der Widerspruch der Künstler gegen die Vereinnahmung durch Staat und bürgerliche Gesellschaft schon zur Zeit der Romantik laut geworden und hatte unter dem Kampfruf ›l'art pour l'art‹ zu einer Selbstbefreiung der Malerei aufgerufen. Die Durchsetzung der Fotografie hatte früh schon traditionelle Aufgaben der Malerei wie das Porträt die Vedute, überhaupt die naturgetreue Wiedergabe, obsolet gemacht und zu einer Konzentration auf das dieser Kunst Eigene, also auf die Farbe und auf die möglichst individuelle Pinselschrift geführt. In Paris lebten nach einer Statistik im Jahre 1861 direkt oder indirekt 33.000 Personen von der Fotografie: Die uns so hervorragend erscheinende Malerei war in der sozialen Realität an den Rand der Gesellschaft gedrängt.

Leibl und seine Freunde, zu denen u.a. Carl Schuch (1846–1903) gehörte, orientierten sich zunächst vor allem an Gustave Courbet (1819–1877) und den Malern der ersten europäischen Künstlerkolonie in Barbizon wie Jean-François Millet (1814–1875), die das einfache Leben auf

103. Wilhelm Leibl (1844–1900), Porträt Lina Kirchdorffer, *Öl auf Leinwand, 111 x 84 cm, 1871, München, Bayerische Staatsgemäldesammlungen, Neue Pinakothek*

Dargestellt ist die Nichte des Künstlers. Das Modell dürfte eher gesessen als gestanden haben, vielleicht ist es auch durch die langwierigen Sitzungen, die häufig als Martyrium geschildert werden, zu erklären, daß die Armhaltung etwas Unentschiedenes hat. Der Pinselstrich zeigt auffällige Tempiwechsel, ist mal staccatoartig, mal weich ausschwingend, mal einhüllend. Dies ist teils auf die Erscheinung des gemalten Objekts zurückzuführen, wie bei Gesicht und Hut, aber auch als eine der Musik angenäherte Gestaltung der grauen Farbtonleiter, die nur durch wenige Töne, wie die rote Kette, durchbrochen wird.

W. Leibl
98

dem Lande der Stadt vorzogen oder beides im Bilde einander konfrontierten. Leibl machte einen ähnlichen Schritt: Er lebte seit 1873 nur noch in Bauerndörfern in Oberbayern. Doch tat er diesen Schritt als Städter – schon daß er ständig seinen Körper trainierte, daß er Jäger und Alpinist war, ein belesener und wenig frommer Bürger, unterschied ihn von den Bauern. Sein Blick auf sie ist nicht ohne Sympathie, aber doch distanziert.

»Hier in der freien Natur und unter Naturmenschen, kann man natürlich malen. Bei meiner Anwesenheit in München habe ich mich wieder aufs neue davon überzeugt, daß dort alle Malerei bloß aus Gewohnheit mit schlauer Berechnung, aber ohne alles eigenartige Gefühl und ohne jede selbständige Anschauung betrieben wird. Alle solche Kunst, mag sie nun Historienmalerei, oder Genre oder Landschaftsmalerei genannt werden, ist keine Kunst, sie ist nur ganz oberflächliches Abschreiben von bis zum Überdruß schon Dagewesenem.«

Es ist heute üblich geworden, die von Leibl angegriffenen Maler dieser Zeit wie Karl von Piloty (1826–1886), Franz von Defregger (1835–1921), Eduard Grützner (1846–1925) & Co. zu verteidigen und wieder groß zu inszenieren. Bilderstürmerei ist nicht zu vertreten, und die Bilder werden in der Regel besser konserviert, wenn sie ausgestellt sind, als wenn sie aufgerollt in den Depots verschwinden. Doch würde jede Umkehrung von Leibls (und anderer Befugter) Urteil engagierte Künstler wie Leibl selbst und ihr ehrliches Streben ins Unrecht setzen. Es ist Makart *(Abb. 75)* immer noch vorzuhalten, daß er auf die Schau- und Sensationslust oder den Voyeurismus des Betrachters spekuliert, daß seine Effekte zwar verblüffen, aber nicht nachhaltig sind. Ebenso wird man über die billige nationalistische Antithetik von Pilotys *Thusnelda im Triumphzug des Germanicus* nicht einfach hinweggehen dürfen, und Defreggers Tiroler Bilder sind ideologisch und verlogen. Erst recht ist und bleiben die Schinken des wilhelminischen Staatsmalers Anton von Werners (1843–1915), der die preußische Stiefelwichse so sehr zum Glänzen gebracht hat, eine historische Fälschung, so seine *Ausrufung des Deutschen Reiches im Spiegelsaal von Versailles 1871*, in der er nicht allein das Ereignis anders zeichnet, als es stattgefunden hat, sondern mit politischer Tendenz etwa die Rolle der bürgerlichen Delegation des Norddeutschen Bundes herunterspielt, andere aufwertet, dabei aber mit seiner fotografischen Malweise Wirklichkeitstreue und Wahrhaftigkeit vorspiegelt.

Leibl litt darunter, daß er an der Gesellschaft, wie er sie vorfand, nichts ändern konnte, sondern auf sie angewiesen blieb. Die Ölbilder, die er letztlich im Hinblick auf den Kunstmarkt malen mußte, machen folglich meist auf die eine oder andere Weise Kompromisse. Auch deshalb sind die Zeichnungen so wichtig, in denen er sich rücksichtslos ausspricht, andererseits seine späten Bilder, die gemalt wurden, als er endlich mehr Ansehen gewonnen hatte und freier von Verkaufsrücksichten geworden war. Eine Sonderstellung haben diejenigen Porträts, für die ihm seine Verwandten Modell standen, weil in ihnen die für den Erfolg seiner Malerei so wichtige Sympathie von vorneherein gegeben war. *(Abb. 103)*

Leibl ist in seinen Zeichnungen ungewöhnlich heftig. *(Abb. 104)* Der Strich gibt teilweise gar keine Dinge oder Lichterscheinungen wieder, sondern wird zum Ausdruck der persönlichen Empfindungen des Künstlers, er wird abstrakt-expressive Form. Schon die Wahl der Kohle als Arbeitsmaterial spricht für sich. Ihre Schwärze und die Breite sowie Grob- und Rauhheit des Strichs deuten Verdüsterung an. Auffällig ist das Fehlen fast jeden Lichts – wo eine Lichtquelle zu sehen ist, erreicht ihr Schein den Kopf kaum. Die Gesichtszüge lassen Bitterkeit und Skepsis erkennen. Obwohl die Zeichnungen recht großflächig sind, sind keine Hände und erst recht keine dazugehörigen Gegenstände zu sehen – der Betrachter wird ausschließlich dem Blick des Dargestellten ausgesetzt. Die Blätter haben etwas Radikales, ja scheinen im Grunde eher schon der Avantgardekunst des 20. Jahrhunderts anzugehören.

In dem Porträt seiner Nichte hingegen *(Abb. 103)* findet sich zwar auch in der Betonung der Pinselschrift ein stark subjektiver Zug, wie er seit dem Barock zum Kennzeichen der guten Malerei gehört. Aber es wird doch insgesamt auch ein schöner Eindruck im Sinne der französischen ›peinture‹ angestrebt. Die Vorbildlichkeit französischer Gemälde, etwa von Edouard Manet (1832–1883), ist offenkundig. Wie bei diesem ist das so

linke Seite:
104. Wilhelm Leibl (1844–1900), Porträtzeichnung seines Biographen Dr. Julius Mayr,
Bleistift und Kohle, 42 x 31 cm, 1898, München, Städtische Galerie im Lenbachhaus

Mayr, Bezirksarzt, Alpinist, Jägerfreund und erster Biograph Leibls wird in dieser Zeichnung als ein schmerzerfüllter, innerlich gebrochener Mensch vorgeführt, der den Maler/Betrachter jedoch prüfend und kritisch betrachtet. Der Kopf ist sehr hoch an den oberen Rand gerückt, wodurch umso mehr auffällt, daß keine Hände oder Details der Kleidung gezeigt werden. Bei einer durchaus mittenbetonten Anlage des Bildes wird die seitliche Neigung des Hauptes bemerkenswert.

spontan Erscheinende Ergebnis langer Modellsitzungen und harter Arbeit. Es ging Leibl nicht um Schönheit, sondern um Wahrheit, die jedoch nicht leicht zu erringen war, sondern nur in dem mühsamen Arbeitvorgang minutiöser Malerei, in der tendenziell ein Gewandsaum gleich ernst zu nehmen war wie das Gesicht des Menschen.

Letztlich steht auch hinter den späten Küchenbildern *(Abb. 105)* mehr an französischer Malkultur, als man meint. Das Stilleben, das lange Zeit als minderwertig in der Hierarchie der Gattungen gegolten hatte, erhielt in der französischen Malerei schon der Generation Courbets einen eigentümlichen Rang als derjenige Gegenstandsbereich, in dem es sich am besten experimentieren ließ. Stilleben konnten geradezu programmatischen Charakter bei der Entwicklung einer modernen Form und Bildsprache annehmen. An ihnen wurde vorgeführt, was Malerei in »Reinzüchtung der bildnerischen Mittel« (Klee) und als Farbkunst vermag. Vorbilder wurden von den Malern und ihren Kritikerfreunden wie Théophile Bürger-Thoré in der holländischen Kunst des 17. Jahrhunderts, aber auch bei Jean-Baptiste Siméon Chardin entdeckt (1699–1779). Chardin hatte den Blick des Stillebenmalers auch auf die Menschen mit ihrem Umfeld geworfen und so das Genre seiner Erzählweise und Anekdotik entkleidet. Auch Leibls Menschen sind von wenigen Dingen umgeben, beinahe ohne Aktion, fast andächtig, so als wäre das, was sie tun, eine heilige Handlung. Julius Langbehn hatte ihn auf die Malerei Rembrandts als hehres Vorbild hingewiesen: Etwas von deren Stille, psychischer Spannung und religiöser Aura wird hier in ein Bild mit der Darstellung einfacher Leute übertragen – sie erhalten dadurch trotz der Nichtigkeit ihrer Tätigkeit etwas Existenzielles.

105. Wilhelm Leibl (1844–1900), Küche in Kutterling, *Öl auf Leinwand, 84 x 65 cm, 1898, Köln, Wallraf-Richartz-Museum*

In der Küche des Leiblschen Hauses in Kutterling haben ihm seine Köchin und der Bruder einer späteren Hausangestellten Modell gestanden. Sie ist mit dem Abwasch, er mit einer Schnitzarbeit beschäftigt. Eine Handlung oder Beziehung zwischen den beiden Personen wird nicht gezeigt. Die beiden Fenster geben dem Raum Symmetrie. Der dunkelbraune Grundton und die enge Farbpalette erinnern an die Rembrandts, insbesondere an dessen Alterswerke.

Kapitel 8

Das 20. Jahrhundert – die Epoche der Avantgarden und ihres Scheiterns

Carl Einstein (1885–1940), einer der wichtigen Schriftsteller und Kunstkritiker seiner Zeit, beginnt sein 1926 verfaßtes, danach oft überarbeitetes Werk *Kunst des 20. Jahrhunderts* mit den Worten: »Einmal mußte der zu lang aufgesattelte Schönheitsbetrieb, der in den Bezirken feiger, professoraler Malerei abgenutzt war, vor anderen oder verborgenen Erfahrungen und Erlebnissen niederbrechen, da diese in ererbte Schemen nicht mehr einzuordnen waren. Die klassizistische Bildordnung und die malerischen Mittel waren längst verbraucht und übermüdet [...] Das klassische Maß war zu Mäßigkeit und Mangel an Begabung verkommen, und die Ewigkeit stiller Größe hatte zu lange blöde gelächelt [...] Mit dem Impressionismus rückte Aufruhr heran [...]« Noch mehr hat man nach 1945 in der westlichen Welt die Kunstgeschichte des 20. Jahrhunderts bevorzugt als Revolutions- und Heldengeschichte geschrieben, den Begriff ›Moderne‹ als leuchtendes Aushängeschild für einzelne Avantgarderichtungen nach 1900 okkupiert und die Kunstgeschichte als eine folgerichtige Entwicklung dargestellt, die in der abstrakten Kunst bzw. in der funktionalistischen Architektur der Gegenwart ihre Vollendung gefunden habe. Mehr und mehr aber drängen sich Zweifel auf, ob es denn wirklich so gewesen ist. Bedenkliches über die ›Klassiker der Moderne‹ – wie sie gern genannt werden – wurde zutage gefördert. Unser Geschichtsbild ist unübersichtlicher geworden. Andererseits ist an den Umbrüchen im Bewußtsein und in der Kunst um 1900 kaum zu zweifeln. Selbst am Ende des 20. Jahrhunderts, das der Historiker Gordon Craig das »Jahrhundert der Extreme« genannt hat, kann deshalb eine Kunstgeschichte dieser Epoche nur Essay, d.h. Versuch, sein.

*1. **Otto Dix (1891–1969), Skatspielende Kriegskrüppel,** Öl auf Leinwand, aufgeklebte Gegenstände und Zeitungsteile, 110 x 87 cm, 1920, Berlin, Nationalgalerie SMPK*

Dix versucht im Wettbewerb mit Fotos, die von Kriegskrüppeln im Umlauf waren, die entsetzlichen Verstümmelungen, die die neue Waffentechnik den Menschen zufügte, bildlich umzusetzen. Er bedient sich hierfür der dadaistischen Collagetechnik und zugleich einer betont naiven und plakativen Malweise, die auch vor Anleihen an Straßen-Graffiti nicht zurückschreckt. Die Körper der Männer, aber auch die Bildräumlichkeit und die bildnerischen Mittel sind ›zerstört‹ und werden so zur Metapher des Vernichtungswerks des Krieges. Den höchsten ›Wirklichkeitsgrad‹ haben die aufgeklebten Skatkarten, ein ›deutsches Blatt‹, ironischerweise mit dem königlich sächsischen Wappen in der Karte links oben.

Die Voraussetzungen für das Neue

Deutschland entwickelte sich gegen Ende des 19. Jahrhunderts zu einer technischen und wirtschaftlichen Großmacht, führend, fast beherrschend besonders im Maschinenbau, der Elektroindustrie und Chemie. Das Land wurde reich wie nie zuvor. Auch das k.u.k. (kaiserliche und königliche) Österreich-Ungarn prosperierte. Der Wohlstand kam zwar eher dem oberen Drittel der Gesellschaft zugute, doch ist immerhin der ökonomische Aufstieg immer breiterer Kreise zu verzeichnen. Das ermöglichte höhere Bildung, größere und besser ausgestattete Wohnungen, mehr Freizeit und Reisen.

Dieser Prozeß förderte zwar die Baukonjunktur, aber auf die Baukunst hatten diese Veränderungen zunächst kaum positive Auswirkungen: Die Neigung zum Unechten und zur ›Talmikultur‹ sowie der Verfall der Fertigungsqualität wurde allseits bemängelt. Mit den Bildenden Künsten steht es nicht besser. 1904 beklagt der bedeutende Kunstkritiker Julius Meier-Graefe (1867–1935) in seiner *Entwicklungsgeschichte der Modernen Kunst* die Bedeutungslosigkeit der Kunst für die Allgemeinheit, während sie früher »dem Volk gehörte und geliebt wurde [...] Die heutige künstlerische Kultur ist kaum noch ein Element der Gesamtbildung, das nicht entbehrt werden kann, aus dem einfachen Grunde, weil die Kunst aufgehört hat, in dem Gesamtorganismus eine Rolle zu spielen [...] Diese tatsächliche Bedeutungslosigkeit der Malerei und Skulptur [...] wird mit einem faltenreichen Mantel folgenloser Wichtigtuerei verhüllt. Es ist sicher in allen Epochen zusammengenommen nicht so viel über Kunst gesprochen und geschrieben worden, wie in unserer Zeit.«

Geschichte:
1914–1918 Erster Weltkrieg - 1923 Ende der Inflation - 30.1.1933 nationalsozialistische Machtergreifung - 1938 Anschluß Österreichs - 1939–1945 Zweiter Weltkrieg, danach Teilung Deutschlands - 1989 Wiedervereinigung

Er kritisiert die »Kaviarkultur« seiner Zeit. Während Kunst früher in den Kirchen für alle dagewesen sei und niemand gehörte, sei sie jetzt »nur einer Aristokratie zugänglich.« Kunstgenuß »wurde ein Luxusgenuß [...] und der raffiniertesten einer [...] Man muß [...] ein Ausnahmemensch sein, mit ganz besonderen Sinnen begabt, um sie zu genießen. Sie ist nur für Wenige da [...] sie sind durchaus nicht die Bedeutenden des Volkes, die [...] für sein Wohl und Wehe berechtigte Bedeutung haben; sie scheinen eher mit allen Merkmalen des Dekadenten gezeichnet.«

Die führenden Künstler und Intellektuellen erkannten, daß das naturwissenschaftlich und technisch so moderne Deutschland in den Künsten – mit Ausnahme der Musik – rückständig und rückwärtsgewandt war, im Gegensatz zu Frankreich und England. Es war also ein politischer Impuls, daß sich seit den großen Weltausstellungen in Paris 1889 und Chicago 1893 die Meinung durchsetzte, Deutschland müsse auch auf dem Gebiet der Künste konkurrenzfähig, d.h. ›modern‹, werden. Wie diese ›Modernität‹ auszusehen habe, war schwerer zu sagen. Aber das Schlagwort erhielt einen ähnlich auratischen Charakter wie gut ein Jahrhundert zuvor das der ›Aufklärung‹. Und wie die Aufklärer die Zivilisation des Rokoko mit ihrem Haß verfolgten, so von nun an ›die Modernen‹ diejenige des späten 19. Jahrhunderts. Die Schwarz-Weiß-Malerei nahm teilweise irrationale Züge an. Schon 1898 behauptete der Wiener Architekt Otto Wagner *(Abb. 12 u. 13)* lapidar, »daß heute als wirklich schön nur Modernes gelten kann. Jede Kunstepoche hat sich ablehnend gegen die früheren verhalten.« Wenige Jahre später beginnt das große Zerstörungswerk des 20. Jahrhunderts an aller älteren Baukunst, von dem dann auch die eigene, ältere Moderne nicht verschont blieb.

Geniekult und Avantgarde

Bereits die Generation der Deutsch-Römer *(Abb. VII/90–92)* hatte schroff die Sonderstellung von Kunst und Künstlern behauptet, sich dabei am Kunstbegriff und Geniekult der Goethezeit ausgerichtet und daraus Ansprüche an die Allgemeinheit abgeleitet. Als ›Rufer in der Wüste‹ polemisierte der Schriftsteller August Julius Langbehn, der sogenannte ›Rembrandtdeutsche‹, gegen die Verhältnisse: Sein 1889 erschienenes Buch *Rembrandt als Erzieher* fand weite Verbreitung gerade in der Künstlerwelt. Er erhob in Rembrandt den ›genialen Führer‹ zum Retter vor Massenkultur, verflachtem Positivismus und Rationalismus. Auch kämpfte er gegen ›museale Rumpelkammern‹ und den Antikenkult in Winckelmannscher Nachfolge. Die Rückkehr zu Rembrandt sollte den ›deutschen Geist‹ wiedererwekken. Auf ihn und andere gehen der Kult von ›Blut und Boden‹ und weitere Bestandteile der ideologischen Rüstkammer des Nationalsozialismus zurück. Indirekt half er aber auch, dem Dichter-Komponisten Richard Wagner (1813–1883) den Weg zu bahnen, der bis an sein Lebensende um Anerkennung zu kämpfen hatte, in dem dann aber die Elite der Jahrhundertwende das große ›deutsche‹ Genie erkannte und feierte.

Eine verspätete, insgesamt aber noch größere Wirkung hatte der Dichter-Philosoph Friedrich Nietzsche (1844–1900). Seine Lehren haben im ersten Drittel des 20. Jahrhunderts fast die gesamte Künstlerschaft Deutschlands auf die eine oder andere Weise beeinflußt. In seinem ersten Hauptwerk *Die Geburt der Tragödie aus dem Geiste der Musik* 1872 hatte er das konventionelle Bild der Antike zerstört, indem er in der griechischen Kultur neben dem Apollinischen auch das Dionysische herausarbeitete, das die Grenzen Sprengende, Rauschhafte, Furchtbare. Indem er den platten Rationalismus und Historismus seiner Zeit in den *Unzeitgemäßen Betrachtungen,* 1873–1876, vernichtend kritisierte und ihm das Unbewußte, das Traum- und Triebleben als das Schöpferische und Vitale entgegenstellte, wurde er zu einem der großen Bewußtseinserschütterer, zugleich auch Anreger der Tiefenpsychologie und anderer neuer Denkansätze, die sich ihrerseits wieder, u.a. in der Wiener Sezessionskunst, auswirkten. *(Abb. 9)* In seinem Spätwerk, besonders *Also sprach Zarathustra,* 1883–1885, entwickelte er seine Vorstellungen vom ›Übermenschen‹, der seinem Urtrieb, dem ›Willen zur Macht‹, folgt und der eine eigene ›Herrenmoral‹ hat. Und er formulierte die ›Umwertung aller Werte‹ als Abrechnung mit dem Gleichheitsideal der ›Sklavenmoral‹ von Christentum und Sozialismus und deren Neid auf alles ›Hochgeartete‹. Mit diesen Ideen, die er in einer dithyrambischen, wortmächtigen Sprache vortrug, wurde er einer der Hauptstichwortgeber des Geniekults und anderer Formen elitären Bewußtseins, der modernen Lebensphilosophie, des Irrationalismus, aber auch des Nationalsozialismus. Daß seine Lehren nicht kohärent vorgetragen waren, erleichterte den Lesern, sich zum eigenen Gebrauch das Passende herauszupicken. Deshalb ist ihre Wirkung kaum genau zu erfassen.

Nietzsches Verachtung der Zivilisation und des Geschichtskultes seiner Zeit ist eigentümlich und widersprüchlich, denn sie entstand aus dem Überdruß eines hochsensiblen und -zivilisierten Geschichtsprofessors an sich selbst. Doch fand sie ebenso weite Zustimmung in Kreisen der damaligen Gesellschaft wie sein Lobpreis des ›Lebens‹ und der Gegenwart. Man war zugleich rückwärts- wie vorwärtsgewandt, reaktionär und revolutionär. Das gilt für die herrschenden wilhelminischen Kreise kaum anders als für ihre Gegner. Daß Nietzsche stellenweise mißverstanden wurde, ist anzumerken, kennzeichnet aber auch die Emotionalisierung und Unschärfe seines Denkens.

Zu den Folgen gehörte, daß der Sinn für den schöpferischen Einzelnen geschärft, aber daß auch dessen Verehrung ins Unermeßliche gesteigert wurde. In den Jahren nach 1900 wurden lange vergessene Dichter wie Hölderlin wiederentdeckt, ebenso Maler: Caspar David Friedrich, Philipp Otto Runge und andere. Zeittypisch ist der Kult um die großen Komponisten, insbesondere um Ludwig van Beethoven. *(Abb. 2)* Er wurde – nicht nur in Deutschland – zu titanischer Größe hochstilisiert. In seiner Musik schien etwas rauschhaft ›Dionysisches‹ für jedermann erlebbar. Max Klingers Statue steigert auch die Züge von Verachtung und Wut in den Zügen des Meisters, als Zeichen des Künstlertrotzes gegen die Mehrheit. Der Adler zu seinen Füßen nähert ihn dem Göttervater Zeus an: Der Künstler-Schöpfer ist wie Gott.

Es ist für den Anspruch der neuen Künstlergeneration bezeichnend, daß ihre Träger sich durchweg als auserwählte Genies verstanden, die einen offener, die anderen verdeckter. Der extreme Individualismus führte zu der für das Jahrhundert typischen, scharfen Rivalität der Künstler untereinander, aber auch zeitweilig zum Zusammenschluß sich verwandt fühlender Geister zu Gruppen gegen ›die Anderen‹.

Doch hatte die neue Zeit auch noch andere Heldentypen, wie beispielsweise den Ingenieur. Als Mann mit Phantasie, Wagemut und Rationalität war er schon zuvor in England, Amerika und Frankreich in Männern wie Stephenson, Roebling und Eiffel zum Leitbild geworden, was man etwa an populären Romanen, wie denen von Jules Verne (1828–1905), ablesen kann. Immer großartigere Brücken und Konstruktionen von alles überbietenden Ausmaßen entstanden – in heutigen Worten: Ein Rekord nach dem anderen wurde fast Jahr für Jahr gebrochen. Ein Fanal waren der von Gustave Eiffel (1832–1923) in Paris zur Weltausstellung 1889 errichtete, 300 Meter hohe Eiffelturm und die von Victor Contamin (1840–1898), Charles-Louis Dutert (1845–1906) und anderen geschaffene Maschinenhalle (Galerie des Machines), eine Stahl-Glas-Konstruktion, die mit 42 m so hoch war wie die höchsten Kathedralen, jedoch mit einer Länge von 420 und einer Spannweite von 115 Metern alles bisher Dagewesene übertraf und in der Leichtigkeit ihrer Erscheinung wie ein Luftschloß wirkte. Die Leistungen der Ingenieure zogen die Augen aller auf sich, vom Kaiser über den Bürger bis zum einfachen Mann: Die Ingenieursbaukunst vermochte sich von dem als unberechtigt empfundenen Führungsanspruch der Architekten zu befreien, ja sie wurde zum Ansporn der nun einsetzenden Diskussion um das Moderne in der Baukunst. Die Ingenieure hatten an ihren Konstruktionen und Maschinen den historisierenden Zierrat beseitigt – die reine Zweckform wurde zur Herausforderung der Architektur.

Der Avantgardismus kommt aus der Pariser Malerei der Mitte des 19. Jahrhunderts. Der militärische Begriff für die Vorhut, die in kleinen Abteilungen vor dem Gros der Armee in unbekanntes Gelände vorstößt, wurde auf politische, dann auch auf künstlerische Gruppen mit innovativer und revolutionärer Zielsetzung übertragen, die als auserwählte Elite der Zeit vorauseilen, Führerschaft beanspruchen, aber auch der Mehrheitsmeinung trotzen, im Bewußtsein, rechtzuhaben und – wenigstens zukünftig – auch rechtzubekommen. Seit dem Ende des 19. Jahrhunderts häufen sich die Avantgardebewegungen: Pointillis-

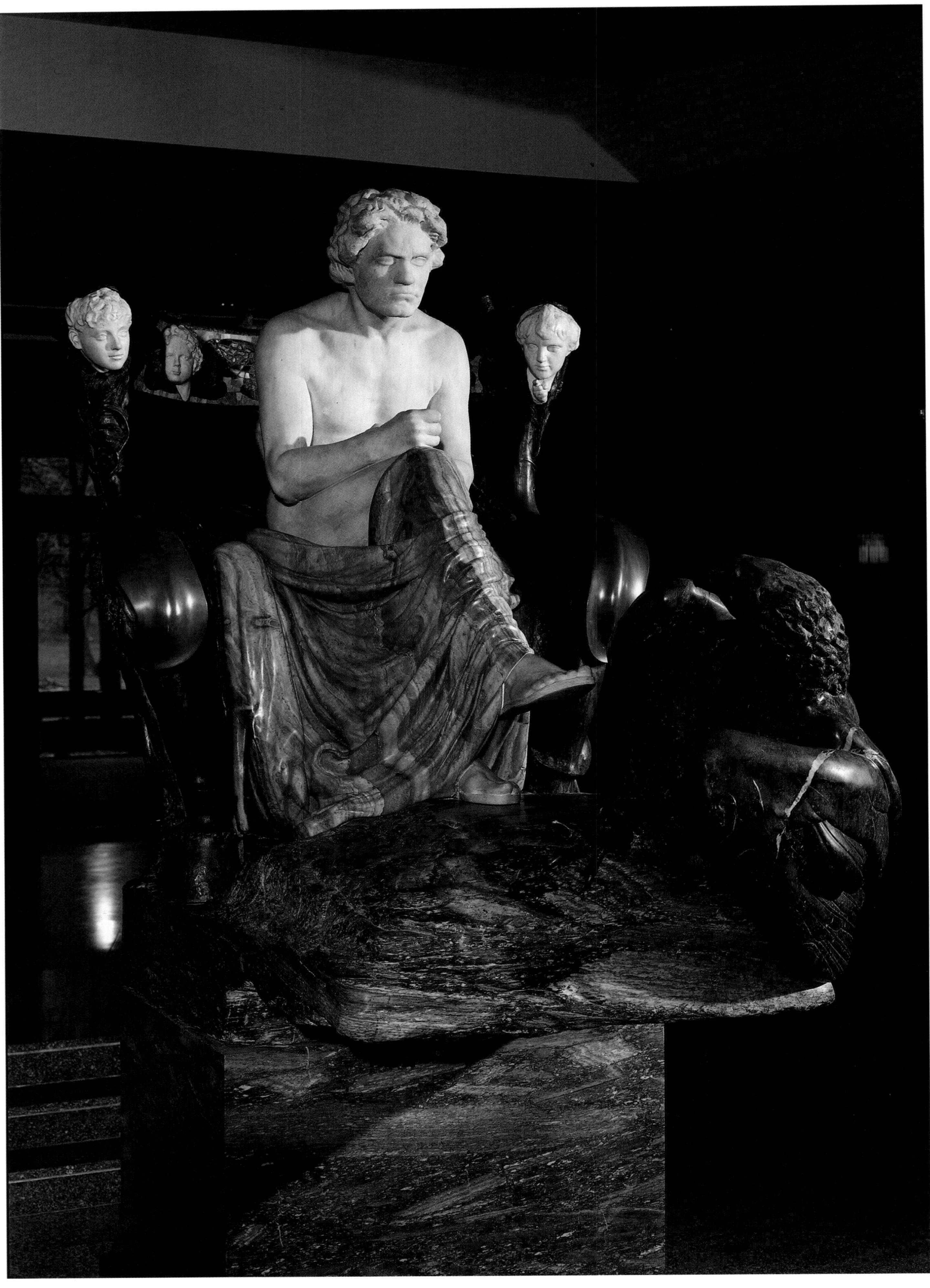

mus bzw. Neo-Impressionismus, Symbolismus, Art Nouveau, Fauvismus, Kubismus usw.

Der Rezeption Frankreichs stand jedoch in Deutschland der seit der Mitte des 19. Jahrhunderts anwachsende Nationalismus mit seiner Abneigung gegen den zum ›Erbfeind‹ erklärten Nachbarn entgegen. Man versuchte, französische Kunst zu übergehen, stellte sie kaum aus oder tat sie gar als Dekadenzprodukt ab, boykottierte die Weltausstellung in Paris 1889 – und konnte dann doch nicht umhin, den Rang und die Bedeutung der neuen Pariser Kunst anzuerkennen und sie zu studieren. Zunächst jedoch wurden alle Künstler und Kunstfreunde, die sich der Mehrheitsmeinung zum Trotz an Frankreich ausrichteten, fast automatisch zu Außenseitern. *(Abb. VII/103–105)*

Der anschwellende deutsche Nationalismus führte auch zur Ablehnung des Italienstudiums: Man behauptete, es habe die altdeutschen Meister wie Dürer, erst recht aber die neueren, nur auf Abwege geführt. Viele Moderne lehnten es darüber hinaus deshalb ab, weil die Reise nach Rom oder Florenz Teil der klassizistisch-romantischen künstlerischen Ausbildung war, die von ihnen verworfen wurde. Bezeichnenderweise wurde eine Italienstudienreise für Paul Klee Anlaß, sich von der damaligen Kultur in der Serie seiner satirischen Radierungen loszusagen. *(Abb. 48)*

Als eher deutsches avantgardistisches Kulturphänomen sind seit dem ausgehenden 19. Jahrhundert verschiedene ›Reformbewegungen‹ und ›Bünde‹ zu bemerken, mit je eigenen ›Propheten‹ und ›Führern‹: Lebensreform- und Freikörperkulturbewegung, Wandervogel, Heimatschutz- und Gartenstadtbewegung, Dürerbund, Werdandibund usw. Das Wort ›Bewegung‹ selbst bekommt einen sektiererischen Beigeschmack und eine politische Einfärbung, und das keineswegs erst, als der Nationalsozialismus ihr Erbe antritt. Es liegt in der Natur dieser Gruppen, daß sie polarisieren. Wer den Besitz der ›Wahrheit‹ für sich behauptet, schließt damit die anderen aus, setzt sie ins Unrecht und ist meist intolerant gegenüber den ›Irrenden‹. Wer die Quellen ohne Vorurteile studiert, wird jedoch ideologische Verwandtschaft bei gegensätzlich scheinenden Richtungen, etwa den extrem konservativen Reform-Bewegungen und den westlich orientierten künstlerischen Avantgarden, feststellen: Auch bei letzteren finden sich Verworrenheit des Denkens oder der Hang zum Totalitarismus. Man hat lange die Bedeutung mancher nicht ›sympathischer‹ Ideen für die Anführer der modernen Kunst unterschlagen oder als nebensächlich abgetan, doch begründen die ›Reform‹-Bewegungen gemeinsam das Gesamtphänomen ›Moderne‹. Als Ganzes sind sie analog den älteren Richtungen Klassizismus, Romantik, Realismus usw. zu verstehen, die alle auf je eigene Weise gegen die ältere Kunst reagieren, bei denen man aber nicht pauschal die einen für progressiv und modern, die anderen hingegen für rückschrittlich und unmodern hält.

Robert Musil (1880–1942) hat in seinem Roman *Der Mann ohne Eigenschaften* ein kritisches Panorama der Anfänge dieser Bewegung gegeben, der er selbst zugehörte: »Aus dem ölglatten Geist der zwei letzten Jahrzehnte des neunzehnten Jahrhunderts hatte sich plötzlich in ganz Europa ein beflügelndes Fieber erhoben. Niemand wußte genau, was im Werden war; niemand vermochte zu sagen, ob es eine neue Kunst, ein neuer Mensch, eine neue Moral oder vielleicht eine Umschichtung der Gesellschaft sein sollte. Darum sagte jeder, was ihm paßte. Aber überall standen Menschen auf, um gegen das Alte zu kämpfen [...] Sie waren so verschieden wie nur möglich und die Gegensätze ihrer Ziele waren unübertrefflich.«

Die Münchner Sezession und der Jugendstil

Es sind in Mitteleuropa vor allem die drei Sezessionsbewegungen der Kunstzentren München (1892), Wien (1897) und Berlin (1899), die den Übergang zur Kunst des 20. Jahrhunderts anbahnen. Sie unterscheiden sich in den künstlerischen Absichten wie in ihrer gesellschaftlichen Stellung deutlich voneinander. In München sonderten sich nicht die unterdrückten jüngeren Künstler ab, sondern die führenden, marktbeherrschenden, die sich nicht der Mehrheit fügen wollten, so Franz von Stuck, Wilhelm Trübner, Lovis Corinth, Max Slevogt und Fritz von Uhde. Dies ist bezeichnend

linke Seite:
2. Max Klinger (1857–1920), Beethoven-Monument, *verschiedene Marmor- und Halbedelsteinsorten, Bronze, teilweise vergoldet, 310 cm, 1885–1902, Leipzig, Gewandhaus (Leihgabe des Museums der bildenden Künste)*

Auf einem Fels aus dunkelgrünem Pyrenäenmarmor ist ein Thron aus vergoldeter Bronze errichtet, auf dem der Komponist nackt, aus weißem griechischem Marmor geformt, mit übergeschlagenen Beinen sitzt, die unten mit einem Gewand aus gelbgeflecktem Alabaster umhüllt sind. Sein Blick ist über den Betrachter hinweg ins Weite gerichtet. Die rechte Faust ist geballt. Ursprünglich war ein Zitat aus Goethes ›Faust‹ angebracht: »Der Einsamkeit tiefste schauend unter meinem Fuß«. Vor ihm aus grauem Marmor (Bigio) mit Bronzekrallen und Bernsteinaugen ein Adler. Ob damit Beethoven zum Zeus oder eher zum Prometheus wird, ist nicht zu entscheiden. Das Antlitz wurde nach der bei Lebzeiten 1812 abgenommenen Maske geformt. Assoziationen auf Nietzsches ›Zarathustra‹ bzw. Schopenhauers ›Willensmenschen‹ stellen sich ein. Umgeben wird der Tondichter von Engelsköpfen, auf der Rückseite des Thrones finden sich eine Kreuzigung und die Göttin Venus. Der Künstler schließt sich im Gebrauch farbigen Marmors einer spätantiken Tradition an, die er in Rom kennengelernt hatte: Die Materialien sind ein Element des Luxus und zugleich der emotionalen Wirkung. Die Plastik ist für eine Aufstellung im Innenraum gedacht.

3. Thomas Theodor Heine (1867–1948), Plakat (und Titelblatt) der Zeitschrift ›Simplizissimus‹, Lithographie, 87 x 60 cm, 1897, München Stadtmuseum

Die zähnefletschende Dogge, die Heine als Markenzeichen der satirischen, in München herausgegebenen Zeitschrift entwarf, wirkt deshalb so eindringlich, weil die Linien stark vereinfacht und die Formen sehr flächig gestaltet wurden und das Bild mit den zwei Farben Schwarz und Rot auskommt.

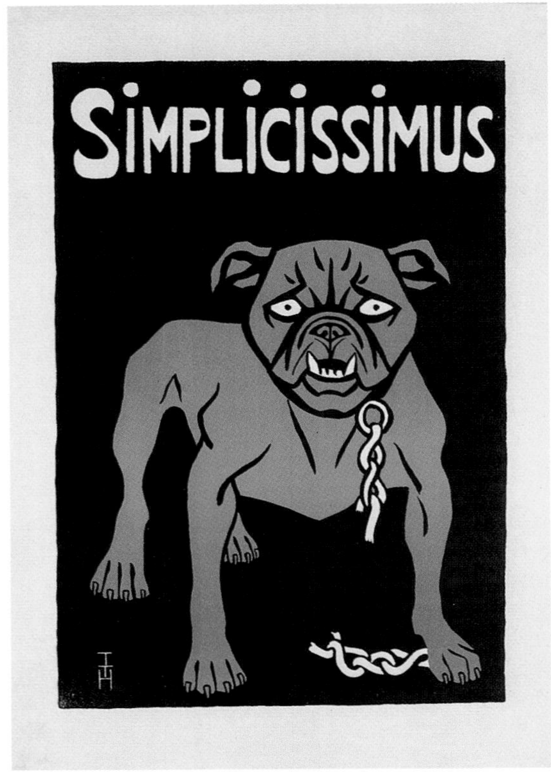

für Münchens Rolle innerhalb des Deutschen Reiches nach der Regierungsübernahme Wilhelms II. 1888: Es wurde für zwei Jahrzehnte die Kunsthauptstadt, weil der Kaiser in Berlin die Kunstpolitik an sich gerissen hatte und bis hin zur Genehmigung der Ankäufe der Berliner Nationalgalerie alles bestimmen wollte. Sein Geschmack war pompös und einseitig, während sich die Wittelsbacher trotz konservativer Grundüberzeugungen betont liberal gaben und das heißt auch – sich zurückhielten: Möglichst keine politische oder religiöse Bevormundung, keine Zensur, keine Majorisierung der künstlerischen Minderheiten durch den Geschmack der Mehrheit. In München und Augsburg erschienen damals die weltoffensten Zeitungen Deutschlands. An die Universität und andere Schlüsselstellen berief man Personen, die dies noch verstärkten. Es gab in Schwabing eine echte Bohème, eine Gesellschaft in der Gesellschaft, in der es sich gut leben ließ. So wurde München als Ort der Freiheit Sammelbecken der damaligen Opposition. In ihm bekamen moderne Tendenzen eine Chance, obwohl die führenden Kreise ihnen im Grunde wenig wohlwollend gegenüberstanden. Man blieb auch offen für die französische Kunst, die man auf der Internationalen Kunstausstellung kennenlernen konnte – und sei es nur, um sich trotzig von Berlin zu unterscheiden.

In der Stadt der Pressefreiheit wurden nach Pariser Vorbildern 1896 zwei illustrierte Zeitschriften gegründet. Die eine war der *Simplicissimus*, herausgegeben von dem künstlerisch engagierten Verleger Albert Langen. Für ihn arbeiteten zeitweise sowohl die bedeutenderen Schriftsteller, wie Frank Wedekind, Franz Thoma oder Thomas Mann, als auch die radikaleren Zeichner, wie Bruno Paul, Friedrich Thöny oder Olaf Gulbransson. Thomas Theodor Heines Signet und Plakat für das Satireblatt, eine rote, bissig dreinschauende Bulldoge vor schwarzem Grund, war eine prägnante, werbeträchtige Bilderfindung. Es ist eines der ersten modernen Plakate in Deutschland, das in seiner zeichenhaften Einfachheit und Schlagkraft die Pariser Vorbilder sogar noch überbot. *(Abb. 3)* Die Geschichte des Plakats als modernes Bildmedium in Deutschland beginnt in München. Die populäre Bildform, für das flüchtig blickende Großstadtauge bestimmt, hatte früh Rückwirkungen auf die Kunst. Emile Zola (1840–1902), Freund von Cézanne, Manet und den anderen Impressionisten, hat in seinem 1886 publizierten Künstlerroman *L'Œuvre* beschrieben, wie eine Gruppe junger Maler in den Straßen von Paris auf Plakate stieß und sich entschloß, zu ähnlich starken Farben zu greifen – Analoges wurde in Deutschland allerdings erst im Expressionismus spürbar. Allerdings gewöhnten die Plakatzeichner die Menschen an Flächigkeit und Vereinfachung und bahnten somit den Weg für die Anerkennung dieser Formprinzipien auch in der anspruchsvollen Malerei.

Die zweite Zeitschrift, von dem Kunstverleger Georg Hirth und dem Kritiker Fritz von Ostini herausgegeben, nannte sich *Jugend. Münchner Wochenschrift für Kunst und Leben.* Nach diesem Titel wurde bald der deutsche Ableger des französisch-belgischen ›Art Nouveau‹ Jugendstil genannt. Er ist Teil einer großbürgerlichen Lebensreformbewegung, die dem ›alten‹ 19. Jahrhundert ein junges zwanzigstes entgegensetzen wollte, dem alten ›schlechten‹ Geschmack einen neuen, ›guten‹. Sie wollte modern in der Lebensführung und freizügiger in den Sitten sein, weg vom autoritären Staat, offen für ›die neue Frau‹. Künstlerisch ging es um die ›Stilwende‹, also um die Ablösung der stilimitierenden Formen durch einen neuen Stil, und dies zunächst vor allem im sogenannten Kunstgewerbe.

Daß nur die üppig-reiche florale, die Natur stilisierende Ornamentik des Jugendstil neu war, weniger die Auffassung der jeweils zu gestaltenden Aufgabe, begrenzte von vorneherein seine Möglichkeiten. Die Richtung war bereits wenige Jahre nach ihrer Entstehung überlebt, auch weil es ihr nicht um einen wirklichen Umsturz der künstlerischen Verhältnisse ging, sondern um eine

4. Weimar, Kunstschule und Kunstgewerbeschule, Äußeres, Henry van de Velde (1863–1957), 1904 und 1905

Henry van de Velde ging 1902 auf Betreiben eines der führenden deutschen Ästheten, Harry Graf Kessler, nach Weimar und wurde 1904 vom Großherzog nach Weimar zum Leiter der Kunstgewerbeschule berufen, die er im Sinne des Jugenstil reformieren sollte. Er war auch der Schwester Friedrich Nietzsches, die in Weimar dessen Nachlaß verwaltete, eng verbunden. Der Neubau fällt durch die Tendenz zur Vereinfachung der Form und schrittweisen Eliminierung des Ornaments auf. In der Hochschule wurde 1919 das neugegründete Bauhaus angesiedelt.

ästhetischere Gestaltung der privaten Lebenswelt. Andererseits gingen aus dem Jugendstil einige Begründer der modernen Architektur hervor, wie Peter Behrens. Hermann Muthesius hat dies ironisch den Weg »vom Sofakissen zum Städtebau« genannt. Letztlich war der Jugendstil von Anfang an keine geschlossene Richtung: Der *Simplizissimus*-Zeichner Bruno Paul karikierte zwar in seiner Hauszeitschrift die neue Ornamentmode als Verrenkung, war aber 1897 dennoch Mitbegründer der am Jugendstil orientierten ›Vereinigten Werkstätten für Kunst und Handwerk‹, wo er allerdings eine strengere Formgebung vertrat. Man ist heute geneigt, alle diese Tendenzen miteinander zu vermengen, nicht ohne kommerziellen Hintersinn, denn Jugendstil läßt sich gut vermarkten.

Die Bewegung hat ihre Wurzeln und Ursprünge in England. Dort hatte vor allem William Morris (1834–1896) der schon aus Anlaß der Weltausstellung 1851 in Gang gesetzten Kunstgewerbereform eine neue Richtung gegeben. Doch wollte er nicht die Industrie fördern, da Industriearbeit arbeitsteilige, d.h. entfremdete Arbeit war, sondern das Handwerk. Nur das Zweckmäßige war zu dulden, aber es sollte auch schön sein. Sein Vorbild waren die Hütten und Zünfte des Mittelalters. Er lehnte jedoch die Stilkopie der Neogotiker ab und strebte statt dessen danach, die neue Schönheit und gediegene handwerkliche Qualität durch Zurückführung auf einfache Grundformen, nur in Anlehnung an die bewunderte Gotik, zu erreichen. Der Wunsch nach einer besseren Kunst war für ihn gleichbedeutend mit dem Wunsch nach einer besseren Welt: Da Kunst und Gesellschaft verflochten sind, erwartete er, daß die Kunstreform zur Reform der Gesellschaft führen würde, eine im 20. Jahrhundert immer wieder erneuerte Hoffnung. Um ihn herum bildete sich eine ökologisch-sozialistische Reformbewegung, die u.a. zu einem neuen Landhausstil führte. Morris und seine Anhänger waren publizistisch sehr aktiv, so daß auch junge deutsche Künstler auf Ausstellungen, durch Zeitschriften wie *The Studio* und Kataloge früh mit ihren Ideen und Motiven vertraut wurden.

In dieser Bewegung spielten ein letztes Mal in der deutschen Geschichte einige Fürsten kleiner Länder eine Rolle, so der mit England dynastisch verbundene Herzog von Coburg-Gotha, der Großherzog von Hessen-Darmstadt und der von Sachsen-Weimar. Sie wollten ihren Residenzstädten kulturellen Glanz, aber auch eine lukrative Kunstgewerbeindustrie verschaffen und räumten einzelnen, an die Spitze ihrer Unternehmungen berufenen Künstlern große Entfaltungsmöglichkeiten ein, so Henry van de Velde in Weimar. *(Abb. 4)* In Darmstadt wurde auf der Mathildenhöhe sogar eine Künstlerkolonie gegründet: Aus ihr kam Peter Behrens, und sie war der Hauptwirkungsort des Wiener Sezessionskünstlers Josef Maria Olbrich. *(Abb. 11)*

Die Malerei in München

Damals entstanden in München Bilder von erstaunlicher Frische und Lebendigkeit. Eine jüngere, unbefangenere Generation trat auf, die ›absolute Malerei‹ bzw. ›peinture pure‹ schaffen wollte. Man hat Künstler wie Slevogt und Corinth als deutsche Impressionisten bezeichnet. Das ist nur mit Einschränkung richtig, weil es keine Nachahmer sind. Die Benennung ist auch deshalb

5. ***Max Slevogt (1868–1932), Feierstunde,*** *Öl auf Leinwand, 126 x 155 cm, 1900, München, Bayerische Staatsgemäldesammlungen, Neue Pinakothek*

Slevogt schrieb seiner Frau, daß er das Bild gemalt habe, weil er keine Lust auf ein literarisches Sujet hatte, und daß »das Bild dunklen Empfindungen Spielraum lassen soll.« Als Modelle wählte er ein Münchner Hausmeisterpaar.

rechte Seite:
6. ***Max Slevogt (1868–1932), Der Sänger Francisco d'Andrade als Don Giovanni, der sogenannte »Weiße d'Andrade«,*** *Öl auf Leinwand, 215 x 160 cm, 1902, Stuttgart, Staatsgalerie*

Das Bild zeigt den Sänger beim Vortrag der berühmten Champagnerarie aus Mozarts Oper ›Don Giovanni‹. Slevogt spielte dabei auf die Schauspielerporträts Manets an, wie etwa, den Faure als Hamlet, der schon früh nach Essen in das Museum Folkwang gelangt war. Andererseits war er auch darum bemüht, den Charakter der Musik Mozarts ins Bild zu übersetzen.

unglücklich, weil die gängigen Vorstellungen über ›den‹ Impressionismus schablonenhaft und falsch sind. Man sollte sich von ihnen z.B. nicht zur Vermutung hinreißen lassen, diese Bilder hätten keine Komposition und keinen Gehalt.

Max Slevogt führt uns in der *Feierstunde (Abb. 5)* nahsichtig und großformatig ein proletarisches Paar vor. Rechts am Ende des Tisches sind die Bestandteile einer spärlichen Mahlzeit zu sehen, dahinter wenige weitere Dinge, ein offener Schrank, ein Waschbecken, keine Tischdecke, kein Teppich oder andere Ausstattungsstücke, wie sie damals in jeder bürgerlichen Wohnung zu finden gewesen wären. Die Mitte des Bildes nimmt der gekrümmte Rücken des Mannes ein, der einen Annäherungsversuch an die Frau macht. Sie wird im Hauskleid, hochaufgerichtet und frontal dargestellt. Trotz ihrer azentrischen Position ist sie dominant – kühlen Blicks läßt sie ihn zappeln. Der Gegensatz zwischen den beiden Figuren zeigt sich besonders auffällig in den Händen: seine sind gerötet und zupackend, ihre sind verschlossen und in einem helleren und kühleren Inkarnat gehalten. Und auch die Pinselführung nimmt Anteil: Sie ist beim Mann heftiger und irregulärer, geht kreuz und quer über die den Körper eher umschlotternden Jacke und die borstig aufstehenden Haare, während sie bei der Frau glatter den weichen, fülligen Rundungen des Körpers folgt. Edouard Manet (1832–1883), Slevogts Vorbild für die lebendige und breitflächige Pinselschrift, mag auch im Hinblick auf die psychologisierende Erfassung von Entfremdung in der Geschlechterbeziehung anregend gewirkt haben. Doch fehlt bei Manet die Thematisierung bedrängender Sexualität. Slevogt hat außerdem seine Farbskala stärker eingeschränkt, als Manet es je getan hat: Er verwendet fast nur graue, braune und weiße Töne. Dies hat einen expressiven Zug und trägt erheblich zur Verdüsterung der Stimmung im Bilde bei.

Derartiges zu thematisieren, war Anliegen einer literarischen Richtung, die man damals ›Naturalismus‹ nannte. Ihr Meister ist der Norweger Henrik Ibsen, unter Slevogts Münchner Freunden gehörte auch Max Halbe dazu. Doch bezieht sich der Maler nicht auf ein Drama oder eine Erzählung: Er versucht vielmehr, auf seine Weise und mit den ihm eigenen Mitteln eine Geschichte dieser Art zu erzählen. Die Künstler der späteren Moderne haben daran kaum noch Interesse gehabt, wie ja auch die literarische Richtung nur kurzlebig war: Die Zeit des liberalen, selbstkritischen, teilweise auch für soziale Fragen offenen Großbürgertums, dem die Maler der Generation von Corinth und Slevogt verbunden waren, ging zu Ende – das Bürgertum spaltete und polarisierte sich.

Slevogt hatte keine Berührungsängste mit der Literatur und literarischen Themen. Er hat gern und glänzend illustriert und hat nicht wenige christliche und mythologische Gegenstände gemalt, zuletzt die Kreuzigung für die Friedenskirche in Ludwigshafen 1932. Mehr noch aber interessierte ihn die Welt der Oper und des rauschhaften Tanzes. In dem Stuttgarter Bildnis des Sängers Francisco d'Andrade als Don Giovanni hat er das Herausfordernde, Kecke des Helden

7. Lovis Corinth (1858–1925), Selbstbildnis mit Skelett, *Öl auf Leinwand, 66 x 86 cm, 1896, München, Städtische Galerie im Lenbachhaus*

Der Blick aus seinem Schwabinger Atelier geht nach Norden, wo sich das Stadtgebiet der armen Leute und Münchens Industriegebiet befand – die rauchenden Schlote lassen daran keinen Zweifel. Es dient, ebenso wie die Vergitterung des Fensters, als mahnender Hintergrund für dieses Selbstbildnis mit dem Tod.

von Mozarts Oper gemalt, *(Abb. 6)* in der Berliner Version desselben Themas eher das Düstere, Dämonische. Er spielt mit den Übergängen zwischen Porträt und Rolle, Kulisse und Wirklichkeit, Bühnenlicht und wirklichem Licht.

Ein Mitstreiter und Freund Slevogts in den Münchener Jahren war Lovis Corinth aus Ostpreußen. Als es darum ging, eine Akademie zu wählen, hatte ihn an Berlin der öde Betrieb um Anton von Werner gestört. So ging er nach München, wo Leibl und dessen Schüler seine eigentlichen Vorbilder wurden. Von München aus unternahm er Abstecher nach Paris und Antwerpen. Corinth war eine Kraftnatur und verband auf seine Weise das ihm menschlich sympathische Barocke mit dem Modernen, Französischen.

In Deutschland begann in den 90er Jahren die Gedankenkunst Böcklins populär zu werden. Corinth nahm sich dessen Selbstbildnis mit dem Tod vor und deutete es neu. *(Abb. 7)* Daß er dabei ebenso wie Böcklin an den Knochenmann altdeutscher Art dachte, also an ein ›memento mori‹, zeigt allein schon die Signatur »Lovis Corinth 38 J[ahre] a[nno] 1896 f[ecit]«, wobei das F zugleich das Gefieder eines Pfeils ist, der auf ihn zielt. Corinths Tod ist jedoch nicht der lebendige Knochenmann Böcklins, sondern ein gemaltes Skelett, wie man es in Akademien für das Studium der Anatomie benutzte. Das spartanische Atelier verstärkt den nüchternen Eindruck noch. Trotzdem erscheint Corinths Gerippe sehr lebendig. Das ist ausschließlich der Malerei zu verdanken, der Art und Weise etwa, wie der Maler das Licht durch das Gebiß des Skeletts hindurchscheinen läßt. Man darf dies als Kritik des Malers Corinth an der naturfern gewordenen Gedankenkunst Böcklins deuten. Die symmetrische Fenstersprossenteilung gibt dem Bild einen regelmäßig gestalteten Grund und betont die Flächigkeit. Aber in dieser zweigeteilten Szenerie verdrängt der Maler mit seiner Körperfülle seinen Nachbarn – »noch« hat ihn der Tod nicht.

Das Erotische wurde – wie überhaupt in dieser Epoche – einer seiner zentralen Themenbereiche. Corinth interessiert sich nicht für Psychologie wie der Beobachter Slevogt. Frauen sind für ihn fleischliche Genüsse, Objekte des Mannes. Daß er handgreiflich denkt – was er in einigen Selbstbildnissen auch ganz konkret darstellte –, sieht man in seinem Bremer Aktbild eher indirekt: Das Bett ist zerwühlt, die vom Liebeskampf erschöpfte junge Frau eingeschlafen und zugleich dem sie verschlingenden Männerblick sich darbietend. *(Abb. 8)* Das Bild ist in der Thematisierung nicht weit von dem entfernt, womit damalige Salonmaler in Paris Erfolge feierten. Aber es ist ehrlicher: Corinth ist kein verkappter Voyeur, er zieht sich nicht heuchlerisch das Deckmäntelchen des Wohlanständigen über und malt auch nicht Pikantes mit einem Augenzwinkern für den Herrn von Welt, der den Vorwand des Mythologischen oder der Kunst braucht, um ganz anderen Begierden Entree zu verschaffen – Corinth malt mit dem Blick des Satyrn auf die Nymphe. In die Mitte des Bildes plaziert er, worum es ihm letztlich geht. Und er setzt seine Erregung in Pinselschrift um.

Es ist heute nur noch schwer nachzuvollziehen, wie prüde (und moralisch heuchlerisch) die bürgerliche Gesellschaft Ende des 19. Jahrhunderts war. In der Schule wurden selbst Klassiker wie Schiller und Goethe nur in gereinigter Fassung gelesen. Der Bereich der Sexualität wurde verschwiegen, jede Andeutung einer Verfehlung aufs Härteste bestraft. Im Grunde versuchte man, den Zwiespalt zu überdecken, der die Moderne kennzeichnet: Nachdem Religion und alte Weltanschauung im 18. Jahrhundert weggebrochen waren, hätte eigentlich auch die christlich-moralische Einzwängung des Erotischen wegfallen müssen. Die Aufklärung ist jedoch, wie oben gezeigt wurde, ein Kind des Bürgertums, und das Bürgertum hatte das Erotische von alters her als eine die Erwerbstüchtigkeit wie die Sparsamkeit untergrabende, Disziplinlosigkeit und andere ›Laster‹ nach sich ziehende, teuflische Macht tabuisiert. Die erotische Freizügigkeit der Höfe und des Adels im 18. Jahrhundert galten ihm als Kainsmal ihrer Verderbtheit. Mit dem Ende der Feudalgesellschaft wurde auch das der ›Lasterhaftigkeit‹ proklamiert. Die Widersprüchlichkeit lag offen zutage. Wenn wir während des 18. Jahrhunderts in Paris und London, oder auch bei Goya, auf Ansätze zu offenem Erotismus stoßen, dann im Rahmen der verbleibenden Reste aristokratischer Einstellung. Andererseits waren gerade die ehedem so freizügigen, nun aber in ihrer Existenz bedrohten Monarchen zu Wohlverhalten in der öffentlich aufs Genaueste kontrollierten Sexualmoral geradezu gezwungen. *(Abb. VII/42)* Das puritanische 19. Jahrhundert hat jedoch das Erotische nicht mehr ganz zu unterdrücken vermocht. Man fuhr damals nach Paris, um sich auszutoben und sich mit andernorts verbotenen Büchern und Bildern einzudecken.

Eros wurde in der Pariser Kunst zuerst von Außenseitern offensiv zur Sprache gebracht, wie etwa von Pierre-Paul Prud'hon (1758–1823) und Anne-Louis Girodet-Trioson (1767–1824), danach aber regelmäßig, wenn auch auf jeweils unterschiedliche Weise von fast allen führenden Künst-

8. Lovis Corinth (1858–1925), Liegender Akt, *Öl auf Leinwand, 75 x 120 cm, 1899, Bremen, Kunsthalle*

Die junge Frau ist in zerwühlten Kissen schlafend gegeben und präsentiert sich dem – letztlich als heimlich hinzugetreten gedachten Maler/Betrachter. Der Pinselstrich ist von einer fast schon expressionistischen Kraft.

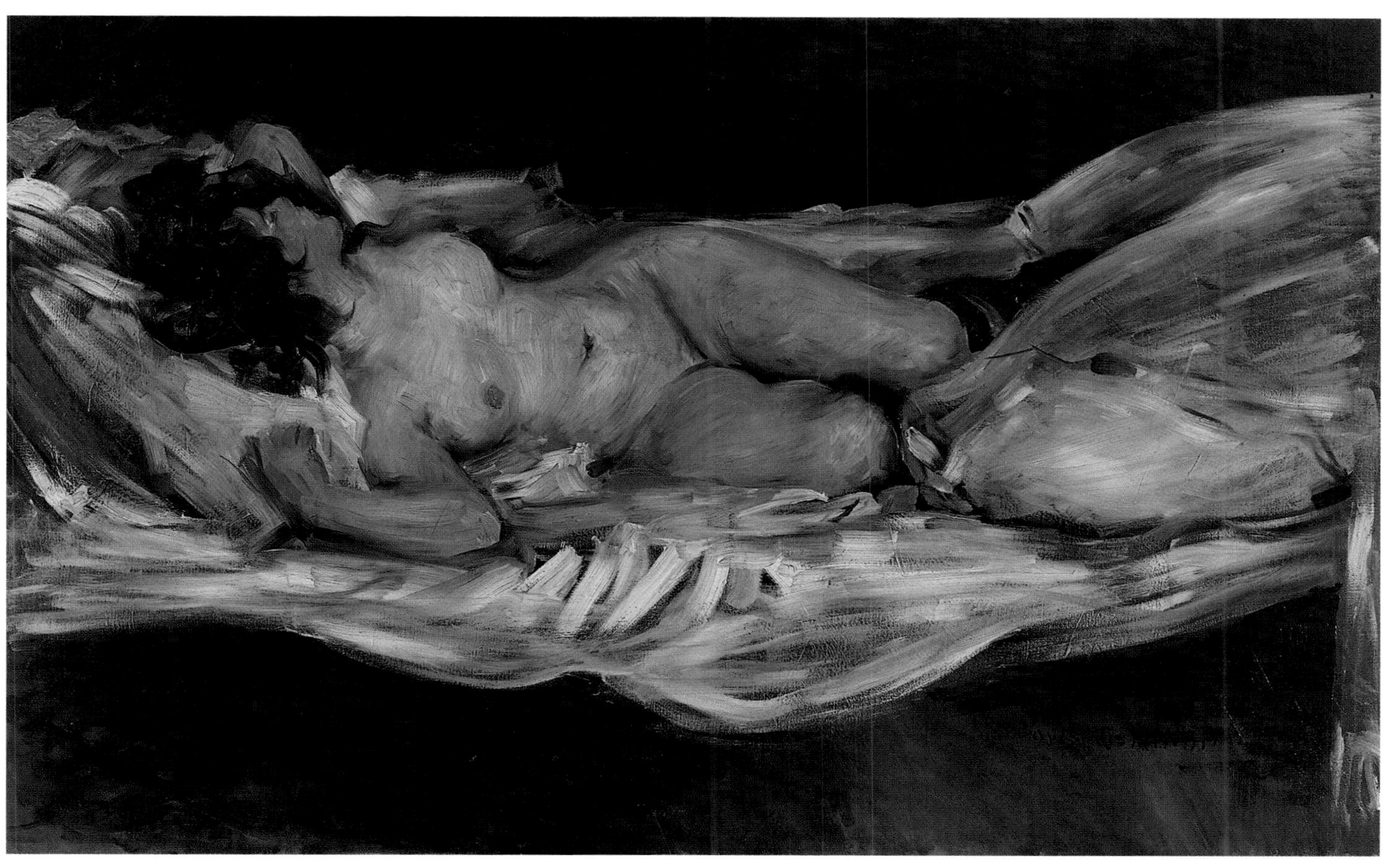

lern thematisiert. Erotische Freizügigkeit wurde zum Kennzeichen der Bohème. Sie war ein Mittel des Affronts gegen den ›guten Bürger‹, der offiziell mit Zorn reagierte, insgeheim aber mit Neid. Doch fanden sich die Künstler schon unter Napoleon III. (reg. 1851–1870) in einer doppelten Oppositionsrolle: einerseits gegen die puritanische Totalnegierung und andererseits gegen die manipulierende Ausbeutung der erotischen Bedürfnisse in der ›Salonkunst‹. Ab etwa 1890 brach die geordnete Welt des europäischen Bürgertums auf breiter Front ein: Eros wurde zum Inbegriff der irrationalen Triebkräfte, die von dem Scheinrationalismus verkannt und verdrängt worden waren und die sich nun aus der Unterdrückung befreiten. Die ›Stilwende‹ geht einher mit einer erotischen Revolution. Aber beides interessierte zunächst nur einen kleinen Teil der Gesellschaft und behielt etwas Außenseiterhaftes. Gerade deshalb jedoch wurde das Erotische in allen seinen Facetten zu einem Hauptthema der nach Modernität strebenden Kunst.

Die Wiener Sezession

Hans Makart *(Abb. VII/75)* hatte in Wien die erotischen Sensations- und Klatschbedürfnisse der Gesellschaft nach Art der französischen Salonmaler bedient. Wenige Jahre nach seinem Tod errang Wien eine führende Rolle in der erotischen wie der künstlerischen Revolution. Der Nervenarzt und Begründer der Psychoanalyse, Sigmund Freud (1856–1939), ist nur aus dem Wiener Kontext zu erklären, ebenso der Schriftsteller Arthur Schnitzler (1862–1931): Beide trugen auf ihre Weise dazu bei, den verdrängten und vergewaltigten Eros anzuerkennen und zu befreien. Protagonist dieser Bewegung in der Malerei ist Gustav Klimt. Er hat als Makartianer angefangen, sich allerdings in der Glätte der Körperwiedergabe und in der Genauigkeit sowie der Stilisierung der Zeichnung eher an Ingres (1787–1867) orientiert, so etwa in seinen Gemälden für Burgtheater und Kunsthistorisches Museum. *(Abb. VII/95)* Dann aber begann er, seinen Stil und seine Themen zu ändern. Vorbild dabei war vor allem englische Kunst, für die Phase der duftigen Bilder um 1895 James Abbott McNeill Whistler (1834–1903), für die stärker lineare Stilisierung Aubrey Beardsley (1872–1898), dessen provokant erotische Graphiken Klimt bekannt gewesen sein müssen. 1902 veröffentlichte dann der französische Bildhauer Auguste Rodin (1840–1917) einen Lithographienzyklus, den man als Hymnus auf das weibliche Geschlechtsorgan bezeichnen kann und der sein Pendant in einer großen Zahl von Zeichnungen Klimts fand.

9. ***Gustav Klimt (1862–1918), Judith und Holofernes,*** *Öl auf Leinwand, 84 x 92 cm, Rahmen von Georg Klimt, 1901, Wien, Österreichische Galerie*

Klimt hat sich einen Frauentypus mit auffällig eckigem Kinn gewählt. Judiths Frisur, die sich wie ein breiter Halbkreis um ihr Antlitz legt, ist nach dem Vorbild alter ägyptischer Bildwerke stilisiert. Ihr Haupt ist stark von unten gesehen, wodurch es monumentalisiert wird. Mit halb geschlossenen Augen richtet sie ihren Blick auf den Betrachter wie eine Raubkatze auf die potentielle Beute.

*10. Gustav Klimt (1862–1918), **Porträt Emilie Flöge,** Öl auf Leinwand, 178 x 80 cm, 1902, Wien, Historisches Museum der Stadt Wien*

Emilie Flöge war für einige Jahre die Lebensgefährtin Klimts. Sie hatte einen von Josef Hoffmann eingerichteten Modesalon. Klimt hat für sie auch Kleiderstoffe entworfen. Der in diesem Bild gemalte Stoff dürfte in diesem Sinne zu verstehen sein.

Klimt gelangte jedoch wie die meisten seiner avantgardistischen Zeitgenossen nicht zu einer unbefangenen Auffassung des Geschlechtlichen. Im Gegenteil: in der Mehrzahl der Bilder wird es dämonisiert. Die Frau wird zur ›femme fatale‹, sie erscheint als das Unheil des Mannes, als Hexe. Anscheinend konnte auch der moderne Künstler den Trieb nur als eine Macht, die die männliche Rationalität bedroht, dämonisieren und nach altem Schuldzuweisungsmuster die Frau als Inkarnation dieser Bedrohung fassen. Lieblingsthema dieser Kunst wurde die biblische Prinzessin Salome, die von ihrem Stiefvater Herodes als Belohnung für ihren Tanz das Haupt Johannes des Täufers wünschte und auch erhielt. Und selbst wenn Judith dargestellt wird, die als Heldin des Alten Testamentes ihr Volk befreite, indem sie dem vom Venusdienst erschöpften assyrischen Feldherrn Holofernes das Haupt abschlug, so wird bei Klimt eine Männermörderin daraus, die den Betrachter so von oben herab anblickt, als wäre er selbst bedroht. *(Abb. 9)* Judith wird zu einer nur halb verschleierten orientalischen Haremsdame, die die freie Brust provokant in die Nähe des Männerhauptes hält. Einen eigentümlichen Reiz gibt der Maler der Gestalt dadurch, daß er sie mittels flächiger goldener Ornamentik und eines vergoldeten Rahmens ins Ikonenhafte wendet und so von der göttlichen Aura dieser Kultbildkunst etwas auf seine Figur überträgt. Der Kontrast zwischen der Flächigkeit der Hintergrunds-Ornamentik bzw. des abstrakten Gewandschmucks und dem weichen Fleisch des Körpers bzw. der duftig gemalten, pfirsichsamtenen Haut steigert die erotische Wirkung.

Klimt hat auch die offiziellen Allegorien erotisiert und damit die Zeitgenossen schockiert. Umso mehr erstaunt, daß seine Frauenporträts meist nur wenig sinnliche Ausstrahlung besitzen. Sie erfassen genau die Physiognomie der dargestellten Damen, decken aber ihren Körper so aufwendig durch mit kostbaren Farben und Ornamenten verzierte Kleider und andere Flächen zu, als existiere er gar nicht. Im Grunde hat dies etwas Manichäisches: Geist und Körper, Persönlichkeit und Sinne werden als zwei völlig getrennte, ja antagonistische Elemente verstanden. Klimt hat also die bürgerliche Leibfeindlichkeit nicht aufgehoben, er hat den Widerspruch sogar noch verschärft: Es gibt zwei scharf geschiedene Gruppen von Frauen, die wohlanständige, die man nicht berühren darf oder will und andererseits die Hure für die sexuellen Bedürfnisse des Mannes bzw. die Venus als Projektion und Objekt seiner Begierden. Man kann dem Porträt der Emilie Flöge nicht ansehen, daß es sich um Klimts damalige Lebensgefährtin handelt: Ihr Blick ist so distanziert wie bei einer beliebigen Kundin, die sich malen läßt. *(Abb. 10)* Ihr Stehen hat keinen Ort und somit auch keine Beziehung zum Betrachter, und die Haltung ihrer Arme folgt einer alten aristokratischen Porträtkonvention, die man überall in den Gemälden des Wiener Museums studieren konnte, die allerdings etwas Überlebtes hat, wenn man diese Haltung nicht als männlich herausfordernd deuten möchte. Zwar versteht es der Maler, seinen Bildern höchsten ästhetischen Reiz zu geben, doch ist es im Grunde der Reiz eines abstrakten Ornaments.

Die Wiener Sezession ist – zumindest in ihren Anfängen – Teil der europäischen Jugendstilbewegung, zugleich aber der Versuch, in Österreich zu einer eigenen nationalen und modernen Kunst zu kommen. Ihr Ziel war die Verbindung von Kunst

11. ***Wien, Sezessionsgebäude,*** *Joseph Maria Olbrich (1867–1908), 1898*

Bei der Konzeption der Architektur spielten offenbar auch Ideen von Gustav Klimt eine Rolle. Das Gebäude ist einerseits von einer bis dahin nicht gekannten kubischen Einfachheit der Grundform, andererseits mit den neuen floralen Ornamenten reich verziert. Die Metallkuppel über dem Eingangsraum ist ein vergoldetes und durchbrochenes Geflecht aus Lorbeerblättern, also ein reines Kunst- und Luxusgebilde. Über der Pforte steht das Motto »Der Zeit ihre Kunst, der Kunst ihre Freiheit«.

und Leben: das Gesamtkunstwerk. Der gesamte Lebensbereich sollte künstlerischer Gestaltung unterworfen werden. Realisiert wurde dies jedoch außer in privaten Bauten nur in Olbrichs Ausstellungsgebäude für die Sezession in Wien 1898. *(Abb. 11)* Wie missionarisch man dachte, zeigt die Inszenierung der Ausstellung von Klingers Beethoven-Statue *(Abb. 2)* im Wiener Sezessionsgebäude 1902: Zwanzig Künstler hatten sich unter der Führung Klimts zusammengetan, um, wie es im Katalog heißt, mit eigenen Werken zum Thema »der ernsten und herrlichen Huldigung, die Klinger dem großen Beethoven in seinem Denkmale darbringt, eine würdige Umrahmung zu schaffen.« Josef Hoffmann gestaltete die Räume in strenger Form und weiß-grauer Chromatik, damit die Farben der Plastik noch stärker zur Geltung kämen. Der Schlußchor von Beethovens Neunter Symphonie wurde in einer von Gustav Mahler für Bläser gesetzten Fassung gespielt und so eine sehr suggestive, von manchen als hypnotisch empfundene, Gesamtwirkung geschaffen, wie sie später nur das Kino erreichte. Man wollte nicht mehr »Künste, sondern Kunst«, den »großen gesammelten Ausdruck unserer Lebensanschauung« (Klinger). Angesichts der fortgeschrittenen und letztlich nicht mehr aufzuhaltenden Arbeitsteilung der Gesellschaft war dies Bestreben utopisch. Obwohl es letztlich zum Scheitern verurteilt war, ist es deshalb aber nicht weniger zu bewundern – schon 1905 brach die Gruppe der Sezessionisten auseinander.

Die Wiener Maler standen, enger als die Münchner, in Verbindung mit Architekten, ihre Absichten reichten weiter und waren ehrgeiziger. Olbrich, der Schöpfer des modernen floralen, nicht-historistischen Ornaments, hatte zunächst bei Camillo Sitte gelernt und dann vor allem bei Otto Wagner, dessen Anfänge in die Blütezeit der Neo-Renaissance bzw. des Neobarock zurückreichen. Er erstrebte eine umfassende Erneuerung der Baukunst. Einer seiner Leitgedanken war die ›Zweckmäßigkeit‹. Sie war schon von Schinkel, Hübsch, später dann vor allem von Viollet-le-Duc, Semper und seinem Lehrer Eduard van der Nüll, dem Erbauer des Wiener Opernhauses, betont worden. Aber erst allmählich wurde ihm – und anderen Baumeistern dieser Zeit – deutlich, daß die Dekoration der funktional gestalteten Baukörper mit historischen Stilformen widersprüchlich war. Entscheidend für ihn wurde die Auseinandersetzung mit einer der modernsten Bauaufgaben der Epoche, der Wiener elektrischen Stadtbahn,

12. ***Wien, U-Bahnhof am Karlstor,*** *Empfangshäuschen, Otto Wagner (1841–1918), 1898/1899*

Die Eisenkonstruktion ist wegen ihrer prominenten Position in der Nähe der Karlskirche mit kostbaren Materialien ausgestattet, reich mit Jugendstilmotiven dekoriert und in Aufriß wie Bogenform an den Stil des 18. Jahrhunderts angelehnt. Doch ist die Grundform von strenger Einfachheit.

13. Wien, Postsparkassenamt, *Inneres der Schalterhalle, Otto Wagner (1841–1918), 1903–1912*

Die Innenarchitektur des Amtes ist moderner als das Äußere und zeigt teilweise die Konstruktion, ohne ihre Erscheinung dem Betrachter aufzudrängen. Bei näherer Betrachtung wird erkennbar, daß Boden, Decke und Aufriß mit Hilfe von Modulen proportioniert sind. In den Fußboden sind Glasbausteine eingelegt, die zur Beleuchtung des Untergeschoßes dienen. Der Farbklang von Glas, Aluminium und Wandfarbigkeit ist auf einen silbergrauen Grundton gestimmt. Auf schmückende Zierformen wie in den Jahren zuvor ist verzichtet, dafür sind einige funktionale Elemente, wie die Lüftungsrohre, aufwendig ausgestaltet.

die er mit seinem Büro, zu dem zeitweise Olbrich und Josef Hoffmann gehörten, seit 1894 errichtete. *(Abb. 12)*

1895 konzipierte er seine Programmschrift *Moderne Architektur*, die er in der 4. Auflage von 1914 in *Die Baukunst unserer Zeit* umbenannte. Ihr Hauptanliegen ist, »daß die Basis der heute vorherrschenden Anschauungen über die Baukunst verschoben werden und die Erkenntnis durchgreifen muß, daß der einzige Ausgangspunkt unseres künstlerischen Schaffens nur das moderne Leben sein kann [...] Dieser Neustil, die Moderne, wird [...] das fast alles usurpierende Hervortreten der Zweckerfüllung bei allen unseren Werken deutlich zum Ausdrucke bringen müssen.« Er stellt fest, daß zwischen der eigenen Zeit und der Renaissance eine größere Kluft besteht als zwischen Renaissance und Antike. Einer der Hauptgründe dafür sei der Fortschritt in der Konstruktion. Er stellt das (u.a. von Viollet-le-Duc bzw. Semper abgeleitete) ›Gesetz‹ auf: »Jede Bauform ist aus der Konstruktion entstanden und sukzessive zur Kunstform geworden [...]; daher [...müssen] neue Zwecke und neue Konstruktionen neue Formen gebären [...] Der Architekt hat immer aus der Konstruktion die Kunstform zu entwickeln.« Wagner formuliert als einer der ersten in Grundzügen das Programm des Funktionalismus, der Hauptrichtung des Bauens im 20. Jahrhundert.

Wagners Baukunst ist jedoch nicht auf diesen Begriff zu bringen. Bei seinen abwechslungsreichen Formerfindungen für die Stadtbahn gelang es ihm nicht, den Konflikt zwischen der reinen – aus statischer Berechnung sich ergebenden – Ingenieursform und der Bau-›Kunst‹ zu lösen. Beides steht unvermittelt nebeneinander. Er versuchte, einerseits die Ingenieursform zu dekorieren, andererseits die baukünstlerischen Formen zu vereinfa-

14. Purkersdorf bei Wien, Sanatorium, Zeichnung von Josef Hoffmann (1870–1956), Bau: 1903–1905, 1926 von Leopold Bauer aufgestockt.

Das Sanatorium für Kreise der feineren Gesellschaft besticht durch die Radikalität der Reduktion auf die einfachste Grundform, den Kubus, mit unverzierten Fenstern und flachem Dach. Auffällig ist die rigide Symmetrie.

chen und dem strengen Stil der technischen Struktur anzupassen. Die meisten Gestaltungen seiner Bahnhöfe, Brücken und anderer mit der Stadtbahn im Zusammenhang stehender Bauten, wie der Donaukanalregulierung, sind immer noch in Anlehnung an die dorische Säulenordnung entwickelt. Der Bahnhof auf dem durch Barockmonumente bestimmten Karlsplatz paraphrasiert jedoch – in Berücksichtigung dieser Bauten – Motive des 18. Jahrhunderts. *(Abb. 12)* Leider kam Wagner bei den repräsentativen, staatlichen Bauvorhaben fast nie zum Zuge: Zu sehr hatte er mit Polemik und seinem Beitritt zur Sezession Kollegen und Öffentlichkeit geschockt. Kaiser und Kronprinz hatten es sowieso lieber ›mariatheresianisch‹.

Der konsequenteste der Wagner-Bauten ist die Schalterhalle des Postsparkassenamtes in Wien. *(Abb. 13)* Sie ist einem Innenhof eingepaßt. Zwei Reihen von Stahlträgern mit angenieteten Verkleidungsblechen scheinen mit ihren wie ein Architrav wirkenden Längsbalken die Stahl-Glas-Bedachung zu tragen. In Wirklichkeit sind es Masten, an deren Spitze Seile zusammenlaufen, die die Glasdächer halten. Die sich nach unten verjüngende Form der Träger ist konstruktiv nicht notwendig, sondern als Zitat nach der Pariser Galerie des Machines zu verstehen: Im Postsparkassenamt treten jedoch gar nicht die Dehnungsspannungen und andere Kräfte auf, die in Paris zur Wahl des Schwedlerschen Dreigelenkbinders führten. Auch die anderen Elemente, wie die Fenster an der Stirnwand, die klassischen Thermenfenstern nachempfunden sind, oder die Korbbogenform des mittleren Glasdachs, zeigen, daß Wagner ein Baumeister mit vielen historischen Erinnerungen ist. Er hat allen Details große Sorgfalt angedeihen lassen. Für die auffällig inszenierten Öffnungen der Lüftungs- und Heizungsschächte verwendete er das damals noch ungebräuchliche Aluminium,

15. Wien, Café Museum, Inneres, Umbau durch Adolf Loos (1870–1933), 1899

Der Umbau erregte großes Aufsehen; Wiener Architekten nannten es das ›Café Nihilismus‹, eine Bezeichnung, die von Loos akzeptiert wurde, da er mit Nietzsche den Nihilismus als notwendiges Durchgangsstadium auf dem Weg zu neuen Werten sah. In der Behandlung und Wahl der Materialien wurde es genauso vorbildlich wie in der Formgebung. Für die Ausstattung griff Loos auch auf Thonet-Möbel und andere Einrichtungsgegenstände zurück, die im Handel verfügbar waren, da er die Ansprüche damaliger Architekten, im Sinne des ›Gesamtkunstwerks‹ alles einem gemeinsamen Design zu unterwerfen, ablehnte.

und auch die systematische Benutzung des Stahlbetons ist bemerkenswert. Mit den meisten seiner Ideen kam Wagner nicht zum Zuge, so mit seinen großstädtischen, gerasterten Stadtbauplänen, in denen er seine Abneigung gegen die »Schwärmer für lauschige Stadtplätze und krumme Straßen« – gemeint ist Camillo Sitte – zum Ausdruck bringt. Derartiges hat dann das spätere 20. Jahrhundert vielerorts durchgeführt, meist brutal genug, um heute Reserviertheit zu erzeugen. Überhaupt ist im Laufe des Jahrhunderts der Fortschrittsoptimismus abhanden gekommen, mit dem Wagner in den jüngeren Auflagen seiner Programmschrift den »Sieg der Moderne« verkündete. Er mußte erleben, daß sein Schüler Josef Hoffmann viel radikalere Schlüsse aus seinen Lehren zog, als er selbst und daß Adolf Loos sogar seine Vorstellung von der Rolle des Baukünstlers ablehnte. Wagner hatte festgestellt: »Der nicht auf die werdende Kunstform, sondern nur auf die statische Berechnung und auf den Kostenpunkt Rücksicht nehmende Ingenieur spricht [...] eine für die Menschheit unsympathische Sprache« und hatte die Suche nach dieser ›Sprache‹ zur Hauptaufgabe des modernen Architekten erhoben. Während er selbst noch nach dieser modernen Kunstform suchte, erklärte Loos dies für Unsinn, ebenso wie er alle Bestrebungen nach dem Gesamtkunstwerk in Bausch und Bogen abtat.

Hoffmann änderte im Jahre 1900 seinen Stil radikal: Er betonte von nun an die strenge Rechteckform und den Kontrast zwischen Schwarz und Weiß. 1903 gründete er mit Kolo Moser (1868–1918) die ›Wiener Werkstätten‹, eine der produktivsten Firmen für Möbeldesign und andere Ausstattungskünste im 20. Jahrhundert. Vom Design aus erfolgte auch der Zugriff auf die Baukunst, am überraschendsten in seinem betont kubisch-einfachen Sanatorium in Purkersdorf bei Wien aus den Jahren 1903–1905. *(Abb. 14)* Doch schon während seines Romstipendiums hatte er sich mehr für die ornamentlosen Würfelformen der anonymen mittelmeerischen Häuser begeistert als für die Klassische Baukunst. Später bereicherte er sein Formenvokabular jedoch mit Elementen des Neoklassizismus.

Schon Wagner und Hoffmann hatten sich in Berlin und anderen Kunstzentren Deutschlands umgesehen. Adolf Loos, Altersgenosse von Hoffmann und wie dieser in Mähren geboren, ging einen Schritt weiter: Er kam aus einer Künstlerfamilie, erlernte das Maurerhandwerk und absolvierte dann sogar einen Kurs als Bauingenieur. Danach aber schlug er sich drei Jahre mit Gelegenheitsarbeiten in Amerika durch, wo er in Chicago, New York und St. Louis die neue Bauweise, insbesondere die Louis Sullivans, studierte. Zurück in Wien betätigte er sich in den ersten zehn Jahren

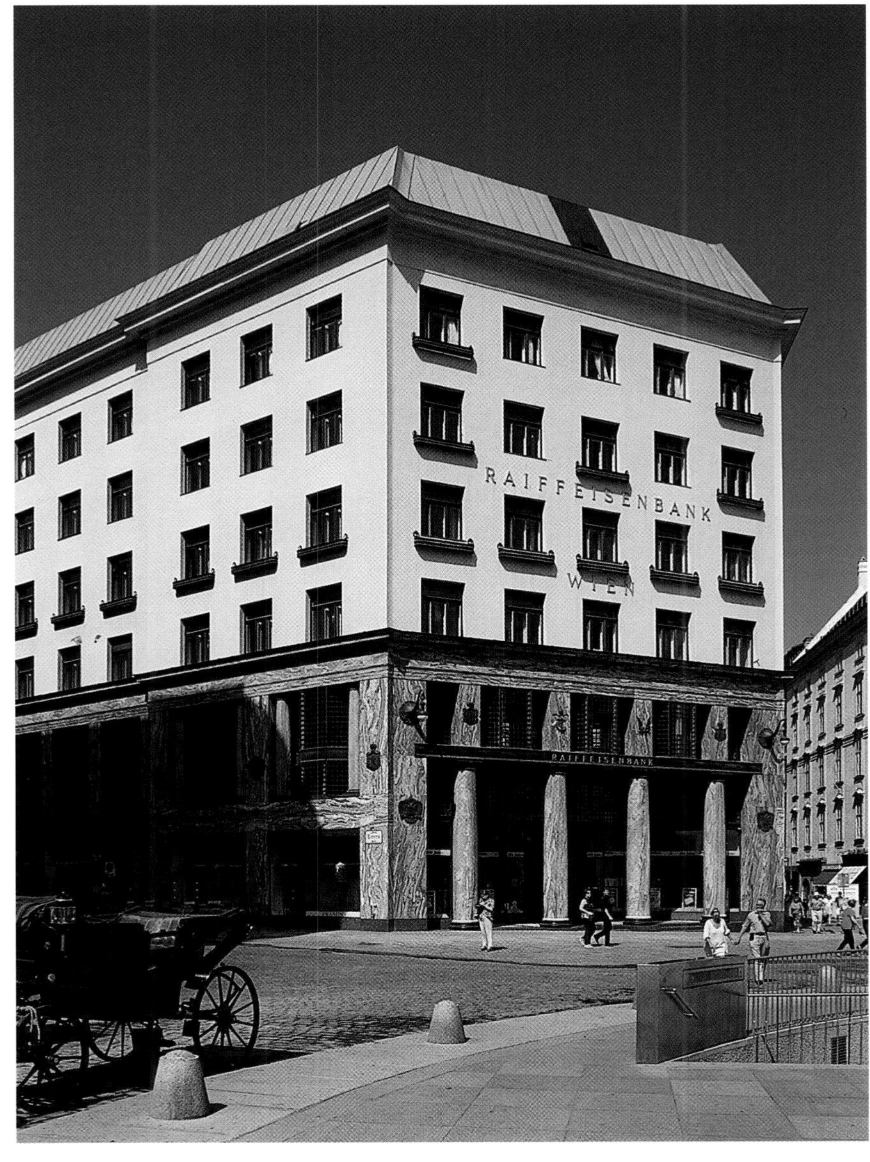

16. Wien, Haus Goldman & Salatsch am Michaeler Platz,
Außenansicht, Adolf Loos (1870–1933), 1909–1911
Das von einem Herrenausstatter in Auftrag gegebene Geschäftshaus in äußerst prominenter Lage gegenüber der Hofburg wurde Gegenstand öffentlicher Polemik und erhielt bald den Namen ›Looshaus‹. Die Grundform läßt Loos' Verehrung für das Blockdenken und den rigiden Teil von Schinkels Klassizismus erkennen. Die Fenster über den Schaufenstern sind von der modernen Bauweise Chicagos abgeleitet.

seines Schaffens fast ausschließlich als Innenarchitekt *(Abb. 15)* und als kulturkritischer Polemiker (er war ein Verfechter der Kleinschreibung), wobei er auch Sezession und Werkbund zauste. Abfällig spricht er von der Laubsägearbeit Hoffmanns: »Auch heute noch glaubt er, mit merkwürdigen beizen, mit aufpatronierten und eingelegten ornamenten seine möbel verschönern zu können« – und gegen den Werkbund gerichtet drückt er seine Zweifel am Sinn des ›industrial design‹ überhaupt aus: »Kein mensch, auch kein verein schuf uns unsere schränke, unsere zigarettendosen [...] Die zeit schuf sie uns [...] Den stil unserer zeit haben wir ja [womit er die zweckmäßig gestalteten technischen Gebrauchsgegenstände, die Maschinen, Fahrräder usw. meint]. Wir haben ihn überall dort, wo der künstler [...] bisher seine nase noch nicht hineingesteckt hat.«

In seinem Aufsatz *Architektur* von 1910 brandmarkt er die Bemühungen um Verzierung überhaupt als Zeichen der verdorbenen Verhältnisse der Gegenwart: »[...] der weg der kultur ist ein weg vom ornament weg zur ornamentlosigkeit! Evolution der kultur ist gleichbedeutend mit dem entfernen des ornamentes aus dem gebrauchsgegenstande. Der papua bedeckt alles, was ihm erreichbar ist, mit ornamenten, von seinem antlitz und körper bis zu seinem bogen und ruderboot. Aber heute ist die tätowierung ein degenerationszeichen und nur mehr bei verbrechern [...] im gebrauch. Und der kultivierte mensch findet, zum unterschied vom papuaneger, ein untätowiertes antlitz schöner als ein tätowiertes.«

Während die meisten Baumeister der Moderne die Architektur als Bildende Kunst aufzuwerten versuchten und die Unterschiede zwischen den Gattungen verwischten, polarisierte Loos – zu schroff – den Unterschied zwischen Kunst und Architektur zum Gegensatz: »Das haus hat allen zu gefallen. Zum unterschiede vom kunstwerk, das niemandem zu gefallen hat. Das kunstwerk ist eine privatangelegenheit des künstlers. Das haus ist es nicht. Das kunstwerk wird in die welt gesetzt, ohne daß ein bedürfnis dafür vorhanden wäre. Das haus deckt ein bedürfnis [...] Das kunstwerk will die menschen aus ihrer bequemlichkeit reißen. Das haus hat der bequemlichkeit zu dienen. Das kunstwerk ist revolutionär, das haus konservativ. Das kunstwerk weist der menschheit neue wege und denkt an die zukunft. Das haus denkt an die gegenwart [...] So hätte also das haus nichts mit kunst zu tun und wäre die architektur nicht unter die künste einzureihen? Es ist so.«

Dieser strenge architektonische Vordenker haßte Rhetorik in der Architektur – aber seine Texte sind glänzende Rhetorik. Die Unerbittlichkeit der Antithetik, die er mit seinem Freund Karl Kraus teilt, erinnert an die der Aufklärer des 18. Jahrhunderts. Sie ist im frühen 20. Jahrhundert bei den Vorkämpfern des Neuen häufig, ob in den *Kulturarbeiten* von Paul Schultze-Naumburg oder dem *Katechismus der Denkmalpflege* von Max Dvořák. Loos war auch als Baumeister radikal. Er reduzierte die Gebäude auf die kubische Grundform, verwendete als erster in einem Privatbau Stahlbeton, ließ die Materialien nach Möglichkeit unverputzt, bevorzugte jedoch, auch als Ersatz für den Ornamentschmuck, kostbares Holz- und Steinmaterial mit schöner Oberfläche. Dies finden wir bei Mies van der Rohe und anderen Nachfolgern wieder. Was allerdings 1910 am Michaelerplatz *(Abb. 16)* inmitten des überdekorierten Neobarock als rein und klar erscheinen konnte, hat durch die Massenhaftigkeit des Gebrauchs seine Einzigartigkeit und durch die Möglichkeit zur Profitmaximierung in dieser Bauweise auch seine überlegene Moral verloren und zeigt eher seine andere Seite: das Klotzige und Aggressive. Eine große Leistung des Architekten jedoch war, seine Bauten von den Räumen des Inneren her zu konzipieren, vom ›Raumplan‹, wie er sagt, nicht ohne Polemik gegen das Überwiegen des zeichnerischen Denkens in der Baukunst. Daß dies zu Dissonanzen im Äußeren führte, hat ihn nicht gestört – im Gegenteil, man wird wie bei seinem Freund, dem Zwölfton-Musiker Arnold Schönberg, von einer bewußten Herbeiführung der Dissonanzen ausgehen können. Diese Baukunst reflektiert den Verlust an innerer Geschlossenheit des Zeitalters.

Loos ist der Entdecker des Malers Kokoschka, den er 1908 dem Kreis der Wiener Werkstätten entriß und zur eigenständigen Existenz verhalf. Wenn man das Porträt des Mentors studiert, so fällt auf, wie der Maler im Verlauf des Arbeitsvorgangs seinen Gegenstand zusehends dämonisierte, und dies nicht allein durch die düstere Farbigkeit. *(Abb. 17)* Es handelt sich dabei aber nicht allein um eine persönliche Sicht auf sein Gegenüber,

*17. Oskar Kokoschka (1886–1980), **Porträt Adolf Loos,** Öl auf Leinwand, 74 x 91 cm, 1909, Berlin, Nationalgalerie SMPK*

Vor dem düster blauen, mit ekstatischem Strich gemalten Hintergrund fallen neben dem Antlitz die großen, gefalteten Hände auf, die in ihrer Aussage jedoch unbestimmt bleiben, wenn man nicht in der nervösen Verkrampfung die eigentliche Botschaft sehen will. Kokoschka hat ein distanziertes Verhältnis zu den von ihm gemalten Personen, auch wenn sie ihm so nahestehen wie sein Entdecker und Förderer Loos. Er inszeniert sie mehr, als sie zu ergründen.

sondern in ebenso hohem Maße um Selbststilisierung. Der Künstler versteht sich selbst als Geisterseher, als jemand, der außer sich ist, aber, wie sein Stilleben mit Hammel zeigt, auch als apokalyptischer Visionär und als Zertrümmerer. *(Abb. 18)* Er schlägt mit dem Pinsel auf die Leinwand ein, tobt sich aus, und er kratzt, schabt, spachtelt, sucht nach Möglichkeit die Dissonanzen schon im Technischen, erst recht in der Farbe darzustellen. Dies ist eine wütende Absage an die gepflegte Ästhetik der Stilkunst der Jahrhundertwende. Doch ließ sich die große Geste und die mit immer

*18. Oskar Kokoschka (1886–1980), **Stilleben mit Hammel und Hyazinthe,** Öl auf Leinwand, 87 x 114 cm, 1910, Wien, Österreichische Galerie im Belvedere*

Der gehäutete Hammel, die Albinomaus, der Grottenolm oder die Schildkröte sind an sich bereits schockierend ungewöhnlich als Gegenstände eines Stillebens, das weder das Verhältnis zur Wirklichkeit thematisiert, noch als künstlerisch-theoretisches Exerzitium im Sinne der Pariser Avantgarden des 19. Jahrhunderts anzusehen ist. Die Willkür geht bis in die Malweise und läßt Partien teils gezeichnet, teils mit dicken Farbpasten plastisch überzogen, teils vage, teils überklar und lichtintensiv. Die Aussage bleibt insgesamt also offen; die Zerrissenheit im Formalen ist wie die höchst heterogene Emotionen auslösenden Gegenstände als eine Art Sinnbild damaliger Wirklichkeit gemeint.

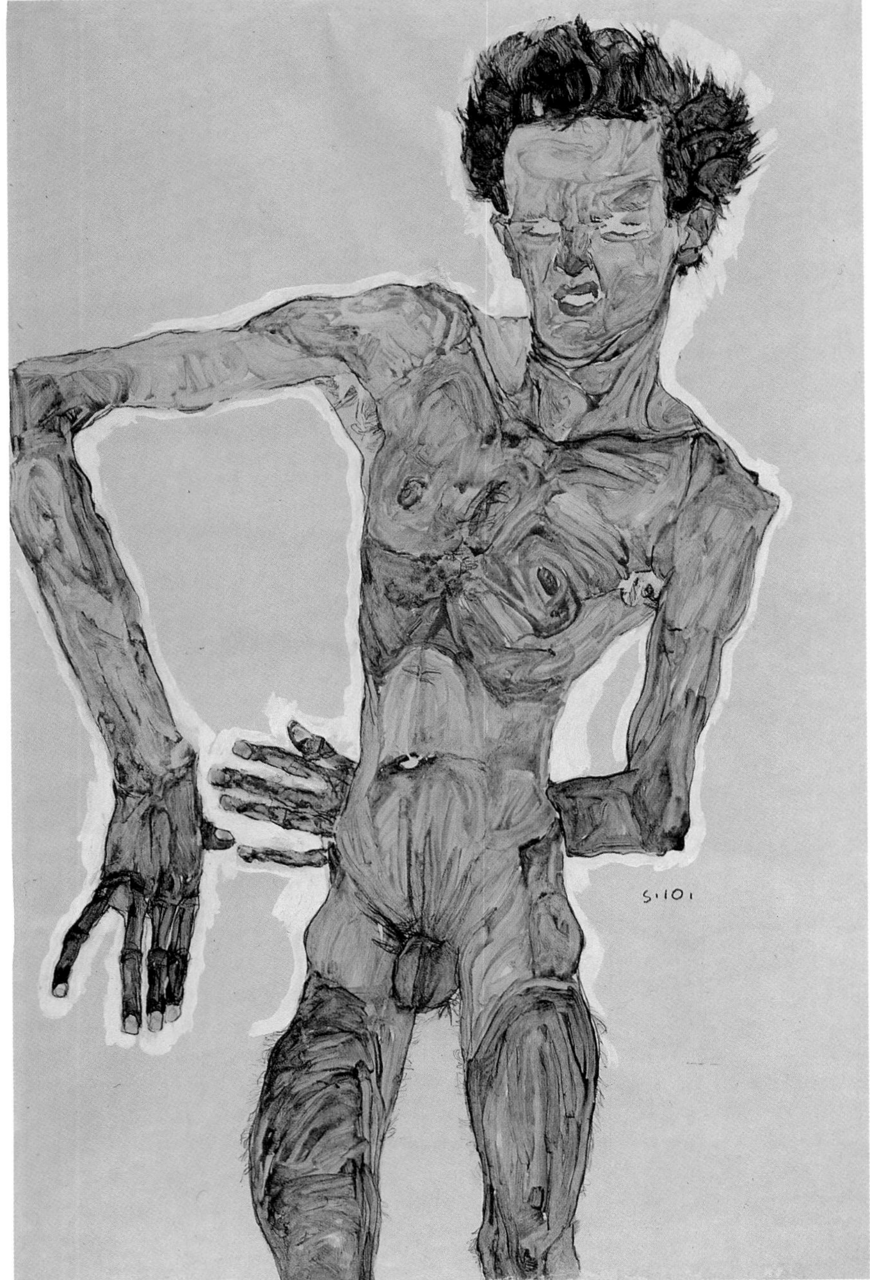

19. ***Egon Schiele (1890–1918), Selbstbildnis,*** *Bleistift, Kohle, Deckfarben auf Packpapier, 56 x 37 cm, 1910, Wien, Graphische Sammlung Albertina*
Das Bild diente dem Künstler als Vorlage für verschiedene Plakate. Die flächige Stilisierung, die letztlich auf japanische Holzschnitte zurückgeht, wird hier zum Ausdruck extremer Verkrampftheit und Verquältheit. Der Leib erscheint in Auflösung, selbst das Knochengerüst zeichnet sich ab.

neuen Mitteln herbeigezwungene innere Spannung nicht auf Dauer halten, so daß schon die Bilder der Kriegszeit Ermattung zeigen.

Ein anderer gequälter Visionär der Verfallsepoche ›Kakaniens‹ (Musil) ist Klimts Gefolgsmann Egon Schiele. In extremer Weise hat Schiele sich selbst zum Thema seiner Bilder gemacht, wobei das Schicksal und die Selbstbildnisse des holländischen ›Märtyrers für die Kunst‹, Vincent van Gogh (1853–1890), zum Leitbild der Künstlerselbstdeutung und Lebensführung wurden – ein Leben als ›brennende Fackel‹, das fast unausweichlich im frühen Tode enden mußte. Schiele thematisiert noch offener als Klimt die Geschlechtlichkeit als Dreh- und Angelpunkt der menschlichen Existenz, aber nicht im Sinne von Goethes »echtem nacketen Amor«, sondern als Verhängnis. *(Abb. 19)* Freudlos sind der Maler und die von ihm dargestellten Menschen Sklaven ihres Geschlechtstriebes, dem sie manisch verfallen zu sein scheinen und der sie unaufhaltsam dem Tode zutreibt.

Die Berliner Sezession

In Berlin hatten es die Modernen zunächst nicht leicht. Die Kunstdiktatur Wilhelms II. lastete schwer. Menzel hätte vielleicht Einfluß haben können, überließ aber das Feld Anton von Werner, Ludwig Knaus und anderen höfischen Liebedienern. Viele Jüngere wanderten ab, andere hielten dagegen und kamen dann mit Verspätung, aber umso stärker zum Zuge, als sich das schnell zahlreicher und mächtiger werdende Berliner Großbürgertum, einige Kunsthändler und Intellektuelle über die vom Kaiser und seiner Kunstkamarilla gezogenen Schranken hinwegsetzten. Erst 1898 kam es zur Gründung der Berliner Sezession, die mit ihren Jahresausstellungen im eigenen Gebäude im damals noch eigenständigen, reichen und liberaleren Charlottenburg schnell Erfolg hatte. Berlin stieg binnen weniger Jahre zum wichtigsten Kunstmarkt auf und lief sogar Paris und London den Rang ab. Zugleich wurde es zum publizistischen Kunstforum Mitteleuropas und zum Sammelbecken der Vorwärtsstrebenden. Den Durchbruch erreichten Slevogt und Corinth erst in Berlin, während sie in München auf immer stärkeren Widerstand der konservativen Führungskräfte stießen, die alle Fäden in der Hand hielten. Als die beiden Künstler im Jahr 1900 in die Hauptstadt umzogen, deutete sich schon das Ende von Münchens Rolle als führender Kunststadt Deutschlands an.

Die Berliner Sezessionisten waren von Anfang an sehr heterogen. Der Gründungssekretär Walter Leistikow (1865–1908) schuf düstere, neoromantische Landschaftsbilder insbesondere der herben

20. Max Liebermann (1847–1935), Frau mit Ziegen in den Dünen, *Öl auf Leinwand, 127 x 172 cm, 1889–1890, München, Bayerische Staatsgemäldesammlungen, Neue Pinakothek*

Das große Format monumentalisiert die Frau, die andererseits durch die Sicht von hinten und ihren gekrümmten Rücken eher Anteilnahme auf sich zieht. Das Ziehen der widerstrebenden Ziege wird weniger als anekdotischer Zug empfunden, eher als Ausdruck der Mühen und Plagen der alten Frau. Das Bild ist einfach und unprätentiös; seine Farbigkeit bleibt innerhalb einer engen Tonfolge. Der Ankauf des Bildes durch den bayerischen Staat 1891 war wichtig für die öffentliche Anerkennung des Malers.

märkischen Seen, die ihm als Spiegel seiner Stimmungen dienten. Er war es auch, der den radikalen Norweger Edvard Munch (1863–1844) in Berlin einführte. Eine eigenwillige Persönlichkeit war der Tierbildhauer August Gaul (1869–1921), der es verstand, genaue Beobachtung mit Vereinfachung und Kräftigung der plastischen Form zu verbinden. Künstlerisch wie menschlich der ruhende Pol der Berliner Kunst war Max Liebermann, der aus einem wohlhabenden jüdischen Bankiershaus stammte. Er war nicht nur finanziell unabhängig, sondern von früh an mit Kunst vertraut: Sein Onkel hatte Menzels *Eisenwalzwerk (Abb. VII/85)* besessen.

21. Max Liebermann (1847–1935), Karren in den Dünen, *Kreidezeichnung mit Weißhöhungen, 23 x 31 cm, um 1890, Nürnberg, Germanisches Nationalmuseum*

Während seiner regelmäßigen Sommeraufenthalte in Holland zeichnete Liebermann 1887 und in den Jahren danach mehrfach in den Dünen. Zum selben Thema entstanden auch Ölbilder. Das Blatt ist ein schönes Beispiel für die Art des Zeichnens, die er »die Kunst des Weglassens« nannte, in der aber die zeichnerischen Mittel auch ein Eigenleben zu entfalten beginnen.

Liebermann geriet nach seiner Ausbildung bei Carl Steffeck (1818–1890) und in der damals wichtigen Weimarer Akademie zunächst unter den Einfluß der Realisten, wie Michael Munkácsy (1844–1900) und Jean-François Millet (1814–1875) und später immer mehr unter den der älteren wie der jüngeren holländischen Maler. Er studierte Frans Hals (um 1580–1666) und vor allem Jozef Israëls (1824–1911), der auch Vincent van Gogh beeindruckt hatte. Soziale Themen dominieren und schlagen sich in einer herben, das Armselige reflektierenden Gestaltung, einer spröden Malweise und der fast ins Monochrome gehenden graugrün-blauen Farbigkeit nieder. Bilder und Themen dieser Art wurden vom Kaiser als ›Rinnsteinkunst‹ angepöbelt. *(Abb. 20)* Der Übergang zu einer lichteren Farbigkeit und einer lockereren Pinselführung machte ihn dann in den neunziger Jahren aufnahmefähig für die französischen Impressionisten, für deren Anerkennung in Deutschland er mit Energie eintrat. Im Jahre 1900 besaß Liebermann die größte Manet-Sammlung des deutschen Kaiserreichs. Er näherte sich dem Ästhetizismus der ›peinture pure‹, betonte aber weiterhin die Phantasie als Haupterfordernis guter Malerei. Auf deutlich ausgesprochene oder gar provokante Thematik verzichtete er zunehmend. Er wurde zum Porträtisten der führenden Männer seiner Zeit, die er mit distanziertem Blick malte, aber diejenigen, die ihm nahestanden, sehr eindringlich. Dieselbe Haltung charakterisiert seine Selbstporträts, in denen er bisweilen auffällig großen Abstand von sich selbst nimmt. Von früh an ein eifriger Zeichner, *(Abb. 21)* widmete er sich in seinen späteren Jahren auch gern der Druckgraphik. Von großem Einfluß waren seine zahlreichen, prägnant und witzig formulierten Schriften.

Im Grunde ging Liebermanns großbürgerlich-urbane Welt mit dem Weltkrieg und der Inflation zu Ende, genauso wie es für die großzügigen Villen Berlins bald keinen eigentlichen Bedarf mehr gab. *(Abb. 22)* Doch ebenso wie die Bauten dieser Zeit sind auch seine Bilder Zeugnisse einer glücklichen Periode im Berliner Kunstleben.

Die Sezession hatte sich in ihrer ersten Ausstellung wohlweislich auf deutsche Kunst spezialisiert, denn die chauvinistische Haltung der herrschenden Kreise sowie der Bevölkerungsmehrheit in Berlin erschwerte eine ernstliche Würdigung der modernen französischen Kunst. Das hatte zuvor schon der Streit um die 1895 gegründete Zeitschrift *Pan* gezeigt, die sich die Förderung der jungen Kunst und – allgemeiner noch – die Anhebung des künstlerischen Niveaus zum Programm gemacht hatte. Als Julius Meier-Graefe dieses Forum nutzte, die Leistungen der nach seiner Meinung überlegenen Franzosen zu würdigen, mußte er gehen. Er warf sich danach mit seiner neuen, von ihm selbst bestimmten Zeitschrift *Dekorative Kunst* auf die Propaganda für den Jugendstil. Doch aus denselben chauvinistisch-politischen Gründen hatte auch der ›Art Nouveau‹ in Preußen keine Chance: Wir finden ihn in Berlin nur in Privatbauten und kurioserweise bei einigen Hochbahnstationen von Bruno Möhring (1863–1929) und Alfred Grenander (1863–1931).

Aber Meier-Graefe erkannte bald selbst, daß der neue Stil letztlich kaum mehr war als eine Mode. 1904 kehrte er nach Berlin zurück und publizierte *Die Entwicklungsgeschichte der modernen Kunst*, in der er der französischen Malerei deutlich das Übergewicht einräumte. Schon zuvor war das Ausstellungsprogramm der Sezession internationaler geworden. Im Berliner (wie im Münchner) Kunsthandel wurden nun regelmäßig Van Gogh sowie Monet, Renoir, Cézanne und die anderen modernen Franzosen ausgestellt. Maßgebliche Sammler und Kunstförderer, wie Karl Ernst Osthaus in Hagen, begannen, diese Bilder zu kaufen. Als das auch einige wichtige Museumsleute taten, und dafür sogar hohe Preise zahlten – schließlich kamen die Deutschen mit ihrer Anerkennung zu spät –, entstand in Berlin ein neuer, nationalistisch eingefärbter, aber auch von Künstlerneid bestimmter Streit um den Direktor der Nationalgalerie, Hugo von Tschudi. Der ging nach München, wo er ebenfalls bald auf Widerstände stieß; nur sein früher Tod verhinderte, daß der Konflikt auch dort aufbrach. Eine Farce war schließlich der 1911 vom ehemaligen Sezessionisten Carl Vinnen angezettelte *Protest deutscher Künstler:* Diese Reaktionäre kämpften auf verlorenem Posten, weil zu diesem Zeitpunkt bereits eine jüngere Generation in Anlehnung an Fauvismus, Kubismus, Orphismus oder Futurismus eine noch radikalere, internationalere Kunst anstrebte. Die Argumentation der Gruppe wirkte jedoch unterschwellig weiter, bis sie die Nazis zur offiziellen Linie erhoben.

Diese Streitigkeiten wären nicht wert, hier dargestellt zu werden, wenn in ihnen nicht ein Wechsel des Leitbildes sichtbar würde. Meier-Graefe konzipierte sein einflußreiches Buch als Umwertung der Malereigeschichte, und zwar nicht nur der des 19. Jahrhunderts. Er schrieb sie als Geschichte des ›Malerischen‹ von Tizian und den Venezianern über die Barockmeister wie Rubens und Velázquez zu Goya und den anderen, eine freiere Pinselschrift handhabenden Meistern des 18. und 19. Jahrhunderts. Zwangsläufig erschien der französische Impressionismus als das Ziel der Entwicklung, während der lineare Klassizismus ebenso zur Seite gedrückt wurde wie die deutsch-römische Gedankenkunst.

Schon diese Vereinseitigung der Sicht macht das Buch zu einem Werk der Moderne. Meier-Graefe polemisierte ebenso gegen Cornelius und die Nazarener wie gegen die Maler der großen Geschichtsbilder, gegen Böcklin ebenso wie gegen Klinger; und er trennte scharf den frühen, ›impressionistischen‹ Menzel vom späten, der bei ihm keine Gnade fand. Als glänzender Schriftsteller fand er für viele damals kursierende Ideen die treffende Formulierung. Man begann nun die Bilder in den Museen nach dem Gesichtspunkt der ästhetischen, malerischen Qualität umzuhängen. Das Bodesche System historisch bestimmter Raumeinheiten wurde ebenso abgelehnt wie die Nationalgalerie-Säle mit staatstragender Thematik. Die große, von Meier-Graefe organisierte, privat finanzierte Jahrhundertausstellung von 1906, bei der ein Panorama der deutschen Malerei des 19. Jahrhunderts nach seinen Kriterien unter Ausschaltung aller für formal nicht originell gehaltenen Maler geboten wurde, befestigte die neue Sicht in der Öffentlichkeit.

Es ist jedoch problematisch, von rein ›formalen‹ Kriterien zu sprechen, obwohl dies von den meisten so verstanden wurde. Denn die Qualität der ›Form‹ galt von nun an als das eigentliche Kriterium der Bewertung, das ernsthafte ›Ringen um die Form‹ als das Wesentliche künstlerisch-innovativen Bemühens. Deshalb ist Meier-Graefe auch ein großer Bewunderer des Hans von Marées geworden, den er als den großen, unverstandenen Vorläufer der Form-Erneuerung feierte. Diese ins Metaphysische gesteigerte Deutung der künstlerischen Form ist ein wesentlicher Zug der meisten – nicht aller! – Richtungen der Moderne des 20. Jahrhunderts und findet sich mit jeweils anderer Tendenz ebenso bei Expressionisten oder Abstrakten, Richtungen, mit denen Meier-Graefe und die Vorkämpfer des Malerischen allerdings nichts anzufangen wußten. Diese Einstellung ist als ›Ästhetizismus‹ zu beschreiben, eine Weltanschauung, in der das Ästhetische, die Schönheit und/oder die künstlerische Form den obersten Wert bildet. Er bestimmt schon den Jugendstil: Denn dessen Suche nach dem ›neuen Stil‹ ist nichts anderes als die Suche nach einer neuen ›Ästhetik‹. Sie versteht sich jedoch als ›Gesinnung‹ und unterscheidet sich gerade in dem Insistieren auf der ›Form an sich‹ von den Gesinnungen des Klassizismus oder der Romantik. Denkansätze dazu finden sich bei Nietzsche und anderen Philsophen und Schriftstellern der vorangehenden Jahrzehnte – am provokantesten hat es der englische Dichter Oscar Wilde im Jahr 1882 ausgedrückt: »Ein Gemälde hat durchaus nicht mehr geistige Bedeutung für uns als ein blauer Ziegel. Es ist eine schöngefärbte Fläche, nichts anderes, und wirkt auf uns mit keiner aus der Philosophie gestohlenen Idee, mit keinem aus der Literatur gerafften

22. Berlin-Nikolassee, Potsdamer Chaussee 48, Haus Freudenberg, *Ansicht der Fassade zur Straße hin, Hermann Muthesius (1861–1927), 1907–1908*

Der Bau paraphrasiert in Grund- und Aufriß das englische Landhaus ›The Barn‹ von Edward S. Prior in Exmouth (Devonshire), das Muthesius studiert hatte. Doch sind die Fensterflächen erheblich vergrößert, und das Benützen von Sichtfachwerk beruft sich auf Tendenzen der deutschnationalen Heimatschutzbewegung.

Pathos, sondern mit seiner eigenen unsagbaren künstlerischen Wahrheit: mit der besonderen Form der Wahrheit, die wir Stil nennen.« – Dieser Stilbegriff hat mit denen vorangegangener Zeiten nichts mehr gemeinsam: er meint ästhetische Vollendung.

Diese Vereinseitigung der Sicht brachte letztlich mit der Ablehnung der thematischen Aufgaben von Kunst zugunsten der ›Form‹ und der ›Schönheit‹ auch eine Verschärfung der Trennung von elitärer und populärer Kunst. Zwar gaben sich gerade damals viele Museumsleute und Kunstschriftsteller mehr Mühe als je zuvor, die neuen Ideen unter das Volk zu bringen: Damals wurden Kunstpädagogik und Museumsdidaktik begründet, wurden Kunstschulen an die Museen angeschlossen, Vorträge und andere Bildungsprogramme durchgeführt und eine umfassende Publizistik betrieben, um mit der ›Erziehung zur Form‹ möglichst weite Kreise zu erreichen. Doch konnten alle diese Maßnahmen kaum etwas an der Tatsache ändern, daß die Mehrheit der Bevölkerung mit der neuen Ästhetisierung und Museumskonzeption wenig anzufangen wußte.

Die von Peter Behrens sparsam neoklassizistisch dekorierte Jahrhundertausstellung hatte noch andere Wirkungen: Indem nun die intimen und unpathetischen Bilder des frühen 19. Jahrhunderts zur Geltung kamen, dröhnten die pathetische Rhetorik und der malerische Lärm der wilhelminischen Historienbilder und Repräsentationsporträts umso lauter. Innerhalb weniger Jahre verfielen die einstmals so gepriesenen Werke der Verachtung: Man sprach nur noch von ›Schinken‹. Da halfen auch keine kaiserlichen Ankäufe. Schlichtheit war gefragt, teils in eher bürgerlicher Biedermeierlichkeit, teils in der strengeren Auffassung des Klassizismus und der Romantik. Widerhall fand diese Tendenz jedoch zunächst weniger bei den Malern, als bei den Architekten und Designern.

Die Baukünstler auf der Suche nach einem neuen Stil

In der Architektur kam es nicht zu einer vergleichbaren nationalistischen Polarisierung wie in der Malerei. Hier hatte ja auch nicht Frankreich die Führung, sondern England und bald die USA. Der Kaiser mit seiner Haßliebe zu dem Land seiner Mutter ließ sich bereden, und so wurde der letzte große wilhelminische Bau, Schloß Cecilienhof in Potsdam, im modernen englischen Landhausstil von einem der damals führenden Neuerer, Paul Schultze-Naumburg, errichtet. Es war jedoch ebenfalls Wilhelm, der zuvor schon die Einrichtung eines Attachés für Architektur bei der deutschen Botschaft in London erwirkt hatte, eine Stelle, die mit Hermann Muthesius besetzt wurde. Der studierte die dortigen Verhältnisse genau. Sein 1904 erschienenes Buch *Das englische Landhaus* faßte seine Beobachtungen zusammen, die er als Organisator und Baumeister dann auch in die Tat umsetzte. *(Abb. 22)* Das Berliner Großbürgertum ließ sich zur neuen anglisierenden Wohnform, ihrer Lässigkeit, Gediegenheit und Bequemlichkeit leicht bekehren.

Schon vor 1900, noch inmitten der Jugendstil-Bewegung, war die Idee eines Wiederanknüpfens an das Biedermeier aufgetaucht und zunächst als ›Neo-Biedermeier‹ oder ›Heilserum 1830‹ (Muthesius) verlästert. Dieses »Zurück zu den Großvätern« verstand sich als Oppositionsbewegung gegen den überladenen, alles zudeckenden wilhelminischen Mietskasernenstil und steht im Zusammenhang mit der sogenannten Heimatschutzbewegung, die sich die Erhaltung der vorindustriellen alten Stadt- und Ortsstrukturen und ihren Schutz gegen die Eingriffe der großflächigen, vielgeschoßigen, letztlich einförmigen und damit alles Alte sprengenden oder niederwalzenden Bebauung auf die Fahnen geschrieben hatte. Spätestens jedoch seit dem Jahre 1902 wurde von einigen Vorkämpfern dieser Richtung ›Schlichtheit, Sachlichkeit, Zweckmäßigkeit‹ als neue Parole ausgegeben und der Stil der vorindustriellen Baukunst als angemessene Ausdrucksform vor allem für den Haus- und Wohnungsbau herausgestrichen. Damit wurde gleichzeitig die Kritik an dem als exaltiert und fremd empfundenen Jugendstil verstärkt.

Auch die englische Gartenstadtbewegung, die der Entfremdung und Proletarisierung der Arbeiter entgegenwirken wollte, indem sie Siedlungen mit Reihenhäusern samt Gärtchen gründete, fand in Deutschland nachhaltigen Widerhall: Viele Baumeister bemühten sich um diese auch städtebaulich reizvolle Siedlungsform. Eines der ersten und besten Beispiele ist die Gartenstadt Hellerau bei Dresden, die der reformorientierte Möbelfabrikant Schmidt 1906 für die Arbeiter der ›Deutschen Werkstätten‹ durch den Mecklenburger Heinrich Tessenow, den Münchner Richard Riemerschmid und andere errichten ließ. *(Abb. 23)* Der Plan der Siedlung geht von den Stadtbauprinzipien Camillo Sittes aus, die vor allem im kleinstädtischen und historischen Bereich Geltung behielten. Die Häuser sind typisiert, aber letztlich Vereinfachungen historischer Bauern- und Arbeiterhäuser.

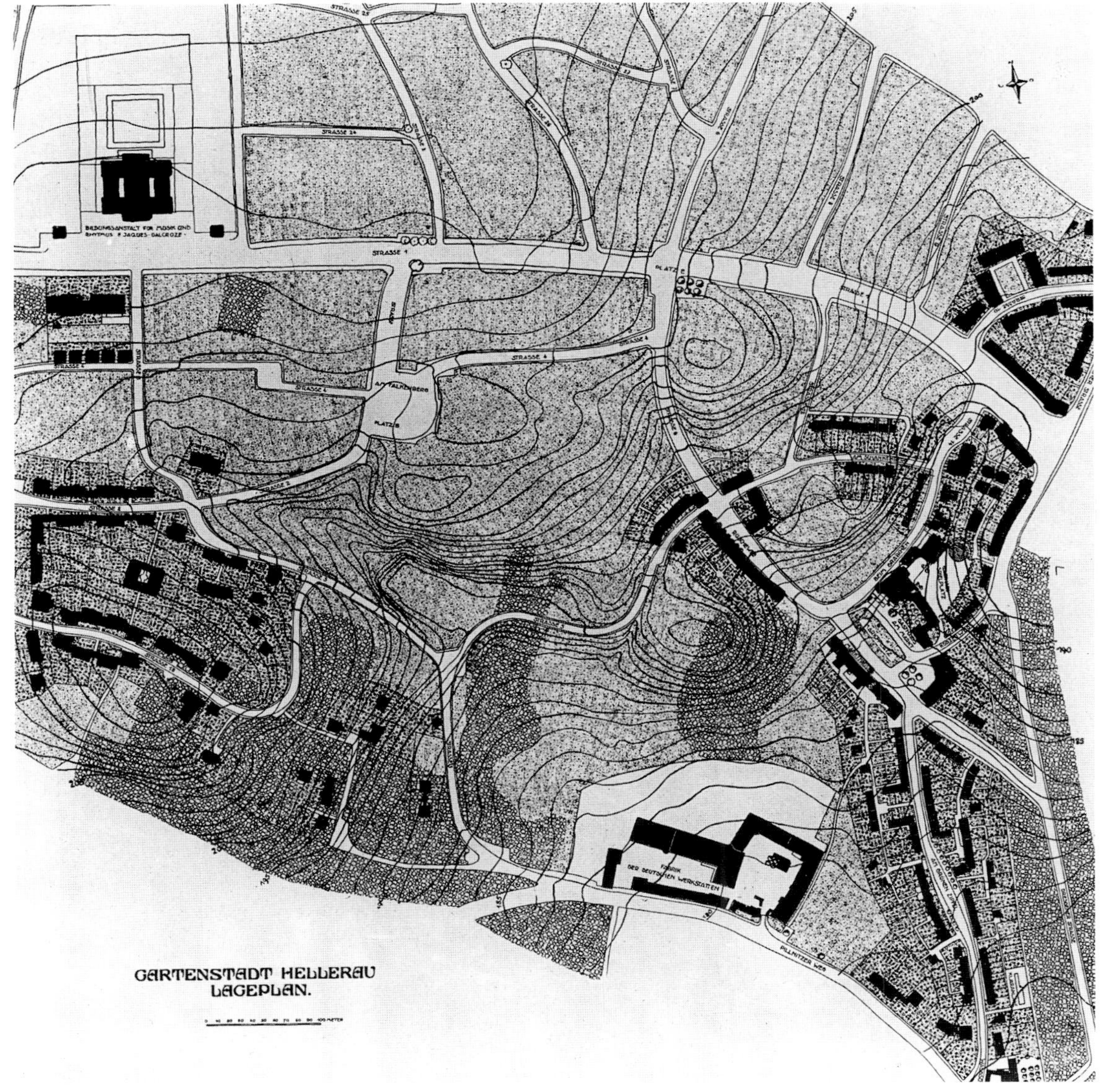

23. Dresden, Plan der Gartenstadt in der Hellerau, *Heinrich Tessenow (1876–1950) u.a.*

Die Straßenführung der für Mitarbeiter der ›Deutschen Werkstätten‹ gegründeten Siedlung folgt den Prinzipien von Camillo Sitte für einen malerischen Städtebau. An der Ausführung der Häuser waren mehrere Architekten beteiligt, so auch der Münchner Richard Riemerschmid (1868–1957), der ein engagierter Verfechter einer künstlerisch hochwertigen Serienfertigung war.

*24. **Berlin, Huttenstraße, AEG-Turbinenhalle,** Fassade Peter Behrens (1868–1940), Ingenieur: Karl Bernhard (1859–nach 1930), 1909*
In der ersten Bauphase wurde eine 25 m hohe und 123 m lange Halle zur Fertigung von Turbinen zur Elektrizitätsgewinnung mittels Dampf- und Wasserkraft errichtet. Nur die Vorderseite wurde mit einer Fassade von Behrens verkleidet. Sie ist entgegen dem Anschein nicht aus Blöcken errichtet, sondern aus einer Stahlbetonschale und einem Mittelfenster aus Stahl und Glas. In die Nuten sind Stahlbänder eingelegt, als Versuch, eine spezifische Fabrikornamentik zu entwickeln. Die Gesamtform erinnert an die Pylonen altägyptischer Tore und hat in ihrer Monumentalität etwas imperial Pathetisches.

Die Ingenieure und Industriebaumeister dachten am internationalsten: So ist das Konstruktionsprinzip der bahnbrechenden Berliner Hochbahn von 1896 von der Pariser Galerie des Machines abgeleitet. Man lernte von Amerika, wo die Bauschule von Chicago eine technisch neuartige Baukonstruktion und -kunst, den Stahlskelettbau, geschaffen hatte, der bei weitgehender Normierung und Präfabrikation schnell und sparsam zu errichten war, große Lasten tragen und problemlos zuvor ungeahnte Höhen erreichen konnte. Am amerikanischen Wolkenkratzer begann sich die Phantasie auch der Europäer zu entzünden. Um 1898 wurde in Berlin von dem in der Geschichtsschreibung bisher kaum berücksichtigten Bauingenieur Arnold Vogt die Ludwig-Loewesche Gewehrfabrik in der neuen Gerüstbauweise und in radikal vereinfachten Formen errichtet. Schon 1896 bedienten sich die Geschäftshäuser in der Rosenstraße in Berlin-Mitte des auskragenden baywindow (ungefähr übersetzbar mit ›Buchtfenster‹) der Chicago School, das allerdings schon von der englischen Architektur her bekannt war. Und bereits 1903 werden die Zeichnungen von Frank Lloyd Wright in einer viel beachteten Publikation vorgestellt. Da die neuen Industrien und Firmen einen allgemeinen Modernisierungsdruck ausübten, sah sich die Architektenschaft bald veranlaßt, mit den Stilreformbemühungen ernst zu machen.

Fast zeitgleich mit dem Stahlskelettbau wurde der Stahlbeton eingeführt. Dieser war rostfrei und feuersicher. Er galt lange auch als haltbarer und fester als der Stahl – erst in den letzten Jahrzehnten ist seine Anfälligkeit deutlich geworden. Eine eigene Rolle spielte die Nutzbarmachung der Elektrizität: Mit ihr zogen der Fahrstuhl und die Rolltreppe in die Bauten ein. Es wurde leicht, billig und vergleichsweise gefahrlos, künstliche Beleuchtung zu erzeugen. Ein Hauptgrund dafür, daß Eisenkonstruktionen bevorzugt wurden, die Forderung nach möglichst großen Fenster- und Glasdachflächen, fiel nun weg. Sprach man noch bis um 1900 vom kommenden ›Eisenstil‹, so hörte das bald auf.

Die Architekten gerieten durch die neuen Techniken noch mehr als zuvor in die Abhängigkeit der Ingenieure. Eine Annäherung an deren funktionale Formgebung lag nahe. Insbesondere galt dies für die in dieser Zeit an Bedeutung gewinnende Aufgabe des Fabrikbaus. Bis dahin hatte man sich häufig mit einfachen Backsteinhallen samt Shed-Dächern begnügt, meist im Rundbogenstil oder mit gotisierender Dekoration, da ja die Gotik als Stil der Zweckmäßigkeit galt. Daß die Bewältigung dieser Aufgabe nach 1900 zu eigenen, neuen Formen führte, hat auch mit dem

25. u. 26. ***Leipzig, Völkerschlachtdenkmal,*** *Außenansicht und Inneres der Rotunde, Bruno Schmitz (1858–1916) und Franz Metzner (1870–1919), 1898–1913*

Schwierigkeiten bei der Finanzierung des Projekts, das gegen den Willen des Kaisers entstand und ihm nicht gefiel, verzögerten die Errichtung. Der sich epidemisch verbreitende patriotische Mystizismus schuf sich damit eine Weihestätte. Der Bau benutzt vor allem extreme Formulierungen des Revolutionsklassizismus, (Abb. VII/19) kommt aber ohne traditionelles Ornament aus und ist, wie Schmitz sagt, »völlig frei von der Oberherrschaft geschichtlicher Grundgedanken«. Es ging ihm um die Betonung von Größe und Kraft.

Bedürfnis nach zur Schau gestellter Modernität bei einer kleinen modernen Gruppe von Fabrikanten (und Reedern) zu tun. Die Allgemeine Elektrizitäts-Gesellschaft (AEG) beauftragte den ehemaligen Maler und Jugendstilkünstler Peter Behrens, der Firma das zu geben, was man heute ›corporate design‹ nennt: Er entwarf ihre Lampen genauso wie ihr Briefpapier. Berühmt machte ihn die Fertigungshalle für Turbinen. *(Abb. 24)* Heute betrachtet man den 1909 fertiggestellten Bau als Erstlingswerk des Funktionalismus, und es ist bezeichnend, daß man dabei die Leistung des Ingenieurs Karl Bernhard übersieht, von dem nicht nur das Konstruktionskonzept stammt, sondern ebenso die Raumform. Die Architektur hörte mit diesem Bau keineswegs auf, eine ›Bekleidungskunst‹ (Muthesius) der Ingenieursarbeit zu sein, was Bernhard der Fassade von Behrens auch prompt vorwarf. Betrachtet man sie im historischen Zusammenhang, fällt auf, daß sie mit ihrer Blockhaftigkeit und Verjüngung nach oben, ebenso aber mit ihrer großformatigen Rustizierung ägyptisierende und neodorische Elemente der Revolutionsarchitektur aufgreift, daß sie einen einfachen, aber schweren, ja titanisch wirkenden Industriestil anstrebt.

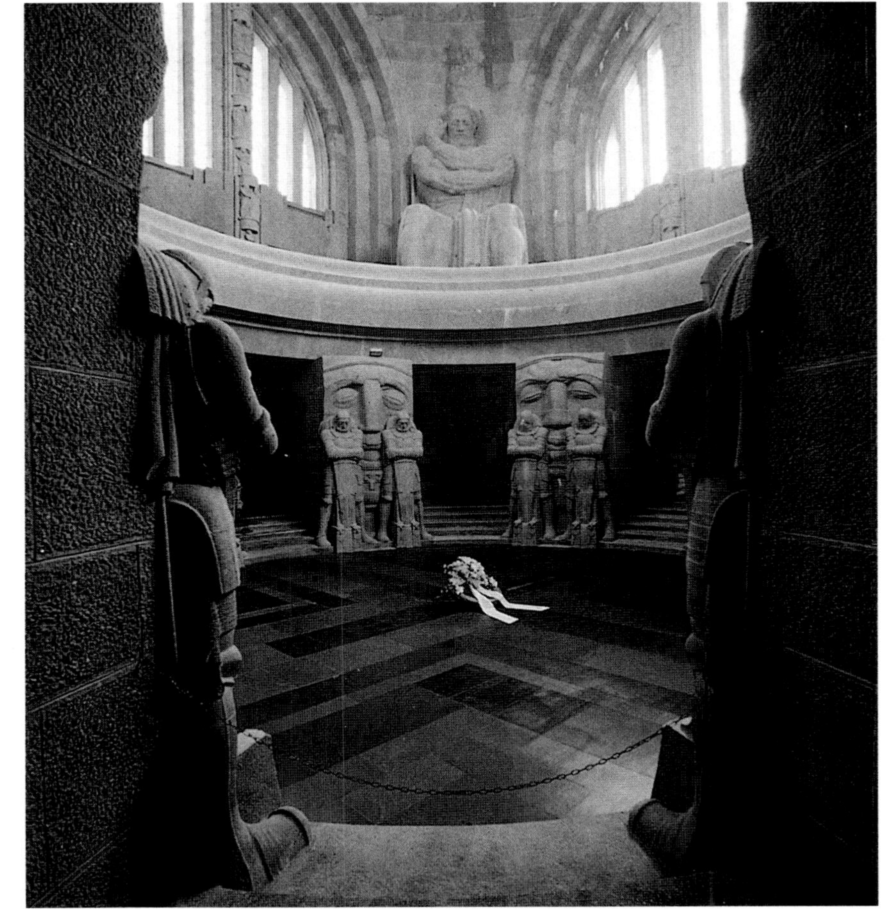

Sie ist also keineswegs – wie behauptet – der Gegenpol etwa zum Leipziger Völkerschlachtdenkmal von Bruno Schmitz und Franz Metzner, genausowenig trifft es zu, wenn man dieses als wilhelminisch abqualifiziert, denn es wurde gegen den Willen und gegen den Geschmack des Kaisers von denselben mystisch-patriotischen Kreisen der deutschen Bevölkerung gestiftet, die damals das Land mit mächtigen, sich urzeitlich gebenden Bismarck-Denkmälern überzogen. *(Abb. 25 u. 26)* Wohl aber sind bei beiden Monumenten die expressionistischen, also die auf Intensivierung der Ausdruckswirkung zielenden, Züge herauszustreichen. Wenn man dem Leipziger Denkmal emotionale Wirkung durch Monumentalität und verschiedene Grade der Rauhheit in der Oberflächentextur zuschreibt, so gilt dies ähnlich auch für die AEG-Halle. Beide haben einen Zug zum Urtümlichen, Heldischen, was die Zeitgenossen sehr wohl gesehen haben. Schmitz zeigt im übrigen in seinen anderen Bauten, daß er seinen Stil wie Behrens entsprechend den Aufgaben abwandelte: So ist er in seinem Privathaus oder den Industriehöfen sachlicher und bedient sich des modernen anglo-amerikanischen Formenguts.

Die Suche nach einem ›neuen‹ Stil ist nicht zu trennen von der nach einem ›nationalen Stil‹. Man meinte beides zu finden, indem man vor allem zur preußischen Architektur *Um 1800* zurückkehrte, wie das 1908 publizierte, sehr geschätzte Buch des Architekten Paul Mebes betitelt ist. Insbesondere Schinkels Baukunst wurde als vorbildlich wiederentdeckt, von Adolf Loos in Wien ebenso wie von Peter Behrens, *(Abb. 27)* während man in Süddeutschland heimischen Varianten des Frühklassizismus den Vorzug gab. Auch der 1907 gegründete Werkbund, eine Vereinigung von Baukünstlern, Industriellen und Intellektuellen zur Förderung der Wettbewerbsfähigkeit des deutschen Design, begünstigte letztlich den soldatisch-strengen ›preußischen Stil‹. Die baukünstlerische Avantgarde – darüber darf man sich nicht hinwegtäuschen – war mehrheitlich inbrünstig nationalistisch. Sie suchte nach einer Form, die aus ›nationalem Geist‹ kam, wohingegen sich ja die wilhelminische Repräsentationsbaukunst gerade der internationalen Formen von Renaissance und Barock bedient hatte. Der neue deutsche Stil sollte zugleich modern, großstädtisch und dem der anderen Nationen überlegen sein: »Es gilt mehr als die Welt zu beherrschen, mehr als sie zu finanzieren, sie zu unterrichten, sie mit Waren und Gütern zu überschwemmen. Es gilt, ihr das Gesicht zu geben. Erst das Volk, das diese Tat vollbringt, steht wahrhaft an der Spitze der Welt; und Deutschland muß dieses Volk werden.« (Muthesius)

Behrens' Bauformen in der Villa Wiegand *(Abb. 27)* betonen die Härte, bevorzugen in den Gliedern das Pfeilerhafte eher als das Säulenrund, die spröde Oberfläche des Muschelkalks mehr als den glatten Putz, schätzen die rigide Fläche und die scharfe Kante mehr als die plastische Schwellung, was sich besonders deutlich bei der Zeichnung der Kapitelle und ähnlicher Details zeigt. Wird dieser Stil ins Kolossale gewendet, wie in der deutschen Botschaft in St. Petersburg und der Kleinmotorenfabrik in Berlin-Wedding, bekommt er schnell einen bedrohlichen, gewalttätigen Zug, Ausdruck des deutschen Imperialismus dieser Zeit und – schon deshalb – Vorbild der NS-Architektur.

Auch für die ›Reformarchitektur‹ ist festzustellen, daß sich die Hoffnungen auf die ›Geburt‹ eines länger gültigen, zugleich modernen und nationalen Stils nicht erfüllt haben. Doch hat man angesichts des damals Geschaffenen das Fazit zu ziehen, daß in Deutschland nie wieder eine so große Zahl schöner, solider, gediegen verarbeiteter, zweckmäßiger und künstlerisch einfallsreicher Bauten entstanden, wie im ersten Jahrhundertdrittel: Sie sind nicht einmal in ihren Spitzenleistungen, erst recht nicht in ihrer ganzen Breite darstellbar. Einzelne Baumeister dieser Epoche haben ganze Städte oder Stadtteile – durchaus zu deren Vorteil – geprägt, wie Theodor Fischer (1862–1939) München oder Fritz Schumacher (1869–1947) Hamburg.

Eins der innovativsten Zeugnisse dieser neuen Baukunst ist durch seine geographische Randlage etwas in Vergessenheit geraten, die Jahrhunderthalle von Max Berg in Breslau/Wrocław. *(Abb. 28)* Die Hauptstadt Schlesiens lag näher bei Prag und Wien als bei Berlin. Im Konkurrenzkampf der ostmitteleuropäischen Zentren bemühte man sich, originelle Köpfe an die Akademie und in die Stadt zu ziehen und sie zu vorwärtsweisenden baulichen Leistungen anzuspornen, und zwar schon im ausgehenden 19. Jahrhundert: In Breslau kann man noch heute viele bedeutende und besonders gut erhaltene Leistungen der frühen Kommerzarchitektur bestaunen. Die Jahrhunderthalle ist Teil des damals von Hans Poelzig neu angelegten

27. Berlin-Dahlem, Peter-Lenné-Straße 28/38, Villa Wiegand, *Außenansicht, Peter Behrens (1868–1940), 1911–1912*

Wiegand, Archäologe und einer der mächtigen Männer der kaiserlichen Kulturpolitik, verfügte durch seine Ehefrau aus dem Hause Siemens über das Vermögen für einen anspruchsvollen Villenbau im Stil des schinkelschen Neo-Klassizismus, wobei vor allem dessen strenge Pfeilerarchitektur, weniger die Säulenarchitektur rezipiert wird. Das Ganze ist rigide gerastert. Neuartig ist der Muschelkalk, als heimisches Ersatzmaterial für den römischen Travertin. Er wurde eines der beliebtesten Materialien der neoklassizistisch-nationalen Bauweise.

Messegeländes, mit dem man u.a. dem Messekomplex im mährischen Brünn/Brno Paroli bieten wollte. Ihre Finanzierung stand zwar im Zusammenhang der innenpolitisch motivierten Propaganda zum Jahrestag der Freiheitskriege gegen Napoleon, die von Breslau ihren Ausgang genommen hatten. Doch anders als der neoklassizistische Stil der inneren Aufrüstung von Behrens und anderen ist die Formgebung der Spannbetonhalle Max Bergs ohne nationalistische Nebentöne. Man könnte allenfalls in der Stufung der Kuppel außen einen Anklang an Klassisches finden, in der Rippenbildung innen an Gotisches. Doch zeigen sich die Formen primär als zweck- und statikbedingt. Der Bau ist von erstaunlicher Raumwirkung im Ganzen und von formaler Kraft im Einzelnen. Das Kuppelmotiv erhält jedoch gegenüber der eher symbolischen Tradition eine neue Bedeutung als Ausdruck des Gemeinschafts- und Einheitsgedankens.

Einige der größten Bauleistungen dieser Zeit finden sich unter den Warenhäusern und anderen Handelsbauten, bei denen man schon aus Gründen der Konkurrenz und des Profits zu Höchstleistungen angespornt war und sich auch nicht den beachtlichen Neuerungen in dieser Bauaufgabe in Paris oder den USA verschließen konnte. Leider sind gerade die bahnbrechenden unter ihnen ver-

28. Breslau/Wrocław, Jahrhunderthalle, *Innenansicht, Zeichnung von Max Berg (1870–1947), 1912–1913*

Großstädtische Massenversammlungs- und Festhalle als Teil eines großen Ausstellungsgeländes, an dessen Ausbau u.a. Hans Poelzig beteiligt war. Der aller Eigenpropaganda abholde Baumeister war 1909–1925 Breslauer Stadtbaurat, Architekt und Ingenieur in Personalunion. Die Halle ist 40 m hoch und hat einen inneren Durchmesser von 65 m, war also zu ihrer Zeit das größte Gebäude dieser Art. Berg benutzte ausschließlich Stahlbeton als Material.

nichtet, wie das Kaufhaus Wertheim, das Alfred Messel an der Leipziger Straße in Berlin errichtet hatte. Man kann jedoch noch heute an den Abbildungen und Plänen nachvollziehen, wie weit die Konzeption über die herkömmliche wilhelminische Architektur hinausging, auch wenn es sich letztlich um eine Verbindung von neo-spätgotischen Formen mit barockisierenden Raumlösungen handelt. Auch gibt es in einigen Orten, wie Görlitz oder Karlsruhe, noch Nachfolgebauten von hoher Qualität. *(Abb. 29)*

Auch begann man sich verstärkt Gedanken zu machen, wie man auf die großstädtischen Verhältnisse eingehen könne, auf die Intensivierung und Beschleunigung des Verkehrs, sodann auf die Forderung, große Neubaugebiete angemessen zu gestalten. An der Diskussion beteiligten sich die führenden Architekten: Daraus resultierte u.a. die Forderung nach Vereinfachung und Wegfall vor allem der plastischen Verzierung, da der moderne Mensch, der in einem Verkehrsmittel unterwegs sei, gar nicht mehr die Einzelheiten aufnehmen könne. In dieselbe Richtung zielt die Forderung nach Typisierung. Man dachte dabei durchaus schon an industrielle Fertigung, für die jedoch in der Bauindustrie noch die Bereitschaft fehlte. Unentschiedener war man, welchem städtebaulichen Konzept der Vorzug zu geben sei: Otto Wagner machte Entwürfe für große, rasterförmig gegliederte Viertel; die meisten Berliner Architekten sahen das ähnlich. Doch wurden Gartenstädte und Villenvororte weiter nach Sitteschen Prinzipien geplant. Die beiden Systeme galten nebeneinander. Beiden gleichermaßen wichtig war die Vermehrung und bessere Planung der Grün- und Erholungsflächen: Die damals entstandenen Parks zählen heute zum Schönsten in den großen deutschen Städten. Man folgte auch hier oft Anregun-

*29. **Görlitz, Kaufhaus,** Innenansicht, Carl Schmanns, 1912–1913*

Einziger auch innen einigermaßen intakt erhaltener Kaufhausbau des frühen 20. Jahrhunderts. Kennzeichnend ist die Raumverschwendung, welche die Treppenhäuser barocker Schloßbauten aufgreift und den Kunden ein Gefühl von Pracht und Luxus vermitteln soll. Charakteristisch ist andererseits, daß es sich nicht um einen ›stilechten‹ neobarocken Bau handelt, sondern daß das Kaufhaus in seinen Materialien – wie Stahl und Glas – und in der Formgebung modern sein will. Den Kundinnen und Kunden sollte durch die Weitläufigkeit sowie durch die luxuriöse Ausstattung der Eindruck vermittelt werden, sie würden ein ›Luxusetablissement‹ in der Art eines Schlosses betreten, obwohl in Wirklichkeit die Kaufhäuser im Gegensatz zum Einzelhandel dadurch ihr Geschäft machten, daß sie billigere Konfektionsware anboten. Durch die Stahl-Glas-Decke und andere Einzelheiten wurde zugleich die ›Modernität‹ der Institution betont, was bei dem damaligen fortschrittsgläubigen Publikum durchaus ein werbender Faktor war.

gen englischer Neuerer um William Morris, die den Englischen Landschaftsgarten ersetzt hatten durch den stärker geformten Typus des ›Hausgartens‹.

Das reformerische, die großstädtischen Verhältnisse reflektierende Engagement führte außerdem zu bemerkenswerten Lösungen im Design, insbesondere bei den Lampen und anderen Gebrauchsgegenständen der neuen Techniken, aber auch im Mobiliar. Genau die Firmen, die sich damals um eine Modernisierung ihres äußeren Erscheinungsbildes bemühten, bezogen auch die Werbung ein. War zunächst München das Zentrum der werbenden Künste, insbesondere des Plakats, *(Abb. 3)* so trat nun Berlin an seine Seite. Die Plakate z.B. von Lucian Bernhard waren bis zum zeichenhaft Lapidaren vereinfacht, durch Farbenkraft und klare Form schlagkräftig in der Wirkung, und dennoch künstlerisch sehr beeindruckend. *(Abb. 30)*

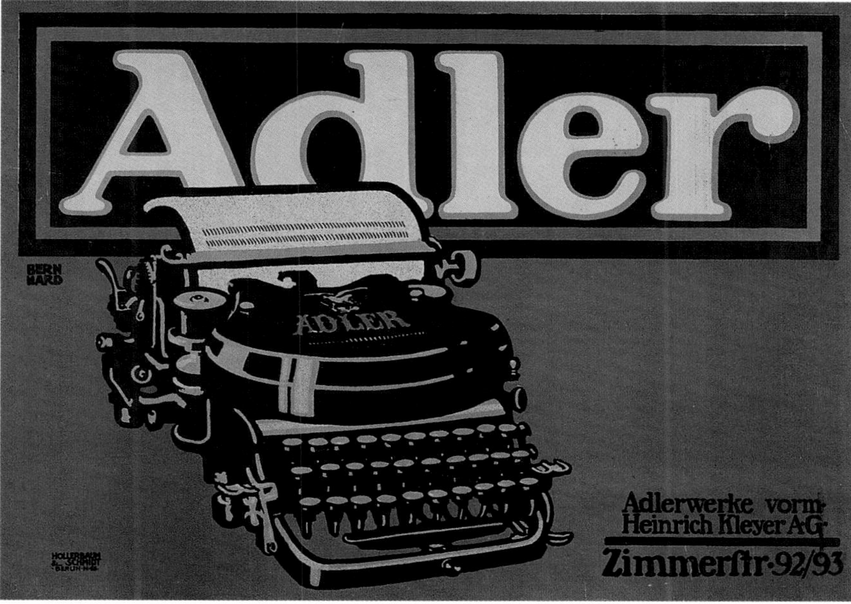

30. Lucian Bernhard (1883–1972), Plakat für Adler-Schreibmaschinen, *um 1910*

Bernhard war einer der führenden Gebrauchsgraphiker, ging jedoch schon in den zwanziger Jahren aufgrund der schlechten deutschen Auftragslage in die USA, wo er ebenfalls stilbildend wirkte. Die Schreibmaschine war eine Erfindung, die die Bürowelt revolutionierte, ja zum Teil erst die neuen Typen von Handel und Verwaltung ermöglichte.

Die Abwendung von Impressionismus und Sezessionskunst

Die Abwendung von der Ästhetik des ›Malerischen‹ ging aus von einzelnen Künstlern, die sich abseits gehalten hatten, sich aber auch später in der Regel nicht irgendwelchen Gruppen anschlossen. Ihre Intentionen sind jedoch vergleichbar.

Der Schweizer Ferdinand Hodler war durch seine Lebensumstände von vorneherein zur Isolation bestimmt. Er ist nur sechs Jahre jünger als Liebermann und stammt aus proletarischen Verhältnissen in Bern. Isoliert war er auch dadurch, daß er sich der französischen Schweiz zuordnete, ohne doch der französischen Kunst bedingungslos zu folgen. Hodler ging von einem detailgenauen Wirklichkeitsstudium aus, begann dann unter dem Eindruck von Puvis de Chavannes (1824–1898) streng gegliederte, symbolistisch aufgeladene Figurenbilder zu malen sowie einen eigentümlichen Erotismus, Spiritualismus und Heroismus zu entwickeln. Durch Steigerung der Einzelfigur hin zum Existenziellen ist es ihm gelungen, noch einmal Historienbildprägungen von dauerhafter Wirkung zu schaffen, die jedoch durch ihre Verherrlichung des heldischen Einzelnen, mehr noch durch den bekundeten Willen, im großen Ganzen bedingungslos aufzugehen, auch abschrecken. In derselben Weise hat er den arbeitenden Menschen denkmalhaft erhoben. *(Abb. 31)* Mit zunehmendem Alter gewann er als Künstler und Mensch noch an Statur, wie sich etwa an seinen späten Landschaften und der Serie seiner Bilder zeigt, die er von seiner Geliebten Madeleine Godé-Darel 1914–1915 von ihrer Erkrankung bis zu ihrem Tode malte. Ausgangspunkt seiner besten Schöpfungen ist immer leidenschaftliches Engagement für den gemalten Gegenstand und – oft jahrelange – harte Arbeit an der Bildformulierung. Nur wo er von ästhetisch-formalen Theoremata ausging, wie ›Parallelismus‹ und ›Eurhythmie‹, sind uns die Resultate zuweilen fremd oder gar fragwürdig.

Die Gegensätze innerhalb der Berliner Sezession traten mit der Zeit immer klarer hervor. Dies wird etwa an Käthe Kollwitz deutlich, der ersten bedeutenden modernen Künstlerin in Deutschland. *(Abb. 32)* Sie begann innerhalb der Bewegung zur Erneuerung der Künstlergraphik, die von Museumsleuten in Dresden, Berlin und Wien initiiert wurde und an der sich Künstler wie Karl Stauffer-Bern (1857–1891) oder Max Klinger

31. ***Ferdinand Hodler (1853–1918), Auszug der deutschen Studenten in den Kampf,*** *1815, Öl auf Leinwand, 365 x 560 cm, 1907–1909, Jena, Aula der Friedrich-Schiller-Universität*

Thema war nicht ein durch ältere Geschichtsschreiber überliefertes historisches Ereignis, sondern die patriotische Begeisterung, die zur Erhebung der Bevölkerung der verschiedenen deutschen Staaten zu einem gemeinsamen Kampf gegen Napoleon führten, hier bezogen auf die Studenten der Universität Jena im Herzogtum Sachsen-Weimar, die sich dem Lützowschen Freikorps anschlossen, gemeint als Vorbild der Opferbereitschaft für alle späteren Generationen. Im unteren Register wird von links nach rechts der Aufbruch geschildert, kulminierend in dem sich aufbäumenden Pferd. Im oberen Register wird im Gegensinn das Gemeinschaftserlebnis der Marschkolonne zum Thema. Die Figuren als einzelne wie der Rhythmus als ganzer sind von außerordentlicher Intensität.

beteiligten; sie hatte eigene Publikationsorgane und Ausstellungen in der Berliner Sezession und erreichte ihr Ziel zunächst auch. Die Graphik blieb Kollwitz' Schwerpunkt. Außerdem lehrte sie im Verein der Berliner Künstlerinnen, der wenige Jahre zuvor zum Zwecke der Förderung von Künstlerinnen gegründet worden war. Dort war u.a. Paula Becker (später Modersohn-Becker) eine Zeitlang ihre Schülerin. Käthe Kollwitz war mit einem Berliner Armenarzt verheiratet, dessen soziales Engagement sie teilte. Ihre Kunst verstand sie zeitlebens als Ausdruck ihrer leidenschaftlichen menschlichen und politischen Teilnahme, sie wollte wirken und hielt dadurch Abstand vom Ästhetizismus der Sezessionskunst. Die bildnerischen Mittel wurden expressiver, ohne doch der neuen Doktrin der Expressionisten zu folgen. Sie ist nie formalistisch, aber vernachlässigt auch niemals die formale Durchbildung zugunsten der Thematik an sich. Eigentliches Vorbild für diese Haltung ist einer der großen Außenseiter unter den Franzosen des 19. Jahrhunderts, der Gebrauchsgraphiker und Maler Honoré Daumier (1810–1879).

Menschlich und künstlerisch sind Käthe Kollwitz und Ernst Barlach einander verwandt. Der Hamburger Barlach stand den Kreisen nahe, die sich um eine breite Reform der Kunst bemühten,

insbesondere Justus Brinckmann, dem Direktor des Kunstgewerbemuseums, weshalb er in seiner Frühzeit viel mit keramischen Materialien arbeitete. Die dekorativen und gefälligen Züge der Jugendstilkunst waren seinem Ernst zuwider, doch teilte er das soziale Engagement vieler Künstler dieser Richtung. Analog zu den Bestrebungen in der Bau- und Ausstattungskunst bemühte er sich zunächst um Vereinfachung und Typisierung. Doch lehnte er das Klassische und Italienische ab, fand seine Vorbilder eher in der Kunst der Naturvölker und der frühen Hochkulturen, aber auch der deutschen gotischen Skulptur. Tiefen Eindruck hinterließ eine Rußlandreise 1906, weil ihm dort das Ursprüngliche und Primitive als Wirklichkeit begegnete, nicht nur im Museum. Über seine Statuette der russischen Bettlerin schreibt er selbst: »Die Natur hat Feierliches und Behagen, Groteskes und Humor oft in einem Objekt und in einer Linie [...] Ich habe nichts verändert von dem, was ich sah, ich sah es eben so, weil ich das Widrige, das Komische und (ich sage

32. ***Käthe Kollwitz (1867–1945), Bewaffnung in einem Gewölbe,*** *Lithographie, 36,9 x 23,3 cm, 1902, Köln, Käthe-Kollwitz-Museum in Trägerschaft der Kreissparkasse Köln*

Teil des Graphikzyklus ›Der Bauernkrieg‹, der 1902–1908 entstand. Das historische Thema ist eine kaum verschlüsselte Parteinahme für den damals heftig angefeindeten Sozialismus. Die summarisch gegebene, verfremdete Architektur steigert den Ausdruck der Volksbewegung.

33. ***Ernst Barlach (1870–1938), Russische Bettlerin mit Schale,*** *Steinzeug, 23 cm hoch, 1906, Dresden, Staatliche Kunstsammlungen*

Von der Statuette gibt es auch Porzellanausführungen. »Eine mächtige Person mit hartem Selbstbewußtsein, von der kein Dank für milde Gaben zu erwarten ist. Sie scheint gefeit gegen die heuchlerische Überredung durch eine korrupte Gesellschaft, daß man mit Fleiß und Sichnützlichmachen etwas erreichen könne. Sie schiebt ihr kalt die Schuld zu dafür, daß ihre Kraft lahmliegt.« (B. Brecht) es eben dreist) das Göttliche zugleich sah.« *(Abb. 33)* Barlach hatte es schwer sich durchzukämpfen, weshalb es ihm u.a. versagt blieb, eine Familie zu gründen. Aber er fand zu seinem eigenen Stil und erhielt schließlich auch die verdiente Anerkennung; diese wurde ihm unter der Naziherrschaft wieder entzogen, als Barlach seiner Kunst wegen verfolgt wurde.

Paula Modersohn-Becker hingegen starb bereits mit 31 Jahren nach der Geburt ihres Kindes, und zwar gerade, als sie sich aus der Enge ihrer Ehe und der Künstlerkolonie in Worpswede zu lösen versuchte. Zunächst war sie in das ärmliche Moordorf bei Bremen gezogen, weil sie hoffte, dort zu der von ihr so sehr erstrebten Einfachheit zu gelangen. Aber das Neo-Rousseausche »Zurück zur Natur, zurück zu den Anfängen« erwies sich als Illusion. Sie war von den falschen Leuten umgeben. Daraufhin suchte sie Inspiration in Paris. Dort kristallisierte sie ihre eigene Art in der Auseinandersetzung mit Cézanne, Van Gogh sowie Gauguin und den Symbolisten heraus. Neben streng gebauten Stilleben entstanden vor allem in ihrem letzten Lebensjahr eigentümliche Selbstbildnisse und Figurenstudien, vereinfacht bis hin zur Primitivität, Frauenkörper von lebensspendender Kraft und Fülle, die gelegentlich an frühe Muttergottheiten erinnern, und doch von Schmerz und Tod umschattet, Bilder, die aus dem Inneren kamen, in denen sie ihre zuvor erworbene hohe Malkultur aufgab, um an Stärke der Aussage zu gewinnen. *(Abb. 34)*

Barlach und Modersohn-Becker sind zeitgemäße Erneuerer des romantischen Primitivismus. Doch wurde das Urzeitliche, Urmenschliche nicht mehr nur in der Frühzeit der eigenen Nation und in der Natur gesucht, sondern auch in der Kinderzeichnung, den Arbeiten von Geisteskranken, in der Kunst der Urvölker oder den Zeugnissen der Vor- und Frühgeschichte, die damals durch Ausgrabungen zunehmend besser erforscht wurde.

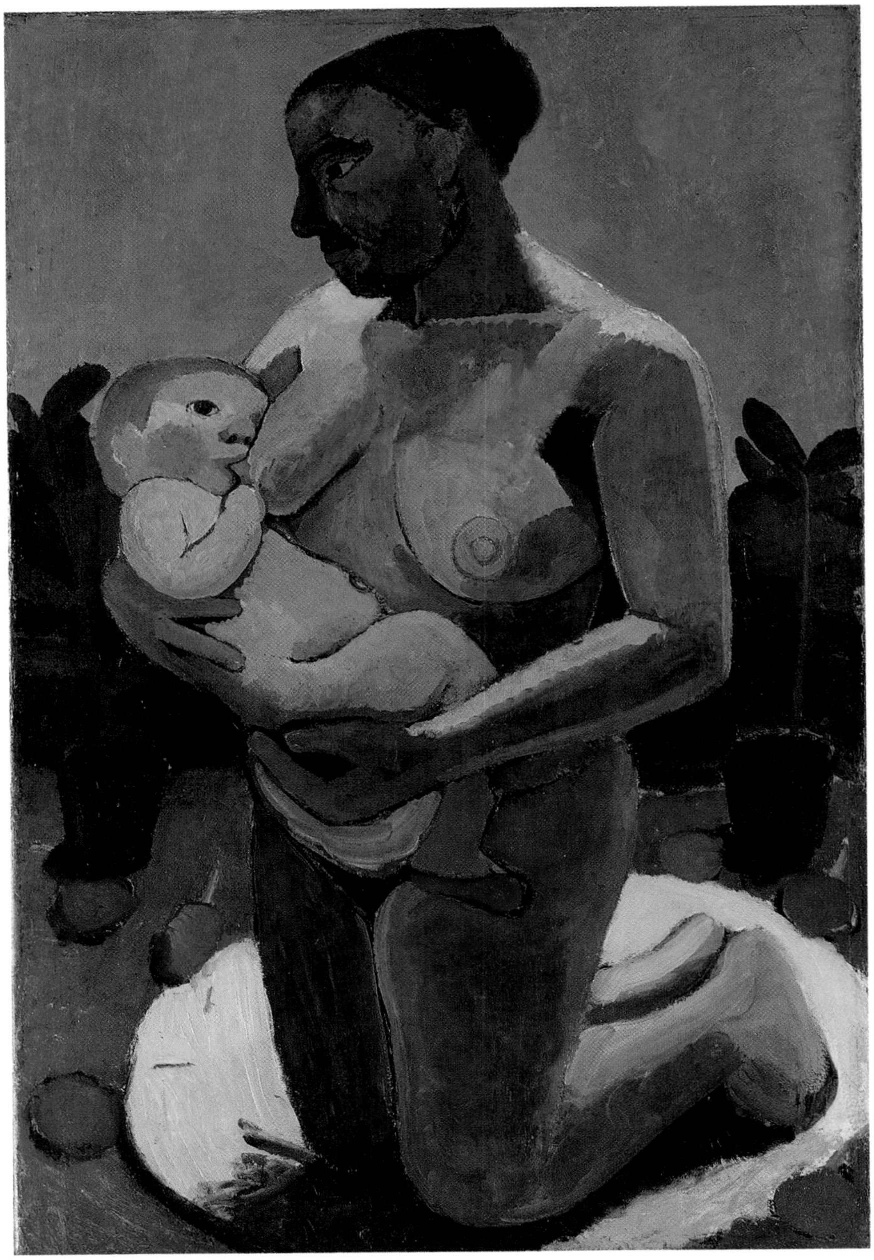

34. Paula Modersohn-Becker (1876–1907), Mutter ihr Kind nährend, *Öl auf Leinwand, 113 x 74 cm, 1907, Berlin, Nationalgalerie SMPK*

Das Bild hat ikonenhafte Züge, in der Betonung des Frauenkörpers in der Mitte, der nimbenartigen Rundscheibe, auf der er kniet, in der symmetrischen Rahmung durch zwei Blumentöpfe, vor allem aber in der Flächigkeit und Vereinfachung.

Der Expressionismus: Emil Nolde

Der Expressionismus als künstlerische Haltung, seine Übersteigerung des Ausdrucks, Heftigkeit der Formgebung und Intensivierung der Farbigkeit, gilt als ›typisch deutsch‹. Dies mag für einige ältere Bereiche und Zeitabschnitte gelten, in der Moderne trifft es nicht zu: Claude Monets Bilder der 80er Jahre, die Van Gogh so aufgewühlt haben, erst recht aber die 1888–1890 gemalten Bilder des Holländers selbst, dann die Kunst von Henri Matisse (1869–1954), André Derain (1880–1954) und anderen, die sich offiziell 1905 zur Künstlergruppe der ›Fauves‹ (Wilden) zusammenschlossen, gehen voran, ebenso der Norweger Edvard Munch. Dies haben die ihnen nachfolgenden deutschen Maler nicht gern zugeben wollen, haben es, wie Emil Nolde, in seiner Autobiographie, heruntergespielt oder haben gar, wie Kirchner, zum Mittel der Fälschung gegriffen, indem sie Bilder vordatierten. In einer Epoche, in der die Bewertung von Kunst – und das heißt immer auch ihre Vermarktung – weitgehend davon abhing, ob ihr Schöpfer als ein ›Original-Genie‹ galt oder nicht, war Priorität entscheidend, wie bei technischen Erfindungen. Allerdings ist festzuhalten, daß der Fauvismus/Expressionismus in Frankreich schnell vom Kubismus und anderen Richtungen abgelöst wurde, während er in Deutschland eigentlich erst nach 1910 zu breiter Geltung kam, dann aber eine langandauernde Wirkung entfalten konnte.

Die Leugnung, daß der Expressionismus ursprünglich nur ein radikalisierter Impressionismus ist, ist auch aus dem generationsbedingten Feindbild der Jungen gegen die Älteren zu erklären. Aus der Distanz wird deutlich, daß etwa Nolde, der sogar ein Jahr älter ist als Slevogt, bei den Franzosen oder Liebermann viel gelernt hat. Doch haßte er als Provinzler die großbürgerlich-liberale Berliner Kunstwelt, und seine innere Einstellung und seine andersartigen Ziele führten ihn zur Ablehnung des bisher Gültigen. Hinter dieser Haltung steht jedoch auch der nach 1900 zunehmende nationale Antagonismus zwischen Deutschland und Frankreich. Zwar gab Nolde in einem Brief von 1908 zu, daß die großen Franzosen »die Eisbrecher« waren, um dann aber fortzufahren: »In Deutschland haben wir, sollte es uns wirklich gelingen, eine große deutsche Kunst, eine zweite Periode zu schaffen, – die erste fällt in Grünewalds, Holbeins und Dürers Zeit – das große Aufwärtsstreben vor uns. Ich selbst fühle mich dabei und ich hoffe – hoffe, sie wird kommen, diese Zeit einer hohen deutschen Kunst.«

Der Begriff Expressionismus selbst ist erst um 1911 in Deutschland aufgekommen. Die Literaten, die sich im Gefolge der Malerei das neue ›Weltgefühl‹ zueigen machten, dabei aber auch weltanschaulich aufluden und umwandelten, haben ihn gerne als übergreifenden Begriff benutzt, wogegen die Künstler viel eher die Gruppenunterschiede und erst recht ihre eigene Individualität betonten.

Emil Nolde (eigentlich: Hansen) stammt aus einer in Nordschleswig ansässigen Bauernfamilie, sein Geburtsort Nolde liegt im heute dänischen Tondern. Er war ein heimatverbundener Nationalist, obwohl seine Mutter und seine Frau Ada dänischer Herkunft waren. Dies ist vor dem Hintergrund zu verstehen, daß die romantisch geprägte dänische Sprach- und Annexionspolitik 1848 zu einem Aufstand der Schleswig-Holsteiner geführt hatte, der niedergeschlagen wurde. Dies provozierte seinerseits das Aufwallen des deutschen Nationalismus. Der dänisch-deutsche Nationalitätenstreit wurde zum Auslöser bei der Einigung der deutschen Länder. Nachdem er ausgestanden war, betonte man in Deutschland stärker das gemeinsame ›Nordisch-Germanische‹ unter Berufung auf die Edda und andere Heldensagen, die man für ›ur-deutsch‹ erklärte. Auch Nolde verwendet den weihevoll raunenden Sprachduktus der alten Epik. Er hat auch Botschaft und Stil des aus Schleswig-Holstein stammenden Julius Langbehn aufgesogen und sich nicht nur wesentliche Teile seiner Anschauungen zueigen gemacht, sondern auch Langbehns Prophezeiungen, daß ein neuer Führer aufstehen müsse und daß Schleswig-Holstein berufen sei, eine große Rolle in Deutschland zu übernehmen, mehr oder weniger auf sich persönlich bezogen. Gegen alle Widerstände und trotz zeitweise bitterer Not hat Nolde an seinen, ihm zunächst eher undeutlichen Zielen, festgehalten.

Nolde wurde zum Möbelzeichner und -schnitzer ausgebildet und erwarb dabei ein solides

zeichnerisches Können und technisches Wissen. Danach lehrte er an der Kunstgewerbeschule St. Gallen, immer darauf bedacht, sich zum freien Künstler weiterzubilden. Dort hatte er einen ersten Erfolg mit einer Postkartenserie grotesker Bergporträts, die eine eigentümliche Weiterung der Kunst Böcklins sind. Danach versuchte er zu seinem eigenen Stil und der ihm gemäßen Thematik zu finden. Nur wenig ist aus dieser Phase noch erhalten geblieben. Bezeichnend ist das 1904 gemalte Porträt seiner Frau Ada. *(Abb. 35)* Sie wird nicht als seine geliebte Gefährtin und Muse erkennbar. Daß sie zum Zeitpunkt der Entstehung des Bildes schwer leidend war, mag als Wissen in das Bild hineingetragen werden, doch würde man allein aus der Anschauung eher auf ein dämonisches Wesen zu schließen haben. Das heißt mit anderen Worten: Der Maler geht – wenigstens in diesem Bild – nicht von der sichtbaren Wirklichkeit aus. Vielmehr handelt es sich um eine emotionale Entladung, deren lavaartige ›Farbstürme‹ auf der Leinwand erstarrt sind. Das Bild ist ein Farbschock: heftig kämpfen intensivste Töne miteinander, teils erglühen sie, teils verfinstern sie sich. Die Betrachtenden sollen in einen Zustand der Erregung versetzt werden. Wenn man im übrigen die Zeichnung etwa der Schulterpartie anschaut, so kann man nur von Vernachlässigung, ja Verachtung der korrekten Naturwiedergabe, ja der Formgebung überhaupt sprechen, bemerkenswert genug bei einem Künstler, der bewiesen hatte, wie gut er zeichnen kann.

Es wurde bereits zuvor auf die frühesten Kunstäußerungen der Nazarener hingewiesen, *(Abb. VII/33)* bei denen die Gesinnung mehr galt als das Können, eine Einstellung, die allerdings von der Gruppe bald überwunden wurde. Im Expressionismus kehrt diese Idee mit Macht wieder. Als wesentlich gilt das Wollen, nicht das Können, die Gesinnung und nicht die Ausführung, der Inhalt und nicht die Form. Dann muß aber seitens der Betrachtenden an die Stelle der Kunstkritik und -analyse die Einfühlung treten. Damit wird letztlich jede Wertung ausgeschlossen, jede kritisch differenzierende Auseinandersetzung hintangestellt. Carl Einstein, ursprünglich selbst ein führender Expressionist, hat in einer Art Abrechnung französische und deutsche Kunst miteinander verglichen und dabei den ›Dualismus‹ in Deutschland beklagt: »So empfindet und erlebt der Deutsche [Maler] leicht viel Ungemeines in die Bilder hinein, das der Betrachter oft kaum erfühlt, da die Bildlösung zu schwach ist, um in die Intensität und Absicht des Schaffensprozesses zurückzuführen. Man schweifte vielleicht zu sehr in unbestimmter ›Weltanschauung‹ statt geklärter Anschauung. Die Analyse des romanischen Bildes erledigt sich zunächst formal; die Bilder dieser Deutschen wollen oft allzu schnell in eine unbestimmte oder allgemeine Geistigkeit drängen, zu welcher Stärke und Wert des Bildgelingens kaum überreden.«

Man kann verstehen, warum Nolde in einer der ersten öffentlichen Reaktionen »als malerischer Anarchist verwegenster Art« bezeichnet wurde. Derartige Bilder waren eine Herausforderung der damals erst gewonnenen und deshalb desto höher gehaltenen Malkultur. Sie wollen wirklich zur Primitivität der Ur-Zeit zurück, zu den Ur-Anfängen bildnerischen Gestaltens – das Präfix Ur- kommt in Noldes Schriften nicht grundlos gehäuft vor. Aber wie die Impressionisten erst den Blick für bestimmte malerische Qualitäten der älteren Kunst geweckt haben, so hat auch der Expressionismus bis dahin übersehene ältere Richtungen, Qualitäten und Werke ins Rampenlicht gezogen: Die gesamte vorgotische Bildende Kunst, die Kinder- und Volkskunst, die der Urvölker, aber auch etwa das Astkreuz, die gotische Pietà *(Abb. III/7 u. III/33)* und – Meister Mathis Gothardt gen. Neithardt, dessen Bilder für das Berliner Museum anzukaufen Wilhelm von Bode sich noch geweigert hatte und der nun kometenartig als Stern allererster Größe am Himmel der deutschen Kunst auftauchte. *(Abb. IV/66–68)*

Nolde hat sich in seiner Autobiographie als nordischen, bäuerischen, ungebildeten Grübler und ›tumben Toren‹ stilisiert, als naturverbunden, auf der anderen Seite aber hat er gepoltert gegen den Kunstbetrieb, die Großstadt-Zivilisation, rassische und nationale Vermischung, gegen die abstrakte Kunst, der »die sinnliche, urwesenhafte, seelisch tief im Heimatlichen wurzelnde [eigene Malerei] [...] fremd war«. Nicht ganz so offen drückt er aus, daß er für sich die Rolle eines wegweisenden Gesetzgebers, eines Sehers und Propheten in Anspruch nimmt, der aus innerem Zwang handelt. »Alles Übernommene, Gelernte

linke Seite:
35. Emil Nolde (1867–1956), Porträt Ada Nolde (Muggi), *Öl auf Leinwand, 29 x 22 cm, 1904, Privatbesitz*

Ada Vilstrup, eine dänische Schauspielerin und Sängerin, war Noldes unentbehrliche Gefährtin in seiner Einsamkeit; sie war Muse, Vorleserin und Helferin, die mit ihren Arbeiten erheblich dazu beitrug, das Paar über Wasser zu halten. Das Bild ist auf Sackleinwand gemalt, der Farbauftrag an einigen Stellen mehrere Millimeter dick. Teils sind die Farbpigmente schon auf der Palette ineinandergelaufen, teils wurden sie erst auf dem Bild miteinander vermengt.

*36. **Emil Nolde (1867–1956), Hafenschlepper,** Aquarell auf Japanpapier, 19 x 19 cm, um 1910, Privatbesitz*

Nolde bezog mehrfach Quartier am Hamburger Hafen, um das dortige Treiben und diese eigenartige Industriewelt zu studieren. Die damals entstandenen Kunstwerke sind weniger in sich geschlossene Einzelbilder, sondern schließen sich zusammen zu einer Serie. Dabei handelt es sich nicht um einen Zyklus im traditionellen Sinne, sondern um ein Ausloten des Themenbereichs in immer neuen Variationen und Anläufen. Das große Vorbild dafür war Claude Monet.

war nichts, alles mußte wie neu erfunden werden [...] Ich wollte auch nicht malen, was ich wollte, nur was ich malen mußte.«

Hätte Nolde nur so gemalt, wie in dem frühen Porträt, und nur so gedacht, wie oben angedeutet, so würde ihm eher ein Kapitel in der Geschichte künstlerischer Ideologiebildung zustehen. Wer seine Werke unbefangen studiert, bemerkt jedoch, daß sie – nach den wilden Anfängen – keineswegs formlos sind, sondern daß hinter ihnen ausdauernde Übung, Beherrschung der Techniken und viel Absicht und Überlegung steckt – und daß er Bedeutendes gerade zu Themenbereichen zu sagen gehabt hat, die ihm angeblich gar nicht liegen, wie beispielsweise zu Großstadt und Industrie. Dies sei an dem Aquarell eines Schleppdampfers aufgezeigt. *(Abb. 36)* Seit 1907 machte Nolde bevorzugt Studien im Hamburger Hafen. Die bulligen, schwarzen, mit mächtiger Motorkraft ausgestatteten Schiffe hatten es ihm angetan. Er zeigt den Dampfer im Kampf gegen die Wellen, doch nicht als ihren Spielball. Der Wind treibt die Rauchfahne des Schornsteins vor ihm her, ohne ihm doch etwas anhaben zu können. Der Schlepper wird zu einem düsteren Wasser-Ur-Wesen, wird so elementar wie Wind und Meer.

Nolde hatte seit dem Winter 1905/1906 viel mit Aquarelltechnik experimentiert, hatte die verschiedensten Papiersorten benutzt, naß in naß gemalt, die Farben anfrieren und eintrocknen lassen bzw. nachträglich überarbeitet. Einerseits sollte etwas von der aus dem Inneren kommenden Bewegung des Auftrags erhalten bleiben, andererseits durch »die Mitarbeit der Natur« eine neue künstlerische Tiefendimension entstehen, die ungeformte oder zufällig geformte Farbmaterie aus sich selbst sprechen – ein Verfahren, daß dann im Informel der 50er Jahre geradezu Prinzip wurde. Das Japanpapier dieses Blattes ist in der ersten Farbauftrags-Phase feucht gewesen, so daß die gelben und blaugrauen Töne ineinandergelaufen sind. Der Maler hat dann auf das teils trockene, teils erneut befeuchtete Papier tiefblaue und violette, dichtere Farbschichten in unterschiedlichem Duktus aufgetragen und das Ganze mit der Rohrfeder nochmals überarbeitet, so daß eine tastbare Oberflächenstruktur entsteht. Ergebnis ist ein faszinierend düsterer und dramatischer Gesamteindruck, der sich bei der Betrachtung des Blattes nicht leicht erschöpft, sondern das denkende Auge zu immer neuen Wegen und Überlegungen anregt, wobei es merkwürdige Transparenzen, irrlichterhafte Lichterscheinungen, andererseits aber auch eine genau abgestimmte Komposition wahrnimmt. Das Bild ist ein programmatisches Werk subjektiver Ästhetik, aber es ist doch auch Darstellung – gewiß nicht als naive Verherrlichung der Maschinenwelt, aber ebensowenig als technikfeindliche Zurück-zur-Natur-Propaganda gemeint.

37. Emil Nolde (1867–1956), Prophet,
Holzschnitt, 32 x 23 cm, 1912
Die Vereinfachung des Holzschnitts erweist sich als geeignetes Medium, dem Pathos des Visionären Gestalt zu geben; dabei mag ebensogut ein Prophet des Alten Testamentes wie einer der damals häufigen Weltverbesserer gemeint sein.

Auch kann man dem Bild nicht Formlosigkeit oder Unangemessenheit des Verhältnisses von Form und Inhalt vorwerfen, auch wenn die Formauflösung an die Grenze getrieben ist.

Nolde hat den graphischen Techniken der Radierung, des Holzschnitts und der Lithographie neue Ausdrucksmöglichkeiten abgewonnen, wobei er Anregungen von Brückekünstlern wie Kirchner und kundigen Sammlern wie Gustav Schiefler aufnahm. *(Abb. 37)* Überhaupt muß man davon ausgehen, daß er keineswegs alles nur ›aus sich heraus‹ erfunden hat, sondern beständig und leidenschaftlich gleichermaßen Natur und Kunst studierte und daß seine vielen Reisen und Ortswechsel der Suche nach immer neuen Anregungen dienten. Im Grunde ist ein Verständnis seiner Kunst besser unabhängig von den eigenen Äußerungen und denen mancher Verehrer zu gewinnen – das Wenigste davon ist bisher geleistet worden.

Erst bei näherem Studium wird z.B. deutlich, daß das Gemälde der Grablegung in Erinnerung an Tizians Bild im Pariser Louvre entstand, das er bewunderte. *(Abb. 38)* Er hat jedoch die Aussage fast ausschließlich aus der Monumentalität und Wirkung der blauen Farbfläche im Kontrast zum schwefligen Gelb zu entwickeln versucht. Für Nolde war Tizian nicht so sehr Meister der Pinselführung und der ›peinture‹, sondern ein religiöser Künstler, der um den Ausdruck rang, wohingegen der Ernst und das darstellerische Bemühen des Venezianers dem Kreis um Meier-Graefe eigentlich gleichgültig waren. Es ist schwer sich auszumalen, wie provozierend die neo-primitiven religiösen Bilder wirkten, mit denen Nolde in die gepflegte und areligiöse Berliner Sezessions-Salonkultur hineinplatzte. Denn dafür, nicht für die Aufhängung in einer Kirche, hat er sie gemalt.

Diese neue Gotik konnte ebensowenig die spätnazarenischen Kreise der wilhelminischen Kir-

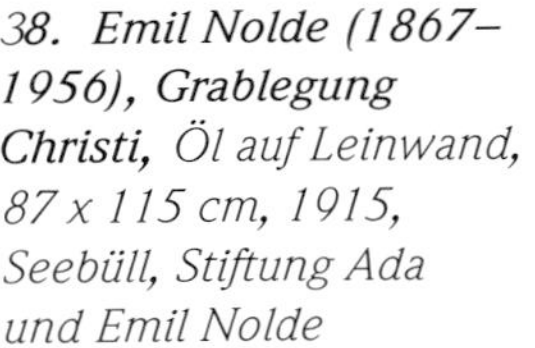

38. Emil Nolde (1867–1956), Grablegung Christi, *Öl auf Leinwand, 87 x 115 cm, 1915, Seebüll, Stiftung Ada und Emil Nolde*

Das Bild scheint sich zwar auf den ersten Blick an altdeutsche Gemälde anzuschließen, entstand aber der Hauptsache nach in Erinnerung an ein Werk Tizians desselben Themas im Louvre. Doch beschneidet und konzentriert der Maler die Gruppe und setzt alles auf die Umklammerung und Monumentalisierung des Gelb im Leichnam Christi durch die blauen Farbflächen.

chenkunst mit ihren akademisch korrekten Imitationen des Mittelalters erfreuen. Doch schon Langbehn hatte 1889 gefordert: »An die Kunstgesinnung der alten Zeiten soll man sich halten, nicht an ihre Kunstleistungen; man soll die letzteren niemals im Einzelnen nachahmen. Die moderne Zeit hat moderne Bedürfnisse und braucht eine moderne Kunst.« Es ging den Expressionisten um eine Erneuerung der nationalen Kunst aus dem Geist der Gotik und der Dürerzeit, nicht um die Nachahmung der Stilformen, ähnlich wie die Baumeister die Schaffung eines nationalen Stils aus dem Geiste des Preußentums der Befreiungskriege anstrebten. In der Art der Verfügung über alte Stile ist beides als Historismus zu bezeichnen. Aber es ist ein Historismus neuer Art, bei dem die Ausdruckswerte und die Gesinnung der Form das Entscheidende sind. Ein Formalismus und Ästhetizismus ist es gleichwohl, denn – überspitzt gesagt: Die ›neue Form‹ ist der Inhalt.

Ernst Ludwig Kirchner und die ›Brücke‹

Künstlergemeinschaften nach der Art der Nazarener hatten sich in Deutschland schon früh mit dem Beginn der Avantgarde-Bewegung gebildet, z.B. in Dachau bei München oder in Worpswede bei Bremen, beidesmal als Rückzugsbewegungen aufs Land. Ihre Wirkung blieb zeitlich und regional begrenzt. Ebenso erging es städtischen Künstlergruppen, wie der ›Scholle‹ oder der ›Phalanx‹ in München. Aber die Wiederkehr des Phänomens als solches ist bezeichnend genug. Allerdings hatten sich sowohl die allgemeinen Verhältnisse als auch die inneren Strukturen verändert. Von einer religiösen Gemeinschaft ist nur bei einigen sektiererischen Bewegungen die Rede, und es geht auch nicht mehr um die Wiedererringung von etwas Verlorenem, sondern eher um die Gründung eines verschworenen Bundes zur Durchsetzung des Neuen, Eigenen. Zwei dieser Gruppen sind von besonderer Bedeutung: zum einen die 1905 in Dresden gegründete ›Brücke‹ sowie der 1912 in München gebildete ›Blaue Reiter‹.

Die Brücke, zunächst nur ein Zusammenschluß Dresdner Architekturstudenten, die sich der Malerei widmen wollten, hatte anfangs kein anderes Programm, als jugendbewegt mit der alten Kunst und den bürgerlichen Lebensformen zu brechen. Das 1906 verfaßte, äußerst kurze Manifest gipfelt in dem Schlußsatz: »JEDER GEHÖRT ZU UNS: DER UNMITTELBAR UND UNVERFÄLSCHT DAS WIEDERGIEBT, WAS IHN ZUM SCHAFFEN DRAENGT.« Vorbild für die Künstlergemeinschaft, die in einem gemeinsamen Atelier malte und manchmal auch lebte, war van Gogh's Traum des Künstlerhauses in Arles. Nietzsches Zarathustra, das Bekenntnis zur Freikörperkultur usw. sind eher weltanschauliche Deckmäntelchen für eine radikale Bohème, die den Bürger schocken wollte. Das Bekenntnis zur Welt von Cabaret und Varieté konnte jedoch allenfalls aus damaliger Dresdener Sicht als umwerfend modern gelten. Die Akte in der Seenlandschaft um die Moritzburg oder am Meeresstrand waren »pathetische Idylle [...] mancher ermüdete zum Epigonen der eigenen Jugend« (Carl Einstein). Auch deshalb zog ein Maler nach dem anderen in die Großstadt Berlin. Dort löste sich die Gruppe 1913 offiziell auf, nachdem sie zuvor nur noch auf dem Papier existiert hatte.

Der führende Kopf des Zusammenschlusses ist Ernst Ludwig Kirchner. Nach und nach eignete er sich das Rüstzeug zu seiner Kunst an, das er zunächst meist von den Franzosen und von Munch erborgt hatte. Viele Anregungen bezog er – ebenso wie die anderen Künstler, insbesondere Max Pechstein (1881–1955) – auch aus dem Studium der altdeutschen Kunst und derjenigen der Naturvölker: Er schuf einige Skulpturen, die wie Südsee-Idole aussehen. Sein eigentliches Feld waren der Holzschnitt und die Malerei. In Frankreich hatte zuvor u.a. Félix Vallotton (1865–1925) die Technik zu erneuter Blüte gebraucht, indem er unter Berufung auf die Holzschnittkunst der Japaner eine neue Flächigkeit und Kontrasthärte in das Medium einführte. Kirchner machte daraus jedoch etwas Eigenes, wobei der graphische Stil Munchs Anregungen gab. Er riß die Oberfläche der Holzdruckplatte auf, glättete nachträglich nur wenig, ließ Zwischenstege stehen, wodurch die Holzplatten etwas Rauhes, Rissiges, Splittriges erhalten. Die Ähnlichkeit mit frühen

deutschen Holzschnitten des 15. Jahrhunderts war erwünscht. *(Abb. IV/6)* Analog wurden bei Gemälden oft rauhe Sackleinwände als Malgründe benutzt, manche Farben erscheinen durch Sandbeimengungen körnig, die Pinselstriche werden wie mit dem Säbel ›hingehauen‹. Die Form wird ›zertrümmert‹, vereinfacht, verflächigt.

Was bei den anderen jedoch zur fast unterschiedslos angewandten Methode wird, paart sich bei Kirchner mit Erfindungsgabe, Phantasie und einem Blick für seine Mitwelt. In Berlin entstanden 1913–1915 die ersten überzeugenden Großstadtbilder: *(Abb. 39)* Im Mittelpunkt stehen fast immer modisch aufgeputzte, wie Kokotten erscheinende Frauen, umgeben von Männern, auf den Straßen und Plätzen der Stadt, durch den Strich des Malers ins Gespenstische verwandelt, eher Spinnen- und Fledermauswesen, in düsterem Grundton, durchsetzt mit einigen bengalisch scharf aufleuchtenden Farben. Die Figuren bewegen sich nicht eigentlich dynamisch, aber die Heftigkeit des Strichs reflektiert etwas von dem Tempo, der Nervosität und Hektik des Großstadtlebens. Die Forderung, innere Visionen zu verwirklichen, wird hier ansatzweise und aufgrund intensiver Auseinandersetzung mit der Wirklichkeit eingelöst.

Eine letzte Steigerung erhielt sein Werk unter dem Eindruck des Krieges. Der Maler war schon der Uniformisierung und Gewalttätigkeit des Militärdienstes nicht gewachsen. Psychisch und physisch zerrüttet, mußte er vorzeitig entlassen werden. In einer großen Zahl von Bildern, darunter vielen Selbstbildnissen, versuchte er, seine Alpträume zu gestalten und sich über sich selbst Rechenschaft abzulegen. *(Frontispiz)* Nach seiner Heilung und der Übersiedlung in die Bergwelt von Davos wurde seine Kunst jedoch eher dekorativ und bunt.

Der Blaue Reiter

Die Avantgardisten um 1910 hatten sich gegen zwei Gegner zu wehren, gegen die künstlerisch konservative, das Triviale bevorzugende wilhelminische Gesellschaft mit ihrem allgemeinen Unverständnis von Kunst und gegen die Sezessionisten sowie die mit ihnen verbündeten Kunsthändler und -kritiker wie Paul Cassirer und Julius Meier-Graefe. Sie mußten für die eigene Sache selbst zur Feder greifen, denn sie hatten zunächst niemanden, der es für sie tat. Sie konnten nicht hoffen, daß das Publikum ihre Werke ohne Erklärung verstehen und wohlwollend aufnehmen würde. Wortführer der Münchner Künstlergruppe ›Der Blaue Reiter‹ waren Wassily Kandinsky und Franz Marc, während ein anderes berühmtes Mitglied der Gruppe, Paul Klee, erst spät mit seinen Schriften hervortrat. Aus den Anfängen dieser Bewegung sind hervorzuheben der *Almanach* der Gruppe und Kandinskys Buch *Über das Geistige in der Kunst.* Inhalt und Qualität ihrer Texte haben diesen Künstlern besondere Aufmerksamkeit bei der Nachwelt gesichert, zuweilen wohl mehr, als ihnen im Vergleich zu anderen Malern wirklich zukommt. Es handelt sich um philosophische Manifeste, die ein ›Zeitalter des Geistes‹ herbeiführen wollen, so wie einst im 13. Jahrhundert Joachim von Fiore und später andere Chiliasten das ›Zeitalter des Heiligen Geistes‹ ausriefen. Marc und Kandinsky sahen in einzelnen Werken der neuen Kunst, von denen sie Cézanne, Gauguin, Picasso, Marées und Hodler nennen, »eigenwillige, feurige Zeichen einer neuen Zeit, die sich heute an allen Orten mehren.« Sie stehen »in gar keinem Zusammenhang mit dem Stil und Bedürfnis der Masse [und sind] eher ihrer Zeit zum Trotz entstanden [...] Dieses Buch [d.h. der *Almanach*] soll ihr Brennpunkt werden, bis die Morgenröte kommt und mit ihrem natürlichen Licht diesen Werken das gespenstige Ansehen nimmt, in dem sie der heutigen Welt noch erscheinen. Was heute gespenstig scheint, wird morgen natürlich sein.« Die Autoren sehen bei ihrer eigenen Generation, die sie die »Wilden« Deutschlands nennen, »Mystik in den Seelen erwachen und mit ihr uralte Elemente der Kunst.« Als ihr Ziel erklären sie: »Durch ihre Arbeit ihrer Zeit Symbole zu schaffen, die auf die Altäre der kommenden geistigen Religion gehören und hinter denen der technische Erzeuger verschwindet. Spott und Unverstand werden ihnen Rosen auf dem Wege sein.«

Die Münchner Kunstszene nach 1900 wurde insbesondere von Russen geprägt, die aus einer anderen Bilderwelt, der russisch-byzantinischen

linke Seite:
39. Ernst Ludwig Kirchner (1880–1938), Der Belle-Alliance-Platz in Berlin, *Tempera auf Leinwand, 96 x 85 cm, 1914, Berlin, Nationalgalerie SMPK*

Kirchner malte in Berlin neben den Kokotten des Potsdamer Platzes auch die sehenswürdigen Plätze, so das ›Rondell‹ des Soldatenkönigs, das erst in Belle-Alliance-Platz und dann in Mehringplatz umgetauft wurde. Seine Auffassung und Perspektive sind eigentümlich ›neo-gotisch‹, Menschen und Bäume werden zu Chiffren.

Ikonenmalerei, kamen. Fast alle hatten sich wegen der fruchtlosen Versuche, bei Franz von Stuck etwas zu lernen, in freien Malschulen der Kunst gewidmet, sich dann vor allem auf Reisen gebildet, wobei sie nicht durch nationalistische Vorurteile geblendet wurden wie viele ihrer deutschen Kollegen. Alexej von Jawlensky, ein ehemaliger Offizier, war mehrfach mit seiner Lebensgefährtin Marianne Werefkin (und auf ihre Kosten) in Paris, wo er bereits 1905 die Fauves, vor allem Henri Matisse, aber auch die jüngere Generation der spiritualistischen Symbolisten wie Pater Willibrord Verkade und Paul Sérusier kennenlernte, die ihn mit dem Gedankengut der Theosophie und Mystik bekanntmachten. Es wurde nun sein Ziel, die Gemälde zu Bildern der Seele, aber auch zu einer Projektion seines eigenen Inneren zu machen. Nach fauvistischen Anfängen *(Abb. 40)*

40. Alexej von Jawlensky (1864–1941), Bildnis des Tänzers Alexander Sacharoff, *Öl auf Pappe, 70 x 67 cm, 1909, München, Städtische Galerie im Lenbachhaus*

Die moderne russische Tanzkunst gelangte schnell international zu höchstem Ruhm und wirkte auf die Avantgarden in Frankreich wie in Deutschland gleichermaßen anregend. Leider ist nicht bekannt, in welcher Rolle Jawlensky seinen Freund dargestellt hat. Die Entkörperlichung wie das Brennen des Rotes tragen u.a. zur dämonischen Wirkung des Tänzers bei.

fand er zu einer modernen Ikonenmalerei, die sich bei fast gleichbleibender Motivik in subtil abgestimmten Farbklängen und immer strenger werdenden Linien- und Flächenstrukturen ausdrückte. *(Abb. 41)* Schon Auguste Renoir hatte neidvoll von den mittelalterlichen Meistern gesprochen, deren Kunst deshalb so hoch gestiegen sei, weil sie nicht immer völlig Neues auszudenken, sondern nur dieselben Themen neuzugestalten hatten und dabei in ihrer Kunst immer feiner und reicher werden konnten.

Wassily Kandinsky, ursprünglich Jurist in Moskau, strebte ebenso wie Jawlensky nach Vergeistigung, ging aber andere Wege. Er beschäftigte sich besonders intensiv mit der russischen Volkskunst, außerdem mit dem Verhältnis von Malerei und Musik. Seine frühen Bilder thematisieren russische Märchen und andere Erinnerungen aus seiner Heimat. Große Reisen in den Jahren 1904–1908 mit seiner damaligen Lebensgefährtin, der Malerin Gabriele Münter, *(Abb. 42)* erweiterten seinen künstlerischen Horizont und brachten ihn vor allem in Berührung mit der Pariser Kunstszene. Sein Weltbild ist von der Theosophie und dem Okkkultismus sowie von verwandten Strömungen, wie Rudolf Steiners Anthroposophie, geprägt. »Die Welt klingt. Sie ist ein Kosmos der geistig wirkenden Wesen. So ist die tote Materie lebender Geist«, lautet einer seiner Kernsätze im Blaue-Reiter-Almanach. Im Grunde entwickelte Kandinsky erst seine Theorie, die hier im Einzelnen nicht dargestellt werden kann, und dann erst die entsprechende Kunst.

Seit 1908 arbeitete er regelmäßig im oberbayerischen Murnau, wo er vor allem Landschaften malte, sich aber auch mit religiöser Volkskunst beschäftigte, insbesondere Hinterglasgemälden, von denen Gabriele Münter eine große Sammlung besaß. Bezeichnenderweise bildet das Frontispiz des *Almanachs* ein derartiges Bild mit dem hl. Martin als Ritter ab, der seinen Mantel teilt – das Kandinskysche Einbanddeckblatt ist nicht ohne Bezug darauf zu verstehen, wie ihm überhaupt der hl. Reiter in diesen Jahren als zentrales Symbol galt. In den drei Jahren zwischen 1908–1911 eliminierte Kandinsky schrittweise die Gegenstandsbezüge. Er war ein in höchstem Maße sensitiver Künstler, ein Eidetiker, d.h. er war mit einem besonderen visuellen Vorstellungsvermö-

*41. **Alexej von Jawlensky (1864–1941), Abstrakter Kopf: Herbstlicher Klang,***
Öl auf geprägtem Papier auf Karton, 43 x 33,5 cm, 1928, Schweiz, Privatbesitz
In Anlehnung an die Köpfe heiliger Personen in den russischen Ikonen, die durchgeistigt sind, aber nur eine sehr geringe Variationsbreite des Ausdrucks besitzen, malte Jawlensky über Jahrzehnte Bilder von Köpfen, die in ihrem strukturellen Aufbau ähnlich sind, deren thematische Spannweite in Farbe und Ausdruck jedoch sehr weit ist.

*42. **Gabriele Münter (1877–1962), Das gelbe Haus I.,** Öl auf Pappe, 51,8 x 75 cm, 1911, München, Bayerische Staatsgemäldesammlung, Leihgabe an das Bundeskanzleramt*

Die Künstlerin betont in ihren Murnauer Bildern stärker den flächigen Charakter der Gegenstände, die jedoch, auch durch die damit verbundene Vereinfachung, eine stärkere Wirkung erhalten.

gen ausgestattet – wie es vor allem Kinder und unverbildete Naturvölker haben. Ihm prägte sich nicht nur alles Gesehene sehr gut ein, sondern setzte sich auch in lebhafte Empfindungen und Assoziationen um. Insbesondere verbanden sich in seiner Wahrnehmung Farben mit musikalischen Tönen. Der hochgradig emotionale Charakter seiner Farbwahrnehmung ist gerade seinen frühen Landschaftsbildern anzusehen, die weniger als Wiedergabe von Gesehenem, sondern von Empfundenem zu bezeichnen sind, das sie ausgestalten. Die Landschaft mit der Eisenbahn hat einen farblich-inhaltlichen Schwerpunkt, das Schwarz der Lokomotive, das von den benachbarten Farb-

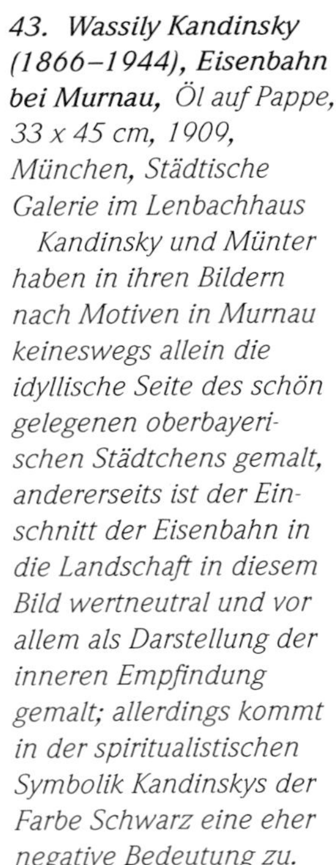

*43. **Wassily Kandinsky (1866–1944), Eisenbahn bei Murnau,** Öl auf Pappe, 33 x 45 cm, 1909, München, Städtische Galerie im Lenbachhaus*

Kandinsky und Münter haben in ihren Bildern nach Motiven in Murnau keineswegs allein die idyllische Seite des schön gelegenen oberbayerischen Städtchens gemalt, andererseits ist der Einschnitt der Eisenbahn in die Landschaft in diesem Bild wertneutral und vor allem als Darstellung der inneren Empfindung gemalt; allerdings kommt in der spiritualistischen Symbolik Kandinskys der Farbe Schwarz eine eher negative Bedeutung zu.

*44. **Wassily Kandinsky (1866–1944), Improvisation 19,** Öl auf Leinwand, 120 x 142 cm, um 1911, München, Städtische Galerie im Lenbachhaus*
In den Bildern des Typus Improvisation gelangt Kandinsky gelegentlich zu sehr einfachen Gestaltungen, die durch die Großflächigkeit der Farbe, wie hier des Blau, oder durch die Prägnanz der schwarzen Lineatur zugreifend und heftig wirken. Man mag in den Gebilden links noch Figurales erkennen, ohne doch aus dem ›Entziffern‹ einen Erkenntnisgewinn für das Bild ziehen zu können. Eher erscheint es sinnvoll, das kleine Figurale links um das brennende Rot in eine Beziehung zu setzen zum großen Figuralen rechts vor dem blauen Grund und das von rechts oben einbrechende, kometenhafte Gebilde in eine Beziehung zur linken Gruppe zu bringen, gleichsam als Einbruch von etwas Höherem.

tönen umkreist und ›erläutert‹ wird. *(Abb. 43)* Die Gerichtetheit der Formen, der Rhythmus des Umrisses, die Führung des Pinselstrichs verstärken im Bild die Expressivität. Ebenso wirken die wechselnden Zonen von Licht und Dunkel sowie von mehr oder weniger dynamischen und dichten Pinselstrichen auf die Wahrnehmung. Die Intensität des Erlebens teilen diese Bilder heute noch ungemindert mit.

In diesen Jahren unterscheidet Kandinsky innerhalb seines Schaffens drei Bildtypen:

1. die ›Impression‹ als »direkter Eindruck von der ›äußeren Natur‹, welcher in einer zeichnerisch malerischen Form zum Ausdruck kommt«

2. die ›Improvisation‹, »hauptsächlich unbewußte, größtenteils plötzlich entstandene Ausdrücke der Vorgänge inneren Charakters, also Eindrücke der ›inneren Natur‹« *(Abb. 44)* und

3. die ›Komposition‹, die »auf ähnliche Art [wie die Improvisation], aber ganz besonders langsam sich in mir bildende Ausdrücke [sind], welche lange und beinahe pedantisch nach den ersten Entwürfen von mir geprüft und ausgearbeitet werden [...] Hier spielt die Vernunft, das Bewußte, das Absichtliche, das Zweckmäßige eine überwiegende Rolle. Nur wird dabei nicht der Berechnung, sondern stets dem Gefühl recht gegeben [...]« (Zitate aus: *Über das Geistige in der Kunst*) Man kann am Werkprozeß dieser ›Kompositionen‹ die graduelle Eliminierung des gegenständlichen Charakters der Motive studieren. In den fertigen Bildern sind sie oft nur noch im Vergleich zu den Vorstudien entzifferbar. So spielen am Anfang Themen der Ikonenmalerei eine Rolle, seit 1913 besonders apokalyptische Motive, d.h. das Jüngste Gericht, die Sintflut, das Paradies. *(Abb. 45)* Damals machte Kandinsky nach eigenen Angaben aber auch den entscheidenden Schritt, der von den Abstraktionen des Objektes zu den rein abstrakten Bildern führte.

Bei Ausbruch des Ersten Weltkrieges mußte der Maler Deutschland verlassen. In Rußland stieß

45. Wassily Kandinsky (1866–1944), Studie zu Komposition VII (Entwurf 2), *Öl auf Leinwand, 100 x 140 cm, 1913, München, Städtische Galerie im Lenbachhaus*

Kandinsky hat insgesamt zehn Kompositionen genannte Bilder geschaffen. Das ausgeführte Werk befindet sich in der Tretjakow-Galerie in Moskau. Insgesamt wurden mindestens 21 Zeichnungen und zehn Ölstudien zur Vorbereitung des Bildes geschaffen. Thematischer Ausgangspunkt waren die Themen der Auferstehung und des Jüngsten Gerichtes. Kandinsky gehörte wie Marc, Kokoschka, Meidner, Barlach u.a. zu den Künstlern, denen sich schon vor Ausbruch des Weltkrieges apokalyptische Visionen aufdrängten.

er dann auf noch radikalere Künstler, die Suprematisten um Kasimir Malewitsch (1878–1935) und die Konstruktivisten um Wladimir Tatlin (1885–1953). Nach der Ablehnung seiner Kunst durch die kommunistischen Revolutionäre kehrte er 1921 nach Deutschland zurück, wo er als Lehrer für Formentheorie und Leiter der Wandmalereiklasse am Bauhaus in Weimar, Dessau und Berlin (s.u.) wirkte und nach dessen Auflösung 1933 ins Exil nach Frankreich ging. In engem Kontakt vor allem mit Paul Klee entfaltete er in den zwanziger Jahren eine motivreiche, doch stärker geometrische Kunst. Eine besondere Vorliebe entwikkelte er nun für den Kreis, der ihm als elementare und zugleich kosmologisch-symbolische Form galt, als eine Synthese der größten Gegensätze, des Konzentrischen und Exzentrischen.

Franz Marc *(Abb. 46)* ging einen anderen Weg zur Abstraktion. In einem seiner *Briefe aus dem Felde* gibt er 1915 einen Rückblick auf die Motivation seiner Kunst. Für ihn war es »der Instinkt, der mich von dem Lebensgefühl für den Menschen zu dem Gefühl für das Animalische, den ›reinen Tieren‹ wegleitete. Der unfromme Mensch, der mich umgab, (vor allem der männliche) erregte meine wahren Gefühle nicht, während das unberührte Lebensgefühl des Tieres alles Gute in mir erklingen ließ. Und vom Tier weg leitete mich ein Instinkt zum Abstrakten, das mich noch mehr erregte; zum zweiten Gesicht, das ganz indisch-unzeitlich ist und in dem das Lebensgefühl ganz rein klingt [...] auch [am Tier] entdeckte ich so viel gefühlswidriges und häßliches, so daß meine Darstellungen instinktiv, aus dem inneren Zwang, immer schematischer, abstrakter wurden [...], bis mir erst jetzt plötzlich die Häßlichkeit der Natur, ihre Unreinheit voll zum Bewußtsein kam. Vielleicht hat unser europäisches Auge die Welt vergiftet und entstellt; deswegen träume ich ja von einem neuen Europa.«

46. Franz Marc (1880–1916), Der Tiger, *Öl auf Leinwand, 111 x 111,5 cm, 1912, München, Städtische Galerie im Lenbachhaus*

Marc hat über lange Jahre zahlreiche Tierstudien nach der Natur gemacht und sich dabei auch der Plastik bedient. Vorform dieses Bildes ist eine Bronze ›Der Panther‹ von 1908. In der Auseinandersetzung u.a. mit den frühen ägyptischen Formen flächiger Kunst, mit Ikonen wie auch mit den internationalen avantgardistischen Richtungen hat Marc in einem Prozeß beständiger Vereinfachung versucht, vor allem die Energie in der Ruhe bei diesem Raubtier zum Ausdruck zu bringen. Die Reduktion der Umgebung auf Farbflächen und -prismen konzentriert zwar den Blick auf die Gestalt des Tieres, vor allem auf den Kopf, erfüllt für heutige Betrachter allerdings nicht mehr den ideellen Anspruch, mit dem diese Formgebung einst verbunden war.

In einem 1911 niedergeschriebenen Satz heißt es: »Wir suchen heute unter dem Schleier des Scheines verborgene Dinge in der Natur, die uns wichtiger scheinen als die Entdeckungen der Impressionisten und an denen diese einfach vorübergingen. Und zwar suchen und malen wir diese innere, geistige Seite der Natur [...] Die Kunst war und ist in ihrem Wesen jederzeit die kühnste Entfernung von der Natur und der ›Natürlichkeit‹, die Brücke ins Geisterreich [...]«

Die Künstlergruppe fühlte sich durch die Entdeckungen der Naturwissenschaftler in ihrer Einstellung bestätigt: Die mikrofotografische Erfassung kleinster Dinge, der Amöben wie der kristallinen Strukturen, wie sie zuerst Ernst Haeckel in seinem Band *Kunstformen der Natur* 1899/1900 popularisiert hatte, führten ein aufregend neues, fremdes Bild der Natur vor Augen, und zudem drang die Kunde von der das ältere physikalische Weltbild umstürzenden Relativitätstheorie Albert Einsteins nach außen – verstehen konnte man sie allerdings nicht. Die gemalten Bilder verstehen sich als künstlerische Äquivalentien der wissenschaftlichen Revolution, sind in der Sache aber eher eine eigentümliche Verbindung der neueren Pariser kubistischen Formen, die ins Kristalline umgedeutet werden, mit der Lichtfarbe des ›Orphismus‹ von Robert Delaunay (1885–1941), den Marc zusammen mit seinem Malerfreund August Macke (1887–1914) in Paris besucht hatte: Es sind moderne Tierikonen symbolistischer Intention. Sein Freund Macke folgte ihm auf diesen Höhenflügen jedoch nicht, sondern orientierte sich lieber an den malerischen Qualitäten der französischen ›peinture‹ und den gefälligen Themen der damaligen Großstadtwelt. *(Schuberabbildung)* Von besonderem ästhetischen Reiz sind die Aquarelle, die er auf einer Reise nach Tunis (mit Paul Klee und Louis Moilliet) 1914 schuf.

Die Verkünder der Abstraktion erheben einen außerordentlichen Anspruch. Auch wenn die Doktrin als solche kaum noch aufrechterhalten wird, bestimmt andererseits ein Hang zum Abstrakten große Bereiche der modernen Kunst bis heute. Und wie schon zuvor die anderen Avantgarden ihnen Gemäßes in der alten Kunst entdeckten, stellten nun auch die Abstrakten eine eigene Ahnenreihe auf. Kandinsky war durch eine Ausstellung mit mehreren Bildern aus Monets Serie *Heuhaufen* darauf gestoßen worden, daß man auf das Gegenständliche der Bilder zugunsten der reinen bildnerischen Mittel Farbe, Form und Faktur verzichten könne. In der Tat haben Maler wie Claude Monet (1840–1926) und Paul Cézanne (1839–1906) die Kunst zum Thema der Kunst erhoben, haben Bilder und Bilderserien gemalt, in denen sie die bildnerischen Mittel teils einzeln für sich, teils in komplexen Verbindungen thematisierten. Ihnen folgte auf seine Weise Georges Seurat (1859–1891). Außerdem fand man in der Kunst der Naturvölker, der Archaik wie den Kinderzeichnungen Züge, die den eigenen Bemühungen verwandt erschienen. Auch die innere Nähe zur Romantik war den Meistern der Gruppe früh bewußt, wie man u.a. am Bildtitel *Romantische Landschaft* bei Kandinsky und verschiedenen Äußerungen Klees und anderer entnehmen kann.

Kandinsky und Marc vermochten mit ihrer Doktrin schon ihre Zeitgenossen kaum zu gewinnen. Erst recht erhoben sich in den zwanziger Jahren Bedenken und Widerspruch. Einstein vermerkt in seiner Kunstgeschichte Marcs »asketisch-christlichen Pessimismus [...] Die Erbsünde jagt zum Abstrakten; doch ob man selbst die geistige Reinheit besitzt? Bei Kandinsky und Marc gewahrt man die mystische Stellung [...] gegen das Optische; obwohl die Sinne voller Sünder und Verderbtheit sind, malt man; sucht man die reineren Bezirke inneren Geistes zu schauen [...]; gefährliches Verengen der Anschauung aus metaphysischem Zwang [...] Kosmik und Ekstase im Absoluten enden tragisch im pathetischen, etwas mechanischen Entwurf.« Noch deutlicher wird Einstein gegenüber Kandinsky. Er bestreitet die Gültigkeit seiner Theoreme, da es sich nur um Verallgemeinerungen eines subjektiven Erlebnisses phantastischen oder halluzinatorischen Ursprungs handele. »[Er] glaubt, Bilder würden gültiger, wenn sie [...] allgemeinere Formen enthalten. Also das Bild soll sich ganz mit dem generalisierten Theorem decken. Eine logische Folge des Grundirrtums der neueren Ästhetik, die Formen geradezu mit Begriffen gleichsetzte.« Er kritisiert die Verengung der Kandinskyschen Kunst: »Einziges Motiv: das von den Dingen abgekehrte Erleben des Malers. Ein Lyrismus; man gibt die eigene innere Schwingung [...] Kandinsky versenkt sich gänzlich in die angeblich dinglosen Bezirke der Seele, die symbolisch aufgefüllt werden [...] Die Lehre [...] von der Dinglosigkeit [...] verwechselt offenbar Gegenstand und Gestalt. Es bedeutet zweierlei, ein Motiv abzubilden oder eine Gestalt, die seelischen Abläufen adäquat ist, zu erzeugen [...] Es war verhängnisvoll, daß die deutschen Ästhetiker und Künstler einen Gegensatz von abstrakter und darstellender Kunst gebildet hatten [...] Charakteristisch ist, daß Kandinsky dank solcher metaphysischen Dualismen nicht zu einer tatsächlichen Gestaltbildung gelangte, da ihm die Projektion in die Gestaltwelt verschlossen blieb [...] um solcher Gründe willen bleiben trotz allen Wagemuts seine Bilder Dekorationen.« Dabei hatte Kandinsky sorgfältig vermieden, mit den auf Abstraktion zielenden Versuchen der Jugendstilkünstler in Verbindung gebracht zu werden, vielmehr immer seine Andersartigkeit behauptet.

Ebenso fundamental, aber nicht unberechtigt ist der Angriff auf Kandinskys Farbtheorie: »Der Maler drücke den geistigen, seelischen Inhalt durch die Farbe aus. So gelangt Kandinsky zu einer Art Charakterologie der farbigen Elemente; ein Kanon wird versucht; [...er] beschäftigt sich allzusehr mit der Materie des Farbenhändlers, die er literarisch verklärt; Farbe an sich ist nichts; nur Farbe, formal modifiziert und auf eine Raumvorstellung bezogen, gewinnt künstlerische Bedeutung, weil sie hier umfassender Gestalteinheit unterworfen wird und die Hauptaufgabe des Bildes, nämlich die Gestaltschöpfung, nicht ausgeschaltet, sondern leidenschaftlich erstrebt wird. Die Theorie der Farbe des Kandinsky ist Bedichten der Farbtube, nicht viel mehr. Wenn die Farbe an sich einen solch präzisierten Charakter bereits besäße – wie wenig bliebe dem Maler an Erfindung und Variante; im besten Fall wäre er Arrangeur, denn weniger beherrschte er das farbige Mittel als dieses ihn [...] Entweder der Betrachter glaubt diesem Dogma oder sieht in diesen Arbeiten nicht allzu kühne Dekorationen.«

Paul Klee – der universale Moderne

Klee hielt als Weimarer Bauhaus-Meister 1924 im Jenaer Kunstverein einen Vortrag über *Die bildnerischen Mittel*, in dem er u.a. sagte: »Ich versuchte die reine Zeichnung, ich versuchte die reine Helldunkelmalerei, und farbig versuchte ich alle Teiloperationen, [...] so daß ich die Typen der farbig belasteten Helldunkelmalerei, der farbigkomplementären Malerei, der bunten Malerei und der total farbigen Malerei ausarbeitete, jedesmal verbunden mit den mehr unterbewußten Bilddimensionen. Dann versuchte ich alle möglichen Synthesen zweier Typen. Kombinierend und wieder kombinierend, und zwar immer unter möglicher Wahrung der Kultur des reinen Elementes. Manchmal träume ich ein Werk von einer ganz großen Spannweite durch das ganze elementare, gegenständliche, inhaltliche und stilistische Gebiet. – Das wird sicher ein Traum bleiben [...] Es kann nichts überstürzt werden. Es muß wachsen, [...] und wenn es dann einmal an der Zeit ist, jenes Werk, desto besser! – Wir müssen es noch suchen. Wir fanden Teile dazu, aber noch nicht das Ganze. Wir haben noch nicht diese letzte Kraft, denn: uns trägt kein Volk. – Aber wir suchen ein Volk, wir begannen damit, drüben am staatlichen Bauhaus.«

Klees allgemeine Zukunftshoffnungen haben sich nicht erfüllt, wohl aber die, ein Werk »von einer ganz großen Spannweite« geschaffen zu haben. Obwohl er zu den frühreifen Begabungen gehörte, ist er dem leichten Erfolg ausgewichen und hat sich um des höchsten Anspruchs willen Jahr um Jahr neue Exerzitien und Studien auf allen Gebieten – Kunst, Literatur, Musik, Theorie usw. – verordnet. Deswegen konnte er auch erst mit 36 Jahren auf der Reise nach Tunis 1914 sagen, daß seine Lehrzeit, die Epoche vorbereitender Forschungen, zu Ende sei: »Die Farbe hat mich, ich bin Maler!«. *(Abb. 47)* Er verfügte über eine außerordentlich breite Bildung, war musikalisch talentiert, konnte ebenso präzise wie poetisch formulieren. Sein Ziel war eine Synthese der Künste, insbesondere ein ›Generalbaß‹ der Malerei. Zugleich war er um größte Fülle und Tiefe des Gehalts bemüht. Über dreitausend Blatt des

47. Paul Klee (1879–1940), Vor den Toren von Kairuan, *Aquarell auf Papier, 21 x 32 cm, 1914, 216, Bern, Paul-Klee-Stiftung, Kunstmuseum Bern, Inv.Nr. F 7*

Ein Teil der Bedeutung, die die Tunisreise für Klee hatte, liegt darin, daß es ihm gelang, Gegenstandsinspiration, abstrakte Komposition und farbliche Bildordnung miteinander zu vereinen, sich vor dem Gegenstand also nicht an die Oberflächenerscheinung des Gegenstandes zu verlieren, sondern zugleich seine eigene Empfindung zu projizieren und ein in sich geschlossenes und überzeugendes Bild zu schaffen.

nicht zu Ende gebrachten Projekts einer *Bildnerischen Mechanik* liegen, bisher noch nicht ausreichend ediert, in den Archiven der Klee-Stiftung in Bern. Doch schon die gedruckt vorliegenden Schriften weisen Klee als den wohl bedeutendsten Theoretiker unter den Künstlern dieses Jahrhunderts aus.

Er begann im Dunstkreis des Münchner Jugendstils und Symbolismus. Die obligatorische Italienreise auf den Spuren Goethes bahnte eine Wende an. Die Begegnung mit der Architektur eröffnete Einsicht in die Möglichkeit einer – in seinen Worten – ›konstruktiven‹ Kunst, die er später ›abstrakt‹ nannte. Das Tiefsee-Aquarium in Neapel konfrontierte ihn mit einer Natur, die so gar nicht den klassischen Vorstellungen entsprach und Zweifel an deren Gültigkeit verstärkte. Die Hauptreaktion auf Italien jedoch war Satire, ein Sich-Wehren gegen bürgerliche wie klassische Kultur in der Radierungsfolge, *(Abb. 48)* die er *Inventionen* nannte: Es sind also Erfindungen, die inhaltlich wie künstlerisch programmatischen Anspruch erheben. Danach erfolgte eine »Auflockerung und die Berührung mit der impressionistischen Welt«. Allein schon an diesem kleinen Ausschnitt seiner künstlerischen Biographie wird deutlich, daß Klee kein Anhänger nur einer einzigen avantgardistischen Richtung war, sondern universal zu werden strebte. Zwar schloß er sich dem ›Blauen Reiter‹ an, nicht jedoch seiner Leh-

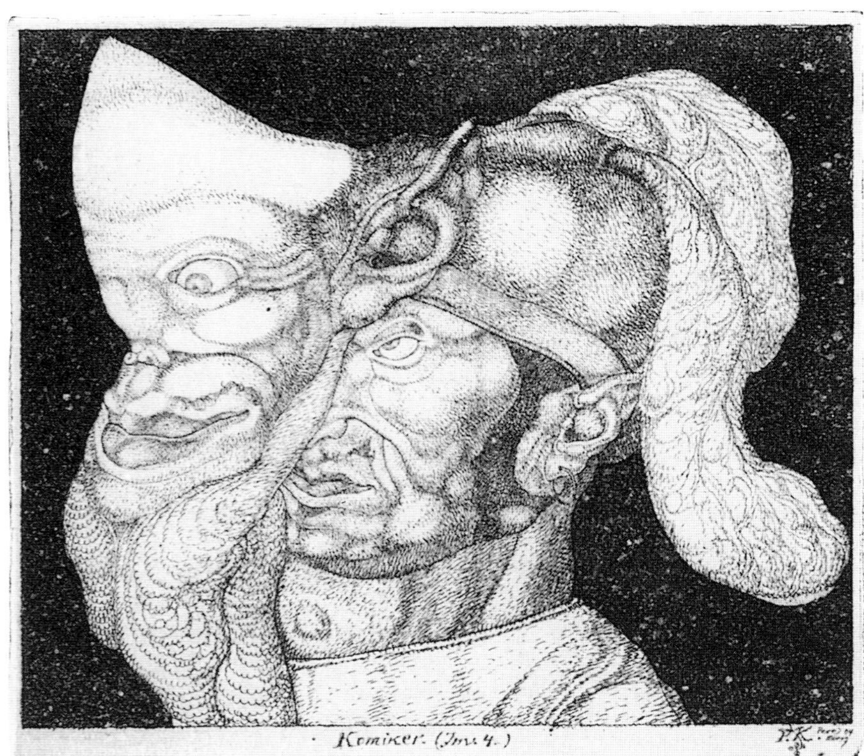

48. Paul Klee (1879–1940), Komiker, *Radierung, 14,6 x 15,8 cm, 1904, 10, Bern, Paul-Klee-Stiftung, Kunstmuseum Bern, Inv.Nr. G 5*

»Vom Komiker läßt sich noch sagen, die Maske bedeute die Kunst, und hinter ihr verberge sich der Mensch. Die Linien der Maske sind Wege zur Analyse des Kunstwerkes. Die Zweistimmigkeit der Welten Kunst und Mensch ist organisch, wie bei einer Invention des Johann Sebastian [Bach].« (Klee)

*49. **Paul Klee (1879–1940), Abfahrt der Schiffe,** Öl und Tusche auf Leinwand, 50,2 x 64,4 cm, 1927, 140 (D 10), Berlin, Nationalgalerie SMPK, Inv.Nr. NNG/ NG 22/67*

Der Gipsgrund ist so rauh, daß fast der Effekt eines Wandgemäldes entsteht. Die Farbe ist zum Teil sehr dünn aufgetragen, so daß der weiße Grund in den bunten Farben durchscheint und sie zum Leuchten bringt, was den Schiffen im nächtlichen Dunkel etwas Geheimnisvolles, ja Gespenstisches gibt. Neben den Taktstockrhythmen sind auch Bogenfolgen von Klee rhythmisch ausgewertet worden. Eine wirkliche Bewegungsrichtung der Schiffe ist dadurch jedoch nicht entstanden – sie wird durch den großen roten Pfeil angegeben. Klee bediente sich gern der Zeichen, teils als Behelf, teils auch als Verfremdungseffekt.

re. Auch folgen z.B. eine eher expressionistische oder eine konstruktivistische Phase, aber nie aus unbedingter Anhängerschaft, sondern eher im Sinne vertiefter Erforschung der bildnerischen Möglichkeiten. Als er 1930 vom Bauhaus an die Düsseldorfer Akademie wechselte, aber jeweils 14 Tage des Monats in Dessau war, malte er in Düsseldorf pointillistische, in Dessau aber konstruktivistische Bilder.

Alle künstlerischen Richtungen und Stile wurden als Möglichkeiten anerkannt und fanden ihren Platz in seinem System, in dem er die bildnerischen Pole »statisch : dynamisch« mit den stilistischen »klassisch : romantisch«, ebenso mit anderen wie »irdisch : kosmisch«, »impressiv : constructiv«, »constructiv-logisch : metalogisch, zuweilen psychologisch« verband. Theorie war ihm »Behelf zur Klärung«, nie endgültige Doktrin. Er legte sich nie auf das einmal Gefundene fest: »Jedesmal, wenn im Schaffen ein Typ dem Stadium der Genesis entwächst und ich am Ziel anlange, verliert sich die Intensität sehr rasch, und ich muß neue Wege suchen. Produktiv ist der Weg das Wesentliche, steht das Werden über dem Sein.« Deshalb hat er auch nie das Naturstudium aufgegeben, hat auf Reisen immer neue Anregungen gesucht.

Klee ist auf eine andere Art abstrakt als Kandinsky: »Als Maler abstract sein heißt nicht etwa gleich Abstrahieren von natürlichen, gegenständlichen Vergleichsmöglichkeiten, sondern beruht, von diesen Vergleichsmöglichkeiten unabhängig,

rechte Seite:
50. Paul Klee (1879–1940), Narr in Trance, *Öl und Wasserfarben auf Leinwand, 56,4 x 5/41,7 cm, 1929, 46 (N 6); originaler Rahmen, Köln, Museum Ludwig*

Das Thema des Narren hat Klee zeit seines Lebens beschäftigt, zumal es immer schon als Exempel der menschlichen, (Abb. IV/81) seit Daumier insbesondere der künstlerischen Existenz verstanden wurde. Daß der Narr hier in Trance, d.h. in einem Zustand der Unbewußtheit, gleichsam von überrationalen Kräften geleitet, dargestellt wird, hängt auch damit zusammen, daß man damals die Figur des ›Narren in Christo‹ als sinnfälligen Typus entdeckt hatte. Die Zahl der Studien, die in diesem Bild gipfeln, ist groß.

---

auf dem Herauslösen reiner Beziehungen [...] Die Form steht im Vordergrund des Interesses. Um sie müht man sich. Sie gehört zum Metier in erster Linie. Es wäre aber falsch, daraus zu schließen, daß die miteinbezogenen Inhalte nebensächlich seien.« Der 1908 in seinem *Tagebuch* niedergeschriebenen Aussage folgt 1917 eine mit etwas anderer Akzentsetzung: »Wir forschen im Formalen um des Ausdrucks willen und der Aufschlüsse, die sich über unsere Seele dadurch ergeben. [...] Ich konnte sogar nun wieder zum Illustrator von Ideen werden, nachdem ich mich formal durchgerungen hatte.« So verwundert nicht, in seinen Bildern die ganze Breite expressiver Möglichkeiten entfaltet zu sehen, aber auch die ganze formale und motivische Fülle der Architektur- und Kunstgeschichte: ägyptische Pyramiden, gotische Kirchen, Rokoko-Pavillons oder Englische Gärten. Ebenso hat er mit allen Materialien und Techniken experimentiert, die Übergänge zu den Nachbarkünsten, wie Musik, Lyrik, Theater gesucht. Klee ist ein moderner Historist eigener Art. Doch obwohl ihn etwa Picasso und Jean Renoir, Nolde und Kandinsky, Mies van der Rohe und Billy Wilder gleichermaßen verehrt haben, blieb seine Kunst isoliert und fast folgenlos.

Die Vielfalt und Fülle seiner Bilderwelt sei ausschnitthaft an drei im selben Jahr 1927 entstandenen Werken vorgeführt. Die *Abfahrt der Schiffe* zeigt einen kleinen Raddampfer in Begleitung einer Seglerflottille in einer nächtlichen Szenerie, die nur zeichenhaft angedeutet ist. *(Abb. 49)* Das Schiff ist ein romantisches Motiv, ebenso die Nacht mit dem Mond – die Dinge im Bild leuchten oder glimmen auf merkwürdige, unterschiedlich starke Weise. Die Farbe kennzeichnet nicht die Gegenstände: Der blaue Mond und der rote Pfeil machen ihren subjektiven, geheimnisvollen, aber auch nicht symbolischen Charakter deutlich. Klee hat Schiffe seit 1917 gern thematisiert; man könnte leicht über hundert Zeichnungen und Bilder zu diesem Gegenstandsbereich aufzählen. Offenkundig hat ihn gereizt, daß Schiffe etwas Mechanisches, Konstruiertes sind, aber auch etwas eigenartig Lebendiges haben – darin ähnelt seine Sichtweise der von Nolde. *(Abb. 36)* Eine Hafenlandschaft im alten Sinne zeigt das aber nicht. Doch spielt für die Wertschätzung dieses Motivs eine Rolle, daß Klee sich 1926 auf Elba, 1927 auf Korsika an dem lebendigen Betrieb der kleinen mittelmeerischen Häfen gefreut hatte, was sich in vielen Zeichnungen äußerte. Wenn man diese Blätter durchgeht und mit Hilfe des von ihm geführten Œuvrekatalogs die Werkgruppen derselben Zeit einbezieht, merkt man, daß es sich bei ihnen nicht um Vorarbeiten zu einem Bild handelt, ja daß es nicht möglich ist, mit den alten Vorstellungen vom ›Werkprozeß‹ zu einem Verständnis von Klees Bildgenese zu gelangen. Denn vor der Natur abstrahiert der Künstler oft sehr, oft aber geht er gar nicht von der Natur aus, sondern von Problemen der *Bildnerischen Mechanik*, an der er damals mit Nachdruck arbeitete, so Fragen des Rhythmus, der Bildspannung und der Beziehungen von Malerei und Musik. Wenn man die einander überlappenden Dreiecke der Segel mit seinen Rhythmusstudien vergleicht, so erkennt man sie als Umzeichnungen der Taktstockbewegungen des Dirigenten: Diese sind eine von ihm aufgegriffene Visualisierungsmöglichkeit von Rhythmus, Bewegung und Zeitabläufen, als endlose Linienbewegungen verschiedener Art und Taktfolge. Aus ihren Überschneidungen entstehen verschieden gerichtete und komponierte Flächen, die wiederum durch andere Flächen ergänzt werden. Es entsteht ein Äquivalent für die Verbindung von Klängen zu einer Melodie mit einem Rhythmus.

Klee erfindet und arbeitet auf verschiedenen Ebenen: Die Studien nach der Natur dienen immer auch der Erforschung bildnerischer Mittel, diese oft genug der Suche nach ideellen und gegenständlichen Anknüpfungspunkten. Zum Konstruktiven, Logischen und Systematischen tritt aber immer das Metalogische, die Natur, die Intuition und die freie künstlerische Improvisation. Das gefundene Bild war dann oft Ausgangspunkt neuer Forschungen und Werke: Es entstanden Bilderketten, nicht Serien im Sinne von Monets *Heuhaufen*.

Der Künstler empfand lebhaft den Zwiespalt zwischen Ideal und Wirklichkeit in der Welt wie in der Kunst – »Mensch, halb Gesindel, halb Gott [...]«. Klees Haltung ist die der romantischen Ironie (und Selbstironie), wofür seine Bilder und Bildtitel viele köstliche Zeugnisse bieten. Er hat dies u.a. in der Figur des Narren thematisiert. Der Titel *Narr in Trance* zeigt sein Interesse an den psychischen Erscheinungsweisen des Irrationalen:

Klee

Klee Omega 8 1927

52. Paul Klee (1879–1940), Der Schrank, *Kleisterfarben auf Konzeptpapier auf Karton, 42 x 30 cm, 1940, 276 (L 16), Schweiz, Privatbesitz*

Sein auf letzte Vereinfachung zielender Altersstil ist nur teilweise durch seine Krankheit bedingt, die ihm die Steuerung seiner Bewegungen erschwerte. Klees metamorphotische Kraft wird gerade daran deutlich, wieviel Bildmacht das Zeichen erhält, das nur auf den ersten Blick als Abbreviatur eines Schrankes erscheint, sich aber auch als Tor darstellt oder als Feuerwand.

den Träumen, Visionen, Rauschzuständen – überhaupt dem ›Außer sich sein‹. *(Abb. 50)* Daß Titel oft erst nachträglich gegeben wurden, tut dem keinen Abbruch. Der Künstler versuchte auf dem Wege der »psychischen Improvisation«, Gefühle, innere Erfahrungen und Triebkräfte bildlich umzusetzen und dadurch ins Bewußtsein zu heben. Das Werk steht im Kontext einer Studienfolge über Schwingbewegungen, wie sie etwa bei der Streichbogenführung des Geigers entstehen, als ganz handfeste Umsetzung seines Agierens gedacht. (Einige Umrißlinienfolgen bei der *Abfahrt der Schiffe* zeigen ebenfalls dieses Motiv, wenn auch in anderer Art.) Auffällig ist, daß die Figur aus einer einzigen, nicht abgesetzten Linie gebildet ist, womit Klee sich auf Kunststücke der barocken Kalligraphie bezieht. Das Bilder-Malen wird hier als eine Art Schreibbewegung aufgefaßt. Sie ist mit dem Auge nachzuvollziehen: Man entdeckt dabei nicht nur Gegenständliches, sondern wird durch den Nachvollzug der Bewegung selbst in Schwingungen gebracht – es ist am Ende der Betrachter selbst, der in Trance versetzt wird – und sich als Narr begreift. Die Schwingungen werden so gekreuzt, daß allerlei Rauten entstehen, wie beim Flickenkostüm des Pierrot. Durch die strichelige, andeutende Ausmalung hat Klee diesen Effekt verstärkt. Das Werk will auch an die Komödiantenbilder Picassos erinnern, den Klee bewunderte.

Klee wagt sich mit seinen Aussagen in Bereiche vor, die zuvor für undarstellbar gehalten wurden, so in den *Grenzen des Verstandes. (Abb. 51)* Als konstruktivistisches Liniengebilde erscheint unten im Bild ein menschlicher Kopf. Die Augen sind als Teil eines optischen Projektionssystems mit Linsen und Strahlen gegeben. Die Lineatur wirkt wie ein System von teils übereinander geschichtet, teils verschachtelten Drähten. Das Ganze ist recht kompliziert, sowohl statisch wie dynamisch. Vom Kopf führen Leitern und eine rote Linie hoch zu einem als tiefrote Fläche gemalten Gestirn. Beide Zonen trennt ein rötlich gelber Farbnebel. Der Maler will anscheinend im Sinne einer anschaulichen Allegorie ausdrücken, daß dem menschlichen Verstand, den er durch eine teil-rationale Lineatur darstellt, das Eigentliche des Kosmischen, das als nicht-rationale Farbe auftritt, unzugänglich ja unerreichbar bleibt. Dies ist keineswegs als Absage an die ratio gemeint, eher im Sinne Goethes, das Erforschliche zu erforschen und das Unerforschliche ruhig zu verehren. Ohne Zweifel ist Klee hier selbst an die Grenzen des bildnerisch Ausdrückbaren gelangt. Alle drei

linke Seite:
51. Paul Klee (1879–1940), Die Grenzen des Verstandes, *Bleistift, Aquarell und Öl auf Leinwand, 56,4 x 5/41,7 cm, 1927, 298 (Omega 8), München, Bayerische Staatsgemäldesammlungen, Staatsgalerie moderner Kunst, Vermächtnis Theodor und Woty Werner, Inv.Nr. 14234*

Das Bild drückt u.a. die Spannungen zwischen den radikalen Konstruktivisten im Bauhaus, die um 1927 die Oberhand gewannen, und den Künstlern aus, die wie Kandinsky und Klee, nicht auf die Intuition und die Ästhetik verzichten wollten.

Bilder zusammengenommen zeigen aber auch, daß er keine in sich geschlossene Kunst anstrebt, weil er auch kein in sich geschlossenes Weltbild hat – alles versteht sich als »ein Vorschlag, eine Möglichkeit, ein Behelf.«

Nach dem Bruch, den die Entlassung durch die Nationalsozialisten aus der Düsseldorfer Akademie und die Emigration nach Bern mit sich brachte, nahmen Klees Zweifel an den eindeutigen Aussagemöglichkeiten von Bildern zu. Die Hoffnung, zu Synästhesien von Malerei und Musik zu gelangen, wird aufgegeben, die Zeichen werden hieroglyphischer, die Bilder dadurch kryptischer, ohne jedoch aufzuhören, auf die Welt zu reagieren und vor allem die eigenen Emotionen auszudrücken. Jedoch sind ihm in seinem letzten Lebensjahr – gleichsam als ein letztes Wort – noch einmal besonders ausdrucksstarke, lapidare Bilder gelungen. *(Abb. 52)*

Der Erste Weltkrieg und die Folgen für die Kunst

Der Krieg 1914 war von der Kriegspartei um Wilhelm II. begonnen worden mit dem Ziel, das Deutsche Reich zur Vormacht Europas und möglichst der ganzen Welt zu machen. Innenpolitisch sollte die Macht des Kaisers gestärkt werden: ganz nebenbei wollte man mit den politischen Gegnern, vor allem der Sozialdemokratie, ›fertig‹ werden. Auch an eine ›Bereinigung‹ der Kultur war gedacht. Das Gegenteil trat ein: Die wirtschaftliche und politische Macht zerfiel in Stücke, der Kaiser mußte gehen. Noch verheerender waren die Folgen für Österreich-Ungarn. Aus den drei Kaiserreichen Mittel- und Osteuropas wurden am grünen Tisch mehrere neue Nationalstaaten, wie etwa die Tschechoslowakei konstruiert, oder, wie im Falle Polens, rekonstruiert – und kaum eine dieser Maßnahmen verlief ohne Gewalt und Unrecht.

Am Ende des Krieges erinnerte nur noch wenig an das ehemalige Kaiserreich. Deutschland (ebenso Österreich) zerfielen im Inneren in Lager und Parteien, die sich äußerst feindlich gegenüberstanden: konservative bis reaktionäre und progressive bis revolutionäre, die noch dazu von den Gegensätzen zwischen ländlich und industriell, zwischen Hauptstadt und Reich etc. überlagert wurden. Das Land wurde polarisiert und radikalisiert, bis hin zum Bürgerkrieg, und die anscheinend so fest gefügte Gesellschaftsstruktur zerfiel. Die Sozialdemokratie wurde in ihrem gemäßigten Flügel zum Stabilisator der Republik.

Die Inflation vernichtete die Ersparnisse und Vermögen des Bürgertums. Erst fünf Jahre nach Kriegsende, d.h. mit der Währungsreform und dem Einsetzen der amerikanischen Hilfe 1923, konnte man konkret an einen Neuanfang denken. Fünf Jahre später kam mit der Weltwirtschaftskrise bereits der erste Einbruch und nach weiteren fünf Jahren die nationalsozialistische Machtergreifung. Berlin wurde zwar zum kulturell vielleicht bedeutendsten Zentrum Europas, so daß etwa die Filmkünstler und Intellektuellen Wiens und anderer, zuvor wichtiger Orte nach Berlin umsiedelten. Doch entfremdete sich die Stadt dem übrigen Land und zog zunehmend Haß auf sich.

Die Kriegsbegeisterung hatte zu Beginn des Weltkriegs fast das ganze Volk erfaßt, auch die Künstler der Avantgarden. So erhoffte sich Franz Marc innere Reinigung, Vergeistigung. Andere sahen den Krieg als Teil der kommenden Revolution. Jedoch – der mörderische Feuersturm der mechanisierten Schlacht, die sich über Jahre hinzog, das Ausmaß der Zerstörung, der anonyme Massentod, die psychische Zerrüttung der Männer in den Schützengräben, schließlich die Niederlage und die Rache der alliierten Sieger im Diktatfrieden von Versailles – das war alles so anders, als man es sich zuvor ausgemalt hatte, daß das deutsche Welt- und Geschichtsbild, ja das deutsche Selbstverständnis, in sich zusammenfielen – man konnte allenfalls versuchen, sich in Lügen- und Ideologiebildung zu flüchten.

Die moderne Kultur setzte sich wie selbstverständlich an die Stelle der alten wilhelminischen. Es war vor allem der Expressionismus, der sich in allen seinen Spielarten in Kunst, Theater, Dichtung und Film äußerte: Mit seinem Pathos, seinem Mystizismus und seinen Ekstasen galt er als die dem Umbruch angemessenste Ausdrucksform. Ihm folgten nun auch Künstler, die ihn vor dem Krieg abgelehnt hatten. Zu ihnen zählte unter anderen Lovis Corinth, der in den Jahren nach 1918 einige seiner bemerkenswertesten Bilder schuf.

Dada und der prinzipielle Radikalismus

Die Dada-Bewegung ist facettenreich, teils anarchistisch, teils revolutionär, teils nur kabarettistisch. Entstanden war sie 1914 im Umfeld der internationalen Wehrdienstflüchtlinge im ›Cabaret Voltaire‹ in Zürich und wurde dann, mit jeweils eigenem Profil, aber dennoch untereinander kommunizierend, auch in Paris, New York, Berlin und anderen Orten aktiv. Dada Berlin (1917–1922) hat hier am meisten zu interessieren, doch gab es immerhin auch einen eigenen Dadaismus in Köln, deren Hauptfigur, der Dada-Max (Max Ernst) bald nach Paris abwanderte und dort einer der Mitbegründer des Surrealismus wurde. *(Abb. 53)* Dada war ein Angriff auf die bürgerlich-materialistische Welt, der man die Schuld für den Krieg zuschob, eine Ablehnung des Rationalismus wie des Subjektivismus, der Konventionen, aber auch der bisherigen Avantgarden, in Berlin von Anfang an mit radikalen politischen Zügen. Der Wortführer Raoul Hausmann (1886–1971) schreibt 1919: »Uns hat die Welt heute keinen tiefen Sinn als den des unergründlichsten Unsinns, wir wollen nichts von Geist und Kunst wissen. Die Wissenschaft ist albern – wahrscheinlich dreht sich heute noch die Sonne um die Erde. Wir propagieren keine Ethik, die immer ideal (Schwindel) bleibt [...] Nein, meine Herren, die Kunst ist nicht in Gefahr – denn die Kunst existiert nicht mehr! Sie ist tot [...] panschen Sie

53. Max Ernst (1891–1976), der hut macht den mann (c'est le chapeau qui fait l'homme), *Collage, Bleistift, Tusche und Aquarell auf Papier, 35,6 x 45,7 cm, 1920, New York, The Museum of Modern Art*

Max Ernst, als ›Dada-Max‹ Anführer der Kölner Dadaisten, sah sich außerstande, die Stadt aus ihrer kulturellen Apathie zu wecken und zog sich deshalb 1922 nach Paris zurück. Für ihn ist Collage nicht nur eine Technik, sondern »die systematische Ausbeutung des Zufälligen oder künstlich provozierten Zusammentreffens von zwei oder mehr wesensfremden Realitäten auf einer augenscheinlich dazu ungeeigneten Ebene – und der Funke Poesie, der bei der Annäherung dieser Realitäten überspringt.« (aus der ›Autobiographie‹). In diesem Blatt schuf Ernst Figurinen, die den Titel »der hut macht den mann«, dadurch ironisieren, daß sie aus lauter Hüten bzw. Zylinderformen zusammengesetzt sind, die aus räumlichen Projektionen von Hutformen gebildet wurden.

Geometrie in Farben und nennen Sie's abstrakte Kunst – es ist uns so piepe wie Ihre Seiltänzerei rund um den Expressionismus! Die absolute Unfähigkeit, etwas zu sagen, [...] dies ist der Expressionismus [...] Der schreibende und malende Spießer kann sich dabei ordentlich heilig vorkommen, er wuchs endlich irgendwie über sich selbst hinaus in ein Unbestimmtes, allgemeines Weltgedusel – o Expressionismus, du Weltwende der romantischen Lügenhaftigkeit!« und endet mit dem Ausruf: »Nieder mit dem deutschen Spießer!«

Im selben Jahr heißt es bei den Dada-Künstlern John Heartfield und George Grosz in einer Polemik gegen den »Kunstlump« Oskar Kokoschka *(Abb. 17 u. 18)*, in der sie auch »den kirchlichen Zimt des Isenheimer Altars *(Abb. IV/66–68)* oder die heute erledigten individualistischen Kunstquälereien eines Vincent van Gogh« abtun: »Der egozentrische Individualismus ging mit der Entwicklung des Kapitals Hand in Hand und muß mit ihm fallen. Wir begrüßen mit Freude, daß die Kugeln in Galerien und Paläste, in die Meisterbilder der Rubens sausen statt in die Häuser der Armen in den Arbeitervierteln!« und dann mit Bezug auf Marcel Duchamp (1887–1968): »Was soll uns ein futuristisches Gemälde ›Damenhut bewegt sich die Treppe abwärts‹ in einer butterarmen Zeit?! Wir fordern alle auf, Stellung zu nehmen gegen die masochistische Ehrfurcht vor historischen Werten, gegen Kultur und Kunst!«

Die gesellschaftliche Revolution, die bekanntlich nicht gelang, mutierte zu einer künstlerischen. Auch hier sind die Ergebnisse – entsprechend dem extremen Individualismus der an ihr beteiligten Künstler und obwohl sie gerade das brandmarkten – höchst unterschiedlich.

Die eine Richtung erhob das Wertlose und Zufällige zum Kunstwerk, ausgehend von den »objets trouvés« des ebengenannten Marcel Duchamp, wie dem 1913 ausgestellten, als Brunnen betitelten Pissoir. So klebte Hans Arp Abfall-

54. Kurt Schwitters (1887–1948), Merzbild I A. Der Irrenarzt, *Assemblage, 49 x 39 cm, 1919, Privatbesitz*

Schwitters schuf seine Collagen aus Abfällen, die er in den Straßen und Plätzen Hannovers aufgepickt hatte; er sah in ihnen eine neue Schönheit, die aus den Ruinen der deutschen Kultur entstand. ›Merz‹ ist eine Ein-Mann-Bewegung und -Philosophie. Das Wort entstammt einer Verkürzung des Wortes Kommerz in einer von Schwitters' ersten Assemblagen. Alle Materialien haben nach seinen Worten denselben künstlerischen Wert und dieselben Rechte im Bild wie die Malerei. Doch der Künstler verzichtet nicht darauf, mit dem Pinsel die Dinge zu interpretieren und ihnen einen besonderen Sinn abzugewinnen.

papiere so auf, wie sie fielen, oder Christian Schad setzte Objekte auf Fotopapier dem Licht aus: Die dabei entstandenen Formen nennt man nach ihm Schadographien. Diese Art Automatismus wurde vor allem von Man Ray und den sich an Dada anschließenden Pariser Surrealisten weitergeführt und um die Dimension des sogenannten ›psychischen Automatismus‹ erweitert.

Kurt Schwitters wandelte das Prinzip der Collage aus wertlosen Zufallsfundmaterialien zu bewußten Kompositionen im Rückgriff auf die Collagentechnik Picassos und der Kubisten der Vorkriegszeit ab, verband gegenständliche Elemente mit Wort- und Satzfetzen, einzelnen Buchstaben, analog auch in seiner eigenwilligen Lyrik. Was damals schockierte, erscheint heute jedoch als ästhetisch reizvoll und aussagekräftig. *(Abb. 54)* Den Berliner Dadaisten war der Hannoveraner jedoch zu chaotisch und zu wenig politisch. El Lissitzky und Hans Arp hingen ihm in ihrem spöttischen Text über die *Kunst-Ismen* 1925 den Satz an: »Alles, was ein Künstler spuckt, ist Kunst«. Schwitters interessierte sich ebenso für Werbung und Typographie wie für Bilder und Architektur. 1924 machte er in Hannover eine erfolgreiche Werbeagentur auf. Andererseits erscheint er in seinen Äußerungen zur Natur und dem Versuch, mit seinem ›Merzbau‹ in Hannover, einer ›Höhlencollage‹ in seinem Wohnhaus, ein Gesamtkunstwerk zu schaffen, als neuer Romantiker.

Der Dadaismus öffnete sich früh dem Konstruktivismus und der ›Maschinenkunst‹, die vor allem von den Künstlern der Russischen Revolution gepflegt wurden. El Lissitzky, Wladimir Tatlin, aber auch der Ungar Lászlò Moholy-Nagy nahmen für sich in Anspruch, gänzlich unbürgerlich und deshalb umso proletarischer und zeitgemäßer zu sein. In der allgemeinen Gärung wurde man der tiefen Unterschiede in der Grundeinstellung zu Kunst und Welt nicht gleich gewahr. Im September 1922 gab es einen gemeinsamen ›Konstructivisten und Dadaisten Kongreß‹ in Weimar. Doch die Gegensätze zwischen der spielerisch-ironischen Haltung von Künstlern wie Hans Arp *(Abb. 55)* oder Kurt Schwitters und den idealistischen Konzepten der Konstruktivisten brachen bald auf.

Hanna Höch, die in ihren Dada-Jahren mit dem Wortführer der Bewegung, Raoul Hausmann, zusammenlebte, verwandelte wohl als erste das Prinzip der kubistischen Collage zu dem der Fotomontage, verzichtete aber, vor allem in ihren späteren Werken, nicht auf gemalte Partien. *(Abb. 56)* Nach dem Ende von Dada reflektierte sie weiterhin die sozialen Verhältnisse der Weimarer Republik, aber zunehmend auch die eigene, private Situation. Ihre Collagen und Bilder gehören zu den eindrucksvollsten Erfindungen der Richtung.

In seiner Botschaft zielgerichteter war John Heartfield, der am Anfang eher mit reinen, typographisch gestalteten Fotos arbeitete, ein Prinzip, das er für die Buchumschläge des Malik-Verlages, für Plakate der Kommunistischen Partei usw. schlagkräftig handhabte. Für ihn war Kunst nur eine scharfe Waffe im Klassenkampf, deshalb mußte sie klar und verständlich bleiben. *(Abb. 57)* Er wollte nie etwas anderes sein als ein massenwirksamer Bildermacher. Doch hatte Bertolt Brecht

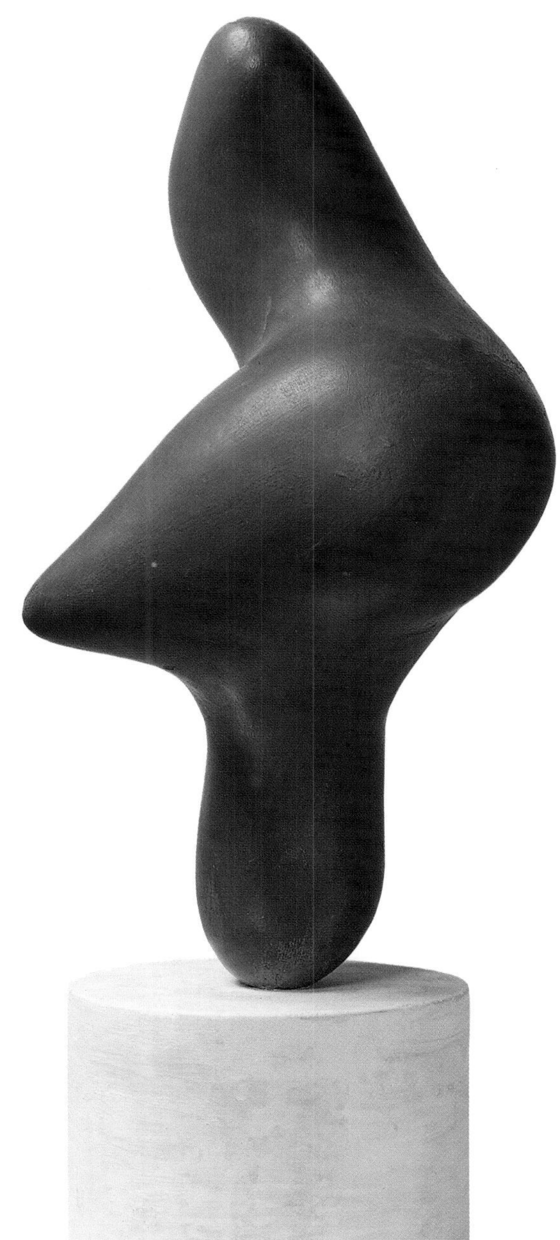

55. Hans (Jean) Arp (1886–1966), Erwachen, *Skulptur, Gips bemalt, 90 x 75 cm, 1938, Aarau/CH, Aargauer Kunsthaus*

Der aus dem Elsaß stammende, später in Köln, Berlin, Paris und der Schweiz lebende Collagist, Bildhauer und Dichter formte seine formal abwechslungsreichen Gebilde als Analogien zur Natur und ihrem Wirken, darum meist nahe am Assoziationsbereich des Gegenständlichen, immer in einer heiteren, ironischen Tonlage, und doch verfremdet, offen für das Zufällige, für den spontanen, psychisch unmittelbaren Einfall. Seine Bildwerke und seine Gedichte sind von selbstironischem Humor geprägt.

(1898–1956) gegen die Fotografie eingewendet, »daß weniger denn je eine einfache ›Wiedergabe der Realität‹ etwas über die Realität aussagt. Eine Fotografie der Kruppwerke oder der AEG ergibt beinahe nichts über dieses Institute!« Ende der zwanziger Jahre ging Heartfield deshalb fast ganz zur Fotomontage über, wobei er sich gerne der Materialien bediente, die ihm Arbeiterfotografen-Vereine anboten. Als subtiler Gestalter hat er diese Möglichkeit modernen bildlichen Ausdrucks zur

Vollendung gebracht und erwies sich als ideenreicher Erfinder mit Sinn für Bildwitz. Vor allem seine späten Arbeiten, die er teilweise erst im Prager Exil nach 1933 für die *Arbeiter-Illustrierte-Zeitung* schuf, prägen sich ein: Ihr grotesker, scharfer Humor ist kaum zu überbieten. Als Retoucheur greift er erheblich in die Gestaltung seiner Vorlagen ein und malt sie in Teilen neu. Seine Arbeiten ragen zweifellos aus dem Durchschnitt der populären Kunst weit hinaus. Heartfield muß, ebenso wie die bedeutenden Karikaturisten, Fotografen und Filmemacher, zu den großen Künstlern gezählt werden, selbst wenn das damals kaum jemand anerkannte.

Einen ganz eigenen Weg schlug auch George Grosz als Maler und vor allem als Karikaturist ein. *(Abb. 58)* Wie Heartfield hielt er sich vom Kunstbetrieb fern, wollte sich nicht selbst inszenieren: »Das Getute um das eigene Ich ist vollkommen belanglos.« Seine Wut auf die bürgerliche Gesellschaft und Kunst war auch 1925 noch ebenso grimmig wie nach Kriegsende: »Die heutige Kunst ist abhängig von der bürgerlichen Klasse und wird mit ihr sterben; – der Maler, vielleicht ohne daß er will, ist eine Banknotenfabrik und Aktienmaschine, deren sich der reiche Ausbeuter und ästhetische Fatzke bedient, um sein Geld mehr oder weniger lukrativ anzulegen [...] Der Individualitäts- und Persönlichkeitskult, der mit den Malern und Dichtern getrieben wird und den sie selbst [...] noch scharlatanhaft steigern, ist eine Kunstmarktangelegenheit. Je ›geniehafter‹ die Persönlichkeit, um so größer der Profit

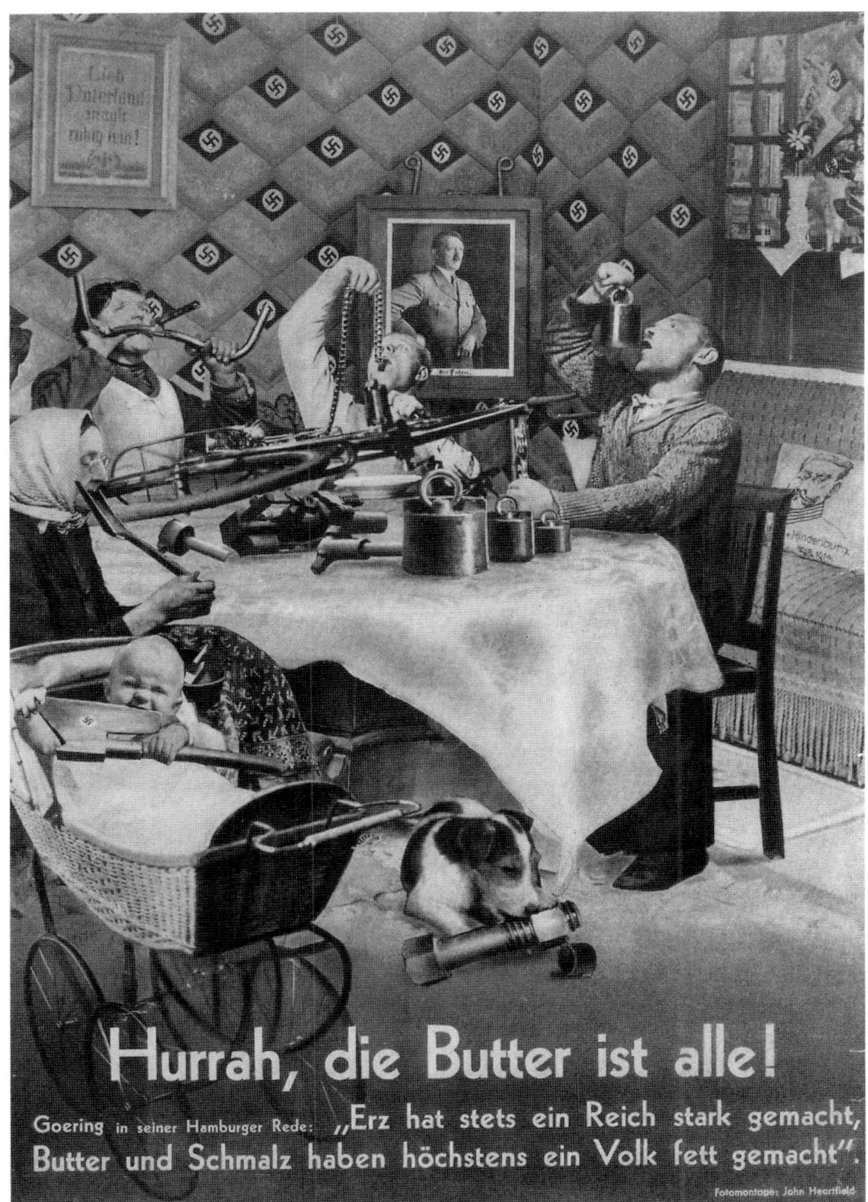

57. John Heartfield, (eig. Helmuth Herzfelde) (1891–1968), »Hurrah, die Butter ist alle!«, *aus: ›Arbeiter-Illustrierte-Zeitung‹, Nr. 51, Prag, 19.12.1935, Fotomontage, 38 x 27 cm*

Heartfield benutzte die Schere, mit der er Fotos zerschnitt, um sie dann neu zusammenzusetzen, wie ein Hinrichtungsinstrument. Die Nähe zur Karikatur wird auch daran deutlich, daß er auf Beschriftungen so gut wie nie verzichtete. Er bedient sich einer möglichst einfachen, lapidaren Zeichensprache.

linke Seite:
56. Hannah Höch (1889–1978), Schnitt mit dem Küchenmesser Dada durch die erste Weimarer Bierbauch-Kulturepoche Deutschlands, *Collage, 114 x 90 cm, 1919–1920, Berlin, Nationalgalerie SMPK*

Die Fotomontage ist Selbstdarstellung des dadaistischen Anarchismus, thematisiert die zerstückelte Wahrnehmung der Wirklichkeit und versucht damit zugleich, das Chaos der Weimarer Republik aufzuzeigen, die unter dem Schritt der Revolution zerfallen wird: Die Personenbilder von Wilhelm II., Hindenburg oder Ebert sind karikierend zusammengeschnipselt, die von Marx, Lenin und anderen, positiv eingeschätzten Personen nicht.

[...] Die Künstler [...] sind meistens verdummt und im Schlepptau des großen reaktionären Schwindels der Kunstkritik, die vollkommen subjektivistisch und unkontrollierbar in die Bilder hineingeheimnißt, was sich nur hineingeheimnissen läßt. Sie glauben ›Schöpfer‹ zu sein und zum

58. George Grosz (1893–1959), Stützen der Gesellschaft, Öl auf Leinwand, 200 x 108 cm, 1926, Berlin, Nationalgalerie SMPK

Das vor allem im Vordergrund plakativ flächig gehaltene Bild, das in seinem Format an eine Litfaßsäule erinnert, zeigt einen alten Herren aus einer schlagenden Verbindung mit Mensursäbel und Bierkrug, mit einem Hakenkreuz am Binder; aus seinem Kopf quillt Stroh. Außerdem sieht man Paragraphenzeichen und einen Kavalleristen, was man sowohl als wörtliche Umsetzung des ›Paragraphenreiters‹ deuten kann wie auch in Hinblick auf den Militarismus. Auffällig ist das Fehlen von Ohren. Links hinter dem Alten ein Pressemann des mächtigen Hugenberg-Konzerns mit einem Nachttopf als Kopfbedeckung, darauf ist blaß das Eiserne Kreuz zu erkennen, so daß der Hut zur Parodie des Stahlhelms wird. Der Bleistift in der Hand wird wie eine Waffe gehalten. Rechts ein Bürger, durch den Spruch ›Sozialismus ist Arbeit‹ als Vertreter der Unternehmerschaft, durch die alte Reichsfahne als Deutsch-Nationaler erkennbar, gestützt auf einen Säulenportikus wilhelminischer Art. Sein Kopf ist einer Berliner Redewendung entsprechend als »A... mit Ohren« gegeben, angefüllt mit einem Sch...haufen. Darüber links ein ›Blutrichter‹ in Robe als Vertreter der parteiischen Justiz, und zuletzt Reichswehrangehörige, physiognomisch teils als Offiziere, teils als Verbrecher karikiert; das zielt u.a. auf die Freicorps, welche die widerspenstige Arbeiterschaft bekämpften.

mindesten turmhoch über dem Durchschnittsbanausen zu stehen, dem es etwa einfällt, über den ›tiefen Inhalt‹ eines der Bilder von Picasso oder Derain zu lachen [...] Es ist ein Irrtum zu glauben, wenn einer Kreisel malt, Kuben oder tiefseelisches Gewirre – er sei dann, vielleicht im Gegensatz zu Makart, revolutionär. Seht euch Makart an; *(Abb. VII/75)* er ist ein Maler der Bourgeoisie, er malt ihre Sehnsüchte, ihre Inhalte und ihre Historie, und ihr? – was seid ihr anderes als klägliche Trabanten der Bourgeoisie.«

Trotz seines Rundumschlags gegen die Avantgarden eignete er sich die Stilmittel des Expressionismus an wie die des italienischen Futurismus, des französischen Kubismus oder des russischen Konstruktivismus. »Ich kopierte in Pissoirs die folkloristischen Zeichnungen, sie erschienen mir als der Ausdruck und die kürzeste Übersetzung starker Gefühle. Auch Kinderzeichnungen regten mich ihrer Eindeutigkeit wegen an. So kam ich allmählich zu einem messerharten Stile.« Grundanschauung, Absicht und Aussage seiner Bilder bleiben eigentlich immer die gleichen: »Der Mensch ist nicht gut – sondern ein Vieh! Die Menschen haben ein niederträchtiges System geschaffen – ein Oben und ein Unten. Einige verdienen Millionen, während Abertausende knapp das Existenzminimum haben [...] Mitzuhelfen [...] den Unterdrückten die wahren Gesichter ihrer Herren zu zeigen, – ist der Sinn meiner Arbeit.« Der ähnlich denkende Schriftsteller Kurt Tucholsky hat ihm immerhin bescheinigt: »Wenn Zeichnungen töten könnten: das preußische Militär wäre sicherlich tot [...] Die andern ritzen. Der tötet. Die andern machen Witzchen. Dieser Ernst.« Doch stumpft der Effekt auf die Dauer ab. Wenn man Grosz-Bilder in größerer Anzahl sieht, erkennt man, daß seine Kunst zur Masche wurde. Die ›Bösen‹ und die ›Guten‹ sehen einander erstaunlich ähnlich. Er gießt über alle die gleiche ätzende Lauge aus.

Noch in den zwanziger Jahren versuchte Grosz, seinen Gesichtskreis zu öffnen und mehr nach der Natur zu zeichnen: Er wurde sachlicher und in der Technik altmeisterlicher. Einige seiner damals geschaffenen Großstadtbilder und Porträts sind zwar beachtlich, die meisten künstlerischen Resultate aber peinlich und die nunmehr bevorzugten erotischen Darstellungen im Grunde Pornographie. Auch sein Weggang in die USA – noch vor Hitlers Machtübernahme – änderte daran nichts.

Grosz war und blieb von seiner Mentalität her Einzelkämpfer. Andere politisch radikale Künstler schlossen sich zu Vereinigungen zusammen, so etwa die Novembergruppe oder die ASSO (Assoziation sozialistischer Künstler). Fast immer war der gute Wille größer als das künstlerische Vermögen. Und der Sozialismus dieser Künstler (und Intellektuellen) war oft eher schwärmerisch und unanalytisch, ja geradezu unpolitisch.

Expressionistisch-utopische Baukunst

Dada konnte von Natur aus nur eine Reaktionsweise von Bildenden Künstlern sein. Die revolutionär-utopischen Architekten mußten woanders anknüpfen. Schon 1914 hatte der Schriftsteller und Kunstkritiker Paul Fechter festgestellt: »Die Sehnsucht der Zeit ist eine neue Gotik«, und der avantgardistische Baumeister Bruno Taut hatte auf der Kölner Ausstellung des Deutschen Werkbundes 1914 den Pavillon der Glasindustrie fast vollständig aus Glasbausteinen errichtet, sich dabei an den Netzgewölbe-Konstruktionen des romantischen Baumeisters Georg Moller ausgerichtet, und knapp festgestellt: »Der gotische Dom ist das Präludium der Glasarchitektur.« 1911 hatte der auch in Deutschland einflußreiche, amerikanische Baumeister Frank Lloyd Wright (1869–1959), wohl in Anlehnung an William Morris, die Gotik zum Leitbild seiner neuen, ›organischen‹ Architekturauffassung erhoben. Die Verstärkung der religiös geprägten, künstlerischen Bewegung des Expressionismus durch den Weltkrieg riß die Baukünstler geradezu mit sich. Sie rückten vom preußisch-imperialen Neoklassizismus der Vorkriegszeit ab, selbst deren Protagonisten, wie Peter Behrens und Walter Gropius.

Einer der Wortführer des Bauwesens, Adolf Behne, hatte 1919 den Leitsatz aufgestellt: »Kunst ist keine Formensache, sondern eine Gesinnung.« Der Baumeister Bruno Taut erweiterte dies, indem er erklärte, daß die neue Kunst »nicht durchs Formensuchen« entstehe, »sondern durch Welt-

59. Lyonel Feininger (1871–1956), Kathedrale, *Titelholzschnitt des Bauhausmanifests, 31 x 19 cm, 1919*

Der Deutsch-Amerikaner Feininger, der als Junge nach Deutschland geschickt worden war, um Musik zu studieren, hatte sich in der Vorkriegszeit vor allem als Illustrator und Comiczeichner einen Namen gemacht. Künstlerisch war er am Kubismus und am ›Blauen Reiter‹ orientiert und wurde schließlich der erste Leiter der Graphik-Werkstatt am Weimarer Bauhaus. Feininger thematisierte in seinen Architektur- und Seebildern immer auch das Verhältnis von Malerei und Musik.

anschauung, Religion.« Walter Gropius bezeichnete damals Baukunst als »nichts anderes als die Umgestaltung überweltlicher Gedanken in sinnlich Wahrnehmbares, eine sagen wir kristallisierte Gottessehnsucht.« Inzwischen waren die Grundsätze der Gotikauffassung von Viollet-le-Duc und seinem Kreis auch bei den deutschen Baumeistern durchgedrungen und hatten die engere kirchlich-nazarenische Lehrmeinung abgelöst: Nun galt der Baustil der Gotik vor allem als Stil des Volkes, als klassenübergreifend, ja sogar als demokratisch. In ihm vereinten sich Funktionalität, Geistigkeit und emotionale Wirkung.

Vor allem erschien die Gotik als die Epoche, in der die Künstler noch mit dem Volk verbunden waren, und die Kathedrale als die alle verbindende Bauaufgabe, bei der die Baumeister, Bildhauer und Maler anonym, zur Gemeinschaft der Bauhütte vereint, ihre Kunst schufen und nicht als der Gesellschaft entfremdete Individuen oder gar als Außenseiter vor sich hin werkelten. »Das ganze Volk baute, gestaltete, das war seine vornehmste Tätigkeit, das Handel treiben war sekundär [...] So war es in Deutschland in der besten Zeit der Gotik und so muß es bei uns nun wieder werden«, erklärte Gropius 1919 bei der Eröffnung des Bauhauses in Weimar. Hinter der Neo-Gotik dieser Epoche steht die Hoffnung, wieder zu einer Einheit mit dem Volk zurückzufinden,

60. Berlin-Mitte, ehemaliges Großes Schauspielhaus, *Hans Poelzig (1869–1936), 1919*

Das Schauspielhaus wurde in die Eisenarchitektur einer funktional mißlungenen, alten Zentralmarkthalle hineingebaut, die eine zeitlang als Zirkus und Varieté benutzt worden war. Poelzig war in diesen Jahren der meistbeschäftigte Architekt für Filmkulissen. Die Ersatzmaterialien der Verkleidung sind aber auch durch die Mangelwirtschaft nach 1918 bedingt. Die Kuppel war blutrot bemalt.

aber ebenso die, ein modernes ›Gesamtkunstwerk‹ zu schaffen.

Aber man war sich darin einig, daß die Erneuerung nicht mehr wie im Zeitalter der Nazarener durch Restauration der alten Kirchlichkeit geschehen konnte. Als Käthe Kollwitz 1920 den Naumburger Dom *(Abb. II/50 u. II/51)* besuchte, war sie tief beeindruckt und resümiert trotzdem: »In [den Kirchen] faßte das Volk die Inhalte aller Künste zusammen, die Künste waren eine Einheit [...] [Aber] wiederkommen kann eine Zeit solcher Einheitlichkeit nur durch den Sozialismus.« Und so wundert es nicht, daß das Bauhausmanifest von 1919 mit dem Titelholzschnitt Lyonel Feiningers *(Abb. 59)* eine Kathedrale zeigt und daß in frühen Bauhaus-Texten die Absicht deutlich wird, »die Kathedrale des Sozialismus zu errichten!« Im Bauhaus sollten sich Architekten, Bildkünstler und Handwerker zusammenfinden und aus einem gleichgerichteten Geist heraus ihr Teilwerk bescheiden einfügen »aus Ehrfurcht vor der Einheit einer gemeinsamen Idee.« Utopische Pläne und Manifeste zu einer Architektur der Zukunft gibt es in großer Zahl. Viele Vorschläge wurden gemacht: So errichtete sogar Peter Behrens 1922 auf der Münchner Gewerbeschau eine gotisierende Dombauhütte und verwendete gotisierende Formen für den Firmensitz der Farbwerke Höchst in Frankfurt am Main.

Aber schon sehr bald – unter allmählichem Überdruß an immer neuen utopischen Entwürfen – erfolgte im Bauhaus ein Kurswechsel, in Anlehnung an die alten Ziele des Werkbundes, aber auch im Sinne der ›neuen‹, amerikanisierten Zeit: »Kunst und Technik, eine neue Einheit.« Auch das verstand sich als ›revolutionär‹: Man gab sich der Hoffnung hin, daß nach der gescheiterten politischen Revolution nun wenigstens die geistige und künstlerische Erneuerung die Gesellschaft verändern und die Menschen frei machen werde.

In den Jahren unmittelbar nach dem Weltkrieg wurde nicht wenig gebaut, das meiste davon im expressionistisch-utopischen Geiste. Leider sind einige der wichtigsten Zeugen verloren, so die von Gropius errichtete Villa Sommerfeld in

61. Potsdam, Astrophysikalisches Institut (sogenannter Einsteinturm), *Erich Mendelsohn (1887–1953), 1920–1921*

Der Turm wurde in einer besonders ruhigen Zone des Instituts errichtet, damit die Messungen möglichst nicht von Erschütterungen gestört wurden. Er verlor nach dem erfolgreichen Abschluß der Experimente früh seine ursprüngliche Funktion und wurde zum Observatorium gemacht, wozu er nur begrenzt tauglich war. Somit ist er letztlich heute eher ein Denkmal der wissenschaftlichen, aber auch der utopischen Bemühungen der Nachkriegszeit.

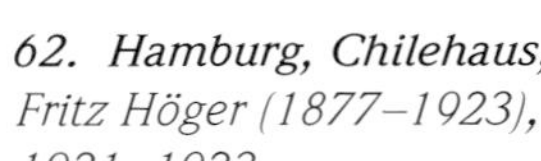

62. Hamburg, Chilehaus, *Fritz Höger (1877–1923), 1921–1923*

Der Sichtbackstein war das Material des norddeutschen Heimatstils par excellence. Höger verwendete es vor allem als Fassadenmaterial, während die Struktur des elfstöckigen Bürogebäudes aus Beton ist. Der ›set-back‹ der oberen Stockwerke erinnert an amerikanische Hochhaus-Architektur. Die Fassade ist wegen ihrer Befolgung der Straßenführung kurviert und läuft auf eine Spitze zu, die an einen Dampferbug erinnert, zugleich aber als eine Umsetzung ›gotischer Dynamik‹ verstanden wurde.

Berlin und das von Hans Poelzig geschaffene Große Schauspielhaus in Berlin. *(Abb. 60)* Es war ein Theater von in Europa zuvor ungekannten Ausmaßen. Über 3.000 Zuschauer konnte es aufnehmen. Grund dafür war nicht, daß es in Berlin an Theaterplätzen fehlte, im Gegenteil: Zuvor hatten spezialisierte Baumeister wie Oskar Kaufmann (1873–1956) viele schöne Theaterbauten zu unterschiedlichen Zwecken geschaffen. Der Bau des Schauspielhauses sollte vor allem die Massen anziehen, sollte das allzu sehr aufs Großbürgertum ausgerichtete Theater sozial öffnen. Das Volk sollte an die Kunst, die Kunst ans Volk gebunden werden. Deshalb kam es zu keiner Rangbildung, wie zuvor üblich. Deshalb ist das Ganze auch eher als Arena gedacht. Und deshalb wurde nach einem Stil gesucht, der sich von der alten Herrschaftsarchitektur unterscheidet: Die eigenartigen Stalaktitengewölbe, Pfeiler usw. sind eine expressionistisch umgedeutete Gotik. Die Assoziation zur Kathedrale liegt nahe.

Der Expressionismus hatte kein Monopol auf utopische Ideologien. Er selbst lehnte sich etwa in der Rhetorik seiner Manifeste erkennbar an den italienischen Futurismus an. Gedankliche Elemente dieser Kunstrichtung lebten weiter, auch als sich die Futuristen in Italien längst anderen Zielen und Ideen verschrieben hatten. Ihre einprägsamen Schlagworte, daß etwa ein Automobil schöner sei als die Venus von Milo, oder ihre Forderung nach einer großstädtischen Kunst voller Dynamik und Tempo, fanden weiterhin Anhänger. Anklänge an derartiges futuristisches Gedankengut finden sich etwa bei Erich Mendelsohn, vor allem in seinem Einsteinturm im Astrophysikalischen Institut in Potsdam: Er wurde nach dem Physiker Albert Einstein benannt, weil er u.a. für Experimente und Untersuchungen gebraucht wurde, die die Gültigkeit seiner Relativitätstheorie klären sollten. *(Abb. 61)* Die sich aerodynamisch gebende Form betont die Bewegung, was der Rezeption dieses Baus mitten in einem Parkgelände geradezu widerspricht, so daß man eher von einer Modernität symbolisierenden Form sprechen muß. Die Nähe zu Jugendstil-Phantasien ist unübersehbar. Das Ganze erscheint wie ein ins Großformat übertragenes Tonmodell, eher als ein organisches, nicht als ein tektonisches Gebilde.

Expressionismus war besonders verbreitet im norddeutschen Raum. Er wurde dort geradezu zum Regionalstil, im Wiederanknüpfen an die alte hanseatische Bauweise mit Sichtbacksteinen. Andererseits wurde er dort von Anbeginn an zum Sachlichen hin temperiert, wie sich beim Chilehaus in Hamburg zeigt, das aus dem Blickwinkel bestimmter Fotos radikaler expressionistisch wirkt als in Wirklichkeit. *(Abb. 62)*

Der expressionistische Film

Der amerikanische Erfinder Thomas Alva Edison hatte 1889 die technischen Grundlagen des Films geschaffen. 1895 führte Max Skladanowsky als erster Deutscher in Berlin Filme vor. Es dauerte jedoch einige Jahre, bis man vom Einsatz des Mediums als Kuriosum, das zur Belustigung in Varietés diente, zum selbständigen abendfüllenden Spielfilm gelangte, und es brauchte Zeit, bis sich der Film von der Imitation der Bühnenkunst löste. Deutschland spielte dabei zunächst eine geringe Rolle im Gegensatz zu Frankreich, den USA, Italien und den skandinavischen Ländern. Der Erste Weltkrieg brachte einen Einschnitt und eine Neuorientierung: Als Reaktion auf die neue amerikanische Filmdramaturgie, die vor allem von David W. Griffith entwickelt und angewendet worden war, und auf den propagandistischen Einsatz von Film durch die Mächte der Entente, begründete man 1917 die Universum Film AG (Ufa), die sich nicht nur auf die Herstellung von Wochenschauen und Dokumentarfilmen beschränkte.

Nach dem Ende des Krieges stieg der Film schnell zum alles beherrschenden Massenmedium auf. Ein freier internationaler Austausch setzte ein. Nun traten auch deutsche Filmemacher auf den Plan und beteiligten sich an der Entfaltung des Mediums. Ernst Lubitsch, einer der Begründer der Filmkomödie, ging jedoch bald nach Hollywood. Dem Zeitgeist folgend begann man expressionistisch zu arbeiten, vor allem in den Filmen, die unter dem Einfluß des Theaterregisseurs Max Reinhardt in den Potsdam-Babelsberger Studios entstanden. *Das Kabinett des Dr. Caligari* (C.

Mayer 1919, Ausstattung von R. Wiene) oder *Der Golem* (Paul Wegener 1920, Filmarchitektur von Hans Poelzig) lassen die Schauspieler in expressionistisch gemalter Szenerie auftreten und steigern die Wirkung durch Kostümierung, effektvolle Beleuchtung und die exaltierte Spielweise. Man bevorzugte Horrorthemen, wobei man sich an alte, zuerst in den englischen ›gothic novels‹ des späten 18. Jahrhunderts begründete Stoffe anschloß.

Künstlerisch-technisch bahnbrechend war vor allem Friedrich Wilhelm Murnau (1888–1931), der in seinem Vampirfilm *Nosferatu – Eine Symphonie des Grauens* (1921) die Kamera beweglich machte und dies als Gestaltungsmittel einsetzte. Abgesehen von der hohen Qualität der Drehbücher zeichnen sich seine Filme dadurch aus, daß er die Schnitt- und Montagetechnik der Amerikaner adaptierte, die Kameraeinstellungen als sorgfältig reflektierte Bildkompositionen gestaltete und raffinierte Techniken der Überblendung benutzte. Der Film tritt das Erbe der Historienmalerei, ja der Malerei überhaupt an, und er nutzte die bildnerischen Mittel oft wirksamer, als es die Malerei je gekonnt hatte. Nur die Farbe blieb ihm noch für zwei Jahrzehnte verschlossen. Unter Berücksichtigung der internationalen Entwicklungen, wie der innovativen Filmkunst des Russen Sergej Eisenstein (1898–1948), gelangte der Stummfilm binnen weniger Jahre zu einer so großen Aussagekraft des Bildes, daß die eingeblendeten Zwischentitel zunehmend überflüssig wurden. Immer neue Tricks und Effekte wurden in den Studios entwickelt. Die Aufnahmetechnik und Beleuchtung machte schnelle Fortschritte, und das großstädtische Milieu von Berlin zog viele fähige Köpfe in die neue Unterhaltungsindustrie.

Die Malerei war von diesen Veränderungen stärker betroffen, als die meisten zugeben wollten. George Grosz und John Heartfield brachten die neue Lage 1925 in ihrem Text *Die Kunst ist in Gefahr* auf den Punkt: »Keine Zeit war der Kunst feindlicher als die heutige, und es trifft für den Durchschnittstyp des heutigen Menschen zu, wenn man behauptet, er könne ohne Kunst leben. Was immer man unter Kunst verstehen mag, feststeht, daß es eine ihrer ursprünglichsten Aufgaben ist, den im Menschen lebendigen Bildhunger zu befriedigen. Dieser Bildhunger besteht heute in den Massen vielleicht mehr denn je, und er wird in noch nie dagewesener Weise befriedigt; aber nicht durch das, was wir landläufig [...] als Kunst bezeichnen – die Illustrationsfotografie und der Kinematograph [d.h. die Filmkamera] werden diesem Bedürfnis gerecht.– Mit der Erfindung der Fotografie begann die Dämmerung der Kunst. Sie ging ihrer Rolle als Berichterstatterin verlustig. Die romantischen Sehnsüchte der Masse werden im Kino befriedigt, dort findet Liebe, Ehrgeiz, der Drang ins Unbekannte und zur Natur genügend Nahrung, auch wer Aktualitäten oder historisches Gepränge liebt, kommt auf seine Kosten [...] Es wird eingewandt, das sei doch nicht das Wesentliche der Kunst [...] Auch Sie gehen, wenn Sie wissen wollen, wie die Welt aussieht, ins Kino, nicht in eine Kunstausstellung. Im Kino ist also die eine Hälfte der Kunst, für die meisten die wichtigere Hälfte, vollkommener als je, zu finden [...] Im Film ist auch die Arbeit eine frischere, schon da dort die Anfertigung nicht an die Begabung eines Einzelnen gebunden ist. Dadurch, daß viele Köpfe daran arbeiten, gewinnt der Film viel leichter einen sozial wirksamen Charakter als die individuelle Handarbeit des Künstlers. Nebenbei gesagt machen hier Bewegungs- und Lichtprobleme keine Schwierigkeit, die selbst in den kühnsten und gelungensten Versuchen der Maler und Zeichner nur mangelhaft gelöst sind. Was ist angesichts eines bewegten Meeres im Film eine mit demselben Motiv vollgemalte Leinwand?«

Dem ist nicht viel hinzuzufügen. Ohne großes Getöse hatte eine Revolution stattgefunden, welche die Arterie, die bis dahin die Bildenden Künste mit dem Blutkreislauf der Gesellschaft verband, abdrückte. Davon haben sie sich nie wieder erholt. Mit der Skulptur war es im großstädtischen Leben schon zuvor zu Ende gegangen, wie schon Robert Musil süffisant bemerkte: »Das auffallendste an Denkmälern ist nämlich, daß man sie nicht bemerkt. Es gibt nichts auf der Welt, was so unsichtbar wäre wie Denkmäler. Sie werden doch zweifellos aufgestellt, um gesehen zu werden, ja geradezu, um die Aufmerksamkeit zu erregen; aber gleichzeitig sind sie durch irgend etwas gegen Aufmerksamkeit imprägniert.« Nun kam auch die Malerei in eine existenzielle Krise. Wie sollte sie gegenüber dem Zugriff von Foto und Film ihren Anspruch behaupten, auf eine nur ihr eigene Weise Aussagen über die Welt und die Menschen zu machen? Wie konnte sie Aufmerksamkeit auf sich ziehen? Grosz und Heartfield gingen den Weg der Karikatur, aber dieser Sektor war klein und lag nur wenigen.

Die amerikanischen Jahre der Weimarer Republik

Mit einer Währungsreform wurde 1923 die Inflation gestoppt, welche die Geldvermögen, d.h. vor allem das Bürgertum, ruiniert hatte. Die ›gute Gesellschaft‹ war im Vergleich zur goldenen Vorkriegszeit verarmt. Das führte bei den einen zu nostalgischer Verklärung der ›guten alten Zeit‹, bei den anderen zu Haß auf die wilhelminischen Urheber des Elends. Die öffentlichen Kassen blieben leer, denn die Lasten der Reparationszahlungen waren drückend. Deshalb trat der Staat als Bauherr zurück. Unter den privaten Auftraggebern kam niemand mehr auf die Idee, so ornamentreich und luxuriös wie der wilhelminische Historismus bauen zu wollen. ›Sparsamkeit‹, ›Sachlichkeit‹ und ›Zweckmäßigkeit‹ wurden allgemein anerkannte Bautugenden. Sie waren eigentlich selbstverständlich.

Die USA waren durch den Ersten Weltkrieg zur unbestrittenen Führungsmacht der Welt aufgestiegen. Dort stand man dem Rachedenken der Nationalisten in Europa fern. Man versuchte auszugleichen und sah ein, daß es für die eigene Wirtschaft von Nutzen sei, wenn Deutschland und Österreich wieder prosperierten. Mit Hilfe von Krediten und anderen Maßnahmen versuchte man, der Wirtschaft in diesen Ländern aufzuhelfen, was in Ansätzen auch gelang. Amerika, das schon zuvor Verwunderung wie Bewunderung hervorgerufen hatte, wurde seit Kriegsende zum Leitstern in den industriellen und großstädtischen Lebensformen. Diese wurden geprägt von Fließbandfertigung und Großraumbüros auf der einen, Freizeitgewohnheiten und populären Künsten auf der anderen Seite: Ins Kino oder ins Tanzcafé zu gehen, sich Musicals oder Bühnenshows anzusehen, Schlager- und Jazzmusik von Schallplatten zu hören, die neuen (Freizeit-)Sportarten wie Tennis zu betreiben und die neue Konfektionskleidung zu tragen oder in einer kleinen, sparsam möblierten großstädtischen Mietwohnung zu wohnen, wurde zum Lebensideal proklamiert. Auch die Frauen wurden nun in großer Zahl in das Arbeitsleben integriert – vor allem als Sekretärinnen und Angestellte. *(Abb. 63)* Zwar wurde es in reaktionären Kreisen üblich, dies alles hochnäsig als ›Unkultur‹ abzutun, andererseits zählten die

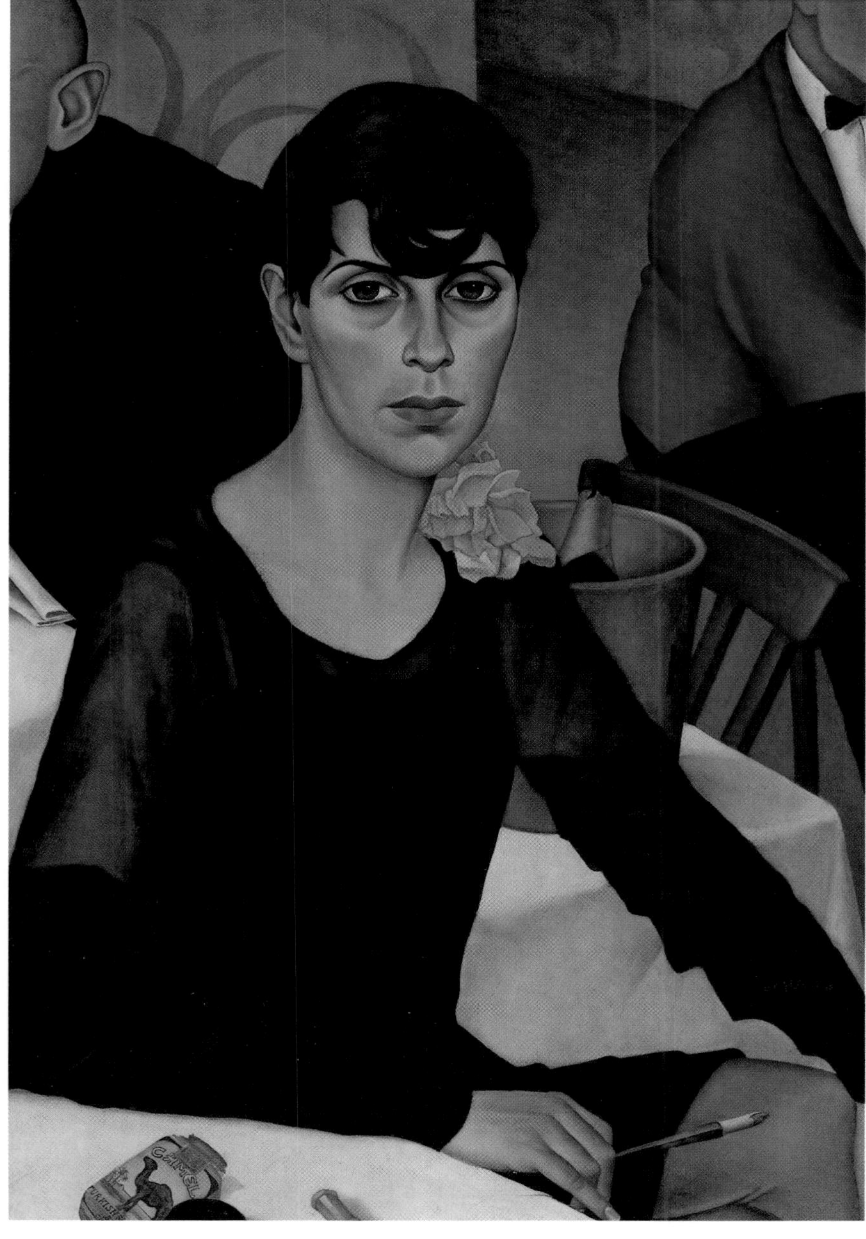

63. Christian Schad (1894–1982), Sonja, *Öl auf Leinwand, 90 x 60 cm, 1928, Berlin, Nationalgalerie SMPK*

Schad, ursprünglich dadaistischer Fotoexperimentator, hatte sich in Italien der Ölmalerei zugewandt und in seinen Berliner Jahren eine minutiöse Maltechnik entwickelt. In diesem Bild malt er den Typus der kleinen Angestellten, die in ihrer Freizeit in der Welt der literarischen Cafés aufblühte (im Hintergrund angeschnitten ein Porträt des Dichters Max Herrmann-Neiße). Sie repräsentiert den Typus der selbständigen, großstädtischen jungen Frau. Zur Selbstinszenierung gehört das ›kleine Schwarze‹ (Kleid) und die damals als Luxusartikel geltenden amerikanischen Zigaretten. Der Anflug von Melancholie wird durch die düster abgetönte Farbigkeit dezent untermalt.

*64. **Fritz Lang (1890–1976), Standfoto der Roboterfrau aus dem Film ›Metropolis‹,** 1926–1927*

Der künstliche oder Maschinenmensch gehört zu den uralten Menschheitsträumen. In keinem Medium konnte er so überzeugend realisiert werden wie im Film, wozu allerdings auch die Schauspielerin Brigitte Helms, welche eine Doppelrolle spielte, beitrug.

Deutschen zu den gelehrigsten Schülern der Amerikaner.

So markieren gerade die zwanziger Jahre das Ende der Vorherrschaft der sogenannten ›Hochkultur‹ in allen ihren Formen, auch denen der künstlerischen Avantgarden. Nach den utopischen Aufwallungen der unmittelbaren Nachkriegszeit kam es in Deutschland zu keiner nennenswerten neuen Avantgardebewegung mehr – der Surrealismus blieb eine Pariser Angelegenheit –, zu

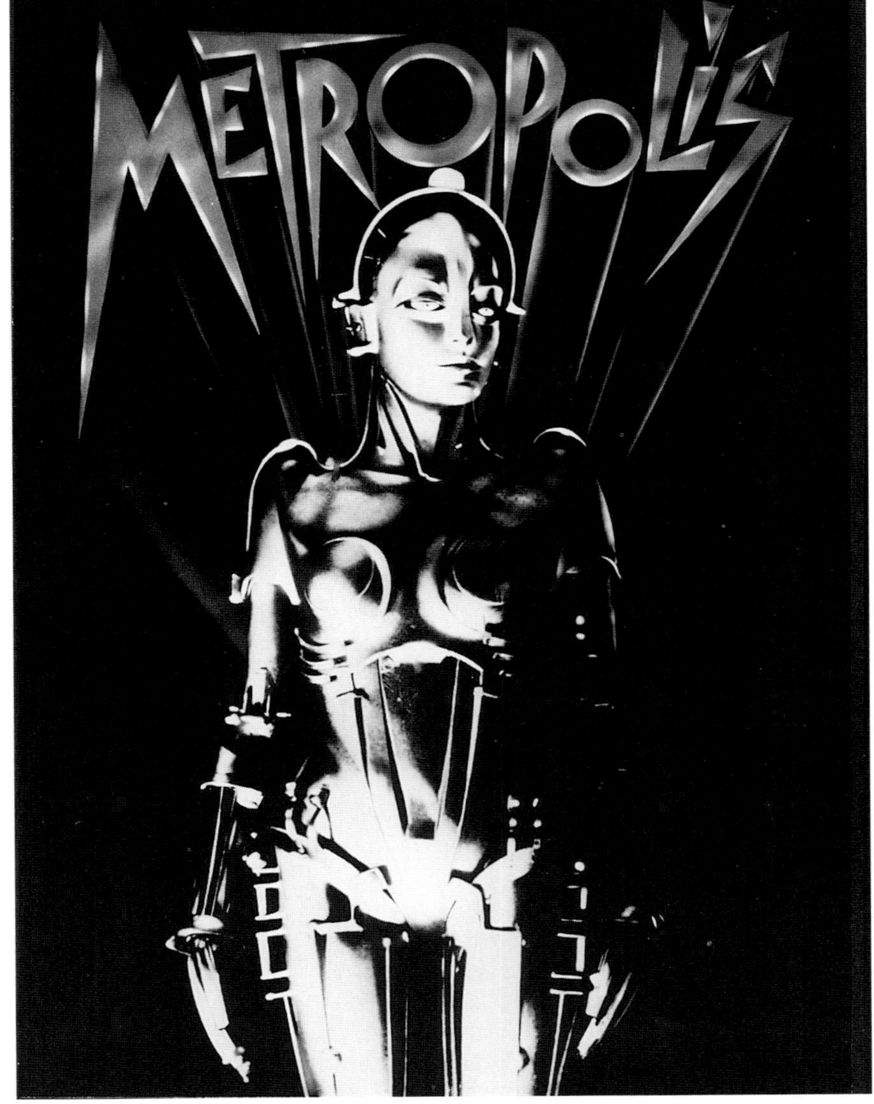

keinen Manifesten mit Welterlöserattitüde. Auch die Wirtschaftskrise und der Nationialsozialismus haben daran nichts geändert, im Gegenteil: Adolf Hitler, von Beruf her Kunst-Maler – ein Begriff aus der Münchner Kulturszene –, und seine Partei schenkten der Unterhaltungskultur, insbesondere dem Film, den Illustrierten und dem Radio, aber auch der Architektur, und hier in erster Linie dem Städtebau größte Aufmerksamkeit, während die Kunst-Malerei zur Bedeutungslosigkeit herabsank. Auch nach dem Zweiten Weltkrieg waren alle Versuche, diesem Prozeß entgegenzusteuern, ergebnislos. Daran haben auch die neo-dadaistische Bewegung und andere Neo-Avantgarden nichts geändert.

Der Expressionismus als Stilgesinnung der Kriegs- und Nachkriegszeit kam in Verruf. Vor allem die deutschen Filmregisseure gaben nach 1923 bald ihren expressionistischen Sonderweg auf, obwohl in Fritz Langs wichtigem Großprojekt *Metropolis* (1927) *(Abb. 64)* noch Elemente davon zu finden sind, die er jedoch mit Amerikanismen kombinierte: Man sah sich verstärkt der finanzstarken internationalen Konkurrenz ausgesetzt und mußte andererseits wegen des hohen Kapitaleinsatzes die eigenen Filme international vermarkten. Auffällig ist jedoch, wieviel künstlerischer Ehrgeiz in Filme gesteckt wurde, so als sollten alle Avantgardeideen auf Zelluloid übertragen werden: Walther Ruttmanns *Berlin – Die Sinfonie der Großstadt* (1927) thematisiert mit schnellen Schnitten und Bewegungs- und Rhythmusstudien künstlerische Probleme auf eine ähnlich avantgardistische Weise, wie man sie damals etwa auch am Bauhaus in Dessau reflektierte. *(Abb. 68)* Die überzeugende, aber gleichwohl sehr filmische und publikumswirksame Art, in der Ruttmann arbeitet, läßt das Bemühen der Maler allerdings fast schon als obsolet erscheinen. Auch bemühte man sich verstärkt um den Dokumentarfilm, z.B. *Menschen am Sonntag* (Robert Siodmak, Billy Wilder und Eugen Schüfftan, 1929) und schuf viele Streifen zu Zeitthemen, meist mit sozialkritischer Einstellung: so etwa *Der letzte Mann* (Friedrich W. Murnau, 1924), der Antikriegsfilm *Westfront* 1918 (Georg W. Pabst, 1931) oder *Mädchen in Uniform* (Leontine Sagan, 1931).

Einen Paradigmenwechsel brachte die Entwicklung des Tonfilms seit 1927. Die Aufnahme-

technik war kompliziert und zwang dazu, die Arbeit auf das Studio zu beschränken. Die Versuchung, Kammerspielkomödien und andere Formen des Theaters zu imitieren, wurde stärker – die visuelle Kraft des Stummfilms drohte verlorenzugehen. Die Umrüstung auf die sehr teuren Aufnahme- und Vorführapparate zwang die Filmindustrie zur Konzentration und Internationalisierung der Filmthemen, gleichzeitig zu einer stärkeren Berücksichtigung des Publikumsgeschmacks. Beispielhaft dafür war der Musikfilm *Der Blaue Engel* mit dem späteren Weltstar Marlene Dietrich, den der junge, in Berlin tätige österreichische Regisseur Josef von Sternberg 1930 aufnahm. Durch die neue Technik wurden schlagartig viele Musiker und Orchester arbeitslos, die bis dahin in den Kinos die Stummfilme mit ihrer Musik untermalt hatten; es entstand nun auch eine

65. Alfred Renger-Patzsch (1897–1966), Laufschiene einer Seilbahn, *Foto, 17 x 23 cm, 1926, Zülpich, Albert-Renger-Patzsch-Archiv, Ann und Jürgen Wilde*

Der Fotograf nimmt seinen Gegenstand aus einer konstruktivistisch zu nennenden Optik wahr, die durch die Ausschnittbildung und Nahsicht noch verstärkt wird und eine räumliche Wahrnehmung des Objektes verhindert. Dadurch wird eine gewisse Verfremdung bewirkt. Andererseits wird durch die Art der Aufnahme der Gegenstand äußerst präzise und klar erfaßt.

66. August Sander (1876–1964), Berliner Kohlenträger, *Foto aus der Serie »Antlitz der Zeit«, 1929, Köln, August-Sander-Archiv*

Die Sanderschen Studien der Stände, Berufe und Menschen seiner Zeit sind sorgfältig einstudiert und ›gestellt‹, zeigen neben den Personen immer auch den Rahmen ihres Tuns. Eine Anregung, gerade diesen Typus aufzunehmen, mag er in den Arbeiten des Berliner sozialkritischen Zeichners und Fotografen Heinrich Zille gefunden haben.

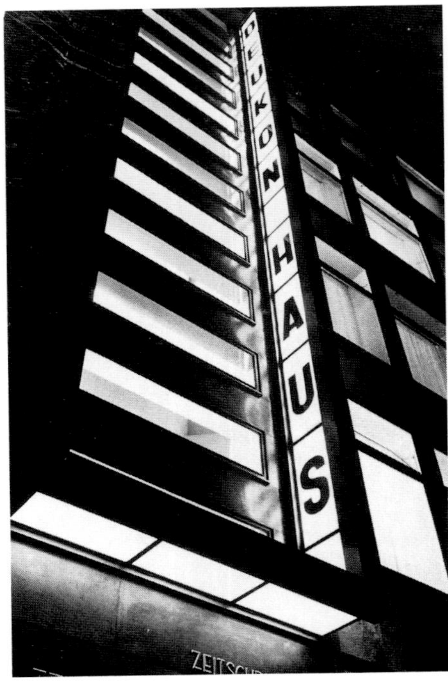

67. Arthur Köster, Haus der deutschen Konfektion in Berlin, *Leuchtreklame, Foto, 1927; Architektur: Erich Mendelsohn (1887–1953), Berlin, Staatliche Museen, Kunstbibliothek*

Die moderne, großstädtische Kommerzarchitektur ist in hohem Maße auf elektrische Beleuchtung (und nächtliche Wahrnehmung) hin ausgelegt.

68. Lászlò Moholy-Nagy (1895–1946), Blick vom Berliner Funkturm, *Fotografie, 1925, Berlin, Bauhaus-Archiv*

Der ungarische Konstruktivist war Leiter der Metallwerkstatt im Dessauer Bauhaus. Er bediente sich gerne auch fotografischer Techniken und experimentierte viel, wobei ihm seine als Fotografin tätige Frau Lucia Moholy half. Das Foto bezeugt den Blick des Konstruktivisten, der vor allem an den verfremdenden Lichteffekten und Strukturen interessiert ist.

würgende Konkurrenz für die auf Unterhaltung spezialisierten Musikbühnen. Aber auch in der neuen Technik gelangen künstlerisch beispielhafte Realisierungen, so 1932 in Fritz Langs Film *M – Eine Stadt sucht einen Mörder.*

Geradezu revolutionär war Deutschland in den zwanziger Jahren auf dem Gebiet der Fotografie. Durch die Entwicklung der handlichen Leica-Kleinbildkamera mit Rollfilm, der Rolleiflex-Spiegelreflexkamera, lichtstarker Objektive sowie filmchemischer Verbesserungen wurde jedermann das Fotografieren möglich; man war nur noch in Ausnahmefällen auf den Berufsfotografen angewiesen.

Illustrierte Zeitschriften hatte es in Deutschland nach englischem Vorbild schon seit 1843 gegeben. Aber erst seit dem Durchbruch zu neuen Druck- und Klischierverfahren konnte das Foto zur Illustration verwendet werden. Es verdrängte schnell den Holz- und Stahlstich sowie die Lithographie – auch hier starben ganze Berufszweige aus oder hatten umzulernen. Aber erst mit der Verwandlung des Bildgebrauchs im Ersten Weltkrieg wurden die Illustrierten zum Massenphänomen, so daß sich bald auch die Tageszeitungen gezwungen sahen, illustrierte Beilagen zu bringen. In den zwanziger Jahren fand die Illustrierte neuen Typs weite Verbreitung, mit aktuellen Bildreportagen aus Mode und Gesellschaft, Sport und Unterhaltung, Politik und fernen Ländern. Die wichtigste war die vom Ullstein-Verlag herausgegebene *Berliner Illustrierte Zeitung.*

Den Fotografen erging es nun wie zuvor den Malern, deren Bildaufgaben wie beispielsweise das Porträt, die Vedute oder die Bildberichterstattung sie seit der Mitte des 19. Jahrhunderts übernommen und die sie auf diese Weise gezwungen hatten, sich auf die ihnen bleibenden Möglichkeiten, insbesondere auf die Farbe, zu konzentrieren und die Reflektion über die bildnerischen Mittel stärker ins Zentrum ihres Schaffens zu rücken: Durch die Verfügbarkeit der Kamera für jedermann erlebten sie nun selbst einen zuvor nicht gekannten Druck. Und sie mußten das Publikumsinteresse darüber hinaus auch noch mit anderen Medien, wie dem Film, teilen. Dem versuchten die Fotografen zum Teil dadurch auszuweichen, daß sie, wie Albert Renger-Patzsch mit seinen Fotos in konstruktivistischer Optik, in erhöhtem Maße als Gestalter auftraten. *(Abb. 65)* Oder sie versuchten die technischen Möglichkeiten der Kamera, der Linsen und Filter, aber auch der Laborbehandlung von Fotos virtuos zu nutzen und auszureizen: Hier sind die raffinierten Porträts Hugo Erfurths anzuführen. Wieder andere reflektierten verstärkt ihre Gegenstände und wurden als Sozialpsychologen darstellend tätig. Zu ihnen gehört August Sander mit seinem Zyklus *Antlitz der Zeit. Sechzig Aufnahmen deutscher Menschen des 20. Jahrhunderts,* 1929. *(Abb. 66)* Aber auch Fotografen wie Erich Salomon, der die Kunst des Schnappschusses in geistreichen Bildreportagen zu hoher Wirkung brachte, müssen genannt werden. Darüber hinaus spezialisierten sich die Fotografen immer stärker: So schuf der Architekturfotograf Arthur Köster für Erich Mendelsohn und andere moderne Baumeister ästhetisch adäquate Fotos ihrer Bauten, die deren Wahrnehmung mitprägten. *(Abb. 67)*

Hierbei spielte auch eine Rolle, daß zunehmend Künstler selbst zur Kamera griffen, die Architekten, wie z.B. Erich Mendelsohn mit seinem Buch *Amerika* oder Paul Schultze-Naumburg in seinen *Kulturarbeiten*, ebenso Maler, wie Lászlò Moholy-Nagy mit seinen konstruktivistischen Bauhaus-Fotos. *(Abb. 68)* Am Bauhaus war in den späten zwanziger Jahren das Foto zur beherrschenden Kunst geworden, wie man allein schon der Hauszeitschrift ablesen kann. Eine Zwischenstellung hat Karl Blossfeldt (1865–1932), ursprünglich ein auf Kunstgießerei spezialisierter Bildhauer und Professor für das Modellieren nach lebenden Pflanzen am Berliner Kunstgewerbemuseum. Seine Aufnahmen von Pflanzenelementen (*Urformen der Kunst,* 1928) sind vom Blick des Künstlers geprägt und erscheinen wie ungewöhnlich moderne Kunstwerke.

Otto Dix

Der Sammelname ›Neue Sachlichkeit‹, für eine Mannheimer Ausstellung 1925 von der Architektur ausgeborgt, bezeichnet die Rückkehr zur naturnachahmenden, gegenständlichen Malerei in diesen Jahren, gruppiert dabei aber nur oberflächlich einige Künstler, die wenig miteinander zu tun haben bzw. die nur dem Schein nach ähnlich sind: Einige gehören zum linken, andere zum rechten politischen Spektrum, es gibt sentimental rückwärtsgewandte und kommunistisch sozialrevolutionäre, solche, die die moderne Technikwelt verherrlichen sowie auch deren Gegner. Die Qualität der Arbeiten schwankt. Am ehesten ist ihnen gemeinsam, daß ›die Formfrage‹ zurücktritt.

Der bedeutendste unter ihnen ist Otto Dix, der an der Dresdener Akademie schulbildend wirkte. Zwar hat er 1927 gesagt: »Wichtiger als das Wie ist mir das Was! Erst aus dem Was entwickelt sich das Wie!« Doch muß der Historiker diese Ausssage einschränken. Von den frühen Werken im Stile Hodlers und Van Goghs über die ›Farbstürme‹ in der Art Noldes, den apokalyptischen Expressionismus à la Meidner und den Kubo-Futurismus führte sein Weg zur Rezeption des Dadaismus *(Abb. 1)* und anderer avantgardistischer Richtungen. Es gibt kaum einen ›-Ismus‹ seiner Zeit, den Dix nicht zitiert oder in dem er nicht zeitweilig gemalt hätte. Im Porträt des Kunsthändlers Flechtheim führte er provokant vor, daß er alle ›Sprachen‹ der Moderne beherrschte – aber die naturgetreue bevorzugte. Bei mehreren seiner Werke erweist sich der Stil als nur für dieses eine Bild konzipiert und nur hierfür gültig – und insofern stimmt der oben zitierte Satz doch.

In den Augen des Künstlers erscheinen die Kunst-Ismen aufgebraucht und zur Darstellung des Erlebten nur begrenzt tauglich. Das hat ihn nicht abgehalten, sich auf die Suche nach gültigen

*69. **Otto Dix (1891–1969), Die Journalistin Sylvia von Harden,** Mischtechnik auf Holz, 120 x 88 cm, 1926, Paris, Musée National d'Art Moderne, Centre Georges Pompidou*

Dix war die Berliner Gesellschafts-Journalistin aufgefallen, und er hatte sie aufgefordert, sich von ihm porträtieren zu lassen, weil sie ihm »ein ganzes Zeitalter zu repräsentieren scheine«, d.h. als typische Vertreterin des neuen Frauentypus galt. Sie wird von Dix im Rahmen der damaligen Kaffeehauskultur gezeigt, betont zum Männlichen hin stilisiert und überzeichnet. Die Hände sind Dürers Selbstbildnis von 1500 nachempfunden. (Abb. IV/61)

Vorbildern zu begeben. Er entdeckte die altdeutschen Meister, wie Dürer, Cranach, Grünewald oder Baldung, ihr Ethos, ihre die ganze menschliche und natürliche Welt umfassende inhaltliche Spannweite, ihre kraftvolle Farbe, aber auch ihre malerische und zeichnerische Technik. Ihn mag ein wenig wohl auch die Hoffnung beflügelt haben, so zu einem nationalen Stil zu finden. Dix hat nach ihrem Vorbild versucht, was im 20. Jahrhundert nur noch wenige versuchten: Hauptwerke zu schaffen, d.h. große, durchdachte Bilder, die viele Aspekte einprägsam zusammenfassen. Dafür hat er auch die altdeutsche Altarretabelform des Triptychons aufgegriffen. *(Abb. 1)* Daß ihm dieser Versuch einige Male auch gelungen ist, hat nicht zuletzt die Rezeptionsgeschichte gezeigt.

Dix ist ein heftig ausschlagender Seismograph für die wechselnden Moden, Themen, Vorlieben, Stimmungen und Triebkräfte seiner Zeit, insbesondere für die Jahre der Weimarer Republik. Eine Chronik seiner Bilder ergibt einen interessanten Spiegel der Epoche und ihrer Wandlungen. Er interessierte sich ebensosehr für die typischen wie für die kuriosen Erscheinungen seiner Zeit. *(Abb. 69)* Doch den Kern seines Werks bilden die großen Menschheitsthemen in zeitgemäßer Einfärbung: Sexualität, Geburt, Alter, Tod und Verbrechen. Er zeigt nicht wie andere Maler der Neuen Sachlichkeit Interesse an Technik, wohl aber am Porträt. Sein für zwei Jahrzehnte wichtigstes Thema wurden die traumatischen Erlebnisse des Krieges: Hier wußte der Maler, daß die Fotografen – auch aufgrund ihrer konventionellen Optik – das Grauen der Schützengräben kaum eingefangen hatten und daß er mit seinen Mitteln sogar dem Film etwas voraushatte: Er konnte verdichten, dramatisieren, die Farbe einsetzen – und so die stärksten Wirkungen erzielen. *(Abb. 1 u. 70)*

Dix verhält sich zuweilen wie ein Reporter. Jedenfalls hatte er die grelle, plakative Wirkkraft der neuen Medien Foto, Film und Plakat (und deren Konkurrenz) im Auge und wollte sie auf seine Weise überbieten. Das erklärt auch ansatzweise die gewollte Nähe zum Kitsch, zum Jahrmarkt, aber auch die Selbstinszenierung des Künstlers als ›Star‹ nach dem Vorbild des Kinos. Dix wußte sich zu vermarkten.

Seine chamäleonhafte Verwandlungskraft hat ihn der Kunstgeschichtsschreibung nach 1945

*70. **Otto Dix (1891–1969), Flandern,** Mischtechnik auf Holz, 200 x 250 cm, 1934–1936, Berlin, Nationalgalerie SMPK*

Dix greift in diesem Bild auf die Alexanderschlacht Albrecht Altdorfers zurück (Abb. IV/74), vor allem in der Gestaltung des Himmels und seiner Zweiteilung in eine Sonnen- und eine Mondhälfte, aber auch auf den eigenen Graphikzyklus ›Krieg‹ von 1924. Das Morgenrot erhebt sich über der Wüste eines von Geschossen durchwühlten Schlachtfeldes, dessen Granattrichter zu Pfützen geworden sind. Alles Leben scheint aus den Soldaten gewichen zu sein, die in den Unterständen überlebt haben. Dix malte dies Bild in der Nazizeit, in der er als ›entarteter Künstler‹ verfemt war, und er malte es gegen die Wiederaufrüstung Deutschlands.

verdächtig gemacht, ebenso sein Festhalten an den Gegenständen oder seine Ablehnung der Abstraktion. Das ist ungerecht, weil man dann auch Picasso, Klee, Max Ernst, de Chirico und anderen Meistern mit verschiedenen Stilen ähnliche Vorhaltungen zu machen hätte. Die Forderung nach lebenslanger Einheitlichkeit des Stils bzw. überhaupt die Vorstellung von der homogenen Persönlichkeit und dem in sich geschlossenen Werk als Qualitätskriterium ist gerade im krisen- und wandlungsreichen 20. Jahrhundert ein Dogma und wie alle Dogmen in der Kunstgeschichte a priori verfehlt.

Max Beckmann

Weil es ein unausrottbares Bedürfnis zu sein scheint, Individuen in Gruppenzusammenhänge einzuordnen und zu ›kategorisieren‹, wird oft auch ein anderer großer Einzelgänger unter den Malern dieser Zeit, Max Beckmann, der ›Neuen Sachlichkeit‹ zugeordnet. Richtig daran ist allenfalls, daß der schon 1884 geborene, im Umkreis der Berliner Sezession emporgekommene, später vor allem in Frankfurt tätige Maler an der Gegenständlichkeit seiner Bilder unbeirrt festhielt. Er fand erst mit dem Weltkrieg zu seiner persönlichen Kunstauffassung, die Jahre davor galten ihm nur als Lehrjahre. »Vieles sind wir hoffentlich losgeworden, was vorher war. Aus einer gedankenlosen Imitation des Sichtbaren, aus einer schwächlich archaistischen Entartung in leeren Dekorationen und aus einer falschen und sentimentalen Geschwulstmystik heraus werden wir jetzt hoffentlich zu der transzendenten Sachlichkeit kommen, die aus einer tieferen Liebe zur Natur und den Menschen hervorgehen kann, wie sie bei [...] Grünewald und Breughel, bei Cézanne und Van Gogh vorhanden ist. – Vielleicht wird auch durch verringerte Geschäftstüchtigkeit, vielleicht sogar, was ich kaum zu hoffen wage, durch ein stärkeres kommunistisches Prinzip, die Liebe zu den Dingen um ihrer selbst willen größer werden, und nur darin sehe ich eine Möglichkeit, wieder zu einem großen, allgemeinen Stilgefühl zu kommen [...] – Je stärker und intensiver mein Wille wird, die unsagbaren Dinge des Lebens festzuhalten, je schwerer und tiefer die Erschütterung über unser Dasein in mir brennt, umso verschlossener wird mein Mund, um so kälter mein Wille, dieses schaurig zuckende Monstrum von Vitalität zu packen und in glasklare scharfe Linien und Flächen einzusperren, niederzudrücken, zu erwürgen.«

Der Künstler Beckmann tritt mit höchstem Anspruch auf: Er versteht seine Kunst als einen Beitrag zur Lösung der großen Menschheitsfragen, ja zur Erlösung. Hierfür entwickelte er eine eigentümliche Doppelstrategie: Auf der einen Seite griff er die Zerschlagung und Neuzusammensetzung der Form auf, wie sie schon Kubismus, Expressionismus und Dadaismus praktiziert hatten. Andererseits folgte er keinem ›-Ismus‹, keiner wie auch immer gearteten Lehre von ›der Form an sich‹. Das heißt: Form und Farbe sind immer Ausdruck, sie sind darstellend, aber auch Umsetzung der persönlichen Empfindungen des Malers vor dem Gegenstand. Die Dissonanzen sind Umsetzungen eines modernen, großstädtischen Lebensgefühls, analog dem Jazz, den er schätzte. Ebenso ist das Fragmentarische seiner Bilder Aussage in sich, und auch das das Fehlen stilistischer Geschlossenheit dürfen wir als Reflex eines nichtkonsistenten Weltbildes und Selbstverständnisses deuten. Zugleich greift Beckmann auf eine große Zahl verschiedener Vorbilder und Bildtypen zurück: in den Kriegs- und Nachkriegsjahren gern auf Altdeutsches, dann wieder auf Barockes. Wir finden zahlreiche Bildtypen alter Herkunft, so

*71. **Max Beckmann (1884–1950), Bild der Familie des Malers,***
Öl auf Leinwand, 65 x 100 cm, 1920, New York, Museum of Modern Art
Links der Maler, in Rückenansicht seine Frau, die Opernsängerin Minna Tube, rechts davon seine Schwiegermutter, darunter der Sohn Peter usw. Die Menschen haben jedoch keinerlei Kontakt miteinander, sondern bedrängen sich vielmehr. Thematisiert ist das Schweigen. Eine Beziehung zum Betrachter wird durch die wie ein Bühnenbild aufgeklappte Szene hergestellt, mehr noch durch den Blick Minnas aus dem Spiegel, der in seiner Reflektion wie in der Konzentration durch den Spiegelrahmen den Betrachenden bannt und ihn gleichzeitig durchdringt. Verschiedene Lichtquellen sind gezeigt, doch sind Licht und Schatten im Bild ›durcheinander‹ geraten. Tür, Fenster und Flügel sind ›verrückt‹. Die Bedeutung einiger der abgebildeten Gegenstände, wie des Horns in des Malers Hand, der gerade gelöschten Kerze auf dem Flügel usw. bleiben offen; aber sie verstärken das Geheimnisvolle des Bildes.

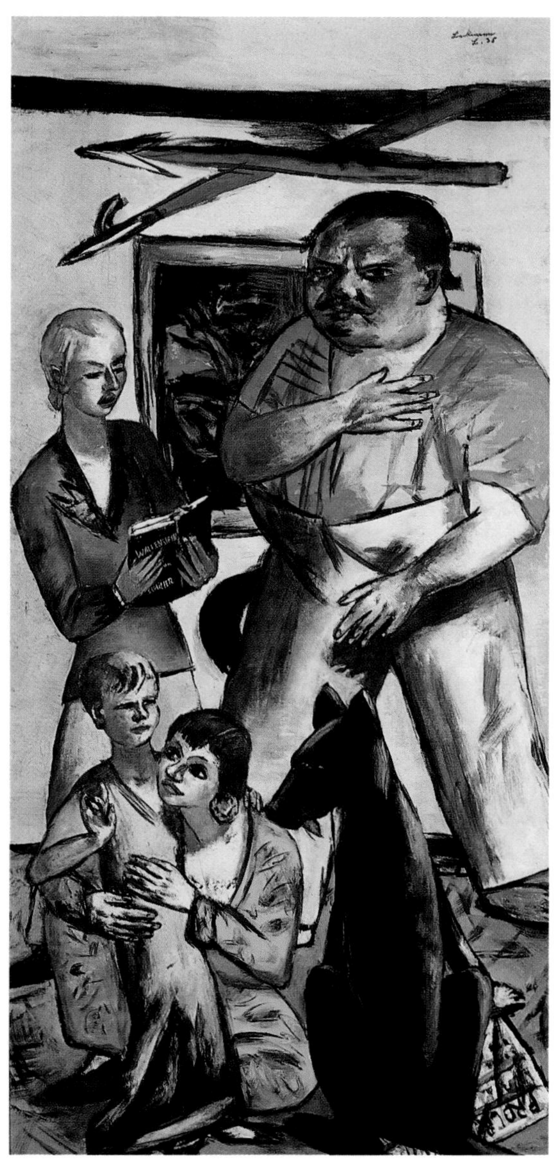

72. Max Beckmann (1884–1950), Der Schauspieler Heinrich George und seine Familie,
Öl auf Leinwand, 215 x 100 cm, 1935, Berlin, Nationalgalerie SMPK

Nach seiner Entlassung aus dem Lehramt an der Städel-Schule in Frankfurt zog sich Beckmann zunächst nach Berlin zurück, wo er meinte, in der Anonymität der Großstadt besser überleben zu können. Heinrich George, einer der – auch von den Nazis – gefeierten Schauspieler des damaligen Theaters, wird hier beim Einüben seiner Rolle in Schillers ›Wallenstein‹ gezeigt, neben ihm seine Frau, die Schauspielerin Berta Drews. Das dem traditionellen Typus des Ganzfigurenporträts folgende Bild artikuliert die physische Präsenz und Dominanz des Mannes, im Gegensatz zu der Größe und Höhe der anderen Figuren. Es kontrastiert Plastik und Flächigkeit, den expressiven mit dem beruhigten Strich, den zarten Sohn Jan mit der schwarzen, suggestiven Dogge.

Triptychen, Friese, auch traditionelle Bildaufgaben, wie Landschaft, Stilleben, Porträts – wohl unterschieden in Kniestücke oder Ganzfiguriges, doch ist immer die Form Gefäß einer Aussage und der Gehalt neuartig. *(Abb. 71 u. 72)*

Auf der anderen Seite stehen sehr persönlich bestimmte, inhaltliche und thematische Vorstellungen sowie symbolische Auffassungen: Die Welt als Spiegel, nur schwer zu entziffern und geheimnisvoll, die Welt als Groteske, aber auch als Theater oder Varieté, der Mensch als Schauspieler in vielen Rollen, als Widerspruch in sich, der Traum als Wirklichkeit eigener Art. Dafür greift er auf die alten Mythen der Menschheit zurück, die biblischen, vor allem aber die in der Antike formulierten, als eine Möglichkeit, eine überzeitliche und doch unmittelbar gültige, anthropologische Dimension zu gewinnen. Die Bildthemen sind teilweise geprägt von sehr verschiedenen philosophischen Lehren, so denen von Schopenhauer und Nietzsche, doch hat er auch die Gnosis und indische oder altjüdische Weisheitslehren aufgegriffen. Das Resultat ist individuell und muß jeweils neu entschlüsselt werden – Beckmann gibt keine in sich geschlossene persönliche Ikonographie. Das macht die Bilder für die Betrachtenden schwer zu begreifen: Sie vermitteln aber ein rätselhaftes Fluidum, eine poetisch-suggestive Qualität. Der Maler vermeidet alle Eindeutigkeit und verhält sich zu seinen Gegenständen und Auffassungen immer auch ironisch bzw. selbstironisch. Seine Schriften etwa deuten nur zaghaft an, daß die Betonung des Farbpaares Schwarz und Weiß sinnbildlich auf das Verhältnis des Bösen und Guten in der Welt zu beziehen ist; aber man tut gut daran, das bei der Deutung nicht zu wörtlich zu nehmen. Entscheidend ist immer der bildliche Kontext des Einzelbildes. Jedes Werk ist ein eigener Anlauf, nicht Teil einer Reihe. Die Deutung von Beckmannschen Bildern kann deshalb nur Annäherung sein; sie entziehen sich der endgültigen Klärung. Carl Einstein urteilt 1931 vielleicht etwas zu hart, wenn er schreibt: »Beckmann versuchte zweifellos etwas wie eine Summe der Modernen zu erzwingen; also ein willensmäßig ungemeiner Versuch [...] zwischen ironisierender Härte, schmerzhafter Empfindsamkeit, Versuch zu neuen Gesichten und altem Gestalterbe [...] Doch am großen Unternehmen enthüllt sich tragisch der [...] Kampf eines Menschen, dessen Geistigkeit vielleicht bedeutender ist als das mühevoll gemalte Ergebnis.«

Das ›Neue Bauen‹ und die Maschinenästhetik

Die Dadaisten überzogen alle ›Kunst-Ismen‹ mit Hohn und Spott – mit Ausnahme des Konstruktivismus. Doch während der russische Konstruktivist El Lissitzky (1890–1941) und der Dadaist Hans Arp optimistisch behaupten: »Der Konstruktivismus beweist, daß die Grenze zwischen Kunst und Mathematik, zwischen einem Kunstwerk und einer Erfindung der Technik nicht feststellbar ist«, bleiben Grosz und Heartfield in ihrem gemeinsam 1925 verfaßten Text *Die Kunst ist in Gefahr* skeptischer: »Die Konstruktivisten [...] wollen Sachlichkeit, wollen für tatsächliche Bedürfnisse arbeiten [...] Leider haben [sie] in der Praxis einen Fehler – sie erreichen ihren Zweck nicht, denn sie klammern sich in der Mehrzahl daran, im überkommenen Wirkungsbereich der

Kunst zu verbleiben. Sie vergessen in der Regel, daß es nur einen Konstruktivistentyp gibt, den Ingenieur [...] Die Möbel aus dem Weimarer Bauhaus etwa sind vermutlich trefflich konstruiert. Und doch sitzt man lieber auf manchem Stuhl, den ganz anonyme Tischler fabrikmäßig herstellen – denn er ist bequemer als der von einem in technischer Romantik schwelgenden Bauhauskonstrukteur entworfene.«

Die Autoren betonen zu Recht den sozialromantischen Zug des Konstruktivismus und des ihm nahe stehenden ›Neuen Bauens‹. Es ist keineswegs ein Paradox, wenn man feststellt, daß diese fast mystische Verherrlichung von Geometrie und strenger Form eine bedeutendere Kirchenbaukunst hervorgebracht hat als die Neo-Gotik des Expressionismus. *(Abb. 73)*

Dieses Lob kommt von kommunistischen Autoren. Das erklärt sich teilweise daraus, daß der Konstruktivismus von russischen revolutionären Künstlern geprägt wurde – er stammt aus einem rückständigen Land, das von der Technik und Industrialisierung weithin noch träumte, und läßt zugleich begreifen, warum die reaktionären Kreise das ›Neue Bauen‹ und schließlich sämtliche Avantgarderichtungen als ›kulturbolschewistisch‹ verschrieen und zu vernichten trachteten.

Die politische Zuspitzung war jedoch keineswegs zwingend. Die holländische Baubewegung der ›Neuen Sachlichkeit‹ und ihr jüngeres Pendant ›De Stijl‹ waren nicht unbedingt revolutionär gestimmt, der französisch-schweizerische Architekt Le Corbusier erst recht nicht. Und auch in Deutschland darf man den Blick nicht allein auf das Bauhaus und verwandte Strömungen beschränken. ›Sachlichkeit‹ war im Bauen schon aus ökonomischen Gründen geboten. So stammen in Berlin das Rundfunkhaus von Hans Poelzig, *(Abb. 74)* das Kathreinerhochhaus von Bruno Paul, die Bauten am Alexanderplatz von Peter Behrens, die Beamtenwohnungsblocks von Paul Mebes und viele andere Bauwerke dieser Jahre von Architekten, die nicht dem linken Spektrum zuzuordnen waren und auch nicht von vorneherein den damaligen Avantgardisten nahestanden. Aber gerade

73. Aachen, Fronleichnamskirche, *Inneres, Rudolf Schwarz (1897–1961) mit Hans Schwippert und Rudolf Krahn, 1928–1930*

Purismus der Form konnte, ins Asketische gewendet und in Verbindung mit geschickter Lichtführung, durchaus sakrale Raumwirkungen erzielen, wie diese und andere Kirchen des Poelzig-Schülers zeigen. Allerdings verläßt eine derartige Formenstrenge barocke katholische Traditionen und erinnert eher an zisterziensische oder gar an calvinistisch-puritanische Räume; sie ist auch keineswegs funktionaler als ältere Kirchenbauten in den Neo-Stilen, sondern ein Beispiel moderner Formenmystik.

deshalb sind sie Zeugen der ›Sachlichkeit‹: Sie folgen neuen Bautypen (wie dem Hochhaus), benutzen die modernen Techniken und Konstruktionsmethoden (so den Eisenbeton), sind innovativ in der Materialwahl (etwa in den glasierten Zementplatten der Rundfunkhausfassade), verzichten auf Zierat und sind, obwohl zweckorientiert in der Raumgestaltung, doch in jedem Detail künstlerisch durchdacht.

Die Gründe für die Ideologisierung des Richtungsstreits sind vielfältig und in erster Linie politischen Ursprungs. Wenn man das ›Neue Bauen‹ der zwanziger Jahre überblickt, so fällt auf, daß es regional auf sozialdemokratisch regierte Städte in Norddeutschland, vor allem auf Berlin, konzentriert ist und daß die Gewerkschaften und ihnen nahestehende Organisationen zu ihren Hauptauftraggebern gehören. Deshalb wurden viele Siedlungsbauten, Gewerkschaftshäuser und andere Gemeinschaftseinrichtungen in diesem Stil errichtet. Außerdem sind viele Zweckbauten für Verkehr und Technik zu nennen, wie Elektrizitätswerke, Busbahnhöfe sowie Fabriken, Kaufhäuser und andere Wirtschaftsbauten. Es handelt sich dabei mehrheitlich um großstädtisch geprägte Bauaufgaben, die von vornherein alle antizivilisatorischen (und antiberlinischen) Affekte auf sich ziehen mußten, folglich auch der Baustil und seine Urheber.

Es wurde zuvor bereits angedeutet, daß die traditionellen staatlichen Bauaufgaben zurücktreten mußten. Dies gilt auch für den bürgerlichen Wohnungs- und Villenbau. Darauf spezialisierte Baumeister waren von der Krise der Staatsfinanzen und der Deklassierung des Bürgertums also stärker betroffen, ebenso die traditionell konservativen Architekten auf dem Lande. Durch die staatliche Reaktion auf die Weltwirtschaftskrise seit 1928, die noch nicht das erst später entwickelte Keynes'sche Prinzip des gegensteuernden Schuldenmachens im Konjunkturtal kennen konnte, sondern deflationär fast alle Investitionen stoppte und mit allgemeinen Lohnkürzungen reagierte, verschärfte sich die Konkurrenz um die wenigen verbleibenden Aufträge: Selbst berühmte, alteingeführte Baubüros mußten schließen. Im übrigen waren die Handwerker – entgegen ihrer romantischen Verklärung im frühen Bauhaus – von der allmählich sich ausweitenden Industrialisierung benachteiligt worden. Verbitterung machte sich breit und polarisierende Radikalisierung griff um sich.

Andererseits traten die Modernen mit ihren Schriften wie mit ihren Bauten provokant und aggressiv auf: So stellte in Berlin Bruno Taut in seiner Britzer Hufeisensiedlung der Beamtensiedlung auf der anderen Straßenseite der Fritz-Reuter-Allee eine geschlossene Häuserfront entgegen, die wie eine durch Türme befestigte Mauer einer ostpreußischen Deutschordensburg wirkt. *(Abb. 75 u. 76)* Der flächendeckende Anstrich in zwei Rottönen machte sie zur ›Roten Front‹, eine Anspielung auf den Rotfront-Saalschutz der SPD und damit eine gezielte Provokation der eher deutschnational denkenden Beamten. Bezeichnend für die Polarisierung ist, daß Taut bei der in seinem Buch *Das neue Bauen* publizierten Luftaufnahme der Siedlung den Beamtenteil wegschnitt. Daß beide Siedlungen Gartenstadtcharakter haben, daß im Inneren der Gewerkschaftssiedlung Häuser mit steilen Satteldächern in traditioneller Blockrandbebauung stehen und daß dem Gemeinschaftsdenken signalisierenden Hufeisen auf der Beamtenseite eine ähnliche – wenn auch architektonisch nicht so überzeugende – Baugruppe

74. Berlin-Charlottenburg, Masurenallee, *Rundfunkhaus, Fassade, Hans Poelzig (1869–1936), 1929–1931*

Ein funktional überzeugender Bau, der jedoch nicht versucht, den inneren Aufbau oder überhaupt die Aufgabe des Gebäudes nach außen darzustellen. Die Gestaltung der Fassade durch verschieden glasierte und in unterschiedlichen Nuancen eingefärbte braune Zementplatten und Klinker kommt aus der Industrie- und Verkehrsarchitektur. Auf eine Hierarchisierung der Formen ist verzichtet, nicht jedoch auf rhythmisch belebenden Wechsel.

75. u. 76. ***Berlin-Neukölln, Fritz-Reuter-Allee, Hufeisensiedlung der Gehag,*** *Bruno Taut (1880–1938) und Martin Wagner (1885–1957), 1925–1927 mit späteren Erweiterungen*

Als Direktor verschiedener, vor allem gewerkschaftlicher Siedlungsbaugesellschaften ließ Wagner durch Bruno Taut einen Teil der Großsiedlung Britz errichten; auf der anderen Seite der Straße bauten die Architekten Engelmann & Fangmeyer für die Beamtensiedlungsgesellschaft DeGeWo. Es entstand eine Verbindung von Gartenstadt und Etagenwohnungsbau. Zu integrieren waren verschiedene Teiche. Doch ist schon von sich aus der Gesamtentwurf spannungs- und abwechslungsreich, bei weitgehend normierten Wohnungsgrundrissen. Den Außenbau versuchte Taut durch Verwendung verschiedener Materialien und Farben zu beleben.

entspricht, daß überhaupt beide Ensembles der Struktur nach viel ähnlicher sind, als offiziell bekundet, gehört zur ideologischen Vergiftung der Diskussion. Ähnlich Provokantes wiederholte sich bei dem vom Deutschen Werkbund unter der Leitung von Mies van der Rohe veranstalteten internationalen Wettbewerb im experimentellen Wohnbau in der Stuttgarter Weißenhofsiedlung. Die Architekten des ›Neuen Bauens‹ haben es sich teilweise selbst zuzuschreiben, wenn sie schließlich von den verschiedensten Seiten abgelehnt wurden – meist aus Gründen, die mit der gebauten Architektur nur wenig zu tun hatten oder die – historisch gesehen – unsinnig waren, wie die Kritik an der funktionalistischen Bevorzugung des Flachdachs, das ja immerhin von Klassizisten wie Schinkel eingeführt worden war, die aber ihre sachliche Berechtigung haben könnten, da beispielsweise das Flachdach in unserem Klima unfunktional ist.

Doch die damalige Kunstdiskussion hatte dazu geführt, daß Stilunterschiede als Gesinnungsunterschiede gedeutet wurden. Schon die Baukunst des Expressionismus war als Ausdruck einer neuen, revolutionären Gesinnung propagiert worden. Ebenso verstand sich die Neugründung des Bauhauses in Weimar. Daß die politischen Gegner nach der gewonnenen Landtagswahl in Thüringen 1924 die Schule schlossen, welche nun in das sozialdemokratisch regierte Dessau übersiedelte, ersparte paradoxerweise den Bauhausleuten, ihren Stilwechsel vom Expressionismus zum Funktionalismus ausführlich begründen zu müssen. Er war ja kein grundsätzlicher Wandel der politischen Einstellung, sondern allenfalls eine Dämpfung des utopisch-emotionalen Charakters der Baukunst, eine Wendung von der ›neuen

Gotik‹ zur ›Maschinenästhetik‹. Und der Wechsel fiel zusammen mit dem wirtschaftlichen Aufschwung, so daß nicht nur utopisch gedacht und geplant, sondern wirklich gebaut werden konnte. Es war für diese Schule ein Glücksfall, daß die ersten Bauten, die vom neu ausgerichteten Bauhaus errichtet wurden, die Gebäude der eigenen schulischen Gesamtanlage einschließlich einiger Meisterwohnhäuser in der Nähe waren, so daß die Ziele der Institution programmatisch und kompromißlos sichtbar gemacht werden konnten. *(Abb. 77)*

Das Bauhaus wollte Werkstätten und Lehrräume unter einem Dach vereinen; hinzu kam noch ein Heim für die Studierenden. Eine von der Stadt gestellte Bedingung war, daß eine technische Fachschule zu integrieren sei. Dadurch entstand ein vielgliedriger Baukomplex aus durchaus unterschiedlich gestalteten Elementen, wobei auch noch eine Straße überbrückt wurde – dort wurden die Räume des Direktors, der Verwaltung und die gemeinsame Bibliothek untergebracht. Aus der Vielfalt der möglichen Ansichten wurde schon von Gropius selbst immer die Schrägansicht auf den Werkstättenbau als Hauptansicht betont. Aus dieser Perspektive erscheint das Bauhaus als Fabrik, in Anlehnung an das von Gropius und Meyer 1911 in Alfeld errichtete Fagus-Werk, technisch aber als Betongerüstbau mit vorgehängter Stahl-Glas-Fassade. Dadurch hat dieser Bauteil keine Fassade im traditionellen Sinne, was besonders bei den Ecken auffällt, die bei Gebäuden üblicher-

77. Dessau, Bauhaus, *Außenansicht, Walter Gropius (1883–1969), 1926*

Der Werkstättenbau ist als Hauptteil der Gebäudegruppe artikuliert und als einziger betont nah am Fabrikbau. Er ist etwas höher als die in seiner Flucht liegenden Bauten, um dies zu unterstreichen. Doch spielen auch Erinnerungen an die Schinkelsche Bauschule mit.

weise betont und optisch ›befestigt‹ erscheinen. Anders als Industriebauten hat das Bauhaus aber kein Oberlicht, zum Beispiel Shed-Dächer, wohl aber ein Flachdach, was als Anschluß an die Schinkelsche Bauschule zu verstehen ist. *(Abb. VII/53)*

Der neue Stil hat für sich in Anspruch genommen, ausschließlich ›funktional‹, also zweckmäßig, zu sein. Für diesen Funktionalismus hat man historisch eine Ahnenreihe konstruiert, wobei jedoch weniger die eigentliche Geschichte des Zweckmäßigkeitsdenkens in Bau und Ausstattung verfolgt wurde – dann hätte man nämlich beispielsweise auch die Möbelkunst des 18. Jahrhunderts einbeziehen müssen –, sondern eine bestimmte Art der sparsamen Form, wie sie in der Technik und Ingenieurskonstruktion vorherrschte: Es handelt sich also eher um ein formales Ideal. Auch gibt es nicht nur eine einzige formale Lösung für eine Funktion. Die führende Rolle der Bildenden Künstler wird im übrigen deutlicher, wenn man von einer ›Maschinenästhetik‹ spricht: Denn es handelt sich um eine romantische Verklärung der Industrieformen, der Maschinen und der Geometrie.

Das Bauhausgebäude ist, streng genommen, kaum funktionstüchtiger als andere Schul- und Hochschulbauten der vorangegangenen und der gleichen Zeit. Man muß sich sogar fragen, ob die Bindung jedes Raumes oder Bauteils an jeweils nur eine Funktion nicht den Funktionsfehler der Unflexibilität nach sich zieht. Eins der Hauptziele dieser Architektur ist, Bejahung der Technik zu signalisieren: Der Werkstättenbau gibt sich als Industriebau, obwohl er zu großen Teilen aus Ateliers bestand, in denen Künstler geschult und Kunst geschaffen wurde – was in der Gestalt nicht zum Ausdruck kommt. Bezeichnend ist, daß dem integrierten, ebenfalls von Gropius entworfenen Bau der Fachschule ein analoger ›Industriecharakter‹ verweigert wurde. Der Widerspruch im Bauhauskonzept wurde schnell deutlich, führte zu internen Konflikten, Personenfluktuation und Kurswechseln: Gropius ging, an seine Stelle trat der radikal-funktionalistische, antiästhetische, für eine noch konsequentere Ausrichtung an den Bedürfnissen der Industrie kämpfende Hannes Meyer, was den Weggang z.B. von Paul Klee provozierte. Auf Meyer folgte dann wiederum mit Mies van der Rohe ein Verehrer der reinen ›Form‹ usw.

Bruno Taut hatte 1919 – in diesem Punkt Loos ähnlich – grundsätzlich die Abschaffung von Schulen für Bauleute gefordert. »Die bestehenden Lehranstalten zu reformieren, halte ich für unmöglich [...] Der Künstler muß aus dem Handwerk hervorgehen [...] Nur praktische Arbeit am Werk!«

78. Berlin-Charlottenburg, Kaiserdamm 25/ Ecke Königin-Elisabeth-Straße, Appartementhaus,
Hans Scharoun (1893–1972), 1928–1929
Konzipiert für den Typus der alleinstehenden, möbliert wohnenden Angestellten. Die Grundrisse der drei verschiedenen Wohnungstypen sind ausgeklügelt. Die zur Förderung der sozialen Kommunikation gedachten Gemeinschaftsräume im Erd- und Dachgeschoß wurden später umgewandelt. Der Bau lehnt sich in der abgerundeten Ecke und anderen Motiven an die Stromlinienform und Formensprache der Dampferarchitektur an, die auch für die Verbindung von Luxus und knappem Raumzuschnitt Pate stand. Auffällig ist die formal schroffe Absetzung in der Dachzone von den älteren Bauten der Nachbarschaft.

Auch hatten so wichtige Architekten des ›Neuen Bauens‹ wie Erich Mendelsohn *(Abb. 67)* und Hans Scharoun *(Abb. 78)* vollkommen andere Vorstellungen von funktionaler Architektur – bei Scharoun beispielsweise ist sie an der Dampferarchitektur orientiert. Im realen Bauen der Zeit nahm die Dessauer Schule also keineswegs den Platz ein, den man ihr heute vor allem aufgrund ihrer geschickten Eigenpropaganda einzuräumen geneigt ist.

Mendelsohn war ein Spezialist für die – fast durchwegs zerstörte – Unterhaltungsarchitektur, besonders für Kinos. In ihnen greifen auf neue Weise architektonische Gestaltung und Lichtregie Hand in Hand: die Fassade wird meist zum Werbeträger reduziert. *(Abb. 67)* Desto wichtiger ist die Innendekoration. Aber auch dort übernimmt die Beleuchtungsregie einen Teil der Aufgaben, die zuvor Bereich der architektonischen Gestaltung waren. Bezeichnenderweise hat Mendelsohn auch die überzeugendsten Warenhausbauten der Epoche geschaffen, bei denen es um eine ähnliche Präsentationsaufgabe ging. Sein persönlicher Stil mit den breiten horizontalen Streifen, außen Beton mit Metallbändern, innen bevorzugt Aluminium und andere glänzende bzw. polierte Materialien, welche Modernität und Großstadtgeschwindigkeit suggerieren sollten, wurde geradezu zum Kommerzstil dieser Jahre, eine eigene Art sich stromlinienförmig gebender Ästhetik – nicht ohne Erinnerungen an die Karosserien des Automobils. Sie ist ein würdiges Gegenstück zu der von Paris ausgehenden Mode des Art Deco, integriert allerdings wie diese unübersehbar einige Elemente des zuvor so gescholtenen Jugendstils.

Der Erste Weltkrieg hatte den Wohnungsbau zum Erliegen gebracht, und auch in den ersten Nachkriegsjahren war auf diesem Gebiet nicht viel geschehen: In der Inflationszeit investierte niemand in wenig Rendite versprechende Wohnbauten. So wurde die Schaffung von möglichst viel und billigem Wohnraum zur wohl wichtigsten Bauaufgabe der Weimarer Republik. Zudem war den modernen Baukünstlern unter allen Erscheinungen des wilhelminischen Bauens die Mietskaserne fast am meisten verhaßt: Sie galt als das eigentliche Symbol der Ausbeutung menschlicher Bedürfnisse durch das Kapital unter Vorspiegelung falscher Tatsachen mit Hilfe des Fassadendekors. »Laßt sie zusammenfallen, die gebauten Gemeinheiten! Steinhäuser machen Steinherzen!« rief Bruno Taut 1920 in einer seiner utopischen Schriften aus. Man machte in Berlin sogar die Entstuckung, d.h. das Abschlagen des wilhelminischen Fassadenzierats, zum Arbeitsbeschaffungsprogramm, was sich nach 1945 noch einmal – allerdings wesentlich umfassender – wiederholen sollte.

Kein Zweifel, die Absichten waren die allerbesten: Zweckmäßige Wohnungsgrundrisse zu entwerfen, überflüssige Wege zu vermeiden und damit zeitsparende Küchen und Arbeitsräume zu planen, um die Hausfrau zu entlasten, die nicht länger über Dienstmädchen verfügte, allen Wohnungen Zugang zum Sonnenlicht zu verschaffen und genügend frische Luft in die Räume zu bringen. Um die Häuser schuf man Platz für die Kinder zum Spielen, man plante Orte und Räume für die Gemeinschaft. Es wurden beeindruckende Gesamt- wie Einzellösungen entwickelt. Doch erwies sich die zugrundeliegende Idee, durch die neue Bauweise Gemeinschaft zu fördern oder gar den ›neuen Menschen‹ zu bilden, als Illusion. Man erreichte nicht einmal das erste Ziel, die Mieten so niedrig zu halten, daß die Wohnungen für Proletarier erschwinglich wurden. Widerspruch regte sich gegen die Einförmigkeit der Zeilenbauweise und die planerische Bevormundung des Menschen: »Er hat [...] gegen Osten zu Bett zu gehen, gegen Westen zu essen und Mutterns Brief zu beantworten, und die Wohnung wird so organisiert, daß er es faktisch gar nicht anders tun kann [...] Hier [...] wird der Mensch zum abstrakten Wohnwesen.« (Behne) Die Gropius'sche Lehre, daß Licht und Luft wichtiger seien als großzügige Räume, ist genauso ideologisch wie die Behauptung, es gebe eine Idealform der Wohnung. Die modernen Siedlungsbauer schlossen sich aufgrund eines naiv anmutenden Gleichheitsgedankens und aus Affekt gegen den bürgerlichen Individualismus allzu unreflektiert der – letztlich kapitalistisch-ökonomisch bestimmten – Tendenz zur Normierung und Einschränkung der Menschen an: Sie arbeiteten mit an ihrer Transformierung zur Menschenmasse.

Der Nationalsozialismus und seine Diktatur seit 1933

Daß die reaktionären Kräfte in Deutschland in der Wahl ihrer Mittel nicht zimperlich waren, daß sie Mord und Vernichtung ihrer Gegner und aller Menschen, die ihnen nicht ›paßten‹, im Sinn hatten, war schon seit den Aktionen der Freikorps, seit den Putschversuchen und den Kämpfen gegen die Novemberrevolutionäre 1918 und danach deutlich geworden. In Adolf Hitlers programmatischer Selbstbiographie *Mein Kampf* (1925) konnte man seine Ziele nachlesen. Aber Hitler hatte während seiner Haft in Landsberg auch Kreide gefressen und sich zu verstellen gelernt. Mit der Reichstagswahl im September 1930 begann vor dem Hintergrund der Wirtschafts- und Staatskrise der schnelle Aufstieg des Nationalsozialismus, des radikalsten Flügels der Reaktion, zur Massenbewegung. Der Kult um den ›Führer‹ als Retter aus dem Elend und als Erneuerer deutscher Macht, die Parole von der ›Volksgemeinschaft‹ unter Aufhebung der Parteienzersplitterung, die Stigmatisierung der Juden als universaler Sündenbock fanden nun auch Widerhall im gehobenen Bürgertum wie in der Arbeiterschaft, zunehmend auch unter Künstlern und Intellektuellen. Die NS-Propaganda vermochte ebenso die Sehnsucht nach Erhaltung und Wiederherstellung vormoderner Lebensformen anzusprechen wie die Hoffnung auf Erneuerung und Modernisierung, die Erwartung auf Behebung der Agrarprobleme ebenso zu wecken wie die auf Schaffung industrieller und akademischer Arbeitsplätze.

Die Polarisierung in Kunst und Architektur war in Deutschland viel radikaler als zum Beispiel im faschistischen Italien. Dies war schon durch Hitlers dezidierte Meinungen vorbestimmt, die allerdings nur wenigen bekannt waren. Der Propagandaminister Goebbels und andere Kreise der Partei versuchten in den ersten Monaten nach der Machtergreifung noch, Emil Nolde und andere Expressionisten als ›neue deutsche Kunst‹ durchzusetzen, ohne Erfolg. Hitlers Kunstgeschmack war beim Jahr 1890 stehen geblieben, bei Lenbach und Makart, Spitzweg und Leibl. Daß mit Toleranz in künstlerischen Fragen nicht zu rechnen war, wurde bereits deutlich, als im Weimarer Bauhaus im Oktober 1930 die Wandmalereien Oskar Schlemmers weiß überstrichen und seine Plastiken entfernt wurden, dies allerdings erst fünf Jahre nach dem Machtwechsel in Thüringen samt der erzwungenen Schließung des Bauhauses.

Nach dem 30. Januar 1933 folgten Schlag auf Schlag. Sämtliche Juden und politischen Gegner, auch alle prominenten Vertreter der nicht genehmen Moderne wurden aus ihren Lehrämtern und Staatsstellen entlassen. Die Museumsleute, die sich für moderne Kunst eingesetzt hatten, wurden ›entfernt‹. Das noch einmal – diesmal nach Berlin – umgezogene Bauhaus wurde geschlossen, ebenso andere Lehrstätten der modernen Kunst und Architektur. Bald setzte eine zentral gesteuerte

79. Oskar Schlemmer (1888–1943), Abendessen im Nachbarhaus, *Fensterbild I, Öl, Aquarell und Feder auf Karton, 32 x 18 cm, 1942, Kunstmuseum Basel, Depositum Schlemmer*

Das Bild versteht sich als Blick aus dem Fenster in der Zeit kurz vor der wegen der Luftangriffe vorgeschriebenen Verdunkelung. Es spiegelt die Situation des in der inneren Emigration Eingeschlossenen, das Erschrecken vor den Schatten, das undefinierbar Beängstigende der Lage, das Sich-Verstecken und Aus-dem-Versteck-Hinauslugen der Menschen.

Gegenpropaganda ein, die schließlich zur Konfiszierung der mißliebigen Werke in den Museen, zur Wanderausstellung *Entartete Kunst* mit anschließender Versteigerung oder zum Verkauf der Werke ins Ausland führte. Unverkäufliche Arbeiten wurden verbrannt und Künstler, die im Land blieben, wurden schikaniert und mit Malverboten belegt. Widerstand in der Bevölkerung gegen diese kulturpolitischen Maßnahmen gab es nicht, im Gegenteil: Die Ausstellung *Entartete Kunst* zählte über drei Millionen Besucher, zwei Millionen davon allein in München.

Viele der in diesem Kapitel behandelten Künstler verließen das Land: Kandinsky, Klee, Beckmann, Grosz, Heartfield, Taut, Wagner, Gropius, Mies van der Rohe. Mit ihnen gingen auch fast alle bedeutenden Kunsthändler und Kunstkritiker. Viele der im Land verbliebenen Künstler, wie Barlach, Käthe Kollwitz, Nolde, Jawlensky, Schlemmer, *(Abb. 79)* Dix oder Scharoun, zogen sich in die innere Emigration zurück. Diese wenigen Namen geben keine ausreichende Vorstellung von dem umfassenden Kahlschlag der künstlerischen Kultur der Weimarer Republik. Die Zerstörungen des Zweiten Weltkriegs vollendeten gleichsam nur das im Inneren zuvor begonnene Vernichtungswerk. Die deutsche Gesellschaft – und mit ihr die Künste – haben sich davon nie wieder erholt, nie wieder erholen können. Die meisten dieser Künstler haben ihre Sorgen und Nöte in Bildern zum Ausdruck gebracht, oft eher indirekt als direkt. *(Abb. 79)* Auf eigene Art betroffen waren die Künstler der jüngeren Generation, die sich noch gar nicht hatten entfalten können – sie waren isoliert, vom Kontakt mit Gleichgesinnten abgeschnitten und durften ihre Werke nicht zeigen. *(Abb. 80)* Andere haben versucht, sich nicht beirren zu lassen, was aber nur selten gelingen konnte. *(Abb. 56 u. 72)*

Das Eigene in der NS-Produktion

Was das Dritte Reich in den Bildenden Künsten an die Stelle dessen setzte, was als ›verfemt‹ abgelehnt wurde, ist so jammervoll, daß es sich kaum lohnt, eines dieser Werke abzubilden, sofern man nicht alle künstlerischen Qualitätsmaßstäbe aufgeben möchte. Sie sind künstlerisch retardierend, meist noch an wilhelminischer Salonmalerei und Trivialkunst orientiert, kleben an den Vorbildern der Fotografien, die sie abmalen, und sind letztlich nur noch ideologiegeschichtlich interessant. *(Abb. 81)* Oder sie sind von einem atemberaubenden, brutalen Monumentalismus, der ebenfalls im älteren Wilhelminismus seine Wurzeln hat.

Das negative Urteil gilt selbst für einige ältere, sensible Künstler, wie den Bronzebildner Georg Kolbe, die sich vorsichtig den Forderungen des Dritten Reiches öffneten: Er versuchte, unpolitisch zu bleiben – was ihm jedoch angesichts des universalen Anspruchs der NS-Ideologie und vor allem der Dominanz des Staates bei der Aufgabe ›Denkmal‹ gar nicht gelingen konnte. In seinen Figuren bemühte er sich, das arisch-deutsche Körper- und Rasseideal des NS-Regimes zu verwirklichen, wenn auch eher in sportlicher Gestalt, nicht so herkulisch-martialisch wie die eigentlichen Nazi-Größen Breker *(Abb. 82)* und Thorak. Kolbe gibt Herrisches, wenn auch in gemäßigter Form. Doch geraten seine Figuren ihm wider Willen zu einem Bild der Entfremdung. Wenn man etwa die Gebärdensprache seiner Paargruppe (ge-

80. Richard Oelze (1900–1980), Tägliche Drangsale, *Öl auf Leinwand, 130 x 98 cm, 1934, Düsseldorf, Kunstsammlung Nordrhein-Westfalen*

Oelze, ein Bauhausschüler, hat in seinen Werken die Bildmittel des französischen Surrealismus umgedeutet, um das Gefühl der Bedrohung durch ein unbekanntes Verhängnis umzusetzen. Das Bild ist fast monochrom und sehr düster, abgesehen davon, daß in ihm die Farben des NS-Regimes auf eigenartige Weise umgesetzt sind: Das Graugrün des Militärs, das Braun der SA und das Schwarz der SS.

81. Michael Matthias Kiefer, Nordisches Meer, Öl auf Leinwand, 1942 (?), Verbleib unbekannt
Der aus der Münchner Akademie kommende Tiermaler orientiert sich in der Landschaft an wilhelminischen Marinebildern. Der Himmel ist schicksalsschwer düster gehalten. Die beiden, nach Fotos gemalten, aggressiv wirkenden Seeadler wecken die Assoziation an Flugzeuge, die zum Angriff übergehen.

nannt *Venus und Mars*) ernstnimmt, *(Abb. 83)* kann man sich des Eindrucks nicht erwehren, als würden Mann und Frau zum Kampf gegeneinander antreten. Man braucht nur ihre Haltung und Gestik nachzustellen, um das Lächerliche daran zu bemerken: Sie agieren wie schlecht geführte Marionetten. Die Gruppe wird unter dem Aspekt des Themas, das sie darstellen soll, erst recht zur Selbstkarikatur. Das war sicher nicht die Absicht des Künstlers, beweist aber, daß das falsche Denken und dröhnende Pathos dieser Zeit den Bildenden Künsten überhaupt zuwider war, die unter der Bürde der Ideologie völlig verkrampften.

Was Wilhelm II. nicht gelang, von Staats wegen eine bestimmte Thematik und Kunstform der Gesellschaft aufzuoktroyieren und alles andere zu verhindern, setzte Hitler in die Tat um. Man kommt nicht umhin, dies als auf eine perverse Weise modern bezeichnen zu müssen: Denn auch die Avantgarderichtungen hatten einen Ausschließlichkeitsanspruch vorgetragen. Nur sie selbst wähnten sich im Besitz der richtigen Kunstauffassung, lehnten die der anderen ab. Viele von ihnen waren also tendenziell totalitär – man braucht nur die Äußerungen moderner Künstler

82. Arno Breker (1900–1991), Adler, Gipsmodell
Die als Riesenformat geplante Skulptur ist aus dem heraldischen Motiv des seine Schwingen ausbreitenden Reichsadlers entwickelt, zugleich aber in ein Bild der Angriffslust verwandelt. Dabei ist bezeichnend, daß sich der Vogel nie so bewegen würde. Das Werk ist also aus einer anthropomorphen Motivik entwickelt.

83. Georg Kolbe (1877–1947), Venus und Mars, Bronze, 230 cm, 1939–1940, Guß 1963, Berlin-Westend, Georg-Kolbe-Hain zwischen Heerstraße und Sensburger Allee

Sogenannte heilige Haine waren neu-germanische Gedenkstätten, eine Verbindung eines Wäldchens mit gartenarchitektonisch gestalteten Wegen und Plätzen sowie mit Denkmälern. Der Kolbe-Hain ist auf der Hauptseite beim Künstlerhaus mit einem kleinen reethgedeckten Pavillon in der Art eines Niedersachsenhauses akzentuiert, da die Nazis eine besondere Verehrung für den Stamm der Sachsen hegten, aber auch um den nordisch-germanischen Charakter der Kunst Kolbes zu unterstreichen. Die antike Göttin Venus ist hier kaum in ihrer Rolle als Förderin der Liebe gemeint, eher als eine des Kriegs.

über die anderen Richtungen zu lesen: Oft genug verlangen sie geradeheraus die Vernichtung der Kunst ihrer Gegner. Nur konnten sie ihre utopischen Forderungen nie in die Tat umsetzen – und hätten es wohl in Wirklichkeit auch nie auf nazistische Weise getan. Genau das brutale ›In-die-Tat-Umsetzen‹ aber war Hitlers Ziel. Wir sind oben bereits mehrfach darauf gestoßen, daß Avantgardisten die Kunstkritik auszuschalten wünschten – an ihre Stelle sollte ›Kunstbetrachtung‹ treten. Genau das setzte das Nazi-Regime in seiner Gleichschaltungsphase ab 1935 durch. Aber: So schmal die Basis der älteren Avantgarde-Kunst in der Gesellschaft gewesen war, sie war doch immer auf die eine oder andere Weise genuiner Ausdruck der eigenen Zeit. Die Nazi-Kunst war es nicht, sie war formal und inhaltlich stehengeblieben. Im Grunde hatte das Regime auch kein Interesse an ihr, denn sie erreichte die Massen nicht – da taten auch die vielen popularisierenden Schriften keinen Abbruch.

Das war auch der Grund, weshalb der Propagandaminister Goebbels seine Bemühungen in dieser Richtung bald aufgab und sich statt dessen auf die funktionalen und populären Künste konzentrierte: Er unterwarf Illustrierte, Fotografie und Film einer rigiden zentralen Steuerung. Darüber hinaus wurden die Aufmärsche, Parteitage und sonstige Feiern sorgfältig und imposant inszeniert – man kümmerte sich um die Gestaltung der Räume im weitesten Sinne, was auch die Ausstattungskunst einbezog, die von den modernen Architekten der zwanziger Jahre eher vernachlässigt worden war. *(Abb. 84 u. 85)* Diese Bemühungen erfolgten ganz im Sinne Hitlers, der sich vor allem für Architektur begeisterte und als größter Bauherr aller Zeiten in die Kunstgeschichte eingehen wollte.

Auch im Bereich des Films war der Exodus groß. Über 500 Regisseure, Techniker und Schauspieler verließen das Land, obwohl die Partei ihnen in manchen Fällen lukrative Angebote machte und den Verlust populärer Künstler ungern sah: Fritz Lang, Max Ophüls, Otto Preminger, Fred Zinnemann, Detlef Sierck (Douglas Sirk), Eugen Schüfftan (Shuftan), Billy Wilder, Marlene Dietrich oder Fritz Kortner emigrierten, aber es standen noch genügend befähigte Talente zur Verfügung. Die Infrastruktur blieb bestehen, und der Staat sorgte mit großem Finanzeinsatz dafür, daß genügend ansehnliche Filme entstanden. Sie sollten in der Regel gerade nicht als offene Parteinahme oder gar Propaganda daherkommen, sondern verdeckt: Unterhaltung war gefordert, Schönheit wurde geboten, Stoff zum Träumen, und nur in kleinen Dosen wurde gleichsam nebenbei das Gift der Nazi-Ideologie eingeträufelt. Die eigentlichen Propagandafilme wurden jedoch mit überaus großem Aufwand hergestellt – als Hauptwerke des NS-Films und unter Heranziehung der besten Kräfte geschaffen. Daß auch diese reinen Parteifilme erhebliche Visualisierungskraft und innovative künstlerische Qualitäten entfalteten und somit das genaue Gegenteil der im Münchner Haus der Kunst ausgestellten Bilder und Plastiken waren, belegen die Filme über die Nürnberger Parteitage (*Triumph des Glaubens* 1933, *Triumph des Willens* 1935) und über die Olympiade in Berlin 1936 (*Fest der Völker* und *Fest der Schönheit* 1938) von der Schauspielerin, Fotografin und Regisseurin Leni Riefenstahl (geb. 1902). Sie sind in der Massenregie und in der Inszenierung einer angeblichen Selbsterfahrung der ›Volksgemeinschaft‹, in der Licht- und Kameraführung, der Schnittechnik und Montage, dem Einsatz von Musik und der geschickten Dramaturgie, kurz: als Gesamtkomposition durchaus schulbildende Werke der Medienkunst zu nennen. Die Botschaft

*84. u. 85. **Nürnberg, Reichsparteitagsgelände,** Zeppelinfeld, Albert Speer (1905–1981), 1934*
Nach eigenen Aussagen orientierte sich Speer bei der Konzeption am hellenistischen Pergamon-Altar in den Berliner Museen. Als Material wurde zum Teil Granit gewählt, um die Dauerhaftigkeit des Dritten Reiches zu suggerieren. Seine eigentliche Wirkung erhielt die Anlage jedoch erst bei Aufmärschen mit dem dazugehörigen Fahnenschmuck, den brennenden Kandelabern und der Lichtinszenierung.

»Ein Volk, ein Reich, ein Führer« kommt auf eine auch heute noch beängstigend eindrucksvolle Weise an. Die Filme suggerieren kollektive Identität und erzeugen sie zum Teil stärker, als die Ereignisse selbst es getan haben. Die NS-Propaganda hat vor allem die Verbindung von Bild und Ton vorangetrieben: Erstmals waren die Menschen auch in der Öffentlichkeit durch den konsequenten Ausbau und Einsatz des Radios (Volksempfänger) einer Dauerbeschallung ausgesetzt. Gerade diese neuartigen und effizienten Kombinationseffekte sind jedoch mit Abbildungen nicht darstellbar und damit auch nicht die Macht, die sie über die Menschen ausübten (und immer noch ausüben können). Leider sind auch die gefilmten Führerreden und die damaligen Wochenschauen heutzutage nur noch in verfremdenden Ausschnitten zugänglich.

Genauso effizient wurden Fotografien eingesetzt. Welcher Betrachter hätte schon angesichts des fotografischen Anspruchs, die Wirklichkeit abzubilden, erkennen können, daß die Ereignisse, die ein Foto (oder die Wochenschau) zeigte, inszeniert oder sorgfältig ausgewählt wurden – wer hätte erkennen können, daß die Bilder manipuliert worden waren, daß die Wahrnehmung des Gezeigten gesteuert oder das Abgebildete gar verfälscht worden war? Besonders gern bediente man sich der ›realistischen‹ Foto-Ästhetik der ›Neuen Sachlichkeit‹ der zwanziger Jahre, um dann in der Auswahl und der heroisierenden wie emotionalisierenden Präsentation des Dargestellten sowie seiner Thematisierung die Botschaft der Partei umso besser unter das Volk zu bringen. Der Vergleich von Fotos, wie sie Walther Hege von den großen Bildwerken der griechischen Antike und des deutschen Mittelalters schuf, *(Abb. 86)* mit Skulpturen der NS-Zeit macht deutlich, daß die Fotos der Kunst weit überlegen sind: Sie sind technisch perfekt, in ihrer Komposition und Erscheinung viel komplexer, in ihrer Wirkung verdeckter und deshalb stärker. Sie vermitteln mehr vom wiedergegebenen Gegenstand bzw. vom Thema und interpretieren sie doch zugleich im Sinne der Nazi-Ideologie um: Gerade darum sind sie unvergleichlich viel gefährlicher als die Gemälde, die selten über das Niveau einer Brauereiwirtschaftsdekoration und anderer traditioneller Trivialmalerei hinausgelangen. Im Grunde war die Malerei überflüssig geworden, und die Nazi-Epo-

86. Walther Hege (1893–1955), Kopf des Bamberger Reiters, *Foto, 23 x 17 cm, um 1937*

Die Statue im Bamberger Dom, die wahrscheinlich den hl. Ungarnkönig Stephan darstellt (Abb. II/29) war eines der zentralen historischen Identifikationsobjekte des NS-Regimes. Die Identifikation mit dem Ungarnherscher wurde rundheraus abgestritten, vielmehr war es der ›namenlose deutsche Reiter‹, der mit ›herrischem Blick nach Osten neuen Lebensraum‹ erobert – daß die Statue tatsächlich nach Südwesten schaut, spielte keine Rolle. Wesentlich für die Durchsetzung dieser Sicht war mehr als die suggestiven Texte von Wilhelm Pinder u.a. die fotografische Interpretation durch Walther Hege, der seine Wurzeln in der Fotokunst des Expressionismus hatte und darüber hinaus auch für Leni Riefenstahl arbeitete. Vor den Skulpturen wurden Gerüste erbaut, die Beleuchtung sorgfältig studiert und mit Speziallinsen und anderen fotografischen Mitteln gearbeitet – so sind z.B. die in diesem Foto geschaffenen Lichtverhältnisse nur bei Nacht möglich. Der Reiter ist so, wie er hier aufgenommen wurde, nie zu sehen gewesen. Die Schlagschatten werfende Beleuchtung verhärtet das weiche Gesicht, der zurückhaltende Ausdruck der Figur wird in etwas trutzig Aggressives verwandelt, profilierter und einfacher als in Wirklichkeit. Aus dem bildmäßigen Relief wird eine stark räumlich ausgreifende Plastik. Der Reiter wurde von seinem Bildhauer auf einem zierlichen Pferd in der damaligen durchschnittlichen Lebensgröße von etwa 150 cm dargestellt, für unsere Verhältnisse also klein. Hege setzt wohlüberlegt sehr viel Kunst und Technik ein, um aus ihm einen monumentalen Heroen im NS-Sinne zu machen.

che hielt vermutlich nur aus Traditionalismus an ihr fest.

Die Architektur hingegen hatte einen wichtigeren Anteil an der visuellen Selbstdarstellung und Propaganda des Regimes, wenn auch vor allem als Kunst der Kulissengestaltung, was schon daran deutlich wird, wie sorgfältig die Fotos ausgewählt und komponiert waren, mit denen sie der Öffentlichkeit vermittelt wurde. Das Berliner Olympiastadion oder das Nürnberger Parteitagsgelände zählen weniger als gebaute Form, sondern eher als Szenerie zur Inszenierung der Massen, der Fahnenmeere, der Marschkolonnen und ihrer dröhnend-berauschenden Auftritte, der Fakkelreihen und Lichtdome. *(Abb. 85)* Die meisten dieser Inszenierungsmittel stammen aus dem wilhelminischen Festrepertoire oder der Reklametechnik der zwanziger Jahre. Aber die Kombination ist neuartig und der Einsatz flächendeckender. Nicht ohne Grund besteht die eigentliche Bedeutung des von Hitler favorisierten Architekten Albert Speer nicht so sehr in der Gestalt des Gebauten, sondern in seinem Talent als Organisator, Dekorateur und Regisseur, weshalb er in den letzten Jahren des Weltkriegs zum obersten Chef der Rüstungsbetriebe aufstieg. In der Öffentlichkeit wurde propagandistisch ausgeschlachtet, mit welchem Tempo prächtig gebaut wurde und – Arbeitsplätze entstanden.

Zunächst waren die Autobahnen die wichtigste Bauaufgabe des Nationalsozialismus. Ihr Bau war schon von der Weimarer Republik geplant worden. Die Ausführung wurde nun zentral dem Ingenieur Fritz Todt als Generalbauinspektor für das deutsche Straßenbauwesen unterstellt. Die Straßen hatten nicht nur militärisch-strategische Zwecke, waren nicht nur ein gigantisches Arbeitsbeschaffungsprogramm, sondern verkörperten als »Straßen des Führers« die Einheit und Autorität des neuen Reiches, seine Handlungsfähigkeit und Fortschrittlichkeit. Das Projekt »Autobahnbau« konnten die Nazis als einen ihrer größten Propagandaerfolge verbuchen.

Doch ist die Gesinnung des Dritten Reiches in der Architektur auf eindrucksvolle Weise Form geworden und deshalb heute noch wirkungsvoll, – was angesichts der verschiedenen Versuche zur Erneuerung ihrer Form ein keineswegs zu unterschätzendes Problem darstellt. Diese Architektur ist nicht obsolet oder gar lächerlich, wie die Bilder eines Adolf Ziegler oder eines Franz Padua, und auch nicht grotesk überzogen, wie die Kolossalstatuen der Breker und Thorak. Einerseits knüpft ihr Stil an den imperialen Neo-Klassizismus der Zeit vor dem Ersten Weltkrieg an, wie er beipielsweise von Tessenow und Behrens gepflegt wurde. Er war auch in den zwanziger Jahren nicht aufgegeben worden, sondern vor allem in Kriegerdenkmälern, wie dem Tannenbergschlacht-Monument in Ostpreußen, weitergebraucht worden. Bezeichnend für diesen Stil ist die übersteigerte Härte und Kantigkeit aller Formen. Andererseits bezieht er sich indirekt auf die ins Titanische gehende Monumentalisierung der Räume und Fassadenfronten, wie sie im Leipziger Völkerschlachtsdenkmal oder den Großbauten von Ludwig Hoffmann zu finden ist. Es ist ein Block- und Eisenstil, möglichst ohne anthropomorphe und vegetabile Elemente der Bauzier, wie etwa Säulenfüße und Blattkapitelle, sondern zyklopisch aus mächtigen, kantigen Pfeilern, Blökken und Platten gefügt. Pate standen die auch heute noch beliebten Vollwandträger aus Eisen, obwohl dieses Material nur selten verwendet wurde, da man es für militärische Zwecke benötigte – dann jedoch sollten wenigstens die Bauten »hart wie Kruppstahl« wirken und die Dauerhaftigkeit des ›Tausendjährigen Reiches‹ signalisieren. Für die Außenerscheinung bevorzugte man den harten, widerstandsfähigen Granit, außerdem rauh wirkende Steinsorten wie Muschelkalk (als deutsche Variante des römischen Travertin) oder Nagelfluh, meistens jedoch zementgrau belassenen Rauhputz. Die ideologische Botschaft wurde durch die riesigen aggressiven Wappenadler und ähnlich appellativ auftretende Bauskulpturen konkretisiert.

Andererseits ist aber auch die Fortführung gewisser Tendenzen des ›Neuen Bauens‹ nicht zu übersehen: Die ›treu-deutschen‹ NS-Idylliker, wie Schultze-Naumburg oder Schmitthenner, kamen nicht zum Zuge. Hitler liebte das Großstädtische, er wollte autogerechte Städte im Rastersystem. Auch die Abneigung gegen den wilhelminischen Prunk behielt man bei. Ein Führererlaß verbot jedes überflüssige Ornament, jeden zu großen Aufwand, außer bei bestimmten Staats- und Parteibauten. Das staatliche Bauen wurde monumental, der Zierat aber meist militärisch knapp. Die Wiederaufbauplanungen während des Krieges zeigen in besonderem Maße eine Vorliebe für Architekturtypen und -formen des ›Neuen Bauens‹.

In gewissen Grenzen gab es sogar Stilpluralismus. Für die gemütvollen Bauten durfte es auch einmal aufgeklebtes Holzfachwerk sein. Zu viel Veränderung gegenüber der Tradition hätte beunruhigt. Hingegen lebte die Formgebung des ›Neuen Bauens‹ im Industriebau und verwandten Bauaufgaben weiter. Auch das zuvor so scharf abgelehnte Siedlungsbauprogramm wurde im wesentlichen weitergeführt, unter Veränderung von Äußerlichkeiten, wie der Dachform und des Putzes sowie unter Anbringung einiger weniger neoklassizistischer oder -expressionistischer Zierformen, etwa an Portalen. So hoch und repräsentativ die Staatsräume sind, die gebauten Wohnungen sind niedrig und eng, wie die der späten zwanziger Jahre auch und meistens sogar von noch schlechterer Materialqualität.

Epilog: Kunst in Deutschland nach 1945

Die Architektur- und Kunstgeschichte der Zeit nach 1945 bis heute wird nur umrißweise dargestellt, weil die Ereignisse noch zu nah sind und man von seinen eigenen Erfahrungen und Vorlieben nur schwer absehen kann. Allerdings sei damit nicht behauptet, daß die Kunstgeschichte der älteren Epochen frei von Subjektivität geschrieben werden könne, denn dann müßte sie ja nicht immer wieder neu geschrieben werden. Leichter wären Aussagen über das Bauwesen. Das ist an sich bereits aufschlußreich: Zwar zählen sich die meisten Baumeister der Moderne zu den Bildenden Künstlern. Doch sind Bauten funktional, technisch und ökonomisch stärker an die Wirklichkeit gebunden. Dadurch steht auch Architekturgeschichte immer direkt im historischen Zusammenhang. Es wäre jedoch falsch, deshalb diesen Bereich überproportional auszudehnen.

Schwierigkeiten bei der Behandlung der Epoche nach 1945 macht auch, daß sie im Wesentlichen international ist. Die nationale Eigenart verflüchtigt sich, so daß man oft nicht einmal mehr von einer Geschichte der Kunst ›in‹ Deutschland sprechen kann, weil dies voraussetzt, daß sie dann wenigstens etwas anders sei als andernorts. Die Vorgänge in Westeuropa nach 1945 sind ohne die Kenntnis der USA gar nicht zu verstehen, die im Osten nicht ohne Kenntnis der Sowjetunion. Die politische Blockbildung verhinderte das kulturelle Ausscheren ihrer Mitglieder. Erst recht sieht man heute in New York, Paris oder Köln die gleichen Filme und die gleichen Ausstellungen. Und die großen Baubüros sind international tätig.

Die Bildenden Künste im geteilten Deutschland der Nachkriegszeit (bis ca. 1965)

Deutschland lag 1945 so darnieder, daß es sich nicht aus eigener Kraft erheben konnte. So blieb es teilweise eine Angelegenheit der Siegermächte, in ihren Besatzungszonen eine Wiederbelebung der Kultur zu versuchen. Einige Nazis wurden aus ihren Ämtern gejagt, einige verfemte Lehrkräfte an den Kunstakademien wiedereingesetzt, manche der davongejagten Museumsdirektoren zurückgerufen. Kultur war aber nicht sehr gefragt. Den meisten Menschen ging es erst einmal ums Weiterleben.

Wie schon nach dem Ersten traten auch nach dem Zweiten Weltkrieg Bußprediger der Umkehr auf. Aber eine wirkliche Aufklärung über das jüngst Vergangene, eine bewußte Abkehr und eine durchgreifende Erneuerung wurde, auch auf kulturellem Gebiet, nur punktuell, das heißt von Einzelnen, und auch nur örtlich wie zeitlich beschränkt geleistet. Die Vernichtung und Exilierung der Juden und der kritischen Intelligenz, ja das Geschehen selbst, hinterließen eine mentale Wüste. Das Fühlen und Denken war betäubt. Die Reparatur der Kriegsfolgen gab jedoch so viel zu tun, daß der dunkle Hintergrund ausgeblendet werden konnte. Uneingeschränkter Ehrlichkeit wich man aus. Statt dessen konstruierte man ein Bild des Jüngstvergangenen, das teils Verdrängung, teils Entschuldigung des Geschehenen war. Der Neuanfang wurde auf ein schlechtes Fundament gesetzt. Es kam zu einem bißchen ›Neo-Expressionismus‹, zu einem kleinen Schub christlicher Erweckung, zu zaghaften Wiederbelebungsversuchen des Humanismus, alles ohne innere Überzeugung. Man versuchte, ganz regional und/oder ganz international zu werden, um sich endlich von dem schrecklichen Nationalismus zu lösen, der so tief in den Knochen saß. Letztlich zog man dann vor, die Geschichte insgesamt loszuwerden, um sich unbeschwert dem Instant-Materialismus der Gegenwart zu widmen.

Die Nazipropaganda hatte das Denken und Empfinden der Deutschen in erstaunlichem Maße in ihren Bann geschlagen, und zudem waren so gut wie alle wichtigen Gegner des Systems ermordet und vertrieben. Wie der Nazismus verdeckt weiterwirkte, zeigt sich u.a. daran, daß man nur ungern die Emigranten zurückrief: Denn insgeheim galten sie immer noch als Vaterlandsverräter, zumindest als Menschen, die es sich mit dem Weggang leichter gemacht hatten als die Gebliebenen. Völlig unerwünscht waren diejenigen, die sozialistische oder auch nur kritische Positionen vertraten. Daß einige dieser Remigranten in die russische Zone gingen, aus der später die Deutsche Demokratische Republik (DDR) wurde, machte sie in den kapitalistischen Westzonen, die bald zur Bundesrepublik (BRD) zusammengefaßt wurden, ›unmöglich‹.

Das prägte auch den Blick zurück: Die kritische Kunst, vom Dadaismus über die Veristen und andere sozial engagierte Maler wurde bewußt ignoriert, die sozialrevolutionäre, gesellschafts- und kulturkritische Seite der gesamten älteren Moderne beiseite gelassen – was u.a. zu einer völlig verfälschten Bauhaus-Geschichte führte, die erst von amerikanischen Forschern korrigiert wurde. Mit dem Blick auf die öffentliche Meinung und auf die Vorbehalte des Publikums wurde eine »wohlwollende Fälschung der Moderne« (Grasskamp) betrieben – man trachtete danach, ihr die »Ecken und Kanten abzurunden«. So wurde aus der ehemals so oppositionellen, radikalen, aber auch in sich widersprüchlichen Moderne ein gefälliger Modernismus.

Für diese Befindlichkeit erwies sich im Westen die abstrakte Kunst als geradezu ideale Kunstrichtung: Die Nazis hatten sie verdammt – also war sie unbefleckt. Sie war in Frankreich und auch in den die Welt politisch und kulturell beherrschenden USA als führende Richtung etabliert worden – also war sie international. Und man konnte sogar in Deutschland auf eine eigene ruhmvolle Tradition dieser Richtung zurückblicken. All die quälenden Gegenstände und Themen der jüngsten Vergangenheit und der Gegenwart war man mit ihr los und konnte dabei noch ein ruhiges Gewissen haben: Denn ihre Propheten, wie Werner Haftmann und Will Grohmann, und ihre Matadoren, wie Ernst Wilhelm Nay (1902–1968) und Willi Baumeister (1889–1955), verkündeten, daß durch Abstraktion »das Unsichtbare sichtbar« werde, daß sie die eigentlich metaphysische Kunst des 20. Jahrhunderts sei, eine Kunst der Verinnerlichung und der Reinheit des Geistes – ohne dabei aber so intensiv metaphysischen und kunsttheoretischen Spekulationen nachzuhängen wie Kandinsky oder der Holländer Piet Mondrian (1872–1944). Man behauptete, daß erst durch sie eine zeitgemäße Naturauffassung gewonnen werde, daß sie eine universelle, über die Grenzen der Nationen hin verständliche Sprache sei. Die Kritik, die früh schon an der Doktrin der Abstraktion geübt wurde, hat man – wie anderes nicht Genehmes auch – verdrängt. Dabei wies man jedoch entrüstet den Verdacht von sich, all dies könne etwas mit politischen Einstellungen zu tun haben; inzwischen weiß man, daß sogar der amerikanische Geheimdienst CIA bei der Durchsetzung der abstrakten Kunst nachgeholfen hat.

Rigoros betonte man die totale Autonomie der Kunst, ihre Freiheit von den Einwirkungen der Gesellschaft und vor allem von der Politik, aber auch des Kunstmarktes. Man stilisierte den Künstler zum Außenseiter, sein Atelier zur Enklave, als Freiraum. Der alte Geniekult trieb neue Blüten. Daß man die Künstler damit in ein Getto einsperrte und ihre Kunst jeder gesellschaftlichen Wirkungsmöglichkeit beraubte, sah kaum jemand. Dementsprechend wurde auch die Aufgabe der Kunstkritik sehr eingeschränkt definiert. Es verbreitete sich »die Ideologie der Ideologielosigkeit« (Hermand). Die behauptete Freiheit und Bindungslosigkeit der Kunst verdeckte jedoch nur ihre vollständige Abhängigkeit von den alimentierenden Institutionen und – später – vom Kunstmarkt.

Diese Bewegung war sehr selbstbewußt, sie versuchte, den Kunstbegriff ein für allemal festzuschreiben, wozu eine eigene Geschichtsschreibung inganggesetzt wurde. Sie trat mit Absolutheitsanspruch auf und war oft sogar intoleranter als ihre Vorbilder vor 1933. Das wurde dadurch begünstigt, daß man in den Staaten unter russischer Kontrolle den stalinistischen ›sozialistischen Realismus‹ mit mehr oder weniger Druck durchgesetzt hatte. ›Abstraktion‹ und ›Gegenständlichkeit‹ wurden Gegenpole: Die Abstrakten beanspruchten, die Kunst der ›Freiheit‹ und des ›Abendlandes‹ zu vertreten – und schoben den Schwarzen Peter ›Totalitarismus‹ und ›Ideologie‹ der naturmimetischen (nachahmenden) Kunst und dem Osten zu. So standen also Expressionisten und andere Vertreter gegenständlicher Malerei wieder im Gegenwind. Maler wie Otto Dix oder Max Pechstein, die man nach 1950 zeitweilig erneut von Ausstellungen ausschloß, konnten sich zu Recht ein zweites Mal verfolgt fühlen. Auch Künstler wie Beckmann, Grosz, Kollwitz oder Barlach wurden in der offiziellen Kunstgeschichtsschreibung zu Randfiguren des 20. Jahrhunderts, wenn man sie überhaupt zur Kenntnis nahm.

Analog stand der Neuanfang in der DDR unter einem ungünstigen Stern. In den dreißiger Jahren hatte Georg Lukács im Rahmen der theoretischen Begründung des stalinistischen ›Realismus‹ die ›Expressionismusdebatte‹ angezettelt, mit dem Ziel, die Bürgerlichkeit (und damit Unbrauchbarkeit für den Sozialismus) des Expressionismus und anderer Avantgarderichtungen, etwa des Bauhaus-Funktionalismus, nachzuweisen. Sie wurden des ›Formalismus‹, ›Modernismus‹ und der ›Dekadenz‹ bezichtigt. Zwar hatten Bertolt Brecht und andere widersprochen. Aber durch Stalin wurde in den Jahren 1934–1954 eine enge Kunstauffassung dekretiert und den Satellitenstaaten aufgezwungen, im Widerspruch zur eigenen, offiziell vertretenen Doktrin eines nationalen Stils. Auch in der DDR wurde also die historische Basis des Neuanfangs geschmälert, da sogar Künstler wie Dix und Barlach dem Formalismus-Verdacht ausgesetzt wurden. Selbst linientreue kommunistische Remigranten wie Heartfield oder Hans Grundig kamen zunächst kaum zum Zuge. Die Forderung nach einer Kunst für die Massen, die lebensnah und verständlich, nicht aber elitär und luxuriös sein sollte, war ein altes Anliegen, das ebenso wie die Aufhebung der Trennung von Kunst und Leben vielen jungen Künstlern erstrebenswert erscheinen mußte. Da die geforderte ›Parteilichkeit‹ in Wirklichkeit jedoch zur Gängelung durch die Partei führte, wurde Opposition geweckt, entsprechend auch eine inoffizielle Kunst. Die entstehenden Konflikte veranlaßten wichtige jüngere Maler, die DDR zu verlassen (Gerhard Richter, Georg Baselitz, A.R. Penck u.a.). Einige oppositionelle Künstler, wie Gerhard Altenbourg, blieben, mußten aber zeitweise erhebliche Schikanen hinnehmen.

Man kann also die Kunstentwicklung im Westen wie im Osten Deutschlands nur aus der Teilung des Landes, der internationalen Anbindung jeder Hälfte an ein anderes System und der darin einbeschlossenen Polarisierung der Politik und Weltanschauung verstehen. Die Westkunst war weder so autonom, wie sie zu sein behauptete, noch war die Ostkunst so parteilich, wie es die Partei wünschte.

Im Unterschied zu den älteren Avantgarden war die neue Westkunst durchaus im Sinne der offiziellen Kulturpolitik, sie erhielt ihren Segen und zunehmend ihre Förderung. Selbst wenn es öffentliche Polemiken gegen die neue Moderne gab und nur ein geringer Teil der Bevölkerung etwas mit ihr anzufangen vermochte, so daß sogar Bücher, welche die Argumente der Nazi-Kampagne *Entartete Kunst* aufwärmten, mit Erfolg verbreitet wurden: Landesregierungen, Stadträte und Industrie wollten sich nicht das Etikett der Unmodernität und erst recht nicht das des Neo-Nazismus anhängen lassen – allein schon aus marktstrategischen und Imagegründen. Da durch das Grundgesetz die Kulturhoheit an die Länder und in einigen Punkten sogar an die Gemeinden übergegangen war, entstand jedoch das Problem, wie Kunst zentral gesteuert, systematisch gefördert und institutionalisiert werden konnte. Neben der Kulturförderung der Industrie schuf hier vor allem das Ausstellungswesen Abhilfe. Als Kristallisationspunkt erwies sich die von Arnold Bode und Werner Haftmann begründete, turnusmäßig alle vier bis fünf Jahre stattfindende, später von einem jeweils neu bestimmten Kurator konzipier-

*87. **Emil Schumacher (geb. 1912), Green Gate,** Öl auf Leinwand, 170 x 132 cm, 1958, Wuppertal, Kunst- und Museumsverein im Von der Heydt-Museum*

Schumacher behandelt und bereichert die Farbe seiner Bilder so, daß sie zuweilen eher zu plastischen Reliefs werden. Die mit vielerlei Beimengungen vermischten Farben scheinen wie erkaltete Lavaströme innere und äußere Bewegungen in verschiedenen Aggregatzuständen festzuhalten. Die Bilder scheinen gestaltlos und sind doch Ausdruck von Energien und Emotionen.

rechte Seite:
*88. **Bernard Schultze (geb. 1915), Mysterieux,** Öl auf Leinwand, 130 x 97 cm, 1955, Bonn, Kunstmuseum*

Der Maler vertritt eine eigentümliche Auffassung des Informel, die surrealistische, abstrakte und andere Elemente miteinander verbindet, sehr farbenstark und abwechslungsreich, gern andere Materialien integrierend, so daß manche seiner Bilder fast den Charakter einer Collage annehmen. Fast alle seine Gemälde erhalten dadurch eine Aura des Geheimnisvollen.

te, international orientierte *Documenta* in Kassel; daß sie in einer Stadt in Grenzlage stattfand, gab ihr die erwünschte Spitze gen Osten. Sie erhielt – gerade durch die konzentrierte Medienaufmerksamkeit – richtungsweisenden Signalcharakter, so daß man die Geschichte der Bildenden Künste im Westen recht gut an der Folge der *Documenta*-Ausstellungen darstellen könnte. Allerdings wurde das System durch die Ausstellungen auf der Biennale in Venedig und durch die Kunstmessen bald ergänzt und erweitert.

Letztlich entstand in den fünfziger Jahren im Westen oft nur eine Kunst des ›zweiten Aufgusses‹. Sie konnte ihre Behauptung inhaltlichen Tiefsinns gestalterisch fast nie einlösen und war letztlich nur gehobene Dekoration. Bald setzte Kritik an den überzogenen Ansprüchen ein. 1956 schrieb Arnold Gehlen im Blick auf den behaupteten Zusammenhang von Moderne und Archaik: »Der moderne Kunstinteressent findet, in den Schacht der Vergangenheit hinabsteigend, schließlich nur seinen eigenen Schatten. In diesem Sinne sind uns die Großwildjäger der Eiszeit mit ihren Höhlenbildern sozusagen als Vorläufer Picassos vorgestellt worden [...] Die [aus magischer Lebenspraxis entstandenen] Bildnereien der Primitiven haben [jedoch] eine überwältigende, undeutbare Ausdruckskraft, das Hautnahe, Gewalttätige, Leib-an-Leib-Ausgestandene und dennoch Durchgeformte darin gestattet nur sehr bedingt den Vergleich mit dem, was für uns Kunst ist, geschweige denn mit den zerebralen Exaltationen der Moderne [... oder gar] den blutlosen Flunkereien der ›Abstrakten‹«.

89. Fritz Wotruba (1907–1975), Vorsokratikerfries (Ausschnitt), 1964–1965, Marburg, Philipps-Universität, Auditorium Maximum

Der Wiener Bildhauer, Graphiker und Architekt, ein Freund von Robert Musil und Elias Canetti, gehört einer Zwischengeneration an, die nicht mehr in den zwanziger Jahren zum Zuge kommen konnte. Er versucht, mit seinen – bevorzugt aus hartem Stein gemeißelten – Statuen und Stelen an die geometrische und archaische Phase der antiken griechischen Skulptur Anschluß zu finden, also an Werke aus der Zeit, in der die älteren griechischen Philosophen, die man die ›Vorsokratiker‹ nennt, lehrten.

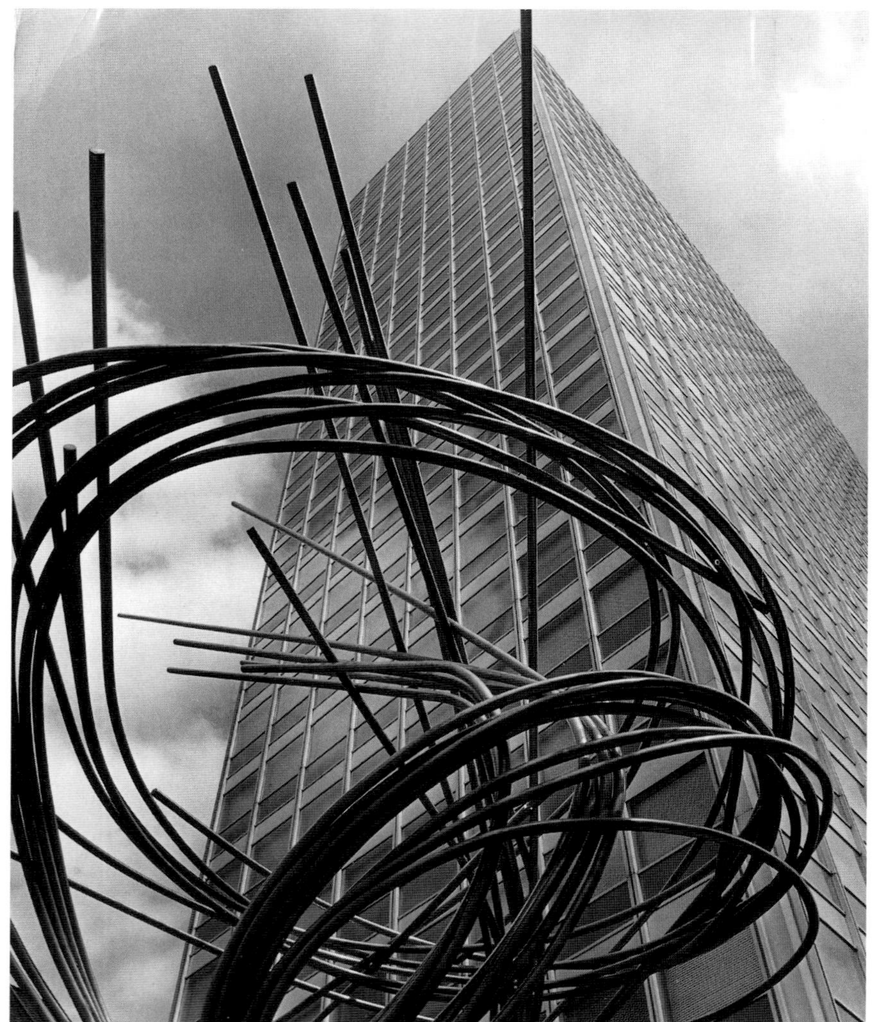

Der Modernismus hat so die Abstraktion als ganze diskreditiert: Das Publikum sieht in Piet Mondrians theoretisch so anspruchsvoller, ins Metaphysische hochstilisierter Kunst heute vor allem Muster für Servietten, Küchenschürzen oder Pillendosen – die sogar in Museumsshops vermarktet werden. Kaum jemand will mehr in ihr die »Versöhnung des Dualismus Materie – Geist« oder »den Ausdruck des universellen Bewußtseins« oder die Sichtbarwerdung »des Absoluten in der Relativität von Raum und Zeit« sehen. Die »exakte Darstellung der kosmischen Relationen [als] unmittelbarer Ausdruck des Universellen« wird ironisch zum Scherz gewendet. Die abstrakte Kunst ereilt dasselbe Schicksal wie den Jugendstil: Die ausschließliche Bemühung um Form und Farbe als Träger des Gedankens haben die Aussagemöglichkeiten der Kunst unzulässig verkürzt. Die erhoffte künstlerisch-weltan-

90. Norbert Kricke (1922–1984), Skulptur vor dem Mannesmann-Hochhaus in Düsseldorf,
7 m, Edelstahl, 1958–1961

Kricke versuchte einerseits, die Härte der von ihm verwendeten Metalle formal durch die Strenge der Form sichtbar zu machen, andererseits durch die Wahl von Röhren einen Bezug zu dem Ur-Produkt der Firma Mannesmann, der nahtlosen Röhre, herzustellen. Die Komposition von offenen parabolischen Formen ist sehr locker gefügt und erinnert eher an die in Bildern des Informel eingefangenen Bewegungsenergien als an die Strenge des Konstruktivismus.

schauliche Revolution hat sich als vergängliche Gesinnung, ja als Dekorations-Mode entpuppt.

Bemerkenswert beständige künstlerische Intensität findet sich jedoch vor allem bei einigen Malern des ›Informel‹, so etwa bei Emil Schumacher oder Bernard Schultze. Sie haben den Farben in ihren Vermischungen mit anderen Materialien starke und immer wieder neue Wirkungen abgerungen. *(Abb. 87 u. 88)* Die für diese Kunstrichtung typische Heftigkeit des Auftrags verbinden sie mit Elementen der Collage und anderen neodadaistischen und surrealistischen Zügen. Sie sprengen die Grenzen, was ihnen beiden einen rebellischen, non-konformistischen Zug verleiht und sie auch davor bewahrt hat, einmal gewonnene Lösungen als eine Art ›Markenzeichen‹ immer weiter fortzuschreiben.

Unter den Bildhauern ist der noch mit seinem Schaffen in die zwanziger Jahre zurückreichende Österreicher Fritz Wotruba mit seinen archaisch gedachten Stelen zu nennen, oder der jüngere Konstruktivist Norbert Kricke, der betont technisch geformte, auch im Material moderne Zeichengebilde schuf. *(Abb. 89 u. 90)*

In der DDR konnte sich die Kunst nach dem Tode Stalins und dem Einsetzen des ›Tauwetters‹ freier entfalten. Vor allem die Generation der in den zwanziger Jahren Geborenen, die noch in den Untergang des Dritten Reiches hineingezogen worden war, entwickelte einen eigentümlichen Zugriff auf die Wirklichkeit und einen komplexeren Realismusbegriff. An Künstlern wie

***91. Wolfgang Mattheuer (geb. 1927), Hinter den sieben Bergen...,** Öl auf Hartfaser, 170 x 130 cm, 1973, Leipzig, Museum der bildenden Künste*

Im Stil dieses Bildes greift Mattheuer bewußt auf Elemente der naiven Malerei in der Tradition Théodore Rousseaus zurück. Der Zug Sonntagsmalerei paßt zum Bild des Sonntagsausflugs, das sich als nichts anderes enpuppt, als ziellos und vergeblich auf der Straße Kilometer zu fressen. Die Frau, die am Himmel erscheint, ist eine moderne Variante der Personifikation der ›Revolution‹ in Delacroix berühmten Pariser Bild ›Die Freiheit führt das Volk‹. Durch den Titel entsteht jedoch auch ein beziehungsreicher Hinweis auf Schneewittchen, da ja die böse Königin, als sie den Spiegel befragt, wer die Schönste im Lande sei, die Antwort erhält: Hinter den sieben Bergen, bei den sieben Zwergen ... sei das noch schönere Schneewittchen. Statt der Nationalfahne hält sie Luftballons in der Hand, typisch für die früh entwickelte gallig-ironische Symbolik des Malers, mit dem er die Illusionen, die der ›real existierende Sozialismus‹ über sich selbst verbreitete, attackierte. Aus demselben Kontext sind auch die seitlich der Straße zu sehenden Motive der Zerstörung zu verstehen.

*92. **Werner Tübke (geb. 1929), Bildnis eines sizilianischen Großgrundbesitzers mit Marionetten,** Öl auf Leinwand, 80 x 190 cm, 1972, Dresden, Gemäldegalerie Neue Meister*

Tübke hat bevorzugt die Maler des 16. Jahrhunderts studiert, wie die scharfe rote Farbe bezeugt, die ohne die Florentiner Manieristen undenkbar ist, sich aber auch an der romantischen Landschaft (Hintergrund) und der italienischen pittura metafisica orientiert. Das Bild reflektiert außerdem die Faszination des in die engen Grenzen der DDR Eingeschlossenen durch die fremde Welt. Man mag zwar in dem jungen Mann ein Muster an spätfeudaler Dekadenz erkennen, doch entzieht der Künstler seine Figur allzu eindeutigen Wertungen und hält die Aussage im Mysteriösen.

Bernhard Heisig (geb. 1925), vor allem aber Wolfgang Mattheuer (geb. 1927) und Werner Tübke (geb. 1929) *(Abb. 91 u. 92)* wird man auch in Zukunft nicht vorbeikommen, zumal ihnen immer wieder Bilderfindungen von großer Einprägsamkeit gelungen sind. Die Parteizensoren ließen den Malern mehr durchgehen als den Schriftstellern, Filmregisseuren oder Liedermachern, weil sie unsicherer waren und Bilder weniger eindeutig sind als Worte. So konnte Mattheuer mit Hilfe gewisser, für den Bilderkundigen jedoch unschwer auflösbarer Verschlüsselungen Bedenken und Kritik an Erscheinungen der DDR-Gesellschaft und damit indirekt auch an der Politik und an der Ideologie formulieren. Er griff auf den Mythen- und Figurenschatz im kunstgeschichtlichen Arsenal zurück, verfremdete ihn aber, was seinen Rezipientenkreis wiederum stark einschränkte. *(Abb. 91)* Mit Elan ging man die Auseinandersetzung mit der modernen Medienwelt und ihren Wirkungsweisen an. Man verstand die eigene Malerei einerseits medienkritisch, andererseits als mit den Medien konkurrierend; man wollte das Ziel ›Breitenwirkung‹ nicht preisgeben. Das ist ein wesentlicher Unterschied zur ›Ausstellungs-Kunst‹ und anderer insiderhaft auf den Kunstbetrieb reflektierenden Produktionen im Westen. Die Raumausstattungen und Installationen in West-Deutschland können sich in ihrer Wirkung nicht messen mit Werner Tübkes Versuch, im *Bauernkriegspanorama in Frankenhausen* (1976–1987) die Herausforderung des Kinos anzunehmen – allerdings kommt auch Tübke nicht ohne mediale Lichtinszenierungskunst aus. Für alle diese Maler ist ein jeweils eigener Historismus bezeichnend, ein Verfügen über die Kunst der verschiedenen Zeiten und Völker, insbesondere die der Reformationszeit und der Romantik.

Die Baukunst der fünfziger Jahre in West und Ost

Die architektonische Situation in Westdeutschland in den ersten zehn Jahren nach dem Krieg ist paradox: Auf der einen Seite lag der Wiederaufbau zumeist in den Händen von Architekten, die vorher für den Nationalsozialismus gebaut hatten, einige von ihnen sogar an zentraler Stelle im Umfeld von Albert Speer. Diese Bindung an die NS-Bautradition sieht man einigen Bauten, wie der Versicherungszentrale des Gerling-Konzerns in Köln, auch noch an. Doch hatte der Stil des Rationalismus und der Sachlichkeit nicht nur im Fabrikbau überlebt, sondern war nie ganz in Vergessenheit geraten, da die führenden NS-Baumeister in den zwanziger Jahren geschult worden waren. Von großen Vernichtungsaktionen war das ›Neue Bauen‹ verschont geblieben, abgesehen von Einzelabrissen, wie von August Endells ›Atelier Elvira‹ in München.

Doch auf der anderen Seite erklärten beide Teile Deutschlands die NS-Bauten zum kulturellen Feindbild schlechthin. Man meinte die Sünden des Nationalsozialismus tilgen zu können, indem man sein bauliches Erbe auslöschte. Dem fielen auch viele ältere Werke zum Opfer. So spektakulär die DDR die Sprengung der Stadtschlösser in Berlin und Potsdam als Symbole des für allseits schuldig erklärten ›preußischen Militarismus‹ inszenierte und so ostentativ sie viel anderes altes Baugut vernichtete, man übersieht leicht, daß auch im Westen sehr viel abgerissen wurde, Bauten der Kaiserzeit, des Jugendstils, aber auch z.B. solche von Schinkel, obwohl ein Wiederaufbau oft genug die billigere Lösung gewesen wäre. Dieser Prozeß vollzog sich schleichend und ist auch heute noch nicht beendet. Die Kriegszerstörungen wurden von vielen als Freipaß verstanden, ganze Straßenzüge und Stadtviertel restlos und undifferenziert einzureißen. Dies Denken ist ebenso naiv und eindimensional wie der Modernismus in der Nachkriegskunst.

Bei der Wiederanknüpfung an die Baukunst der Weimarer Zeit spielten die USA als Vorbild eine noch größere Rolle als in den Bildenden Künsten. Schon die von Henry-Russell Hitchcock und dem später als Architekten berühmten Philipp Johnson 1932 in New York durchgeführte Bauausstellung unter dem richtungweisenden Titel *The International Style in Architecture* hatte in den USA die funktionalistische Richtung kanonisiert. Die verheerende Wirtschaftskrise, die Amerika seit 1928 lahmgelegt hatte und die auch eine Bewußtseinskrise mit sich brachte, ließ sowohl den Hochhausbau mit seinem prunkvollen Art Deco wie den pompösen Neo-Barock der amerikanischen Staats-Baukunst als verfehlt erscheinen und sicherte den aus Deutschland zugewanderten Architekten der Sachlichkeit, vor allem Walther Gropius, Mies van der Rohe u.a., eine für sie unverhoffte Führungsrolle, sogar auf Kosten so hervorragender einheimischer Baumeister wie Frank Lloyd Wright. Mies van der Rohe, der am Illinois Institute of Technology in Chicago tätig wurde, entwickelte eine eigenständige, prägnante Stahl-Glas-Bauweise. Der formale Minimalismus und das Bestreben dieser Bauhausleute, industriell verwertbare Typen und Normlösungen zu entwickeln, wurde für die Baukunst der fünfziger Jahre international verpflichtend. Der Anschluß an diesen amerikanischen Trend wurde noch dadurch gefördert, daß man ihn als Rückkehr zu eigenen Traditionen ausweisen konnte und daß die Gelder zum Wiederaufbau großenteils aus den USA kamen. Auch hier prägt also Ideologisierung das Bauschaffen im Westen nach 1945.

Daß es schon Ende der zwanziger Jahre erste Kritik aus den eigenen Reihen an der Ideologie der Maschinenästhetik und des Funktionalismus, aber auch an der Internationalisierung, Uniformisierung und Schematisierung gegeben hatte, zuletzt sogar von führenden Köpfen der Bewegung, wie Bruno Taut, kam aus dem Blick. Ebenso wurden die frühen Alternativen zur Bauhausrichtung verdrängt, wie die Baukunst von Hugo Häring, Erich Mendelsohn oder Hans Scharoun: Man warf Scharoun, der in der inneren Emigration in Berlin überlebt hatte, etwa den Individualismus seiner Lösungen vor oder benutzte als letzten Ausweg das Totschlagsargument, sie seien nicht finanzierbar. Da die West-Berliner Baubehörde und das zugehörige Umfeld an den Hochschulen und in der Architekturkritik mehrheitlich der amerikanischen ›Partei‹ zugehörte, erhielt Scharoun viele Jahre – gerade in Berlin – keine Auf-

93. Berlin, Philharmonie, Inneres, Hans Scharoun (1893–1972), 1956–1963

Hinter dem Entwurf steht eine lange Vorgeschichte von Entwürfen, die bis in die Architekturphantasien seiner Jugend zurückreichen. Anders als in der Konzertsaaltradition ist die Orchesterplattform von verschieden gestaffelten Zuschauerterrassen umgeben. Die Gesamtform des Konzertsaales folgt ebensowenig den geometrischen Schemata des Rationalismus wie die Architektur des Foyers mit ihren Treppen. Erst recht ist auf alles repräsentative Schaugepränge alter Art verzichtet. Scharoun ist einer der wenigen Baumeister des 20. Jahrhunderts, die versuchen, dem Raum die Priorität einzuräumen.

träge für Neubauten, selbst wenn er einen Wettbewerb gewonnen hatte. Paradoxerweise führte sein intensives Arbeiten an der Konzeption der Räume auf ihre Nutzung und Nutzer hin zur Kritik dogmatischer Funktionalisten, er würde die Konstruktion vernachlässigen. Fast zu spät besann man sich darauf, daß es ein Skandal war, einen so verdienten Baumeister auf diese Weise auszugrenzen, und ermöglichte ihm im Gegenzug die Verwirklichung so spektakulärer Bauten wie der Berliner Philharmonie. *(Abb. 93)*

Der Kalte Krieg machte das Bauen mehr noch als die Bildenden Künste zu einer hochpolitischen Angelegenheit, gerade in Berlin, wo die beiden Systeme aufeinanderprallten. Die ausgezehrte Stadt, aus der fast alle Behörden, Industriebetriebe, Banken, Versicherungen abgezogen waren, wurde zum Schaufenster für den Osten wie den Westen. Im Osten hatte man dabei einen Vorsprung, da man nicht durch die Blockade gehemmt war. 1949–1960 erhob man die in Stalinallee umgetaufte Frankfurter Allee zum Vorzeigeprojekt. *(Abb. 94)* Sie wurde zunächst sogar nach Plänen des damaligen Stadtbaurats Scharoun angefangen. 1951 erfolgte eine Umorientierung auf das Moskauer Modell und eine entsprechende historisierende Ausrichtung an der Berliner klassizistischen Tradition. Führender Baumeister war nun Hermann Henselmann. Verschiedene Kollektive errichteten eine kilometerlange Folge monumentaler Bauten, die von der von Doppelturmbauten gerahmten Platzanlagen des Strausberger

94. Berlin-Friedrichshain, Strausberger Platz, *Hermann Henselmann (geb. 1907), 1952–1953*

Eingangsplatz zur ehem. Stalinallee. Der Architekt setzt turmartige Dominanten in der noch über den Barock zurückreichenden städtebaulichen Tradition. Die Einzelformen zitieren frühklassizistische Motive. Der repräsentative Anspruch und die monumentale Dimensionierung – die Straße ist 90 m breit – folgt nur im Allgemeinen den Vorgaben der russischen Architektur der Stalinära und darf als durchaus eigenständige Lösung gelten.

Platzes und des Frankfurter Tores eingeleitet wurden. Die Fassaden wurden mit Meißener Keramikplatten verkleidet. Geplant waren die Häuser als Arbeiterwohnungen. Sie sind sehr hoch und erstaunlich großzügig – großbürgerlich – geschnitten, kurz: sie waren eine Demonstration der ›Arbeiter-und-Bauern-Macht‹ des neuen sozialistischen Deutschland.

Es waren im Westen schon einige ideologische Klimmzüge nötig, um im Gegenzug eine Baukunst des ›freien, demokratischen Westens‹ zu formulieren und für sie gesellschaftspolitische und soziale Überlegenheit zu reklamieren. Aber da die DDR-Offiziellen die sozialistische Ausrichtung des ›Neuen Bauens‹ und des Bauhauses kaum kannten und deshalb diesen Stil als ›bürgerlich-dekadent‹ ablehnten, stand dem Westen das gesamte Arsenal von Ideen der zwanziger Jahre zur Verfügung – sie mußten nur noch entpolitisiert werden.

West-Berlin kam beim Wiederaufbau erst mit Verzögerung zum Zuge, da es durch die Insellage, mehr noch durch die russische Blockadepolitik abgeschnitten war und 1948/1949 sogar vollständig durch die Luft mit dem Nötigsten versorgt werden mußte. So konnte man erst die Möglichkeit der Interbau-Ausstellung 1957 zu einer ähnlich großzügig angelegten programmatischen Aktion nutzen und errichtete für sie vor allem das Hansaviertel neu, ein ehemals vornehmes wilhelminisches Mietshausgebiet, nach Abräumung aller Ruinen, aber auch der nicht geringen noch erhaltenen alten Bausubstanz. Es entstand ein auch in der Gesamtanlage und Straßenführung betont modernes Stadtviertel, *(Abb. 95)* wobei man absichtlich die Grundstücksgrenzen, die Straßen-Blockrandbebauung, aber oft auch die erhaltene Infrastruktur im Boden, wie Kanalisation, Wasser-, Gas- und Elektroleitungen kaum berücksichtigte. Dieser Verschwendung, über die die Öffentlichkeit nicht informiert war, stand die Schlichtheit der meisten gemäß dem Normensystem des sozialen Wohnungsbaus errichteten Betonbauten gegenüber, als Mischung aus Turm- und Flachbauten mit einigen Mehrfamilienhäusern und Wohnzeilen. Nicht fehlen durften zwei Kirchen. Da die Aufträge an viele Baumeister aus verschiedenen Ländern gingen, wurde eine zu große Einförmigkeit verhindert.

Die Häuser waren so in Grün eingebettet, daß man nicht mehr meinte, in einer dichtbevölkerten Großstadt, sondern in einer Parkstadt zu wohnen; dafür opferte man sogar einen kleinen Teil des Tiergartens. In der Tat hatte man eine Illusion geschaffen: Die Bewohnerzahl des Hansaviertels erreichte trotz des engen Zuschnitts der Wohnun-

95. ***Berlin-Tiergarten, Hansa-Viertel,*** *Bauten für die Interbau 1957*

Die Internationale Bauausstellung 1957 war im propagandistischen Wettstreit zwischen Ost und West die westliche Antwort auf die Stalinallee und wurde schon aus diesem Grund mit großer Sorgfalt und internationaler Beteiligung als großes Schauereignis inszeniert. Stilistisch brachte sie jedoch nichts Neues, sondern war ein Vorzeigen von längst Erprobtem.

gen nicht einmal die Hälfte der zuvor dort ansässigen Wohnbevölkerung. In dem nach dem Verlust seiner Hauptstadtfunktionen sowieso zu groß ausgelegten Berlin fiel dies nicht auf. In anderen Städten konnte man mit dem Platz nicht so verschwenderisch umgehen – entsprechend dichter und weniger begrünt wurde gebaut.

Mit dem ›Tauwetter‹ 1956 wandte man sich auch in der DDR schnell der Moderne der zwanziger Jahre zu, nicht ohne Sparzwang und nicht ohne Blick auf das, was im Westen geschah, wobei man sich aus naheliegenden Abneigungen lieber an der Baukunst Hollands, Skandinaviens oder Frankreichs ausrichtete. Das Resultat war dem im Westen damals Entstehenden prinzipiell oft erstaunlich ähnlich. Durch das industrialisierte Bauen mit Fertigteilen entstanden die großen Plattenbauanhäufungen, die fast alle Städte der DDR kennzeichnen, von ihren Bewohnern jedoch meist mehr geschätzt werden als von den Außenstehenden. Schwächen bei der Montage und die durch politischen Druck herbeigeführte Hast, schnell große Stückzahlen im Wohnungsbau zu erreichen, haben jedoch oft zu minderer Bauqualität geführt.

Das Bauen war also nur in der Anfangszeit des Kalten Krieges so politisch. Im Westen wurde im übrigen das Gewicht des Gravitationszentrums um Düsseldorf, Köln und Frankfurt immer größer – München rückte später auf. Dort schuf man die ersten überzeugenden Hochhausbauten, mit denen man Anschluß an das internationale Bauen suchte. *(Abb. 96)* Dort wurden die neuen Bauaufgaben, wie Parkhäuser, Warenhäuser, Veranstaltungshallen u.a. mustergültig gestaltet. Obwohl der Wiederaufstieg der BRD zur wirtschaftlichen Führungsmacht Europas mit atemberaubendem Tempo voranschritt, hielt man sich bei der architektonischen Selbstdarstellung nach außen zurück. Eher schon insistierte man auf moderner Technik. Große Fortschritte machte man im Schalenbetonbau. Und schon 1960 wurde bei der Konstruktion der Fehmarnsundbrücke die Statik mit Unterstützung der noch ganz in den Kinderschuhen steckenden Elektronik berechnet und so eine neue Epoche des Konstruierens eingeleitet.

Es war nach 1945 so viel auf einmal zu bauen wie nie zuvor. Und man war nun auch entschlossen, die alten Wohnungs- und Siedlungsbaukonzepte in die Tat umzusetzen und die ›Mietskasernen‹ ein für allemal zu vernichten. Was an ihre Stelle trat, war aus Gründen der Kostenersparnis oft in Material- und Verarbeitungsqualität wenig solide, und es war aus Gründen der Produktionsrationalisierung oft sehr schematisch. Das hat die funktionalistische Baukunst schnell in Verruf gebracht. Allerdings wird ihr damit zum Teil Unrecht getan, weil es oft viel mehr um Stadtplanungsprobleme geht oder um Profitmaximierung und behördliche Regulierungswut und viele Vorhaben deshalb armselig ausfallen.

Ein schleichender, aber tiefgreifender Wandel im Baurecht und in der Baubürokratie hat die Voraussetzungen für das Bauen umgekrempelt: Ins Uferlose anwachsende Vorschriften für Feuerschutz und Sicherheit, zur Normierung der Räume und aller ihrer Elemente, zur Lärm- und Wärmedämmung, zu Umweltschutz und Arbeitsplatzgestaltung, Steuerabschreibung und Finanzierung usw. haben in Verbindung mit ausgetüf-

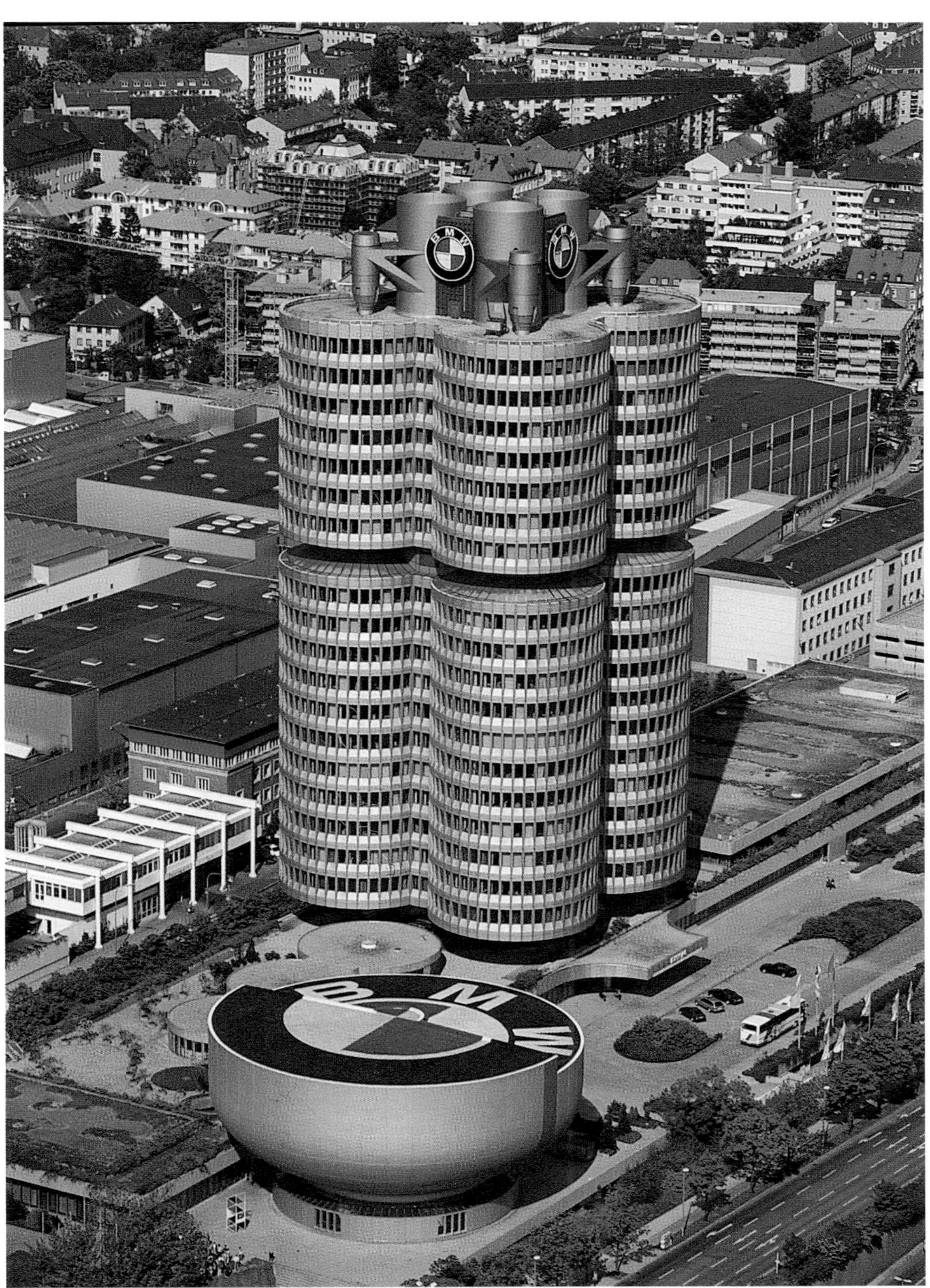

*96. **München, BMW-Verwaltungshochhaus,** Karl Schwanzer (1918–1975), 1970–1973*
Die Bayerischen Motorenwerke hatten sich in den Jahren zuvor aus einer schweren Firmenkrise herausgewunden und suchten nun, ihre moderne Design- und Motorenpolitik auch baulich nach außen darzustellen. Der Gebäudekomplex besteht aus Bürohaus, Parkhaus und Präsentationsräumen. Die Geschosse des Hochhauses sind an einer zentralen Trägerkonstruktion aufgehängt.

*97. **Berlin-Tiergarten, Neue Nationalgalerie,** Ludwig Mies van der Rohe (1886–1969), 1965–1968*
Das Sockelgeschoß ist ein granitverkleideter Stahlbetonbau zur Aufnahme der Sammlungen, darauf sitzt eine anthrazit bemalte Stahlkonstruktion mit gläserner Vorhangfassade (curtain wall) und Flachdach als Ausstellungsraum. Auf die Vorgaben des von Scharoun konzipierten Kulturforums ist Mies nicht eingegangen, weder in Grund- und Aufriß, noch im Material. Der Bau ist ein elitärer Solitär.

telten Ortssatzungen und Bebauungsregeln für Grundstücke das Bauen so festgelegt, daß den Architekten fast jede Freiheit genommen ist und zudem jeder Bauvorgang – besonders grotesk bei öffentlichen Bauten – ungeheuerlich in die Länge gezogen wird. Ohne daß es öffentlich deutlich wird, bestimmen bei größeren Bauvorhaben viele Leute mit. Man kann jedoch den Baumeistern dieser Jahre nicht absprechen, daß sie z.B. in der Anwendung der neuen Techniken, aber auch in einer sparsamen, rationalen, oft auch schwungvollen Gestaltung viele beachtliche und erhaltenswerte Bauten geschaffen haben.

Andererseits kommt den Architekten selbst auch ein gerütteltes Maß an Schuld zu, warum sich bald so viel Abneigung gegen sie und ihre Werke erhob, beginnend mit Alexander Mitscherlichs Buch *Die Unwirtlichkeit unserer Städte* 1965. Das ›Neue Bauen‹ der zwanziger Jahre hatte einen Teil seiner Wirkung aus der Opposition zur 19.-Jahrhunderts-Umgebung gezogen und sein Anders-Sein oft mit Affront vertreten. Stolze Solitäre zu bauen und die eigenen Bauten brutal in die alten Gefüge hineinzubrechen, wurde in der Nachkriegszeit erst recht zum Programm. Auch Mies van der Rohes Neue Nationalgalerie in Berlin *(Abb. 97)* zieht einen Teil ihrer Wirkung aus der Negation der umgebenden Bauten und ihrer Formen. Mies selbst war im übrigen gar nicht daran interessiert, den Bau wenigstens in sich funktionsgemäß zu konzipieren, weshalb er für die Galerie einen Entwurf abwandelte, den er zuvor für die Firmenzentrale von Bacardi-Rum in Havanna/Cuba (vergeblich) geschaffen hatte. Von seiner Bestimmung her ist der Bau ein Fehlgriff: Er will nicht den Kunstwerken dienen, er will selbst autonomes Kunstwerk sein. Als solches ist er jedoch durchaus beeindruckend. Strenge Rasterung, ausgehend von präzise formulierten Modulen, war sein Ziel, das Gebäude ›an sich‹, in Mies' Worten: ›The‹ building. Die Details sind subtil ausgetüftelt. Aber es war eine typisierte, antiindividuelle Architektur mit Absolutheitsanspruch – baulich umgesetzter Konstruktivismus.

Die populären Bildmedien

Es gehört zum reaktionären Charakter der Nachkriegszeit, daß man die Bildmedien und das Design vernachlässigte, weil sie keine ›Kunst‹ seien. Damit fiel man hinter den Bewußtseinsstand und die Wirklichkeit der zwanziger Jahre zurück. Man bräuchte sich darum nicht weiter zu kümmern, wenn dies nicht auch die Kulturpolitik bestimmt hätte (und noch bestimmt), bis hin zur Tatsache, daß man Vergnügungssteuer zahlt, wenn man ins Kino geht, aber nicht, wenn man die Oper oder eine Ausstellung besucht. Und es zeigt sich an der unterschiedlichen Subventionierung oder auch Erforschung der Kunstgattungen. Die nach 1945 fortlebende bzw. aufgefrischte bildungsbürgerliche Verachtung für die neuen Bildkünste folgte konservativen Denkmustern der Vorkriegszeit, die jegliche kommerzielle Kunst als ›amerikanisch‹ ablehnte. Allzu laut durfte man allerdings nach 1945 den Anti-Amerikanismus nicht betonen.

Die Bildwerbung, welche auf die Menschen nun kaum noch als Plakat, sondern mehr in der Reklame, auf Plattencovern, in Zeitschriften und Zeitungen, im Kino und im Fernsehen einwirkt, wurde zum Feld, das die meisten und besten künstlerischen Kräfte anzog und anzieht. Bildungsbürgerlichem Einspruch gegen die neue Werbebilderflut wurde schon aus ökonomischen Gründen nicht stattgegeben. Auch in diesem Bereich war Düsseldorf seit den fünfziger Jahren das kreative Zentrum des Landes – und das internationalste.

Die künstlerisch engagierte Fotografie, die ja vom Modernismus ebenfalls ›entlassen‹ worden war, schuf sich als öffentliches Forum Zeitschriften eigenen Typs, die jedoch der Konkurrenz der kommerziellen Blättern unterlagen und in ihnen aufgingen. Fotografen, die sich damit nicht abfinden wollten, wurden meist avantgardistisch-akademisch und schufen sich Bollwerke, in denen sie dem Zeitgeist trotzten, wie die Essener Hochschule für Fotografie.

Den in Deutschland im Dritten Reich vom Staat so gegängelten Film überließ man dem Kommerz und tat nichts zu seiner Förderung. Die Hollywood-Industrie beherrschte den Markt so vollständig wie nie zuvor – und dies zu Recht, denn man war dem amerikanischen Kino technisch, ökonomisch, aber auch künstlerisch nicht gewachsen und hatte obendrein großen Nachholbedarf, da die Nazis kaum ausländische Filme ins Land gelassen hatten. In Westdeutschland füllte man nur die verbleibende Angebotslücke mit Deutsch-Trivialem, wie Heimat- und Pennälerfilmen. Ansätze zu einem eigenständigen qualitätvollen Film der Nachkriegszeit und der fünfziger Jahre, etwa die Arbeiten von Bernhard Wicki, wurden an den Rand gedrängt. Als Ende 1952 der erste Fernsehsender in Deutschland ein regelmäßiges Programm auszustrahlen begann, setzte eine neue Epoche in den Bildmedien ein. Die brachte wiederum die Filmindustrie in Zugzwang. Bei den neuen Technologien (Technicolor, Breitwand etc.) waren wiederum die Amerikaner – schon aufgrund ihrer Kapitalkraft – im Vorteil.

Es ist erstaunlich, daß es danach überhaupt in Westdeutschland noch einmal zu einem eigenständigen Film von Bedeutung gekommen ist. Der vor allem an französischen Vorbildern ausgerichtete Autorenfilm versteht sich als Opposition gegen den Konsumfilm und ist Teil der breiten Protestbewegung der 60er Jahre. Die führenden deutschen Jungfilmer dieser Zeit, wie Werner Herzog, Volker Schlöndorff, Alexander Kluge, Edgar Reitz, Rainer Werner Faßbinder, Margarethe von Trotta, Wim Wenders u.a. profitierten zunächst davon, daß es relativ leicht war, Kurzfilme zu produzieren und zu vermarkten und vor allem davon, daß das Fernsehen für seine Dritten Programme kulturell vorzeigbares Material brauchte. Das Filmfördersystem prägte einseitig Thematik und Auffassung der Filme, bevorzugte literarische Stoffe und avantgardistische Attitüden. Es entstand keine professionelle, arbeitsteilige Filmindustrie, und auch die finanzielle Basis blieb löcherig. Einige gingen mit dem System erfolgreich um, wie Rainer Werner Faßbinder, während andere sich schwer taten. Inzwischen ist die Filmindustrie in eine Krise geraten, und es kann nur noch das Siechtum des ›jungen‹ deutschen Films festgestellt werden. Doch sei immerhin festgehalten, daß die guten Filme dieser Zeit zu den stärksten bildkünstlerischen Zeugnissen der Epoche gehören.

Auch die deutschen (und insbesondere auch die österreichischen) Karikaturisten haben in den letzten Jahren, ebenso wie die Comic-Zeichner, eigenständige Werke von beachtlicher Qualität hervorgebracht, auf die aber in diesem Rahmen nur hingewiesen werden kann, in dem die Bedeutung der Bildmedien im Verhältnis zu den übrigen Bildenden Künsten festzuhalten ist, nicht jedoch deren Geschichte zu schreiben.

Die Umwälzungen in der Architektur seit den sechziger Jahren

Schon Ende der fünfziger Jahre begannen in Chicago und anderen Zentren der USA große Firmen, Bauten zu verlangen, die ihre ›corporate identity‹ in der Erscheinung deutlicher ausdrück-

*98. **München, Olympiagelände,** Günter Behnisch (geb. 1922), Frei Otto (geb. 1925) und Partner, 1967–1972*

Die weit ausschwingende Dachkonstruktion aus mehrfach gekrümmten Seilnetzen, die mit Plexiglas beschichtet sind, wurde mit Hilfe von Computern bestimmt. Doch mußte die Konstruktion nicht zwingend so aussehen, sondern ist Ergebnis verschiedener Überlegungen. Eine Rolle spielte dabei auch, daß das örtliche Umfeld ein aus den Trümmern des Zweiten Weltkriegs aufgehäufter Schuttberg inmitten von Kasernen und anderen Militäranlagen ist. Es ging bei den Bauten der Olympiade auch um die Selbstdarstellung der BRD als modern, technisch innovativ und ›leicht‹.

ten und nicht immer und überall mit denselben, puristisch reduzierten Formeln arbeiteten. Dies fand auch in Deutschland – mit Verspätung – Nachahmer, wie das BMW-Hochhaus in München des Österreichers Karl Schwanzer zeigt, dessen vier Zylinder nicht nur Maschinenästhetik suggerieren, sondern Maschinelles auch assoziieren. Die Industrie war angesichts des wachsenden Reichtums eher als andere Bauherren bereit, mehr für einen Bau auszugeben, als das schier Notwendige, weil nun auch Investitionen in die Imagebildung als nützlich erkannt wurden. *(Abb. 96)* Ebenso führten kommerzielle Überlegungen bei amerikanischen Hotel- und Warenhausfirmen dazu, den Spektakel- und Unterhaltungscharakter von Architektur nicht länger als verwerflich abzulehnen, sondern als wichtige Aufgabe der Baukunst zu begreifen. Die Architekten wollten ihr Metier am liebsten ausschließlich als hehre Bildende Kunst verstanden wissen. Es waren die

Bauherren, die darauf insistierten, daß die Architektur auch eine populäre Kunst sei. Doch spielt in der Geschichte der Überwindung des funktionalistischen Modernismus auch eine Rolle, daß zum Beispiel eine anerkannte Leitfigur wie Le Corbusier (1887–1965) in der neoexpressionistischen Wallfahrtskirche Ronchamp (1950–1955) von der offiziellen, für allseits gültig erklärten Linie abwich oder daß ein Baumeister wie Eero Saarinen (1910–1961) mit technischem Witz und künstlerischer Erfindungskraft die offizielle Baukunst als einfallslose und ermüdende Wiederholung immer derselben Formeln erscheinen ließ – weniger bekannt ist, daß er die Zeichnungen Erich Mendelsohns als Fundgrube benutzte. Das Dogma der Neo-Bauhaus-Moderne, das die Architekturfakultäten und das alltägliche Bauen beherrschte, wurde aufgebrochen.

Es kamen dadurch – auch in Deutschland – Kräfte zum Zuge, die vorher am Rande standen,

99. ***Berlin-Tegel, Karolinen-/Buddestraße, Phosphateliminierungsanlage,*** *Gustav Peichl (geb. 1928), 1980–1982*
Der österreichische Baumeister, der zugleich unter dem Künstlernamen ›Ironimus‹ Karikaturen zeichnet, hat in Anlehnung an die Dampfermotivik der zwanziger Jahre eine individuelle und sinnfällige Lösung geschaffen, die der Aufgabe, den Hauptzufluß zum Tegeler See von Phosphaten und anderen Beimengungen zu befreien, gerecht wird. Der Bau entstand im Rahmen der IBA 1982.

so etwa der Bauingenieur Frei Otto, der zuvor seine Architektur der leichten Tragewerke und hängenden Dächer nur in untergeordneten oder ephemeren Konstruktionen, wie dem westdeutschen Pavillon der Weltausstellung in Montreal/ Kanada 1967, verwirklichen konnte. Nun wurde ihm in Zusammenarbeit mit dem Architekten Günter Behnisch die Möglichkeit gegeben, im Münchner Olympiastadion eine Zeltarchitektur größter Spannweite von unerhörter Leichtigkeit der Wirkung zu errichten. *(Abb. 98)* Eine neue Vielfalt zeichnet sich ab, die keineswegs nur aus Zitaten anderer Stile besteht.

Man hat international die neue Auffassung als ›Postmoderne‹ definiert und behauptet, daß sie völlig mit der älteren Baukunst gebrochen habe. Das ist jedoch eher Teil der Vermarktungsstrategie einer sich avantgardistisch gebenden Gruppe, ein Stück Werberummel, wie er ähnlich von den ›Dekonstruktivisten‹ in Szene gesetzt wurde. Was bleibt, ist die Überwindung des Absolutheitsanspruchs einer lange vorherrschenden Fraktion der Moderne. Wenn man den Begriff ›Moderne‹ in seiner ganzen historischen Breite faßt, so sind die neuen Richtungen eher als zeitgemäße Erneuerung des Historismus zu bezeichnen. Der Unterschied zu den vorangegangenen liegt vor allem in der Veränderung der technischen und ökonomischen Voraussetzungen. Der Funktionalismus der zwanziger Jahre hatte den Historismus mit dem wilhelminischen Stileklektizismus ineins gesetzt und behauptet, ihn überwunden und ›den‹ Stil der Moderne entwickelt zu haben. Davon konnten sie schon ihre Zeitgenossen nicht überzeugen. Nur in der Neo-Phase der fünfziger Jahre glaubte man daran. Dabei sind historistische Züge auch in Teilen der Baukunst der fünfziger Jahre nachweisbar, wie schon zuvor in den zwanziger Jahren. Dies revidiert wiederum die bisherige Geschichtsschreibung der Baukunst im 20. Jahrhundert.

Im Kapitel 7 war bereits davon die Rede, daß die verschiedenen Stil-Gesinnungen der Moderne grundsätzlich nebeneinander bestehen und daß sie im Verlauf der Geschichte aus unterschiedlichen Gründen und zu verschiedenen Zeiten die Überhand gewinnen und wieder verlieren. Inzwischen scheint alles nebeneinander möglich zu sein: konstruktivistische Moderne in Stahl und Glas, Neo-Klassizismus oder ökologische Holzbaukunst. Im Grunde aber ist es zu begrüßen, wenn nun größere Freiheit im Gestalten herrscht. Sie ist jedoch fast immer nur dem Anschein nach gegeben – die Bauvorschriften sind keineswegs außer Kraft gesetzt. Auch verschleiert das aktuelle Wettbewerbswesen die Mechanismen der Dirigierung und Kontrolle, mit dem etwa neuerdings in Berlin ein Neo-Kastenstil verordnet wird, der sich fälschlich auf Schinkel beruft. Letztlich sind weder staatlich aufgezwungene Stile noch Avantgarde-Doktrinen der Bau-›Kunst‹ gut bekommen. Gerade deshalb ist zu hoffen, daß auch diese Richtung ein schnelles Ende findet und die Architektur für jeden Bau von seinen Funktionen, den Traditionen der Aufgabe und der Umgebung her entworfen wird. *(Abb. 99)*

Die Überwindung des Modernismus in den Bildenden Künsten

In Amerika hatten sich neben den Abstrakten immer auch andere Kunstrichtungen halten können. Seit den späten fünfziger Jahren aber stellten Pop Art, Fotorealismus und andere Richtungen in den USA provokativ die Vorherrschaft der Abstraktion in Frage. Es war der Kunsthandel, der die Deutschen mit den neuen Richtungen bekannt machte. Das eigentlich Schockierende an der Pop Art war, daß nun nach der Tiefsinns-Philosophie der Abstrakten die Gegenstände in banalster Auffassung, wie man sie etwa aus der Werbung kannte, wiederkehrten. Obendrein wurde auf die hoch gehaltene Malkultur der ›peinture‹ verzichtet. Damit waren die Grundlagen des Kunstbegriffs in Frage gestellt, ebenso der Qualitätsbegriff, der Ästhetizismus der Form und die Kategorien der herkömmlichen Kunstkritik.

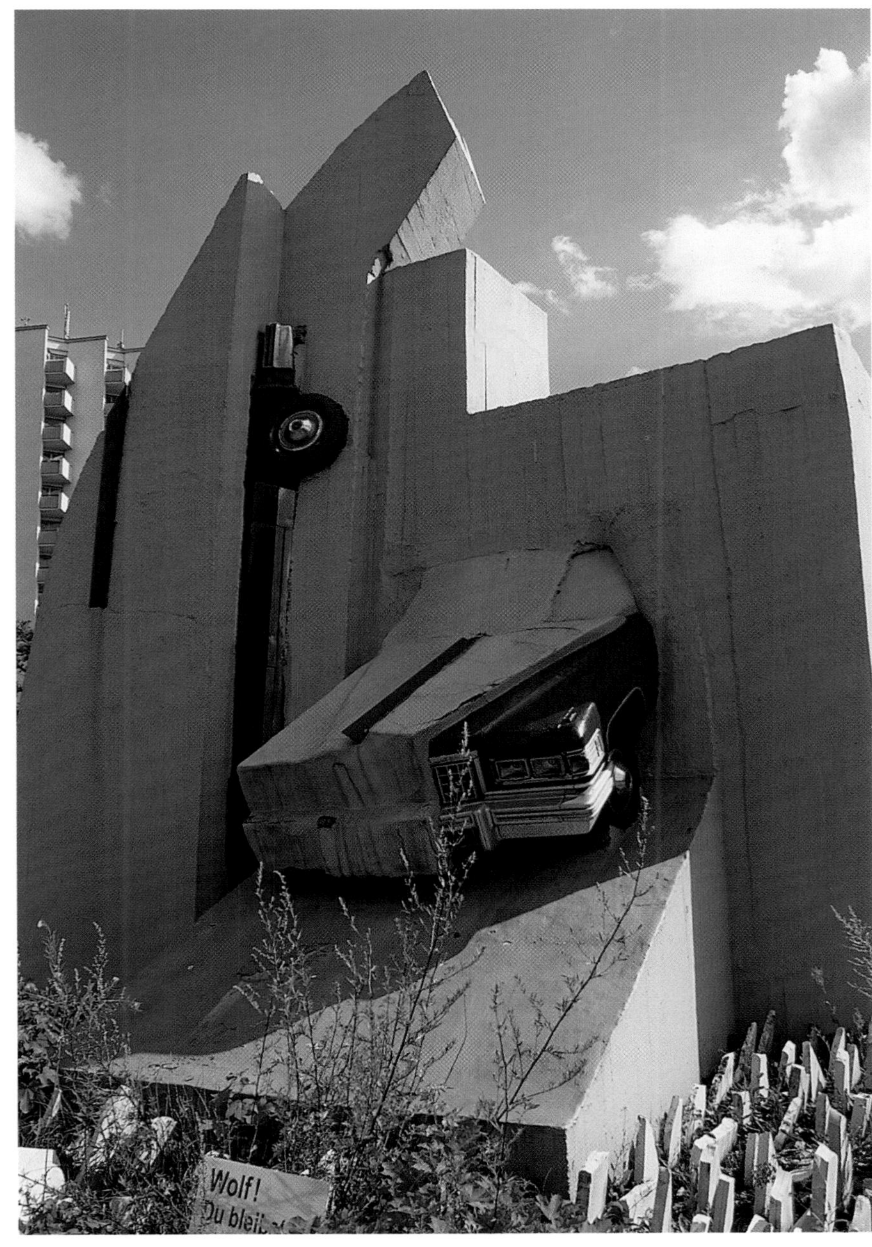

100. Wolf Vostell (1932–1998), Beton-Cadillac, *1987, Berlin-Charlottenburg, Rathenauplatz*
Ein schräg aufgestellter Cadillac ist in Beton so eingegossen, daß er in ihm zu versinken scheint, nicht ohne Bezug auf die berühmten Bilder vom ›Untergang der Titanic‹. Um ihn herum ein Schotterstreifen und eine Zone senkrecht aufgestellter, spitzer Kalkplatten, die das Denkmal unzugänglich machen. Durch sein Prinzip der ›Demontage‹ und ›Decollage‹ legt Vostell die Unwirtlichkeit der modernen Zivilisation frei, zeigt Konflikte auf und warnt. Das Denkmal, das an der Einmündung eines großen Autobahnzubringers in den Kurfürstendamm errichtet wurde, erregte bei seiner Aufstellung großen Ärger. Mehrfach wurde seine Demontage gefordert.

Was sich seit Ende der fünfziger Jahre in Deutschland zunächst als Geist des Widerspruchs unter den Künstlern zu regen begann, führte zu einer großen Vielfalt und Heterogenität der Richtungen, zu mannigfaltigen Verbindungen der Gattungen, aber auch der Künste mit den Medien. Neben Vorschlägen, die Kunst ›aufzulösen‹, findet sich fast altmeisterliche Malerei.

Von den sechziger Jahren an ist ein Wiederaufgreifen so gut wie aller Avantgarde-Richtungen unseres Jahrhunderts zu bemerken, mehr als nur eine Parallele zur sogenannten postmodernen Architektur. Es gab und gibt Neo-Dadaisten mit ihren Aktionen und Happenings (etwa die Gruppe Fluxus um Beuys und Vostell), *(Abb. 100)* eine sehr viel Unterstützung findende Neo-Konzeptkunst (unter ihrem Anführer Beuys), *(Abb. 101)* Neo-Konstruktivisten und Minimalisten (wie die Gruppe Zero), Neo-Surrealisten (eine österreichische ›Spezialität‹), Neo-Veristen usw. Aber auch noch weiter rückwärts orientierte Künstler sind tätig, auch wenn sie kaum Chancen haben, vom Kunstmarkt, der großen Torkontrolle vor dem Eintritt in die Sammlungen und Museen, berücksichtigt zu werden. Besonders hervorzuheben sind unter den jüngeren Gruppen die sich

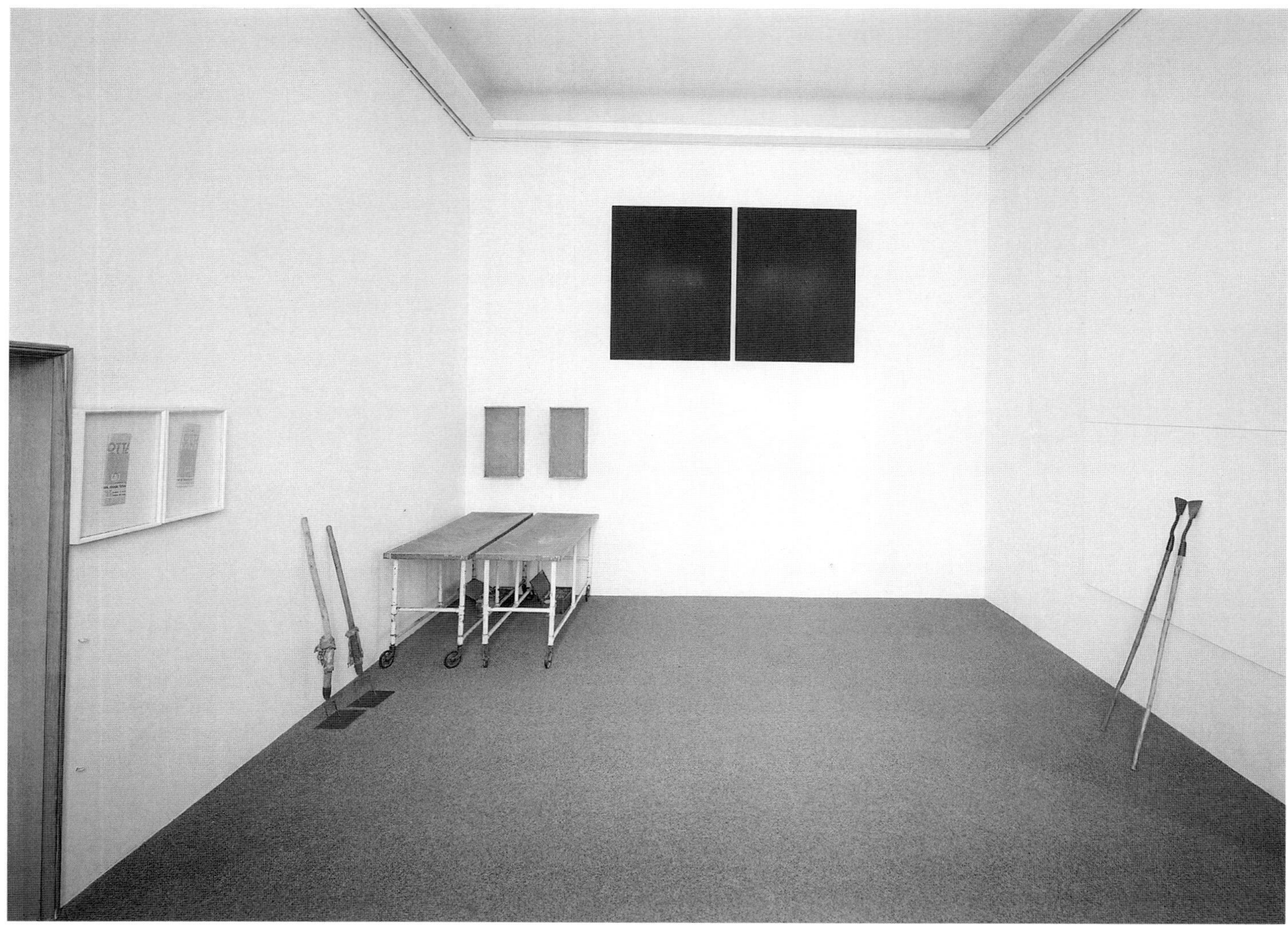

102. Elvira Bach, Deutsch-Dominikanische Freundschaft,
Dispersion auf Leinwand, 200 x 180 cm, 1982, Darmstadt, Hessisches Landesmuseum

Elvira Bach ist eine Vertreterin der ›Jungen Wilden‹, die einen neo-expressionistischen Stil bevorzugen. Die Künstlerin wählt bevorzugt Bildgegenstände, die die Stellung der Frau in der modernen Gesellschaft und das Verhältnis der Rassen thematisieren.

linke Seite:
101. Joseph Beuys (1921–1986), ›Zeige Deine Wunde‹, *Rauminstallation, ca. 500 x 800 x 580 cm, 1974–1975, München, Städtische Galerie im Lenbachhaus*

Beuys erläuterte den Titel: »Zeige deine Wunde, weil man die Krankheit offenbaren muß, die man heilgen will«. Dabei bezog er sich sowohl auf das biblische Thema von Christus, der dem ungläubigen Apostel Thomas seine Seitenwunde weist, wie auf Richard Wagners Bühnenweihespiel ›Parsifal‹, der erst, als er mitleidsvoll nach der Krankheit seines Gegenüber fragt, zur inneren Reife gelangt und seine Bestimmung erfüllen kann.

zum Teil am Expressionismus orientierenden ›Jungen Wilden‹, die sich um die Galerie am Moritzplatz in Berlin-Kreuzberg seit den späten sechziger Jahren zusammenschlossen, so unter anderem Rainer Fetting, Jörg Immendorff oder Elvira Bach. *(Abb. 102)* Die meisten dieser Künstlerinnen und Künstler haben sich jedoch dem deutschen Dunstkreis entzogen und ziehen es vor, wenigstens zeitweise in New York zu arbeiten, der Kapitale zeitgenössischer Kunst.

Eine Sonderstellung nehmen diejenigen ein, die ursprünglich zwar aus dem Neo-Dadaismus und der concept art kommen, diese aber mit eigenwillig-komplexer Gestaltung verknüpfen. Sie zeigen, daß den Bildenden Künsten auch im Zeitalter der Medienherrschaft, der Video- und Computerkunst, noch ein Plätzchen in der visuellen Kultur unserer Gesellschaft zu erhalten möglich ist. Unter ihnen sind stellvertretend zwei zu nennen, Gerhard Richter *(Abb. 103)* und Anselm Kiefer. *(Abb. 104)*

Dies alles ist so unübersichtlich, vielfältig, aber auch widersprüchlich, daß man dem mit einer gerafften Darstellung nicht gerecht werden kann. Auch muß sich erst noch zeigen, wie es mit der Kunst in Deutschland nach der Wiedervereinigung weitergeht. Dennoch wird niemand die Tatsache ignorieren können, daß die kommerziellen visuellen Medien alles-beherrschend geworden sind, daß ihr Gewicht sogar noch weiter zunimmt. Sie liefern die Bilder, welche die Imagination der Menschen ergreifen. Sie sind es, die nicht nur die Massen, sondern selbstverständlich auch die Intellektuellen – ebenso die Bildenden Künstler – am meisten interessieren. Malerei und Plastik mit allen ihren Zwischenformen und Übergängen zu den Medien haben es deshalb heute besonders schwer, wirkliche Aufmerksamkeit auf sich zu ziehen.

Der Kunstmarkt war den Bildenden Künsten in den letzten Jahrzehnten günstig. Die Voraussetzung dafür aber liegt weniger im Aufblühen der Kunst selbst, als in der Struktur des Sammelns und Kunstkaufens. Wurde zuvor eine bestimmte Summe der Baukosten bei Neubauten für ›Kunst am Bau‹ abgezweigt, so haben es sich seit einigen Jahren die Banken, Versicherungen und auch andere Firmen angewöhnt, einen Teil ihrer Gewinne in Bildern anzulegen und als Förderer der Künste aufzutreten. Beeinflußt von Sammlern, Galeristen und Ausstellungsmachern, stiegen die

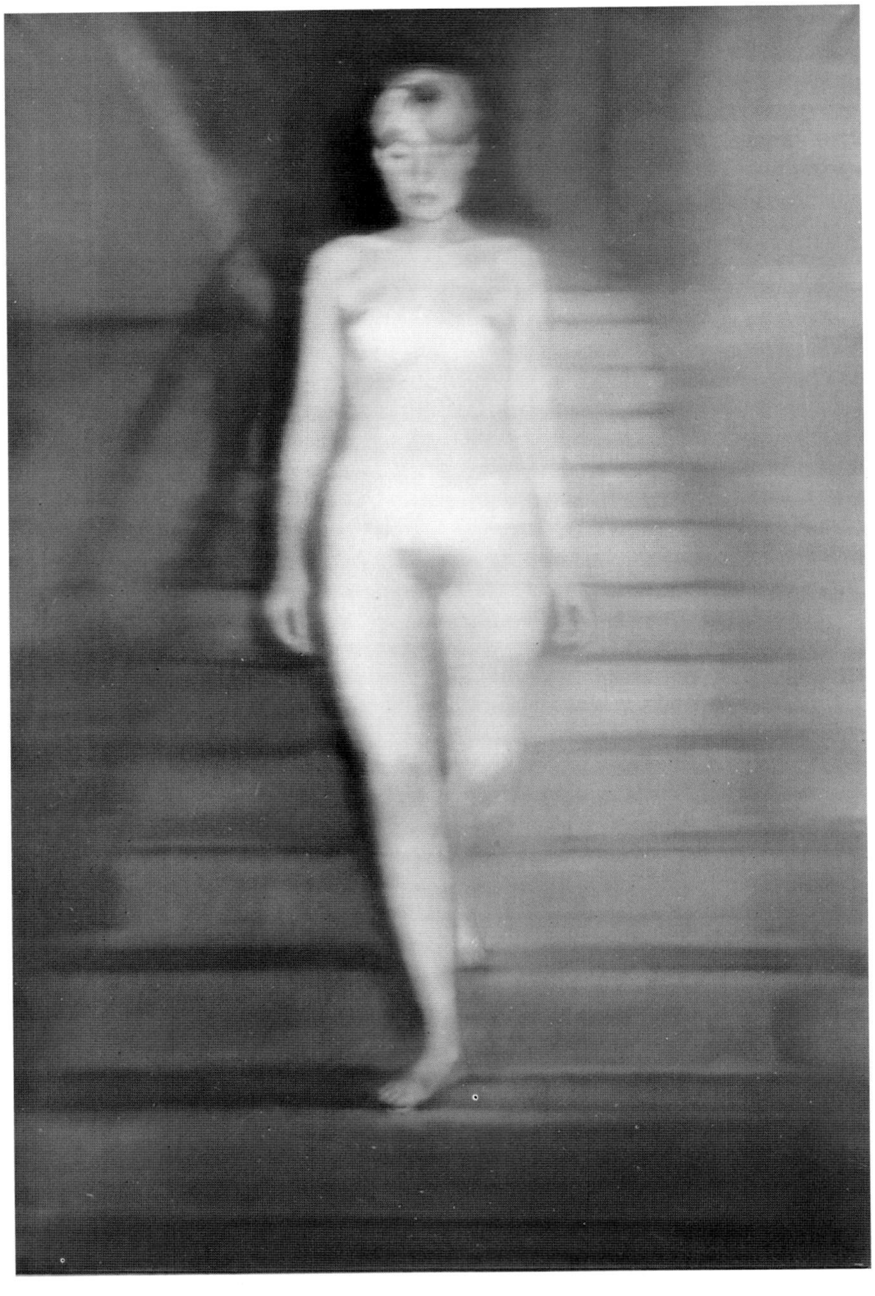

103. Gerhard Richter (geb. 1932), Emma – Akt auf einer Treppe, *Öl auf Leinwand, 200 x 130 cm, 1966, Köln, Wallraf-Richartz-Museum*

Richter erschien »manches Foto besser als der beste Cézanne«. Er begann unter dem Eindruck der Pop Art eine eigentümliche Grenzgängerei, indem er Fotos abmalte, sie dabei jedoch auf eine unscharfe Weise wiedergab, so daß sie wie ein schlecht eingestelltes Fernsehbild aussehen. Damit wird – wie nebenbei – die Frage nach dem Verhältnis von Kunst und Wirklichkeit, Abbild und Urbild, Schein und Sein neu gestellt. Letztlich aber ist das Bild auch als Zitat nach einem berühmten Gemälde von Marcel Duchamp »Akt, eine Treppe heruntersteigend« aus dem Jahr 1913 zu verstehen.

Preise für die Werke lebender Künstler in kaum zuvor dagewesene Höhen. Man kann sich des Eindrucks jedoch nicht erwehren, daß die Kunst den Menschen nicht so teuer ist, wie die Preise vermuten lassen. Andererseits ist das Sammeln von Kunst anscheinend in eine Krise geraten, und das Kunstmuseum alter Art wird durch die Flut der meist großformatigen neuen Bilder, Installationen und Objekte gesprengt, ohne daß die staatliche Haushaltslage große Schritte erlaubt. Große Veränderungen, ja Konflikte im Kunstbetrieb des 21. Jahrhunderts zeichnen sich bereits jetzt am Horizont ab.

104. Anselm Kiefer (geb. 1945), Dem unbekannten Maler, *Ölfarbe, Stroh, Holzschnitt auf Leinwand, 280 x 341 cm, 1982, Rotterdam, Museum Boymans van Beuningen*

Das Bild verbindet Motive der Architektur von Albert Speers Reichskanzlei mit der Gedenkstätte, die Heinrich Tessenow in der Neuen Wache von Karl Friedrich Schinkel eingerichtet hatte, verfremdet sie dann aber allein schon durch den Titel und schafft damit eine eigentümliche Spannung. Das Bild ist in einer düsteren, pastosen Acryl-Teer-Technik gemalt, durchsetzt mit anderen Materialien, und schafft dadurch die beklemmende Aura einer KZ-Baracke.

Literaturempfehlungen

Dies ist eine begrenzte Auswahl vor allem jüngerer kunsthistorischer (nicht historischer!) Monographien und Übersichtswerke. Corpuswerke, Facsimiles, Museums- und Œuvrekataloge sowie Inventare sind ausgelassen, ebenso Quellen und fast alle theoretischen Schriften. Die Anordnung der Titel orientiert sich an der Kapitelfolge.

Historisch übergreifend:

Architektur des Mittelalters. Funktion und Gestalt, hg. von Friedrich Möbius und Ernst Schubert, Weimar 1983.

Binding, Günther und Untermann, Matthias: Kleine Kunstgeschichte der mittelalterlichen Ordensbaukunst in Deutschland, Darmstadt 1985.

Börsch-Supan, Eva: Garten-, Landschafts- und Paradiesmotive im Innenraum. Eine ikonographische Untersuchung, Berlin 1967.

Borinski, Karl: Die Antike in Poetik und Kunsttheorie. Vom Ausgang des Klassischen Altertums bis auf Goethe und Wilhelm v. Humboldt, 2 Bde., Reprint, Darmstadt 1965.

Braunfels, Wolfgang: Die Kunst im Heiligen Römischen Reich Deutscher Nation, 6 Bde., München 1979–1989.

Busch, Werner (Hg.): Funkkolleg Kunst. Eine Geschichte der Kunst im Wandel ihrer Funktionen, 2 Bde., München 1987.
ders.: Landschaftsmalerei, Berlin 1997 (Geschichte der klassischen Bildgattungen in Quellentexten und Kommentaren 3).

Craemer, Ulrich: Das Hospital als Bautyp des Mittelalters, Köln 1963.

Dehio, Georg und Bezold, Gustav v.: Die Kirchliche Baukunst des Abendlandes, 7 Bde., Reprint: Hildesheim 1969.

Dehio, Georg: Geschichte der Deutschen Kunst, 6 Bde., 3. Aufl., Berlin und Leipzig 1923–1926.

Georg Pauli: Das 19. Jahrhundert, 2 Bde., Berlin und Leipzig 1934.

Eschenburg, Barbara: Landschaft in der deutschen Malerei. Vom späten Mittelalter bis heute, München 1987.

Friedell, Egon: Kulturgeschichte der Neuzeit. Die Krisis der europäischen Seele von der Schwarzen Pest bis zum Ersten Weltkrieg, 2 Bde., München 1927–1931, Neuaufl. München 1976.

Fuchs, Eduard: Die Karikatur, 2 Bde., Berlin 1902–1903.

Gage, John: Kulturgeschichte der Farbe. Von der Antike bis zur Gegenwart, Ravensburg 1994.

Germann, Georg: Einführung in die Geschichte der Architekturtheorie, Darmstadt 1980.

Gothein, Marie Luise: Geschichte der Gartenkunst, 2 Bde., Jena 1914.

Großmann, Ulrich: Der Fachwerkbau in Deutschland, Köln 1998.

Harms, Wolfgang (Hg.): Text und Bild, Bild und Text, DFG-Symposion 1988, Stuttgart 1990 (Germanistisches Symposion XI).

Haus, Hans: L'Art en Alsace, Paris 1962.

Huse, Norbert: Kleine Kunstgeschichte Münchens, München 1990.

Irmscher, Günter: Kleine Kunstgeschichte des europäischen Ornaments seit der frühen Neuzeit (1400–1900), Darmstadt 1984.

Knoepfli, Albert: Kunstgeschichte des Bodenseeraumes, 2 Bde., Konstanz 1962, 1969.

König, Eberhard und Schön, Christine: Stilleben, Berlin 1996 (Geschichte der klassischen Bildgattungen in Quellentexten und Kommentaren 5).

Kreisel, Heinrich: Die Kunst des deutschen Möbels, 3 Bde., (Bd. 3 von Georg Himmelheber) München 1981–1983 (3. Aufl.).

Meder, Joseph: Die Handzeichnung, ihre Technik und ihre Entwicklung, Wien 1923.

Naredi-Rainer, Paul v.: Salomons Tempel und das Abendland. Monumentale Folgen historischer Irrtümer, Köln 1994.

Panofsky, Erwin: Idea. Ein Beitrag zur Begriffsgeschichte der älteren Kunsttheorie, 3.Aufl., Berlin 1975.

Regensburger Buchmalerei. Von frühkarolingischer Zeit bis zum Ausgang des Mittelalters, Kat. d. Ausst. Regensburg 1987, München 1987.

Schöne, Wolfgang: Über das Licht in der Malerei, Berlin 1961 (2. Aufl.).

Schramm, Percy E. und Mütherich, Florentine: Denkmale der deutschen Könige und Kaiser, Bd. 1: Ein Beitrag zur Herrschergeschichte von Karl dem Großen bis Friedrich II. 768–1250, München 1981 (2. Aufl.).– Bd. 2 (zus. mit

Hermann Fillitz): Ein Beitrag zur Herrschergeschichte von Rudolf I. bis Maximilian I. 1273–1519, München 1978.

Schultz, Uwe (Hg.): Das Fest. Eine Kulturgeschichte von der Antike bis zur Gegenwart, München 1988.

Taubert, Johannes: Farbige Skulpturen: Bedeutung, Fassung, Restaurierung, München 1978.

The Dictionary of Art, hg. von Jane Turner, 34 Bde., London 1996

Kapitel 1–2

Badstübner, Ernst: Klosterkirchen des Mittelalters. Die Baukunst der Reformorden, 2. Aufl., München 1985.

Bandmann, Günther: Mittelalterliche Architektur als Bedeutungsträger, Berlin 1951.

Berger, Rolf: Hirsauer Baukunst. Ihre Grundlagen, Geschichte und Bedeutung, Witten-scheid/Bonn 1995.

Bernward von Hildesheim und das Zeitalter der Ottonen, Kat. der Ausst. Hildesheim 1993, 2 Bde., hg. v. Michael Brandt und Arne Eggebrecht, Hildesheim und Mainz 1993.

Biller, Thomas: Die Adelsburg in Deutschland. Entstehung, Form, Bedeutung, München 1993.

Binding, Günther: Deutsche Königspfalzen von Karl dem Großen bis Friedrich II. (765–1240), Darmstadt 1996.

Braunfels, Wolfgang (Hg.): Karl der Große, 5 Bde., Düsseldorf 1965–1968.
ders.: Die Welt der Karolinger und ihre Kunst, München 1968.

Buschhausen, Helmut: Der Verduner Altar. Das Emailwerk des Nikolaus von Verdun im Stift Klosterneuburg, Wien 1980.

Clemen, Paul: Die romanische Monumentalmalerei in den Rheinlanden, 2 Bde., Düsseldorf 1916.

Demus, Otto: Romanische Wandmalerei, München 1968.

Die Zeit der Staufer. Geschichte – Kunst – Kultur, Kat. der Ausst. Stuttgart 1977, 4 Bde. und Nachtragsband.

Exner, Matthias: Die Fresken der Krypta von St. Maximin in Trier, Trier 1989.

Goldschmidt, Adolph: Die Elfenbeinskulpturen, 4 Bde., Berlin 1914–1926.
ders.: Der Albanipsalter in Hildesheim und seine Beziehung zur symbolischen Kirchenskulptur des 12. Jh., Berlin 1895.

Hahn, Hanno: Die frühe Kirchenbaukunst der Zisterzienser, Berlin 1957.

Heinrich der Löwe und seine Zeit. Herrschaft und Repräsentation der Welfen 1125 bis 1235, Kat. d. Ausst. Braunschweig 1995, hg. von Jochen Luckhardt und Franz Niehoff, München 1995.

Heitz, Carol: Recherches sur les rapports entre architecture et liturgie à l'époque carolingienne, Paris 1962.

Hütter, Elisabeth und Magirius, Heinrich: Der Wechselburger Lettner. Forschungen und Denkmalpflege, Weimar 1983.

Jacobsen, Werner: Der Klosterplan von St. Gallen und die karolingische Architektur, Berlin 1996.

Kahsnitz, Rainer: Das Goldene Evangelienbuch von Echternach. Codex Aureus Epternacensis, Hs. 156142 aus dem Germanischen Nationalmuseum Nürnberg. Kommentarband, Frankfurt/M. 1982.

Kaiser, Gert und Müller, Jan-Dirk (Hg.): Höfische Literatur, Hofgesellschaft, Höfische Lebensformen um 1200, Düsseldorf 1986 (Studia humaniora 6).

Kautzsch, Rudolf: Der romanische Kirchenbau im Elsaß, Freiburg/Brg. 1944.

Klotz, Heinrich: Anmerkungen zur architekturgeschichtlichen Bedeutung des Domes von Speyer, in: Marburger Jahrbuch für Kunstwiss. 22, 1989, S. 9–14 (Festschrift für Hans-Joachim Kunst).

Koehler, Wilhelm (ab Bd. 4: Mütherich, Florentine): Die karolingischen Miniaturen, Berlin 1930 ff.

Körner, Hans: Mittelalterliche Grabmonumente, Darmstadt 1997.

Krautheimer, Richard: Mittelalterliche Synagogen, Berlin 1927.
ders.: Ausgewählte Aufsätze zur europäischen Kunstgeschichte, Köln 1988.

Kubach, Hans Erich und Haas, Walter: Der Dom zu Speyer, 3 Bde., München und Berlin

1972 (Die Kunstdenkmäler von Rheinland-Pfalz 5).
ders. und Verbeek, Albert: Romanische Baukunst an Rhein und Maas, Kat. der vorromanischen und romanischen Denkmäler, 3 Bde., Berlin 1976.

Kroos, Renate: Der Schrein des Hl. Servatius in Maastricht und die vier zugehörigen Reliquiare in Brüssel, München 1987.

Legner, Anton: Deutsche Kunst der Romanik, München 1982.

Lehmann, Edgar: Der frühe deutsche Kirchenbau. Die Entwicklung seiner Raumanordnung bis 1080, Berlin 1938.

Masetti, Anna Rosa Calderoni und Dalli Regoli, Gigetta: Sanctae Hildegardis Revelationes, Manoscritto 1942, Lucca 1973.

Mende, Ursula: Die Bronzetüren des Mittelalters 800–1200, München 1994 (2. Aufl.).

Mettler, Adolf: Mittelalterliche Klosterkirchen und Klöster der Hirsauer und Cisterzienser in Württemberg, Stuttgart 1972.

Mietke, Gabriele: Die Bautätigkeit Bischof Meinwerks von Paderborn und die frühchristliche und byzantinische Architektur, Paderborn etc. 1991

Nicolai, Bernd: »Libido Aedificandi«. Walkenried und die monumentale Kirchenbaukunst der Zisterzienser um 1200, Braunschweig 1990.

Ornamenta Ecclesiae. Kunst und Künstler der Romanik, 3 Bde., Kat. d. Ausst. Köln 1985, hg. von Anton Legner.

Reudenbach, Bruno: Das Taufbecken des Reiner von Huy in Lüttich, Wiesbaden 1984.

Rhein und Maas. Kunst und Kultur 800–1400, Kat. d. Ausst. Köln 1972, hg. von Anton Legner, 2. Bd. Köln 1973.

Ronig, Franz J. (Hg.): Egbert, Erzbischof von Trier 977–993, 2 Bde., Trier 1993 (Trierer Zeitschrift, Beiheft 18).

Sauer, Christine: Fundatio und Memoria, Göttingen 1993.

Saurma-Jeltsch, Lieselotte: Karl der Große als vielberufener Vorfahr. Sein Bild in der Kunst der Fürsten, Kirchen und Städte, Sigmaringen 1994.

Schapiro, Meyer: On the Aesthetic Attitude on Romanesque Art, in: ders.: Romanesque Art, New York 1977, S. 1–27 (Selected Papers 1)

Schramm, Percy Ernst: Kaiser, Rom und Renovatio. Studien und Texte zur Geschichte des römischen Erneuerungsgedankens vom Ende des karolingischen Reiches bis zum Investiturstreit, 2 Bde., Leipzig etc. 1929.

Schubert, Ernst: Der Naumburger Dom, Halle 1996.
ders.: Der Dom in Magdeburg, Leipzig 1994.
ders.: Stätten deutscher Kaiser, Leipzig etc. 1990.

Schuller, Manfred: Das Fürstenportal am Bamberger Dom, Bamberg 1993.

Siede, Irmgard: Zur Rezeption ottonischer Buchmalerei in Italien im 11. und 12. Jahrhundert, St. Ottilien 1997 (Studien und Mitteilungen zur Gesch. des Benediktinerordens und seiner Zweige 39).

Steenbock, Frauke: Der kirchliche Prachteinband im frühen Mittelalter. Von den Anfängen bis zum Beginn der Gotik, Berlin 1967.

Strobel, Richard: Das Bürgerhaus in Regensburg. Mittelalter, Tübingen 1976 (Das deutsche Bürgerhaus XXIII).

Suckale-Redlefsen, Gude: Der Buchschmuck zum Psalmenkommentar des Petrus Lombardus in Bamberg, Bamberg, Staatsbibliothek, Msc. Bibl. 59, Wiesbaden 1986.
dies.: Mauritius: Der heilige Mohr, München und Houston 1987.

Surmann, Ulrike: Studien zur ottonischen Elfenbeinplastik in Metz und Trier, Bonn 1990.

Swarzenski, Hanns: Monuments of Romanesque Art. The Art of Church Treasures in North-Western Europe, London 1967 (2. Aufl.).

Verbeek, Albert: Kölner Kirchen. Die kirchliche Baukunst in Köln von den Anfängen bis zur Gegenwart, 3. Aufl. hg. von Günther Binding und Susanne Stolz, Köln 1987.

v. Winterfeld, Dethard: Der Dom in Bamberg. I: Die Baugeschichte bis zur Vollendung im 13. Jh. Mit Beiträgen von Renate Kroos, Renate Neumüllers-Klauser u. Walter Sage, II: Der Befund, Bauform und Bautechnik, 2 Bde., Berlin 1979.
ders.: Palatinat roman, St.-Léger Vauban 1993, mit einer Einleitung von Willibald Sauerländer.
ders.: Die Kaiserdome Speyer, Mainz, Worms und ihr romanisches Umfeld, Würzburg 1992.

Weilandt, Gerhard: Geistliche und Kunst. Ein

Beitrag zur Kultur der ottonisch-salischen Reichskirche und zur Veränderung künstlerischer Traditionen im späten 11. Jh., Köln, Weimar und Wien (Böhlau) 1992.

Wesenberg, Rudolf: Frühe mittelalterliche Bildwerke. Die Schulen rheinischer Skulptur und ihre Ausstrahlung, Düsseldorf 1977.

Wibiral, Norbert: Zur Bildkomposition des Lambacher ›Herrensturzes‹, in: Österreichische Zeitschrift für Kunst und Denkmalpflege 40, 1986, 98–121.

Zierde für ewige Zeit. Das Perikopenbuch Heinrichs II., Kat. d. Ausst. München 1995, hg. v. Hermann Fillitz, Rainer Kahsnitz und Ulrich Kuder, Frankfurt/M. 1994.

Kapitel 3–4:

Albrecht Dürer. Die Gemälde der Alten Pinakothek, Kat. d. Ausst. München 1998, hg. von Gisela Goldberg u.a., Heidelberg 1998.

Bätschmann, Oskar und Griener, Pascal: Hans Holbein, Köln 1977.

Baxandall, Michael: Die Kunst der Bildschnitzer. Tilman Riemenschneider, Veit Stoß und ihre Zeitgenossen, München 1984.

Becksmann, Rüdiger: Deutsche Glasmalerei des Mittelalters. Eine exemplarische Auswahl, Freiburg/Brg. 1988.
ders.: Deutsche Glasmalerei des Mittelalters, I: Voraussetzungen, Entwicklungen und Zusammenhänge, Berlin 1995.– II: Bildprogramme, Auftraggeber, Werkstätten, Berlin 1992.

Berliner, Rudolf: Bemerkungen zu einigen Darstellungen des Erlösers als Schmerzensmann, in: Das Münster 9, 1956, 97–117.
ders.: The freedom of medieval art, in: Gazette des Beaux-Arts VI/28, 1945, 263–288.

Bevers, Holm: Meister E.S. Ein oberrheinischer Kupferstecher der Spätgotik, Kat. d. Ausst. München und Berlin 1987, München 1987.

Binding, Günther: Maßwerk, Darmstadt 1989.

Böker, Hans Josef: Die mittelalterliche Backsteinarchitektur Norddeutschlands, Darmstadt 1988.

Bonsdorff, Jan v.: Kunstproduktion und Kunstverbreitung im Ostseeraum im Spätmittelalter, Helsinki 1993 (Suomen Muinaismuistoyhdistyksen Aikakauskirja – Finska Fornminnesföreningens Tidskrift 99).

Boockmann, Hartmut: Die Stadt im späten Mittelalter, 2. Aufl., München 1987.

Buchner, Ernst: Das deutsche Bildnis der Spätgotik und der frühen Dürerzeit, Berlin 1953.

Büttner, Frank Olaf: Imitatio Pietatis. Motive der christlichen Ikonographie als Modelle zur Verähnlichung, Berlin 1983.

Clemen, Paul: Die gotischen Monumentalmalereien der Rheinlande, 2 Bde., Düsseldorf 1930.

Codex Manesse, Kat. d. Ausst. Heidelberg 1988, hg. von Elmar Mittler und Wilfried Werner, Heidelberg 1988.

Corley, Brigitte: Conrad v. Soest. Painter among Merchant Princes, London 1996.

Decker, Bernhard: Das Ende des mittelalterlichen Kultbildes und die Plastik Hans Leinbergers, Bamberg 1985 (Bamberger Studien zur Kunstgeschichte und Denkmalpflege 3).

Die Karlsruher Passion. Ein Hauptwerk Straßburger Malerei der Spätgotik, Kat. d. Ausst. Karlsruhe 1996.

Die Parler und der Schöne Stil 1350–1400. Europäische Kunst unter den Luxemburgern, Kat. d. Ausst. Köln 1978, hg. von Anton Legner, 3 Bde., dazu je ein Colloquiums- und ein Resultatband, Köln 1980.

Die Zeit der frühen Habsburger. Dome und Klöster 1279–1379, Kat. d. Ausst. Wiener Neustadt 1979, Wien 1979.

Europäische Kunst um 1400, Kat. d. Ausst. Wien 1962.

Fritz, Johann M.: Gestochene Bilder. Gravierungen auf deutschen Goldschmiedearbeiten der Spätgotik, Köln etc. 1966.
ders.: Goldschmiedekunst der Gotik in Mitteleuropa, München 1982.

Hamburger, Jeffrey: The Rothschild Canticles. Art and Mysticism in Flanders and the Rhineland circa 1300, New Haven 1990.

Hans Multscher. Bildhauer der Spätgotik in Ulm, Kat. d. Ausst. Ulm 1997.

Hubel, Achim und Schuller Manfred (Hg.): Der Dom zu Regensburg. Vom Bauen und Gestalten einer gotischen Kathedrale, unter Mitarbeit von Friedrich Fuchs und Renate Kroos, Regensburg 1995.

Huth, Hans: Künstler und Werkstatt der Spätgotik, 2. Aufl., Darmstadt 1967; dazu die Rez. von Ernst Buchner, in: ders. und Karl Feuchtmayr. Beiträge zur Geschichte der deutschen Kunst, Bd. 2, Augsburg 1928, S. 472–482.

Kahsnitz, Rainer (Hg.): Veit Stoss in Nürnberg. Werke des Meisters und seiner Schule in Nürnberg und Umgebung. Kat. d. Ausst. Nürnberg 1983, München 1983.

ders. (Hg.): Veit Stoss. Die Vorträge des Nürnberger Symposions, München 1985.

Kölner Domblatt 44–45, 1979/80; mehrere Aufsätze zum Kölner Domchor.

Koenigsfelden. Geschichte, Bauten, Glasgemälde, Kunstschätze, Olten etc. 1970.

Koerner, Joseph Leo: The Moment of Self-Portraiture in German Renaissance Art, Chicago 1993.

Kohlhaussen, Heinrich: Nürnberger Goldschmiedekunst des Mittelalters und der Dürerzeit 1240 bis 1540, Berlin 1968.

ders.: Minnekästchen im Mittelalter, Berlin 1928.

Koller, Manfred und Wibiral, Norbert: Der Pacher-Altar in St. Wolfgang. Untersuchung, Konservierung und Restaurierung 1969–1976, Wien, Köln und Graz 1981 (Studien zu Denkmalschutz und Denkmalpflege 11).

Koreny, Fritz: Albrecht Dürer und die Tier- und Pflanzenstudien der Renaissance, Kat. d. Ausst. Wien 1985, München 1985.

ders.: A Coloured Flower Study by Martin Schongauer and the Development of the Depiction of Nature from van der Weyden to Dürer, in: Burlington Magazine 133, 1991, 588–597.

Krása, Josef: Die Handschriften König Wenzels IV., Wien 1971.

ders.: Die Reisen des Ritters John Mandeville. 28 kolorierte Silberstiftzeichnungen von einem Meister des Internationalen Stils um 1400 im Besitz der British Library London, München 1983.

Kroos, Renate: Niedersächsische Bildstickereien des Mittelalters, Berlin 1972.

Kurmann, Peter und Kurmann-Schwarz, Brigitte: St. Martin zu Landshut, Landshut 1985.

Kurth, Betty: Die deutschen Bildteppiche des Mittelalters, 3 Bde., Wien 1926.

Kuthan, Jiří: Die mittelalterliche Baukunst der Zisterzienser in Böhmen und Mähren, München 1982.

ders.: Přemysl Ottokar II., König, Bauherr und Mäzen. Höfische Kunst im 13. Jahrhundert, Wien etc. 1996.

Labuda, Adam: Wrocławski ołtarz sw. Barbary i jego twórcy. (Der Breslauer St.-Barbara-Altar und seine Schöpfer), Posen 1984.

Lehmann, Edgar und Schubert, Ernst: Der Dom zu Meissen, Berlin 1970.

dies.: Dom und Severikirche Erfurt, Berlin 1984.

Les bâtisseurs des cathédrales gothiques, Kat. d. Ausst. Straßburg 1989, hg. von Roland Recht.

Lukas Cranach. Gemälde, Zeichnungen, Druckgraphik, Kat. d. Ausst. Basel, 2 Bde., hg. von Dieter Koepplin und Tilman Falk, Basel und Stuttgart 1976.

Luther und die Folgen für die Kunst, Kat. d. Ausst. Hamburg 1983, hg. von Werner Hofmann, München 1983.

Magirius, Heinrich: Der Dom zu Freiberg, Leipzig 1986.

Marrow, James: Passion Iconography in Northern European Art of the Late Middle Ages and Early Renaissance. A Study of the Transformation of Sacred Metaphor into Descriptive Narrative, Kortrijk 1979.

Martin Luther und die Reformation in Deutschland, Kat. d. Ausst. Nürnberg 1983.

Meister Francke und die Kunst um 1400, Kat. d. Ausst. Hamburg 1969.

Michler, Jürgen: Die Elisabethkirche zu Marburg in ihrer ursprünglichen Farbigkeit, Marburg 1984.

ders.: Gotische Wandmalerei am Bodensee, Friedrichshafen 1992.

Möbius, Fritz und Sciurie, Helga (Hg.): Geschichte der deutschen Kunst 1200–1350, Leipzig 1989.

Möhring, Helmut: Die Tegernseer Altarretabel des Gabriel Angler und die Münchner Malerei von 1430–1450, München 1997.

Moxey, Keith: Peasants, Warriors, and Wives: Popular Imagery in the Reformation, Chicago u. London 1989.

Müller, Werner: Grundlagen gotischer Bautech-

nik, München 1995.
Müller-Meiningen, Johanna: Die Moriskentänzer und andere Arbeiten des Erasmus Grasser für das Alte Rathaus in München, München und Zürich, 3. Aufl. 1991.
Osten, Gert von der: Hans Baldung Grien. Gemälde und Dokumente, Berlin 1983.
ders.: Über Brüggemanns St. Jürgengruppe aus Husum in Kopenhagen, Wallraf-Richartz-Jahrbuch 37, 1975, 65–84.
Otavsky, Karel: Die Sankt Wenzelskrone im Prager Domschatz und die Frage der Kunstauffassung am Hofe Kaiser Karls IV., Bern 1992.
Panofsky, Erwin: Das Leben und die Kunst Albrecht Dürers, München 1977.
Philipp, Klaus J.: Pfarrkirchen. Funktion, Motivation, Architektur. Eine Studie am Beispiel der Pfarrkirchen der schwäbischen Reichsstädte im Spätmittelalter, Marburg 1987.
Pickering, Frederik P.: Literatur und darstellende Kunst im Mittelalter, Berlin 1966 (Grundlagen der Germanistik 4).
Pinder, Wilhelm: Die deutsche Plastik vom ausgehenden Mittelalter bis zum Ende der Renaissance, 2 Bde., Wildpark-Potsdam 1924–1929 (Hdb. d. Kunstwiss.).
ders.: Mittelalterliche Plastik Würzburgs. Versuch einer lokalen Entwicklungsgeschichte vom Ende des 13. bis zum Anfang des 15. Jahrhunderts, Leipzig 1924 (2. Aufl.).
Recht, Roland: L'Alsace gothique de 1300 à 1365. Etude d'architecture religieuse, Colmar 1974.
ders.: Nicolas de Leyde et la sculpture à Strasbourg 1460–1525, Straßburg 1987.
ders.: Le dessin d'architecture. Origine et fonctions, Paris 1995.
Reiners-Ernst, Elisabeth: Das freudvolle Vesperbild, München 1939.
Sauerländer, Willibald: Das Jahrhundert der großen Kathedralen 1140–1260, München 1990 (Universum der Kunst 36).
Schade, Werner: Die Malerfamilie Cranach, Dresden 1974.
Schmidt, Gerhard: Die Armenbibeln des XIV. Jahrhunderts, Graz 1959.
ders.: Gotische Bildwerke und ihre Meister, 2 Bde., Wien 1992 (mit Bibliogr. d. Autors).
ders.: Johann v. Troppau und die vorromanische Buchmalerei. Vom ideellen Wert altertümlicher Formen in der Kunst des 14. Jahrhunderts., in: Studien zur Buchmalerei und Goldschmiedekunst des Mittelalters, Festschrift für Karl H. Usener, Marburg 1967, 279–292.
ders.: Malerei – 1450. Tafelmalerei, Wandmalerei, Buchmalerei, in: Karl M. Swoboda (Hg.): Gotik in Böhmen, München 1969, 167–321.
Schmidt, Peter: Die Große Schlacht. Ein Historienbild aus der Frühzeit des Kupferstichs, Wiesbaden 1992 (Gratia 22).
Schmoll gen. Eisenwerth, Josef A.: Das Kloster Chorin und die askanische Architektur in der Mark Brandenburg 1260–1320, Berlin 1961.
ders.: Neue Ausblicke zur hochgotischen Skulptur Lothringens und der Champagne, in: Aachener Kunstblätter 30, 1965, 49–99.
Schöller, Wolfgang: Die rechtliche Organisation des Kirchenbaues im Mittelalter, vornehmlich des Kathedralbaues, Köln/Wien 1989.
Schütz, Bernhard: Die Katharinenkirche in Oppenheim, Berlin 1982.
Schuster, Klaus Peter: Melencolia I. Dürers Denkbild, 2 Bde., Berlin 1991.
Stamm, Lieselotte (d.i. Saurma-Jeltsch): Die Rüdiger Schopf-Handschriften. Die Meister einer Freiburger Werkstatt des späten 14. Jh. und ihre Arbeitsweise, Aarau 1981.
Stefan Lochner. Meister zu Köln. Herkunft – Werke – Wirkung, Kat. d. Ausst. Köln 1993, hg. von Frank G. Zehnder.
Steinbrecht, Conrad E.: Die Baukunst des deutschen Ritterordens in Preussen, 4 Bde., Berlin 1885–1910.
Suckale, Robert: Die Hofkunst Kaiser Ludwigs des Bayern, München 1993.
ders.: Arma Christi, Überlegungen zur Zeichenhaftigkeit mittelalterlicher Andachtsbilder, in: Städel-Jahrbuch 6, 1977, 177–208.
ders.: Die Bamberger Domskulptur. Technik, Blockbehandlung, Ansichtigkeit und die Einbeziehung des Betrachters, in: Münchner Jahrbuch der Bildenden Kunst 38, 1987, 27–82.
ders.: Die Glatzer Madonnentafel des Prager Erzbischofs Ernst von Pardubitz als gemalter Marienhymnus. Zur Frühzeit der böhmischen Tafelmalerei. Mit einem Beitrag zur Einordnung der Kaufmannschen Kreuzigung, in: Wie-

ner Jahrbuch für Kunstwissenschaft 46/47, 1993/1994 (Festschrift für Gerhard Schmidt), 737–756 und 889–892.

ders.: Eine unbekannte Madonnenstatuette der Wiener Hofkunst um 1350, in: Österreichische Zeitschrift für Kunst und Denkmalpflege 49, 1996, 147–159.

Tacke, Andreas: Der katholische Cranach. Zu zwei Großaufträgen von Lucas Cranach d.Ä., Simon Franck und der Cranach-Werkstatt, Mainz 1992.

Tångeberg, Peter: Mittelalterliche Holzskulpturen und Altarschreine in Schweden. Studien zu Form, Material und Technik, Stockholm 1986.

Tieschowitz, Bernhard v.: Das Chorgestühl des Kölner Doms, Marburg 1930.

Ungewitter, Georg G.: Lehrbuch der gotischen Konstruktionen, hg. von K. Mohrmann, 2 Bde., Leipzig 1990.

Vöge, Wilhelm: Jörg Syrlin d. Ä. und seine Bildwerke, Berlin 1950.

Vom Leben im späten Mittelalter. Der Hausbuchmeister oder Meister des Amsterdamer Kabinetts, Kat. d. Ausst. Amsterdam und Frankfurt/M. 1985, hg. von J.P. Filedt Kok.

Williamson, Paul: Gothic Sculpture 1130–1300, New Haven 1997.

Wolff, Arnold: Chronologie der ersten Bauzeit des Kölner Domes 1248–1277, in: Kölner Domblatt 28/29, 1968, 7–229.

Wood, Christopher S: Albrecht Altdorfer and the Origins of Landscape, Chicago 1993.

Zaske, Rosemarie und Nikolaus: Kunst in Hansestädten, Leipzig 1985.

Zülch, Walter K.: Grünewald. Mathis Gothardt-Neithardt, München 1949 (2. Aufl.)

Kapitel 5–6:

Alewyn, Richard und Sälzle, Karl: Das große Welttheater. Die Epoche der höfischen Feste in Dokument und Deutung, Hamburg 1959 (rowohlts deutsche enzyklopädie 92).

Andrews, Keith: Adam Elsheimer. Werkverzeichnis der Gemälde, Zeichnungen und Radierungen, München 1985.

Asche, Siegfried: Balthasar Permoser. Leben und Werk, Berlin 1978.

Aschenbrenner, Wanda und Schweighofer, Gregor: Paul Troger. Leben und Werk, Salzburg 1965.

Augsburger Barock, Kat. d. Ausst. Augsburg 1968.

Aurenhammer, Hans: Martino Altomonte, Wien u. München 1965.

ders. und Gertrude: Das Belvedere in Wien. Bauwerk, Menschen, Geschichte, Wien 1971.

Bätschmann, Oskar: Die Malerei der Neuzeit, Disentis 1989 (Ars Helvetica VI).

Barockplastik in Norddeutschland, Kat. d. Ausst. Hamburg 1977.

Barock Regional – International, Kunsthist. Jb. Graz 25, 1993.

Bauer, Hermann: Rocaille. Zur Herkunft und zum Wesen eines Ornament-Motivs, Berlin 1962.

ders.: Rokokomalerei. Sechs Studien, Mittenwald 1980.

ders. und Anna Bauer: Johann Baptist und Dominikus Zimmermann. Entstehung und Vollendung des Bayer. Rokoko, Regensburg 1985.

Baumgärtel-Fleischmann, Renate (Hg.): 300 Jahre Jesuitenkirche/St. Martin Bamberg 1693–1993, Bamberg 1993.

Bayerische Rokokoplastik. Vom Entwurf zur Ausführung, Kat. d. Ausst. Bayerisches Nationalmuseum München 1985.– Dazu der Colloquiumsband: Entwurf und Ausführung in der europäischen Barockplastik, München 1986.

Berliner, Rudolf: Ornamentale Vorlageblätter des 15. bis 19. Jh., 3 Bde., München 1981 (2. Aufl., hg. von Egger, Gerhart).

Braunfels, Wolfgang: François Cuvilliés. Der Baumeister der galanten Architektur des Rokoko, München 1986.

Brinckmann, Albert E.: Deutsche Stadtbaukunst in der Vergangenheit, Reprint mit Einleitung von Werner Oechslin, Braunschweig 1985.

Brucher, Günther (Hg.): Die Kunst des Barock in Österreich, Salzburg 1994; insbesondere den Artikel von Hellmut Lorenz über Architektur.

Büttner, Frank: Giovanni Battista Tiepolo. Die Fresken in der Residenz zu Würzburg, Würzburg 1980.

ders.: ›Argumentatio‹ in Bildern der Reformationszeit. Ein Beitrag zur Bestimmung argumentativer Strukturen in der Bildkunst, in: Zeitschrift für Kunstgeschichte 57, 1994, 23–44.

ders.: Rhetorik und barocke Deckenmalerei. Überlegungen am Beispiel der Fresken Johann Zicks in Bruchsal, in: Zeitschrift des deutschen Vereins für Kunstwissenschaft 43, 1989, 49–72.

Bulst, Wolfger A.: Der »Italienische Saal« der Landshuter Stadtresidenz und sein Darstellungsprogramm, in: Münchner Jahrbuch der bildenden Kunst 26, 1975, 123–176.

Busch, Renate v.: Studien zu deutschen Antikensammlungen des 16. Jh., Tübingen 1973.

Bushart, Bruno: Die Fuggerkapelle bei St. Anna in Augsburg, München 1994.

ders. und Rupprecht, Bernhard (Hg.): Cosmas Damian Asam 1686–1739. Leben und Werk, München 1986.

Cassirer, Kurt: Die ästhetischen Hauptbegriffe der Architekturtheoretiker von 1650–1780, Berlin 1909.

Das Capriccio als Kunstprinzip, Kat. d. Ausst. Wallraf-Richartz-Museum Köln 1996–1997, Köln 1996.

Dehio, Georg: Die Krisis der deutschen Kunst im 16. Jh., in: ders.: Kunsthistorische Aufsätze, München und Berlin 1914, 147–162.

Drescher, Horst und Badstübner-Gröger, Sibylle: Das Neue Palais in Potsdam. Beiträge zum Spätstil der friderizianischen Architektur und Bauplastik, Berlin 1991.

Elias Holl und das Augsburger Rathaus, Kat. d. Ausst. Augsburg 1985, Regensburg 1985.

Fleischer, Victor: Fürst Karl Eusebius von Liechtenstein als Bauherr und Kunstsammler (1611–1684), Wien und Leipig 1910 (Veröffentlichungen der Gesellschaft für neuere Geschichte Österreichs 1); druckt auch »Das Werk von der Architektur« fast ganz ab.

Fleischhauer, Werner: Renaissance im Herzogtum Württemberg, Stuttgart o.J.

Forssman, Erik: Säule und Ornament. Studien zum Problem des Manierismus in den nordischen Säulenbüchern und Vorlageblättern des 16. und 17. Jahrhunderts, Uppsala 1956.

ders.: Dorisch, jonisch, korinthisch. Studien über den Gebrauch der Säulenordnungen in der Architektur des 16.–18. Jahrhunderts, Braunschweig 1984 (2. Aufl.).

Fraenger, Wilhelm: Hans Weiditz und Sebastian Brant, Leipzig 1930.

Franz Anton Maulbertsch und der Wiener Akademiestil, Kat. d. Ausst. Langenargen 1994, Sigmaringen 1994.

Franz Anton Maulbertsch und sein schwäbischer Umkreis, Kat. der Ausst. Langenargen 1996, Sigmaringen 1996

Friedel, Helmut: Bronze-Bildmonumente in Augsburg 1589–1606. Bild und Urbanität, Augsburg 1974.

Garas, Klara: Franz Anton Maulbertsch. Leben und Werk. Mit Oeuvrekatalog geordnet nach Standorten, Salzburg 1974.

Georg Petel 1601/02–1634, mit Beiträgen von Karl Feuchtmayr u.a., Berlin 1973.

Georg Raphael Donner, Kat. d. Ausst. Unteres Belvedere Wien 1993, Wien 1993.

Giersberg, Hans-Joachim: Friedrich als Bauherr. Studien zur Architektur des 18. Jahrhunderts in Berlin und Potsdam, Berlin 1986.

Grimschitz, Bruno: Johann Lucas v. Hildebrandt, Wien etc. 1959.

Gurlitt, Cornelius: Geschichte des Barockstiles und des Rococo in Deutschland, Stuttgart 1889 (Gesch. der Neueren Baukunst 5,2,2).

ders.: August der Starke, 2 Bde., Dresden 1924.

Gutkas, Karl (Hg.): Prinz Eugen und das barocke Österreich, Salzburg 1985.

Habich, Johannes: Die künstlerische Gestaltung der Residenz Bückeburg durch Fürst Ernst 1601–1622, Bückeburg 1969 (Schaumburger Studien 26).

Haeutle, Christian: Die Reisen des Augsburgers Philipp Hainhofer..., in: Zeitschrift des Historischen Vereins für Schwaben und Neuburg 8, 1881, 1–316.

Hantsch, Hugo u. Scherf, Andreas: Quellen zur Geschichte des Barocks in Franken unter dem Einfluss des Hauses Schönborn, I/1: Die Zeit des Erzbischofs Lothar Franz und des Bischofs Johann Philipp Franz von Schönborn 1693–1729, Augsburg 1931, I/2 (hg. v. Max H. v. Freeden), Würzburg 1955; II/1: Die Zeit des Bischofs Friedrich Carl v. Schönborn

1729–1746, bearb. v. Joachim Hotz u. Katharina Bott, Neustadt/Aisch 1993.

Hauttmann, Max: Geschichte der kirchlichen Baukunst in Bayern/Schwaben und Franken 1550–1780, München 1923.

Hitchcock, Henry-Russell: German Renaissance Architecture, Princeton 1981.

Hofer, Sigrid: Studien zur Stuckausstattung im frühen 18. Jahrhundert. Modi und ihre Funktion in der Herrschaftsarchitektur am Beispiel Ottobeuren, München etc. 1987 (Kunstwiss. Studien 56).

Hoffmann, Richard: Bayerische Altarbaukunst, München 1923.

Hojer, Gerhard (Hg.): Der Italienische Bau. Materialien und Untersuchungen zur Stadtresidenz Landshut, Kat. d. Ausst. Landshut 1994, Landshut/Ergolding 1994.

Hoppe, Stephan: Die funktionale und räumliche Struktur des frühen Schloßbaus in Mitteldeutschland. Untersucht an Beispielen landesherrlicher Bauten der Zeit zwischen 1470 und 1570, Köln 1996 (62. Veröff. der Abt. Architekturgesch. des Kunsthist. Inst. der Univ. zu Köln)

Hubala, Erich: Renaissance und Barock, Frankfurt/M. und Innsbruck 1968 (Epochen der Architektur).
ders.: Johann Michael Rottmayr, Wien 1981.
ders. und Otto Mayer: Die Residenz zu Würzburg, Würzburg 1984.

Kaufmann, Thomas DaCosta: Art and Architecture in Central Europe 1550–1620. An annotated Bibliography, Boston 1988.
ders.: The School of Prague. Painting at the Court of Rudolf II., Chicago 1988.
ders.: The Mastery of Nature. Aspects of Art, Science, and Humanism in the Renaissance, Princeton 1993.
ders.: Central Europe in the Making. Art, Culture and Society from the Renaissance to the End of the Old Regime, Chicago 1995.

Kemp, Martin: From ›Mimesis‹ to ›Fantasia‹: The Quattrocento Vocabulary of Creation, Inspiration and Genius in the Visual Arts, in: Viator 8, 1977, 347–398.

Kerber, Bernhard: Andrea Pozzo, Berlin und New York 1963.

Kleiner, Salomon: Vera et accurata delineatio ..., 4 Bde., Augsburg 1724–1737, Reprint Graz 1967–1971, Dortmund 1979 (Stichwerk zum habsburgischen Kunstkreis, Prinz Eugen und den Schönborn).

Klemm, Christian: Joachim v. Sandrart. Kunstwerke und Lebenslauf, Berlin 1985.

Kohler, Georg (Hg.): Die schöne Kunst der Verschwendung. Fest und Feuerwerk in der europäischen Geschichte, Zürich und München 1988.

Koller, Manfred: Die Brüder Strudel. Hofkünstler und Gründer der Wiener Kunstakademie, Innsbruck 1993.

Korth, Thomas u. Poeschke, Joachim: Balthasar Neumann. Kunstgeschichtliche Beiträge zum Jubiläumsjahr 1987, München 1987.

Koschatzky, Walter (Hg.): Maria Theresia und ihre Zeit, Salzburg 1979.

Krämer, Gode u. Müller, Mechthild: Johann Evangelist Holzer 1709–1740 zum 250. Todesjahr. Fresken in Augsburg. Holzer in Münsterschwarzach, Kat. d. Ausst. Augsburg 1991.

Kratzsch, Klaus: Bergstädte des Erzgebirges. Städtebau und Kunst zur Zeit der Reformation, München 1972.

Krause, Hans-Joachim: Die Emporenanlage der Torgauer Schloßkapelle in ihrer ursprünglichen Gestalt und Funktion, in: Bau- und Bildkunst im Spiegel internationaler Forschung (Festschrift für Edgar Lehmann), Berlin 1989, 230–245.
ders.: Zur Ikonographie der protestantischen Schloßkapelle des 16. Jahrhunderts, in: Von der Macht der Bilder, Leipzig 1983, 395–412.

Kreisel, Heinrich: Das Schloss zu Pommersfelden, München 1953.

Kruedener, Jürgen v.: Die Rolle des Hofes im Absolutismus, Stuttgart 1973 (Forschungen zur Wirtschafts- und Sozialgesch. 19).

Lamb, Carl: Die Wies, München 1964.

Lankheit, Klaus: Der kurpfälzische Hofbildhauer Paul Egell 1691–1752, 2 Bde., München 1988.

Larsson, Lars O.: Adriaen de Vries, 1545–1626, Wien und München 1967.

Lee, Rensselaer W.: Ut pictura poesis. The Humanistic Theory of Painting, New York 1967.

Lehmann, Edgar: Die Bibliotheksräume der deutschen Klöster in der Zeit des Barock, 2 Bde., Berlin 1996.

Lietz, Sabine: Das Fenster des Barock. Fenster und Fensterzubehör in der fürstlichen Profanarchitektur zwischen 1680 und 1780, München 1982.

Lietzmann, Hilda: Das Neugebäude in Wien. Sultan Süleymans Zelt – Kaiser Maximilians II. Lustschloß. Ein Beitrag zur Kunst- und Kulturgeschichte der zweiten Hälfte des sechzehnten Jahrhunderts, München und Berlin 1987.

Lindemann, Bernd: Bilder vom Himmel, Studien zur Deckenmalerei des 17. und 18. Jahrhunderts, Worms 1994.

Löffler, Fritz: Der Zwinger zu Dresden, Leipzig 1979 (2.Aufl.).

Lorenz, Hellmut: Johann Bernhard Fischer v. Erlach, Zürich etc. 1992

Lüttichau, Mario-Andreas v.: Die deutsche Ornamentkritik im 18. Jah., Hiildesheim 1983 (Studien zur dt. Kg. 24).

Magirius, Heinrich: Schloß Augustusburg 1572–1972, Augustusburg 1982.

Mander, Carel van: Das Leben der niederländischen und deutschen Maler (von 1400 bis ca. 1615), übersetzt und hg. von Hanns Floerke, Worms 1991.

Maria Sibylla Merian. Künstlerin und Naturforscherin 1647–1717, Kat. d. Ausst. Historisches Museum Frankfurt/M., hg. von Kurt Wettengl, Stuttgart 1997.

Matsche, Franz: Die Kunst im Dienst der Staatsidee Kaiser Karls VI. Ikonographie, Ikonologie und Programmatik des »Kaiserstils«, 2 Bde., Berlin etc. 1981.

Matthäus Daniel Pöppelmann 1662–1736 und die Architektur der Zeit Augusts des Starken, Dresden 1990.

Mayer, Bernd: Johann Rudolf Byß (1662–1731). Studien zu Leben und Werk, München 1994.

Menzhausen, Joachim: Am Hofe des Großmoguls. Der Hofstaat zu Delhi am Geburtstage des Großmoguls Aureng-Zeb. Kabinettstück von Johann Melchior Dinglinger, Hofjuwelier des Kurfürsten von Sachsen und Königs von Polen August II., gen. August der Starke, Leipzig und München 1965.

Merten, Klaus (Hg.): Burgen und Schlösser in Deutschland, München 1995.

Michael Willmann (1630–1706). Studien zu seinem Werk, Kat. d. Ausst. Salzburg und Breslau 1994, Salzburg 1994.

Mielke, Friedrich: Potsdamer Baukunst. Das klassische Potsdam, Frankfurt/M. etc. 1981.

Milde, Kurt (Hg.): Matthäus Daniel Pöppelmann 1662–1736 und die Architektur der Zeit Augusts des Starken, Dresden 1991.

Modell und Ausführung in der Metallkunst, Kat. d. Ausst. Bayerisches Nationalmus. München 1989.

Moeller, Lieselotte: Der Wrangelschrank und die verwandten süddeutschen Intarsienmöbel des 16. Jahrhunderts, Berlin 1956.

Möseneder, Karl: Franz Anton Maulbertsch. Aufklärung in der barocken Deckenmalerei, Wien, Köln und Weimar 1993.

Mrazek, Wilhelm: Ikonologie der barocken Deckenmalerei, Wien 1953 (Österreich. Akad. d. Wiss., Philosophisch-hist. Kl. 228/3).

Neumann, Günter: Neresheim, hg. v. Hans Jantzen, München 1947.

Neumann, Hartwig: Festungsbaukunst und Festungsbautechnik. Deutsche Wehrbautechnik vom XV–XX Jahrhundert, Köln 1988 (mit Bibliographie).

Neumann, Jaromír: Das böhmische Barock, Hannover 1970.

O'Dell-Franke, Ilse: Kupferstiche und Radierungen aus der Werkstatt des Virgil Solis, Wiesbaden 1977.

Oechslin, Werner u. Buschow, Anja: Festarchitektur. Der Architekt als Inszenierungskünstler, Stuttgart 1984.

Paulus, Helmut-Eberhard: Die Schönbornschlösser in Göllersdorf und Werneck, Nürnberg 1982.

Polleroß, Friedrich (Hg.): Fischer v. Erlach und die Wiener Barocktradition, Wien etc. 1995.
ders.: Das sakrale Identifikationsporträt. Ein höfischer Bildtypus vom 13. bis zum 20. Jahrhundert, 2 Bde., Worms 1988.

Praz, Mario: Studies in Seventeenth-Century Imagery, 2 Bde., Rom 1964 (Sussidi Eruditi 16, 17).

Renaissance in Nord-Mitteleuropa I, Kat. d. Ausst. Brake, hg. von Ulrich Großmann, München und Berlin 1990 (Schriften des Weserre-

naissance-Museums Schloß Brake 4).
Rom in Bayern. Kunst und Spiritualität der ersten Jesuiten, Kat. d. Ausst. München 1997, hg. von Reinhold Baumstark, München 1997.
Sandrart, Joachim v.: Teutsche Academie der Bau-, Bild- und Mahlerey-Künste. Nürnberg 1675–1680, Reprint mit einer Einleitung von Christian Klemm, Nördlingen 1994.
Schlosser, Julius v.: Die Kunst- und Wunderkammern der Spätrenaissance. Ein Beitrag zur Geschichte des Sammelwesens, Leipzig 1908.
Schmidt, Philipp: Die Illustration der Lutherbibel 1522–1700, Basel 1962.
Schmitt, Annegrit: Der Einfluß des Humanismus auf die Bildprogramme fürstlicher Residenzen, in: Höfischer Humanismus, hg. von August Buck, Weinheim 1989, 215–257.
Schöne, Wolfgang: Zur Bedeutung der Schrägsicht für die Deckenmalerei des Barock, in: Festschrift Kurt Badt zum 70. Geburtstage, Berlin 1961, 144–172.
Schütte, Ulrich: Ordnung und Verzierung. Untersuchungen zur deutschsprachigen Architekturtheorie des 18. Jahrhunderts, Braunschweig u. Wiesbaden 1979.
ders.: Das Schloß als Wehranlage. Befestigte Schloßbauten der frühen Neuzeit im alten Reich, Darmstadt 1994.
Schütz, Bernhard: Balthasar Neumann, Freiburg/Brg. 1986.
Schweikhart, Gunter (Hg.): Autobiographie und Selbstporträt in der Renaissance, Köln 1998 (Atlas. Bonner Beiträge zur Renaissanceforschung 2).
Seelig, Lorenz: Friedrich und Wilhelmine von Bayreuth. Die Kunst am Bayreuther Hof 1732–1763, München etc. 1982
Seibt, Ferdinand (Hg.): Renaissance in Böhmen, München 1985.
Smith, Jeffrey Chipps: German Sculpture of the Later Renaissance, ca. 1520–1580. Art in an Age of Uncertainty, Princeton 1994.
Spencer, John R.: Ut Rhetorica Pictura. A Study in Quattrocento Theory of Painting, in: Journal of the Warburg and Courtauld Institutes 20, 1957, 26–44.
Sponsel, Jean-Louis: Der Zwinger, die Hoffeste und die Schloßpläne zu Dresden, 2 Bde., Dresden 1924.
ders.: Das Grüne Gewölbe zu Dresden, 4 Bde., Leipzig 1925–1932.
ders.: Die Frauenkirche zu Dresden. Geschichte ihrer Entstehung von Georg Bährs frühesten Entwürfen an bis zur Vollendung nach dem Tode des Erbauers, Dresden 1893.
ders.: Kabinettstücke der Meissner Porzellan-Manufaktur von Johann Joachim Kändler, Leipzig 1900.
Stilleben in Europa, Kat. d. Ausst. Münster und Baden-Baden 1979–1980, hg. von Gerhard Langemeyer und Hans Albert Peters.
Stoichita, Victor: L'Instauration du tableau. Métapeinture à l'aube des Temps modernes, Paris 1993.
Straßer, Josef: Januarius Zick 1730–1797. Gemälde, Graphik, Fresken, Weißenhorn 1994.
Tintelnot, Hans: Barocktheater und barocke Kunst, Berlin 1939.
ders.: Die barocke Freskomalerei in Deutschland. Ihre Entwicklung und europäische Wirkung, München 1951.
Vilímková, Milada und Brucher, Johannes: Dientzenhofer. Eine bayerische Baumeisterfamilie in der Barockzeit, Rosenheim 1989.
Volk, Peter: Rokokoplastik in Altbayern, Bayrisch-Schwaben und im Allgäu, München 1981.
ders.: Johann Baptist Straub 1704–1784, München 1984.
ders.: Ignaz Günther. Vollendung des Rokoko, Regensburg 1991.
Wagner, Karl und Keller, Albert: St. Michael in München. Festschrift zum 400. Jahrestag der Grundsteinlegung und zum Abschluß des Wiederaufbaus, München und Zürich 1983.
Warncke, Carsten-Peter: Die ornamentale Groteske in Deutschland 1500–1650, 2 Bde., Berlin 1979.
ders.: Sprechende Bilder – Sichtbare Worte. Das Bildverständnis in der frühen Neuzeit, Wiesbaden 1987 (Wolfenbütteler Forschungen 33).
ders.: J.M.Dinglingers ›Hofstaat des Großmoguls‹ – Form und Bedeutung eines virtuosen Goldschmiedekunstwerkes, in: Anzeiger des Germanischen Nationalmuseums 1988, 159–188.
ders. (Hg.): Ikonographie der Bibliotheken,

Wiesbaden 1992.
Warnke, Martin: Hofkünstler. Zur Vorgeschichte des modernen Künstlers, Köln 1996 (2. Aufl.).
Watzdorf, Erna v.: Johann Melchior Dinglinger. Der Goldschmied des deutschen Barock, 2 Bde., Berlin 1962.
Weihrauch, Hans R.: Europäische Bronzestatuetten, Braunschweig 1967.
Weizsäcker, Heinrich: Adam Elsheimer. Der Maler von Frankfurt, 3 Bde., Berlin 1936.
Welt im Umbruch. Augsburg zwischen Renaissance und Barock, Kat. d. Ausst. Augsburg 1980, 2 Bde.
Wenzel Jamnitzer und die Nürnberger Goldschmiedekunst 1500–1700, Kat. d. Ausst. Nürnberg, Germanisches Nationalmuseum 1985, bearbeitet von Klaus Pechstein, Ralf Schlüter und Martin Angerer, München 1985.
Wettengl, Kurt (Hg.): Georg Flegel 1566–1638. Stilleben, Stuttgart 1993.
Wex, Reinhold: Ordnung und Unfriede. Raumprobleme des protestantischen Kirchenbaus im 17. und 18. Jh. in Deutschland, Marburg 1984.
Wiesinger, Lieselotte: Das Berliner Schloß. Von der kurfürstlichen Residenz zum Königsschloß, Darmstadt 1989.
Wittelsbach und Bayern, Kat. d. Ausst. München etc., 6 Bde., München 1980.
Zimmer, Jürgen: Joseph Heintz der Ältere als Maler, Weißenhorn 1971.
ders.: Joseph Heintz der Ältere. Zeichnungen und Dokumente, München und Berlin 1988
Zülch, Walter K.: Entstehung des Ohrmuschelstils, Heidelberg 1932.
Zweite, Armin: Marten de Vos als Maler. Ein Beitrag zur Geschichte der Antwerpener Malerei in der zweiten Hälfte des 16. Jahrhunderts, Berlin 1980.

Kapitel 7–8:

Adam, Peter: The Art of the Third Reich, New York 1992.
Adolf Loos, Kat. d. Ausstellung, Wien, Graphische Sammlung Albertina, Wien 1989.
Adolph Menzel 1815–1905. Das Labyrinth der Wirklichkeit, hg. von Claude Keisch und Marie Ursula Riemann-Reyher, Kat. d. Ausst. Berlin 1997, Köln 1997.
Albert Renger-Patzsch: Meisterwerke, Kat. d. Ausst. Hannover etc. 1997, hg. von Ann und Jürgen Wilde und Thomas Westen, München etc. 1997.
Andree, Rolf: Arnold Böcklin. Die Gemälde, Basel und München 1977.
Andrews, Keith: The Nazarenes. A Brotherhood of German Painters in Rome, Oxford 1964.
Arenhövel, Willmuth: Eisen statt Gold. Preußischer Eisenguß..., Berlin 1982.
Ausgebürgert. Künstler aus der DDR 1945–1989, Kat. d. Ausst. Dresden 1990–1991, hg. von Werner Schmidt.
Backes, Klaus: Hitler und die bildenden Künste. Kulturverständnis und Kunstpolitik im Dritten Reich, Köln 1988.
Badt, Kurt: Wolkenbilder und Wolkengedichte der Romantik, Berlin 1960.
Bätschmann, Oskar: Ausstellungskünstler. Kult und Karriere im modernen Kunstsystem, Köln 1977.
Bang, Ilse: Die Entwicklung der deutschen Märchenillustration, München 1944.
Banham, Reyner: Die Revolution der Architektur. Theorie und Gestaltung im ersten Maschinenzeitalter, Reinbek 1964.
Baumgärtel, Bettina: Angelika Kauffmann (1741–1807). Bedingungen weiblicher Kreativität in der Malerei des 18. Jahrhunderts, Weinheim und Basel 1990.
Beaucamp, Eduard: Der verstrickte Künstler. Wider die Legende von der unbefleckten Avantgarde, Köln 1998.
Beck, Herbert (Hg.): Ideal und Wirklichkeit der bildenden Kunst im späten 18. Jh., Berlin 1984.
ders. und Peter C. Bol (Hg.): Forschungen zur Villa Albani. Antike Kunst und die Epoche der Aufklärung, Berlin 1982.
Becker, Wolfgang: Paris und die deutsche Malerei 1750–1840, München 1971.
Beckmann, Peter und Schaffer, Joachim: Die Bibliothek Max Beckmanns. Unterstreichungen, Kommentare, Notizen und Skizzen in seinen Büchern, Worms 1992.
Beenken, Hermann: Das 19. Jahrhundert in der deutschen Kunst. Aufgaben und Gehalte. Ver-

such einer Rechenschaft, München 1944.
ders.: Schöpferische Bauideen der deutschen Romantik, Mainz 1952.

Behne, Adolf: Architekturkritik in der Zeit und über die Zeit hinaus, Texte 1913–1946, Basel etc. 1994.

Behr, Shulamith: Women Expressionists, Oxford 1988.

Berckenhagen, Ekhart: Anton Graff. Leben und Werk, Berlin 1967.

Benevolo, Leonardo: Geschichte der Architektur im 19. und 20. Jh., 2 Bde., München 1964.

Bernhard, Klaus: Idylle, Theorie, Geschichte, Darstellung in der Malerei 1750–1850. Zur Anthropologie deutscher Seligkeitsvorstellungen, Köln, Wien 1977.

Beuys zu Ehren, Kat. d. Ausst. München, Städtische Galerie im Lenbachhaus, hg. von Armin Zweite, München 1986.

Bierhaus-Rödiger, Erika: Carl Rottmann 1797–1850. Monographie und kritischer Werkkatalog, mit Beiträgen von Hugo Decker und Barbara Eschenburg, München 1978.

Bodenschatz, Harald (Hg.): Berlin. Auf der Suche nach dem verlorenen Zentrum, Hamburg 1995.

Börsch-Supan, Eva: Berliner Baukunst nach Schinkel 1840–1870, München 1977.

Börsch-Supan, Helmut: Die Deutsche Malerei von Anton Graff bis Hans von Marées 1760–1870, München 1988.
ders. und Karl Wilhelm Jähnig: Caspar David Friedrich. Gemälde, Druckgraphik und bildmäßige Zeichnungen, München 1973.

Bothe, Rolf (Hg.): Kurstädte in Deutschland. Zur Geschichte einer Baugattung, Berlin 1984.

Braunfels, Sigrid: Adolf von Hildebrand 1847–1921, Berlin 1993.

Brenner, Hildegard: Die Kunstpolitik des Nationalsozialismus, Reinbek 1963.

Bringmann, Michael: Studien zur neuromanischen Architektur in Deutschland, Hannover 1968.

Brix, Michael und Steinhauser, Monika (Hg.): »Geschichte allein ist zeitgemäß«, Historismus in Deutschland, Giessen 1978.

Brock, Bazon und Preiss, Achim: Kunst auf Befehl? 33–45, München 1990.

Brönner, Wolfgang: Die bürgerliche Villa in Deutschland 1830–1890, Worms 1994.

Buddensieg, Tilmann und Rogge, Henning: Industriekultur. Peter Behrens und die AEG, Berlin 1983 (2. Aufl.).

Büttner, Frank: Peter Cornelius. Fresken und Freskenprojekte, Wiesbaden 1980.

Busch, Werner: Die notwendige Arabeske. Wirklichkeitsaneignung und Stilisierung in der deutschen Kunst des 19. Jahrhunderts, Berlin 1985.
ders. (u.a.): Kunsttheorie und Kunstgeschichte des 19. Jahrhunderts in Deutschland. Texte und Dokumente, 3 Bde., Stuttgart 1982.

Bushart, Magdalena: Der Geist der Gotik und die expressionistische Kunst. Kunstgeschichte und Kunsttheorie 1911–1925, München 1990.

Buttlar, Adrian v.: Der Landschaftsgarten. Gartenkunst des Klassizismus und der Romantik, Köln 1989.
ders.: Sanssouci und der »Ewige Osten«. Freimaurerische Aspekte im Garten Friedrichs des Großen, in: Gartenkunst 6, 1994, 219–226.

Carl Blechen. Zwischen Romantik und Realismus, Kat. d. Ausst. Berlin 1990, hg. v. Peter-Klaus Schuster, München 1990.

Christian Schad, Kat. d. Ausst. Zürich etc. 1992, hg. v. Tobias Bezola.

Conrads, Ulrich: Programme und Manifeste der Architektur des 20. Jahrhunderts, Braunschweig 1981 (2. Aufl.).

Courbet und Deutschland, Kat. d. Ausst. Hamburg etc. 1978–1979.

Damsch-Withage, Renate: Richard Oelze. Ein alter Meister der Moderne, München 1989.

Damus, Martin: Das Rathaus. Architektur- und Sozialgeschichte von der Gründerzeit zur Postmoderne, Berlin 1988.

Danto, Arthur C.: After the End of Art. Contemporary Art and The Pale of History, Princeton 1997 (The A.W. Mellon Lectures in the Fine Arts, Bollingen Series XXXV, 44).

Davidson, Mortimer G.: Die Kunst in Deutschland 1933–1945. Eine wissenschaftliche Enzyklopädie der Kunst im Dritten Reich, 4 Bde., Tübingen 1988–1995.

Delaunay und Deutschland, Kat. d. Ausst. München 1985, hg. von Peter-Klaus Schuster.

Der Schrei nach dem Turmhaus. Der Ideenwettbewerb Hochhaus am Bahnhof Friedrichstraße,

Berlin 1921/22, Kat. d. Ausst. Bauhausarchiv Berlin, Berlin 1988.

Deutschlandbilder. Kunst aus einem geteilten Land, Kat. d. Ausst. Berlin 1997–1998, hg. von Eckhart Gillen, Köln 1997.

Die letzten Tage der Menschheit. Bilder des Ersten Weltkrieges, Kat. d. Ausst. Berlin, Hist. Mus. 1994.

Die Nazarener, Kat. d. Ausst. Frankfurt/M. 1977.

Doede, Werner: Die Berliner Secession. Berlin als Zentrum der deutschen Kunst von der Jahrhundertwende bis zum Ersten Weltkrieg, Frankfurt/M. etc. 1977.

Dolgner, Dieter: Die Architektur des Klassizismus in Deutschland, Dresden 1971.

Domm, Anne-S.: Der »Klassische« Hans v. Marées und die Existenzmalerei Anfang des 20. Jahrhunderts, München 1989 (Miscellanea Bavarica Monacensia 146).

Drew, Philip: Frei Otto. Form und Konstruktion, Stuttgart 1976.

Droste, Magdalena: Das Fresko als Idee. Zur Geschichte öffentlicher Kunst im 19. Jahrhundert, Münster 1980.

Drüeke, Eberhard: »Maximilianstil«. Zum Stilbegriff der Architektur im 19. Jahrhundert, Mittenwald 1981.

Durth, Werner: Deutsche Architekten. Biographische Verflechtungen 1900–1970, Braunschweig etc. 1986.

ders. und Niels Gutschow: Architektur und Städtebau der Fünfziger Jahre, Bonn 1987 (Schriftenreihe des Deutschen Nationalkomitees für Denkmalschutz 33).

dies.: Träume in Trümmern. Stadtplanung 1940–1950, München 1993 (2. Aufl.).

dies. und Jörn Düwel: Architektur und Städtebau der DDR, 2 Bde., Frankfurt/M. 1998.

Ecker, Jürgen: Anselm Feuerbach. Leben und Werk, München 1991.

Einstein, Carl: Die Kunst des 20. Jahrhunderts, Berlin 1931 (3. Aufl.)

Eisner, Lotte: Murnau, Der Klassiker des deutschen Films, Hannover 1967.

Endicott Barnett, Vivian: Das bunte Leben. Wassily Kandinsky im Lenbachhaus, hg. von Helmut Friedel, München 1995.

Ernst Ludwig Kirchner 1880–1938, Kat. d. Ausst. Berlin etc. 1979–1980, hg. von Lucius Grisebach und E. Meier zu Eissen.

Esche-Braunfels, Sigrid: Adolf v. Hildebrand (1847–1921), Berlin 1993.

Eschenburg, Barbara: Der Kampf der Geschlechter. Der neue Mythos in der Kunst 1850–1930, Kat. d. Ausst. Lenbachhaus München 1995, Köln 1995.

Ethos und Pathos. Die Berliner Bildhauerschule 1786–1914, Kat. d. Ausst. Berlin, Hg. von Peter Bloch u.a., 2 Bde., Berlin 1990.

Europa 1789. Aufklärung, Verklärung, Verfall, Kat. d. Ausst. Hamburg, hg. von Werner Hofmann, Köln 1989.

Evers, Hans Gerhard: Ludwig II. von Bayern. Theaterfürst – König – Bauherr. Gedanken zum Selbstverständnis, hg. von Josef A. Schmoll gen. Eisenwerth, bearb. von Klaus Eggert, München 1986.

Exil. Flucht und Emigration europäischer Künstler 1933–1945, Kat. d. Ausst. Berlin 1997–1998, München 1997.

Expressionismus. Die Avantgarde in Deutschland 1905–1920, Kat. d. Ausst. Berlin 1986.

Expressionismus und Kulturkrise, hg. von Bernd Hüppauf, Heidelberg 1983.

Eva und die Zukunft. Das Bild der Frau seit der Französischen Revolution, Kat. d. Ausst. Hamburg 1986, hg. von Werner Hofmann, Kat. v. Sigrun Paas und Friedrich Gross, München 1986.

Feuchtmüller, Rupert: Der Kremser Schmidt 1718–1801, Innsbruck u. Wien 1989.

ders.: Ferdinand Georg Waldmüller 1793–1865. Leben, Schriften, Werke, Wien und München 1996.

Forssman, Erik: Karl Friedrich Schinkel. Bauwerke und Baugedanken, München 1981.

Franciscono, Marcel: Walter Gropius and the Creation of the Bauhaus in Weimar: The Ideals and Artistic Theories of its Founding Years, Chicago etc. 1971.

ders.: Paul Klee, Its Work and Thought, Chicago 1991.

Frank, Hilmar: Joseph Anton Koch. Der Schmadribachfall. Natur und Freiheit, Frankfurt/M. 1995 (Fischer Kunststück).

Froelich, Marie und Sperlich, Hans-Günther: Georg Moller. Baumeister der Romantik,

Darmstadt 1959.
Gaehtgens, Thomas W. (Hg.): Johann Joachim Winckelmann 1717–1768, Hamburg 1986 (Studien zum 18. Jahrhundert 7).
Galassi, Peter: Before Photography. Painting and the Invention of Photography, Kat. d. Ausst. New York, Museum of Modern Art 1981.
Geismeier, Willi: Daniel Chodowiecki, Leipzig 1993.
Geist, Jonas und Kürvers, Klaus: Das Berliner Mietshaus, 2 Bde., München 1980, 1984.
Germann, Georg: Neugotik. Geschichte ihrer Architekturtheorie, Stuttgart 1974.
Gernsheim, Helmut: Geschichte der Photographie. Die ersten hundert Jahre, Berlin 1983 (Propyläen Kunstgeschichte).
Glaser, Hermann: Die Kultur der wilhelminischen Zeit, Frankfurt/M. 1984.
Glozer, Laszlo: Westkunst. Zeitgenössische Kunst seit 1939, Köln 1981.
Gohr, Siegfried und Gachnang, Johannes: Bilderstreit. Widerspruch, Einheit und Fragment in der Kunst seit 1960, Köln 1989.
Goldwater, Robert: Primitivism in Modern Art, Cambridge/Mass. und London 1986.
Gottlieb Schick. Ein Maler des Klassizismus, Kat. d. Ausst. Stuttgart 1976.
Grasskamp, Walter: Die unbewältigte Moderne. Kunst und Öffentlichkeit, München 1989.
ders.: Der lange Marsch durch die Illusionen. Über Kunst und Politik, München 1995.
Grütter, Tina: Melancholie und Abgrund. Die Bedeutung des Gesteins bei Caspar David Friedrich. Ein Beitrag zum Symboldenken der Frühromantik, Berlin 1986.
Gurlitt, Cornelius: Zur Befreiung der Baukunst. Ziele und Taten deutscher Architekten im 19. Jh., redigiert und kommentiert von Werner Kallmorgen, Frankfurt/M. etc. 1968.
ders.: Die deutsche Kunst des 19. Jahrhunderts. Ihre Ziele und Taten, Berlin 1899.
Hanemann, Regina: Johann Lorenz Fink (1745–1817). Fürstbischöflicher Hof-Werkmeister und Hofarchitekt in Bamberg, München 1993.
Hartmann, Kristina: Deutsche Gartenstadtbewegung. Kulturpolitik und Gesellschaftsreform, München 1976.
Haus, Andreas: Bauhaus-Ideen 1919–1994, Bibliografie und Beiträge zur Rezeption des Bauhausgedankens, Berlin 1994.
ders.: Moholy-Nagy. Fotos und Fotogramme, München 1978.
ders.: Raoul Hausmann. Kamerafotografien 1927–1957, München 1979.
Haus, Andreas: Moholy-Nagy. Fotos und Fotogramme, München 1978.
Haxthausen, Charles W. und Heidrun Suhr (Hg.): Berlin: Culture and Metropolis, Minneapolis 1990.
Heinrich Reinhold (1788–1825). Italienische Landschaften, Zeichnungen, Aquarelle, Ölskizzen, Gemälde, Kat. d. Ausst. Gera 1988.
Hermand, Jost: Avantgarde und Regression. 200 Jahre deutsche Kunst, Leipzig 1995.
Herrmann, Wolfgang: Deutsche Baukunst des 19. und 20. Jahrhunderts, Basel/Stuttgart 1977.
ders.: In what style shall we build? The German debate on architectural style, Santa Monica 1992.
Hochman, Elaine S.: Architects of Fortune. Mies van der Rohe and the Third Reich, New York 1989.
Hoepfner, Wolfram und Neumeyer, Fritz: Das Haus Wiegand von Peter Behrens in Berlin-Dahlem, Mainz 1979.
Hofmann, Werner: Von der Nachahmung zur Erfindung der Wirklichkeit. Die schöpferische Befreiung der Kunst 1890–1917, Köln 1970.
Hoh-Slodczyk, Christine: Das Haus des Künstlers im 19. Jh., München 1985.
dies., Norbert Huse, Günther Kühne und Andreas Tönnesmann: Hans Scharoun – Architekt in Deutschland 1893–1972, München 1992.
Holst, Christian v.: Johann Heinrich Dannecker. Der Bildhauer, Kat. d. Ausst. Stuttgart 1987.
Hüter, Karl-Heinz: Architektur in Berlin 1900–1933, Dresden 1987.
Hütt, Wolfgang: Die Düsseldorfer Malerschule, Leipzig 1995.
Huse, Norbert: »Neues Bauen« 1918 bis 1933. Moderne Architektur in der Weimarer Republik, Berlin 1985 (2.Aufl.).
ders.: Denkmalpflege, Deutsche Texte aus drei Jahrhunderten, München 1984.
ders.: Unbequeme Baudenkmale. Entsorgen? Pflegen? Schützen?, München 1997.

ders.: verloren – gefährdet – geschützt. Baudenkmale in Berlin, Kat. d. Ausst. Arbeitsschutzmuseum Berlin 1989.
Imiela, Hans-Jürgen: Max Slevogt, Karlsruhe 1968.
»In uns selbst liegt Italien«. Die Kunst der Deutsch-Römer, Kat. d. Ausst. Haus d. Kunst München 1987/1988, hg. von Christoph Heilmann, München 1987.
Jähner, Horst: Künstlergruppe Brücke. Geschichte, Leben und Werk der Maler, Stuttgart etc. 1984.
Johann Friedrich Overbeck 1789–1869, Zur zweihundertsten Wiederkehr seines Geburtstages, Kat. d. Ausst. Lübeck 1989.
Johann Georg v. Dillis 1759–1841. Landschaft und Menschenbild, Kat. d. Ausst. München und Dresden 1991/1992, hg. von Christoph Heilmann, München 1991.
John Heartfield, Kat. d. Ausst. Berlin etc., hg. v. Peter Pachnicke u.a., Köln 1991.
Julius Schnorr v. Carolsfeld 1794–1872, Kat. d. Ausst. Leipzig 1994, hg. von Herwig Guratzsch.
Junghanns, Kurt: Bruno Taut, Berlin 1983 (2. Aufl.).
Justi, Carl: Winckelmann und seine Zeitgenossen, 3 Bde., Leipzig 1898.
Kähler, Gert: Architektur als Symbolverfall. Das Dampfermotiv in der Baukunst, Braunschweig 1981.
Kamphausen, Alfred: Der Baumeister Fritz Höger, Neumünster 1972.
Kandinsky und München – Begegnungen und Wandlungen 1896–1914, Kat. d. Ausst. München 1982, hg. von Armin Zweite.
Karg, Detlef: Die Entstehungsgeschichte der Terrassenanlage und des Parterres vor dem Schloß Sanssouci, Potsdam 1980.
Karl Friedrich Schinkel. Architektur, Malerei, Kunstgewerbe, Kat. d. Ausst. Berlin 1981, hg. von Helmut Börsch-Supan und Lucius Grisebach.
Kaufhold, Enno: Bilder des Übergangs. Zur Mediengeschichte von Fotografie und Malerei in Deutschland um 1900, Marburg 1988.
Kemp, Wolfgang: Der Betrachter ist im Bild. Kunstwissenschaft und Rezeptionsästhetik, Berlin 1992 (2. Aufl.).
ders.: Die Beredsamkeit des Leibes. Körpersprache als künstlerisches und gesellschaftliches Problem der bürgerlichen Emanzipation, in: Städel-Jahrbuch 5, 1975, 111–134.
ders.: Die Theorie der Fotografie, 3 Bde., München 1979–1983.
Kimpel, Harald: Documenta, Mythos und Wirklichkeit, Köln 1997.
Klassizismus in Bayern, Schwaben und Franken. Architekturzeichnungen 1775–1825, Kat. d. Ausst. München 1980.
Paul Klee. Das Frühwerk 1883–1922, Kat. d. Ausst. München, Lenbachhaus, 1979.
Klinkott, Manfred: Die Backsteinbaukunst der Berliner Schule. Von K. F. Schinkel bis zum Ausgang des 19. Jh., Berlin 1988.
Klotz, Heinrich: Kunst im 20. Jahrhundert. Moderne, Postmoderne, Zweite Moderne, München 1994.
ders. (Hg.): Paul Schneider-Esleben. Entwürfe und Bauten 1949–1987, Braunschweig 1987.
ders.: Die Neuen Wilden in Berlin, Stuttgart 1984.
Kluxen, Andrea M.: Das Ende des Standesporträts. Die Bedeutung der englischen Malerei für das deutsche Porträt von 1760–1848, München 1989.
Koerner, Joseph Leo: Caspar David Friedrich and the subject of landscape, London 1990.
Kolb, Günter: Otto Wagner und die Wiener Stadtbahn, München 1989.
Kracauer, Siegfried: Von Caligari bis Hitler. Eine psychologische Geschichte des deutschen Films, Frankfurt/M. 1979 (Schriften, Bd. 2, hg. von Karsten Witte).
Kriller, Beatrix und Kugler, Georg: Das Kunsthistorische Museum. Architektur und Ausstattung. Idee und Wirklichkeit des Gesamtkunstwerkes, Wien 1991.
Krings, Ulrich: Die Architektur der Großstadtbahnhöfe, München 1984.
Kuhirt, Ullrich: Kunst in der DDR I: 1945–1959, Leipzig 1982, II: 1960–1980, Leipzig 1983.
Kuhn, Anette: Zero. Eine Avantgarde der Sechziger Jahre, Berlin 1991.
Kunstdokumentation SBZ/DDR 1945–1990. Aufsätze, Berichte, Materialien, hg. von Günter Feist, Eckhart Gillen und Beatrice Vierneisel, Köln 1996.

Lammel, Gisold: Tagträume. Bilder im Lichte der Aufklärung, Dresden 1993.
Lange, Hans: Vom Tribunal zum Tempel. Zur Architektur und Geschichte Deutscher Hoftheater zwischen Vormärz und Restauration, Marburg o.J.
Lankheit, Klaus: Das Freundschaftsbild der Romantik, Heidelberg 1952.
ders.: Franz Marc: Sein Leben und seine Kunst, Köln 1976.
Laves und Hannover. Niedersächsische Architektur im neunzehnten Jahrhundert, hg. von Harold Hammer-Schenk und Günther Kokkelink, Hannover 1989.
Lindemann, Bernd Wolfgang: Ferdinand Tietz 1708–1777. Studien zu Werk, Stil und Ikonographie, Weißenhorn 1989.
Löffler, Fritz: Otto Dix, Leben und Werk, Dresden 1989.
Lorenz, Werner: Konstruktion als Kunstwerk. Bauen mit Eisen in Berlin und Potsdam 1797–1850, Berlin 1995 (Bauwerke und Kunstdenkmäler von Berlin, Beiheft 25).
Magirius, Heinrich: Gottfried Sempers zweites Dresdner Hoftheater. Entstehung, Künstler, Ausstattung, Ikonographie, Leipzig 1985.
Mai, Ekkehard und Waetzold, Stephan: Kunstverwaltung, Bau- und Denkmalpolitik im Deutschen Kaiserreich, Berlin 1981.
Manet bis Van Gogh. Hugo v. Tschudi und der Kampf um die Moderne, Kat. d. Ausst. Berlin und München 1996, hg. von Johann Georg v. Hohenzollern und Peter-Klaus Schuster.
Max Beckmann, Retrospektive, Kat. d. Ausst. München etc., hg. von Carla Schulz-Hoffmann und Judith C. Weiss, München 1984.
Max Klinger 1857–1920, Kat. d. Ausst. Frankfurt/M. 1992, hg. von Dieter Gleisberg.
Max Liebermann in seiner Zeit, Kat. d. Ausst. Berlin und München 1979–1980, hg. von Sigrid Achenbach und Matthias Eberle, München 1979.
Meißner, Günter: Werner Tübke. Leben und Werk, Leipzig 1989.
Meyer, Alfred Gotthold: Eisenbauten. Ihre Geschichte und Ästhetik, Eßlingen 1907.
Milde, Kurt: Neorenaissance in der deutschen Architektur, Dresden 1981.
Miller Lane, Barbara: Architecture and Politics in Germany, 1918–1945, Cambridge/Mass. 1985 (2. Aufl.); dt.: Architektur und Politik in Deutschland 1918–1945, Braunschweig 1986.
Mitchell, Timothy F.: Art and Science in German Landscape Painting 1770–1840, Oxford 1993.
Mittig, Hans-Ernst und Plagemann, Volker: Denkmäler im 19. Jh., München 1972.
Moderne Architektur in Deutschland 1900–1950, Kat. d. Ausst. Architekturmus. Frankfurt/M., 2 Bde., Stuttgart 1992 und 1994.
Mommsen, Wolfgang J.: Bürgerliche Kultur und Künstler. Avantgarde, Kultur und Politik im deutschen Kaiserreich 1870–1918, Frankfurt/M. 1994.
Moritz v. Schwind. Meister der Spätromantik, Kat. d. Ausst. Karlsruhe und Leipzig 1997, Ostfildern 1996.
Mundt, Barbara: Historismus. Kunsthandwerk und Industrie im Zeitalter der Weltausstellungen, Berlin 1973 (Kataloge des Kunstgewerbemuseums Berlin 7).
Muthesius, Stefan: Das englische Vorbild. Eine Studie zu den deutschen Reformbewegungen in Architektur, Wohnbau und Kunstgewerbe im späteren 19. Jahrhundert, München 1974.
Nathan, Peter: Friedrich Wasmann. Sein Leben und sein Werk, München 1954.
Nationalsozialismus und ›Entartete Kunst‹ – die ›Kunststadt‹ München 1937, Kat. d. Ausst. München 1987, hg. von Peter-Klaus Schuster.
Nerdinger, Winfried (Hg.): Der Architekt Walter Gropius. Zeichnungen, Pläne und Fotos aus dem Busch-Reisinger-Museum der Harvard Univ. Art Museums, Cambridge/Mass. und dem Bauhaus-Archiv Berlin. Mit einem kritischen Werkverzeichnis, Berlin 1985.
ders.: Bauen im Nationalsozialismus. Bayern 1933–1945, München 1993.
ders.: Bauhaus-Moderne im Nationalsozialismus. Zwischen Anbiederung und Verfolgung, München 1993.
ders.: Carl v. Fischer 1782–1820, München 1982.
ders.: Friedrich v. Gärtner. Ein Architektenleben 1791–1847. Mit Briefen an Johann Martin v. Wagner, München 1992.
ders.: Richard Riemerschmid. Vom Jugendstil

zum Werkbund. Werke und Dokumente, München 1982.
ders.: Rudolf Belling und die Kunstströmungen in Berlin 1918–1923, Berlin 1923.
ders.: Theodor Fischer. Architekt und Städtebauer 1862–1938. Berlin 1988.
ders.: Zwischen Glaspalast und Maximilianeum, Architektur in Bayern zur Zeit Maximilians II. 1848–1864, Kat. d. Ausst. München 1997.
ders. u. Ekkehard Mai: Wilhelm Kreis. Architekt zwischen Kaiserreich und Demokratie 1873–1955, München 1994.
Niedersächsische Landesausstellung zur 150jährigen Widerkehr des Geburtstages von Wilhelm Busch, Hannover 1982; darin u.a. der Aufsatz von Jörg Traeger: Die Sprengung des Idylls.
Oechslin, Werner: Stilhülse und Kern. Otto Wagner, Adolf Loos und der evolutionäre Weg zur modernen Architektur, Zürich und Berlin 1994.
Olbrich, Harald (Hg.): Geschichte der deutschen Kunst 1890–1918, Leipzig 1988.
ders.: Geschichte der deutschen Kunst 1918–1945, Leipzig 1990.
Oldenbourg, Rudolf: Die Münchner Malerei im 19. Jahrhundert, neu hg. von Eberhard Ruhmer, München 1983.
Paret, Peter: Die Berliner Secession. Moderne Kunst und ihre Feinde im Kaiserlichen Deutschland, Berlin 1981.
ders.: Kunst als Geschichte. Kultur und Politik von Menzel bis Fontane, München 1990.
Patalas, Enno und Gregor, Ulrich: Geschichte des Films, Reinbek 1972 (2. Aufl.).
Pehnt, Wolfgang: Die Architektur des Expressionismus, Stuttgart 1983 (2. Aufl.).
ders.: Das Ende der Zuversicht. Architektur in diesem Jahrhundert. Ideen, Bauten, Dokumente, Berlin 1983.
ders.: Die Erfindung der Geschichte. Aufsätze und Gespräche zur Architektur unseres Jahrhunderts, München 1989.
Peters, Tom F.: Time is Money. Die Entwicklung des modernen Bauwesens, Stuttgart 1981.
Petzet, Dora und Michael: Die Richard-Wagner-Bühne König Ludwigs II., München 1970.
Pevsner, Nikolaus: A History of Building Types, Princeton 1976.
Plagemann, Volker: Das deutsche Kunstmuseum 1790–1870. Lage, Baukörper, Raumorganisation, Bildprogramm, München 1967.
Posener, Julius: Berlin auf dem Wege zu einer neuen Architektur. Das Zeitalter Wilhelms II., München 1979.
ders.: Hans Poelzig. Reflections on his life and work, New York 1992, hg. v. Kristin Feireiss.
Prange, Regine: Das Kristalline als Kunstsymbol – Bruno Taut und Paul Klee. Zur Reflexion des Abstrakten in Kunst und Kunsttheorie der Moderne, Hildesheim 1991.
Profession ohne Tradition. 125 Jahre Verein der Berliner Künstlerinnen, Berlin 1992.
Quitzsch, Heinz: Rudolf Sempers ästhetische Anschauungen, Berlin 1962.
Ranke, Winfried: Heinrich Zille. Photographien Berlin 1890–1910, München 1975.
Rathke, Ursula: Preußische Burgenromantik am Rhein. Studien zum Wiederaufbau von Rheinstein, Stolzenfels und Sooneck (1823–1860), München 1979.
Rebel, Ernst: Faksimile und Mimesis. Studien zur deutschen Reproduktionsgraphik des 18. Jahrhunderts, Mittenwald 1981.
Renaissance der Renaissance. Ein bürgerlicher Kunststil, 2 Bde., Kat. d. Ausst. Lemgo, hg. v. Ulrich Großmann, Berlin 1992.
Revolution und Realismus. Revolutionäre Kunst in Deutschland 1917–1933, Kat. d. Ausst. Altes Museum Berlin 1978–1979.
Ringbom, Sixten: The Sounding Cosmos. A Study in the Spiritualism of Kandinsky and the Genesis of Abstract Painting, Abo 1970
Ritter, Joachim: Landschaft. Zur Funktion des Ästhetischen in der modernen Gesellschaft, München 1963.
Roda, Burkhard v.: Adam Friedrich v. Seinsheim. Auftraggeber zwischen Rokoko und Klassizismus. Zur Würzburger und Bamberger Hofkunst anhand der Privatkorrespondenz d. Fürstbischofs 1755–1779, Neustadt 1980.
Rogoff, Irit (Hg.): The Divided Heritage. Themes and Problems in German Modernism, Cambridge/Mass. 1991.
Rohlfs, Hella: Sehnsucht nach Italien. Bilder deutscher Romantiker, München 1974.
Romain, Lothar und Wedewer, Rolf: Bernard

Schultze, München 1991.
Romantik und Restauration. Architektur in Bayern zur Zeit Ludwigs I., 1825–1848, hg. v. Winfried Nerdinger, Kat. d. Ausst. Stadtmus. München, München 1987.
Rosenblum, Robert: Transformations in Late Eighteenth Century Art, Princeton 1970 (3. Aufl.).
Rosenthal, Mark: Anselm Kiefer, München 1992.
Rost, Andreas: Von einem der auszog das Leben zu lernen. Ästhetische Erfahrung im Kino ausgehend von Wim Wenders Film ›Alice in den Städten‹, München 1990.
Roters, Eberhard: Malerei des 19. Jahrhunderts. Themen und Motive, 2 Bde., Köln 1998.
Rudolf Schlichter, Gemälde, Aquarelle, Zeichnungen, Kat. d. Ausst. Tübingen etc. 1997–1998, hg. von Götz Adriani, München und Berlin 1997.
Rudolf Schwarz, Kat. d. Ausst. Berlin, Akademie der Künste 1963.
Runge in seiner Zeit, Kat. d. Ausst. Hamburger Kunsthalle, hg. von Werner Hofmann, München 1977.
Sander, August: Menschen des 20. Jahrhunderts, Porträtphotographien 1892–1952, Text v. Ulrich Keller, München 1980.
Scarpa, Ludovica: Casa e città nella Repubblica di Weimar, Rom 1982.
Schawelka, Karl: Quasi una musica. Untersuchungen zum Ideal des Musikalischen in der Malerei ab 1800, München 1993.
Scheidig, Walther: Franz Horny 1798 Weimar - Olevano 1824, Berlin 1954.
ders.: Die Geschichte der Weimarer Malerschule 1860–1900, Weimar 1991.
Schivelbusch, Wolfgang: Geschichte der Eisenbahnreise. Zur Industrialisierung von Raum und Zeit im 19. Jahrhundert, Frankfurt/M. 1989 (2. Aufl.).
Schmalenbach, Werner: Kurt Schwitters, Köln 1967.
Schmied, Wieland: Neue Sachlichkeit und Magischer Realismus in Deutschland 1918–1933, Hannover 1969.
Schmidt, Dieter (Hg.): Manifeste, Manifeste 1905–1933, o.O., o.J.
Schmitz, Heinrich: Berliner Baumeister vom Ausgang des 18. Jh., Reprint, Berlin 1978 (Beihefte der Bau- und Kunstdenkmäler Berlin 2).
Schneede, Uwe M.: George Grosz, Leben und Werk, Hamburg und Frankfurt/M. 1975.
ders.: Künstlerschriften der 20er Jahre. Dokumente und Manifeste der Weimarer Republik, Köln 1986 (3. Aufl.).
Schoch, Rainer: Das Herrscherbild in der Malerei des 19. Jahrhunderts, München 1975.
Schöne, Albrecht: Goethes Farbentheologie, München 1987.
Schwartz, Frederic J.: The Werkbund. Design Theory and Mass Culture before the First World War, New Haven 1996.
Seiler, Michael: Das Palmenhaus auf der Pfaueninsel. Geschichte seiner baulichen und gärtnerischen Gestaltung, Berlin 1989.
ders. und Jörg Wacker: Insel Potsdam. Kulturhistorische Begleitung durch die Potsdamer Parklandschaft, Berlin 1991.
Sekler, Eduard F.: Josef Hoffmann: Das architektonische Werk, Salzburg 1986 (2. Aufl.).
Simson, Jutta v.: Christian Daniel Rauch. Oeuvre-Katalog, Berlin 1996.
Sternberger, Dolf: Über Jugendstil, o.O. 1977.
Strobl, Andreas: Otto Dix. Eine Malerkarriere der zwanziger Jahre, Berlin 1996.
Teut, Anna: Architektur im Dritten Reich 1933–1945, Berlin etc. 1967.
Thomas, Karin: Bis Heute. Stilgeschichte der bildenden Kunst im 20. Jahrhundert, Köln 1998 (10. Aufl.)
Tiefe Blicke. Kunst der achtziger Jahre aus der Bundesrepublik Deutschland, der DDR, Österreich und der Schweiz, Köln 1985.
Traeger, Jörg: Philipp Otto Runge und sein Werk, München 1975.
ders.: Die Walhalla. Idee, Architektur, Landschaft, Regensburg 1979.
ders.: Der Weg nach Walhalla. Denkmallandschaft und Bildungsreise im 19. Jahrhundert, Regensburg 1987.
Vergo, Peter: Art in Vienna 1898–1918: Klimt, Kokoschka, Schiele and their Contemporaries, London 1975.
Vogt, Paul: Geschichte der deutschen Malerei im 20. Jahrhundert, Köln 1972.
Wagner, Monika: Allegorie und Geschichte. Ausstattungsprogramme öffentlicher Gebäude des 19. Jh. in Deutschland. Von der Cornelius-Schule zur Malerei der Wilhelminischen Ära,

Tübingen 1989.
dies. (Hg.): Moderne Kunst. Das Funkkolleg zum Verständnis der Gegenwartskunst, 2 Bde., Reinbek bei Hamburg 1991.

Wagner-Rieger, Renate (Hg.): Die Wiener Ringstraße – Bild einer Epoche. Die Erweiterung der Inneren Stadt Wien unter Kaiser Franz Joseph, bisher 11 Bde., Wien, Köln und Graz seit 1969.
dies.: Wiens Architektur im 19. Jahrhundert, Wien 1970.

Wangerin, Gerda und Weiss, Gerhard: Heinrich Tessenow. Ein Baumeister 1876–1950, Leben, Lehre, Werk, Essen 1976.

Wedekind, Gregor: Paul Klee: Inventionen, Berlin 1996.

Wege in die Moderne. Jugendstil in München 1896–1914, Kat. d. Ausst. Kassel, hg. von Hans Ottomeyer, Braunschweig 1997.

Weiss, Peg: Kandinsky in Munich. The Formative Jugendstil Years, Princeton 1979.

Weltbild Wörlitz, Kat. d. Ausst. Frankfurt/M. 1996.

Werner, Peter: Pompeji und die Wanddekorationen der Goethezeit, München 1970.

Wescher, Herta: Die Geschichte der Collage, Köln 1974.

Whyte, Ian Boyd: Bruno Taut. Baumeister einer neuen Welt. Architektur und Aktivismus 1914–1920, Stuttgart 1981.

Wien um 1900. Kunst und Kultur, Wien und München 1985.

Wien 1870–1930. Traum und Wirklichkeit, Salzburg 1984.

Wilhelm, Karin: Walter Gropius, Industriearchitekt, Braunschweig, Wiesbaden 1983.

Wilhelm Leibl zum 150. Geburtstag, Kat. d. Ausst. München und Köln 1994, hg. von Götz Czymmek und Christian Lenz.

Wilhelmi, Christoph: Künstlergruppe in Deutschland, Österreich und der Schweiz seit 1900. Ein Handbuch, Stuttgart 1996.

Wingler, Hans M.: Das Bauhaus 1919–1933. Weimar, Dessau, Berlin, Köln 1962.

Wörner, Hans Jakob: Architektur des Frühklassizismus in Süddeutschland, München u. Zürich 1979.

Register

Seitenverweise sind durch arabische, Abbildungsverweise durch römische Ziffern gekennzeichnet.

Abbildungsnachweis

Aargauer Kunsthaus, Aargau S. 581
Graphische Sammlung Albertina Wien, S. 337, 354, 366 oben, 373, 536 unten, 540
Amt für kirchliche Denkmalpflege, Trier (Foto Rita Heyen) S. 43 oben
Archiv des Autors S. 27 (2), 28 (2), 30, 46, 75, 82, 132 (2), 138 unten, 139, 150, 162, 168, 169, 171, 179 (2), 180 (2), 181 (2), 188 (2), 190, 191, 199, 207 links, 210 (2), 215, 216, 217, 235, 237, 241, 242, 250 unten, 258 (2), 260 unten, 261, 263 (2), 265 unten, 268, 272, 277, 279, 280 (2), 283, 285, 287 unten, 305, 321, 334, 352 (2), 353, 355 (2), 369, 371 unten, 372 links, 386, 389, 390 oben, 396, 400, 410 (2), 429, 453 links, 457, 458, 466, 467, 477, 490, 494, 498 oben, 504, 508 oben, 510 oben, 516, 536 oben, 549 (2), 556, 558, 559, 572 unten, 586 (2), 592, 602 oben, 608 (2), 610 (2), 611, 624
Archiv DuMont Buchverlag S. 26, 38 rechts, 149, 151 rechts, 166, 190, 207, 235, 236, 250 oben, 259, 304 rechts, 565, 579, 580, 583, 633, 635
Archiv für Kunst und Geschichte, Berlin S. 510 unten
Archiv Albert Renger-Patzsch - Ann und Jürgen Wilde, Köln S. 593 links
Artothek, Peißenberg Schmuckschuber vorn, Umschlag vorn, S. 178, 182, 238, 253, 256, 447, 492, 515, 529, 566 oben; Foto Bayer + Mitko: S. 576; Joachim Blauel: S. 240, 449 oben, 470, 501, 502, 541 oben; Blauel-Gnamm: S. 232, 487, S. 528; Ursula Edelmann: S. 436

Badische Landesbibliothek, Karlsruhe S. 147 links
Ernst und Hans Barlach GbR Lizenzverwaltung, Hamburg S. 553 rechts
Bauhaus-Archiv, Berlin S. 594 rechts
Bayerische Staatsbibliothek, München S. 25, 39 oben, 48, 49, 50, 51 unten, 52, 55 (2), 62
Bayerische Verwaltung der staatl. Schlösser, Gärten und Seen, München S. 24, 172 unten, 173, 270, 292 oben, 294, 295, 298 unten rechts, 315, 358, 359, 360, 405, 407, 469 unten
Bayerisches Nationalmuseum München, S. 266 unten, 384
Günter Beck, Pforzheim S. 73
Constantin Beyer, Weimar S. 92, 153, 310, 340, 420 unten, 550
Klaus G. Beyer, Weimar S. 78, 79, 94, 108, 109, 110 (2), 112 unten, 152 rechts, 186 links, 338 oben, 420 oben
Bibliothèque Nationale, Paris S. 17
Bildarchiv Foto Marburg S. 35, 37, 47 unten, 58 oben, 82, 88 rechts, 89, 91, 98 links oben, 111, 135 (2), 140, 148, 154, 156, 160, 161 oben, 186 rechts, 197, 203 (2), 204, 205, 207 rechts, 213 rechts, 255 links, 282, 329 unten, 333, 397, 426, 455, 507, 509, 535, 545, 618 oben
Bildarchiv Preußischer Kulturbesitz, Berlin S. 151 links, 152 links, 189, 226 links, 239, 330 (2), 332, 401 (2), 404 oben, 454, 478, 485, 582, 597; Foto Jörg P. Anders: S. 57 unten, 129, 194, 218, 231 unten, 251, 252, 276, 318, 320, 366 unten, 435, 442/43, 444, 451, 456 unten, 460, 462, 464, 465, 471, 495, 498 unten, 520, 539 oben, 554, 562, 573, 584, 591, 599; Hans Joachim Bartsch: S. 275; Klaus Göken: S. 448, 459 unten, 496/97; Jürgen Liepe: S. 449 unten; Nagel: S. 214
blow-up Foto, München S. 472 oben
Jutta Brüdern, Braunschweig S. 86, 87, 112 oben, 113, 273, 291, 306
Bundesdenkmalamt, Wien S. 163 oben

CNAC Georges Pompidou, MNAM Paris S. 596
Ceskoslovenska Akademie VED Fototeka, Prag S. 185
Corpus Vitrearum Deutschland, Freiburg i. Br. S. 71 (Foto A. Gössel)

Denkmalpflege Kanton Aargau (Foto Franz Jaeck) S. 145, 146 links
Diözesanmuseum, Bamberg (Foto Ingeborg Limmer) S. 39 unten
Dombauarchiv Köln S. 128 (2), (Fotos R. Matz, A. Schenk) 124, 126 oben, (Foto A. Wolff) 127

Franckesche Stiftung, Halle/Saale S. 403 (Foto Grosswindt)
Frischauf-Bild, Innsbruck S. 368
Fürstlich zu Waldburg-Wolfegg'sche Kunstsammlung S. 211 (Foto René Schrei, Ravensburg)

Germanisches Nationalmuseum, Nürnberg Frontispiz, S. 57 oben, 176/77, 208, 220, 260 oben, 274, 450 unten, 499

Rainer Hackenberg, Köln S. 104 (2), 223
Harenberg-Verlag, Dortmund S. 463 (Foto Jost Schilgen)
Herzog Anton Ulrich-Museum, Braunschweig (Fotos Bernd-Peter Keiser) S. 301, 325
Herzog August Bibliothek, Wolfenbüttel S. 278
Hessische Landes- und Hochschulbibliothek, Darmstadt S. 38 links
Hessisches Landesmuseum Darmstadt S. 195 (Foto Werner Kumpf)
Von der Heydt-Museum, Wuppertal S. 616
Markus Hilbich, Berlin Umschlag Rückseite, S. 33, 36, 77, 116, 136, 138 oben, 142, 157, 161 unten, 164, 165 rechts, 187, 228, 229, 230, 231 oben, 233, 234, 267, 286, 289, 292 unten, 311, 328, 331 (2), 347, 350 (2), 357, 376 oben, 380, 381, 393, 398, 399, 404 unten, 418 oben, 424 oben, 428, 461 (2), 468, 472 unten, 473, 475, 479, 506, 508 unten, 512, 527, 534 unten, 537, 543, 546, 547 (2), 587, 588, 601, 602 unten, 603, 604, 609, 622, 623, 625, 626, 628/29, 630, 631
Hirmer-Verlag, München S. 67, 68
Historisches Museum Basel (Foto R. Spreng) S. 51 oben, (Foto M. Babey) S. 130 unten

Historisches Museum Frankfurt a. Main, (Foto Horst Ziegenfusz) S. 317
Historisches Museum der Stadt Wien S. 483 oben, 533

Klaus Janke, Nürnberg, S. 221
Michael Jeiter, Morschenich S. 16, 19, 40 oben, 42, 45, 59, 72, 81, 88 links, 98 rechts oben, 99, 102, 117, 141, 143 oben, 200, 600, 618 unten

Fotoarchiv Margret Klaes, Radevormwald S. 378, 382/83
Paul-Klee-Stiftung Kunstmuseum Bern S. 572 oben
Ralph Kleinhempel, Hamburg S. 440
Käthe Kollwitz Museum in Trägerschaft der Kreissparkasse Köln S. 553 links
Krefelder Kunstmuseen S. 551 (Foto V. Döhme)
Kulturstiftung Dessau Wörlitz S. 415
Kunsthalle Bremen S. 531
Kunsthistorisches Museum, Wien S. 14, 29 rechts, 101 unten, 167 links, 174, 297, 298 oben (2) u. unten rechts, 300, 302, 303, 304 links, 363
Kunsthistorisches Seminar der Universität Jena S. 552
Kunstmuseum Bonn S. 617
Kunstmuseum Düsseldorf S. 469 oben, 488
Kunstsammlung Nordrhein-Westfalen, Düsseldorf S. 607 (Foto Walter Klein)
Kunstsammlungen zu Weimar S. 411, 424 unten (Foto Dreßler), 432 (Foto Louis Held)
Kunstverlag Hofstetter, Ried im Innkreis S. 18, 224 (2), 226 rechts, 227 (Foto Michael Oberer, Wien)

Laïc-Jahan, Chateauneuf-de-Grasse S. 143 unten
Landesamt für Denkmalpflege, Dresden S. 423
Landesbildstelle Bremen S. 308 oben
Landesdenkmalamt Baden-Württemberg, Karlsruhe S. 291
Landesdenkmalamt Baden-Württemberg, Stuttgart S. 209
Landesdenkmalamt Westfalen-Lippe, Münster S. 32 unten
Peter Lauri, Bern S. 577
Ingeborg Limmer, Bamberg S. 93, 115 (2), 198, 202
Löbl-Schreyer, Bad Tölz S. 322, 349, 390 unten, 406, 534 oben

MAN, Nürnberg S. 480/81
Florian Monheim, Meerbusch-Büderich S. 60, 61, 105, 118, 307 unten, 335, 351
Florian Monheim/Roman von Goetz, Meerbusch-Büderich S. 20, 137, 418 unten
Wolf-Christian von der Mülbe, Dachau S. 314, 395
Münchener Stadtmuseum S. 482
Musée d' Unterlinden, Colmar (Foto Octave Zimmermann) S. 244/45, 246/47, 248
Musées de la Ville de Strasbourg S. 193, 213 links
Museum der bildenden Künste, Leipzig S. 206 (Foto Gerstenberger), 438, 453 rechts, 619
Museum für angewandte Kunst, Köln S. 385, 427
Museum für Kunst und Kulturgeschichte der Hansestadt Lübeck S. 431
Museum Mayer van den Bergh, Antwerpen S. 146 rechts
Museum moderner Kunst Stiftung Ludwig Wien S. 371 oben
Museum of Modern Art, New York S. 598
Museum zu Allerheiligen, Schaffhausen S. 422

Nationalmuseet, Kopenhagen S. 266 oben
Werner Neumeister, München S. 69, 74, 76, 111 rechts, 155, 158, 159, 163 unten, 165 links, 255 rechts, 287 oben, 288, 290, 309, 313, 336, 376 unten

Öffentliche Kunstsammlungen Basel, Kunstmuseum: S. 503 (Foto Martin Bühler); Kupferstichkabinett: S. 257, 264
Österreichische Galerie Belvedere, Wien, S. 327, 365, 367, 372 rechts, 539 unten
Österreichische Nationalbibliothek Wien, Bildarchiv S. 32 oben, 90 (2), 175
Fotostudio Otto, Wien S. 532

Ursula Pfistermeister, Fürnried S. 144
Wolfgang Pulfer, München S. 307 oben, 526

Anja Rasche, Speyer S. 132 oben
Verlag Dr. Ludwig Reichert, Wiesbaden S. 58 unten
Museum Oskar Reinhart am Stadtgarten, Winterthur S. 408, 414, 434, 445, 459 oben, 500
Sammlung Oskar Reinhart am Römerholz, Winterthur S. 249
Réunion des Musees Nationaux, Paris S. 101 oben
Rheinisches Bildarchiv, Köln Schmuckschuber Rückseite, S. 47 oben, 84, 98 unten, 103, 106, 120, 125 (2), 126 unten, 130 oben, 167 rechts, 172 oben, 192, 196, 342 unten, 345, 388, 519, 575, 634
Rheinisches Landesmuseum Bonn, S. 147 rechts

Sächsische Landesbibliothek, Abt. Deutsche Fotothek, Dresden (Fotos A. Rous) S. 319, 441, 620
August-Sander-Archiv, Köln S. 593 rechts
Photoarchiv C. Raman Schlemmer, Oggebbio S. 606
Helga Schmidt-Glassner, Stuttgart S. 316 rechts
Toni Schneiders, Lindau S. 329 oben, 343, 377
Schöning-Verlag, Lübeck S. 133
Heinpeter Schreiber, Köln S. 41, 456 oben
Schweizerisches Landesmuseum, Zürich S. 97
Wilkin Spitta, Regensburg S. 64
Staatliche Kunstsammlungen Dresden S. 342 oben, 338 unten, 339, 344 (J. Karpinski), 346 (Klut), 364 (2); Estel/Klut)

Staatsbibliothek Bamberg S. 29 links, 53 (2), 54, 80, 96 (2)
Staatsbibliothek Preußischer Kulturbesitz, Berlin S. 95
Staatsgalerie Stuttgart S. 265 oben
Staatsgalerie Stuttgart, Graphische Sammlung S. 219, 437
Stadtbibliothek Trier S. 40 unten
Städtische Kunstsammlung Augsburg S. 254, 375, 412
Städtische Galerie im Lenbachhaus, München S. 530, 564, 566 unten, 567, 568, 569, 632
Stiftsbibliothek St. Gallen (Cod. Sang. 1092) S. 31 oben, (Cod. Sang. 22) S. 31 unten
Stiftung Preußischer Kulturbesitz Berlin, Kunstbibliothek S. 401, 594 links (Foto Arthur Köster)
Stiftung Seebüll Ada und Emil Nolde S. 560
Stuhler, Werner, Hergensweiler bei Lindau S. 43 unten

Universitetsbiblioteket, Uppsala S. 56

Elke Walford, Hamburg S. 450 oben, 452, 483 unten, 491

Westfälisches Landesmuseum für Kunst und Kunstgeschichte, Münster S. 284 (2)
Wittelsbacher Ausgleichsfonds, München S. 513
Württembergische Landesbibliothek, Stuttgart S. 107

Zentralinstitut für Kunstgeschichte, München S. 308 unten (Foto Dr. Carl Lamb), 316 links
Zwicker-Berberich, Gerchsheim S. 225, 394, 425, 430

Abbildungen Schmuckschuber

vorne: Matthias Grünewald, Isenheimer Altar (Detail), Colmar, Unterlinden-Museum (s. S. 244–247)
hinten: August Macke, Dame mit grüner Jacke, Öl auf Leinwand, 44,5 x 33,5 cm, 1913, Köln, Museum Ludwig

Umschlagabbildung

vorne: Matthias Grünewald, Isenheimer Altar (Detail), Colmar, Unterlinden-Museum (s. S. 244–247)
hinten: Berlin, Brandenburger Tor, 1788-1791, Carl Gotthard Langhans, Quadriga mit der Siegesgöttin Johann Gottfried Schadow

Frontispiz

Ernst Ludwig Kirchner (1880–1938), Der Trinker (Selbstbildnis), Öl auf Leinwand, 120 x 91 cm, 1915, Nürnberg, Germanisches Nationalmuseum, © by Dr. Wolfgang & Ingeborg Henze-Ketterer, Wichtrach/Bern